AZ GREAT BRITAIN ROAD ATLAS

C000050084

Journey Route Planning maps

Southern Britain......II-III

Northern Britain......IV-V

Mileage Chart.........2

Great Britain Road map section

Key to map pages inside front cover

Reference.............3

Road Maps.........4-173

Detailed Main Route maps

London............174-181

Birmingham.......182-183

Manchester.........184

City and Town centre maps

Plans of 80 principal cities and towns in Great Britain

Reference............185-186

Cities and Towns...187-214

Sea Port & Channel Tunnel plans

Principal Sea Ports in Great Britain.............215

Folkestone and Calais Terminals.........276

Airport plans

Access maps to principal Airports in Great Britain
.................216

Over 32,000 Index References

Including cities, towns, villages, hamlets and locations.............217-269

Edgmond Marsh. *Telf* 3B 72
Edgton. *Shrp* 2F 59
Edgware. *G Lon* 1C 38
Edgworth. *Bkbn* 3F 91
Edinbane. *High* 3C 154
Edinburgh. *Edin* .....2F 129 & 194
Edinburgh Airport. *Edin* 2E 129
Edingale. *Staf* 4G 73
Edingley. *Notts* 5D 86
Edingthorpe. *Norf* 2F 79

Index to Places of Interest

Full postcodes to easily locate over 1,700 selected places of interest on your SatNav....270-273

Mertoun Gdns. (TD6 0EA) 1A 120
Michelham Priory (BN27 3QS) ...5G 27
Middleham Castle (DL8 4QR) 1D 98
Midland Railway Centre (DE5 3QZ) ...5B 86
Mid-Norfolk Railway (NR19 1DF) 5C 78
Millennium Coastal Pk. (SA15 2LG) ...3D 31
Millennium Stadium (CF10 1NS) .**Cardiff** 191
Milton Manor House (OX14 4EN) 2C 36
Milton's Cottage (HP8 4JH) 1A 38
Minack Theatre (TR19 6JU) 4A 4

Motorway Junctions

Details of motorway junctions with limited interchange.......274-275

M25

Junction 5
Clockwise: No exit to M26 Eastbound
Anti-clockwise: No access from M26 Westbound

Safety Camera Information

Details of Safety Camera symbols used on the maps, and the responsible use of camera information
.................inside back cover

Edition 21 2014. An AtoZ Publication. Copyright © Geographers' A-Z Map Company Ltd. Fairfield Road, Borough Green, Sevenoaks, Kent TN15 8PP
Retail Sales: 01732 783422   Trade Sales: 01732 781000   www.az.co.uk

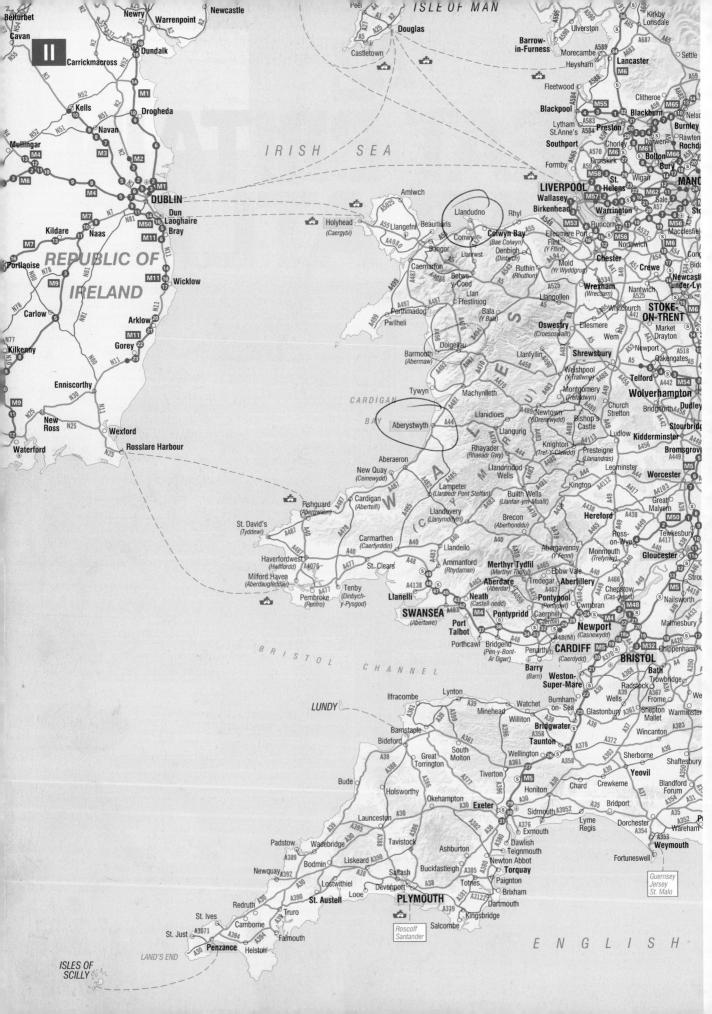

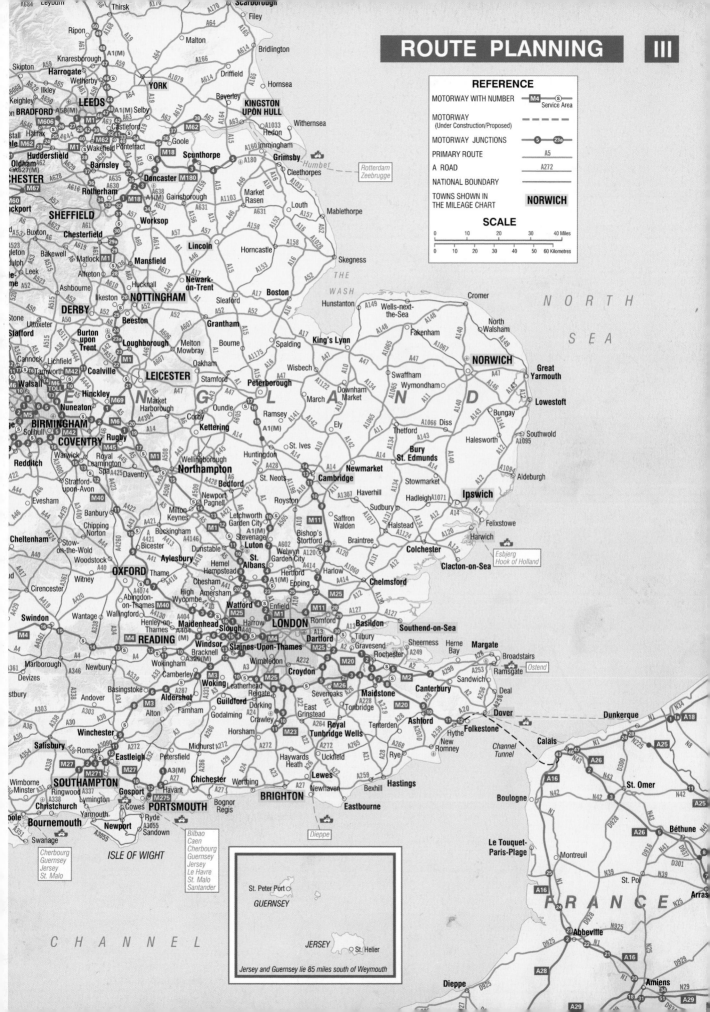

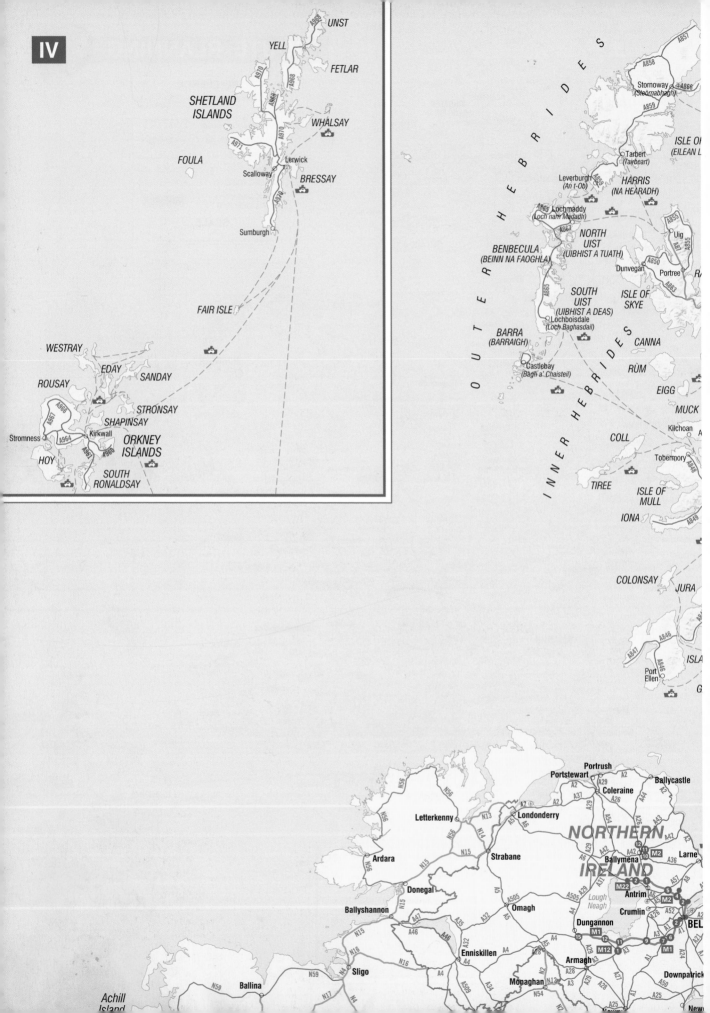

IV

UNST

YELL

FETLAR

A968

A970

A968

SHETLAND
ISLANDS

WHALSAY

A971

A970

FOULA

Lerwick

Scalloway

BRESSAY

A970

Sumburgh

FAIR ISLE

WESTRAY

EDAY

SANDAY

ROUSAY

STRONSAY

A966

A967

SHAPINSAY

Stromness

Kirkwall

A964

A960

ORKNEY
ISLANDS

A961

HOY

SOUTH
RONALDSAY

OUTER HEBRIDES

Stornoway
(Steòrnabhagh)

A857

A858

A866

A859

ISLE OF
(EILEAN L

Tarbert
(Tairbeart)

A859

Leverburgh
(An t-Ob)

HARRIS
(NA HEARADH)

A865

Lochmaddy
(Loch nam Madadh)

A865

A867

NORTH
UIST
(UIBHIST A TUATH)

A855

Uig

A87

A855

BENBECULA
(BEINN NA FAOGHLA)

A850

Dunvegan

Portree

RA

A863

A865

SOUTH
UIST
(UIBHIST A DEAS)

ISLE OF
SKYE

Lochboisdale
(Loch Baghasdail)

BARRA
(BARRAIGH)

CANNA

Castlebay
(Bagh a' Chaisteil)

RÙM

EIGG

MUCK

INNER HEBRIDES

Kilchoan

COLL

A849

Tobermory

TIREE

ISLE OF
MULL

A849

IONA

COLONSAY

JURA

A846

A841

A846

ISLA

Port
Ellen

G

NORTHERN

Portrush

Portstewart

A2

Ballycastle

A29

A2

Coleraine

A44

A37

A26

A2

Letterkenny

N13

A5

Londonderry

A6

A54

N56

NORTHERN

A42

N14

A29

M2

Larne

N56

A505

Strabane

A29

Ballymena

M2

A36

N15

A31

A42

M22

A26

Ardara

N15

A505

A29

Antrim

A57

N56

Donegal

A5

Omagh

A505

A29

M2

A52

Crumlin

A26

Ballyshannon

N15

A47

A5

A4

Lough
Neagh

M1

BEL

A32

A4

Dungannon

A24

N15

A46

A35

A505

M12

A1

A46

A32

M1

A3

A1

Enniskillen

A4

A4

Armagh

M12

M1

N16

A28

A29

A27

Ballina

N59

N16

N3

Monaghan

N12

A29

A25

Downpatrick

Sligo

N17

N4

N54

A3

A28

A25

New

Achill
Island

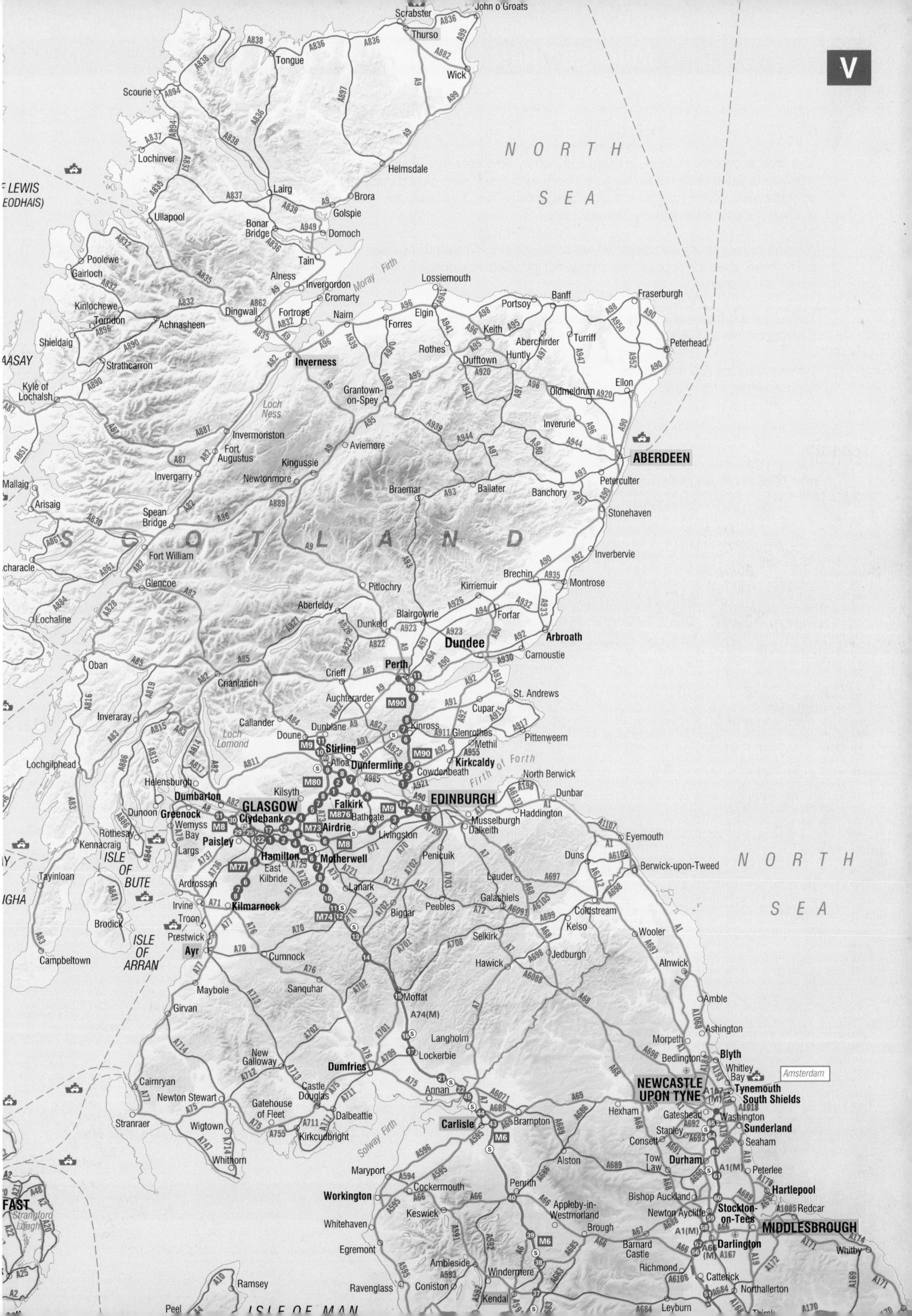

NORTH SEA

John o'Groats
Scrabster
Thurso
Wick
Tongue
Scourie
Lochinver
Helmsdale
Lairg
Brora
Golspie
Dornoch
Ullapool
Bonar Bridge
Tain
Alness
Invergordon
Cromarty
Lossiemouth
Banff
Portsoy
Fraserburgh
Poolewe
Gairloch
Dingwall
Fortrose
Nairn
Forres
Elgin
Keith
Aberchirder
Turriff
Peterhead
Kinlochewe
Torridon
Achnasheen
Rothes
Dufftown
Huntly
Oldmeldrum
Ellon
Shieldaig
Strathcarron
Inverness
Grantown-on-Spey
Inverurie
RAASAY
Kyle of Lochalsh
Loch Ness
Aviemore
Braemar
Invermoriston
ABERDEEN
Kingussie
Newtonmore
Ballater
Banchory
Peterculter
MALLAIG
Fort Augustus
Invergarry
Stonehaven
Arisaig
Spean Bridge
Inverbervie
SCOTLAND
Fort William
Brechin
Montrose
Glencoe
Pitlochry
Kirriemuir
Forfar
Lochaline
Aberfeldy
Blairgowrie
Arbroath
Oban
Dunkeld
Dundee
Carnoustie
Crianlarich
Crieff
Perth
St. Andrews
Inveraray
Callander
Auchterarder
Cupar
Dunblane
Kinross
Glenrothes
Pittenweem
Doune
Methil
Lochgilphead
Stirling
Dunfermline
Kirkcaldy
Alloa
Cowdenbeath
North Berwick
Helensburgh
Falkirk
EDINBURGH
Dunbar
Dumbarton
Kilsyth
Bathgate
Musselburgh
Haddington
Clydebank
GLASGOW
Airdrie
Livingston
Dalkeith
Greenock
Paisley
Hamilton
Motherwell
Penicuik
Eyemouth
Wemyss Bay
Largs
East Kilbride
Lanark
Lauder
Duns
Rothesay
Galashiels
Berwick-upon-Tweed
Ardrossan
Irvine
Kilmarnock
Biggar
Peebles
Selkirk
Kelso
Wooler
ISLE OF BUTE
Troon
Prestwick
Ayr
Cumnock
Hawick
Jedburgh
Coldstream
Alnwick
Campbeltown
Maybole
Sanquhar
Moffat
Amble
ISLE OF ARRAN
Brodick
Girvan
Langholm
Morpeth
Ashington
New Galloway
Lockerbie
Bedlington
Blyth
Dumfries
Annan
Whitley Bay
Tynemouth
Cairnryan
Newton Stewart
Castle Douglas
Dalbeattie
NEWCASTLE UPON TYNE
South Shields
Stranraer
Wigtown
Gatehouse of Fleet
Kirkcudbright
Carlisle
Brampton
Hexham
Gateshead
Washington
Sunderland
Whithorn
Solway Firth
Maryport
Stanley
Consett
Seaham
Cockermouth
Penrith
Tow Law
Durham
Peterlee
Workington
Keswick
Appleby-in-Westmorland
Bishop Auckland
Newton Aycliffe
Hartlepool
Whitehaven
Brough
Barnard Castle
Stockton-on-Tees
Redcar
Egremont
Ambleside
Richmond
Catterick
MIDDLESBROUGH
Darlington
Whitby
Ravenglass
Coniston
Windermere
Kendal
Leyburn
Northallerton
ISLE OF MAN
Peel
Ramsey

ISLE OF LEWIS (EILEAN LEODHAIS)

Loch Lomond

Moray Firth

Firth of Forth

Stranford Lough

BELFAST

Amsterdam

This chart shows the distance in miles and journey time between two cities or towns in Great Britain. Each route has been calculated using a combination of motorways, primary routes and other major roads. This is normally the quickest, though not always the shortest route.

Average journey times are calculated whilst driving at the maximum speed limit. These times are approximate and do not include traffic congestion or convenience breaks.

To find the distance and journey time between two cities or towns, follow a horizontal line and vertical column until they meet each other.

For example, the 285 mile journey from London to Penzance is approximately 4 hours and 59 minutes.

Britain

Journey times (upper triangle) / *Distance in miles* (lower triangle)

Mileage chart and journey times between:
Aberdeen, Aberystwyth, Ayr, Birmingham, Bradford, Brighton, Bristol, Cambridge, Cardiff, Carlisle, Coventry, Derby, Doncaster, Dover, Edinburgh, Exeter, Fort William, Glasgow, Gloucester, Harwich, Holyhead, Inverness, Ipswich, Kendal, Kingston upon Hull, Leeds, Leicester, Lincoln, Liverpool, Manchester, Middlesbrough, Newcastle upon Tyne, Norwich, Nottingham, Oxford, Penzance, Perth, Plymouth, Portsmouth, Reading, Salisbury, Sheffield, Shrewsbury, Southampton, Southend-on-Sea, Stoke-on-Trent, Swansea, Thurso, Worcester, York, London.

Distance in miles

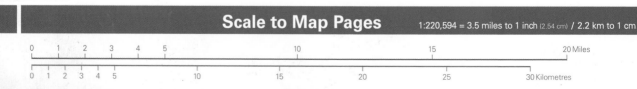

Motorway
Autoroute
Autobahn
M1

Motorway Under Construction
Autoroute en construction
Autobahn im Bau

Motorway Proposed
Autoroute prévue
Geplante Autobahn

Motorway Junctions with Numbers
Unlimited Interchange 4
Limited Interchange 5

Autoroute échangeur numéroté
Echangeur complet
Echangeur partiel

Autobahnanschlußstelle mit Nummer
Unbeschränkter Fahrtrichtungswechsel
Beschränkter Fahrtrichtungswechsel

Motorway Service Area (with fuel station)
with access from one carriageway only
S
S

Aire de services d'autoroute (avec station service)
accessible d'un seul côté

Rastplatz oder Raststätte (mit tankstelle)
Einbahn

Major Road Service Areas (with fuel station) with 24 hour facilities
Primary Route S   Class A Road

Aire de services sur route prioriataire (avec station service) Ouverte 24h sur 24
Route à grande circulation   Route de type A

Raststätte (mit tankstelle) Durchgehend geöffnet
Hauptverkehrsstraße   A- Straße

Truckstop (selection of)
Sélection d'aire pour poids lourds
Auswahl von Fernfahrerrastplatz
T

Primary Route
Route à grande circulation
Hauptverkehrsstraße
A41

Primary Route Junction with Number
Echangeur numéroté
Hauptverkehrsstraßenkreuzung mit Nummer
5

Primary Route Destination
Route prioritaire, direction
Hauptverkehrsstraße Richtung
DOVER

Dual Carriageways (A & B roads)
Route à double chaussées séparées (route A & B)
Zweispurige Schnellstraße (A- und B- Straßen)

Class A Road
Route de type A
A-Straße
A129

Class B Road
Route de type B
B-Straße
B177

Narrow Major Road (passing places)
Route prioritaire étroite (possibilité de dépassement)
Schmale Hauptverkehrsstraße (mit Überholmöglichkeit)

Major Roads Under Construction
Route prioritaire en construction
Hauptverkehrsstraße im Bau

Major Roads Proposed
Route prioritaire prévue
Geplante Hauptverkehrsstraße

Safety Cameras with Speed Limits
Single Camera   30
Multiple Cameras located along road   50
Single & Multiple Variable Speed Cameras   V   V

Radars de contrôle de vitesse
Radar simple
Radars multiples situés le long de la route
Radars simples et multiples de contrôle de vitesse variable

Sicherheitskameras mit Tempolimit
Einzelne Kamera
Mehrere Kameras entlang der Straße
Einzelne und mehrere Kameras für variables Tempolimit

Fuel Station
Station service
Tankstelle

Gradient 1:5 (20%) **& steeper**
(ascent in direction of arrow)
Pente égale ou supérieure à 20% (dans le sens de la montée)
20% Steigung und steiler (in Pfeilrichtung)

Toll
Barrière de péage
Gebührenpflichtig
TOLL

Mileage between markers
Distence en miles entre les flèches
Strecke zwischen Markierungen in Meilen
8

Railway and Station
Voie ferrée et gare
Eisenbahnlinie und Bahnhof

Level Crossing and Tunnel
Passage à niveau et tunnel
Bahnübergang und Tunnel

River or Canal
Rivière ou canal
Fluß oder Kanal

County or Unitary Authority Boundary
Limite de comté ou de division administrative
Grafschafts- oder Verwaltungsbezirksgrenze

National Boundary
Frontière nationale
Landesgrenze

Built-up Area
Agglomération
Geschloßene Ortschaft

Village or Hamlet
Village ou hameau
Dorf oder Weiler

Wooded Area
Zone boisée
Waldgebiet

Spot Height in Feet
Altitude (en pieds)
Höhe in Fuß
· 813

Relief above 400' (122m)
Relief par estompage au-dessus de 400' (122m)
Reliefschattierung über 400' (122m)

National Grid Reference (kilometres)
Coordonnées géographiques nationales (Kilomètres)
Nationale geographische Koordinaten (Kilometer)
100

Page Continuation
Suite à la page indiquée
Seitenfortsetzung
48

Area covered by Main Route map
Répartition des cartes des principaux axes routiers
Von Karten mit Hauptverkehrsstrecken
MAIN ROUTE 180

Area covered by Town Plan
Ville ayant un plan à la page indiquée
Von Karten mit Stadtplänen erfaßter Bereich
SEE PAGE 194

Tourist Information   Information   Touristeninformationen   i

Airport
Aéroport
Flughafen

Airfield
Terrain d'aviation
Flugplatz

Heliport
Héliport
Hubschrauberlandeplatz

Battle Site and Date
Champ de bataille et date
Schlachtfeld und Datum
1066

Castle (open to public)
Château (ouvert au public)
Schloß / Burg (für die Öffentlichkeit zugänglich)

Castle with Garden (open to public)
Château avec parc (ouvert au public)
Schloß mit Garten (für die Öffentlichkeit zugänglich)

Cathedral, Abbey, Church, Friary, Priory
Cathédrale, abbaye, église, monastère, prieuré
Kathedrale, Abtei, Kirche, Mönchskloster, Kloster

Country Park
Parc régional
Landschaftspark

Ferry (vehicular, sea)
(vehicular, river)
(foot only)

Bac (véhicules, mer)
(véhicules, rivière)
(piétons)

Fähre (auto, meer)
(auto, fluß)
(nur für Personen)

Garden (open to public)
Jardin (ouvert au public)
Garten (für die Öffentlichkeit zugänglich)

Golf Course (9 hole)   (18 hole)
Terrain de golf (9 trous)   (18 trous)
Golfplatz (9 Löcher)   (18 Löcher)

Historic Building (open to public)
Monument historique (ouvert au public)
Historisches Gebäude (für die Öffentlichkeit zugänglich)

Historic Building with Garden (open to public)
Monument historique avec jardin (ouvert au public)
Historisches Gebäude mit Garten (für die Öffentlichkeit zugänglich)

Horse Racecourse
Hippodrome
Pferderennbahn

Lighthouse
Phare
Leuchtturm

Motor Racing Circuit
Circuit Automobile
Automobilrennbahn

Museum, Art Gallery
Musée
Museum, Galerie

National Park
Parc national
Nationalpark

National Trust Property
(open)   NT
(restricted opening)   NT
(National Trust for Scotland)   NTS   NTS

National Trust Property
(ouvert)
(heures d'ouverture)
(National Trust for Scotland)

National Trust- Eigentum
(geöffnet)
(beschränkte Öffnungszeit)
(National Trust for Scotland)

Nature Reserve or Bird Sanctuary
Réserve naturelle botanique ou ornithologique
Natur- oder Vogelschutzgebiet

Nature Trail or Forest Walk
Chemin forestier, piste verte
Naturpfad oder Waldweg

Place of Interest   Monument ·
Site, curiosité
Sehenswürdigkeit

Picnic Site
Lieu pour pique-nique
Picknickplatz

Railway, Steam or Narrow Gauge
Chemin de fer, à vapeur ou à voie étroite
Eisenbahn, Dampf- oder Schmalspurbahn

Theme Park
Centre de loisirs
Vergnügungspark

Tourist Information Centre
Syndicat d'initiative
Information

Viewpoint (360 degrees)   (180 degrees)
Vue panoramique (360 degrés)   (180 degrés)
Aussichtspunkt (360 Grade)   (180 Grade)

Visitor Information Centre
Centre d'information touristique
Besucherzentrum
V

Wildlife Park
Réserve de faune
Wildpark

Windmill
Moulin à vent
Windmühle

Zoo or Safari Park
Parc ou réserve zoologique
Zoo oder Safari-Park

Please note: symbols have been enlarged for clarity

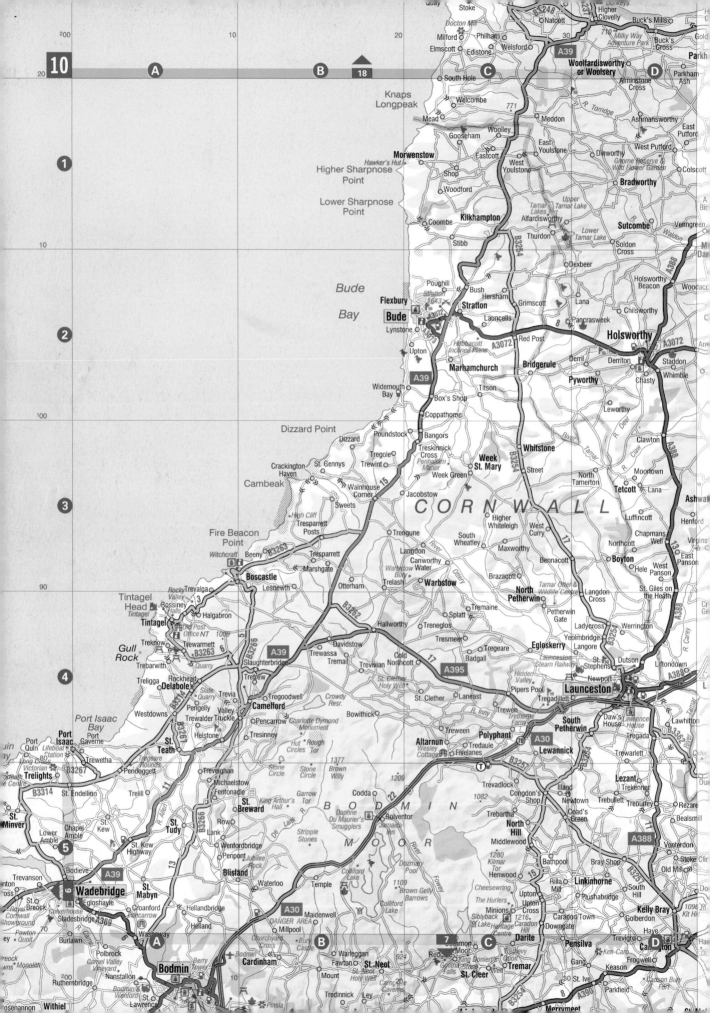

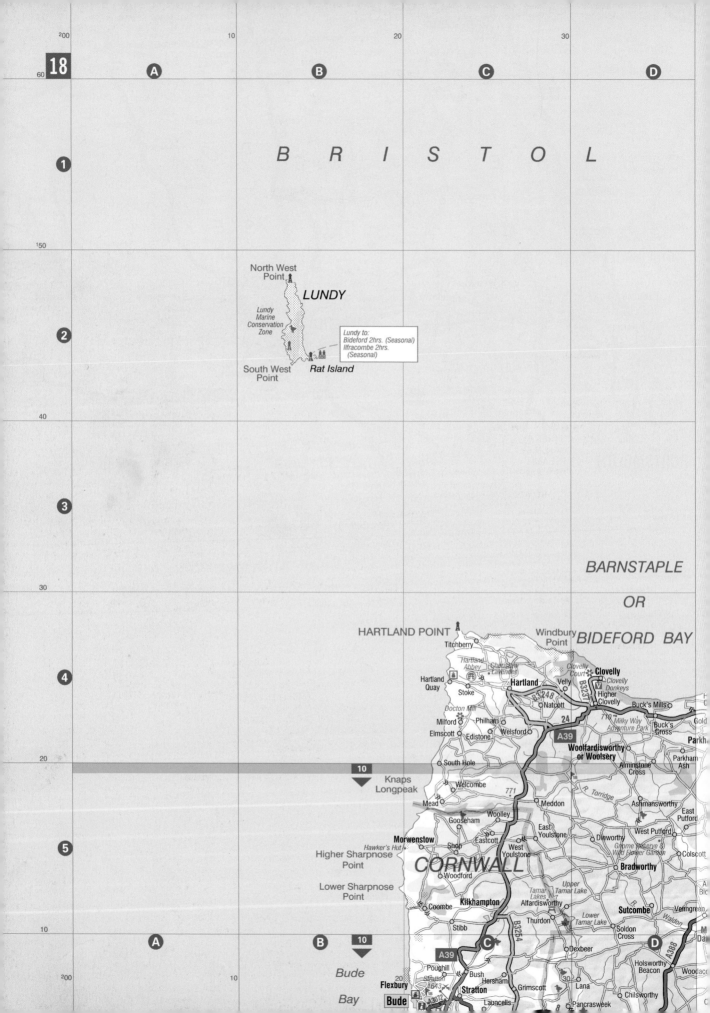

200 10 20 30

60

B R I S T O L

150

North West Point

LUNDY

Lundy Marine Conservation Zone

Lundy to:
Bideford 2hrs. (Seasonal)
Ilfracombe 2hrs. (Seasonal)

South West Point *Rat Island*

40

30

BARNSTAPLE

OR

BIDEFORD BAY

HARTLAND POINT *Windbury Point*

Titchberry

Hartland Abbey *Clovelly Court* **Clovelly**

Hartland Quay **Hartland** Velly *Clovelly Donkeys*

Stoke *Higher Clovelly* Buck's Mills

Docton Mill B3248 24 *Milky Way Adventure Park* Buck's Cross Gold

Milford Philham Natcott **Parkh**

Elmscott Edistone Welsford A39

Woolfardisworthy or Woolsery Parkham Ash

20 • South Hole Alminstone Cross

10 Knaps Longpeak 18 Ashmansworthy

R. Torridge

Mead Welcombe 771 Meddon East Putford

Woolley West Putford

Gooseham East Youlstone Dinworthy

Morwenstow Shop Eastcott *Gnome Reserve & Wild Flower Garden* Colscott

Hawker's Hut West Youlstone

Higher Sharpnose Point *CORNWALL* Woodford **Bradworthy**

Lower Sharpnose Point *Tamar Lakes Upper Tamar Lake* **Sutcombe** Venngreen

Coombe **Kilkhampton** Alfardisworthy *Lower Tamar Lake* Soldon Cross R. Waldon

Stibb Thurdon B3254

10 **C** **D** A388

Dexbeer Holsworthy Beacon Woodacc

200 **B** 10 A39

Bude Poughill Bush Hersham Lana Chilsworthy

Flexbury *Stratton 1643* **Stratton** Grimscott

Bay **Bude** A3072 Launcells Pancrasweek

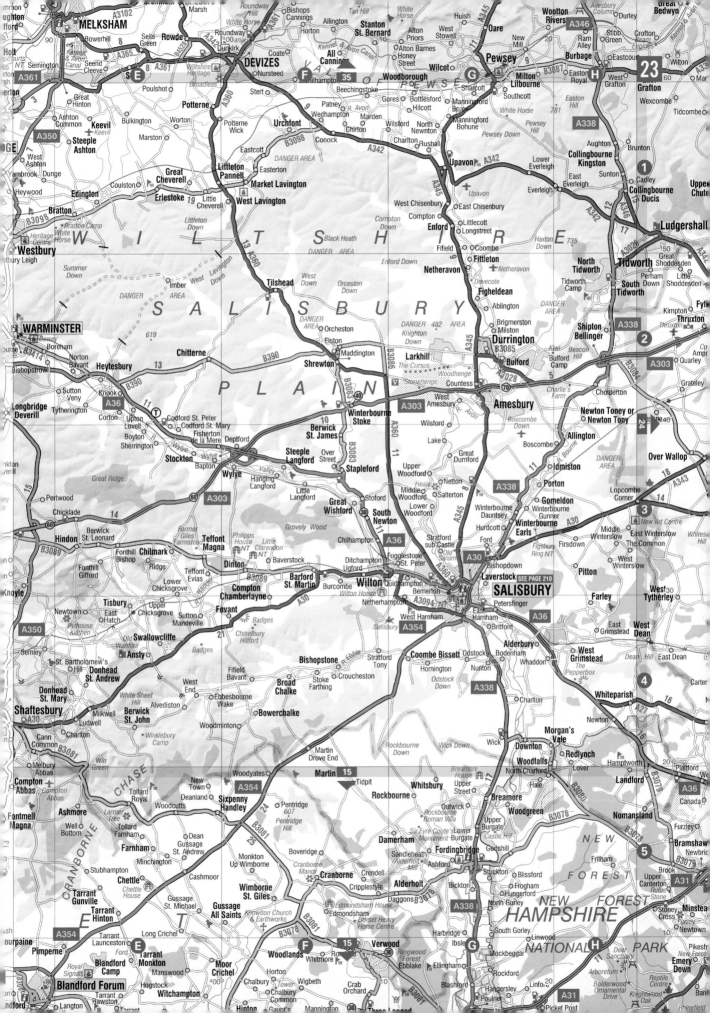

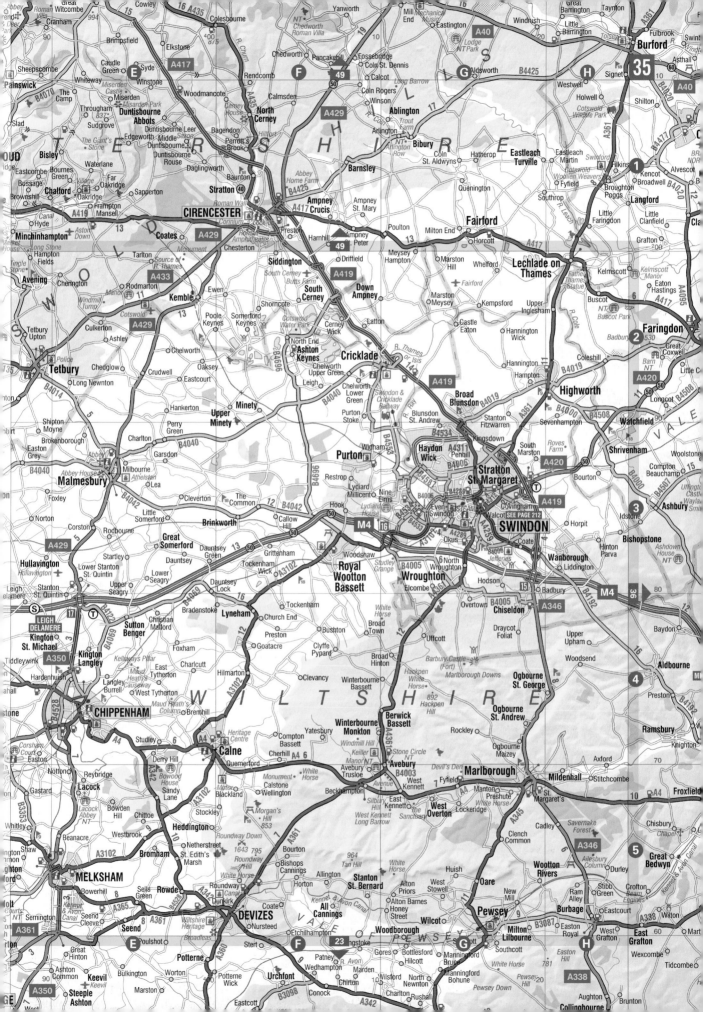

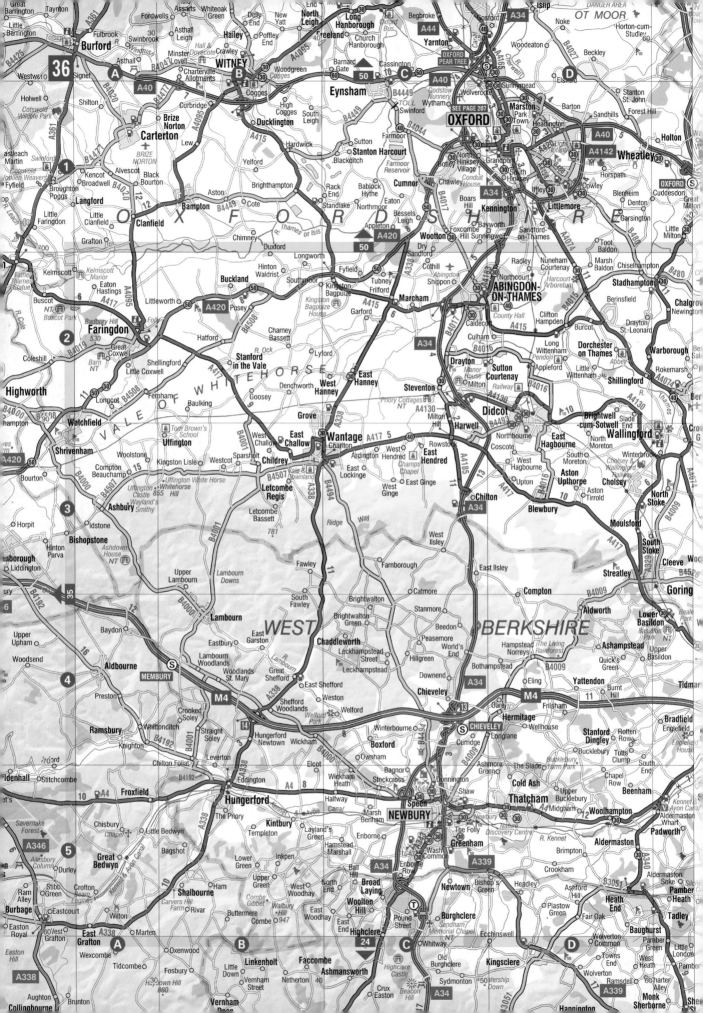

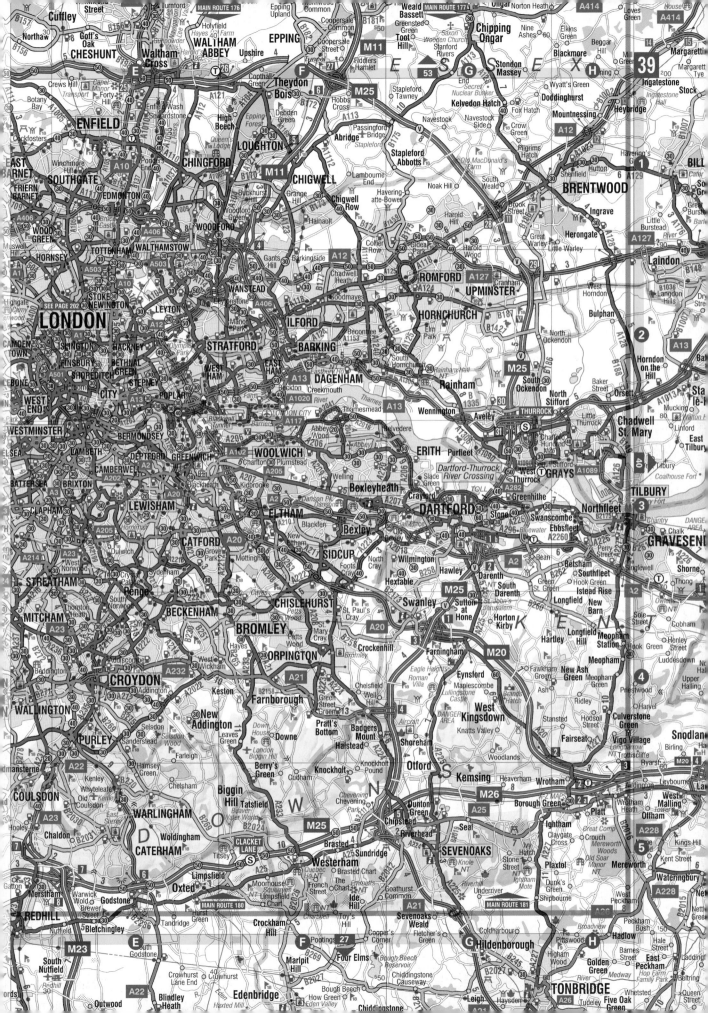

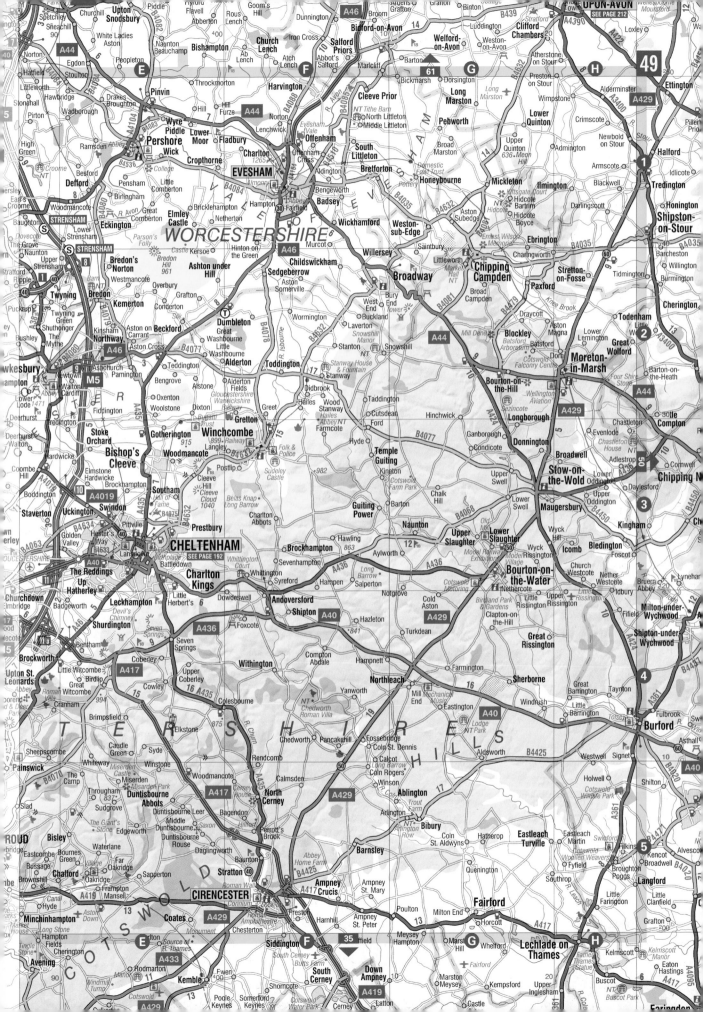

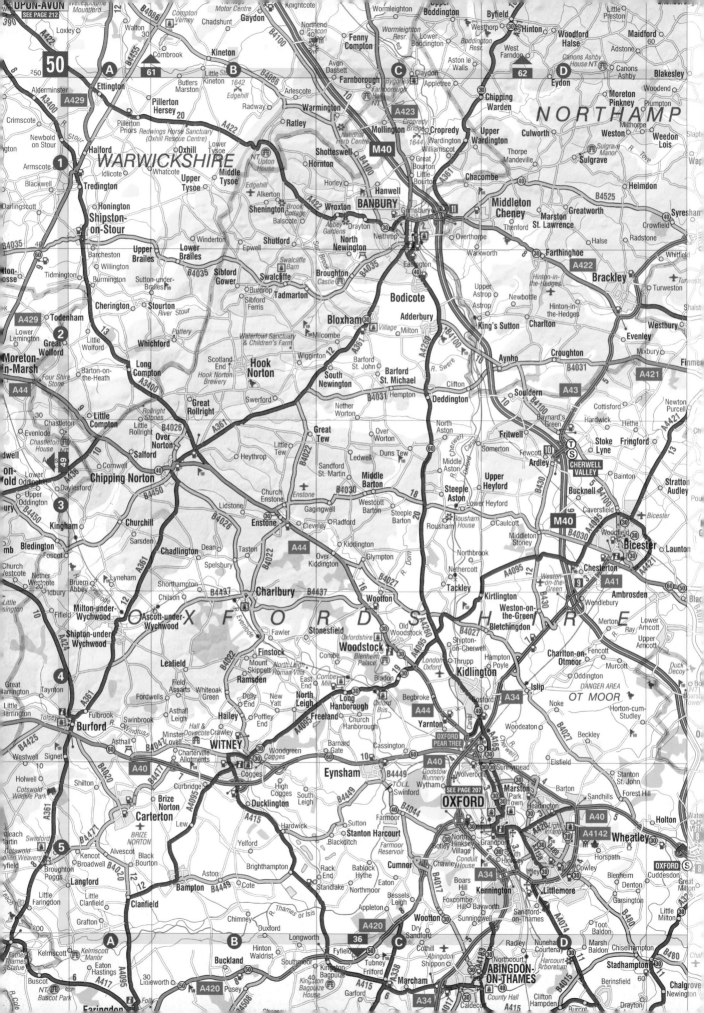

300

10   20   30   40

A   B   68   C   D

1

90

2

80

C A R D I G A N   B A Y

(B A E   C E R E D I G I O N)

3

70

4

Aberaeron

60   New Quay
(Ceinewydd)
Marine Wildlife Centre   Ffos-y-ffin   A482   Lla

Llwyncelyn

Maen-y-   Gilfachreda
groes   A486   Oakford
Llanarth   (Derwen Gam)

Cwmtudu   Cross Inn   Geneva
Nanternis   New Quay   Pen-cae
Caerwedros   Honey Farm   B4342

Ynys-Lochtyn   Llwyndafydd
Mydroilyn
5   Blaen Celyn   Synod Inn
(Post-Mawr)

Llangranog   Pontgarreg   B4334   B4321   Plwmp
Morfa   A487
Penbryn   Pentregat   B4338   C

Cardigan   Talgarreg   B4459
Island   Parcllyn   Aberporth
Cardigan Island   Rainforest   Brynhoffnant
Coastal Farm Park   Centre   Tresaith   Samau
Cemaes Head   Gwbert   Felinwynt   West Wales   Internal Fire   D
250   Aberporth
Allt-y-goed   A   44   B   15   Tan-y-groes   C   Capel   Bwlch-y-fadfa   D
Cynon
Pwllygranant   Y Ferwig   Blaenannerch   40
Cippyn   B4548   Tremain   Blaenporth   B4333   Glynarthen   Cnew Weavers   Ffostrasol
A487   Penparc   Woollen Mill   Rhydlewis
Cardigan   Bettws   Brithir   Pont-sian   12   Cwm
(Aberteifi)   Noyadd   Ifan   Felin   Hawen
St Dogmaels   Pantgwyn   Trefawr   Beulah   Wnda   Penrhiw-pal   11

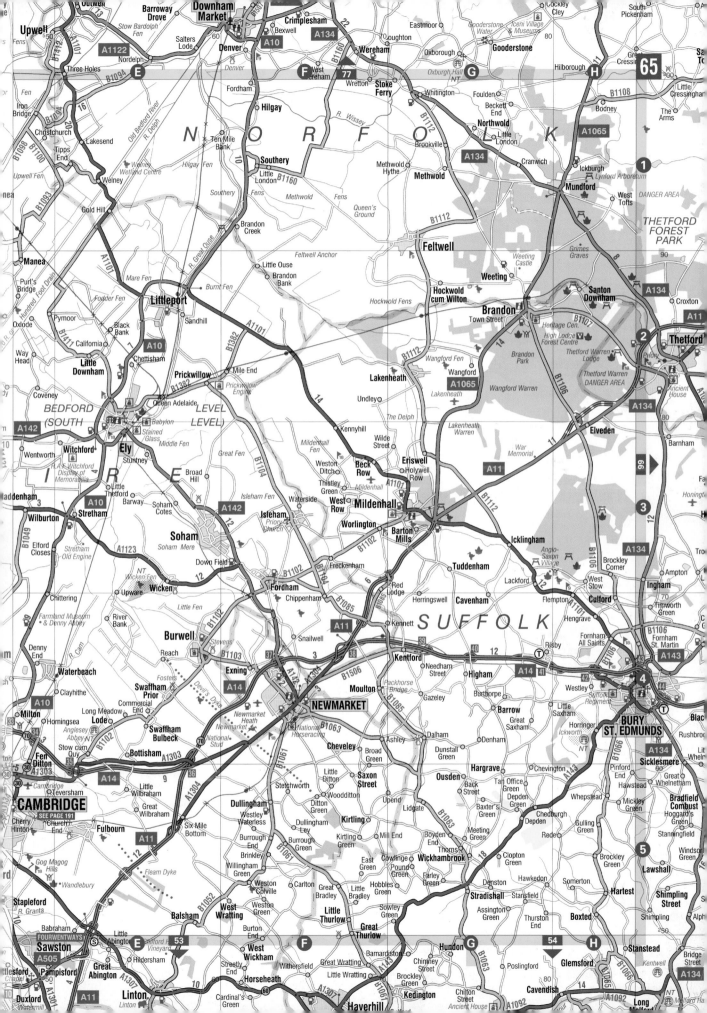

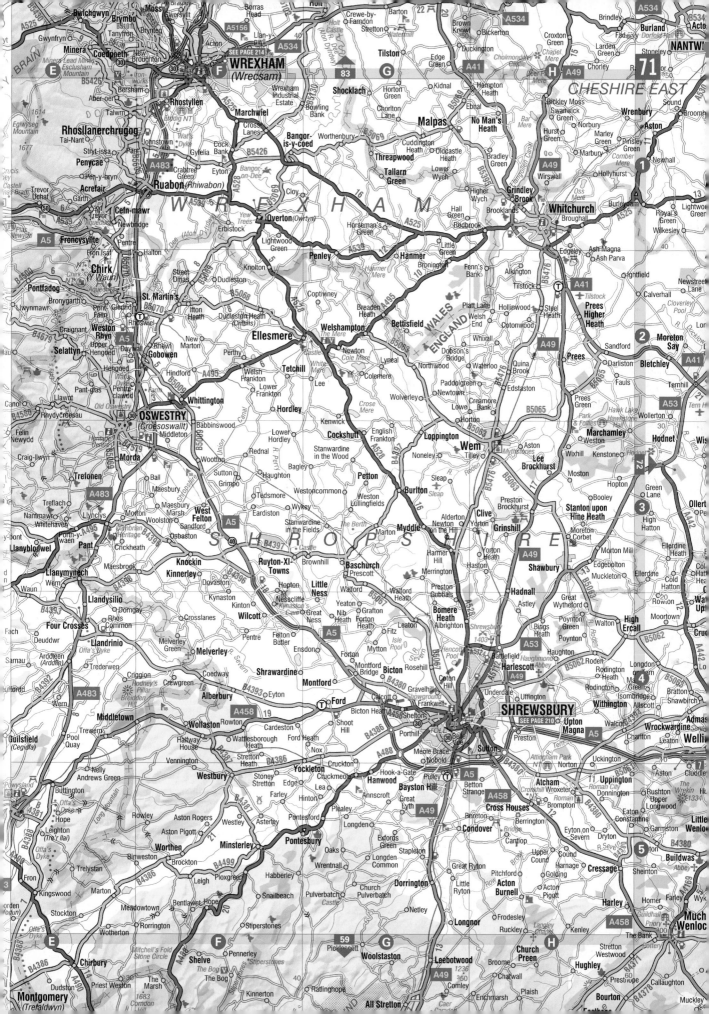

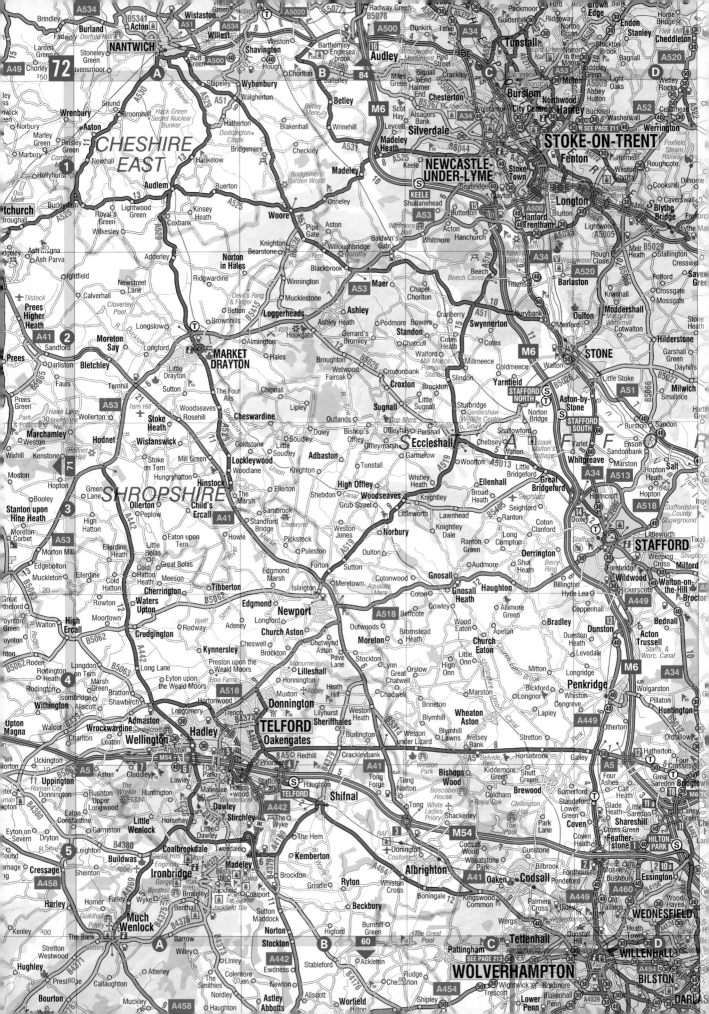

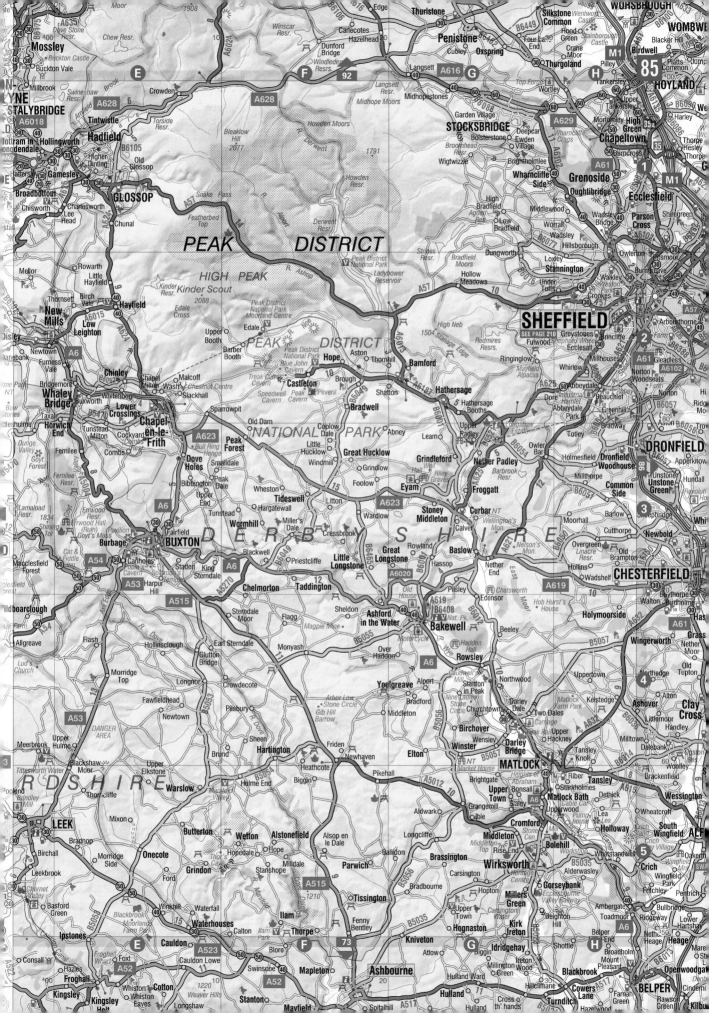

NORTH

SEA

Theddlethorpe
St. Helen

Seal Sanctuary &
Wildlife Centre

Meers
Bridge

Mablethorpe

Lifeboat Station
Ye Olde
Curiosity

Thorpe

Trusthorpe

Maltby
le Marsh

Sutton on Sea

Sandilands

Hannah

A1111

Markby

Thurlby

Huttoft

Anderby
Creek

Drainage

Farlesthorpe

Anderby

Mumby

Cumberworth

Authorpe
Row

Helsey

Chapel
St. Leonards

Bonthorpe

Hogsthorpe

Willoughby

Sloothby

Slackholme
End

Hastthorpe

Hardys
Animal
Farm

Addlethorpe

Ingoldmells

Welton
le Marsh

Ingoldmells
Point

Orby

Skegness
(Ingoldmells)

Butlin's

Orby
Marsh

Water
Leisure Park

Winthorpe

Seathorne

Burgh
le Marsh

A158

Natureland
Seal Sanctuary

Irby in the
Marsh

Bottons
Pleasure Beach

Model Village

SKEGNESS

Croft

Thorpe
St. Peter

Seacroft

Croft Marsh

Magdalen

Gibraltar Point

Batemans
Brewery

Wainfleet
All Saints

Wainfleet
St. Mary
Key's Toft

Gibraltar

A52

DANGER AREA

Deeps

Boston

Scolt Head
Island

Brancaster Bay

Holme

Holkham

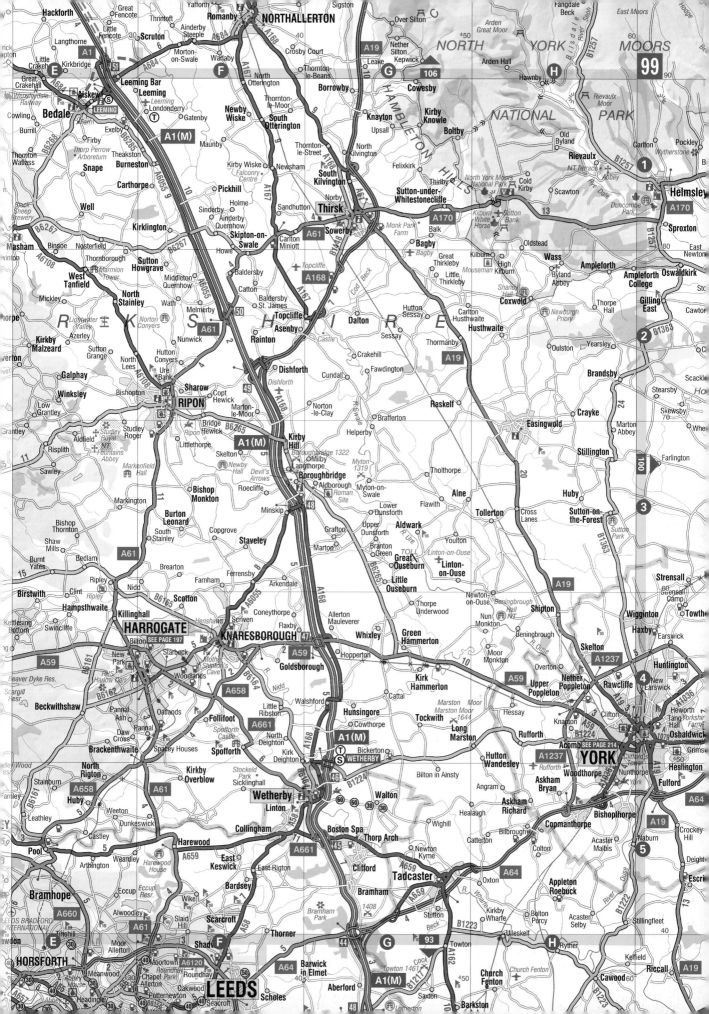

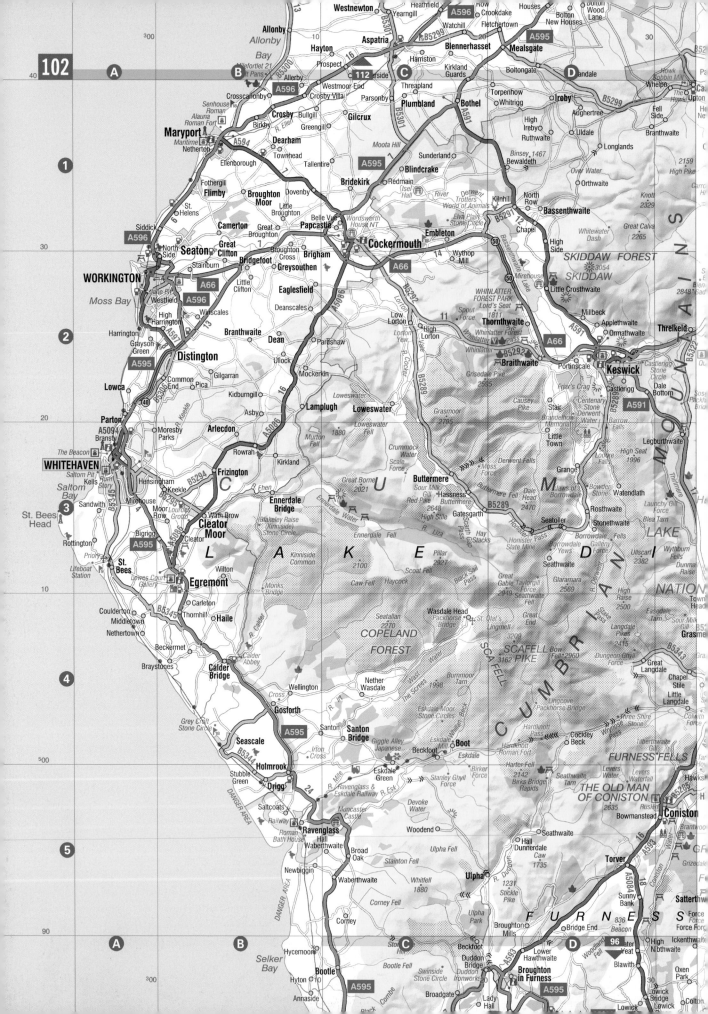

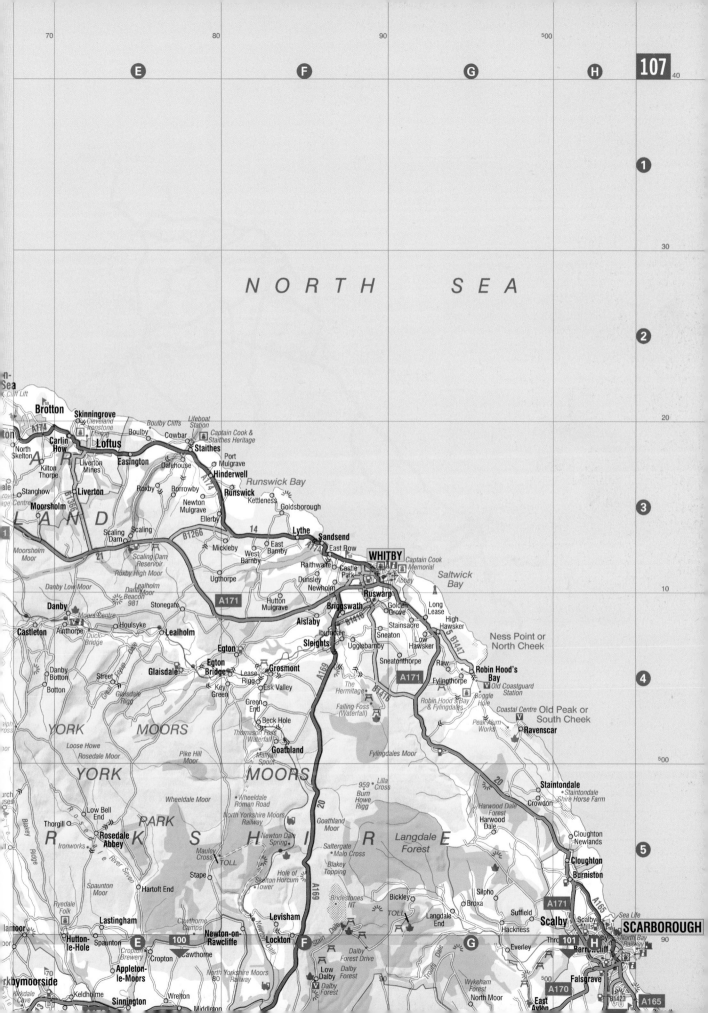

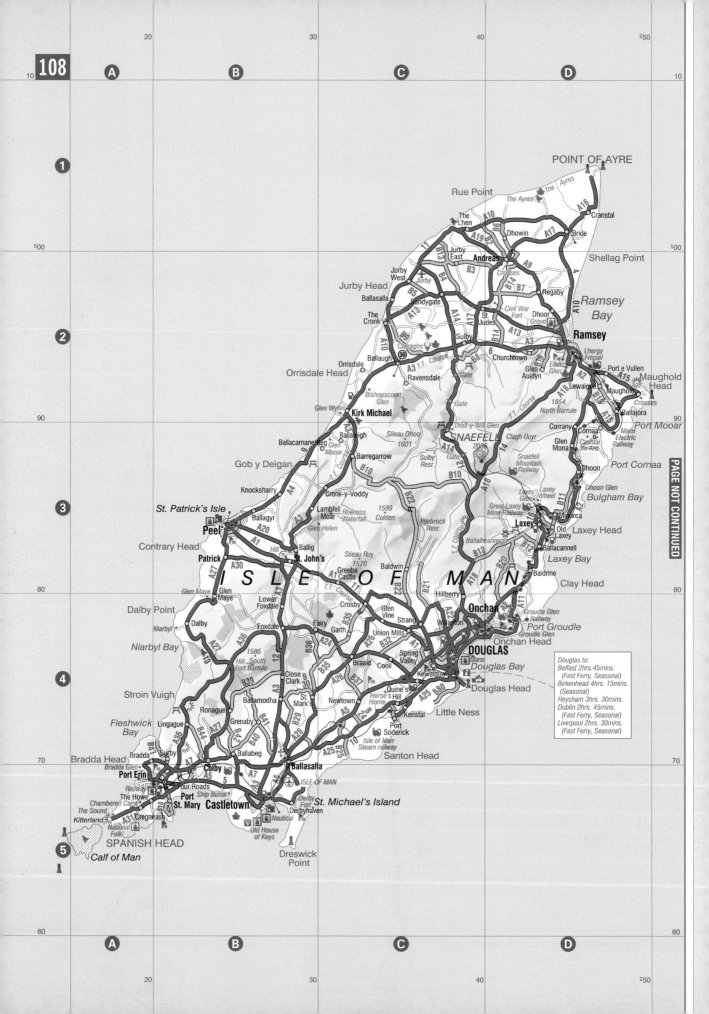

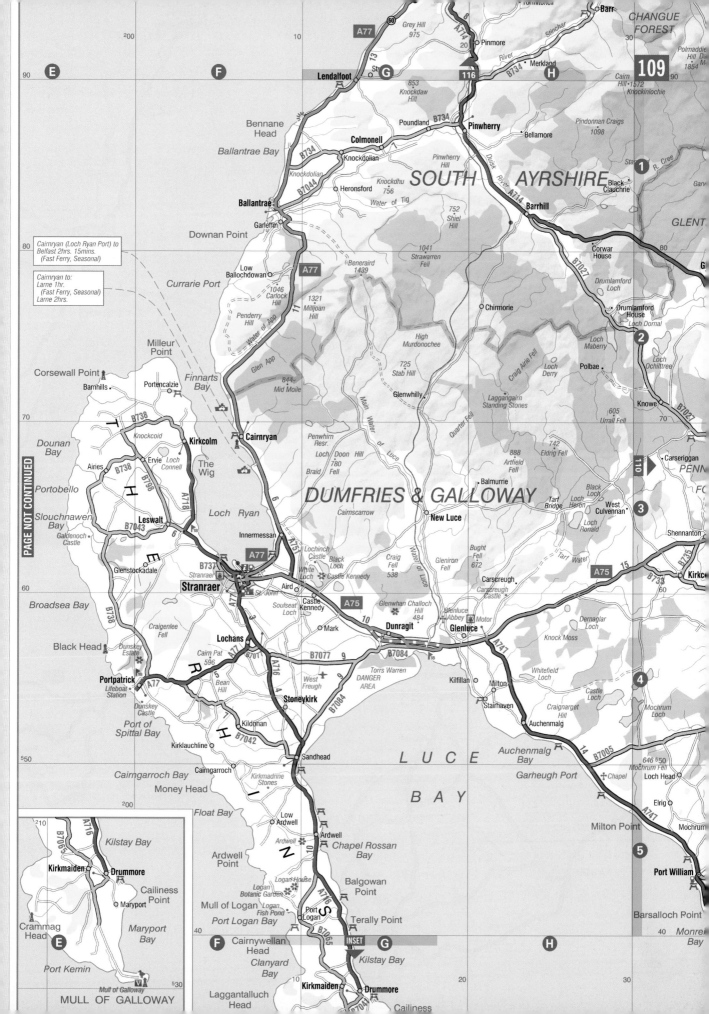

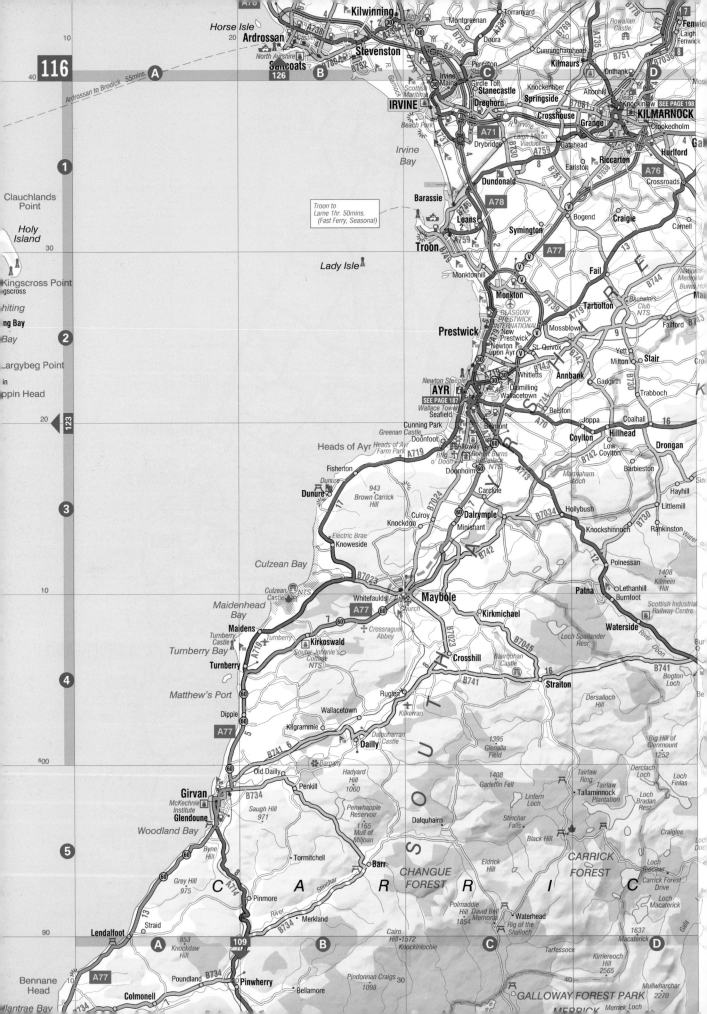

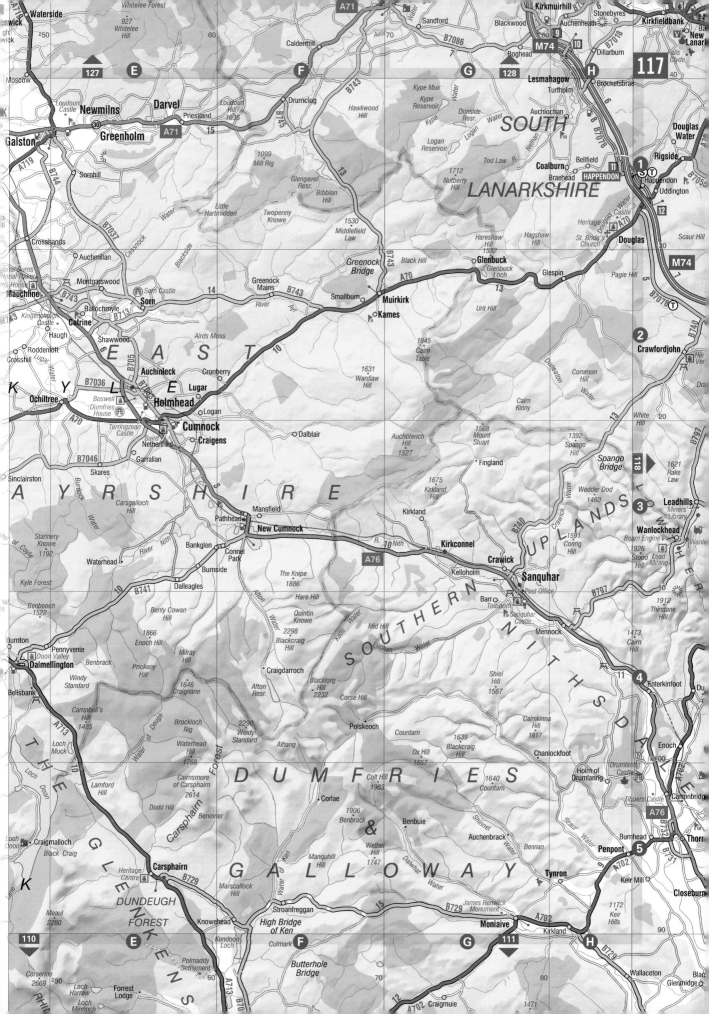

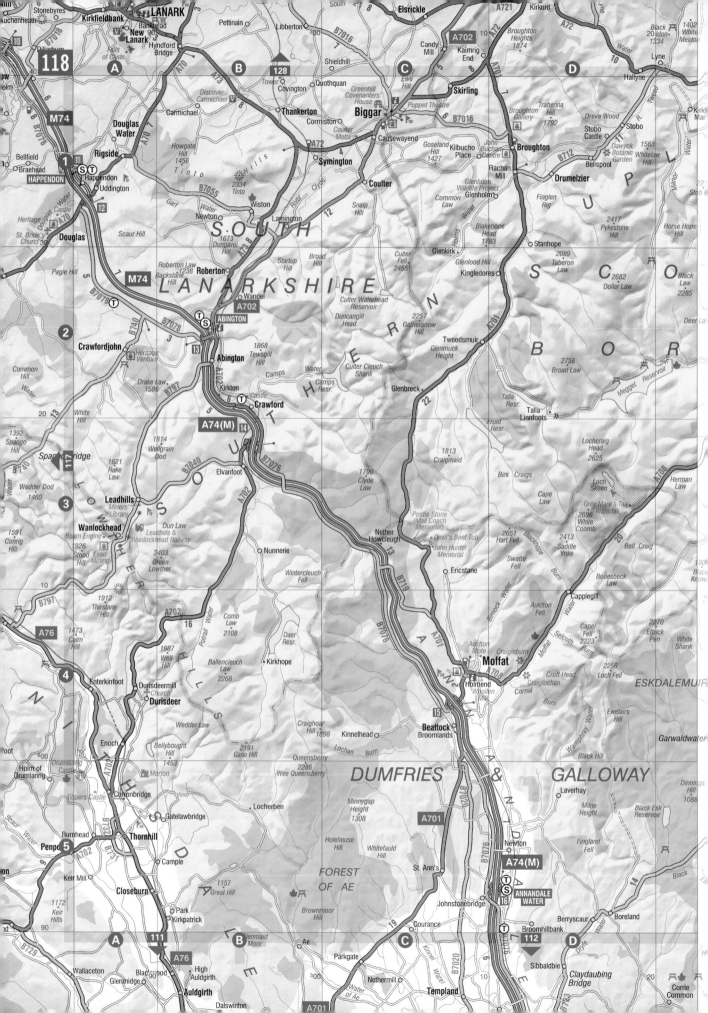

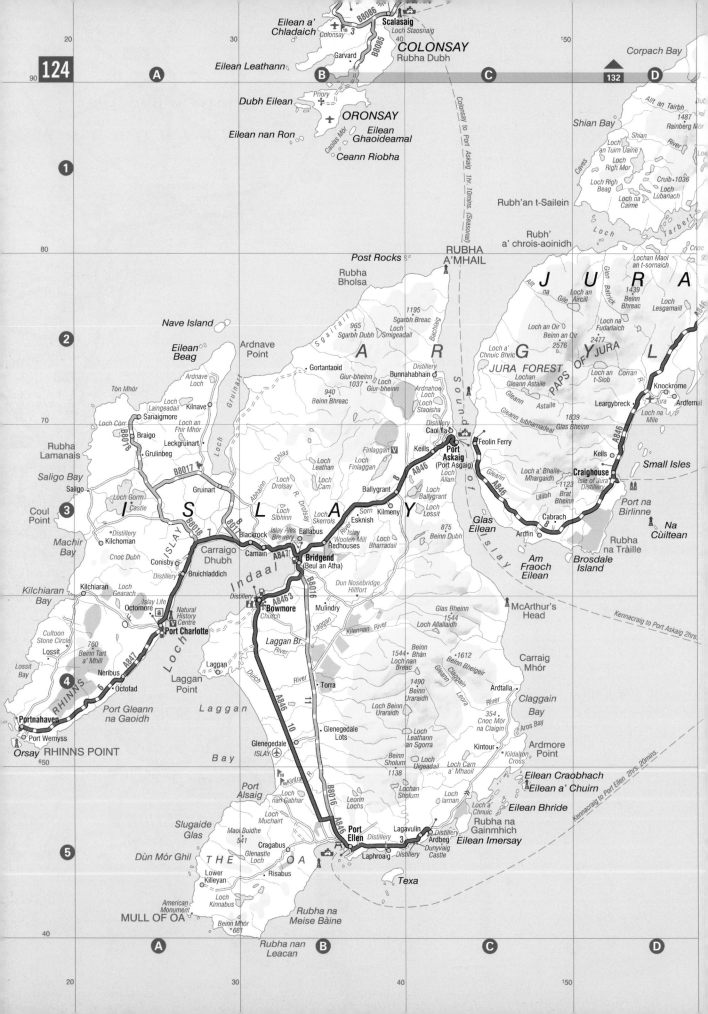

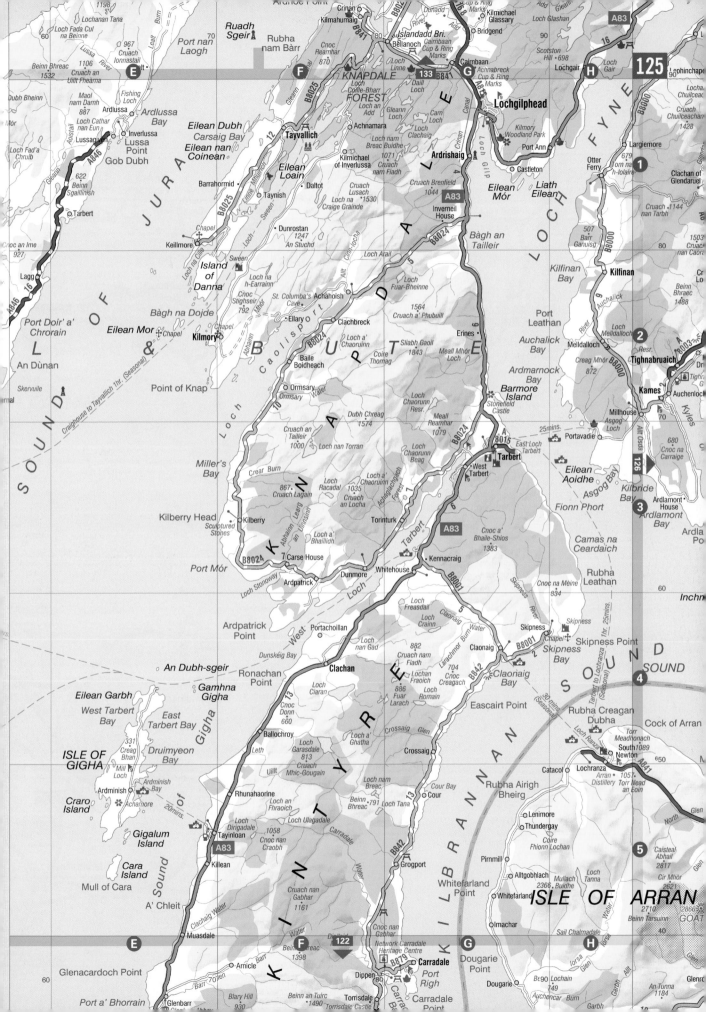

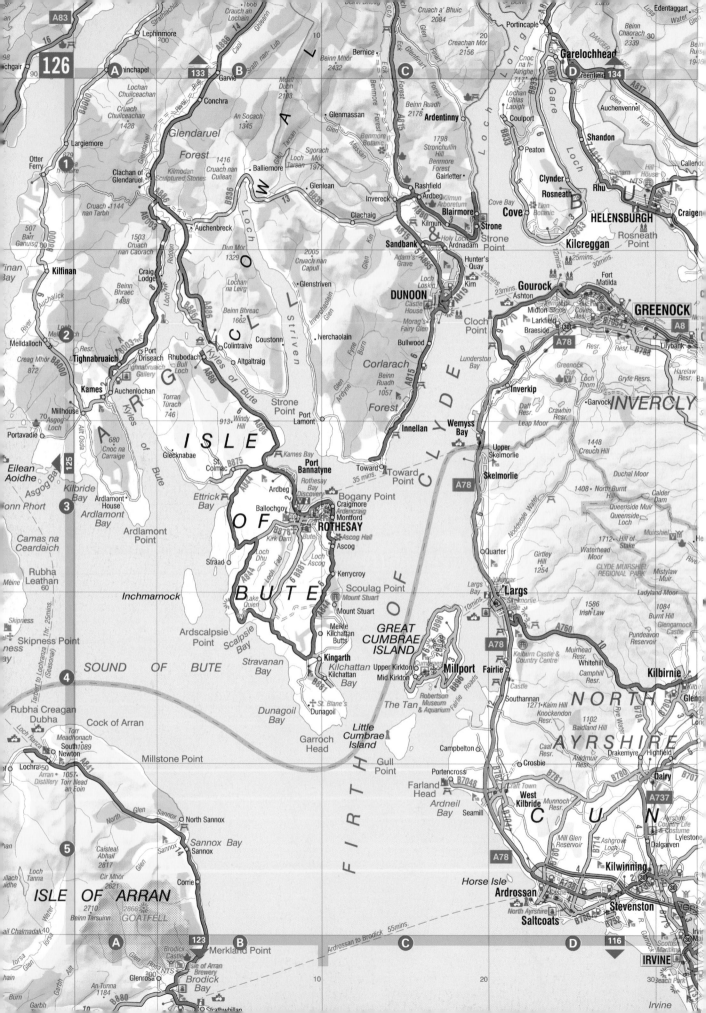

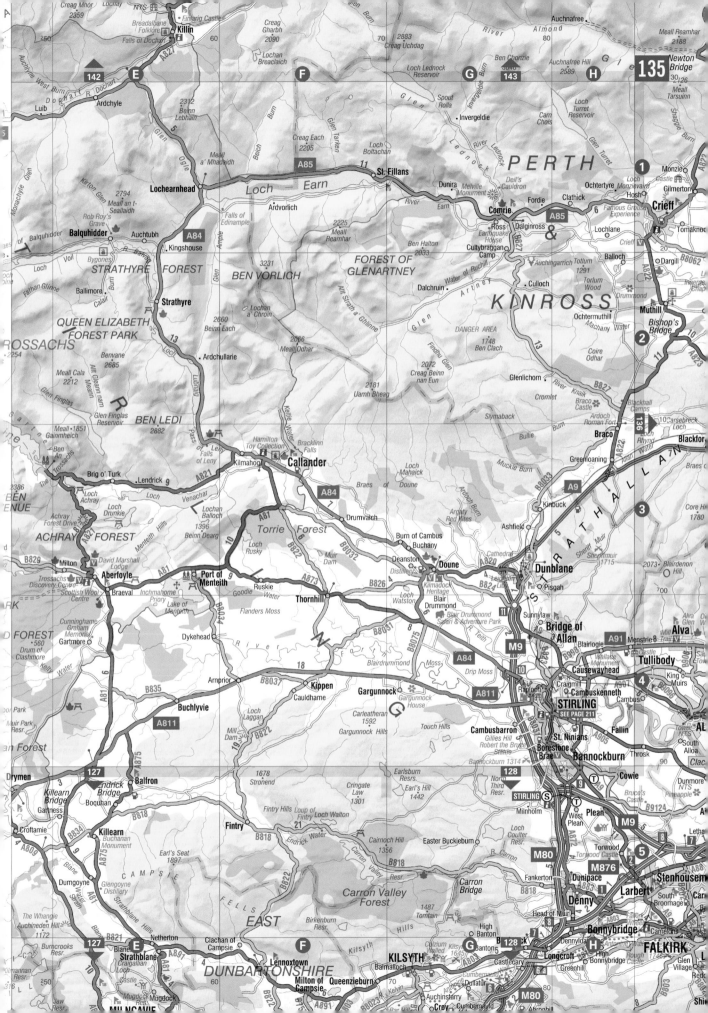

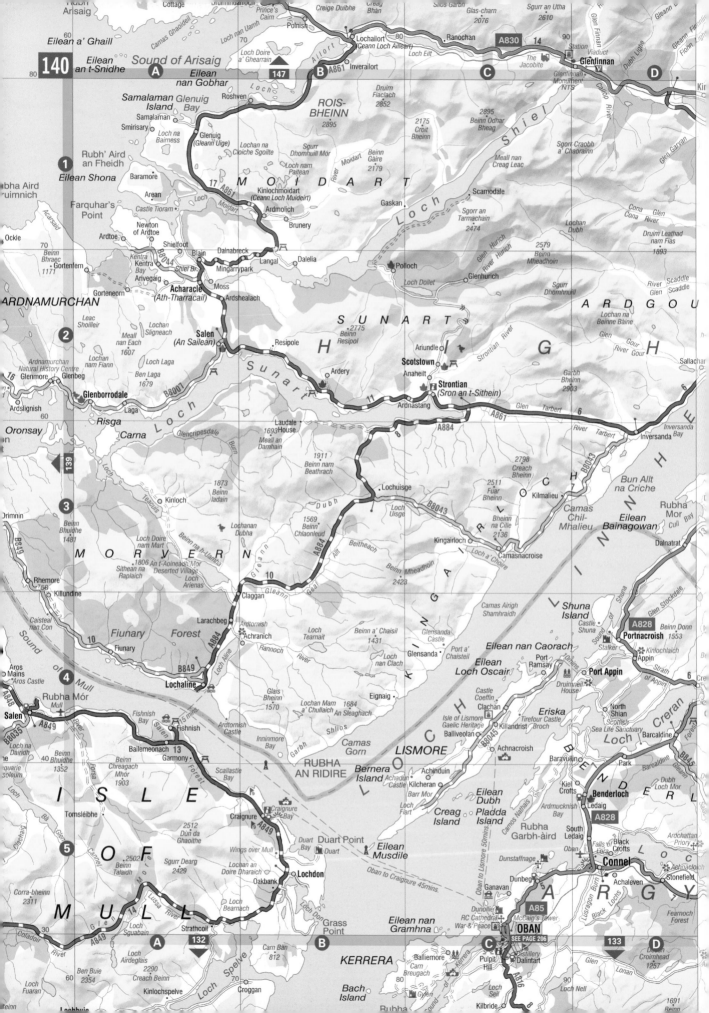

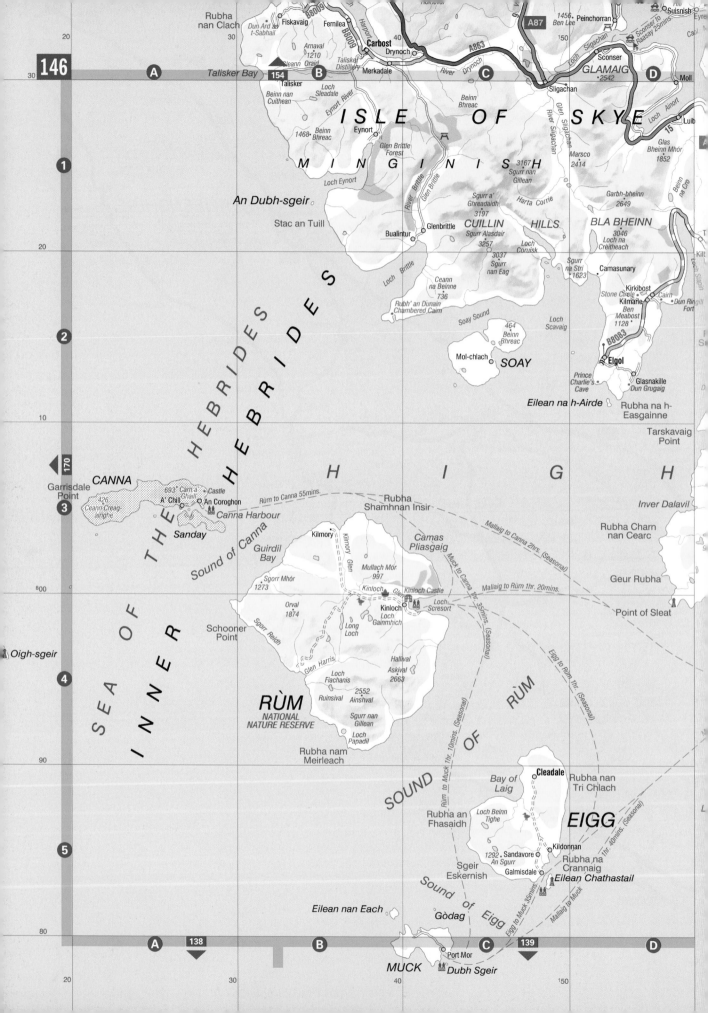

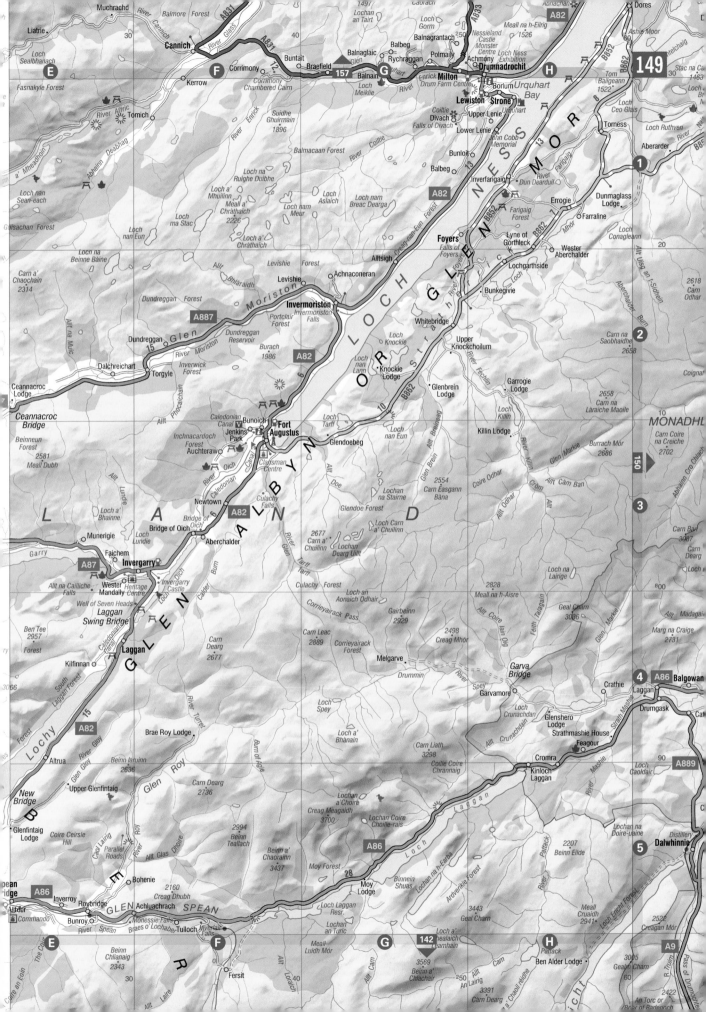

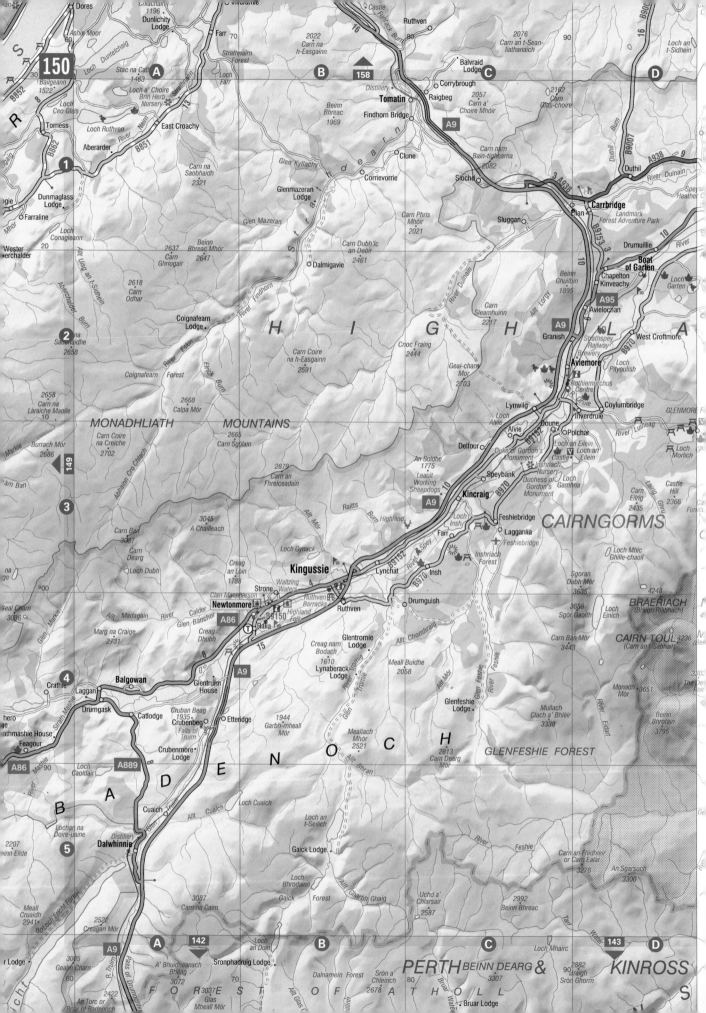

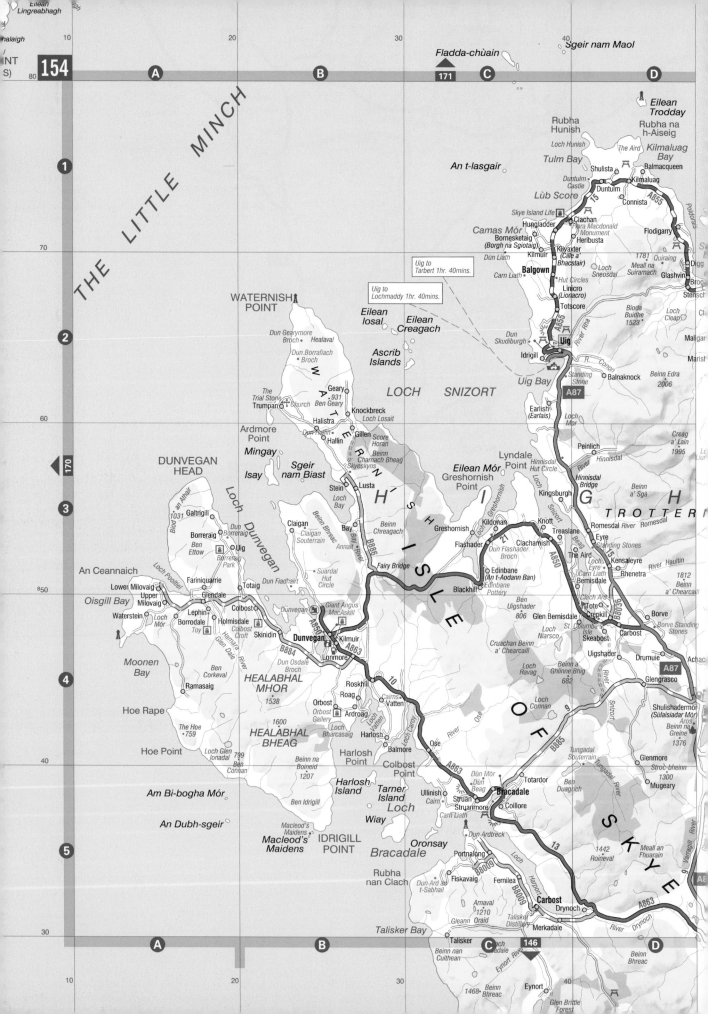

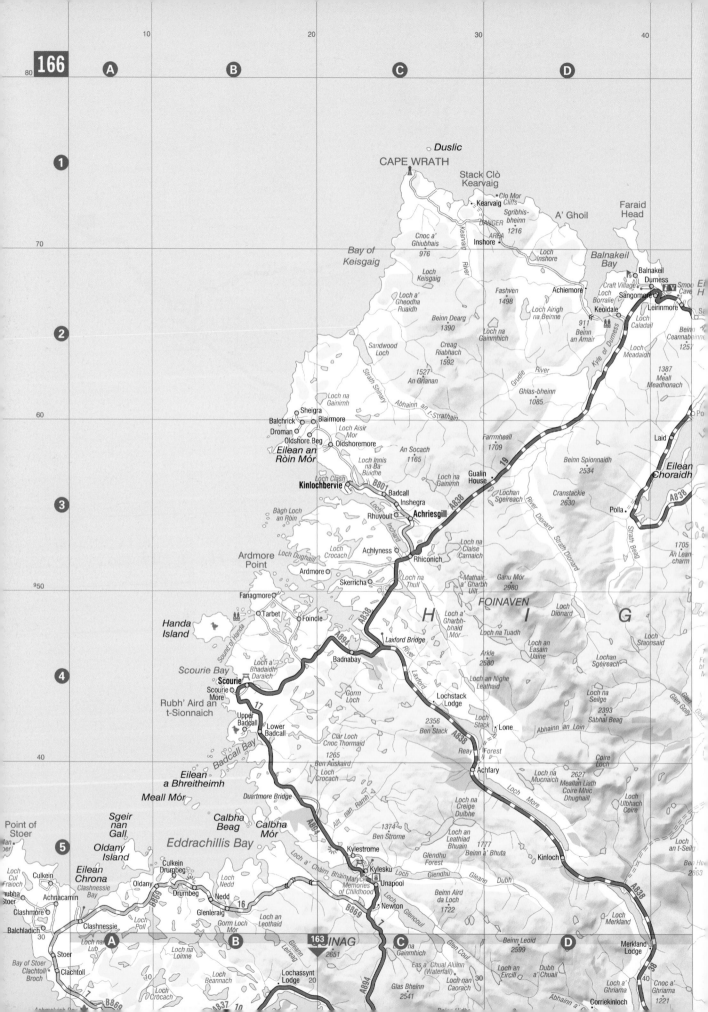

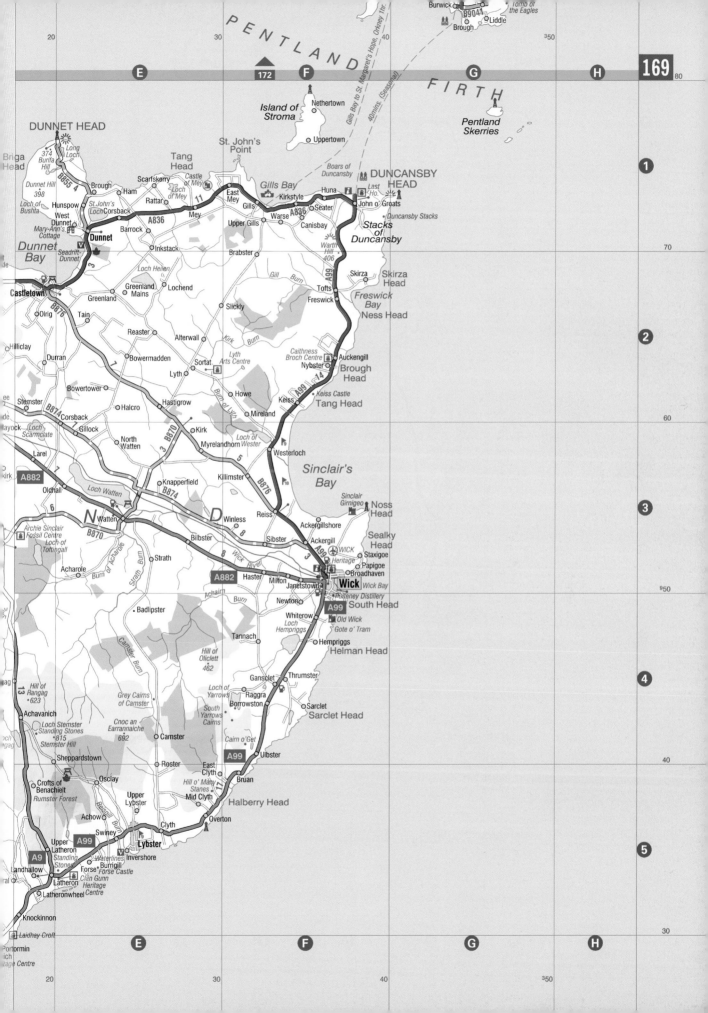

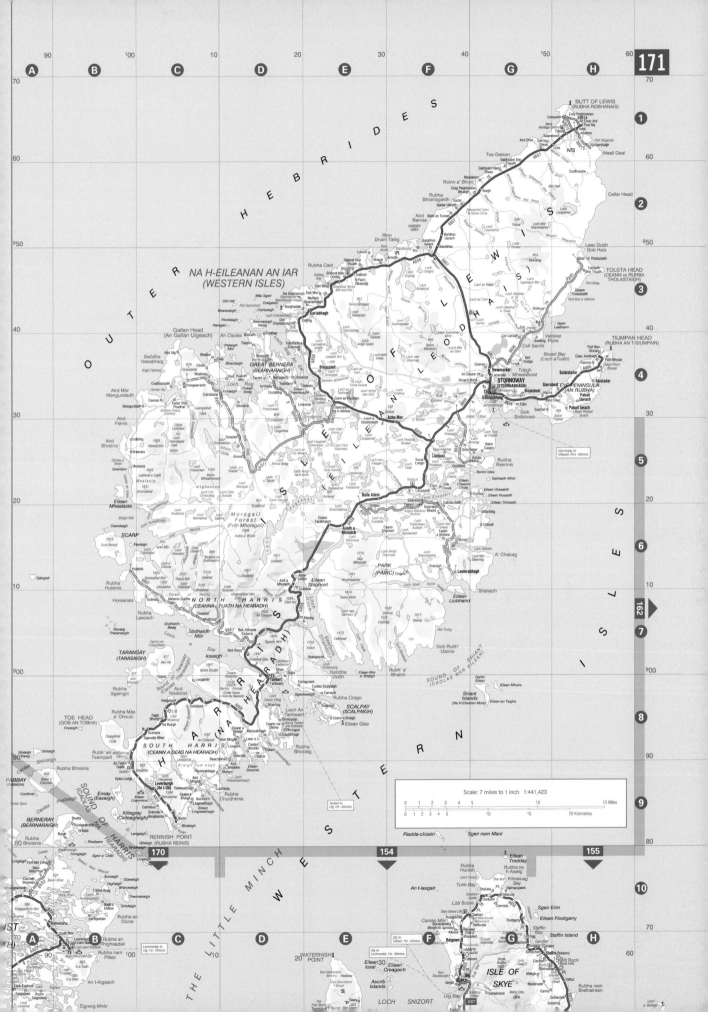

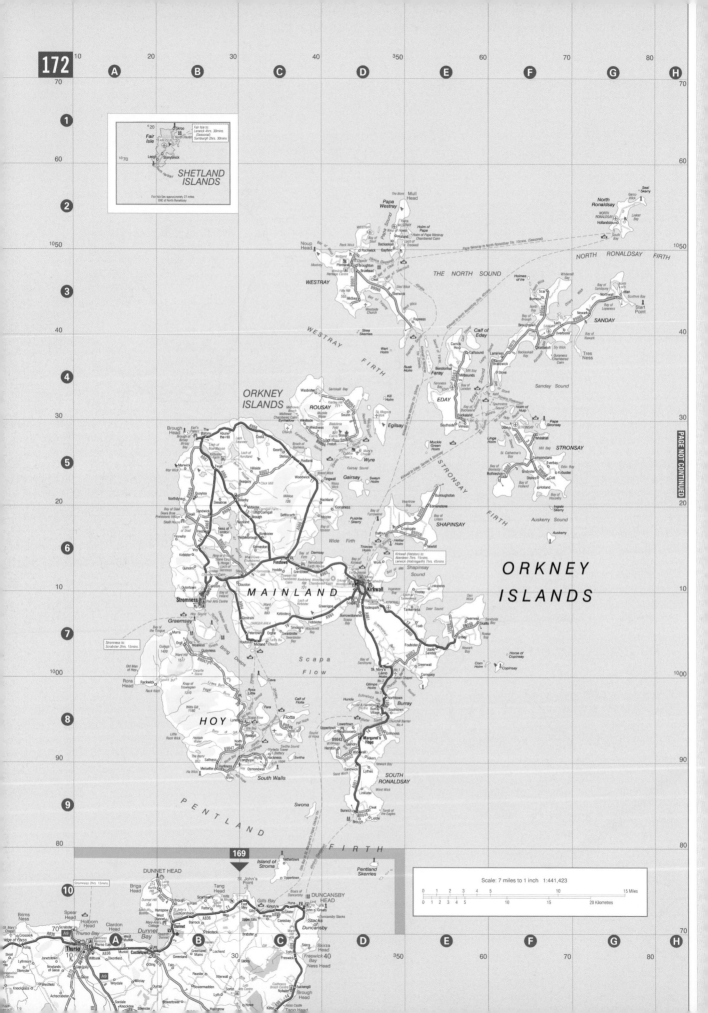

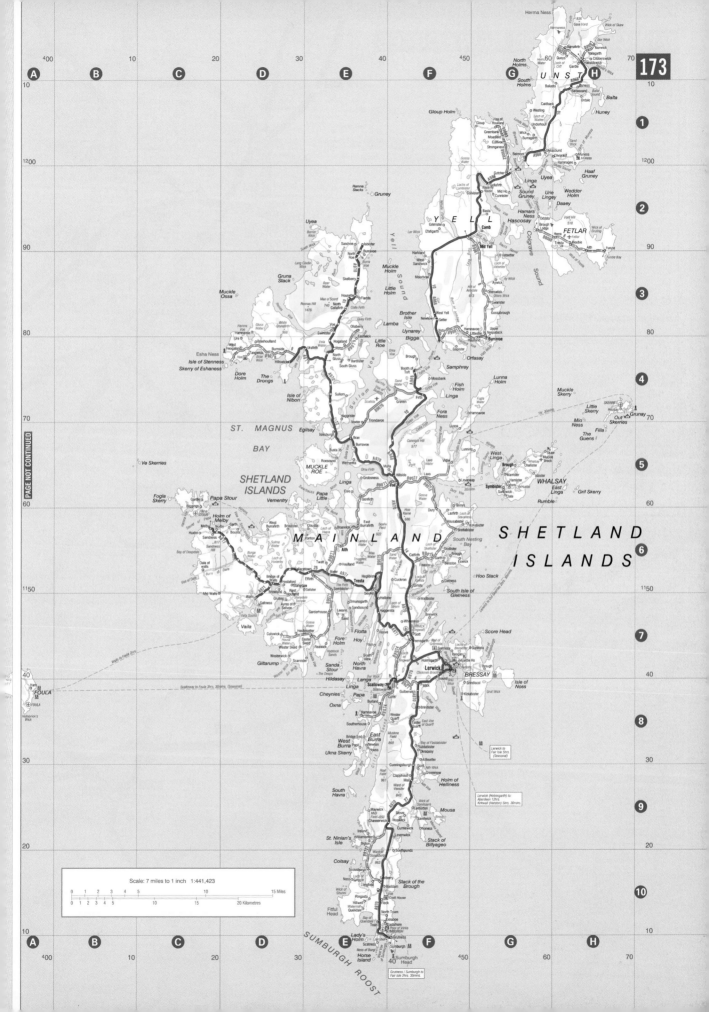

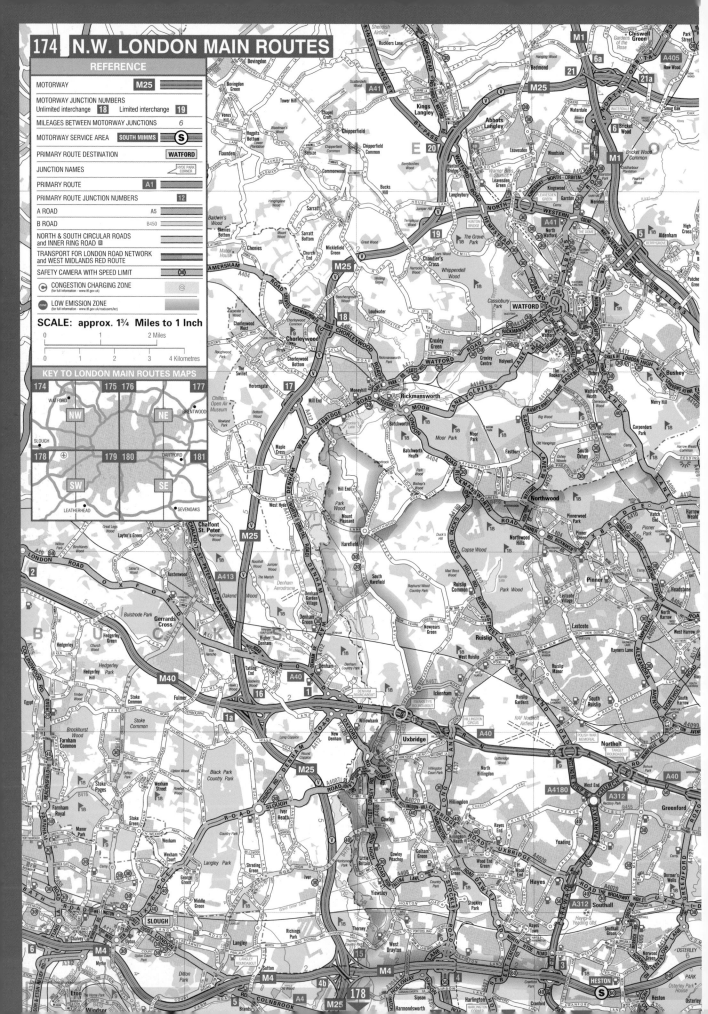

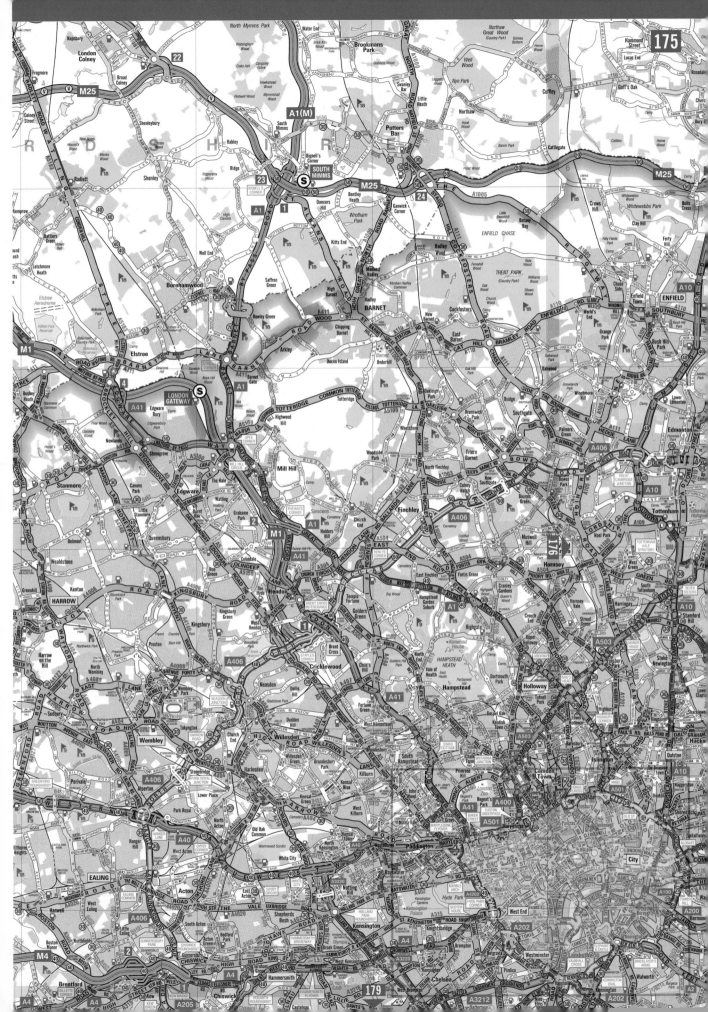

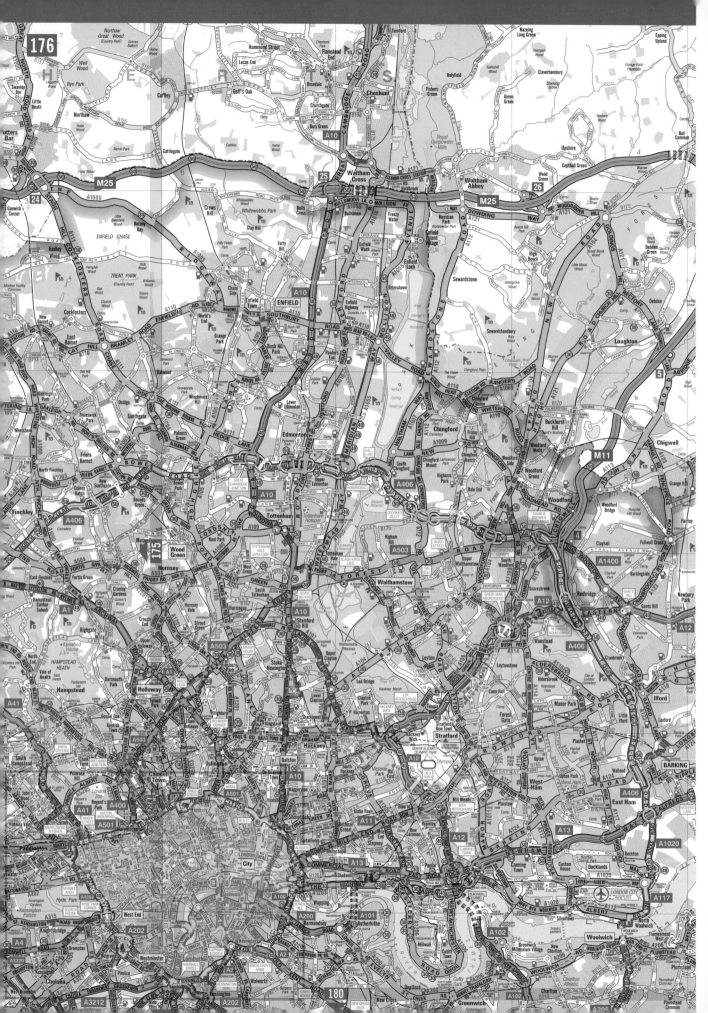

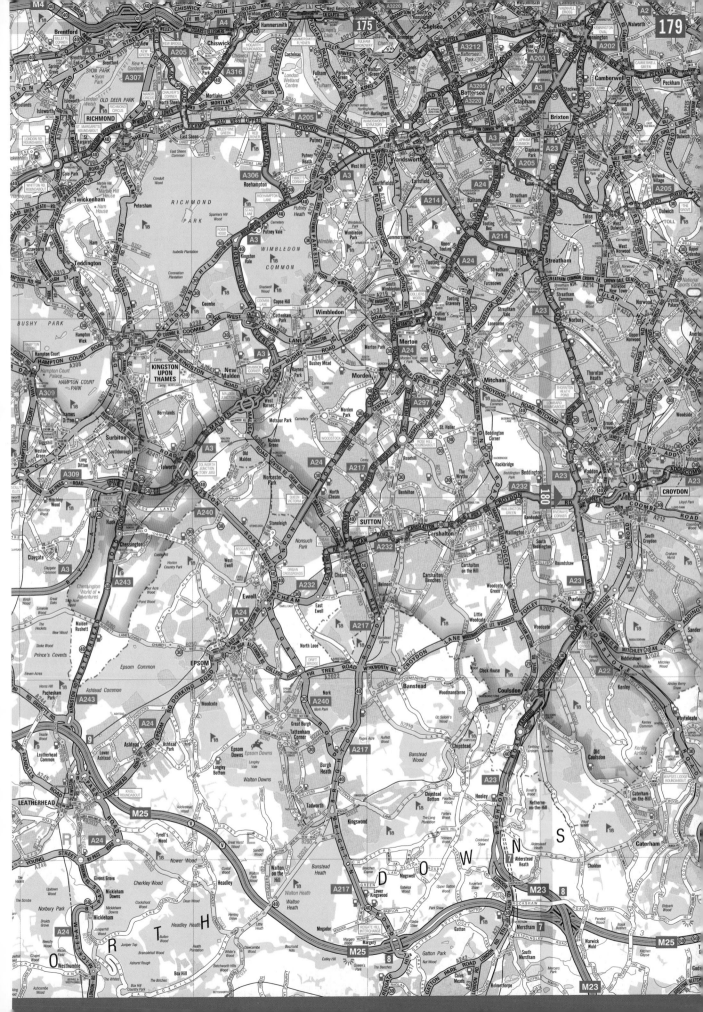

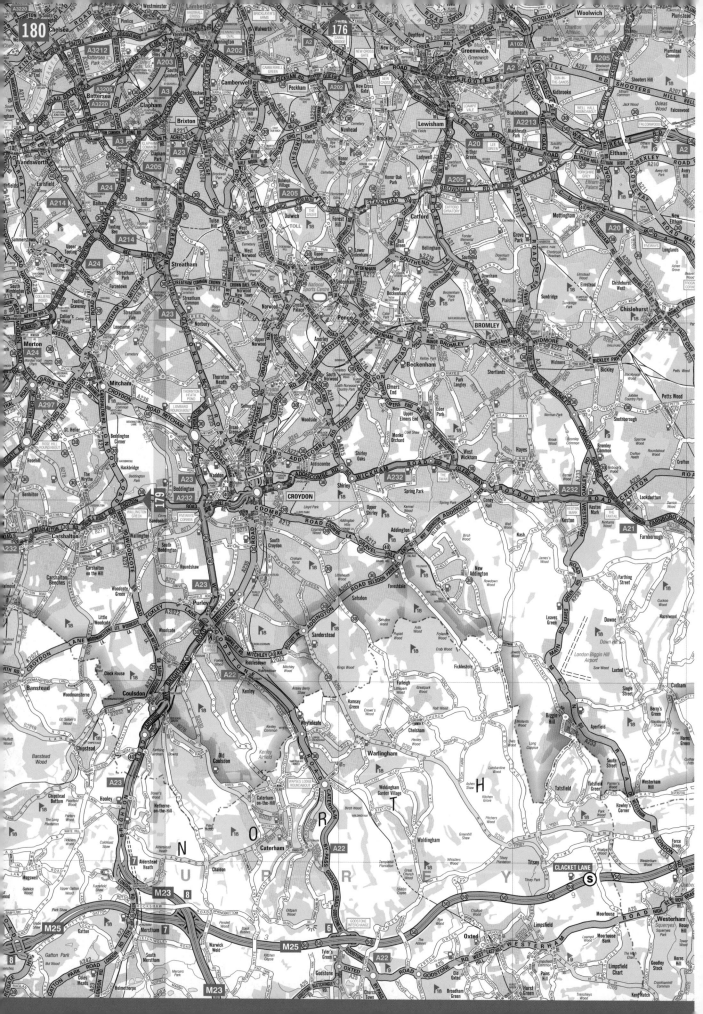

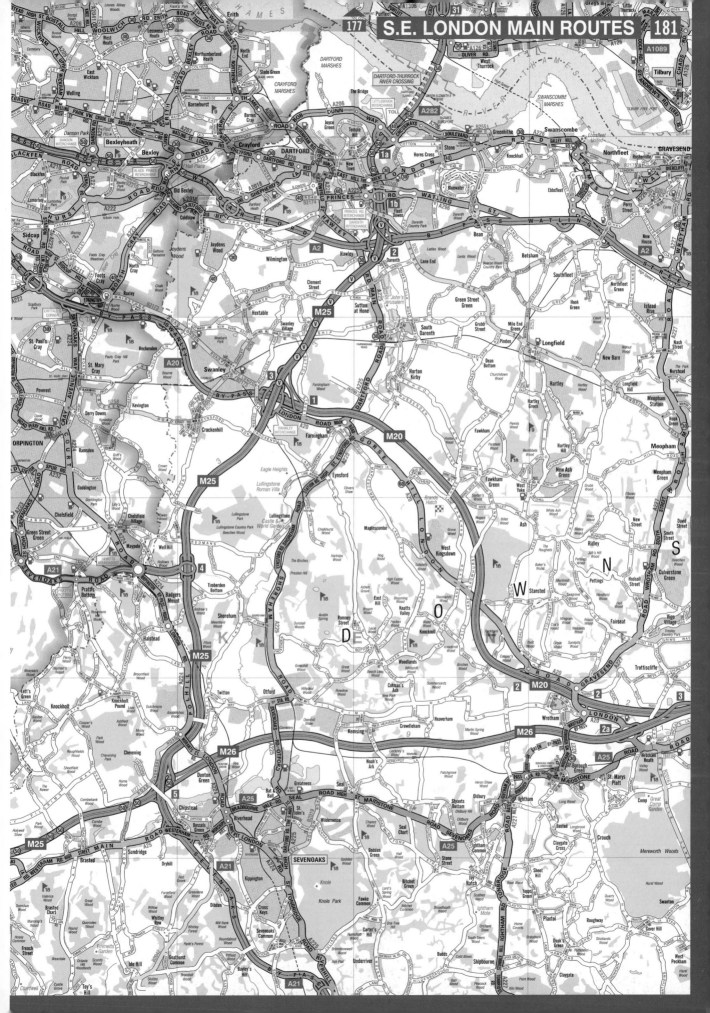

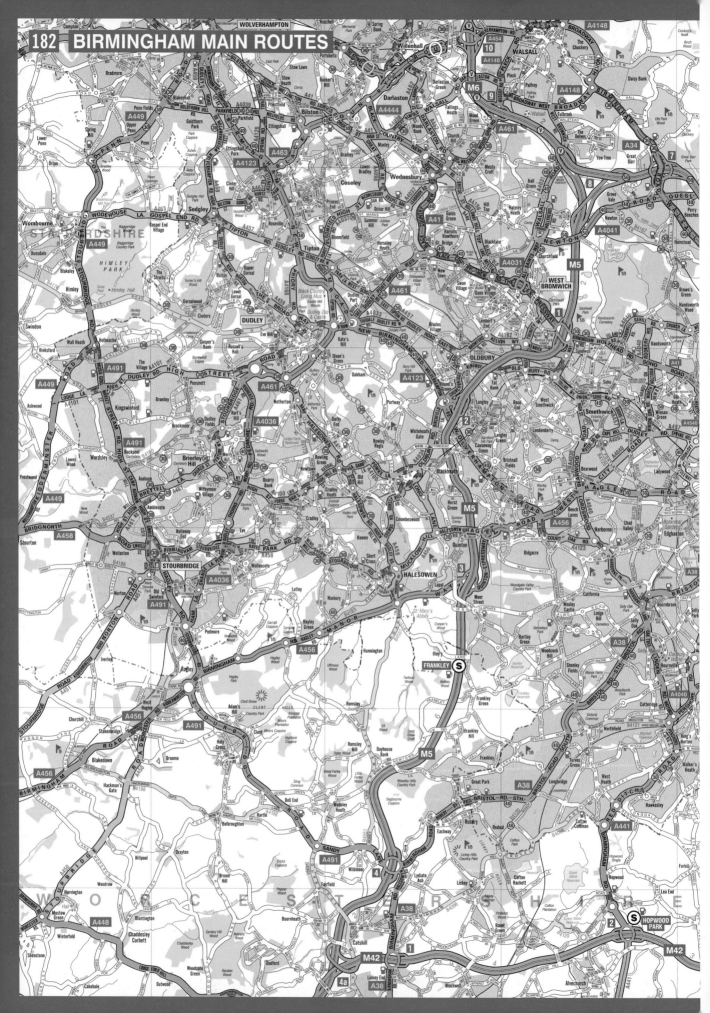

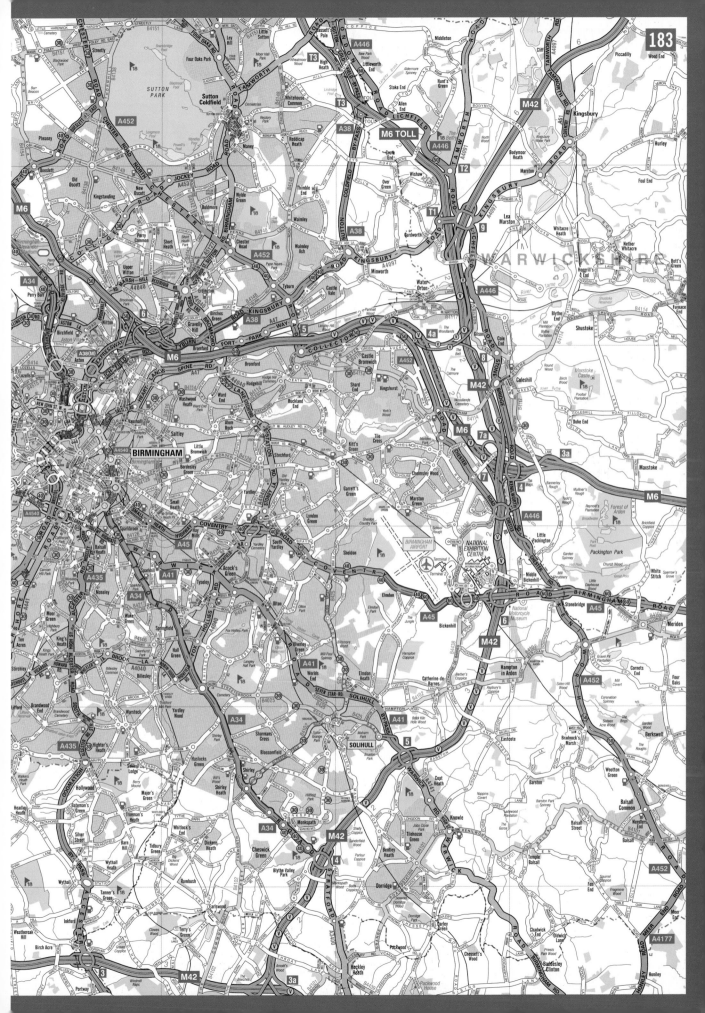

Town Plans

Aberdeen _____ 187
Aberystwyth _____ 187
Ayr _____ 187
Bath _____ 187
Bedford _____ 188
Birmingham _____ 188
Blackpool _____ 188
Bournemouth _____ 190
Bradford _____ 190
Brighton & Hove _____ 189
Bristol _____ 189
Caernarfon _____ 190
Cambridge _____ 191
Canterbury _____ 190
Cardiff (Caerdydd) _____ 191
Carlisle _____ 192
Cheltenham _____ 192
Chester _____ 192
Coventry _____ 192
Derby _____ 193
Dover _____ 193
Dumfries _____ 193
Dundee _____ 194
Durham _____ 194
Eastbourne _____ 195
Edinburgh _____ 194
Exeter _____ 195
Folkestone _____ 195
Glasgow _____ 196
Gloucester _____ 196
Great Yarmouth _____ 196
Guildford _____ 197
Harrogate _____ 197
Hereford _____ 197
Inverness _____ 198
Ipswich _____ 198
Kilmarnock _____ 198
Kingston upon Hull _____ 199
Leeds _____ 199
Leicester _____ 200
Lincoln _____ 198
Liverpool _____ 200
London _____ 202-203
Luton _____ 201
Manchester _____ 201
Medway Towns _____ 204
Middlesbrough _____ 201
Milton Keynes _____ 204
Newcastle upon Tyne ___ 205
Newport (Casnewydd) ___ 205
Northampton _____ 206
Norwich _____ 205
Nottingham _____ 206
Oban _____ 206
Oxford _____ 207
Paisley _____ 207
Perth _____ 207
Peterborough _____ 208
Plymouth _____ 208
Portsmouth _____ 209
Preston _____ 208
Reading _____ 209
St Andrews _____ 209
Salisbury _____ 210
Sheffield _____ 210
Shrewsbury _____ 210
Southampton _____ 211
Stirling _____ 211
Stoke-on-Trent _____ 211
Stratford-upon-Avon ____ 212
Sunderland _____ 212
Swansea (Abertawe) ____ 212
Swindon _____ 212
Taunton _____ 213
Winchester _____ 213
Windsor _____ 213
Wolverhampton _____ 213
Worcester _____ 214
Wrexham (Wrecsam) ____ 214
York _____ 214

Port Plans

⚓ Harwich _____ 215
⚓ Kingston upon Hull _____ 215
⚓ Newcastle upon Tyne ___ 215
⚓ Newhaven _____ 215
⚓ Pembroke Dock (Doc Penfro)_ 215
⚓ Poole _____ 215
⚓ Portsmouth _____ 215
⚓ Weymouth _____ 215

Airport Plans

⊕ Birmingham _____ 216
⊕ East Midlands _____ 216
⊕ Glasgow _____ 216
⊕ London Gatwick _____ 216
⊕ London Heathrow _____ 216
⊕ London Luton _____ 216
⊕ London Stansted _____ 216
⊕ Manchester International _ 216

Motorway
Autoroute
Autobahn

M1

Motorway Under Construction
Autoroute en construction
Autobahn im Bau

Motorway Proposed
Autoroute prévue
Geplante Autobahn

Motorway Junctions with Numbers
Unlimited Interchange **4**
Limited Interchange **5**

Autoroute échangeur numéroté
Echangeur complet
Echangeur partiel

Autobahnanschlußstelle mit Nummer
Unbeschränkter Fahrtrichtungswechsel
Beschränkter Fahrtrichtungswechsel

Primary Route
Route à grande circulation
Hauptverkehrsstraße

A41

Dual Carriageways (A & B roads)
Route à double chaussées séparées (route A & B)
Zweispurige Schnellstraße (A- und B- Straßen)

Class A Road
Route de type A
A-Straße

A129

Class B Road
Route de type B
B-Straße

B177

Major Roads Under Construction
Route prioritaire en construction
Hauptverkehrsstaße im Bau

Major Roads Proposed
Route prioritaire prévue
Geplante Hauptverkehrsstaße

Minor Roads
Route secondaire
Nebenstraße

Safety Camera
Radars de contrôle de vitesse
Sicherheitskamera

(30)

Restricted Access
Accès réglementé
Beschränkte Zufahrt

Pedestrianized Road & Main Footway
Rue piétonne et chemin réservé aux piétons
Fußgängerstraße und Fußweg

One Way Streets
Sens unique
Einbahnstraße

Fuel Station
Station service
Tankstelle

Toll
Barrière de péage
Gebührenpflichtig

TOLL

Railway & Station
Voie ferrée et gare
Eisenbahnlinie und Bahnhof

Underground / Metro & DLR Station
Station de métro et DLR
U-Bahnstation und DLR-Station

DLR

Level Crossing & Tunnel
Passage à niveau et tunnel
Bahnübergang und Tunnel

Tram Stop & One Way Tram Stop
Arrêt de tramway
Straßenbahnhaltestelle

Built-up Area
Agglomération
Geschloßene Ortschaft

Abbey, Cathedral, Priory etc
Abbaye, cathédrale, prieuré etc
Abtei, Kathedrale, Kloster usw

✝

Airport
Aéroport
Flughafen

Bus Station
Gare routière
Bushaltestelle

Car Park (selection of)
Sélection de parkings
Auswahl von Parkplatz

P

Church
Eglise
Kirche

✝

City Wall
Murs d'enceinte
Stadtmauer

Congestion Charging Zone
Zone de péage urbain
City-Maut Zone

Ferry (vehicular)
        (foot only)

Bac (véhicules)
    (piétons)

Fähre (autos)
     (nur für Personen)

Golf Course
Terrain de golf
Golfplatz

▶9   ▶18

Heliport
Héliport
Hubschrauberlandeplatz

Hospital
Hôpital
Krankenhaus

H

Lighthouse
Phare
Leuchtturm

Market
Marché
Markt

National Trust Property
                (open)   *NT*
                (restricted opening)   *NT*
                (National Trust for Scotland)
National Trust Property   *NTS*   *NTS*
                (ouvert)
                (heures d'ouverture)
                (National Trust for Scotland)
National Trust- Eigentum
                (geöffnet)
                (beschränkte Öffnungszeit)
                (National Trust for Scotland)

Park & Ride
Parking relais
Auswahl von Parkplatz

P+

Place of Interest
Curiosité
Sehenswürdigkeit

Police Station
Commissariat de police
Polizeirevier

▲

Post Office
Bureau de poste
Postamt

★

Shopping Area (main street & precinct)
Quartier commerçant (rue et zone principales)
Einkaufsviertel (hauptgeschäftsstraße, fußgängerzone)

Shopmobility
Shopmobility
Shopmobility

Toilet
Toilettes
Toilette

▽

Tourist Information Centre
Syndicat d'initiative
Information

i

Viewpoint
Vue panoramique
Aussichtspunkt

Visitor Information Centre
Centre d'information touristique
Besucherzentrum

V

Please note: symbols have been enlarged for clarity

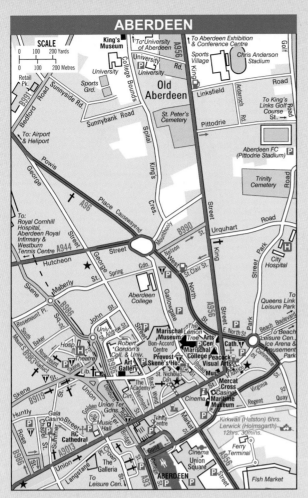

ABERDEEN

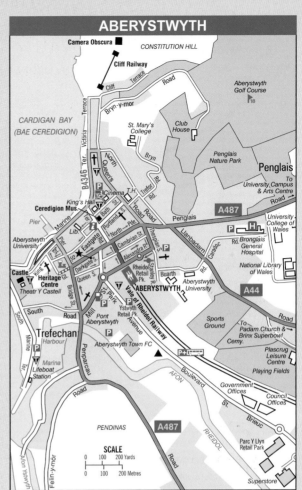

ABERYSTWYTH

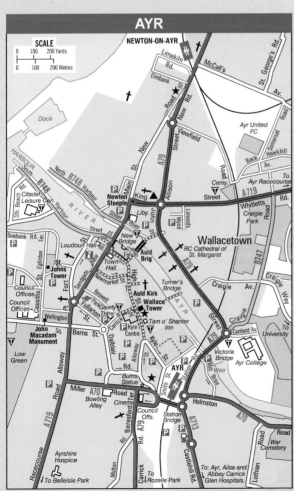

AYR

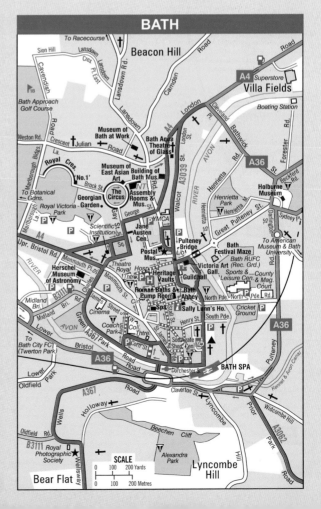

BATH

BEDFORD

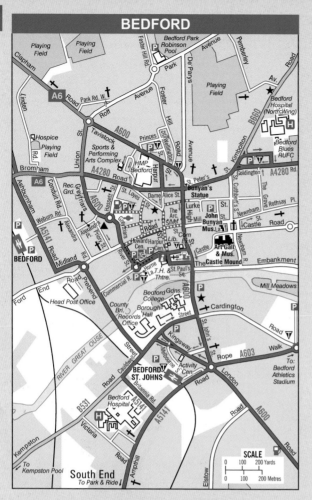

BLACKPOOL

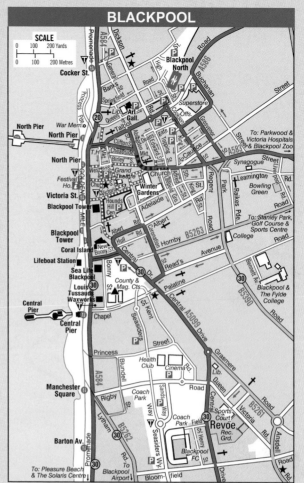

BIRMINGHAM (CITY CENTRE)

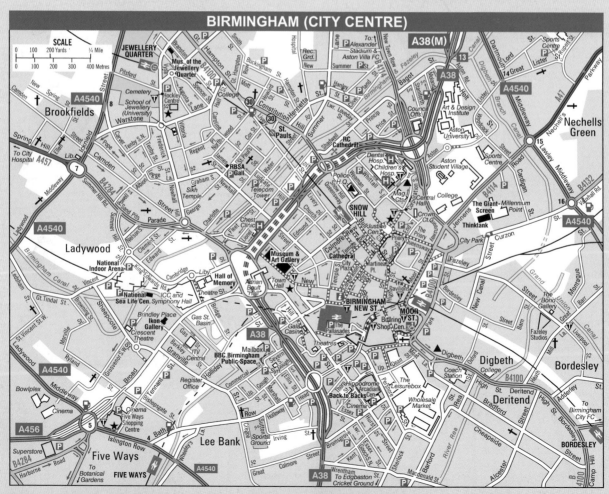

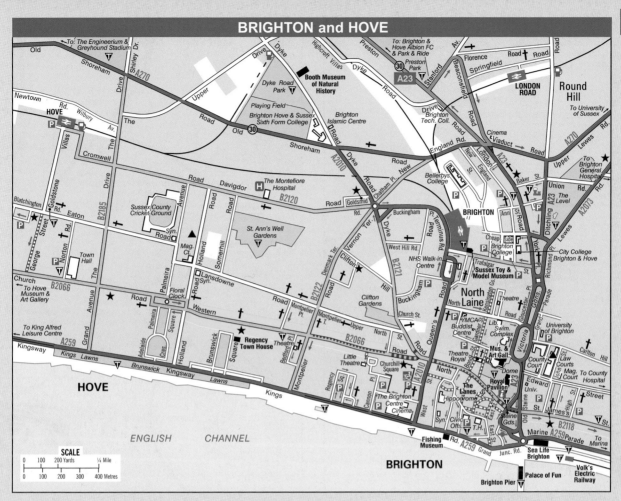

BRIGHTON and HOVE

HOVE

ENGLISH CHANNEL

BRIGHTON

SCALE

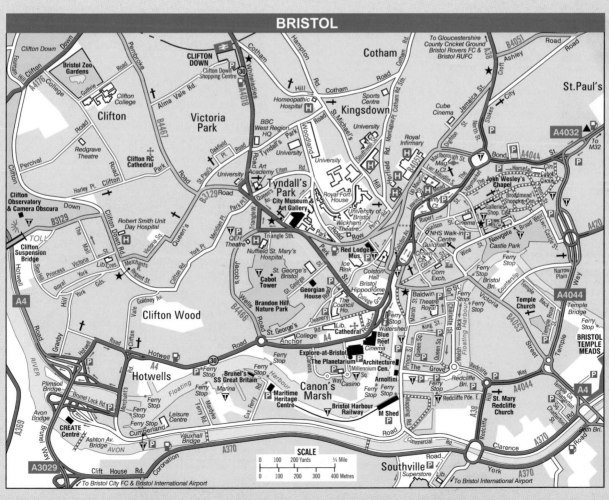

BRISTOL

SCALE

BOURNEMOUTH

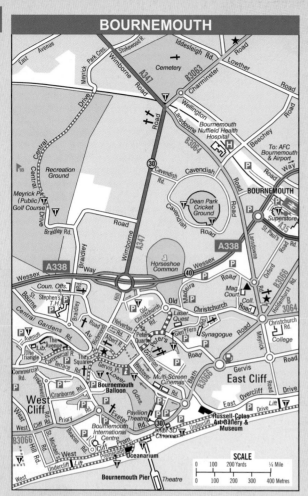

BRADFORD

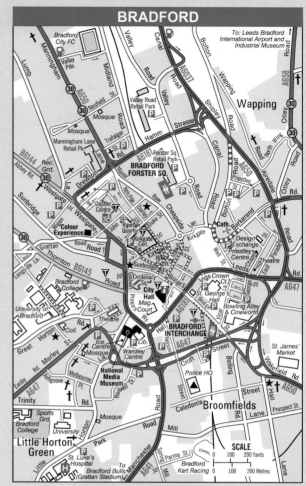

CAERNARFON

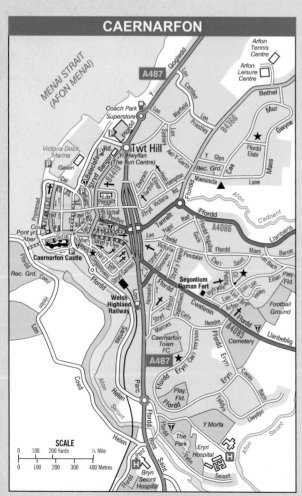

CANTERBURY

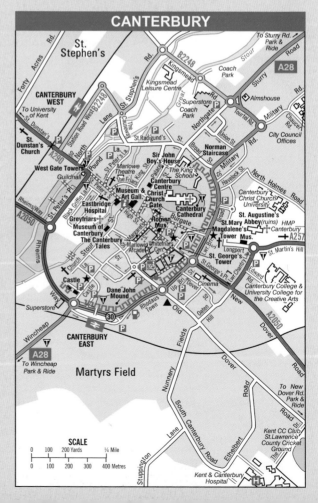

CAMBRIDGE

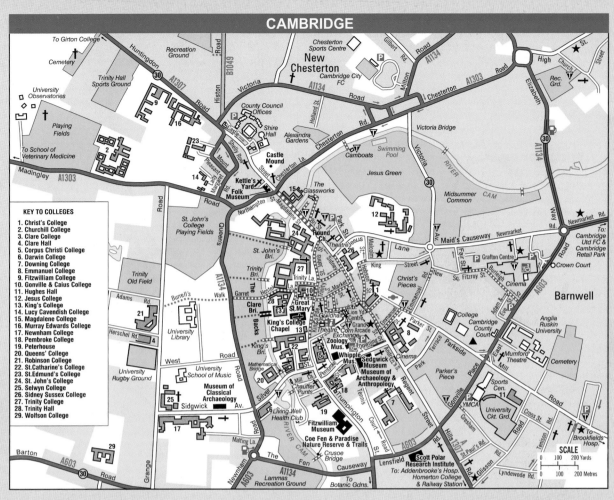

KEY TO COLLEGES

1. Christ's College
2. Churchill College
3. Clare College
4. Clare Hall
5. Corpus Christi College
6. Darwin College
7. Downing College
8. Emmanuel College
9. Fitzwilliam College
10. Gonville & Caius College
11. Hughes Hall
12. Jesus College
13. King's College
14. Lucy Cavendish College
15. Magdalene College
16. Murray Edwards College
17. Newnham College
18. Pembroke College
19. Peterhouse
20. Queens' College
21. Robinson College
22. St.Catharine's College
23. St.Edmund's College
24. St. John's College
25. Selwyn College
26. Sidney Sussex College
27. Trinity College
28. Trinity Hall
29. Wolfson College

CARDIFF (CAERDYDD)

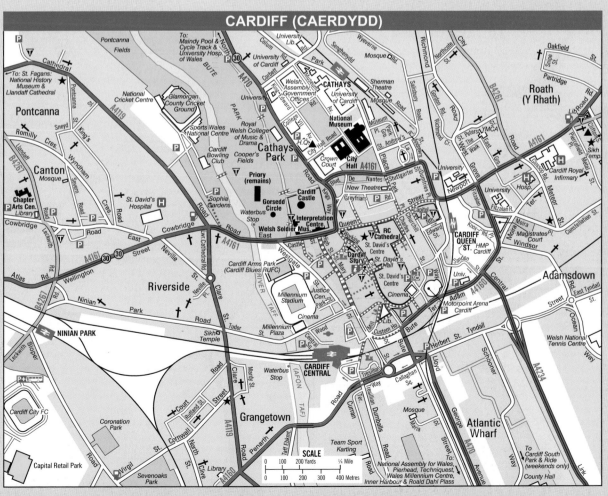

CARLISLE

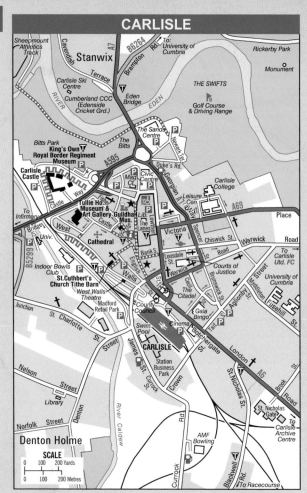

CHELTENHAM

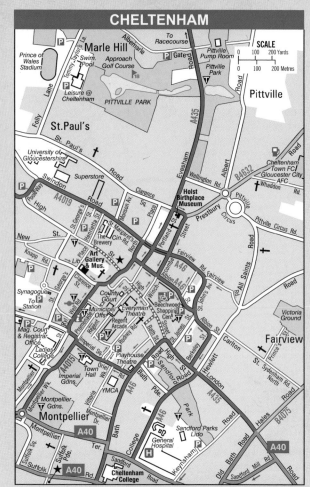

CHESTER

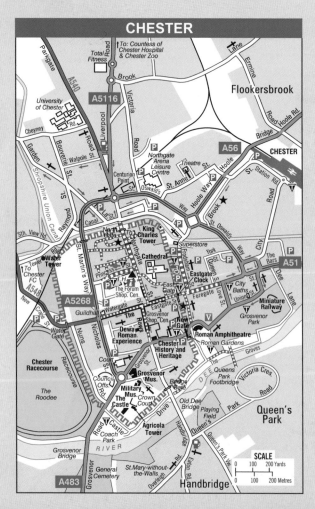

COVENTRY

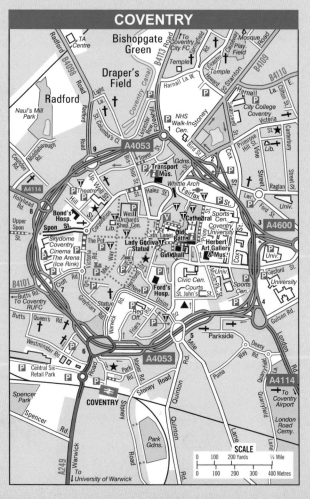

DERBY

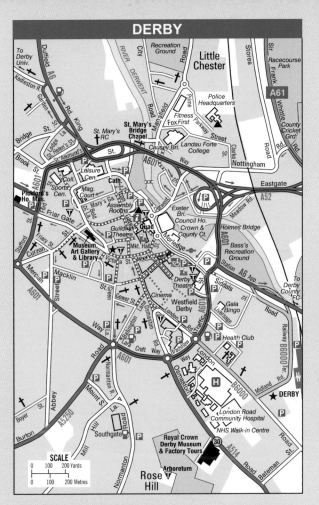

To Derby Univ.
Kedleston Rd
Duffield Road
A6
Garden St
RIVER DERWENT
Recreation Ground
Little Chester
Racecourse Park
Sir Frank Whittle Rd
Stores
A61

St. Mary's RC
St. Mary's Bridge Chapel
Police Headquarters
Fitness Fox First
Prime Parkway
County Cricket Grd.

Bridge St
St. Helen's St
Brook St
St. Alkmund's Way
King St
Causey Bri.
Landau Forte College
Clarke Street
Nottingham Road
A601

Leisure Cen.
Coll. Sports Cen.
Mag. Court
Cath.
St. Mary's Ga
Eastgate
A52
Meadow Road
Holmes Bridge

Pickford's Ho. Mus.
Friar Gate
Guildhall Theatre
Assembly Rooms
Quad
Exeter Bri.
Council Ho. Crown & County Ct.
A52

Museum, Art Gallery & Library
Mkt. Halls
Victoria St
Morledge
Bass's Recreation Ground
A6

Mercian Way
A601
Macklin St
Green Lane
Siddals Road
To Derby County FC

Curzon St
Cinema
Derby Theatre
Babington Lane
Station App.
A6 App.

Westfield Derby
Gala Bingo
Liveseage
Health Club

Way
Abbey St
Mount St
A3250
Lara Croft Way
Bradshaw Way
Osmaston Rd
London Road
B6000
Railway Terr
B6000
DERBY

Boyer St
Burton Rd
Normanton Rd
Mill Hill La.
Southgate
London Road Community Hospital
NHS Walk-in Centre

Royal Crown Derby Museum & Factory Tours
A514
A601
Bateman St

Rose Hill
Arboretum

SCALE
0   100   200 Yards
0   100   200 Metres

DUMFRIES

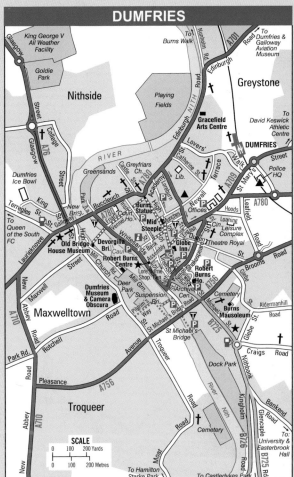

To Glasgow
King George V All Weather Facility
Burns Walk
To Dumfries & Galloway Aviation Museum
A701
Edinburgh Road

Goldie Park
Greystone

Nithside
Playing Fields
Edinburgh Street
Gracefield Arts Centre
David Keswick Athletic Centre
DUMFRIES
A780
Police HQ

RIVER NITH
Lovers' Walk
Catherine Street
Terrace
St. Mary's Street
A709

College Street
Greensands
Greyfriars Ch.
Academy Street
Newall
A780
Leafield Road

Dumfries Ice Bowl
Glasgow Street
A76
Buccleuch Street
Burns Statue
Offices
Hoods Loaning
Brooms Road

To Queen of the South FC
King Street
Terregles St.
New Bridge
Mid Steeple
Cin.
Midsteeple Leisure Complex
A75

Devorgilla Bri.
Globe Inn
Theatre Royal
Maxwell St
Laurieknowe
Old Bridge House Museum
Cauf
Robert Burns Centre
Robert Burns Ho.
Archive Cen.
A756

New Abbey Road
A710
Maxwelltown
Dumfries Museum & Camera Obscura
Deer Park
Suspension Bri.
St Michael's Bridge
Cemetery
Burns Mausoleum
Aldermanhill Road

Rotchell Road
Pleasance
A756
St. Michael's Street
B725
Dock Park
Craigs Road

Troqueer
Cemetery
New Abbey Road
A710
Moat Road
River Nith
Kingholm Road
B726
Bankend Road
Glencaple Road
B725

To Hamilton Starke Park
To Castledykes Park
To University & Easterbrook Hall

SCALE
0   100   200 Yards
0   100   200 Metres

DOVER

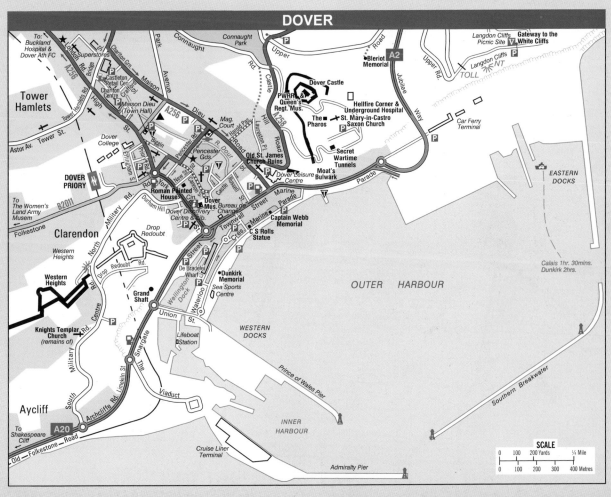

To: Buckland Hospital & Dover Ath FC
Superstores
Charlton Grn
Connaught Park
Connaught Road
Upper Road
A2
Bleriot Memorial
Langdon Cliffs Picnic Site
Gateway to the White Cliffs
NT
Langdon Cliffs
TOLL

Tower Hamlets
A256
Castleton Retail Centre
Charlton Centre
Maison Dieu (Town Hall)
Castle Hill Road
A258
Dover Castle
PWRR & Queen's Regt. Mus.
Hellfire Corner & Underground Hospital
Upper Road
Jubilee Way

Astor Av.
Tower St.
High St
Dover College
Mag. Court
Biggin St
Pencester Gds.
The Pharos
St. Mary-in-Castro Saxon Church
Car Ferry Terminal

DOVER PRIORY
B2011
Effingham St
Old St. James Church Ruins
Secret Wartime Tunnels
Moat's Bulwark
EASTERN DOCKS

To The Women's Land Army Museum
Roman Painted House
Dover Mus.
Dover Leisure Centre
Marine Parade

Clarendon
Folkestone
Military Road
Durham Hill
Dover Discovery Centre & Lib.
Bureau de Change
Townwall Street
Captain Webb Memorial
Marine Parade
C S Rolls Statue

Drop Redoubt
North Military Rd
Snargate St
Dunkirk Memorial
De Bradelei Wharf
Sea Sports Centre
WESTERN DOCKS

Western Heights
Redoubt Rd
Grand Shaft
Wellington Dock
OUTER HARBOUR
Calais 1hr. 30mins.
Dunkirk 2hrs.

Knights Templar Church (remains of)
Military Road
Union St
Lifeboat Station

Aycliff
A20
Archcliffe Rd
Limekiln St
The Viaduct
Prince of Wales Pier
Southern Breakwater

To Shakespeare Cliff
Old Folkestone Road
INNER HARBOUR
Cruise Liner Terminal
Admiralty Pier

SCALE
0   100   200 Yards   ¼ Mile
0   100   200   300   400 Metres

DUNDEE

DURHAM

EDINBURGH

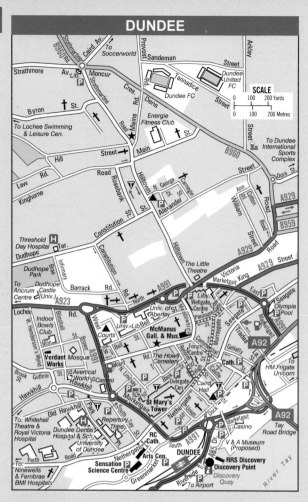

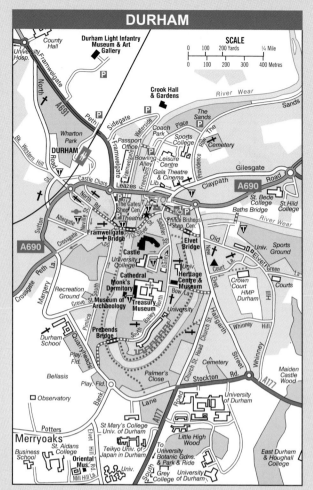

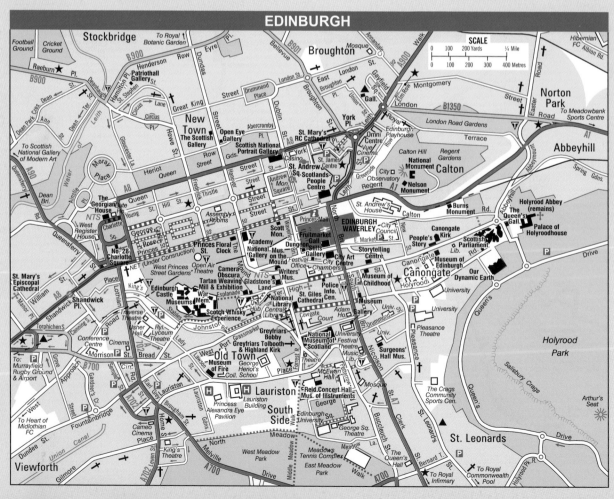

EXETER

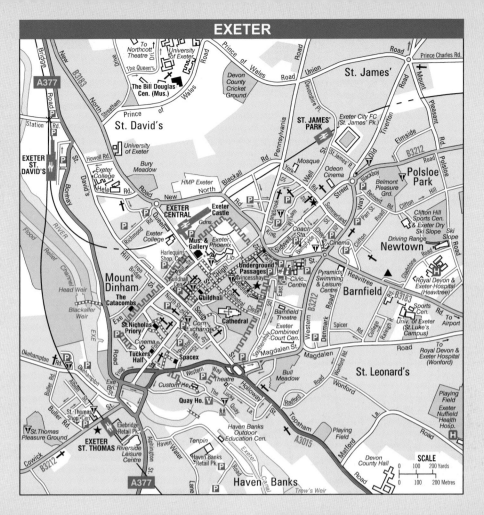

EASTBOURNE

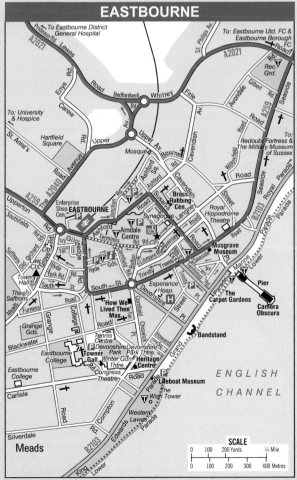

FOLKESTONE

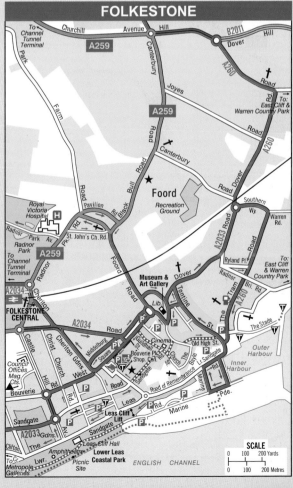

GLASGOW

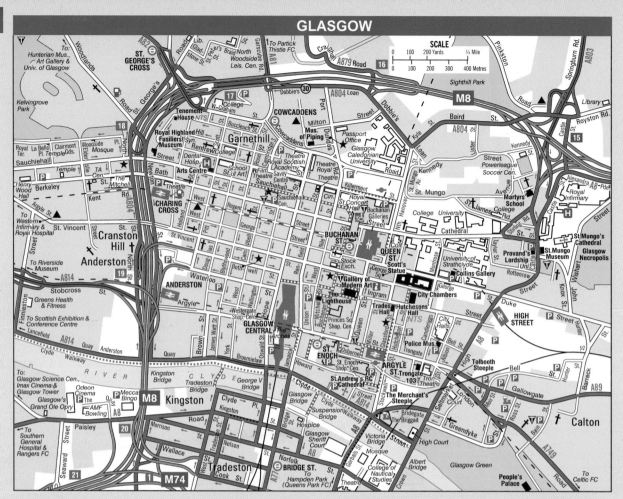

GLOUCESTER

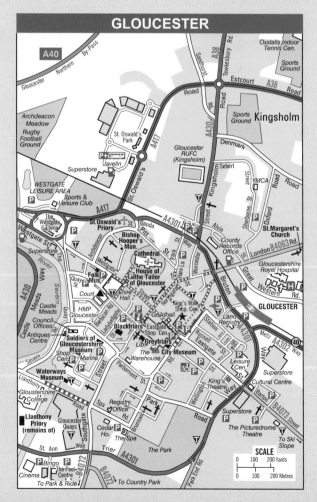

GREAT YARMOUTH

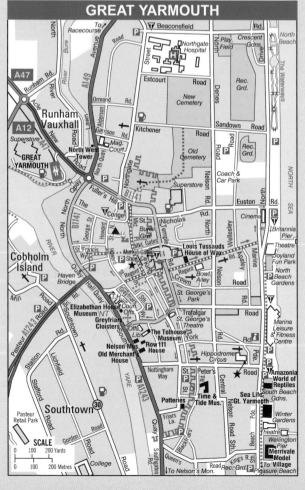

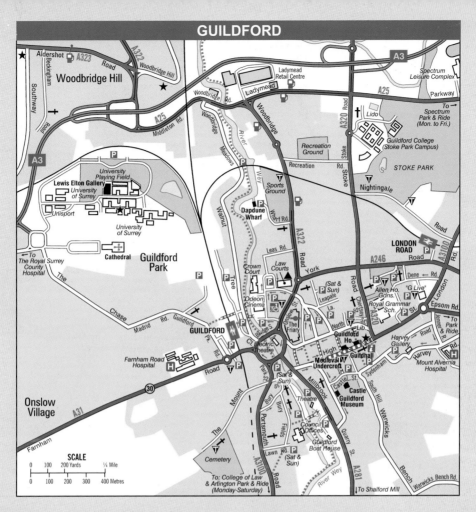

GUILDFORD map. Labels include: Aldershot, A323, Road, Woodbridge Hill, A322, Woodbridge Hill, Road, A3, A25, Ladymead, Ladymead Retail Centre, Spectrum Leisure Complex, Parkway, Southway, Beckingham Road, Middleton Rd., A25, Woodbridge Rd., Meadows, River, Wey, Woodbridge Rd., To Spectrum Park & Ride (Mon. to Fri.), Lido, A320, Stoke Road, Recreation Ground, Guildford College (Stoke Park Campus), STOKE PARK, Nightingale, A3, University Playing Field, Lewis Elton Gallery, University of Surrey, Unisport, Cathedral, Guildford Park, Walnut Tree, Wharf Rd., Dapdune Wharf, Leas Rd., A322, York Road, Allen Ho. Gdns., Leapale La., Royal Grammar Sch., Dene Rd., LONDON ROAD, A246, Road, A3100, London Rd., Epsom Rd., To Park & Ride, The Royal Surrey County Hospital, The Chase, Madrid Rd., Guildford Pk. Rd., Crown Court, Law Courts, GUILDFORD, Electric Theatre, Odeon Cinema, The Friary, High St., North St., Guildhall, Guildford Ho., Medieval Undercroft, Harvey Gallery, Mount Alvernia Hospital, Sydenham Rd., Warwicks, Farnham Road Hospital, Onslow Village, A31, Farnham Road, A30, The Mount, Park St., Bury St., Bury Fields, Millbrook, Theatre, Castle St., Castle, Guildford Museum, South Hill, Quarry St., Warwicks, Council Offices, Guildford Boat House, Portsmouth Road, A3100, Lawn Rd., Cemetery, River Wey, A281, Bench Rd., Warwicks Bench Rd., To: College of Law & Artington Park & Ride (Monday-Saturday), To Shalford Mill

SCALE
0 100 200 Yards ¼ Mile
0 100 200 300 400 Metres

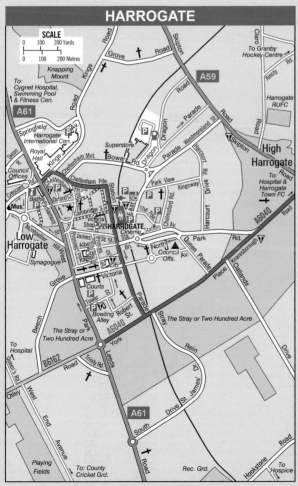

HARROGATE

SCALE
0 100 200 Yards
0 100 200 Metres

HARROGATE map. Labels include: Knapping Mount, Grove Road, Kings Road, Skipton Road, A59, To Granby Hockey Centre, Claro Rd., Ainsty Rd., To: Cygnet Hospital, Swimming Pool & Fitness Cen., A61, Springfield, Harrogate International Cen., Royal Hall, Kings Road, Superstore, Cheltenham Mnt., Cheltenham Pde., Dragon Parade, Dragon Rd., Westmorland, Parade, Harcourt Rd., Skipton Rd., A6040, Harrogate RUFC, High Harrogate, To Hospital & Harrogate Town FC, Park View, Kingsway, Harcourt Drive, Council Offices, Swan Rd., Crescent Rd., Mus., Baths, Oxford St., Parliament St., Station Parade, Montpellier Hill, Low Harrogate, James St., Albert St., Cambridge St., Victoria Shop., HARROGATE, Cinema, Chelmsford Rd., Station Av., North Park, Council Offs., Queen Parade, Knaresborough Rd., Beech Grove, West Park, Synagogue, Colr. Raglan St., Tower St., Victoria, Courts, Bowling Alley, Robert St., Park, Stray, The Stray or Two Hundred Acre, A6040, York Rd., Leeds Rd., Rein, Drive, Otley Rd., West End Avenue, St. James' Drive, South Drive, Trinity Rd., Hookstone, B6162, Queen's Rd., To Hospital, To: County Cricket Grd., Playing Fields, Rec. Grd., To Hospice, A61

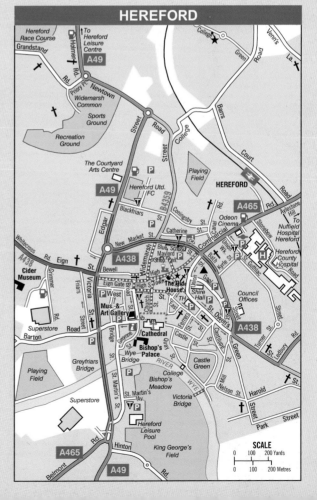

HEREFORD

HEREFORD map. Labels include: Hereford Race Course, Grandstand, Holmer Rd., A49, To Hereford Leisure Centre, College Road, Venn's La., Green Road, Barrs Court, Priory Pk., Newtown Rd., Widemarsh Common, Sports Ground, Recreation Ground, Street, College, HEREFORD, A465, The Courtyard Arts Centre, A49, Hereford Utd. FC, Playing Field, B4359, Blackfriars, Coningsby St., Odeon Cinema, To Nuffield Hospital Hereford, Aylestone Hill, Stonebow, Commercial Rd., Hereford County Hospital, Edgar St., New Market St., Catherine St., Blue School St., Maylord Shop. Cen., Gaol St., Bath St., St. Owen St., Cider Museum, A438, Bewell St., Widemarsh St., Eign St., Town Hall, The Old House, Shire Hall, Commercial St., Union St., Kyrle St., Council Offices, A438, Whitecross Rd., Eign St., A438, West St., High Town, Church St., King St., St. Owen St., Friars St., Victoria St., Eign Gate, Mus. & Art Gallery, Lib., Cathedral, Bishop's Palace, Greyfriars Bridge, Wye Bridge, Gwynne St., Bridge St., Barton Rd., Superstore, College, Bishop's Meadow, RIVER WYE, Castle Green, Mill St., Nelson St., Harold St., St. Martin's St., St. Martin's Av., Victoria Bridge, Superstore, Hereford Leisure Pool, King George's Field, A465, Belmont Rd., A49, Hinton Rd., Park Street

SCALE
0 100 200 Yards
0 100 200 Metres

198

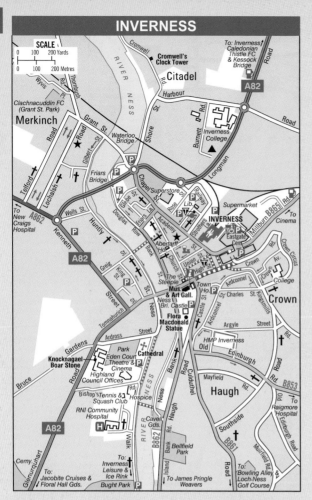

INVERNESS

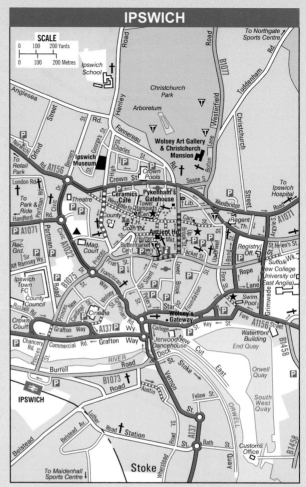

IPSWICH

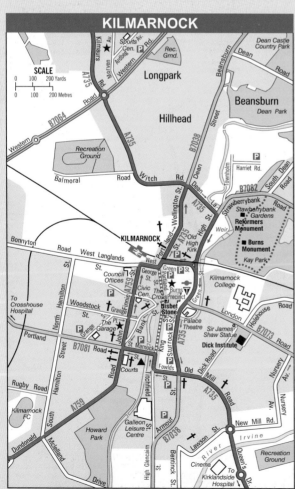

KILMARNOCK

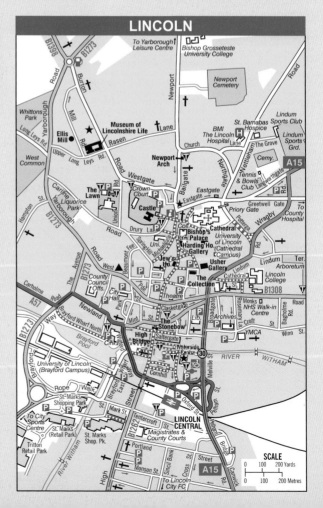

LINCOLN

KINGSTON upon HULL

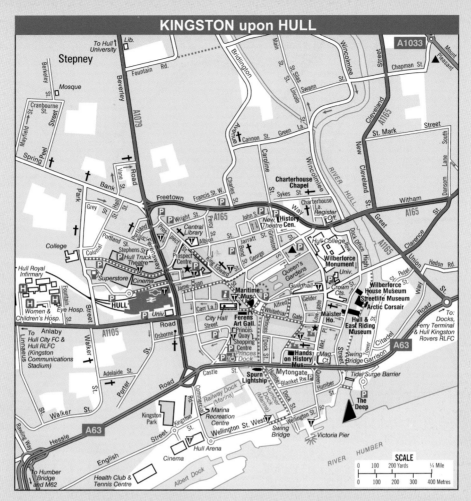

LEEDS

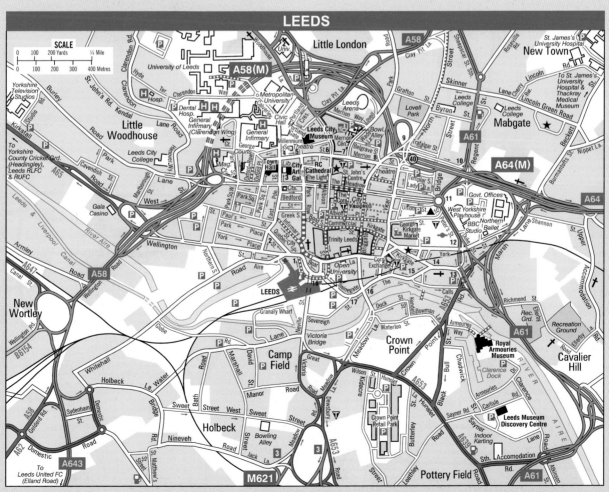

LEICESTER

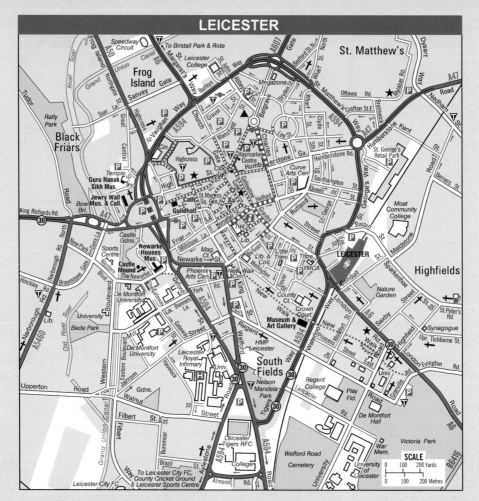

LIVERPOOL

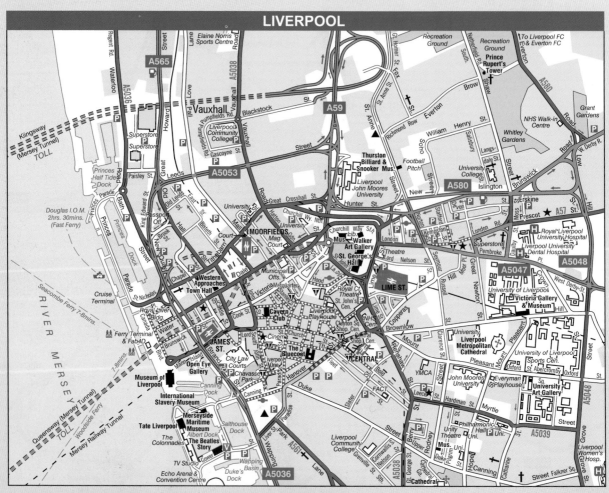

LUTON

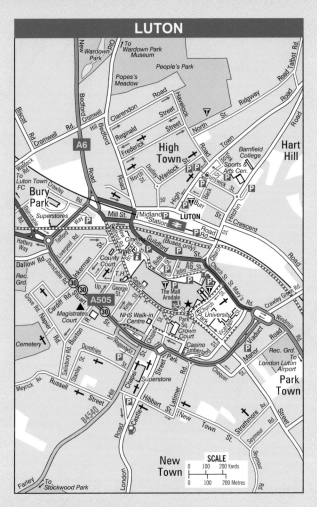

MIDDLESBROUGH

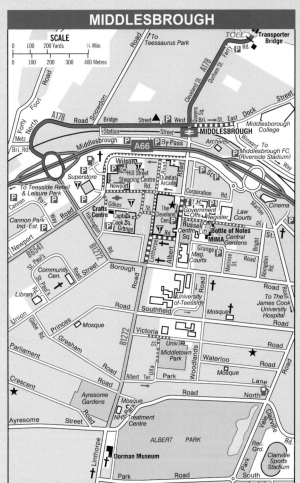

MANCHESTER (CITY CENTRE)

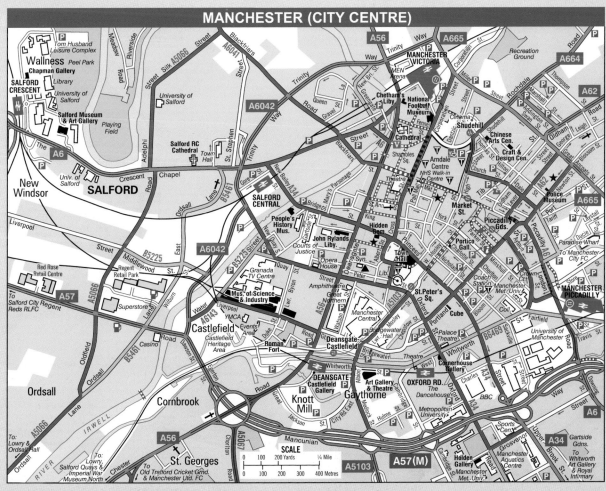

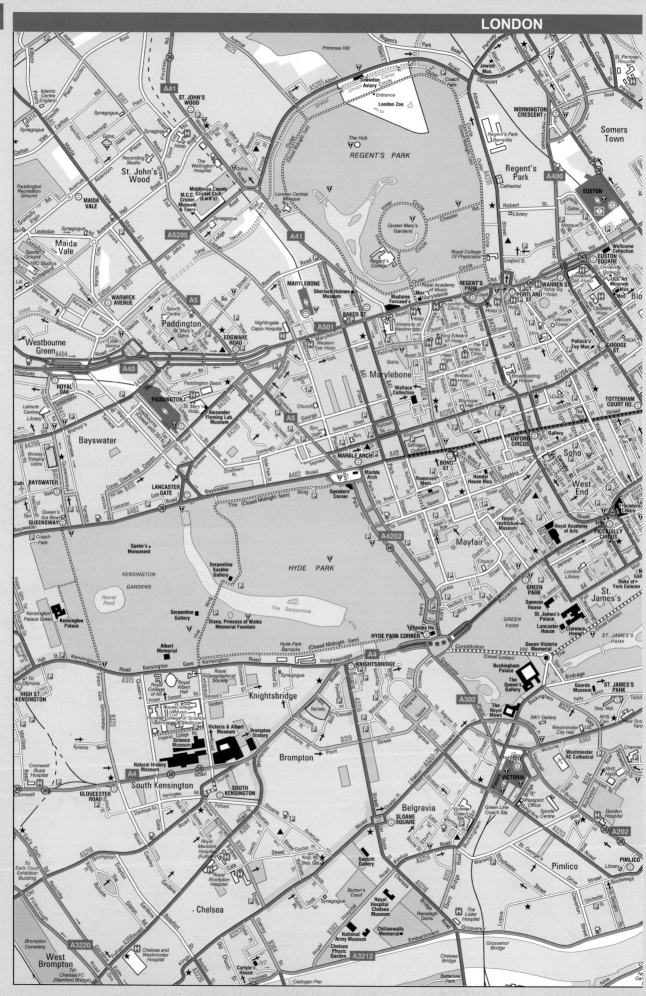

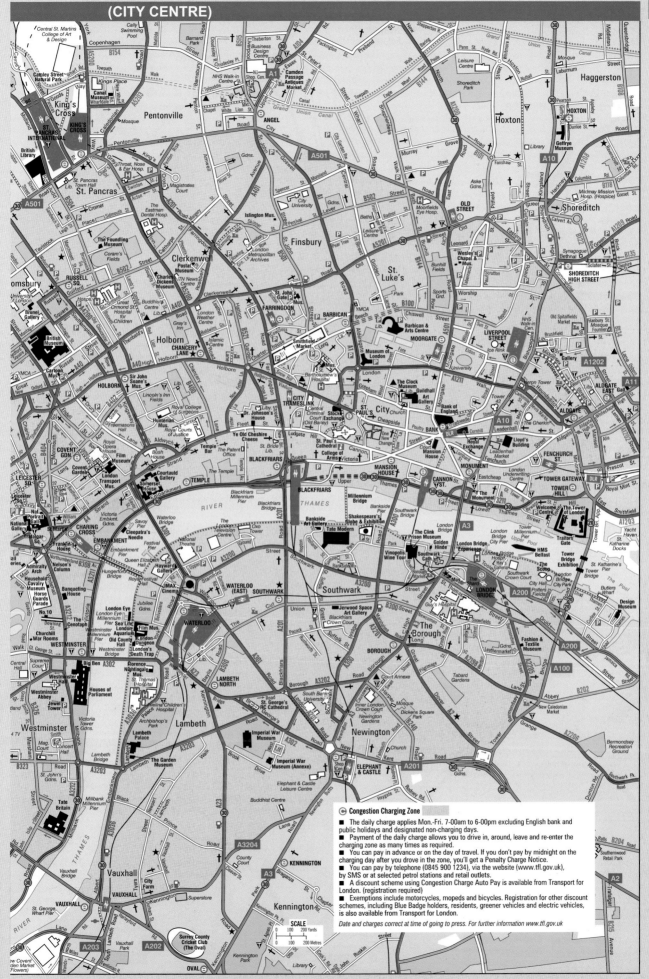

Congestion Charging Zone
- The daily charge applies Mon.-Fri. 7-00am to 6-00pm excluding English bank and public holidays and designated non-charging days.
- Payment of the daily charge allows you to drive in, around, leave and re-enter the charging zone as many times as required.
- You can pay in advance or on the day of travel. If you don't pay by midnight on the charging day after you drove in the zone, you'll get a Penalty Charge Notice.
- You can pay by telephone (0845 900 1234), via the website (www.tfl.gov.uk), by SMS or at selected petrol stations and retail outlets.
- A discount scheme using Congestion Charge Auto Pay is available from Transport for London. (registration required)
- Exemptions include motorcycles, mopeds and bicycles. Registration for other discount schemes, including Blue Badge holders, residents, greener vehicles and electric vehicles, is also available from Transport for London.

Date and charges correct at time of going to press. For further information www.tfl.gov.uk

SCALE
0   100   200 Yards
0   100   200 Metres

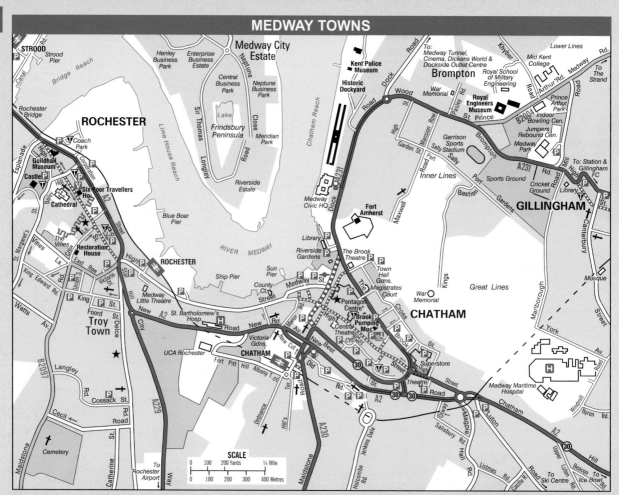

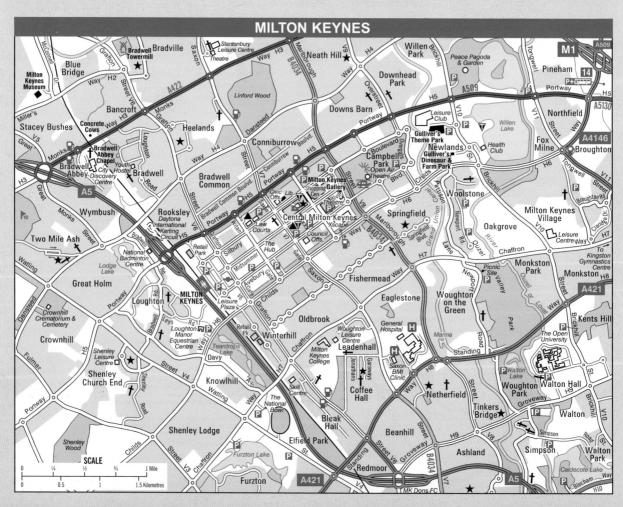

NORWICH

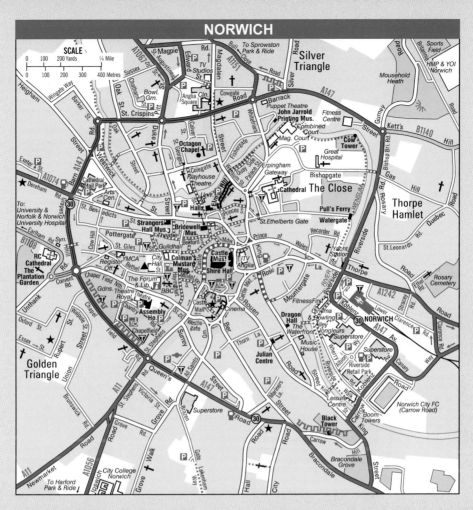

NEWCASTLE UPON TYNE

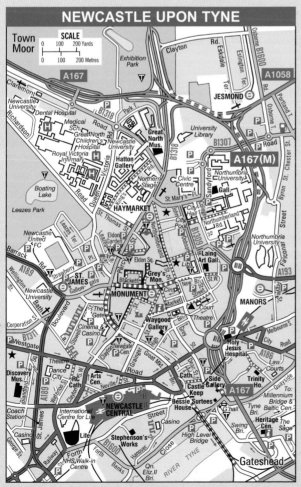

NEWPORT (CASNEWYDD)

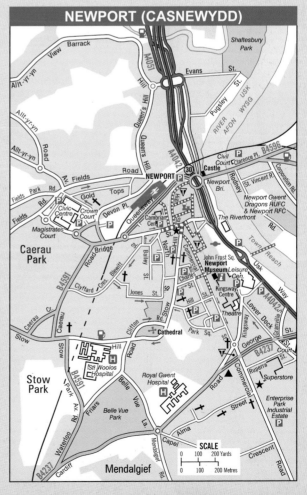

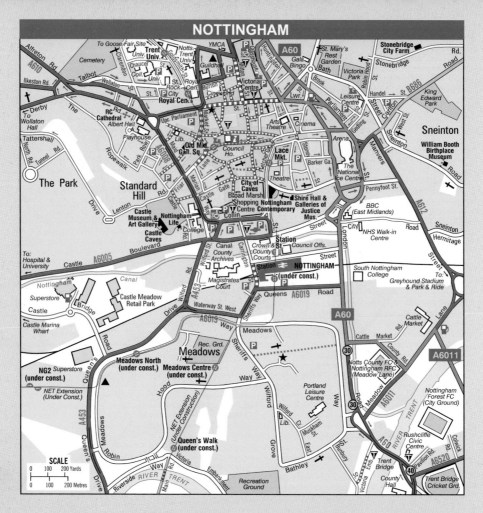

NOTTINGHAM

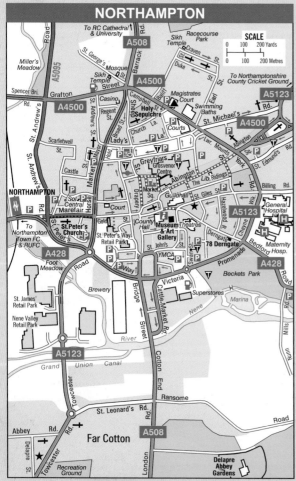

NORTHAMPTON

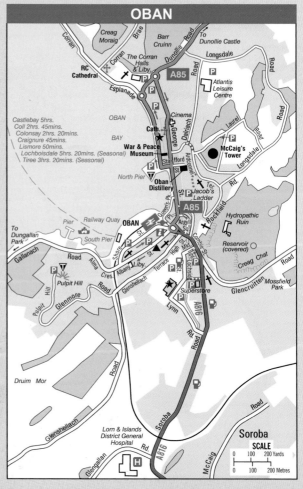

OBAN

OXFORD

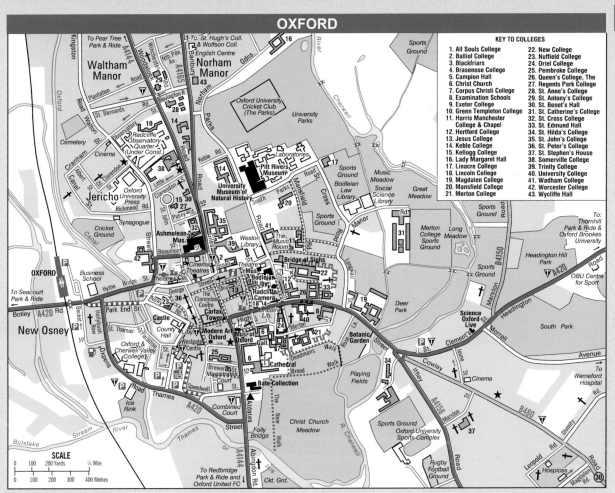

KEY TO COLLEGES

1. All Souls College
2. Balliol College
3. Blackfriars
4. Brasenose College
5. Campion Hall
6. Christ Church
7. Corpus Christi College
8. Examination Schools
9. Exeter College
10. Green Templeton College
11. Harris Manchester College & Chapel
12. Hertford College
13. Jesus College
14. Keble College
15. Kellogg College
16. Lady Margaret Hall
17. Linacre College
18. Lincoln College
19. Magdalen College
20. Mansfield College
21. Merton College
22. New College
23. Nuffield College
24. Oriel College
25. Pembroke College
26. Queen's College, The
27. Regents Park College
28. St. Anne's College
29. St. Antony's College
30. St. Benet's Hall
31. St. Catherine's College
32. St. Cross College
33. St. Edmund Hall
34. St. Hilda's College
35. St. John's College
36. St. Peter's College
37. St. Stephen's House
38. Somerville College
39. Trinity College
40. University College
41. Wadham College
42. Worcester College
43. Wycliffe Hall

PAISLEY

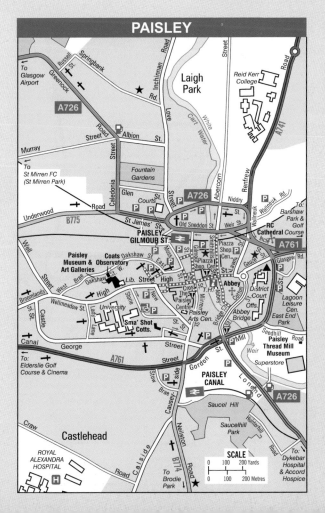

PERTH

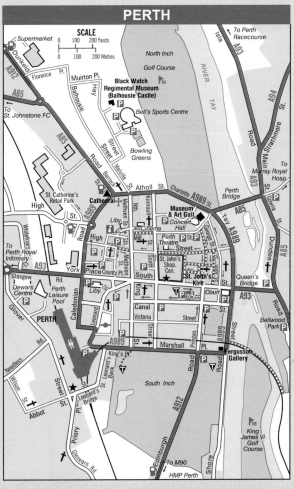

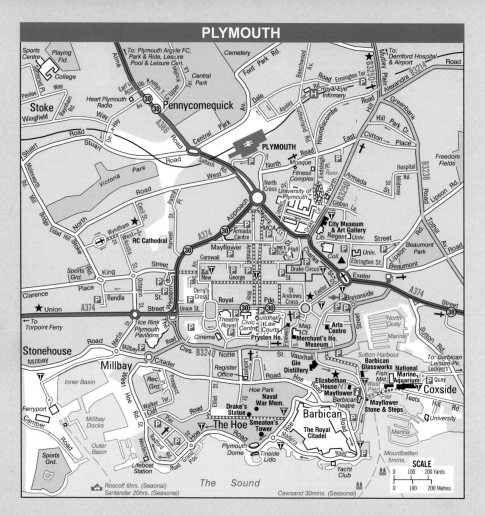

PLYMOUTH

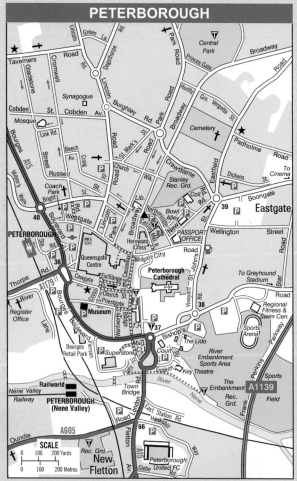

PETERBOROUGH

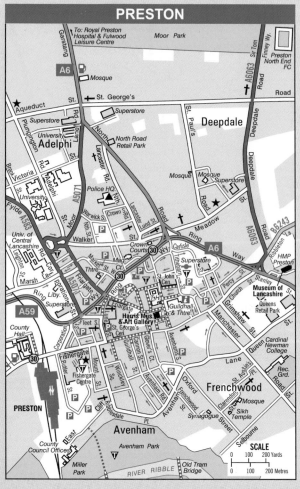

PRESTON

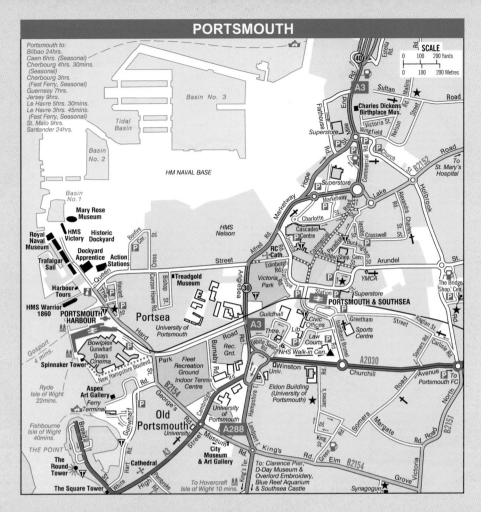

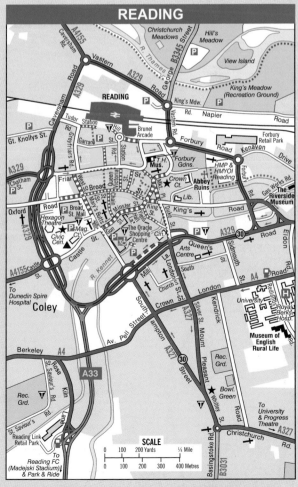

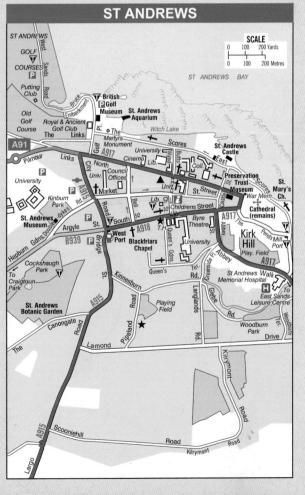

SALISBURY

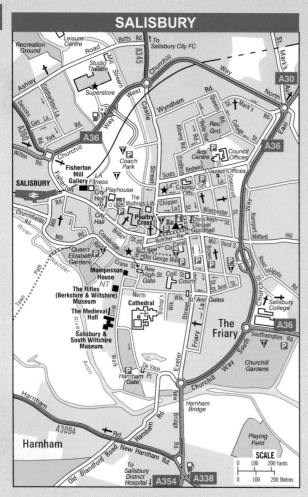

SHREWSBURY

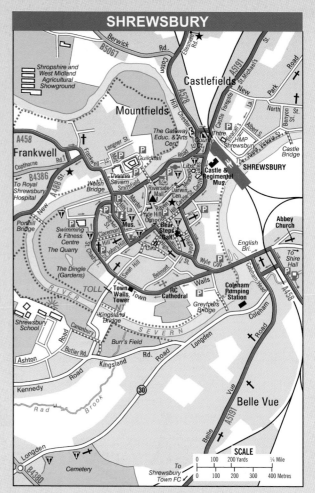

SHEFFIELD

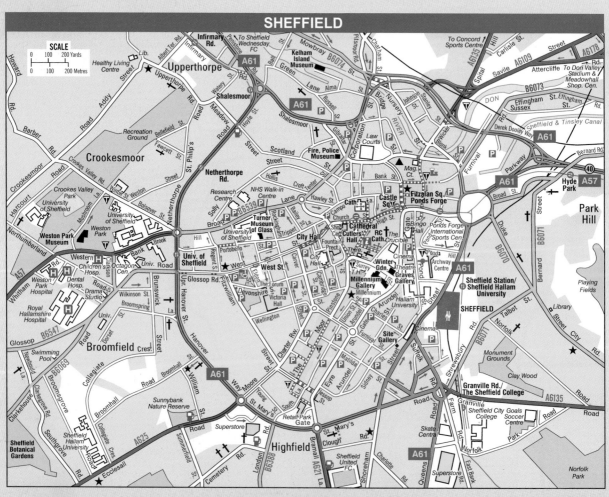

TAUNTON

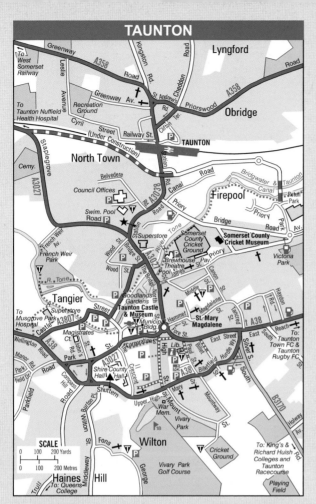

WINCHESTER

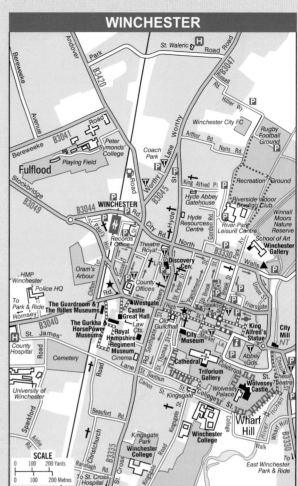

WINDSOR

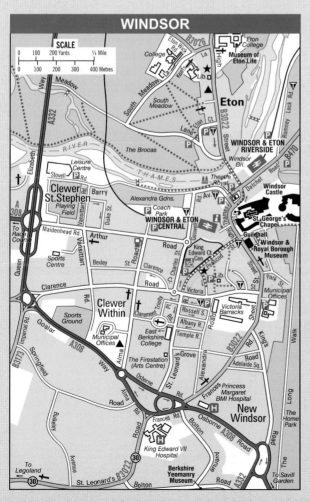

WOLVERHAMPTON

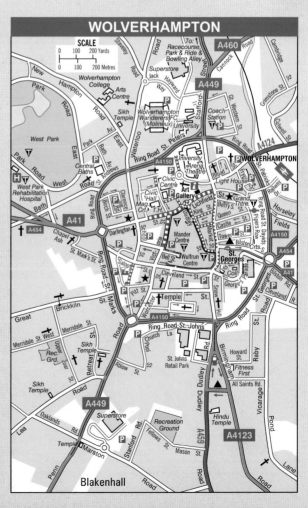

214

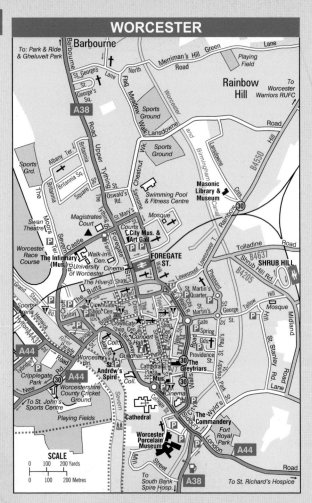

WORCESTER

Barbourne

Rainbow Hill

A38

Sports Ground

Sports Ground

Masonic Library & Museum

Magistrates Court

Swan Theatre

Worcester Race Course

The Infirmary (Mus.)

University of Worcester

City Mus. & Art Gall.

FOREGATE ST.

SHRUB HILL

Cinema

The Hive

Grand Stand

A44

The Butts

A44

Crowngate Shop. Cen.

Tybridge St.

River Parade

Crowngate Shop. Cen.

Cripplegate Park

Guildhall

Worcestershire County Cricket Ground

St. Andrew's Spire

The Greyfriars

To St. John's Sports Centre

Playing Fields

Cathedral

The Wyld's

The Commandery

Worcester Porcelain Museum

Fort Royal Park

A44

To South Bank Spire Hosp.

To St. Richard's Hospice

A38

SCALE
0   100   200 Yards

0   100   200 Metres

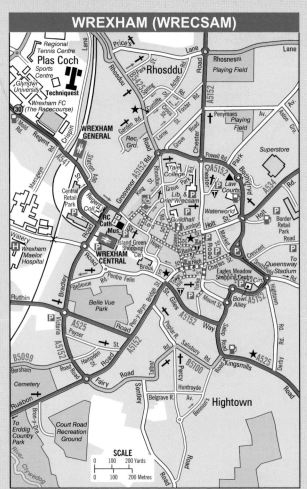

WREXHAM (WRECSAM)

Regional Tennis Centre

Plas Coch Sports Centre

Techniquest

Rhosddu

Rhosnesni Playing Field

Glyndŵr University

Wrexham FC (The Racecourse)

WREXHAM GENERAL

Penymaes Playing Field

Superstore

Central Retail Park

Yale College

Grove Park

Law Courts

RC Cath. Mus.

Guildhall

Waterworld

Border Retail Park Road

Wrexham Maelor Hospital

WREXHAM CENTRAL

Island Green Shopping Centre

To Queensway

Ruthin

Eagles Meadow Shopping Centre

Belle Vue Park

Bowl. Alley

A5152

Cemetery

Fairy

Huntroyde

Hightown

B5099

A525

To Erddig Country Park

Belgrave R.

Bennions

Court Road Recreation Ground

River Clywedog

SCALE
0   100   200 Yards

0   100   200 Metres

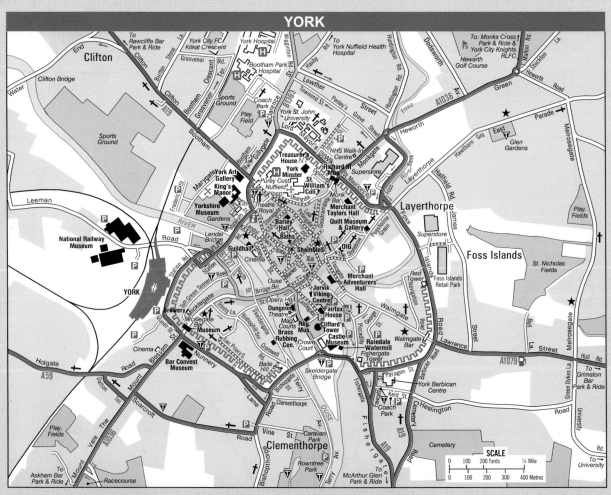

YORK

Clifton

Clifton Bridge

Sports Ground

York City FC KitKat Crescent

York Hospital

To Rawcliffe Bar Park & Ride

York Nuffield Health Hospital

To: Monks Cross Park & Ride & York City Knights RLFC

Hewarth Golf Course

A19

A1036

Bootham Park Hospital

Coach Park

York St. John University

NHS Walk-In Centre

Monkgate

Superstore

Glen Gardens

Sports Ground

Treasurer's House

York Art Gallery

York Minster

Richard III Mus.

King's Manor

St. William's Coll.

Merchant Taylors Hall

Layerthorpe

Yorkshire Museum

Theatre Royal

Quilt Museum & Gallery

Barley Hall

DIG

Foss Islands

St. Nicholas Fields

National Railway Museum

Guildhall

Shambles

Superstore

Foss Islands Retail Park

YORK

Brewery

Jorvik Viking Centre

Merchant Adventurers' Hall

Red Tower

Museum

Dungeon Theatre

Fairfax House

Reg. Mus.

Clifford's Tower Castle Museum

Brass Rubbing Cen.

Raindale Watermill Fishergate Tower

Walmgate Bar

Bar Convent Museum

Nunnery

Crown Court

A59

Holgate

A1036

York Barbican Centre

Coach Park

To Grimston Bar Park & Ride

A1079

Play. Fields

Clementhorpe

Rowntree Park

Cemetery

McArthur Glen Park & Ride

To Askham Bar Park & Ride

Racecourse

To University

SCALE
0   100   200 Yards   ¼ Mile

0   100   200   300   400 Metres

HARWICH

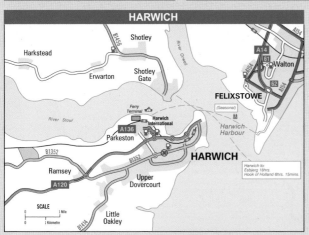

Harkstead · Shotley · Shotley Gate · Erwarton · Walton

FELIXSTOWE *(Seasonal)*

Harwich International · Parkeston · A136 · Harwich Harbour · Harwich-Harbour

HARWICH

B1352 · Ramsey · A120 · Upper Dovercourt · Little Oakley · B1414

Harwich to:
Esbjerg 18hrs.
Hook of Holland 6hrs. 15mins.

SCALE

KINGSTON UPON HULL

Cottingham · A164 · Newland · Sutton Ings · A165 · Stoneferry · Summergangs · Sculcoates · Willerby · B1232 · Kirk Ella · East Ella · Hull · City Centre · Ferry Terminal · A1033 · Anlaby Park · Anlaby · A1105 · Northfield · A63 · Hessle · A15 · Humber Bridge · Barton Waterside · B1206 · New Holland

KINGSTON UPON HULL

RIVER HUMBER · TOLL

Hull to:
Rotterdam (Europoort) 10hrs.
Zeebrugge 12hrs. 30mins.

SCALE

NEWCASTLE UPON TYNE

A19 · A1058 · TYNEMOUTH · NORTH SEA · North Shields · West Chirton · To Newcastle Station and City Centre · A1058 · WALLSEND · SOUTH SHIELDS · TOLL · Tyne Tunnel · Ferry Terminal · A193 · A187 · B1297 · JARROW · Harton · Marsden · HEBBURN · A185 · A1300 · A194 · A1018 · Cleadon · Whitburn · Wardley · B1298 · Boldon · B1299

Newcastle to:
Amsterdam (IJmuiden) 15hrs.

SCALE

NEWHAVEN

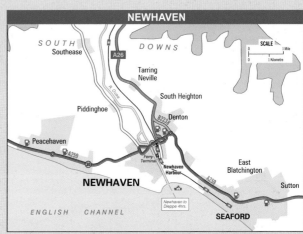

SOUTH DOWNS · Southease · A26 · Tarring Neville · South Heighton · Piddinghoe · B2109 · Denton · Peacehaven · A259 · Newhaven Harbour · Ferry Terminal · East Blatchington · Sutton · **NEWHAVEN** · A259 · **SEAFORD**

ENGLISH CHANNEL

Newhaven to:
Dieppe 4hrs.

SCALE

PEMBROKE DOCK (DOC PENFRO)

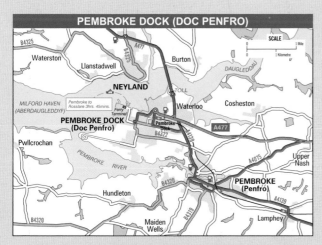

Waterston · B4325 · B4477 · Llanstadwell · Burton · DAUGLEDDAU · NEYLAND · TOLL · MILFORD HAVEN (ABERDAUGLEDDYF) · Waterloo · Cosheston · Ferry Terminal · PEMBROKE DOCK (Doc Penfro) · B4322 · A477 · Pwllcrochan · A4075 · Upper Nash · PEMBROKE RIVER · B4320 · PEMBROKE (Penfró) · Hundleton · A4139 · Maiden Wells · Lamphey

Pembroke to:
Rosslare 3hrs. 45mins.

SCALE

POOLE

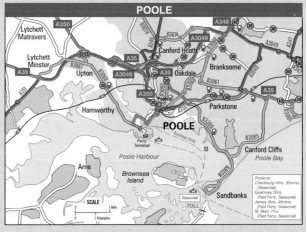

Lytchett Matravers · A350 · A348 · Lytchett Minster · A3049 · Canford Heath · A35 · Branksome · B3067 · Upton · A3049 · Oakdale · B3061 · A350 · Poole · Hamworthy · Parkstone · B3369 · Arne · Poole Harbour · Brownsea Island · Canford Cliffs · Poole Bay · Sandbanks · TOLL

Poole to:
Cherbourg 4hrs. 30mins. (Seasonal)
Guernsey 3hrs. (Fast Ferry, Seasonal)
Jersey 3hrs. 30mins. (Fast Ferry, Seasonal)
St. Malo 7hrs. (Fast Ferry, Seasonal)

SCALE

PORTSMOUTH

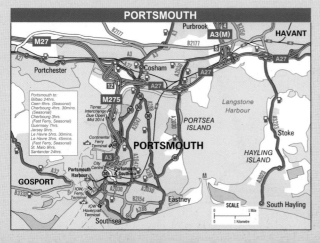

M27 · Purbrook · A3(M) · HAVANT · B2207 · B2177 · A3 · A27 · Portchester · Cosham · A27 · M275 · Tipner Interchange Due Open Mid 2014 · Langstone Harbour · PORTSEA ISLAND · A2030 · Stoke · A2030 · Continental Ferry Terminal · City Centre · Portsmouth & Southsea · **PORTSMOUTH** · GOSPORT · B3333 · IOW Ferry Terminal · A288 · B2154 · Eastney · HAYLING ISLAND · Southsea · South Hayling

Portsmouth to:
Bilbao 24hrs.
Caen 6hrs. (Seasonal)
Cherbourg 4hrs. 30mins. (Seasonal)
Cherbourg 3hrs. (Fast Ferry, Seasonal)
Guernsey 7hrs.
Jersey 9hrs.
Le Havre 5hrs. 30mins.
Le Havre 3hrs. 45mins. (Fast Ferry, Seasonal)
St. Malo 9hrs.
Santander 24hrs.

SCALE

WEYMOUTH

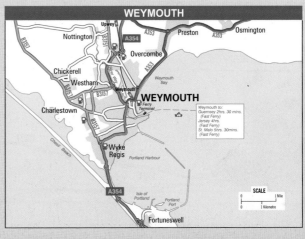

Upwey · A354 · A353 · Preston · Osmington · Nottington · A3157 · Overcombe · Chickerell · Westham · B3157 · Weymouth · **WEYMOUTH** · Ferry Terminal · Weymouth Bay · Charlestown · Chesil Beach · Portland Harbour · Wyke Regis · Isle of Portland · Portland Port · Fortuneswell

Weymouth to:
Guernsey 2hrs. 30mins. (Fast Ferry)
Jersey 4hrs. (Fast Ferry)
St. Malo 5hrs. 30mins. (Fast Ferry)

SCALE

BIRMINGHAM

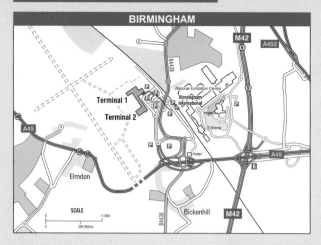

EAST MIDLANDS

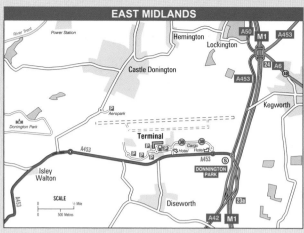

GLASGOW

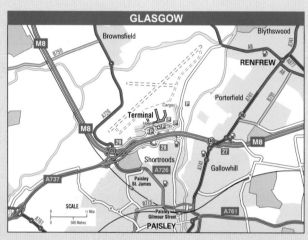

LONDON GATWICK

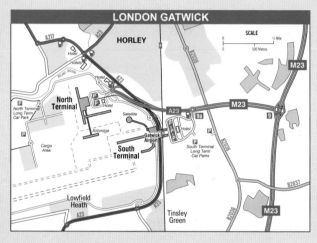

LONDON HEATHROW

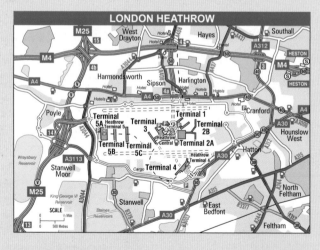

LONDON LUTON

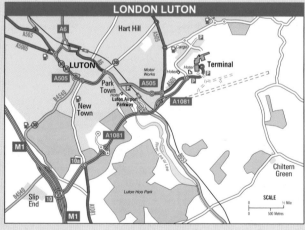

LONDON STANSTED

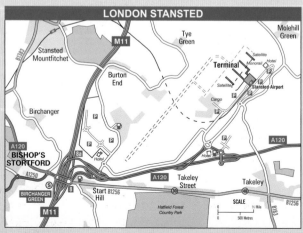

MANCHESTER INTERNATIONAL

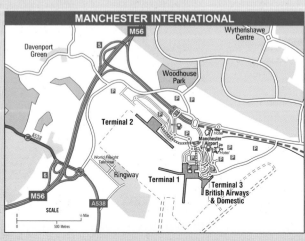

INDEX TO CITIES, TOWNS, VILLAGES, HAMLETS, LOCATIONS, AIRPORTS & PORTS

(1) A strict alphabetical order is used e.g. An Dùnan follows Andreas but precedes Andwell.

(2) The map reference given refers to the actual map square in which the town spot or built-up area is located and not to the place name.

(3) Major towns and destinations are shown in bold, i.e. **Aberdeen**. *Aber* . . . . 3G **153** & **187**
Where they appear on a Town Plan a second page reference is given.

(4) Where two or more places of the same name occur in the same County or Unitary Authority, the nearest large town is also given; e.g. Achiemore. *High* . . . .2D **166** (nr. Durness) indicates that Achiemore is located in square 2D on page **166** and is situated near Durness in the Unitary Authority of Highland.

(5) Only one reference is given although due to page overlaps the place may appear on more than one page.

COUNTIES and UNITARY AUTHORITIES with the abbreviations used in this index

Aberdeen : *Aber*
Aberdeenshire : *Abers*
Angus : *Ang*
Argyll & Bute : *Arg*
Bath & N E Somerset : *Bath*
Bedford : *Bed*
Blackburn with Darwen : *Bkbn*
Blackpool : *Bkpl*
Blaenau Gwent : *Blae*
Bournemouth : *Bour*
Bracknell Forest : *Brac*
Bridgend : *B'end*
Brighton & Hove : *Brig*
Bristol : *Bris*
Buckinghamshire : *Buck*
Caerphilly : *Cphy*
Cambridgeshire : *Cambs*
Cardiff : *Card*
Carmarthenshire : *Carm*
Central Bedfordshire : *C Beds*
Ceredigion : *Cdgn*
Cheshire East : *Ches E*
Cheshire West & Chester : *Ches W*
Clackmannanshire : *Clac*
Conwy : *Cnwy*
Cornwall : *Corn*
Cumbria : *Cumb*
Darlington : *Darl*
Denbighshire : *Den*
Derby : *Derb*
Derbyshire : *Derbs*
Devon : *Devn*
Dorset : *Dors*
Dumfries & Galloway : *Dum*
Dundee : *D'dee*
Durham : *Dur*
East Ayrshire : *E Ayr*
East Dunbartonshire : *E Dun*
East Lothian : *E Lot*
East Renfrewshire : *E Ren*
East Riding of Yorkshire : *E Yor*
East Sussex : *E Sus*
Edinburgh : *Edin*
Essex : *Essx*
Falkirk : *Falk*
Fife : *Fife*
Flintshire : *Flin*
Glasgow : *Glas*
Gloucestershire : *Glos*
Greater London : *G Lon*
Greater Manchester : *G Man*
Gwynedd : *Gwyn*
Halton : *Hal*
Hampshire : *Hants*
Hartlepool : *Hart*
Herefordshire : *Here*
Hertfordshire : *Herts*
Highland : *High*
Inverclyde : *Inv*
Isle of Anglesey : *IOA*
Isle of Man : *IOM*
Isle of Wight : *IOW*
Isles of Scilly : *IOS*
Kent : *Kent*
Kingston upon Hull : *Hull*
Lancashire : *Lanc*
Leicester : *Leic*
Leicestershire : *Leics*
Lincolnshire : *Linc*
Luton : *Lutn*
Medway : *Medw*
Merseyside : *Mers*
Merthyr Tydfil : *Mer T*
Middlesbrough : *Midd*
Midlothian : *Midl*
Milton Keynes : *Mil*
Monmouthshire : *Mon*
Moray : *Mor*
Neath Port Talbot : *Neat*
Newport : *Newp*
Norfolk : *Norf*
Northamptonshire : *Nptn*
North Ayrshire : *N Ayr*
North East Lincolnshire : *NE Lin*
North Lanarkshire : *N Lan*
North Lincolnshire : *N Lin*
North Somerset : *N Som*
Northumberland : *Nmbd*
North Yorkshire : *N Yor*
Nottingham : *Nott*
Nottinghamshire : *Notts*
Orkney : *Orkn*
Oxfordshire : *Oxon*
Pembrokeshire : *Pemb*
Perth & Kinross : *Per*
Peterborough : *Pet*
Plymouth : *Plym*
Poole : *Pool*
Portsmouth : *Port*
Powys : *Powy*
Reading : *Read*
Redcar & Cleveland : *Red C*
Renfrewshire : *Ren*
Rhondda Cynon Taff : *Rhon*
Rutland : *Rut*
Scottish Borders : *Bord*
Shetland : *Shet*
Shropshire : *Shrp*
Slough : *Slo*
Somerset : *Som*
Southampton : *Sotn*
South Ayrshire : *S Ayr*
Southend-on-Sea : *S'end*
South Gloucestershire : *S Glo*
South Lanarkshire : *S Lan*
South Yorkshire : *S Yor*
Staffordshire : *Staf*
Stirling : *Stir*
Stockton-on-Tees : *Stoc T*
Stoke-on-Trent : *Stoke*
Suffolk : *Suff*
Surrey : *Surr*
Swansea : *Swan*
Swindon : *Swin*
Telford & Wrekin : *Telf*
Thurrock : *Thur*
Torbay : *Torb*
Torfaen : *Torf*
Tyne & Wear : *Tyne*
Vale of Glamorgan, The : *V Glam*
Warrington : *Warr*
Warwickshire : *Warw*
West Berkshire : *W Ber*
West Dunbartonshire : *W Dun*
Western Isles : *W Isl*
West Lothian : *W Lot*
West Midlands : *W Mid*
West Sussex : *W Sus*
West Yorkshire : *W Yor*
Wiltshire : *Wilts*
Windsor & Maidenhead : *Wind*
Wokingham : *Wok*
Worcestershire : *Worc*
Wrexham : *Wrex*
York : *York*

INDEX

A

Abbas Combe. *Som* 4C **22**
Abberley. *Worc* 4B **60**
Abberley Common. *Worc* 4B **60**
Abberton. *Essx* 4D **54**
Abberton. *Worc* 5D **61**
Abberwick. *Nmbd* 3F **121**
Abbess Roding. *Essx* 4F **53**
Abbey. *Devn* 1E **13**
Abbey-cwm-hir. *Powy* 3C **58**
Abbeydale. *S Yor* 2H **85**
Abbeydale Park. *S Yor* 2H **85**
Abbey Dore. *Here* 2G **47**
Abbey Gate. *Devn* 3F **13**
Abbey Hulton. *Stoke* 1D **72**
Abbey St Bathans. *Bord* 3D **130**
Abbeystead. *Lanc* 4E **97**
Abbeytown. *Cumb* 4C **112**
Abbey Village. *Lanc* 2E **91**
Abbey Wood. *G Lon* 3F **39**
Abbots Ann. *Hants* 2B **24**
Abbots Bickington. *Devn* 1D **11**
Abbots Bromley. *Staf* 3E **73**
Abbotsbury. *Dors* 4A **14**
Abbotsham. *Devn* 4E **19**
Abbotskerswell. *Devn* 2E **9**
Abbots Langley. *Herts* 5A **52**
Abbots Leigh. *N Som* 4A **34**
Abbotsley. *Cambs* 5B **64**
Abbots Morton. *Worc* 5E **61**
Abbots Ripton. *Cambs* 3B **64**
Abbot's Salford. *Warw* 5E **61**
Abbotstone. *Hants* 3D **24**
Abbots Worthy. *Hants* 3C **24**
Abcott. *Shrp* 3F **59**
Abdon. *Shrp* 2H **59**
Abenhall. *Glos* 4B **48**
Aber. *Cdgn* 1E **45**
Aberaeron. *Cdgn* 4D **56**
Aberafan. *Neat* 3G **31**
Aberaman. *Rhon* 5D **46**
Aberangell. *Powy* 4H **69**
Aberarad. *Carm* 1H **43**
Aberarder. *High* 1A **150**
Aberargie. *Per* 2D **136**
Aberarth. *Cdgn* 4D **57**
Aberavon. *Neat* 3G **31**
Aber-banc. *Cdgn* 1D **44**
Aberbargoed. *Cphy* 2E **33**
Aberbechan. *Powy* 1D **58**
Aberbeeg. *Blae* 5F **47**
Aberbowlan. *Carm* 2G **45**
Aberbran. *Powy* 3C **46**
Abercanaid. *Mer T* 5D **46**
Abercarn. *Cphy* 2F **33**
Abercastle. *Pemb* 1C **42**
Abercegir. *Powy* 5H **69**
Aberchalder. *High* 3F **149**
Aberchirder. *Abers* 3D **160**
Abercorn. *W Lot* 2D **129**
Abercraf. *Powy* 4B **46**
Abercregan. *Neat* 2B **32**
Abercrombie. *Fife* 3H **137**
Abercwmboi. *Rhon* 2D **32**
Abercych. *Pemb* 1C **44**
Abercynon. *Rhon* 2D **32**
Aber-Cywarch. *Gwyn* 4A **70**
Aberdalgie. *Per* 1C **136**
Aberdar. *Rhon* 5C **46**
Aberdare. *Rhon* 5C **46**
Aberdaron. *Gwyn* 3A **68**
Aberdaugleddau. *Pemb* 4D **42**
Aberdeen. *Aber* 3G **153** & **187**
Aberdeen (Dyce) Airport. *Aber* 2F **153**
Aberdesach. *Gwyn* 5D **80**
Aberdour. *Fife* 1E **129**
Aberdovey. *Gwyn* 1F **57**
Aberdulais. *Neat* 5A **46**
Aberdyfi. *Gwyn* 1F **57**
Aberedw. *Powy* 1D **46**
Abereiddy. *Pemb* 1B **42**
Abererch. *Gwyn* 2C **68**
Aberfan. *Mer T* 5D **46**
Aberfeldy. *Per* 4F **143**
Aberffraw. *IOA* 4C **80**
Aberffrwd. *Cdgn* 3F **57**
Aberford. *W Yor* 1E **93**
Aberfoyle. *Stir* 3E **135**
Abergarw. *B'end* 3C **32**
Abergarwed. *Neat* 5B **46**
Abergavenny. *Mon* 4G **47**
Abergele. *Cnwy* 3B **82**
Aber-Giar. *Carm* 1F **45**
Abergorlech. *Carm* 2F **45**
Abergwaun. *Pemb* 1D **42**
Abergwesyn. *Powy* 5A **58**
Abergwili. *Carm* 3E **45**
Abergwynfi. *Neat* 2B **32**
Abergwyngregyn. *Gwyn* 3F **81**
Abergynolwyn. *Gwyn* 5F **69**
Aberhafesp. *Powy* 1C **58**
Aberhonddu. *Powy* 3D **46**
Aberhosan. *Powy* 1H **57**
Aberkenfig. *B'end* 3B **32**
Aberlady. *E Lot* 2A **130**
Aberlemno. *Ang* 3E **145**
Aberllefenni. *Gwyn* 5G **69**
Abermaw. *Gwyn* 4F **69**
Abermeurig. *Cdgn* 5E **57**
Aber-miwl. *Powy* 1D **58**
Abermule. *Powy* 1D **58**
Abernant. *Carm* 2H **43**
Abernant. *Rhon* 5D **46**
Abernethy. *Per* 2D **136**
Abernyte. *Per* 5B **144**
Aber-oer. *Wrex* 1E **71**
Aberpennar. *Rhon* 2D **32**
Aberporth. *Cdgn* 5B **56**
Aberriw. *Powy* 5D **70**
Abersoch. *Gwyn* 3C **68**
Abersychan. *Torf* 5F **47**
Abertawe.
Swan 3F **31** & **Swansea 212**
Aberteifi. *Cdgn* 1B **44**
Aberthin. *V Glam* 4D **32**
Abertillery. *Blae* 5F **47**
Abertridwr. *Cphy* 3E **32**
Abertridwr. *Powy* 4C **70**
Abertyleri. *Blae* 5F **47**
Abertysswg. *Cphy* 5E **47**
Aberuthven. *Per* 2B **136**
Aber Village. *Powy* 3E **46**
Aberyscir. *Powy* 3D **46**
Aberystwyth. *Cdgn* 2E **57** & **187**
Abhainn Suidhe. *W Isl* 7C **171**
Abingdon-on-Thames. *Oxon* 2C **36**
Abinger Common. *Surr* 1C **26**
Abinger Hammer. *Surr* 1B **26**
Abington. *S Lan* 2B **118**
Abington Pigotts. *Cambs* 1D **52**
Ab Kettleby. *Leics* 3E **74**
Ab Lench. *Worc* 5E **61**
Ablington. *Glos* 5G **49**
Ablington. *Wilts* 2G **23**
Abney. *Derbs* 3F **85**
Aboyne. *Abers* 4C **152**
Abram. *G Man* 4E **90**
Abriachan. *High* 5H **157**
Abridge. *Essx* 1F **39**
Abronhill. *N Lan* 2A **128**
Abson. *S Glo* 4C **34**
Abthorpe. *Nptn* 1E **51**
Abune-the-Hill. *Orkn* 5B **172**
Aby. *Linc* 3D **88**
Acairseid. *W Isl* 8C **170**
Acaster Malbis. *York* 5H **99**
Acaster Selby. *N Yor* 5H **99**
Accott. *Devn* 3G **19**
Accrington. *Lanc* 2F **91**
Acha. *Arg* 3C **138**
Achachork. *High* 4D **155**
Achadh a' Chuirn. *High* 1E **147**
Achahoish. *Arg* 2F **125**
Achaleven. *Arg* 5D **140**
Achallader. *Arg* 4H **141**
Acha Mor. *W Isl* 5F **171**
Achanalt. *High* 2E **157**
Achandunie. *High* 1A **158**
Ach'an Todhair. *High* 1E **141**
Achany. *High* 3C **164**
Achaphubuil. *High* 1E **141**
Acharacle. *High* 2A **140**
Acharn. *Ang* 1B **144**
Acharn. *Per* 4E **143**
Acharole. *High* 3E **169**
Achateny. *High* 2G **139**
Achavanich. *High* 4D **169**
Achdalieu. *High* 1E **141**
Achduart. *High* 3E **163**
Achentoul. *High* 5A **168**
Achfary. *High* 5C **166**
Achfrish. *High* 2C **164**
Achgarve. *High* 4C **162**
Achiemore. *High* 2D **166**
(nr. Durness)
Achiemore. *High* 3A **168**
(nr. Thurso)
A'Chill. *High* 3A **146**
Achiltibuie. *High* 3E **163**
Achina. *High* 2H **167**
Achinahuagh. *High* 2F **167**
Achindarroch. *High* 3E **141**
Achinduich. *High* 3C **164**
Achinduin. *Arg* 5C **140**
Achininver. *High* 2F **167**
Achintee. *High* 4B **156**
Achintraid. *High* 5H **155**
Achleck. *Arg* 4F **139**
Achlorachan. *High* 3F **157**
Achluachrach. *High* 5E **149**
Achlyness. *High* 3C **166**
Achmelvich. *High* 1E **163**
Achmony. *High* 5H **157**
Achmore. *High* 5A **156**
(nr. Stromeferry)
Achmore. *High* 4E **163**
(nr. Ullapool)
Achnacarnin. *High* 1E **163**
Achnacarry. *High* 5D **148**
Achnaclerach. *High* 2G **157**
Achnacloich. *High* 3D **147**
Ach na Cloiche. *High* 3D **147**
Achnaconeran. *High* 2G **149**
Achnacroish. *Arg* 4C **140**
Achnafalnich. *Arg* 1B **134**
Achnagarron. *High* 1A **158**
Achnaha. *High* 2F **139**
Achnahanat. *High* 4C **164**
Achnahannet. *High* 1D **151**
Achnairn. *High* 2C **164**
Achnamara. *Arg* 1F **125**
Achnanellan. *High* 5C **148**
Achnangoul. *Arg* 3H **133**
Achnasheen. *High* 3D **156**
Achnashellach. *High* 4C **156**
Achosnich. *High* 2F **139**
Achow. *High* 5E **169**
Achranich. *High* 4B **140**
Achreamie. *High* 2C **168**
Achriabhach. *High* 2F **141**
Achriesgill. *High* 3C **166**
Achrimsdale. *High* 3G **165**
Achscrabster. *High* 2C **168**
Achtoty. *High* 2G **167**
Achurch. *Nptn* 2H **63**
Achuvoldrach. *High* 3F **167**
Achvaich. *High* 4E **164**
Achvoan. *High* 3E **165**
Ackenthwaite. *Cumb* 1E **97**
Ackergill. *High* 3F **169**
Ackergillshore. *High* 3F **169**
Acklam. *Midd* 3B **106**
Acklam. *N Yor* 3B **100**
Ackleton. *Shrp* 1B **60**
Acklington. *Nmbd* 4G **121**
Ackton. *W Yor* 2E **93**
Ackworth Moor Top. *W Yor* 3E **93**
Acle. *Norf* 4G **79**
Acocks Green. *W Mid* 2F **61**
Acol. *Kent* 4H **41**
Acomb. *Nmbd* 3C **114**
Acomb. *York* 4H **99**
Aconbury. *Here* 2A **48**
Acre. *G Man* 4H **91**
Acre. *Lanc* 2F **91**
Acrefair. *Wrex* 1E **71**
Acrise. *Kent* 1F **29**
Acton. *Ches E* 5A **84**
Acton. *Dors* 5E **15**
Acton. *G Lon* 2C **38**
Acton. *Shrp* 2F **59**
Acton. *Staf* 1C **72**
Acton. *Suff* 1B **54**
Acton. *Worc* 4C **60**
Acton. *Wrex* 5F **83**
Acton Beauchamp. *Here* 5A **60**
Acton Bridge. *Ches W* 3H **83**
Acton Burnell. *Shrp* 5H **71**
Acton Green. *Here* 5A **60**
Acton Pigott. *Shrp* 5H **71**
Acton Round. *Shrp* 1A **60**
Acton Scott. *Shrp* 2G **59**
Acton Trussell. *Staf* 4D **72**
Acton Turville. *S Glo* 3D **34**
Adabroc. *W Isl* 1H **171**
Adam's Hill. *Worc* 3D **60**
Adbaston. *Staf* 3B **72**
Adber. *Dors* 4B **22**
Adderbury. *Oxon* 2C **50**
Adderley. *Shrp* 2A **72**
Adderstone. *Nmbd* 1F **121**
Addiewell. *W Lot* 3C **128**
Addingham. *W Yor* 5C **98**
Addington. *Buck* 3F **51**
Addington. *G Lon* 4E **39**
Addington. *Kent* 5A **40**
Addinston. *Bord* 4B **130**
Addiscombe. *G Lon* 4E **39**
Addlestone. *Surr* 4B **38**
Addlethorpe. *Linc* 4E **89**
Adeney. *Telf* 4B **72**
Adfa. *Powy* 5C **70**
Adforton. *Here* 3G **59**
Adgestone. *IOW* 4D **16**
Adisham. *Kent* 5G **41**
Adlestrop. *Glos* 3H **49**
Adlingfleet. *E Yor* 2B **94**
Adlington. *Ches E* 2D **84**
Adlington. *Lanc* 3E **90**
Admaston. *Staf* 3E **73**
Admaston. *Telf* 4A **72**
Admington. *Warw* 1G **49**
Adpar. *Cdgn* 1D **44**
Adsborough. *Som* 4F **21**
Adstock. *Buck* 2F **51**
Adstone. *Nptn* 5C **62**
Adversane. *W Sus* 3B **26**
Advie. *High* 5F **159**
Adwalton. *W Yor* 2C **92**
Adwell. *Oxon* 2E **37**
Adwick le Street. *S Yor* 4F **93**
Adwick upon Dearne. *S Yor* 4E **93**
Adziel. *Abers* 3G **161**
Ae. *Dum* 1A **112**
Affleck. *Abers* 1F **153**
Affpuddle. *Dors* 3D **14**
Affric Lodge. *High* 1D **148**
Afon-wen. *Flin* 3D **82**
Agglethorpe. *N Yor* 1C **98**
Aglionby. *Cumb* 4F **113**
Aigburth. *Mers* 2F **83**
Aiginis. *W Isl* 4G **171**
Aike. *E Yor* 5E **101**
Aikers. *Orkn* 8D **172**
Aiketgate. *Cumb* 5F **113**
Aikhead. *Cumb* 5D **112**
Aikton. *Cumb* 4D **112**
Ailey. *Here* 1G **47**
Ailsworth. *Pet* 1A **64**
Ainderby Quernhow. *N Yor* 1F **99**
Ainderby Steeple. *N Yor* 5A **106**
Aingers Green. *Essx* 3E **54**
Ainsdale. *Mers* 3B **90**
Ainsdale-on-Sea. *Mers* 3B **90**
Ainstable. *Cumb* 5G **113**
Ainsworth. *G Man* 3F **91**
Ainthorpe. *N Yor* 4E **107**
Aintree. *Mers* 1F **83**
Aird. *Arg* 3E **133**
Aird. *Dum* 3F **109**
Aird. *High* 1G **155**
(nr. Port Henderson)
Aird. *High* 3D **147**
(nr. Tarskavaig)
Aird. *W Isl* 3C **170**
(on Benbecula)
Aird. *W Isl* 4H **171**
(on Isle of Lewis)
Àird a Bhasair. *High* 3E **147**
Aird a Mhachair. *W Isl* 4C **170**
Aird a Mhulaidh. *W Isl* 6D **171**
Aird Asaig. *W Isl* 7D **171**
Aird Dhail. *W Isl* 1G **171**
Airdens. *High* 4D **164**
Airdeny. *Arg* 1G **133**
Aird Mhidhinis. *W Isl* 8C **170**
Aird Mhighe. *W Isl* 8D **171**
(nr. Ceann a Bhaigh)
Aird Mhighe. *W Isl* 9C **171**
(nr. Fionnsabhagh)
Aird Mhor. *W Isl* 8C **170**
(on Barra)
Aird Mhor. *W Isl* 4D **170**
(on South Uist)
Airdrie. *N Lan* 3A **128**
Aird Shleibhe. *W Isl* 9D **171**
Aird, The. *High* 3D **154**
Aird Thunga. *W Isl* 4G **171**
Aird Uig. *W Isl* 4C **171**
Airedale. *W Yor* 2E **93**
Airidh a Bhruaich. *W Isl* 6E **171**
Airies. *Dum* 3E **109**
Airmyn. *E Yor* 2H **93**
Airntully. *Per* 5H **143**
Airor. *High* 3F **147**
Airth. *Falk* 1C **128**
Airton. *N Yor* 4B **98**
Aisby. *Linc* 1F **87**
(nr. Gainsborough)
Aisby. *Linc* 2H **75**
(nr. Grantham)
Aisgernis. *W Isl* 6C **170**
Aish. *Devn* 2C **8**
(nr. Buckfastleigh)
Aish. *Devn* 3E **9**
(nr. Totnes)
Aisholt. *Som* 3E **21**
Aiskew. *N Yor* 1E **99**
Aislaby. *N Yor* 1B **100**
(nr. Pickering)
Aislaby. *N Yor* 4F **107**
(nr. Whitby)
Aislaby. *Stoc T* 3B **106**
Aisthorpe. *Linc* 2G **87**
Aith. *Shet* 2H **173**
(on Fetlar)
Aith. *Shet* 6E **173**
(on Mainland)

Aithsetter. *Shet* 8F **173**
Akeld. *Nmbd* 2D **120**
Akeley. *Buck* 2F **51**
Akenham. *Suff* 1E **55**
Albaston. *Corn* 5E **11**
Alberbury. *Shrp* 4F **71**
Albert Town. *Pemb* 3D **42**
Albert Village. *Leics* 4H **73**
Albourne. *W Sus* 4D **26**
Albrighton. *Shrp* 4G **71**
(nr. Shrewsbury)
Albrighton. *Shrp* 5C **72**
(nr. Telford)
Alburgh. *Norf* 2E **67**
Albury. *Herts* 3E **53**
Albury. *Surr* 1B **26**
Albyfield. *Cumb* 4G **113**
Alby Hill. *Norf* 2D **78**
Alcaig. *High* 3H **157**
Alcaston. *Shrp* 2G **59**
Alcester. *Warw* 5E **61**
Alciston. *E Sus* 5G **27**
Alcombe. *Som* 2C **20**
Alconbury. *Cambs* 3A **64**
Alconbury Weston. *Cambs* 3A **64**
Aldborough. *Norf* 2D **78**
Aldborough. *N Yor* 3G **99**
Aldbourne. *Wilts* 4A **36**
Aldbrough. *E Yor* 1F **95**
Aldbrough St John. *N Yor* 3F **105**
Aldbury. *Herts* 4H **51**
Aldcliffe. *Lanc* 3D **96**
Aldclune. *Per* 2G **143**
Aldeburgh. *Suff* 5G **67**
Aldeby. *Norf* 1G **67**
Aldenham. *Herts* 1C **38**
Alderbury. *Wilts* 4G **23**
Aldercar. *Derbs* 1B **74**
Alderford. *Norf* 4D **78**
Alderholt. *Dors* 1G **15**
Alderley. *Glos* 2C **34**
Alderley Edge. *Ches E* 3C **84**
Aldermaston. *W Ber* 5D **36**
Aldermaston Stoke. *W Ber* 5E **36**
Aldermaston Wharf. *W Ber* 5E **36**
Alderminster. *Warw* 1H **49**
Alder Moor. *Staf* 3G **73**
Aldersey Green. *Ches W* 5G **83**
Aldershot. *Hants* 1G **25**
Alderton. *Glos* 2E **49**
Alderton. *Nptn* 1F **51**
Alderton. *Shrp* 3G **71**
Alderton. *Suff* 1G **55**
Alderton. *Wilts* 3D **34**
Alderton Fields. *Glos* 2F **49**
Alderwasley. *Derbs* 5H **85**
Aldfield. *N Yor* 3E **99**
Aldford. *Ches W* 5G **83**
Aldgate. *Rut* 5G **75**
Aldham. *Essx* 3C **54**
Aldham. *Suff* 1D **54**
Aldingbourne. *W Sus* 5A **26**
Aldingham. *Cumb* 2B **96**
Aldington. *Kent* 2E **29**
Aldington. *Worc* 1F **49**
Aldington Frith. *Kent* 2E **29**
Aldochlay. *Arg* 4C **134**
Aldon. *Shrp* 3G **59**
Aldoth. *Cumb* 5C **112**
Aldreth. *Cambs* 3D **64**
Aldridge. *W Mid* 5E **73**
Aldringham. *Suff* 4G **67**
Aldsworth. *Glos* 4G **49**
Aldsworth. *W Sus* 2F **17**
Aldwark. *Derbs* 5G **85**
Aldwark. *N Yor* 3G **99**
Aldwick. *W Sus* 3H **17**
Aldwincle. *Nptn* 2H **63**
Aldworth. *W Ber* 4D **36**
Alexandria. *W Dun* 1E **127**
Aley. *Som* 3E **21**
Aley Green. *C Beds* 4A **52**
Alfardisworthy. *Devn* 1C **10**
Alfington. *Devn* 3E **12**
Alfold. *Surr* 2B **26**
Alfold Bars. *W Sus* 2B **26**
Alfold Crossways. *Surr* 2B **26**
Alford. *Abers* 2C **152**
Alford. *Linc* 3D **88**
Alford. *Som* 3B **22**
Alfreton. *Derbs* 5B **86**
Alfrick. *Worc* 5B **60**
Alfrick Pound. *Worc* 5B **60**
Alfriston. *E Sus* 5G **27**
Algarkirk. *Linc* 2B **76**
Alhampton. *Som* 3B **22**
Aline Lodge. *W Isl* 6D **171**
Alkborough. *N Lin* 2B **94**
Alkerton. *Oxon* 1B **50**
Alkham. *Kent* 1G **29**
Alkington. *Shrp* 2H **71**
Alkmonton. *Derbs* 2F **73**
Alladale Lodge. *High* 5B **164**
Allaleigh. *Devn* 3E **9**
Allanbank. *N Lan* 4B **128**
Allanton. *N Lan* 4B **128**
Allanton. *Bord* 4E **131**
Allaston. *Glos* 5B **48**
Allbrook. *Hants* 4C **24**
All Cannings. *Wilts* 5F **35**
Allendale Town. *Nmbd* 4B **114**
Allen End. *Warw* 1F **61**
Allenheads. *Nmbd* 5B **114**
Allensford. *Dur* 5D **115**
Allen's Green. *Herts* 4E **53**
Allensmore. *Here* 2H **47**
Allenton. *Derb* 2A **74**
Aller. *Som* 4H **21**
Allerby. *Cumb* 1B **102**
Allercombe. *Devn* 3D **12**
Allerford. *Som* 2C **20**
Allerston. *N Yor* 1C **100**
Allerthorpe. *E Yor* 5B **100**
Allerton. *Mers* 2G **83**
Allerton. *W Yor* 1B **92**
Allerton Bywater. *W Yor* 2E **93**
Allerton Mauleverer. *N Yor* 4G **99**
Allesley. *W Mid* 2G **61**
Allestree. *Derb* 2H **73**
Allet. *Corn* 4B **6**
Allexton. *Leics* 5F **75**
Allgreave. *Ches E* 4D **84**
Allhallows. *Medw* 3C **40**
Allhallows-on-Sea. *Medw* 3C **40**
Alligin Shuas. *High* 3H **155**
Allimore Green. *Staf* 4C **72**
Allington. *Kent* 5B **40**
Allington. *Linc* 1F **75**
Allington. *Wilts* 3H **23**
(nr. Amesbury)
Allington. *Wilts* 5F **35**
(nr. Devizes)
Allithwaite. *Cumb* 2C **96**
Alloa. *Clac* 4A **136**
Allonby. *Cumb* 5B **112**
Allostock. *Ches W* 3B **84**
Alloway. *S Ayr* 3C **116**
Allowenshay. *Som* 1G **13**
All Saints South Elmham. *Suff* 2F **67**
Allscott. *Shrp* 1B **60**
Allscott. *Telf* 4A **72**
All Stretton. *Shrp* 1G **59**
Allt. *Carm* 5F **45**
Alltami. *Flin* 4E **83**
Alltgobhlach. *N Ayr* 5G **125**
Alltmawr. *Powy* 1D **46**
Alltnacaillich. *High* 4E **167**
Allt na h-Airbhe. *High* 4F **163**
Alltour. *High* 5E **148**
Alltsigh. *High* 2G **149**
Alltwalis. *Carm* 2E **45**
Alltwen. *Neat* 5H **45**
Alltyblacca. *Cdgn* 1F **45**
Allt-y-goed. *Pemb* 1B **44**
Almeley. *Here* 5F **59**
Almeley Wooton. *Here* 5F **59**
Almer. *Dors* 3E **15**
Almholme. *S Yor* 4F **93**
Almington. *Staf* 2B **72**
Alminstone Cross. *Devn* 4D **18**
Almodington. *W Sus* 3G **17**
Almondbank. *Per* 1C **136**
Almondbury. *W Yor* 3B **92**
Almondsbury. *S Glo* 3B **34**
Alne. *N Yor* 3G **99**
Alness. *High* 2A **158**
Alnessferry. *High* 2A **158**
Alnham. *Nmbd* 3D **121**
Alnmouth. *Nmbd* 3G **121**
Alnwick. *Nmbd* 3F **121**
Alphamstone. *Essx* 2B **54**
Alpheton. *Suff* 5A **66**
Alphington. *Devn* 3C **12**
Alpington. *Norf* 5E **79**
Alport. *Derbs* 4G **85**
Alport. *Powy* 1E **59**
Alpraham. *Ches E* 5H **83**
Alresford. *Essx* 3D **54**
Alrewas. *Staf* 4F **73**
Alsager. *Ches E* 5B **84**
Alsagers Bank. *Staf* 1C **72**
Alsop en le Dale. *Derbs* 5F **85**
Alston. *Cumb* 5A **114**
Alston. *Devn* 2G **13**
Alstone. *Glos* 2E **49**
Alstone. *Som* 2G **21**
Alstonefield. *Staf* 5F **85**
Alston Sutton. *Som* 1H **21**
Alswear. *Devn* 4H **19**
Altandhu. *High* 2D **163**
Altanduin. *High* 1F **165**
Altarnun. *Corn* 4C **10**
Altass. *High* 3B **164**
Alterwall. *High* 2E **169**
Altgaltraig. *Arg* 2B **126**
Altham. *Lanc* 1F **91**
Althorne. *Essx* 1D **40**
Althorpe. *N Lin* 4B **94**
Altnabreac. *High* 4C **168**
Altnacealgach. *High* 2G **163**
Altnafeadh. *High* 3G **141**
Altnaharra. *High* 5F **167**
Altofts. *W Yor* 2D **92**
Alton. *Derbs* 4A **86**
Alton. *Hants* 3F **25**
Alton. *Staf* 1E **73**
Alton Barnes. *Wilts* 5G **35**
Altonhill. *E Ayr* 1D **116**
Alton Pancras. *Dors* 2C **14**
Alton Priors. *Wilts* 5G **35**
Altrincham. *G Man* 2B **84**
Altrua. *High* 4E **149**
Alva. *Clac* 4A **136**
Alvanley. *Ches W* 3G **83**
Alvaston. *Derb* 2A **74**
Alvechurch. *Worc* 3E **61**
Alvecote. *Warw* 5G **73**
Alvediston. *Wilts* 4E **23**
Alveley. *Shrp* 2B **60**
Alverdiscott. *Devn* 4F **19**
Alverstoke. *Hants* 3D **16**
Alverstone. *IOW* 4D **16**
Alverthorpe. *W Yor* 2D **92**
Alverton. *Notts* 1E **75**
Alves. *Mor* 2F **159**
Alvescot. *Oxon* 5A **50**
Alveston. *S Glo* 3B **34**
Alveston. *Warw* 5G **61**
Alvie. *High* 3C **150**
Alvingham. *Linc* 1C **88**
Alvington. *Glos* 5B **48**
Alwalton. *Cambs* 1A **64**
Alweston. *Dors* 1B **14**
Alwington. *Devn* 4E **19**
Alwinton. *Nmbd* 4D **120**
Alwoodley. *W Yor* 5E **99**
Alyth. *Per* 4B **144**
Amatnatua. *High* 4B **164**
Am Baile. *W Isl* 7C **170**
Ambaston. *Derbs* 2B **74**
Ambergate. *Derbs* 5H **85**
Amber Hill. *Linc* 1B **76**
Amberley. *Glos* 5D **48**
Amberley. *W Sus* 4B **26**
Amble. *Nmbd* 4G **121**
Amblecote. *W Mid* 2C **60**
Ambler Thorn. *W Yor* 2A **92**
Ambleside. *Cumb* 4E **103**
Ambleston. *Pemb* 2E **43**
Ambrosden. *Oxon* 4E **50**
Amcotts. *N Lin* 3B **94**
Amersham. *Buck* 1A **38**
Amerton. *Staf* 3D **73**
Amesbury. *Wilts* 2G **23**
Amisfield. *Dum* 1B **112**
Amlwch. *IOA* 1D **80**
Amlwch Port. *IOA* 1D **80**
Ammanford. *Carm* 4G **45**
Amotherby. *N Yor* 2B **100**
Ampfield. *Hants* 4B **24**
Ampleforth. *N Yor* 2H **99**
Ampleforth College. *N Yor* 2H **99**
Ampney Crucis. *Glos* 5F **49**
Ampney St Mary. *Glos* 5F **49**
Ampney St Peter. *Glos* 5F **49**
Amport. *Hants* 2A **24**
Ampthill. *C Beds* 2A **52**
Ampton. *Suff* 3A **66**
Amroth. *Pemb* 4F **43**
Amulree. *Per* 5G **143**
Amwell. *Herts* 4B **52**
Anaheilt. *High* 2C **140**
An Àird. *High* 3D **147**
An Camus Darach. *High* 4E **147**
Ancaster. *Linc* 1G **75**
Anchor. *Shrp* 2D **58**
Anchorsholme. *Bkpl* 5C **96**
Anchor Street. *Norf* 3F **79**
An Cnoc. *W Isl* 4G **171**
An Cnoc Ard. *W Isl* 1H **171**
An Coroghon. *High* 3A **146**
Ancroft. *Nmbd* 5G **131**
Ancrum. *Bord* 2A **120**
Ancton. *W Sus* 5A **26**
Anderby. *Linc* 3E **89**
Anderby Creek. *Linc* 3E **89**
Anderson. *Dors* 3D **15**
Anderton. *Ches W* 3A **84**
Andertons Mill. *Lanc* 3D **90**
Andover. *Hants* 2B **24**
Andover Down. *Hants* 2B **24**
Andoversford. *Glos* 4F **49**
Andreas. *IOM* 2D **108**
An Dùnan. *High* 1D **147**
Andwell. *Hants* 1E **25**
Anelog. *Gwyn* 3A **68**
Anfield. *Mers* 1F **83**
Angarrack. *Corn* 3C **4**
Angelbank. *Shrp* 3H **59**
Angersleigh. *Som* 1F **13**
Angerton. *Cumb* 4D **112**
Angle. *Pemb* 4C **42**
An Gleann Ur. *W Isl* 4G **171**
Angmering. *W Sus* 5B **26**
Angmering-on-Sea. *W Sus* 5B **26**
Angram. *N Yor* 5B **104**
(nr. Keld)
Angram. *N Yor* 5H **99**
(nr. York)
Anick. *Nmbd* 3C **114**
Ankerbold. *Derbs* 4A **86**
Ankerville. *High* 1C **158**
Anlaby. *E Yor* 2D **94**
Anlaby Park. *Hull* 2D **94**
An Leth Meadhanach. *W Isl* 7C **170**
Anmer. *Norf* 3G **77**
Anmore. *Hants* 1E **17**
Annan. *Dum* 3D **112**
Annaside. *Cumb* 1A **96**
Annat. *Arg* 1H **133**
Annat. *High* 3A **156**
Annathill. *N Lan* 2A **128**
Anna Valley. *Hants* 2B **24**
Annbank. *S Ayr* 2D **116**
Annesley. *Notts* 5C **86**
Annesley Woodhouse. *Notts* 5C **86**
Annfield Plain. *Dur* 4E **115**
Annscroft. *Shrp* 5G **71**
An Sailean. *High* 2A **140**
Ansdell. *Lanc* 2B **90**
Ansford. *Som* 3B **22**
Ansley. *Warw* 1G **61**
Anslow. *Staf* 3G **73**
Anslow Gate. *Staf* 3F **73**
Ansteadbrook. *Surr* 2A **26**
Anstey. *Herts* 2E **53**
Anstey. *Leics* 5C **74**
Anston. *S Lan* 5D **128**
Anstruther Easter. *Fife* 3H **137**
Anstruther Wester. *Fife* 3H **137**
Ansty. *Warw* 2A **62**
Ansty. *W Sus* 3D **27**
Ansty. *Wilts* 4E **23**
An Taobh Tuath. *W Isl* 9B **171**
An t-Aodann Ban. *High* 3C **154**
An t Ath Leathann. *High* 1E **147**
An Teanga. *High* 3E **147**
Anthill Common. *Hants* 1E **17**
Anthorn. *Cumb* 4C **112**
Antingham. *Norf* 2E **79**
An t-Ob. *W Isl* 9C **171**
Anton's Gowt. *Linc* 1B **76**
Antony. *Corn* 3A **8**
An t-Òrd. *High* 2E **147**
Antrobus. *Ches W* 3A **84**
Anvil Corner. *Devn* 2D **10**
Anwick. *Linc* 5A **88**
Anwoth. *Dum* 4C **110**
Apethorpe. *Nptn* 1H **63**
Apeton. *Staf* 4C **72**
Apley. *Linc* 3A **88**
Apperknowle. *Derbs* 3A **86**
Apperley. *Glos* 3D **48**
Apperley Dene. *Nmbd* 4D **114**
Appersett. *N Yor* 5B **104**
Appin. *Arg* 4D **140**
Appleby. *N Lin* 3C **94**
Appleby-in-Westmorland. *Cumb* 2H **103**
Appleby Magna. *Leics* 5H **73**
Appleby Parva. *Leics* 5H **73**
Applecross. *High* 4G **155**
Appledore. *Devn* 3E **19**
(nr. Bideford)
Appledore. *Devn* 1D **12**
(nr. Tiverton)
Appledore. *Kent* 3D **28**
Appledore Heath. *Kent* 2D **28**
Appleford. *Oxon* 2D **36**
Applegarthtown. *Dum* 1C **112**
Applemore. *Hants* 2B **16**
Appleshaw. *Hants* 2B **24**
Applethwaite. *Cumb* 2D **102**
Appleton. *Hal* 2H **83**
Appleton. *Oxon* 5C **50**
Appleton-le-Moors. *N Yor* 1B **100**
Appleton-le-Street. *N Yor* 2B **100**
Appleton Roebuck. *N Yor* 5H **99**
Appleton Thorn. *Warr* 2A **84**
Appleton Wiske. *N Yor* 4A **106**
Appletree. *Nptn* 1C **50**
Appletreehall. *Bord* 3H **119**
Appletreewick. *N Yor* 3C **98**
Appley. *Som* 4D **20**
Appley Bridge. *Lanc* 4D **90**
Apse Heath. *IOW* 4D **16**
Apsley End. *C Beds* 2B **52**
Apuldram. *W Sus* 2G **17**
Arabella. *High* 1C **158**
Arasaig. *High* 5E **147**
Arbeadie. *Abers* 4D **152**
Arberth. *Pemb* 3F **43**
Arbirlot. *Ang* 4F **145**
Arborfield. *Wok* 5F **37**
Arborfield Cross. *Wok* 5F **37**
Arborfield Garrison. *Wok* 5F **37**
Arbourthorne. *S Yor* 2A **86**
Arbroath. *Ang* 4F **145**
Arbuthnott. *Abers* 1H **145**
Arcan. *High* 3H **157**
Archargary. *High* 3H **167**
Archdeacon Newton. *Darl* 3F **105**
Archiestown. *Mor* 4G **159**
Arclid. *Ches E* 4B **84**
Arclid Green. *Ches E* 4B **84**
Ardachu. *High* 3D **164**
Ardalanish. *Arg* 2A **132**
Ardaneaskan. *High* 5H **155**
Ardarroch. *High* 5H **155**
Ardbeg. *Arg* 1C **126**
(nr. Dunoon)
Ardbeg. *Arg* 5C **124**
(on Islay)
Ardbeg. *Arg* 3B **126**
(on Isle of Bute)
Ardcharnich. *High* 5F **163**
Ardchiavaig. *Arg* 2A **132**
Ardchonnell. *Arg* 2G **133**
Ardchrishnish. *Arg* 1B **132**
Ardchronie. *High* 5D **164**
Ardchullarie. *Stir* 2E **135**
Ardchyle. *Stir* 1E **135**
Ard-dhubh. *High* 4G **155**
Arddleen. *Powy* 4E **71**
Arddlîn. *Powy* 4E **71**
Ardechive. *High* 4D **148**
Ardeley. *Herts* 3D **52**
Ardelve. *High* 1A **148**
Arden. *Arg* 1E **127**
Ardendrain. *High* 5H **157**
Arden Hall. *N Yor* 5C **106**
Ardens Grafton. *Warw* 5F **61**
Ardentinny. *Arg* 1C **126**
Ardeonaig. *Stir* 5D **142**
Ardersier. *High* 3B **158**
Ardery. *High* 2B **140**
Ardessie. *High* 5E **163**
Ardfern. *Arg* 3F **133**
Ardfernal. *Arg* 2D **124**
Ardfin. *Arg* 3C **124**
Ardgartan. *Arg* 3B **134**
Ardgay. *High* 4C **164**
Ardgour. *High* 2E **141**
Ardheslaig. *High* 3G **155**
Ardindrean. *High* 5F **163**
Ardingly. *W Sus* 3E **27**
Ardington. *Oxon* 3C **36**
Ardlamont House. *Arg* 3A **126**
Ardleigh. *Essx* 3D **54**
Ardler. *Per* 4B **144**
Ardley. *Oxon* 3D **50**
Ardlui. *Arg* 2C **134**
Ardlussa. *Arg* 1E **125**
Ardmair. *High* 4F **163**
Ardmay. *Arg* 3B **134**
Ardminish. *Arg* 5E **125**
Ardmolich. *High* 1B **140**
Ardmore. *High* 3C **166**
(nr. Kinlochbervie)
Ardmore. *High* 5E **164**
(nr. Tain)
Ardnacross. *Arg* 4G **139**
Ardnadam. *Arg* 1C **126**
Ardnagrask. *High* 4H **157**
Ardnamurach. *High* 4G **147**
Ardnarff. *High* 5A **156**
Ardnastang. *High* 2C **140**
Ardoch. *Per* 5H **143**
Ardochy House. *High* 3E **148**
Ardpatrick. *Arg* 3F **125**
Ardrishaig. *Arg* 1G **125**
Ardroag. *High* 4B **154**
Ardross. *High* 1A **158**
Ardrossan. *N Ayr* 5D **126**
Ardshealach. *High* 2A **140**
Ardsley. *S Yor* 4D **93**
Ardslignish. *High* 2G **139**
Ardtalla. *Arg* 4C **124**
Ardtalnaig. *Per* 5E **142**
Ardtoe. *High* 1A **140**
Arduaine. *Arg* 2E **133**
Ardullie. *High* 2H **157**
Ardvasar. *High* 3E **147**
Ardvorlich. *Per* 1F **135**
Ardwell. *Dum* 5G **109**
Ardwell. *Mor* 5A **160**
Arean. *High* 1A **140**
Areley Common. *Worc* 3C **60**
Areley Kings. *Worc* 3B **60**
Arford. *Hants* 3G **25**
Argoed. *Cphy* 2E **33**
Argoed Mill. *Powy* 4B **58**
Aridhglas. *Arg* 2B **132**
Arinacrinachd. *High* 3G **155**
Arinagour. *Arg* 3D **138**
Arisaig. *High* 5E **147**
Ariundle. *High* 2C **140**
Arivegaig. *High* 2A **140**
Arkendale. *N Yor* 3F **99**
Arkesden. *Essx* 2E **53**
Arkholme. *Lanc* 2E **97**
Arkle Town. *N Yor* 4D **104**
Arkley. *G Lon* 1D **38**
Arksey. *S Yor* 4F **93**
Arkwright Town. *Derbs* 3B **86**
Arlecdon. *Cumb* 3B **102**
Arlescote. *Warw* 1B **50**
Arlesey. *C Beds* 2B **52**
Arleston. *Telf* 4A **72**
Arley. *Ches E* 2A **84**
Arlingham. *Glos* 4C **48**
Arlington. *Devn* 2G **19**
Arlington. *E Sus* 5G **27**
Arlington. *Glos* 5G **49**
Arlington Beccott. *Devn* 2G **19**
Armadail. *High* 3E **147**
Armadale. *High* 3E **147**
(nr. Isleornsay)
Armadale. *High* 2H **167**
(nr. Strathy)
Armadale. *W Lot* 3C **128**
Armathwaite. *Cumb* 5G **113**
Arminghall. *Norf* 5E **79**
Armitage. *Staf* 4E **73**
Armitage Bridge. *W Yor* 3B **92**
Armley. *W Yor* 1C **92**
Armscote. *Warw* 1H **49**
Arms, The. *Norf* 1A **66**
Armston. *Nptn* 2H **63**
Armthorpe. *S Yor* 4G **93**
Arncliffe. *N Yor* 2B **98**
Arncliffe Cote. *N Yor* 2B **98**
Arncroach. *Fife* 3H **137**
Arne. *Dors* 4E **15**
Arnesby. *Leics* 1D **62**
Arnicle. *Arg* 2B **122**
Arnisdale. *High* 2G **147**
Arnish. *High* 4E **155**
Arniston. *Midl* 3G **129**
Arnol. *W Isl* 3F **171**
Arnold. *E Yor* 5F **101**
Arnold. *Notts* 1C **74**
Arnprior. *Stir* 4F **135**
Arnside. *Cumb* 2D **96**
Aros Mains. *Arg* 4G **139**
Arpafeelie. *High* 3A **158**
Arrad Foot. *Cumb* 1C **96**
Arram. *E Yor* 5E **101**
Arras. *E Yor* 5D **100**
Arrathorne. *N Yor* 5E **105**
Arreton. *IOW* 4D **16**
Arrington. *Cambs* 5C **64**
Arrochar. *Arg* 3B **134**
Arrow. *Warw* 5E **61**
Arscaig. *High* 2C **164**
Artafallie. *High* 4A **158**
Arthington. *W Yor* 5E **99**
Arthingworth. *Nptn* 2E **63**
Arthog. *Gwyn* 4F **69**
Arthrath. *Abers* 5G **161**
Arthurstone. *Per* 4B **144**
Artington. *Surr* 1A **26**
Arundel. *W Sus* 5B **26**
Asby. *Cumb* 2B **102**
Ascog. *Arg* 3C **126**
Ascot. *Wind* 4A **38**
Ascott-under-Wychwood. *Oxon* 4B **50**
Asenby. *N Yor* 2F **99**
Asfordby. *Leics* 4E **74**
Asfordby Hill. *Leics* 4E **74**
Asgarby. *Linc* 4C **88**
(nr. Horncastle)
Asgarby. *Linc* 1A **76**
(nr. Sleaford)
Ash. *Devn* 4E **9**
Ash. *Dors* 1D **14**
Ash. *Kent* 5G **41**
(nr. Sandwich)
Ash. *Kent* 4H **39**
(nr. Swanley)
Ash. *Som* 4H **21**
Ash. *Surr* 1G **25**
Ashampstead. *W Ber* 4D **36**
Ashbocking. *Suff* 5D **66**
Ashbourne. *Derbs* 1F **73**
Ashbrittle. *Som* 4D **20**
Ashbrook. *Shrp* 1G **59**
Ashburton. *Devn* 2D **8**
Ashbury. *Devn* 3F **11**
Ashbury. *Oxon* 3A **36**
Ashby. *N Lin* 4B **94**
Ashby by Partney. *Linc* 4D **88**
Ashby cum Fenby. *NE Lin* 4F **95**
Ashby de la Launde. *Linc* 5H **87**
Ashby-de-la-Zouch. *Leics* 4A **74**

Ashby Folville. Leics 4E 74
Ashby Magna. Leics 1C 62
Ashby Parva. Leics 2C 62
Ashby Puerorum. Linc 3C 88
Ashby St Ledgars. Nptn 4C 62
Ashby St Mary. Norf 5F 79
Ashchurch. Glos 2E 49
Ashcombe. Devn 5C 12
Ashcott. Som 3H 21
Ashdon. Essx 1F 53
Ashe. Hants 1D 24
Asheldham. Essx 5C 54
Ashen. Essx 1H 53
Ashendon. Buck 4F 51
Ashey. IOW 4D 16
Ashfield. Hants 1B 16
Ashfield. Here 3A 48
Ashfield. Shrp 2H 59
Ashfield. Stir 3G 135
Ashfield. Suff 4E 66
Ashfield Green. Suff 3E 67
Ashfold Crossways. W Sus 3D 26
Ashford. Devn 3F 19
(nr. Barnstaple)
Ashford. Devn 4C 8
(nr. Kingsbridge)
Ashford. Hants 1G 15
Ashford. Kent 1E 28
Ashford. Surr 3B 38
Ashford Bowdler. Shrp 3H 59
Ashford Carbonel. Shrp 3H 59
Ashford Hill. Hants 5D 36
Ashford in the Water. Derbs 4F 85
Ashgill. S Lan 5A 128
Ash Green. Warw 2H 61
Ashgrove. Mor 2G 159
Ashill. Devn 1D 12
Ashill. Norf 5A 78
Ashill. Som 1G 13
Ashingdon. Essx 1C 40
Ashington. Nmbd 1F 115
Ashington. W Sus 4C 26
Ashkirk. Bord 2G 119
Ashlett. Hants 2C 16
Ashleworth. Glos 3D 48
Ashley. Cambs 4F 65
Ashley. Ches E 2B 84
Ashley. Dors 2G 15
Ashley. Glos 2E 35
Ashley. Hants 3A 16
(nr. New Milton)
Ashley. Hants 3B 24
(nr. Winchester)
Ashley. Kent 1H 29
Ashley. Nptn 1E 63
Ashley. Staf 2B 72
Ashley. Wilts 5D 34
Ashley Green. Buck 5H 51
Ashley Heath. Dors 2G 15
Ashley Heath. Staf 2B 72
Ashley Moor. Here 4G 59
Ash Magna. Shrp 2H 71
Ashmanhaugh. Norf 3F 79
Ashmansworth. Hants 1C 24
Ashmansworthy. Devn 1D 10
Ashmead Green. Glos 2C 34
Ashmill. Devn 3D 11
(nr. Holsworthy)
Ash Mill. Devn 4A 20
(nr. South Molton)
Ashmore. Dors 1E 15
Ashmore Green. W Ber 5D 36
Ashover. Derbs 4A 86
Ashow. Warw 3H 61
Ash Parva. Shrp 2H 71
Ashperton. Here 1B 48
Ashprington. Devn 3E 9
Ash Priors. Som 4E 21
Ashreigney. Devn 1G 11
Ash Street. Suff 1D 54
Ashtead. Surr 5C 38
Ash Thomas. Devn 1D 12
Ashton. Corn 4D 4
Ashton. Here 4H 59
Ashton. Inv 2D 126
Ashton. Nptn 2H 63
(nr. Oundle)
Ashton. Nptn 1F 51
(nr. Roade)
Ashton. Pet 5A 76
Ashton Common. Wilts 1E 23
Ashton Hayes. Ches W 4H 83
Ashton-in-Makerfield. G Man 4D 90
Ashton Keynes. Wilts 2F 35
Ashton under Hill. Worc 2E 49
Ashton-under-Lyne. G Man 1D 84
Ashton upon Mersey. G Man 1B 84
Ashurst. Hants 1B 16
Ashurst. Kent 2G 27
Ashurst. Lanc 4C 90
Ashurst. W Sus 4C 26
Ashurst Wood. W Sus 2F 27
Ash Vale. Surr 1G 25
Ashwater. Devn 3D 11
Ashwell. Herts 2C 52
Ashwell. Rut 4F 75
Ashwellthorpe. Norf 1D 66
Ashwick. Som 2B 22
Ashwicken. Norf 4G 77
Ashwood. Staf 2C 60
Askam in Furness. Cumb 2B 96
Askern. S Yor 3F 93
Askerswell. Dors 3A 14
Askett. Buck 5G 51
Askham. Cumb 2G 103
Askham. Notts 3E 87
Askham Bryan. York 5H 99
Askham Richard. York 5H 99
Askrigg. N Yor 5C 104
Askwith. N Yor 5D 98
Aslackby. Linc 2H 75
Aslacton. Norf 1D 66
Aslockton. Notts 1E 75
Aspatria. Cumb 5C 112
Aspenden. Herts 3D 52
Asperton. Linc 2B 76
Aspley Guise. C Beds 2H 51
Aspley Heath. C Beds 2H 51
Aspull. G Man 4E 90
Asselby. E Yor 2H 93
Assington. Suff 2C 54
Assington Green. Suff 5G 65
Astbury. Ches E 4C 84
Astcote. Nptn 5D 62
Asterby. Linc 3B 88
Asterley. Shrp 5F 71
Asterton. Shrp 1F 59
Asthall. Oxon 4A 50
Asthall Leigh. Oxon 4B 50
Astle. High 4E 165
Astley. G Man 4F 91
Astley. Shrp 4H 71
Astley. Warw 2H 61
Astley. Worc 4B 60
Astley Abbotts. Shrp 1B 60
Astley Bridge. G Man 3F 91
Astley Cross. Worc 4C 60
Aston. Ches E 1A 72
Aston. Ches W 3H 83
Aston. Derbs 2F 85
(nr. Hope)
Aston. Derbs 2F 73
(nr. Sudbury)
Aston. Flin 4F 83
Aston. Here 4G 59
Aston. Herts 3C 52
Aston. Oxon 5B 50
Aston. Shrp 1C 60
(nr. Bridgnorth)
Aston. Shrp 3H 71
(nr. Wem)
Aston. S Yor 2B 86
Aston. Staf 1B 72
Aston. Telf 5A 72
Aston. W Mid 1E 61
Aston. Wok 3F 37
Aston Abbotts. Buck 3G 51
Aston Botterell. Shrp 2A 60
Aston-by-Stone. Staf 2D 72
Aston Cantlow. Warw 5F 61
Aston Clinton. Buck 4G 51
Aston Crews. Here 3B 48
Aston Cross. Glos 2E 49
Aston End. Herts 3C 52
Aston Eyre. Shrp 1A 60
Aston Fields. Worc 4D 60
Aston Flamville. Leics 1B 62
Aston Ingham. Here 3B 48
Aston juxta Mondrum. Ches E 5A 84
Astonlane. Shrp 1A 60
Aston le Walls. Nptn 5B 62
Aston Magna. Glos 2G 49
Aston Munslow. Shrp 2H 59
Aston on Carrant. Glos 2E 49
Aston on Clun. Shrp 2F 59
Aston-on-Trent. Derbs 3B 74
Aston Pigott. Shrp 5F 71
Aston Rogers. Shrp 5F 71
Aston Rowant. Oxon 2F 37
Aston Sandford. Buck 5F 51
Aston Somerville. Worc 2F 49
Aston Subedge. Glos 1G 49
Aston Tirrold. Oxon 3D 36
Aston Upthorpe. Oxon 3D 36
Astrop. Nptn 2D 50
Astwick. C Beds 2C 52
Astwood. Mil 1H 51
Astwood Bank. Worc 4E 61
Aswarby. Linc 2H 75
Aswardby. Linc 3C 88
Atcham. Shrp 5H 71
Atch Lench. Worc 5E 61
Athelhampton. Dors 3C 14
Athelington. Suff 3E 66
Athelney. Som 4G 21
Athelstaneford. E Lot 2B 130
Atherfield Green. IOW 5C 16
Atherington. Devn 4F 19
Atherington. W Sus 5B 26
Athersley. S Yor 4D 92
Atherstone. Warw 1H 61
Atherstone on Stour. Warw 5G 61
Atherton. G Man 4E 91
Ath-Tharracail. High 2A 140
Atlow. Derbs 1G 73
Attadale. High 5B 156
Attenborough. Notts 2C 74
Atterby. Linc 1G 87
Atterley. Shrp 1A 60
Atterton. Leics 1A 62
Attleborough. Norf 1C 66
Attleborough. Warw 1A 62
Attlebridge. Norf 4D 78
Atwick. E Yor 4F 101
Atworth. Wilts 5D 34
Auberrow. Here 1H 47
Aubourn. Linc 4G 87
Aucharnie. Abers 4D 160
Auchattie. Abers 4D 152
Auchavan. Ang 2A 144
Auchbreck. Mor 1G 151
Auchenback. E Ren 4G 127
Auchenblae. Abers 1G 145
Auchenbrack. Dum 5G 117
Auchenbreck. Arg 1B 126
Auchencairn. Dum 4E 111
(nr. Dalbeattie)
Auchencairn. Dum 1A 112
(nr. Dumfries)
Auchencarroch. W Dun 1F 127
Auchencrow. Bord 3E 131
Auchendennan. W Dun 1E 127
Auchendinny. Midl 3F 129
Auchengray. S Lan 4C 128
Auchenhalrig. Mor 2A 160
Auchenheath. S Lan 5B 128
Auchenlochan. Arg 2A 126
Auchenmade. N Ayr 5E 127
Auchenmalg. Dum 4H 109
Auchentiber. N Ayr 5E 127
Auchenvennel. Arg 1D 126
Auchindrain. Arg 3H 133
Auchininna. Abers 4D 160
Auchinleck. Dum 2B 110
Auchinleck. E Ayr 2E 117
Auchinloch. N Lan 2H 127
Auchinstarry. N Lan 2A 128
Auchleven. Abers 1D 152
Auchlochan. S Lan 1H 117
Auchlunachan. High 5F 163
Auchmillan. E Ayr 2E 117
Auchmithie. Ang 4F 145
Auchmuirbridge. Per 3E 136
Auchmull. Ang 1E 145
Auchnacree. Ang 4G 161
Auchnafree. Per 5F 143
Auchnagallin. High 5E 159
Auchnagatt. Abers 4G 161
Aucholzie. Abers 4H 151
Auchreddie. Abers 4F 161
Auchterarder. Per 2B 136
Auchteraw. High 3F 149
Auchterderran. Fife 4E 136
Auchterhouse. Ang 5C 144
Auchtermuchty. Fife 2E 137
Auchterneed. High 3G 157
Auchtertool. Fife 4E 136
Auchtertyre. High 1G 147
Auchtubh. Stir 1E 135
Auckengill. High 2F 169
Auckley. S Yor 4G 93
Audenshaw. G Man 1D 84
Audlem. Ches E 1A 72
Audley. Staf 5B 84
Audley End. Essx 2F 53
Audmore. Staf 3C 72
Auds. Abers 2D 160
Aughertree. Cumb 1D 102
Aughton. E Yor 1H 93
Aughton. Lanc 3E 97
(nr. Lancaster)
Aughton. Lanc 4B 90
(nr. Ormskirk)
Aughton. S Yor 2B 86
Aughton. Wilts 1H 23
Aughton Park. Lanc 4C 90
Auldearn. High 3D 158
Aulden. Here 5G 59
Auldgirth. Dum 1G 111
Auldhouse. S Lan 4H 127
Ault a' chruinn. High 1B 148
Aultbea. High 5C 162
Aultdearg. High 2E 157
Aultgrishan. High 5B 162
Aultguish Inn. High 1F 157
Ault Hucknall. Derbs 4B 86
Aultibea. High 1H 165
Aultiphurst. High 2A 168
Aultivullin. High 2A 168
Aultmore. Mor 3B 160
Aultnamain Inn. High 5D 164
Aunby. Linc 4H 75
Aunsby. Linc 2H 75
Aust. S Glo 3A 34
Austerfield. S Yor 1D 86
Austin Fen. Linc 1C 88
Austrey. Warw 5G 73
Austwick. N Yor 3G 97
Authorpe. Linc 2D 88
Authorpe Row. Linc 3E 89
Avebury. Wilts 5G 35
Avebury Trusloe. Wilts 5F 35
Aveley. Thur 2G 39
Avening. Glos 2D 35
Averham. Notts 5E 87
Aveton Gifford. Devn 4C 8
Avielochan. High 2D 150
Aviemore. High 2C 150
Avington. Hants 3D 24
Avoch. High 3B 158
Avon. Hants 3G 15
Avonbridge. Falk 2C 128
Avon Dassett. Warw 5B 62
Avonmouth. Bris 4A 34
Avonwick. Devn 3D 8
Awbridge. Hants 4B 24
Awliscombe. Devn 2E 13
Awre. Glos 5C 48
Awsworth. Notts 1B 74
Axbridge. Som 1H 21
Axford. Hants 2E 24
Axford. Wilts 5H 35
Axminster. Devn 3F 13
Axmouth. Devn 3F 13
Aycliffe Village. Dur 2F 105
Aydon. Nmbd 3D 114
Aykley Heads. Dur 5F 115
Aylburton. Glos 5B 48
Aylburton Common. Glos 5B 48
Ayle. Nmbd 5A 114
Aylesbeare. Devn 3D 12
Aylesbury. Buck 4G 51
Aylesby. NE Lin 4F 95
Aylescott. Devn 1G 11
Aylesford. Kent 5B 40
Aylesham. Kent 5G 41
Aylestone. Leic 5C 74
Aylmerton. Norf 2D 78
Aylsham. Norf 3D 78
Aylton. Here 2B 48
Aylworth. Glos 3G 49
Aymestrey. Here 4G 59
Aynho. Nptn 2D 50
Ayot Green. Herts 4C 52
Ayot St Lawrence. Herts 4B 52
Ayot St Peter. Herts 4C 52
Ayr. S Ayr 2C 116 & 187
Ayres of Selivoe. Shet 7D 173
Ayreville. Torb 2E 9
Aysgarth. N Yor 1C 98
Ayshford. Devn 1D 12
Ayside. Cumb 1C 96
Ayston. Rut 5F 75
Ayton. Bord 3F 131
Aywick. Shet 3G 173
Azerley. N Yor 2E 99

B

Babbacombe. Torb 2F 9
Babbinswood. Shrp 3F 71
Babb's Green. Herts 4D 53
Babcary. Som 4A 22
Babel. Carm 2B 46
Babell. Flin 3D 82
Babingley. Norf 3F 77
Bablock Hythe. Oxon 5C 50
Babraham. Cambs 5E 65
Babworth. Notts 2D 86
Bac. W Isl 3G 171
Bachau. IOA 2D 80
Bacheldre. Powy 1E 59
Bachymbyd Fawr. Den 4C 82
Backaland. Orkn 4E 172
Backaskaill. Orkn 2D 172
Backbarrow. Cumb 1C 96
Backe. Carm 3G 43
Backfolds. Abers 3H 161
Backford. Ches W 3G 83
Backhill. Abers 5E 161
Backhill of Clackriach. Abers 4G 161
Backies. High 3F 165
Backmuir of New Gilston. Fife 3G 137
Back of Keppoch. High 5E 147
Back Street. Suff 5G 65
Backwell. N Som 5H 33
Backworth. Tyne 2G 115
Bacon End. Essx 4G 53
Baconsthorpe. Norf 2D 78
Bacton. Here 2G 47
Bacton. Norf 2F 79
Bacton. Suff 4C 66
Bacton Green. Norf 2F 79
Bacup. Lanc 2G 91
Badachonacher. High 1A 158
Badachro. High 1G 155
Badanloch Lodge. High 5H 167
Badavanich. High 3D 156
Badbury. Swin 3G 35
Badby. Nptn 5C 62
Badcall. High 3C 166
Badcaul. High 4E 163
Baddeley Green. Stoke 5D 84
Baddesley Clinton. W Mid 3G 61
Baddesley Ensor. Warw 1G 61
Baddidarach. High 1E 163
Baddoch. Abers 5F 151
Badenscallie. High 3E 163
Badenscoth. Abers 5E 160
Badentarbat. High 2E 163
Badgall. Corn 4C 10
Badgers Mount. Kent 4F 39
Badgeworth. Glos 4E 49
Badgworth. Som 1G 21
Badicaul. High 1F 147
Badingham. Suff 4F 67
Badlesmere. Kent 5E 40
Badlipster. High 4E 169
Badluarach. High 4D 163
Badminton. S Glo 3D 34
Badnaban. High 1E 163
Badnabay. High 4C 166
Badnagie. High 5D 168
Badnellan. High 3F 165
Badninish. High 4E 165
Badrallach. High 4E 163
Badsey. Worc 1F 49
Badshot Lea. Surr 2G 25
Badsworth. W Yor 3E 93
Badwell Ash. Suff 4B 66
Bae Cinmel. Cnwy 2B 82
Bae Colwyn. Cnwy 3A 82
Bae Penrhyn. Cnwy 2H 81
Bagby. N Yor 1G 99
Bag Enderby. Linc 3C 88
Bagendon. Glos 5F 49
Bagginswood. Shrp 2A 60
Bàgh a Chàise. W Isl 1E 170
Bàgh a' Chaisteil. W Isl 9B 170
Bagham. Kent 5E 41
Baghasdal. W Isl 7C 170
Bagh Mor. W Isl 3D 170
Bagh Shiarabhagh. W Isl 8C 170
Bagillt. Flin 3E 83
Baginton. Warw 3H 61
Baglan. Neat 2A 32
Bagley. Shrp 3G 71
Bagley. Som 2H 21
Bagnall. Staf 5D 84
Bagnor. W Ber 5C 36
Bagshot. Surr 4A 38
Bagshot. Wilts 5B 36
Bagstone. S Glo 3B 34
Bagthorpe. Norf 2G 77
Bagthorpe. Notts 5B 86
Bagworth. Leics 5B 74
Bagwy Llydiart. Here 3H 47
Baildon. W Yor 1B 92
Baildon Green. W Yor 1B 92
Baile. W Isl 1E 170
Baile Ailein. W Isl 5E 171
Baile an Truiseil. W Isl 2F 171
Baile Boidheach. Arg 2F 125
Baile Glas. W Isl 3D 170
Bailemeonach. Arg 4A 140
Baile Mhanaich. W Isl 3C 170
Baile Mhartainn. W Isl 1C 170
Baile MhicPhail. W Isl 1D 170
Baile Mor. Arg 2A 132
Baile Mor. W Isl 2C 170
Baile nan Cailleach. W Isl 3C 170
Baile Raghaill. W Isl 2C 170
Bailey Green. Hants 4E 25
Baileyhead. Cumb 1G 113
Bailiesward. Abers 5B 160
Bail' lochdrach. W Isl 3D 170
Baillieston. Glas 3H 127
Bailrigg. Lanc 4D 97
Bail' Uachdraich. W Isl 2D 170
Bail Ur Tholastaidh. W Isl 3H 171
Bainbridge. N Yor 5C 104
Bainsford. Falk 1B 128
Bainshole. Abers 5D 160
Bainton. E Yor 4D 100
Bainton. Oxon 3D 50
Bainton. Pet 5H 75
Baintown. Fife 3F 137
Baker Street. Thur 2H 39
Bakewell. Derbs 4G 85
Bala. Gwyn 2B 70
Balachuirn. High 4E 155
Balbeg. High 5G 157
(nr. Cannich)
Balbeg. High 1G 149
(nr. Loch Ness)
Balbeggie. Per 1D 136
Balblair. High 4C 164
(nr. Bonar Bridge)
Balblair. High 2B 158
(nr. Invergordon)
Balblair. High 4H 157
(nr. Inverness)
Balby. S Yor 4F 93
Balcathie. Ang 5F 145
Balchladich. High 1E 163
Balchraggan. High 4H 157
Balchrick. High 3B 166
Balcombe. W Sus 2E 27
Balcombe Lane. W Sus 2E 27
Balcurvie. Fife 3F 137
Baldersby. N Yor 2F 99
Baldersby St James. N Yor 2F 99
Balderstone. Lanc 1E 91
Balderton. Ches W 4F 83
Balderton. Notts 5F 87
Baldinnie. Fife 2G 137
Baldock. Herts 2C 52
Baldrine. IOM 3D 108
Baldslow. E Sus 4C 28
Baldwin. IOM 3C 108
Baldwinholme. Cumb 4E 113
Baldwin's Gate. Staf 2B 72
Bale. Norf 2C 78
Balearn. Abers 3H 161
Balemartine. Arg 4A 138
Balephretrish. Arg 4B 138
Balephuil. Arg 4A 138
Balerno. Edin 3E 129
Balevullin. Arg 4A 138
Balfield. Ang 2E 145
Balfour. Orkn 6D 172
Balfron. Stir 1G 127
Balgaveny. Abers 4D 160
Balgonar. Fife 4C 136
Balgowan. High 4A 150
Balgown. High 2C 154
Balgrochan. E Dun 2H 127
Balgy. High 3H 155
Balhalgardy. Abers 1E 153
Baliasta. Shet 1H 173
Baligill. High 2A 168
Balintore. Ang 3B 144
Balintore. High 1C 158
Balintraid. High 1B 158
Balk. N Yor 1G 99
Balkeerie. Ang 4C 144
Balkholme. E Yor 2A 94
Ball. Shrp 3F 71
Ballabeg. IOM 4B 108
Ballacannell. IOM 3D 108
Ballacarnane Beg. IOM 3C 108
Ballachulish. High 3E 141
Ballagyr. IOM 3B 108
Ballajora. IOM 2D 108
Ballaleigh. IOM 3C 108
Ballamodha. IOM 4B 108
Ballantrae. S Ayr 1F 109
Ballards Gore. Essx 1D 40
Ballasalla. IOM 4B 108
(nr. Castletown)
Ballasalla. IOM 2C 108
(nr. Kirk Michael)
Ballater. Abers 4A 152
Ballaugh. IOM 2C 108
Ballencrieff. E Lot 2A 130
Ballencrieff Toll. W Lot 2C 128
Ballentoul. Per 2F 143
Ball Hill. Hants 5C 36
Ballidon. Derbs 5G 85
Balliemore. Arg 1B 126
(nr. Dunoon)
Balliemore. Arg 1F 133
(nr. Oban)
Ballieward. High 5E 159
Ballig. IOM 3B 108
Ballimore. Stir 2E 135
Ballingdon. Suff 1B 54
Ballinger Common. Buck 5H 51
Ballingham. Here 2A 48
Ballingry. Fife 4D 136
Ballinluig. Per 3G 143
Ballintuim. Per 3A 144
Balliveolan. Arg 4C 140
Balloan. High 3C 164
Balloch. High 4B 158
Balloch. N Lan 2A 128
Balloch. Per 2H 135
Balloch. W Dun 1E 127
Ballochan. Abers 4C 152
Ballochgoy. Arg 3B 126
Ballochmyle. E Ayr 2E 117
Ballochroy. Arg 4F 125
Balls Cross. W Sus 3A 26
Ball's Green. E Sus 2F 27

Ballygown. Arg 4F 139
Ballygrant. Arg 3B 124
Ballymichael. N Ayr 2D 122
Balmacara. High 1G 147
Balmaclellan. Dum 2D 110
Balmacqueen. High 1D 154
Balmaha. Stir 4D 134
Balmalcolm. Fife 3F 137
Balmalloch. N Lan 2A 128
Balmeanach. High 5E 155
Balmedie. Abers 2G 153
Balmerino. Fife 1F 137
Balmerlawn. Hants 2B 16
Balmore. E Dun 2H 127
Balmore. High 4B 154
Balmuir. Ang 5D 144
Balmullo. Fife 1G 137
Balmurrie. Dum 3H 109
Balnaboth. Ang 2C 144
Balnabruaich. High 1B 158
Balnabruich. High 5D 168
Balnacoil. High 2F 165
Balnacra. High 4B 156
Balnacroft. Abers 4G 151
Balnageith. Mor 3E 159
Balnaglaic. High 5G 157
Balnagrantach. High 5G 157
Balnaguard. Per 3G 143
Balnahard. Arg 4B 132
Balnain. High 5G 157
Balnakeil. High 2D 166
Balnaknock. High 2D 154
Balnamoon. Abers 3G 161
Balnamoon. Ang 2E 145
Balnapaling. High 2B 158
Balornock. Glas 3H 127
Balquhidder. Stir 1E 135
Balsall. W Mid 3G 61
Balsall Common. W Mid 3G 61
Balscote. Oxon 1B 50
Balsham. Cambs 5E 65
Balstonia. Thur 2A 40
Baltasound. Shet 1H 173
Balterley. Staf 5B 84
Baltersan. Dum 3B 110
Balthangie. Abers 3F 161
Baltonsborough. Som 3A 22
Balvaird. High 3H 157
Balvaird. Per 2D 136
Balvenie. Mor 4H 159
Balvicar. Arg 2E 133
Balvraid. High 2G 147
Balvraid Lodge. High 5C 158
Bamber Bridge. Lanc 2D 90
Bamber's Green. Essx 3F 53
Bamburgh. Nmbd 1F 121
Bamford. Derbs 2G 85
Bamfurlong. G Man 4D 90
Bampton. Cumb 3G 103
Bampton. Devn 4C 20
Bampton. Oxon 5B 50
Bampton Grange. Cumb 3G 103
Banavie. High 1F 141
Banbury. Oxon 1C 50
Bancffosfelen. Carm 4E 45
Banchory. Abers 4D 152
Banchory-Devenick. Abers 3G 153
Bancycapel. Carm 4E 45
Bancyfelin. Carm 3H 43
Banc-y-ffordd. Carm 2E 45
Banff. Abers 2D 160
Bangor. Gwyn 3E 81
Bangor-is-y-coed. Wrex 1F 71
Bangors. Corn 3C 10
Bangor's Green. Lanc 4B 90
Banham. Norf 2C 66
Bank. Hants 2A 16
Bankend. Dum 3B 112
Bankfoot. Per 5H 143
Bankglen. E Ayr 3E 117
Bankhead. Aber 2F 153
Bankhead. Abers 3D 152
Bankhead. S Lan 5B 128
Bankland. Som 4G 21
Bank Newton. N Yor 4B 98
Banknock. Falk 2A 128
Banks. Cumb 3G 113
Banks. Lanc 2B 90
Bankshill. Dum 1C 112
Bank Street. Worc 4A 60
Bank, The. Ches E 5C 84
Bank, The. Shrp 1A 60
Bank Top. Lanc 4D 90
Banners Gate. W Mid 1E 61
Banningham. Norf 3E 78
Banniskirk. High 3D 168
Bannister Green. Essx 3G 53
Bannockburn. Stir 4H 135
Banstead. Surr 5D 38
Bantham. Devn 4C 8
Banton. N Lan 2A 128
Banwell. N Som 1G 21
Banyard's Green. Suff 3F 67
Bapchild. Kent 4D 40
Bapton. Wilts 3E 23
Barabhas. W Isl 2F 171
Barabhas Iarach. W Isl 3F 171
Baramore. High 1A 140
Barassie. S Ayr 1C 116
Baravullin. Arg 4D 140
Barbaraville. High 1B 158
Barber Booth. Derbs 2F 85
Barber Green. Cumb 1C 96
Barbhas Uarach. W Isl 2F 171
Barbieston. S Ayr 3D 116
Barbon. Cumb 1F 97
Barbourne. Worc 5C 60
Barbridge. Ches E 5A 84
Barbrook. Devn 2H 19
Barby. Nptn 3C 62
Barby Nortoft. Nptn 3C 62
Barcaldine. Arg 4D 140
Barcheston. Warw 1A 50
Barclose. Cumb 3F 113
Barcombe. E Sus 4F 27
Barcombe Cross. E Sus 4F 27
Barden. N Yor 5E 105
Barden Scale. N Yor 4C 98
Bardfield End Green. Essx 2G 53
Bardfield Saling. Essx 3G 53
Bardister. Shet 4E 173
Bardnabeinne. High 4E 164
Bardney. Linc 4A 88
Bardon. Leics 4B 74
Bardon Mill. Nmbd 3A 114
Bardowie. E Dun 2G 127
Bardrainney. Inv 2E 127
Bardsea. Cumb 2C 96
Bardsey. W Yor 5F 99
Bardsley. G Man 4H 91
Bardwell. Suff 3B 66
Bare. Lanc 3D 96
Barelees. Nmbd 1C 120
Barewood. Here 5F 59
Barford. Hants 3G 25
Barford. Norf 5D 78
Barford. Warw 4G 61
Barford St John. Oxon 2C 50
Barford St Martin. Wilts 3F 23
Barford St Michael. Oxon 2C 50
Barfrestone. Kent 5G 41
Bargeddie. N Lan 3A 128
Bargod. Cphy 2E 33
Bargoed. Cphy 2E 33
Bargrennan. Dum 2A 110
Barham. Cambs 3A 64
Barham. Kent 5G 41
Barham. Suff 5D 66
Barharrow. Dum 4D 110
Bar Hill. Cambs 4C 64
Barholm. Linc 4H 75
Barkby. Leics 4D 74
Barkestone-le-Vale. Leics 2E 75
Barkham. Wok 5F 37
Barking. G Lon 2F 39
Barking. Suff 5C 66
Barkingside. G Lon 2F 39
Barking Tye. Suff 5C 66
Barkisland. W Yor 3A 92
Barkston. Linc 1G 75
Barkston Ash. N Yor 1E 93
Barkway. Herts 2D 53
Barlanark. Glas 3H 127
Barlaston. Staf 2C 72
Barlavington. W Sus 4A 26
Barlborough. Derbs 3B 86
Barlby. N Yor 1G 93
Barlestone. Leics 5B 74
Barley. Herts 2D 53
Barley. Lanc 5H 97
Barley Mow. Tyne 4F 115
Barleythorpe. Rut 5F 75
Barling. Essx 2D 40
Barlings. Linc 3H 87
Barlow. Derbs 3H 85
Barlow. N Yor 2G 93
Barlow. Tyne 3E 115
Barmby Moor. E Yor 5B 100
Barmby on the Marsh. E Yor 2G 93
Barmer. Norf 2H 77
Barming. Kent 5B 40
Barming Heath. Kent 5B 40
Barmoor. Nmbd 1E 121
Barmouth. Gwyn 4F 69
Barmpton. Darl 3A 106
Barmston. E Yor 4F 101
Barmulloch. Glas 3H 127
Barnack. Pet 5H 75
Barnacle. Warw 2A 62
Barnard Castle. Dur 3D 104
Barnard Gate. Oxon 4C 50
Barnardiston. Suff 1H 53
Barnbarroch. Dum 4F 111
Barnburgh. S Yor 4E 93
Barnby. Suff 2G 67
Barnby Dun. S Yor 4G 93
Barnby in the Willows. Notts 5F 87
Barnby Moor. Notts 2D 86
Barnes. G Lon 3D 38
Barnes Street. Kent 1H 27
Barnet. G Lon 1D 38
Barnetby le Wold. N Lin 4D 94
Barney. Norf 2B 78
Barnham. Suff 3A 66
Barnham. W Sus 5A 26
Barnham Broom. Norf 5C 78
Barnhead. Ang 3F 145
Barnhill. D'dee 5D 145
Barnhill. Mor 3F 159
Barnhill. Per 1D 136
Barnhills. Dum 2E 109
Barningham. Dur 3D 105
Barningham. Suff 3B 66
Barnoldby le Beck. NE Lin 4F 95
Barnoldswick. Lanc 5A 98
Barns Green. W Sus 3C 26
Barnsley. Glos 5F 49
Barnsley. Shrp 1B 60
Barnsley. S Yor 4D 92
Barnstaple. Devn 3F 19
Barnston. Essx 4G 53
Barnston. Mers 2E 83
Barnstone. Notts 2E 75
Barnt Green. Worc 3E 61
Barnton. Ches W 3A 84
Barnwell. Cambs 5D 64
Barnwell. Nptn 2H 63
Barnwood. Glos 4D 48
Barons Cross. Here 5G 59
Barony, The. Orkn 5B 172
Barr. Dum 4G 117
Barr. S Ayr 5B 116
Barra Airport. W Isl 8C 170
Barrachan. Dum 5A 110
Barraglom. W Isl 4D 171
Barrahormid. Arg 1F 125
Barrapol. Arg 4A 138
Barrasford. Nmbd 2C 114
Barravullin. Arg 3F 133
Barregarrow. IOM 3C 108
Barrhead. E Ren 4G 127
Barrhill. S Ayr 1H 109
Barri. V Glam 5E 32
Barrington. Cambs 1D 53
Barrington. Som 1G 13
Barripper. Corn 3D 4
Barrmill. N Ayr 4E 127
Barrock. High 1E 169
Barrow. Lanc 1F 91
Barrow. Rut 4F 75
Barrow. Shrp 5A 72
Barrow. Som 3C 22
Barrow. Suff 4G 65
Barroway Drove. Norf 5E 77
Barrow Bridge. G Man 3E 91
Barrowburn. Nmbd 3C 120
Barrowby. Linc 2F 75
Barrowcliff. N Yor 1E 101
Barrow Common. N Som 5A 34
Barrowden. Rut 5G 75
Barrowford. Lanc 1G 91
Barrow Gurney. N Som 5A 34
Barrow Haven. N Lin 2D 94
Barrow Hill. Derbs 3B 86
Barrow-in-Furness. Cumb 3B 96
Barrow Nook. Lanc 4C 90
Barrows Green. Cumb 1E 97
Barrow's Green. Hal 2H 83
Barrow Street. Wilts 3D 22
Barrow upon Humber. N Lin 2D 94
Barrow upon Soar. Leics 4C 74
Barrow upon Trent. Derbs 3A 74
Barry. Ang 5E 145
Barry. V Glam 5E 32
Barry Island. V Glam 5E 32
Barsby. Leics 4D 74
Barsham. Suff 2F 67
Barston. W Mid 3G 61
Bartestree. Here 1A 48
Barthol Chapel. Abers 5F 161
Bartholomew Green. Essx 3H 53
Barthomley. Ches E 5B 84
Bartley. Hants 1B 16
Bartley Green. W Mid 2E 61
Bartlow. Cambs 1F 53
Barton. Cambs 5D 64
Barton. Ches W 5G 83
Barton. Cumb 2F 103
Barton. Glos 3F 49
Barton. IOW 4D 16
Barton. Lanc 4B 90 (nr. Ormskirk)
Barton. Lanc 1D 90 (nr. Preston)
Barton. N Som 1G 21
Barton. N Yor 4F 105
Barton. Oxon 5D 50
Barton. Torb 2F 9
Barton. Warw 5F 61
Barton Bendish. Norf 5G 77
Barton Gate. Staf 4F 73
Barton Green. Staf 4F 73
Barton Hartshorn. Buck 2E 51
Barton Hill. N Yor 3B 100
Barton in Fabis. Notts 2C 74
Barton in the Beans. Leics 5A 74
Barton-le-Clay. C Beds 2A 52
Barton-le-Street. N Yor 2B 100
Barton-le-Willows. N Yor 3B 100
Barton Mills. Suff 3G 65
Barton on Sea. Hants 3H 15
Barton-on-the-Heath. Warw 2A 50
Barton St David. Som 3A 22
Barton Seagrave. Nptn 3F 63
Barton Stacey. Hants 2C 24
Barton Town. Devn 2G 19
Barton Turf. Norf 3F 79
Barton-under-Needwood. Staf 4F 73
Barton-upon-Humber. N Lin 2D 94
Barton Waterside. N Lin 2D 94
Barugh Green. S Yor 4D 92
Barway. Cambs 3E 65
Barwell. Leics 1B 62
Barwick. Herts 4D 53
Barwick. Som 1A 14
Barwick in Elmet. W Yor 1D 93
Baschurch. Shrp 3G 71
Bascote. Warw 4B 62
Basford Green. Staf 5D 85
Bashall Eaves. Lanc 5F 97
Bashall Town. Lanc 5G 97
Bashley. Hants 3H 15
Basildon. Essx 2B 40
Basingstoke. Hants 1E 25
Baslow. Derbs 3G 85
Bason Bridge. Som 2G 21
Bassaleg. Newp 3F 33
Bassendean. Bord 5C 130
Bassenthwaite. Cumb 1D 102
Bassett. Sotn 1C 16
Bassingbourn. Cambs 1D 52
Bassingfield. Notts 2D 74
Bassingham. Linc 5G 87
Bassingthorpe. Linc 3G 75
Bassus Green. Herts 3D 52
Basta. Shet 2G 173
Baston. Linc 4A 76
Bastonford. Worc 5C 60
Bastwick. Norf 4G 79
Batchley. Worc 4E 61
Batchworth. Herts 1B 38
Batcombe. Dors 2B 14
Batcombe. Som 3B 22
Bate Heath. Ches E 3A 84
Bath. Bath 5C 34 & 187
Bathampton. Bath 5C 34
Bathealton. Som 4D 20
Batheaston. Bath 5C 34
Bathford. Bath 5C 34
Bathgate. W Lot 3C 128
Bathley. Notts 5E 87
Bathpool. Corn 5C 10
Bathpool. Som 4F 21
Bathville. W Lot 3C 128
Bathway. Som 1A 22
Batley. W Yor 2C 92
Batsford. Glos 2G 49
Batson. Devn 5D 8
Battersby. N Yor 4C 106
Battersea. G Lon 3D 39
Battisborough Cross. Devn 4C 8
Battisford. Suff 5C 66
Battisford Tye. Suff 5C 66
Battle. E Sus 4B 28
Battle. Powy 2D 46
Battleborough. Som 1G 21
Battledown. Glos 3E 49
Battlefield. Shrp 4H 71
Battlesbridge. Essx 1B 40
Battlesden. C Beds 3H 51
Battlesea Green. Suff 3E 66
Battleton. Som 4C 20
Battram. Leic 5B 74
Battramsley. Hants 3B 16
Batt's Corner. Surr 2G 25
Bauds of Cullen. Mor 2B 160
Baugh. Arg 4B 138
Baughton. Worc 1D 49
Baughurst. Hants 5D 36
Baulking. Oxon 2B 36
Baumber. Linc 3B 88
Baunton. Glos 5F 49
Baverstock. Wilts 3F 23
Bawburgh. Norf 5D 78
Bawdeswell. Norf 3C 78
Bawdrip. Som 3G 21
Bawdsey. Suff 1G 55
Bawdsey Manor. Suff 2G 55
Bawsey. Norf 4F 77
Bawtry. S Yor 1D 86
Baxenden. Lanc 2F 91
Baxterley. Warw 1G 61
Baxter's Green. Suff 5G 65
Baybridge. Hants 4D 24
Baybridge. Nmbd 4C 114
Baycliff. Cumb 2B 96
Baydon. Wilts 4A 36
Bayford. Herts 5D 52
Bayford. Som 4C 22
Bayles. Cumb 5A 114
Baylham. Suff 5D 66
Baynard's Green. Oxon 3D 50
Bayston Hill. Shrp 5G 71
Baythorn End. Essx 1H 53
Baythorpe. Linc 1B 76
Bayton. Worc 3A 60
Bayton Common. Worc 3B 60
Bayworth. Oxon 5D 50
Beach. S Glo 4C 34
Beachampton. Buck 2F 51
Beachamwell. Norf 5G 77
Beachley. Glos 2A 34
Beacon. Devn 2E 13
Beacon End. Essx 3C 54
Beacon Hill. Surr 3G 25
Beacon's Bottom. Buck 2F 37
Beaconsfield. Buck 1A 38
Beacontree. G Lon 2F 39
Beacrabhaicg. W Isl 8D 171
Beadlam. N Yor 1A 100
Beadnell. Nmbd 2G 121
Beaford. Devn 1F 11
Beal. Nmbd 5G 131
Beal. N Yor 2F 93
Bealsmill. Corn 5D 10
Beam Hill. Staf 3G 73
Beamhurst. Staf 2E 73
Beaminster. Dors 2H 13
Beamish. Dur 4F 115
Beamond End. Buck 1A 38
Beamsley. N Yor 4C 98
Bean. Kent 3G 39
Beanacre. Wilts 5E 35
Beanley. Nmbd 3E 121
Beanshanger. Nptn 2F 51
Beaquoy. Orkn 5C 172
Beardwood. Bkbn 2E 91
Beare Green. Surr 1C 26
Bearley. Warw 4F 61
Bearpark. Dur 5F 115
Bearsbridge. Nmbd 4A 114
Bearsden. E Dun 2G 127
Bearsted. Kent 5B 40
Bearstone. Shrp 2B 72
Bearwood. Pool 3F 15
Bearwood. W Mid 2E 61
Beattock. Dum 4C 118
Beauchamp Roding. Essx 5F 53
Beauchief. S Yor 2H 85
Beaufort. Blae 4E 47
Beaulieu. Hants 2B 16
Beauly. High 4H 157
Beaumaris. IOA 3F 81
Beaumont. Cumb 4E 113
Beaumont. Essx 3E 55
Beaumont Hill. Darl 3F 105
Beaumont Leys. Leic 5C 74
Beausale. Warw 3G 61
Beauvale. Notts 1B 74
Beauworth. Hants 4D 24
Beaworthy. Devn 3E 11
Beazley End. Essx 3H 53
Bebington. Mers 2F 83
Bebside. Nmbd 1F 115
Beccles. Suff 2G 67
Becconsall. Lanc 2C 90
Beckbury. Shrp 5B 72
Beckenham. G Lon 4E 39
Beckermet. Cumb 4B 102
Beckett End. Norf 1G 65
Beckfoot. Cumb 1A 96 (nr. Broughton in Furness)
Beck Foot. Cumb 5H 103 (nr. Kendal)
Beckfoot. Cumb 4C 102 (nr. Seascale)
Beckfoot. Cumb 5B 112 (nr. Silloth)
Beckford. Worc 2E 49
Beckhampton. Wilts 5F 35
Beck Hole. N Yor 4F 107
Beckingham. Linc 5F 87
Beckingham. Notts 1E 87
Beckington. Som 1D 22
Beckley. E Sus 3C 28
Beckley. Hants 3H 15
Beckley. Oxon 4D 50
Beck Row. Suff 3F 65
Beck Side. Cumb 1C 96 (nr. Cartmel)
Beckside. Cumb 1F 97 (nr. Sedbergh)
Beck Side. Cumb 1B 96 (nr. Ulverston)
Beckton. G Lon 2F 39
Beckwithshaw. N Yor 4E 99
Becontree. G Lon 2F 39
Bedale. N Yor 1E 99
Bedburn. Dur 1E 105
Bedchester. Dors 1D 14
Beddau. Rhon 3D 32
Beddgelert. Gwyn 1E 69
Beddingham. E Sus 5F 27
Beddington. G Lon 4D 39
Bedfield. Suff 4E 66
Bedford. Bed 1A 52 & 188
Bedford. G Man 4E 91
Bedham. W Sus 3B 26
Bedhampton. Hants 2F 17
Bedingfield. Suff 4D 66
Bedingham Green. Norf 1E 67
Bedlam. N Yor 3E 99
Bedlar's Green. Essx 3F 53
Bedlington. Nmbd 1F 115
Bedlinog. Mer T 5D 46
Bedminster. Bris 4A 34
Bedmond. Herts 5A 52
Bednall. Staf 4D 72
Bedrule. Bord 3A 120
Bedstone. Shrp 3F 59
Bedwas. Cphy 3E 33
Bedwellty. Cphy 5E 47
Bedworth. Warw 2A 62
Beeby. Leics 5D 74
Beech. Hants 3E 25
Beech. Staf 2C 72
Beechcliffe. W Yor 5C 98
Beech Hill. W Ber 5E 37
Beechingstoke. Wilts 1F 23
Beedon. W Ber 4C 36
Beeford. E Yor 4F 101
Beeley. Derbs 4G 85
Beelsby. NE Lin 4F 95
Beenham. W Ber 5D 36
Beeny. Corn 3B 10
Beer. Devn 4F 13
Beer. Som 3H 21
Beercrocombe. Som 4G 21
Beer Hackett. Dors 1B 14
Beesands. Devn 4E 9
Beesby. Linc 2D 88
Beeson. Devn 4E 9
Beeston. C Beds 1B 52
Beeston. Ches W 5H 83
Beeston. Norf 4B 78
Beeston. Notts 2C 74
Beeston. W Yor 1C 92
Beeston Regis. Norf 1D 78
Beeswing. Dum 3F 111
Beetham. Cumb 2D 97
Beetham. Som 1F 13
Beetley. Norf 4B 78
Beffcote. Staf 4C 72
Began. Card 3F 33
Begbroke. Oxon 4C 50
Begdale. Cambs 5D 76
Begelly. Pemb 4F 43
Beggar Hill. Essx 5G 53
Beggar's Bush. Powy 4E 59
Beggearn Huish. Som 3D 20
Beguildy. Powy 3D 58
Beighton. Norf 5F 79
Beighton. S Yor 2B 86
Beighton Hill. Derbs 5G 85
Beinn Casgro. W Isl 5G 171
Beith. N Ayr 4E 127
Bekesbourne. Kent 5F 41
Belaugh. Norf 4E 79
Belbroughton. Worc 3D 60
Belchalwell. Dors 2C 14
Belchalwell Street. Dors 2C 14
Belchamp Otten. Essx 1B 54
Belchamp St Paul. Essx 1A 54
Belchamp Walter. Essx 1B 54
Belchford. Linc 3B 88
Belfatton. Abers 3H 161
Belford. Nmbd 1F 121
Belgrano. Cnwy 3B 82
Belhaven. E Lot 2C 130
Belhelvie. Abers 2G 153
Belhinnie. Abers 1B 152
Bellabeg. Abers 2A 152
Belladrum. High 4H 157
Bellamore. S Ayr 1H 109
Bellanoch. Arg 4F 133
Bell Busk. N Yor 4B 98
Belleau. Linc 3D 88
Belleheiglash. Mor 5F 159
Bell End. Worc 3D 60
Bellerby. N Yor 5E 105
Bellerby Camp. N Yor 5D 105
Bellever. Devn 5G 11
Belle Vue. Cumb 1C 102

Belle Vue. *Shrp* 4G 71
Bellfield. *S Lan* 1H 117
Belliehill. *Ang* 2E 145
Bellingdon. *Buck* 5H 51
Bellingham. *Nmbd* 1B 114
Bellmount. *Norf* 3E 77
Bellochantuy. *Arg* 2A 122
Bellsbank. *E Ayr* 4D 117
Bell's Cross. *Suff* 5D 66
Bellshill. *N Lan* 4A 128
Bellshill. *Nmbd* 1F 121
Bellside. *N Lan* 4B 128
Bellspool. *Bord* 1D 118
Bellsquarry. *W Lot* 3D 128
Bells Yew Green. *E Sus* 2H 27
Belmaduthy. *High* 3A 158
Belmesthorpe. *Rut* 4H 75
Belmont. *Bkbn* 3E 91
Belmont. *Shet* 1G 173
Belmont. *S Ayr* 3C 116
Belnacraig. *Abers* 2A 152
Belnie. *Linc* 2B 76
Belowda. *Corn* 2D 6
Belper. *Derbs* 1A 74
Belper Lane End. *Derbs* 1H 73
Belph. *Derbs* 3C 86
Belsay. *Nmbd* 2E 115
Belsford. *Devn* 3D 8
Belsize. *Herts* 5A 52
Belstead. *Suff* 1E 55
Belston. *S Ayr* 2C 116
Belstone. *Devn* 3G 11
Belstone Corner. *Devn* 3G 11
Belthorn. *Lanc* 2F 91
Beltinge. *Kent* 4F 41
Beltoft. *N Lin* 4B 94
Belton. *Leics* 3B 74
Belton. *Linc* 2G 75
Belton. *Norf* 5G 79
Belton. *N Lin* 4A 94
Belton-in-Rutland. *Rut* 5F 75
Beltring. *Kent* 1A 28
Belts of Collonach. *Abers* 4D 152
Belvedere. *G Lon* 3F 39
Belvoir. *Leics* 2F 75
Bembridge. *IOW* 4E 17
Bemersyde. *Bord* 1H 119
Bemerton. *Wilts* 3G 23
Bempton. *E Yor* 2F 101
Benacre. *Suff* 2H 67
Ben Alder Lodge. *High* 1C 142
Ben Armine Lodge. *High* 2E 164
Benbecula Airport. *W Isl* 3C 170
Benbuie. *Dum* 5G 117
Benchill. *G Man* 2C 84
Benderloch. *Arg* 5D 140
Bendish. *Herts* 3B 52
Bendronaig Lodge. *High* 5C 156
Benenden. *Kent* 2C 28
Benera. *High* 1G 147
Benfieldside. *Dur* 4D 115
Bengate. *Norf* 3F 79
Bengeworth. *Worc* 1F 49
Bengrove. *Glos* 2E 49
Benhall Green. *Suff* 4F 67
Benholm. *Abers* 2H 145
Benington. *Herts* 3C 52
Benington. *Linc* 1C 76
Benington Sea End. *Linc* 1D 76
Benllech. *IOA* 2E 81
Benmore Lodge. *High* 2H 163
Bennacott. *Corn* 3D 10
Bennah. *Devn* 4B 12
Bennecarngan. *N Ayr* 3D 122
Bennethead. *Cumb* 2F 103
Benningbrough. *N Yor* 4H 99
Benniworth. *Linc* 2B 88
Benover. *Kent* 1B 28
Benson. *Oxon* 2E 36
Benston. *Shet* 6F 173
Benstonhall. *Orkn* 4E 172
Bent. *Abers* 1F 145
Benthall. *Shrp* 5A 72
Bentham. *Glos* 4E 49
Benthoul. *Aber* 3F 153
Bentlawnt. *Shrp* 5F 71
Bentley. *E Yor* 1D 94
Bentley. *Hants* 2F 25
Bentley. *S Yor* 4F 93
Bentley. *Suff* 2E 54
Bentley. *Warw* 1G 61
Bentley. *W Mid* 1D 61
Bentley Heath. *Herts* 1D 38
Bentley Heath. *W Mid* 3F 61
Bentpath. *Dum* 5F 119
Bents. *W Lot* 3C 128
Bentworth. *Hants* 2E 25
Benvie. *D'dee* 5C 144
Benville. *Dors* 2A 14
Benwell. *Tyne* 3F 115
Benwick. *Cambs* 1C 64
Beoley. *Worc* 4E 61
Beoraidbeg. *High* 4E 147
Bepton. *W Sus* 1G 17
Berden. *Essx* 3E 53
Bere Alston. *Devn* 2A 8
Bere Ferrers. *Devn* 2A 8
Berepper. *Corn* 4D 4
Bere Regis. *Dors* 3D 14
Bergh Apton. *Norf* 5F 79
Berinsfield. *Oxon* 2D 36
Berkeley. *Glos* 2B 34
Berkhamsted. *Herts* 5H 51
Berkley. *Som* 2D 22
Berkswell. *W Mid* 3G 61
Bermondsey. *G Lon* 3E 39
Bernice. *Arg* 4A 134
Bernisdale. *High* 3D 154
Berrick Salome. *Oxon* 2E 36
Berriedale. *High* 1H 165
Berrier. *Cumb* 2F 103
Berriew. *Powy* 5D 70
Berrington. *Nmbd* 5G 131
Berrington. *Shrp* 5H 71
Berrington. *Worc* 4H 59
Berrington Green. *Worc* 4H 59
Berrington Law. *Nmbd* 5F 131
Berrow. *Som* 1G 21
Berrow Green. *Worc* 5B 60
Berry Cross. *Devn* 1E 11
Berry Down Cross. *Devn* 2F 19
Berry Hill. *Glos* 4A 48
Berry Hill. *Pemb* 1A 44
Berryhillock. *Mor* 2C 160
Berrynarbor. *Devn* 2F 19
Berry Pomeroy. *Devn* 2E 9
Berryscaur. *Dum* 5D 118
Berry's Green. *G Lon* 5F 39
Bersham. *Wrex* 1F 71
Berthengam. *Flin* 3D 82
Berwick. *E Sus* 5G 27
Berwick Bassett. *Wilts* 4G 35
Berwick Hill. *Nmbd* 2E 115
Berwick St James. *Wilts* 3F 23
Berwick St John. *Wilts* 4E 23
Berwick St Leonard. *Wilts* 3E 23
Berwick-upon-Tweed. *Nmbd* 4G 131
Berwyn. *Den* 1D 70
Bescaby. *Leics* 3F 75
Bescar. *Lanc* 3B 90
Besford. *Worc* 1E 49
Bessacarr. *S Yor* 4G 93
Bessels Leigh. *Oxon* 5C 50
Bessingby. *E Yor* 3F 101
Bessingham. *Norf* 2D 78
Best Beech Hill. *E Sus* 2H 27
Besthorpe. *Norf* 1C 66
Besthorpe. *Notts* 4F 87
Bestwood Village. *Notts* 1C 74
Beswick. *E Yor* 5E 101
Betchworth. *Surr* 5D 38
Bethania. *Cdgn* 4E 57
Bethania. *Gwyn* 1G 69
(nr. Blaenau Ffestiniog)
Bethania. *Gwyn* 5F 81
(nr. Caernarfon)
Bethel. *Gwyn* 2B 70
(nr. Bala)
Bethel. *Gwyn* 4E 81
(nr. Caernarfon)
Bethel. *IOA* 3C 80
Bethersden. *Kent* 1D 28
Bethesda. *Gwyn* 4F 81
Bethesda. *Pemb* 3E 43
Bethlehem. *Carm* 3G 45
Bethnal Green. *G Lon* 2E 39
Betishill. *N Lan* 3A 128
Betley. *Staf* 1B 72
Betsham. *Kent* 3H 39
Betteshanger. *Kent* 5H 41
Bettiscombe. *Dors* 3H 13
Bettisfield. *Wrex* 2G 71
Betton. *Shrp* 2A 72
Betton Strange. *Shrp* 5H 71
Bettws. *B'end* 3C 32
Bettws. *Newp* 2F 33
Bettws Bledrws. *Cdgn* 5E 57
Bettws Cedewain. *Powy* 1D 58
Bettws Gwerfil Goch. *Den* 1C 70
Bettws Ifan. *Cdgn* 1D 44
Bettws Newydd. *Mon* 5G 47
Bettyhill. *High* 2H 167
Betws. *Carm* 4G 45
Betws Garmon. *Gwyn* 5E 81
Betws-y-Coed. *Cnwy* 5G 81
Betws-yn-Rhos. *Cnwy* 3B 82
Beulah. *Cdgn* 1C 44
Beulah. *Powy* 5B 58
Beul an Atha. *Arg* 3B 124
Bevendean. *Brig* 5E 27
Bevercotes. *Notts* 3D 86
Beverley. *E Yor* 1D 94
Beverston. *Glos* 2D 34
Bevington. *Glos* 2B 34
Bewaldeth. *Cumb* 1D 102
Bewcastle. *Cumb* 2G 113
Bewdley. *Worc* 3B 60
Bewerley. *N Yor* 3D 98
Bewholme. *E Yor* 4F 101
Bexfield. *Norf* 3C 78
Bexhill. *E Sus* 5B 28
Bexley. *G Lon* 3F 39
Bexleyheath. *G Lon* 3F 39
Bexleyhill. *W Sus* 3A 26
Bexwell. *Norf* 5F 77
Beyton. *Suff* 4B 66
Bhalton. *W Isl* 4C 171
Bhatarsaigh. *W Isl* 9B 170
Bibbington. *Derbs* 3E 85
Bibury. *Glos* 5G 49
Bicester. *Oxon* 3D 50
Bickenhall. *Som* 1F 13
Bickenhill. *W Mid* 2F 61
Bicker. *Linc* 2B 76
Bicker Bar. *Linc* 2B 76
Bicker Gauntlet. *Linc* 2B 76
Bickershaw. *G Man* 4E 91
Bickerstaffe. *Lanc* 4C 90
Bickerton. *Ches E* 5H 83
Bickerton. *Nmbd* 4D 121
Bickerton. *N Yor* 4G 99
Bickford. *Staf* 4C 72
Bickington. *Devn* 3F 19
(nr. Barnstaple)
Bickington. *Devn* 5B 12
(nr. Newton Abbot)
Bickleigh. *Devn* 2B 8
(nr. Plymouth)
Bickleigh. *Devn* 2C 12
(nr. Tiverton)
Bickleton. *Devn* 3F 19
Bickley. *N Yor* 5G 107
Bickley Moss. *Ches W* 1H 71
Bickmarsh. *Warw* 5F 61
Bicknacre. *Essx* 5A 54
Bicknoller. *Som* 3E 20
Bicknor. *Kent* 5C 40
Bickton. *Hants* 1G 15
Bicton. *Here* 4G 59
Bicton. *Shrp* 2E 59
(nr. Bishop's Castle)
Bicton. *Shrp* 4G 71
(nr. Shrewsbury)
Bicton Heath. *Shrp* 4G 71
Bidborough. *Kent* 1G 27
Biddenden. *Kent* 2C 28
Biddenden Green. *Kent* 1C 28
Biddenham. *Bed* 1A 52
Biddestone. *Wilts* 4D 34
Biddisham. *Som* 1G 21
Biddlesden. *Buck* 1E 51
Biddlestone. *Nmbd* 4D 120
Biddulph. *Staf* 5C 84
Biddulph Moor. *Staf* 5D 84
Bideford. *Devn* 4E 19
Bidford-on-Avon. *Warw* 5E 61
Bidlake. *Devn* 4F 11
Bidston. *Mers* 2E 83
Bielby. *E Yor* 5B 100
Bieldside. *Aber* 3F 153
Bierley. *IOW* 5D 16
Bierley. *W Yor* 1B 92
Bierton. *Buck* 4G 51
Bigbury. *Devn* 4C 8
Bigbury-on-Sea. *Devn* 4C 8
Bigby. *Linc* 4D 94
Biggar. *Cumb* 3A 96
Biggar. *S Lan* 1C 118
Biggin. *Derbs* 5F 85
(nr. Hartington)
Biggin. *Derbs* 1G 73
(nr. Hulland)
Biggin. *N Yor* 1F 93
Biggings. *Shet* 5C 173
Biggin Hill. *G Lon* 5F 39
Biggleswade. *C Beds* 1B 52
Bighouse. *High* 2A 168
Bighton. *Hants* 3E 24
Biglands. *Cumb* 4D 112
Bignall End. *Staf* 5C 84
Bignor. *W Sus* 4A 26
Bigrigg. *Cumb* 3B 102
Big Sand. *High* 1G 155
Bigton. *Shet* 9E 173
Bilberry. *Corn* 2E 6
Bilborough. *Nott* 1C 74
Bilbrook. *Som* 2D 20
Bilbrook. *Staf* 5C 72
Bilbrough. *N Yor* 5H 99
Bilbster. *High* 3E 169
Bilby. *Notts* 2D 86
Bildershaw. *Dur* 2F 105
Bildeston. *Suff* 1C 54
Billericay. *Essx* 1A 40
Billesdon. *Leics* 5E 74
Billesley. *Warw* 5F 61
Billingborough. *Linc* 2A 76
Billinge. *Mers* 4D 90
Billingford. *Norf* 3C 78
(nr. Dereham)
Billingford. *Norf* 3D 66
(nr. Diss)
Billingham. *Stoc T* 2B 106
Billinghay. *Linc* 5A 88
Billingley. *S Yor* 4E 93
Billingshurst. *W Sus* 3B 26
Billingsley. *Shrp* 2B 60
Billington. *C Beds* 3H 51
Billington. *Lanc* 1F 91
Billington. *Staf* 3C 72
Billockby. *Norf* 4G 79
Billy Row. *Dur* 1E 105
Bilsborrow. *Lanc* 5E 97
Bilsby. *Linc* 3D 88
Bilsham. *W Sus* 5A 26
Bilsington. *Kent* 2E 29
Bilson Green. *Glos* 4B 48
Bilsthorpe. *Notts* 4D 86
Bilston. *Midl* 3F 129
Bilston. *W Mid* 1D 60
Bilstone. *Leics* 5A 74
Bilting. *Kent* 1E 29
Bilton. *E Yor* 1E 95
Bilton. *Nmbd* 3G 121
Bilton. *N Yor* 4E 99
Bilton. *Warw* 3B 62
Bilton in Ainsty. *N Yor* 5G 99
Bimbister. *Orkn* 6C 172
Binbrook. *Linc* 1B 88
Binchester. *Dur* 1F 105
Bincombe. *Dors* 4B 14
Bindal. *High* 5G 165
Binegar. *Som* 2B 22
Bines Green. *W Sus* 4C 26
Binfield. *Brac* 4G 37
Binfield Heath. *Oxon* 4F 37
Bingfield. *Nmbd* 2C 114
Bingham. *Notts* 1E 74
Bingham's Melcombe. *Dors* 2C 14
Bingley. *W Yor* 1B 92
Bings Heath. *Shrp* 4H 71
Binham. *Norf* 2B 78
Binley. *Hants* 1C 24
Binley. *W Mid* 3A 62
Binnegar. *Dors* 4D 15
Binniehill. *Falk* 2B 128
Binsoe. *N Yor* 2E 99
Binstead. *IOW* 3D 16
Binstead. *W Sus* 5A 26
Binsted. *Hants* 2F 25
Binton. *Warw* 5F 61
Bintree. *Norf* 3C 78
Binweston. *Shrp* 5F 71
Birch. *Essx* 4C 54
Birchall. *Staf* 5D 85
Bircham Newton. *Norf* 2G 77
Bircham Tofts. *Norf* 2G 77
Birchanger. *Essx* 3F 53
Birchburn. *N Ayr* 3D 122
Birch Cross. *Staf* 2F 73
Bircher. *Here* 4G 59
Birch Green. *Essx* 4C 54
Birchgrove. *Card* 4E 33
Birchgrove. *Swan* 3G 31
Birch Heath. *Ches W* 4H 83
Birch Hill. *Ches W* 3H 83
Birchill. *Devn* 2G 13
Birchington. *Kent* 4G 41
Birch Langley. *G Man* 4G 91
Birchley Heath. *Warw* 1G 61
Birchmoor. *Warw* 5G 73
Birchmoor Green. *C Beds* 2H 51
Birchover. *Derbs* 4G 85
Birch Vale. *Derbs* 2E 85
Birchview. *Mor* 5F 159
Birchwood. *Linc* 4G 87
Birchwood. *Som* 1F 13
Birchwood. *Warr* 1A 84
Bircotes. *Notts* 1D 86
Birdbrook. *Essx* 1H 53
Birdham. *W Sus* 2G 17
Birdholme. *Derbs* 4A 86
Birdingbury. *Warw* 4B 62
Birdlip. *Glos* 4E 49
Birdsall. *N Yor* 3C 100
Birds Edge. *W Yor* 4C 92
Birds Green. *Essx* 5F 53
Birdsgreen. *Shrp* 2B 60
Birdsmoorgate. *Dors* 2G 13
Birdston. *E Dun* 2H 127
Birdwell. *S Yor* 4D 92
Birdwood. *Glos* 4C 48
Birgham. *Bord* 1B 120
Birichen. *High* 4E 165
Birkby. *Cumb* 1B 102
Birkby. *N Yor* 4A 106
Birkdale. *Mers* 3B 90
Birkenhead. *Mers* 2F 83
Birkenhills. *Abers* 4E 161
Birkenshaw. *N Lan* 3H 127
Birkenshaw. *W Yor* 2C 92
Birkhall. *Abers* 4H 151
Birkhill. *Ang* 5C 144
Birkholme. *Linc* 3G 75
Birkin. *N Yor* 2F 93
Birley. *Here* 5G 59
Birling. *Kent* 4A 40
Birling. *Nmbd* 4G 121
Birling Gap. *E Sus* 5G 27
Birlingham. *Worc* 1E 49
Birmingham. *W Mid* 2E 61 & 188
Birmingham Airport. *W Mid* 2F 61 & 216
Birnam. *Per* 4H 143
Birsay. *Orkn* 5B 172
Birse. *Abers* 4C 152
Birsemore. *Abers* 4C 152
Birstall. *Leics* 5C 74
Birstall. *W Yor* 2C 92
Birstall Smithies. *W Yor* 2C 92
Birstwith. *N Yor* 4E 99
Birthorpe. *Linc* 2A 76
Birtle. *Lanc* 3G 91
Birtley. *Here* 4F 59
Birtley. *Nmbd* 2B 114
Birtley. *Tyne* 4F 115
Birtsmorton. *Worc* 2D 48
Birts Street. *Worc* 2C 48
Bisbrooke. *Rut* 1F 63
Bisham. *Wind* 3G 37
Bishampton. *Worc* 5D 61
Bish Mill. *Devn* 4H 19
Bishop Auckland. *Dur* 2F 105
Bishopbridge. *Linc* 1H 87
Bishopbriggs. *E Dun* 2H 127
Bishop Burton. *E Yor* 1C 94
Bishopdown. *Wilts* 3G 23
Bishop Middleham. *Dur* 1A 106
Bishopmill. *Mor* 2G 159
Bishop Monkton. *N Yor* 3F 99
Bishop Norton. *Linc* 1G 87
Bishopsbourne. *Kent* 5F 41
Bishops Cannings. *Wilts* 5F 35
Bishop's Castle. *Shrp* 2F 59
Bishop's Caundle. *Dors* 1B 14
Bishop's Cleeve. *Glos* 3E 49
Bishop's Down. *Dors* 1B 14
Bishop's Frome. *Here* 1B 48
Bishop's Green. *Essx* 4G 53
Bishop's Green. *Hants* 5D 36
Bishop's Hull. *Som* 4F 21
Bishop's Itchington. *Warw* 5A 62
Bishops Lydeard. *Som* 4E 21
Bishop's Norton. *Glos* 3D 48
Bishop's Nympton. *Devn* 4A 20
Bishop's Offley. *Staf* 3B 72
Bishop's Stortford. *Herts* 3E 53
Bishops Sutton. *Hants* 3E 24
Bishop's Tachbrook. *Warw* 4H 61
Bishop's Tawton. *Devn* 3F 19
Bishopsteignton. *Devn* 5C 12
Bishopstoke. *Hants* 1C 16
Bishopston. *Swan* 4E 31
Bishopstone. *Buck* 4G 51
Bishopstone. *E Sus* 5F 27
Bishopstone. *Here* 1H 47
Bishopstone. *Swin* 3H 35
Bishopstone. *Wilts* 4F 23
Bishopstrow. *Wilts* 2D 23
Bishop Sutton. *Bath* 1A 22
Bishop's Waltham. *Hants* 1D 16
Bishopswood. *Som* 1F 13
Bishops Wood. *Staf* 5C 72
Bishopsworth. *Bris* 5A 34
Bishop Thornton. *N Yor* 3E 99
Bishopthorpe. *York* 5H 99
Bishopton. *Darl* 2A 106
Bishopton. *Dum* 5B 110
Bishopton. *N Yor* 2F 99
Bishopton. *Ren* 2F 127
Bishopton. *Warw* 5F 61
Bishop Wilton. *E Yor* 4B 100
Bishton. *Newp* 3G 33
Bishton. *Staf* 3E 73
Bisley. *Glos* 5E 49
Bisley. *Surr* 5A 38
Bispham. *Bkpl* 5C 96
Bispham Green. *Lanc* 3C 90
Bissoe. *Corn* 4B 6
Bisterne. *Hants* 2G 15
Bisterne Close. *Hants* 2H 15
Bitchfield. *Linc* 3G 75
Bittadon. *Devn* 2F 19
Bittaford. *Devn* 3C 8
Bittering. *Norf* 4B 78
Bitterley. *Shrp* 3H 59
Bitterne. *Sotn* 1C 16
Bitteswell. *Leics* 2C 62
Bitton. *S Glo* 5B 34
Bix. *Oxon* 3F 37
Bixter. *Shet* 6E 173
Blaby. *Leics* 1C 62
Blackawton. *Devn* 3E 9
Black Bank. *Cambs* 2E 65
Black Barn. *Linc* 3D 76
Blackborough. *Devn* 2D 12
Blackborough. *Norf* 4F 77
Blackborough End. *Norf* 4F 77
Black Bourton. *Oxon* 5A 50
Blackboys. *E Sus* 3G 27
Blackbrook. *Derbs* 1H 73
Blackbrook. *Mers* 1H 83
Blackbrook. *Staf* 2B 72
Blackbrook. *Surr* 1C 26
Blackburn. *Abers* 2F 153
Blackburn. *Bkbn* 2E 91
Blackburn. *W Lot* 3C 128
Black Callerton. *Tyne* 3E 115
Black Carr. *Norf* 1C 66
Black Clauchrie. *S Ayr* 1H 109
Black Corries. *High* 3G 141
Black Crofts. *Arg* 5D 140
Black Cross. *Corn* 2D 6
Blackden Heath. *Ches E* 3B 84
Blackditch. *Oxon* 5C 50
Blackdog. *Abers* 2G 153
Black Dog. *Devn* 2B 12
Blackdown. *Dors* 2G 13
Blackdyke. *Cumb* 4C 112
Blacker Hill. *S Yor* 4D 92
Blackfen. *G Lon* 3F 39
Blackfield. *Hants* 2C 16
Blackford. *Cumb* 3E 113
Blackford. *Per* 3A 136
Blackford. *Shrp* 2H 59
Blackford. *Som* 2H 21
(nr. Burnham-on-Sea)
Blackford. *Som* 4B 22
(nr. Wincanton)
Blackfordby. *Leics* 4H 73
Blackgang. *IOW* 5C 16
Blackhall. *Edin* 2F 129
Blackhall. *Ren* 3F 127
Blackhall Colliery. *Dur* 1B 106
Blackhall Mill. *Tyne* 4E 115
Blackhall Rocks. *Dur* 1B 106
Blackham. *E Sus* 2F 27
Blackheath. *Essx* 3D 54
Blackheath. *G Lon* 3E 39
Blackheath. *Suff* 3G 67
Blackheath. *Surr* 1B 26
Blackheath. *W Mid* 2D 61
Black Heddon. *Nmbd* 2D 115
Blackhill. *Abers* 4H 161
Blackhill. *High* 3C 154
Black Hill. *Warw* 5G 61
Blackhills. *Abers* 2G 161
Blackhills. *High* 3D 158
Blackjack. *Linc* 2B 76
Blackland. *Wilts* 5F 35
Black Lane. *G Man* 4F 91
Blackleach. *Lanc* 1C 90
Blackley. *G Man* 4G 91
Blackley. *W Yor* 3B 92
Blacklunans. *Per* 2A 144
Blackmill. *B'end* 3C 32
Blackmoor. *G Man* 4E 91
Blackmoor. *Hants* 3F 25
Blackmoor Gate. *Devn* 2G 19
Blackmore. *Essx* 5G 53
Blackmore End. *Essx* 2H 53
Blackmore End. *Herts* 4B 52
Black Mount. *Arg* 4G 141
Blackness. *Falk* 2D 128
Blacknest. *Hants* 2F 25
Blackney. *Dors* 3H 13
Blacknoll. *Dors* 4D 14
Black Notley. *Essx* 3A 54
Blacko. *Lanc* 5A 98
Black Pill. *Swan* 3F 31
Blackpool. *Bkpl* 1B 90 & 188
Blackpool. *Devn* 4E 9
Blackpool Airport. *Lanc* 1B 90
Blackpool Corner. *Devn* 3G 13
Blackpool Gate. *Cumb* 2G 113
Blackridge. *W Lot* 3C 128
Blackrock. *Arg* 3B 124
Blackrock. *Mon* 4F 47
Blackrod. *G Man* 3E 90
Blackshaw. *Dum* 3B 112
Blackshaw Head. *W Yor* 2H 91
Blackshaw Moor. *Staf* 5E 85
Blacksmith's Green. *Suff* 4D 66
Blacksnape. *Bkbn* 2F 91
Blackstone. *W Sus* 4D 26
Black Street. *Suff* 2H 67
Black Tar. *Pemb* 4D 43
Blackthorn. *Oxon* 4E 50
Blackthorpe. *Suff* 4B 66
Blacktoft. *E Yor* 2B 94
Blacktop. *Aber* 3F 153
Black Torrington. *Devn* 2E 11
Blacktown. *Newp* 3F 33
Blackwall Tunnel. *G Lon* 2E 39
Blackwater. *Corn* 4B 6

Blackwater. Hants 1G 25
Blackwater. IOW 4D 16
Blackwater. Som 1F 13
Blackwaterfoot. N Ayr 3C 122
Blackwell. Darl 3F 105
Blackwell. Derbs 5B 86
(nr. Alfreton)
Blackwell. Derbs 3F 85
(nr. Buxton)
Blackwell. Som 4D 20
Blackwell. Warw 1H 49
Blackwell. Worc 3D 61
Blackwood. Cphy 2E 33
Blackwood. Dum 1G 111
Blackwood. S Lan 5A 128
Blackwood Hill. Staf 5D 84
Blacon. Ches W 4F 83
Bladnoch. Dum 4B 110
Bladon. Oxon 4C 50
Blaenannerch. Cdgn 1C 44
Blaenau Dolwyddelan. Cnwy 5F 81
Blaenau Ffestiniog. Gwyn 1G 69
Blaenavon. Torf 5F 47
Blaenawey. Mon 4F 47
Blaen Celyn. Cdgn 5C 56
Blaen Clydach. Rhon 2C 32
Blaendulais. Neat 5B 46
Blaenffos. Pemb 1F 43
Blaengarw. B'end 2C 32
Blaen-geuffordd. Cdgn 2F 57
Blaengwrach. Neat 5B 46
Blaengwynfi. Neat 2B 32
Blaenllechau. Rhon 2D 32
Blaenpennal. Cdgn 4F 57
Blaenplwyf. Cdgn 3E 57
Blaenporth. Cdgn 1C 44
Blaenrhondda. Rhon 2C 32
Blaenwaun. Carm 2G 43
Blaen-y-coed. Carm 2H 43
Blaenycwm. Rhon 2C 32
Blagdon. N Som 1A 22
Blagdon. Torb 2E 9
Blagdon Hill. Som 1F 13
Blagill. Cumb 5A 114
Blaguegate. Lanc 4C 90
Blaich. High 1E 141
Blain. High 2A 140
Blaina. Blae 5F 47
Blair Atholl. Per 2F 143
Blair Drummond. Stir 4G 135
Blairgowrie. Per 4A 144
Blairhall. Fife 1D 128
Blairingone. Per 4B 136
Blairlogie. Stir 4H 135
Blairmore. Abers 5B 160
Blairmore. Arg 1C 126
Blairmore. High 3B 166
Blairquhanan. W Dun 1F 127
Blaisdon. Glos 4C 48
Blakebrook. Worc 3C 60
Blakedown. Worc 3C 60
Blake End. Essx 3H 53
Blakemere. Here 1G 47
Blakeney. Glos 5B 48
Blakeney. Norf 1C 78
Blakenhall. Ches E 1B 72
Blakenhall. W Mid 1C 60
Blakeshall. Worc 2C 60
Blakesley. Nptn 5D 62
Blanchland. Nmbd 4C 114
Blandford Camp. Dors 2E 15
Blandford Forum. Dors 2D 15
Blandford St Mary. Dors 2D 15
Bland Hill. N Yor 4E 98
Blandy. High 3G 167
Blanefield. Stir 2G 127
Blankney. Linc 4H 87
Blantyre. S Lan 4H 127
Blarmachfoldach. High 2E 141
Blarnalearoch. High 4F 163
Blashford. Hants 2G 15
Blaston. Leics 1F 63
Blatchbridge. Som 2C 22
Blathaisbhal. W Isl 1D 170
Blatherwycke. Nptn 1G 63
Blawith. Cumb 1B 96
Blaxhall. Suff 5F 67
Blaxton. S Yor 4G 93
Blaydon. Tyne 3E 115
Bleadney. Som 2H 21
Bleadon. N Som 1G 21
Blean. Kent 4F 41
Bleasby. Linc 2A 88
Bleasby. Notts 1E 74
Bleasby Moor. Linc 2A 88
Blebocraigs. Fife 2G 137
Bleddfa. Powy 4E 58
Bledington. Glos 3H 49
Bledlow. Buck 5F 51
Bledlow Ridge. Buck 2F 37
Blencarn. Cumb 1H 103
Blencogo. Cumb 5C 112
Blendworth. Hants 1F 17
Blenheim. Oxon 5D 50
Blennerhasset. Cumb 5C 112
Bletchingdon. Oxon 4D 50
Bletchingley. Surr 5E 39
Bletchley. Mil 2G 51
Bletchley. Shrp 2A 72
Bletherston. Pemb 2E 43
Bletsoe. Bed 5H 63
Blewbury. Oxon 3D 36
Blickling. Norf 3D 78
Blidworth. Notts 5C 86
Blindburn. Nmbd 3C 120
Blindcrake. Cumb 1C 102
Blindley Heath. Surr 1E 27
Blindmoor. Som 1F 13
Blisland. Corn 5A 10
Blissford. Hants 1G 15
Bliss Gate. Worc 3B 60
Blists Hill. Telf 5A 72
Blisworth. Nptn 5E 63
Blithbury. Staf 3E 73
Blitterlees. Cumb 4C 112
Blockley. Glos 2G 49
Blofield. Norf 5F 79
Blofield Heath. Norf 4F 79
Blo' Norton. Norf 3C 66
Bloomfield. Bord 2H 119
Blore. Staf 1F 73
Blount's Green. Staf 2E 73
Bloxham. Oxon 2C 50
Bloxholm. Linc 5H 87
Bloxwich. W Mid 5E 73
Bloxworth. Dors 3D 15
Blubberhouses. N Yor 4D 98
Blue Anchor. Som 2D 20
Blue Anchor. Swan 3E 31
Blue Bell Hill. Kent 4B 40
Blue Row. Essx 4D 54
Bluetown. Kent 5D 40
Blundeston. Suff 1H 67
Blunham. C Beds 5A 64
Blunsdon St Andrew. Swin 3G 35
Bluntington. Worc 3C 60
Bluntisham. Cambs 3C 64
Blunts. Corn 2H 7
Blurton. Stoke 1C 72
Blyborough. Linc 1G 87
Blyford. Suff 3G 67
Blymhill. Staf 4C 72
Blymhill Lawns. Staf 4C 72
Blyth. Nmbd 1G 115
Blyth. Notts 2D 86
Blyth. Bord 5E 129
Blyth Bank. Bord 5E 129
Blyth Bridge. Bord 5E 129
Blythburgh. Suff 3G 67
Blythe Bridge. Staf 1D 72
Blythe Marsh. Staf 1D 72
Blythe, The. Staf 3E 73
Blyton. Linc 1F 87
Boarhills. Fife 2H 137
Boarhunt. Hants 2E 16
Boarshead. E Sus 2G 27
Boar's Head. G Man 4D 90
Boars Hill. Oxon 5C 50
Boarstall. Buck 4E 51
Boasley Cross. Devn 3F 11
Boath. High 1H 157
Boat of Garten. High 2D 150
Bobbing. Kent 4C 40
Bobbington. Staf 1C 60
Bobbingworth. Essx 5F 53
Bocaddon. Corn 3F 7
Bocking. Essx 3A 54
Bocking Churchstreet. Essx 3A 54
Boddam. Abers 4H 161
Boddam. Shet 10E 173
Boddington. Glos 3D 49
Bodedern. IOA 2C 80
Bodelwyddan. Den 3C 82
Bodenham. Here 5H 59
Bodenham. Wilts 4G 23
Bodewryd. IOA 1C 80
Bodfari. Den 3C 82
Bodffordd. IOA 3D 80
Bodham. Norf 1D 78
Bodiam. E Sus 3B 28
Bodicote. Oxon 2C 50
Bodieve. Corn 1D 6
Bodinnick. Corn 3F 7
Bodle Street Green. E Sus 4A 28
Bodmin. Corn 2E 7
Bodnant. Cnwy 3H 81
Bodney. Norf 1H 65
Bodorgan. IOA 4C 80
Bodrane. Corn 2G 7
Bodsham. Kent 1F 29
Boduan. Gwyn 2C 68
Bodymoor Heath. Warw 1F 61
Bogallan. High 3A 158
Bogbrae Croft. Abers 5H 161
Bogend. S Ayr 1C 116
Boghall. Midl 3F 129
Boghall. W Lot 3C 128
Boghead. S Lan 5A 128
Bogindollo. Ang 3D 144
Bogmoor. Mor 2A 160
Bogniebrae. Abers 4C 160
Bognor Regis. W Sus 3H 17
Bograxie. Abers 2E 152
Bogside. N Lan 4B 128
Bog, The. Shrp 1F 59
Bogton. Abers 3D 160
Bogue. Dum 1D 110
Bohenie. High 5E 149
Bohortha. Corn 5C 6
Boirseam. W Isl 9C 171
Bokiddick. Corn 2E 7
Bolam. Dur 2E 105
Bolam. Nmbd 1D 115
Bolberry. Devn 5C 8
Bold Heath. Mers 2H 83
Boldon. Tyne 3G 115
Boldon Colliery. Tyne 3G 115
Boldre. Hants 3B 16
Boldron. Dur 3D 104
Bole. Notts 2E 87
Bolehall. Staf 5G 73
Bolehill. Derbs 5G 85
Bolenowe. Corn 5A 6
Boleside. Bord 1G 119
Bolham. Devn 1C 12
Bolham Water. Devn 1E 13
Bolingey. Corn 3B 6
Bollington. Ches E 3D 84
Bolney. W Sus 3D 26
Bolnhurst. Bed 5H 63
Bolshan. Ang 3F 145
Bolsover. Derbs 3B 86
Bolsterstone. S Yor 1G 85
Bolstone. Here 2A 48
Boltachan. Per 3F 143
Boltby. N Yor 1G 99
Bolton. Cumb 2H 103
Bolton. E Lot 2B 130
Bolton. E Yor 4B 100
Bolton. G Man 4F 91
Bolton. Nmbd 3F 121
Bolton Abbey. N Yor 4C 98
Bolton-by-Bowland. Lanc 5G 97
Boltonfellend. Cumb 3F 113
Boltongate. Cumb 5D 112
Bolton Green. Lanc 3D 90
Bolton-le-Sands. Lanc 3D 97
Bolton Low Houses. Cumb 5D 112
Bolton New Houses. Cumb 5D 112
Bolton-on-Swale. N Yor 5F 105
Bolton Percy. N Yor 5H 99
Bolton Town End. Lanc 3D 97
Bolton upon Dearne. S Yor 4E 93
Bolton Wood Lane. Cumb 5D 112
Bolventor. Corn 5B 10
Bomarsund. Nmbd 1F 115
Bomere Heath. Shrp 4G 71
Bonar Bridge. High 4D 164
Bonawe. Arg 5E 141
Bonby. N Lin 3D 94
Boncath. Pemb 1G 43
Bonchester Bridge. Bord 3H 119
Bonchurch. IOW 5D 16
Bond End. Staf 4F 73
Bondleigh. Devn 2G 11
Bonds. Lanc 5D 97
Bonehill. Devn 5H 11
Bonehill. Staf 5F 73
Bo'ness. Falk 1C 128
Boney Hay. Staf 4E 73
Bonham. Wilts 3C 22
Bonhill. W Dun 2E 127
Boningale. Shrp 5C 72
Bonjedward. Bord 2A 120
Bonkle. N Lan 4B 128
Bonnington. Ang 5E 145
Bonnington. Edin 3E 129
Bonnington. Kent 2E 29
Bonnybank. Fife 3F 137
Bonnybridge. Falk 1B 128
Bonnykelly. Abers 3F 161
Bonnyrigg. Midl 3G 129
Bonnyton. Ang 5C 144
Bonnytown. Fife 2H 137
Bonsall. Derbs 5G 85
Bont. Mon 4G 47
Bontddu. Gwyn 4F 69
Bont Dolgadfan. Powy 5A 70
Bontgoch. Cdgn 2F 57
Bonthorpe. Linc 3D 89
Bont-newydd. Cnwy 3C 82
Bontnewydd. Cdgn 4F 57
Bontnewydd. Gwyn 4D 81
(nr. Caernarfon)
Bont Newydd. Gwyn 1G 69
(nr. Llan Ffestiniog)
Bontuchel. Den 5C 82
Bonvilston. V Glam 4D 32
Bon-y-maen. Swan 3F 31
Booker. Buck 2G 37
Booley. Shrp 3H 71
Boorley Green. Hants 1D 16
Boosbeck. Red C 3D 106
Boot. Cumb 4C 102
Booth. W Yor 2A 92
Boothby Graffoe. Linc 5G 87
Boothby Pagnell. Linc 2G 75
Booth Green. Ches E 2D 84
Booth of Toft. Shet 4F 173
Boothstown. G Man 4F 91
Boothville. Nptn 4E 63
Booth Wood. W Yor 3A 92
Bootle. Cumb 1A 96
Bootle. Mers 1F 83
Booton. Norf 3D 78
Booze. N Yor 4D 104
Boquhan. Stir 1G 127
Boraston. Shrp 3A 60
Borden. Kent 4C 40
Borden. W Sus 4G 25
Bordlands. Bord 5E 129
Bordley. N Yor 3B 98
Bordon. Hants 3G 25
Boreham. Essx 5A 54
Boreham. Wilts 2D 23
Boreham Street. E Sus 4A 28
Borehamwood. Herts 1C 38
Boreland. Dum 5D 118
Boreston. Devn 3D 8
Borestone Brae. Stir 4H 135
Boreton. Shrp 5H 71
Borgh. W Isl 8B 170
(on Barra)
Borgh. W Isl 3C 170
(on Benbecula)
Borgh. W Isl 1E 170
(on Berneray)
Borgh. W Isl 2G 171
(on Isle of Lewis)
Borghasdal. W Isl 9C 171
Borghastan. W Isl 3D 171
Borgh na Sgiotaig. High 1C 154
Borgie. High 3G 167
Borgue. Dum 5D 110
Borgue. High 1H 165
Borley. Essx 1B 54
Borley Green. Essx 1B 54
Borley Green. Suff 4B 66
Borlum. High 1H 149
Bornais. W Isl 6C 170
Bornesketaig. High 1C 154
Boroughbridge. N Yor 3F 99
Borough Green. Kent 5H 39
Borras Head. Wrex 5F 83
Borreraig. High 3A 154
Borrobol Lodge. High 1F 165
Borrodale. High 4A 154
Borrowash. Derb 2B 74
Borrowby. N Yor 1G 99
(nr. Northallerton)
Borrowby. N Yor 3E 107
(nr. Whitby)
Borrowston. High 4F 169
Borrowstonehill. Orkn 7D 172
Borrowstoun. Falk 1C 128
Borstal. Medw 4B 40
Borth. Cdgn 2F 57
Borthwick. Midl 4G 129
Borth-y-Gest. Gwyn 2E 69
Borve. High 4D 154
Borwick. Lanc 2E 97
Bosbury. Here 1B 48
Boscastle. Corn 3A 10
Boscombe. Bour 3G 15
Boscombe. Wilts 3H 23
Boscoppa. Corn 3E 7
Bosham. W Sus 2G 17
Bosherston. Pemb 5D 42
Bosley. Ches E 4D 84
Bossall. N Yor 3B 100
Bossiney. Corn 4A 10
Bossingham. Kent 1F 29
Bossington. Som 2B 20
Bostadh. W Isl 3D 171
Bostock Green. Ches W 4A 84
Boston. Linc 1C 76
Boston Spa. W Yor 5G 99
Boswarthen. Corn 3B 4
Boswinger. Corn 4D 6
Botallack. Corn 3A 4
Botany Bay. G Lon 1D 39
Botcheston. Leics 5B 74
Botesdale. Suff 3C 66
Bothal. Nmbd 1F 115
Bothampstead. W Ber 4D 36
Bothamsall. Notts 3D 86
Bothel. Cumb 1C 102
Bothenhampton. Dors 3H 13
Bothwell. S Lan 4H 127
Botley. Buck 5H 51
Botley. Hants 1D 16
Botley. Oxon 5C 50
Botloe's Green. Glos 3C 48
Botolph Claydon. Buck 3F 51
Botolphs. W Sus 5C 26
Bottacks. High 2G 157
Bottesford. Leics 2F 75
Bottesford. N Lin 4B 94
Bottisham. Cambs 4E 65
Bottlesford. Wilts 1G 23
Bottomcraig. Fife 1F 137
Bottom o' th' Moor. G Man 3E 91
Botton. N Yor 4D 107
Botton Head. Lanc 3F 97
Bottreaux Mill. Devn 4B 20
Botus Fleming. Corn 2A 8
Botwnnog. Gwyn 2B 68
Bough Beech. Kent 1F 27
Boughrood. Powy 2E 47
Boughspring. Glos 2A 34
Boughton. Norf 5F 77
Boughton. Nptn 4E 63
Boughton. Notts 4D 86
Boughton Aluph. Kent 1E 29
Boughton Green. Kent 5B 40
Boughton Lees. Kent 1E 28
Boughton Malherbe. Kent 1C 28
Boughton Monchelsea. Kent 5B 40
Boughton under Blean. Kent 5E 41
Boulby. Red C 3E 107
Bouldnor. IOW 4B 16
Bouldon. Shrp 2H 59
Boulmer. Nmbd 3G 121
Boulston. Pemb 3D 42
Boultham. Linc 4G 87
Boulton. Derb 2A 74
Boundary. Staf 1D 73
Bounds. Here 2B 48
Bourn. Cambs 5C 64
Bournbrook. W Mid 2E 61
Bourne. Linc 3H 75
Bourne End. Bed 4H 63
Bourne End. Buck 3G 37
Bourne End. C Beds 1H 51
Bourne End. Herts 5A 52
Bournemouth. Bour 3F 15 & 190
Bournemouth Airport. Dors 3G 15
Bournes Green. Glos 5E 49
Bournes Green. S'end 2D 40
Bourne, The. Surr 2G 25
Bournheath. Worc 3D 60
Bournmoor. Dur 4G 115
Bournville. W Mid 2E 61
Bourton. Dors 3C 22
Bourton. N Som 5G 33
Bourton. Oxon 3H 35
Bourton. Shrp 1H 59
Bourton. Wilts 5F 35
Bourton on Dunsmore. Warw 3B 62
Bourton-on-the-Hill. Glos 2G 49
Bourton-on-the-Water. Glos 3G 49
Bousd. Arg 2D 138
Bousta. Shet 6D 173
Boustead Hill. Cumb 4D 112
Bouth. Cumb 1C 96
Bouthwaite. N Yor 2D 98
Boveney. Buck 3A 38
Boveridge. Dors 1F 15
Boverton. V Glam 5C 32
Bovey Tracey. Devn 5B 12
Bovingdon. Herts 5A 52
Bovingdon Green. Buck 3G 37
Bovinger. Essx 5F 53
Bovington Camp. Dors 4D 14
Bow. Devn 2H 11
Bowbank. Dur 2C 104
Bow Brickhill. Mil 2H 51
Bowbridge. Glos 5D 48
Bowburn. Dur 1A 106
Bowcombe. IOW 4C 16
Bowd. Devn 4E 12
Bowden. Devn 4E 9
Bowden. Bord 1H 119
Bowden Hill. Wilts 5E 35
Bowdens. Som 4H 21
Bowderdale. Cumb 4H 103
Bowdon. G Man 2B 84
Bower. Nmbd 1A 114
Bowerchalke. Wilts 4F 23
Bowerhill. Wilts 5E 35
Bower Hinton. Som 1H 13
Bowermadden. High 2E 169
Bowers. Staf 2C 72
Bowers Gifford. Essx 2B 40
Bowershall. Fife 4C 136
Bowertower. High 2E 169
Bowes. Dur 3C 104
Bowgreave. Lanc 5D 97
Bowhousebog. N Lan 4B 128
Bowithick. Corn 4B 10
Bowland Bridge. Cumb 1D 96
Bowlees. Dur 2C 104
Bowley. Here 5H 59
Bowlhead Green. Surr 2A 26
Bowling. W Dun 2F 127
Bowling. W Yor 1B 92
Bowling Bank. Wrex 1F 71
Bowling Green. Worc 5C 60
Bowlish. Som 2B 22
Bowmanstead. Cumb 5E 102
Bowmore. Arg 4B 124
Bowness-on-Solway. Cumb 3D 112
Bowness-on-Windermere. Cumb 5F 103
Bow of Fife. Fife 2F 137
Bowriefauld. Ang 4E 145
Bowscale. Cumb 1E 103
Bowsden. Nmbd 5F 131
Bowside Lodge. High 2A 168
Bowston. Cumb 5F 103
Bow Street. Cdgn 2F 57
Bowthorpe. Norf 5D 78
Box. Glos 5D 48
Box. Wilts 5D 34
Boxbush. Glos 3B 48
Box End. Bed 1A 52
Boxford. Suff 1C 54
Boxford. W Ber 4C 36
Boxgrove. W Sus 5A 26
Box Hill. Wilts 5D 34
Boxley. Kent 5B 40
Boxmoor. Herts 5A 52
Box's Shop. Corn 2C 10
Boxted. Essx 2C 54
Boxted. Suff 5H 65
Boxted Cross. Essx 2D 54
Boxworth. Cambs 4C 64
Boxworth End. Cambs 4C 64
Boyden End. Suff 5G 65
Boyden Gate. Kent 4G 41
Boylestone. Derbs 2F 73
Boylestonfield. Derbs 2F 73
Boyndlie. Abers 2D 160
Boynton. E Yor 3F 101
Boys Hill. Dors 1B 14
Boythorpe. Derbs 4A 86
Boyton. Corn 3D 10
Boyton. Suff 1G 55
Boyton. Wilts 3E 23
Boyton Cross. Essx 5G 53
Boyton End. Essx 2G 53
Boyton End. Suff 1H 53
Bozeat. Nptn 5G 63
Braaid. IOM 4C 108
Braal Castle. High 2D 168
Brabling Green. Suff 4E 67
Brabourne. Kent 1F 29
Brabourne Lees. Kent 1E 29
Brabster. High 2F 169
Bracadale. High 5C 154
Bracara. High 4F 147
Braceborough. Linc 4H 75
Bracebridge. Linc 4G 87
Bracebridge Heath. Linc 4G 87
Braceby. Linc 2H 75
Bracewell. Lanc 5A 98
Brackenber. Cumb 3A 104
Brackenfield. Derbs 5A 86
Brackenlands. Cumb 5D 112
Brackenthwaite. Cumb 5D 112
Brackenthwaite. N Yor 4E 99
Brackla. B'end 4C 32
Brackla. High 3C 158
Bracklesham. W Sus 3G 17
Brackletter. High 5D 148
Brackley. Nptn 2D 50
Brackley Hatch. Nptn 1E 51
Brackloch. High 1F 163
Bracknell. Brac 5G 37
Braco. Per 3H 135
Bracobrae. Mor 3C 160
Bracon. N Lin 4A 94
Bracon Ash. Norf 1D 66
Bradbourne. Derbs 5G 85
Bradbury. Dur 2A 106
Bradda. IOM 4A 108
Bradden. Nptn 1E 51
Bradenham. Buck 2G 37
Bradenham. Norf 5B 78
Bradenstoke. Wilts 4F 35
Bradfield. Essx 2E 55
Bradfield. Norf 2E 79
Bradfield. W Ber 4E 36
Bradfield Combust. Suff 5A 66
Bradfield Green. Ches E 5A 84
Bradfield Heath. Essx 3E 55
Bradfield St Clare. Suff 5B 66
Bradfield St George. Suff 4B 66
Bradford. Derbs 4G 85
Bradford. Devn 2E 11
Bradford. Nmbd 1F 121
Bradford. W Yor 1B 92 & 190
Bradford Abbas. Dors 1A 14
Bradford Barton. Devn 1B 12

Bradford Leigh. Wilts 5D 34
Bradford-on-Avon. Wilts 5D 34
Bradford-on-Tone. Som 4E 21
Bradford Peverell. Dors 3B 14
Bradiford. Devn 3F 19
Brading. IOW 4E 16
Bradley. Ches W 3H 83
Bradley. Derbs 1G 73
Bradley. Glos 2C 34
Bradley. Hants 2E 25
Bradley. NE Lin 4F 95
Bradley. N Yor 1C 98
Bradley. Staf 4C 72
Bradley. W Mid 1D 60
Bradley. W Yor 2B 92
Bradley. Wrex 5F 83
Bradley Cross. Som 1H 21
Bradley Green. Ches W 1H 71
Bradley Green. Som 3F 21
Bradley Green. Warw 5G 73
Bradley Green. Worc 4D 61
Bradley in the Moors. Staf 1E 73
Bradley Mount. Ches E 3D 84
Bradley Stoke. S Glo 3B 34
Bradlow. Here 2C 48
Bradmore. Notts 2C 74
Bradmore. W Mid 1C 60
Bradninch. Devn 2D 12
Bradnop. Staf 5E 85
Bradpole. Dors 3H 13
Bradshaw. G Man 3F 91
Bradstone. Devn 4D 11
Bradwall Green. Ches E 4B 84
Bradway. S Yor 2H 85
Bradwell. Derbs 2F 85
Bradwell. Essx 3B 54
Bradwell. Mil 2G 51
Bradwell. Norf 5H 79
Bradwell-on-Sea. Essx 5D 54
Bradwell Waterside. Essx 5C 54
Bradworthy. Devn 1D 10
Brae. High 5C 162
Brae. Shet 5E 173
Braeantra. High 1H 157
Braefield. High 5G 157
Braefindon. High 3A 158
Braegrum. Per 1C 136
Braehead. Ang 3F 145
Braehead. Dum 4B 110
Braehead. Mor 4G 159
Braehead. Orkn 3D 172
Braehead. S Lan 1H 117
(nr. Coalburn)
Braehead. S Lan 4C 128
(nr. Forth)
Braehoulland. Shet 4D 173
Braemar. Abers 4F 151
Braemore. High 5C 168
(nr. Dunbeath)
Braemore. High 1D 156
(nr. Ullapool)
Brae of Achnahaird. High 2E 163
Brae Roy Lodge. High 4F 149
Braeside. Abers 5G 161
Braeside. Inv 2D 126
Braes of Coul. Ang 3B 144
Braeswick. Orkn 4F 172
Braetongue. High 3F 167
Braeval. Stir 3E 135
Braevallich. Arg 3G 133
Braewick. Shet 6E 173
Brafferton. Darl 2F 105
Brafferton. N Yor 2G 99
Brafield-on-the-Green. Nptn 5F 63
Bragar. W Isl 3E 171
Bragbury End. Herts 3C 52
Bragleenbeg. Arg 1G 133
Braichmelyn. Gwyn 4F 81
Braides. Lanc 4D 96
Braidwood. S Lan 5B 128
Braigo. Arg 3A 124
Brailsford. Derbs 1G 73
Braintree. Essx 3A 54
Braiseworth. Suff 3D 66
Braishfield. Hants 4B 24
Braithwaite. Cumb 2D 102
Braithwaite. S Yor 3G 93
Braithwaite. W Yor 5C 98
Braithwell. S Yor 1C 86
Brakefield Green. Norf 5C 78
Bramber. W Sus 4C 26
Brambledown. Kent 3D 40
Brambridge. Hants 4C 24
Bramcote. Notts 2C 74
Bramcote. Warw 2B 62
Bramdean. Hants 4E 24
Bramerton. Norf 5E 79
Bramfield. Herts 4C 52
Bramfield. Suff 3F 67
Bramford. Suff 1E 54
Bramhall. G Man 2C 84
Bramham. W Yor 5G 99
Bramhope. W Yor 5E 99
Bramley. Hants 1E 25
Bramley. S Yor 1B 86
Bramley. Surr 1B 26
Bramley. W Yor 1C 92
Bramley Green. Hants 1E 25
Bramley Head. N Yor 4D 98
Bramley Vale. Derbs 4B 86
Bramling. Kent 5G 41
Brampford Speke. Devn 3C 12
Brampton. Cambs 3B 64
Brampton. Cumb 2H 103
(nr. Appleby-in-Westmorland)
Brampton. Cumb 3G 113
(nr. Carlisle)
Brampton. Linc 3F 87
Brampton. Norf 3E 78
Brampton. S Yor 4E 93
Brampton. Suff 2G 67
Brampton Abbotts. Here 3B 48
Brampton Ash. Nptn 2E 63
Brampton Bryan. Here 3F 59
Brampton en le Morthen. S Yor 2B 86
Bramshall. Staf 2E 73
Bramshaw. Hants 1A 16
Bramshill. Hants 5F 37
Bramshott. Hants 3G 25
Branault. High 2G 139
Brancaster. Norf 1G 77
Brancaster Staithe. Norf 1G 77
Brancepeth. Dur 1F 105
Branch End. Nmbd 3D 114
Branchill. Mor 3E 159
Brand End. Linc 1C 76
Branderburgh. Mor 1G 159
Brandesburton. E Yor 5F 101
Brandeston. Suff 4E 67
Brand Green. Glos 3C 48
Brandhill. Shrp 3G 59
Brandis Corner. Devn 2E 11
Brandish Street. Som 2C 20
Brandiston. Norf 3D 78
Brandon. Dur 1F 105
Brandon. Linc 1G 75
Brandon. Nmbd 3E 121
Brandon. Suff 2G 65
Brandon. Warw 3B 62
Brandon Bank. Cambs 2F 65
Brandon Creek. Norf 1F 65
Brandon Parva. Norf 5C 78
Brandsby. N Yor 2H 99
Brandy Wharf. Linc 1H 87
Brane. Corn 4B 4
Bran End. Essx 3G 53
Branksome. Pool 3F 15
Bransbury. Hants 2C 24
Bransby. Linc 3F 87
Branscombe. Devn 4E 13
Bransford. Worc 5B 60
Bransgore. Hants 3G 15
Bransholme. Hull 1D 94
Bransley. Shrp 3A 60
Branston. Leics 3F 75
Branston. Linc 4H 87
Branston. Staf 3G 73
Branston Booths. Linc 4H 87
Branstone. IOW 4D 16
Bransty. Cumb 3A 102
Brant Broughton. Linc 5G 87
Brantham. Suff 2E 54
Branthwaite. Cumb 1D 102
(nr. Caldbeck)
Branthwaite. Cumb 2B 102
(nr. Workington)
Brantingham. E Yor 2C 94
Branton. Nmbd 3E 121
Branton. S Yor 4G 93
Branton Green. N Yor 3G 99
Branxholme. Bord 3G 119
Branxton. Nmbd 1C 120
Brassington. Derbs 5G 85
Brasted. Kent 5F 39
Brasted Chart. Kent 5F 39
Bratch, The. Staf 1C 60
Brathens. Abers 4D 152
Bratoft. Linc 4D 88
Brattleby. Linc 2G 87
Bratton. Som 2C 20
Bratton. Telf 4A 72
Bratton. Wilts 1E 23
Bratton Clovelly. Devn 3E 11
Bratton Fleming. Devn 3G 19
Bratton Seymour. Som 4B 22
Braughing. Herts 3D 53
Braulen Lodge. High 5E 157
Braunston. Nptn 4C 62
Braunstone Town. Leic 5C 74
Braunston-in-Rutland. Rut 5F 75
Braunton. Devn 3E 19
Brawby. N Yor 2B 100
Brawl. High 2A 168
Brawlbin. High 3C 168
Bray. Wind 3A 38
Braybrooke. Nptn 2E 63
Brayford. Devn 3G 19
Bray Shop. Corn 5D 10
Braystones. Cumb 4B 102
Brayton. N Yor 1G 93
Bray Wick. Wind 4G 37
Brazacott. Corn 3C 10
Brea. Corn 4A 6
Breach. W Sus 2F 17
Breachwood Green. Herts 3B 52
Breacleit. W Isl 4D 171
Breaden Heath. Shrp 2G 71
Breadsall. Derbs 1A 74
Breadstone. Glos 5C 48
Breage. Corn 4D 4
Breakachy. High 4G 157
Breakish. High 1E 147
Bream. Glos 5B 48
Breamore. Hants 1G 15
Bream's Meend. Glos 5B 48
Brean. Som 1F 21
Breanais. W Isl 5B 171
Brearton. N Yor 3F 99
Breascleit. W Isl 4E 171
Breaston. Derbs 2B 74
Brecais Àrd. High 1E 147
Brecais Iosal. High 1E 147
Brechfa. Carm 2F 45
Brechin. Ang 3F 145
Breckles. Norf 1B 66
Brecon. Powy 3D 46
Brecon Beacons. Powy 3C 46
Bredbury. G Man 1D 84
Brede. E Sus 4C 28
Bredenbury. Here 5A 60
Breden's Norton. Worc 2E 49
Bredfield. Suff 5E 67
Bredgar. Kent 4C 40
Bredhurst. Kent 4B 40
Bredicot. Worc 5D 60
Bredon. Worc 2E 49
Bredwardine. Here 1G 47
Breedon on the Hill. Leics 3B 74
Breibhig. W Isl 9B 170
(on Barra)
Breibhig. W Isl 4G 171
(on Isle of Lewis)
Breich. W Lot 3C 128
Breightmet. G Man 3F 91
Breighton. E Yor 1H 93
Breinton. Here 2H 47
Breinton Common. Here 2H 47
Breiwick. Shet 7F 173
Brelston Green. Here 3A 48
Bremhill. Wilts 4E 35
Brenachie. High 1B 158
Brenchley. Kent 1A 28
Brendon. Devn 2A 20
Brent Cross. G Lon 2D 38
Brent Eleigh. Suff 1C 54
Brentford. G Lon 3C 38
Brentingby. Leics 4E 75
Brent Knoll. Som 1G 21
Brent Pelham. Herts 2E 53
Brentwood. Essx 1H 39
Brenzett. Kent 3E 28
Brereton. Staf 4E 73
Brereton Cross. Staf 4E 73
Brereton Green. Ches E 4B 84
Brereton Heath. Ches E 4C 84
Bressingham. Norf 2C 66
Bretby. Derbs 3G 73
Bretford. Warw 3B 62
Bretforton. Worc 1F 49
Bretherdale Head. Cumb 4G 103
Bretherton. Lanc 2C 90
Brettabister. Shet 6F 173
Brettenham. Norf 2B 66
Brettenham. Suff 5B 66
Bretton. Flin 4F 83
Bretton. Pet 5A 76
Brewer Street. Surr 5E 39
Brewlands Bridge. Ang 2A 144
Brewood. Staf 5C 72
Briantspuddle. Dors 3D 14
Bricket Wood. Herts 5B 52
Bricklehampton. Worc 1E 49
Bride. IOM 1D 108
Bridekirk. Cumb 1C 102
Bridell. Pemb 1B 44
Bridestowe. Devn 4F 11
Brideswell. Abers 5C 160
Bridford. Devn 4B 12
Bridge. Corn 4A 6
Bridge. Kent 5F 41
Bridge. Som 2G 13
Bridge End. Bed 5H 63
Bridge End. Cumb 5D 102
(nr. Broughton in Furness)
Bridge End. Cumb 5E 113
(nr. Dalston)
Bridge End. Linc 2A 76
Bridge End. Shet 8E 173
Bridgefoot. Ang 5C 144
Bridgefoot. Cumb 2B 102
Bridge Green. Essx 2E 53
Bridgehampton. Som 4A 22
Bridge Hewick. N Yor 2F 99
Bridgehill. Dur 4D 115
Bridgemary. Hants 2D 16
Bridgemere. Ches E 1B 72
Bridgemont. Derbs 2E 85
Bridgend. Abers 5C 160
(nr. Huntly)
Bridgend. Abers 5H 161
(nr. Peterhead)
Bridgend. Ang 2E 145
(nr. Brechin)
Bridgend. Ang 4C 144
(nr. Kirriemuir)
Bridgend. Arg 4F 133
(nr. Lochgilphead)
Bridgend. Arg 3B 124
(on Islay)
Bridgend. B'end 3C 32
Bridgend. Cumb 3F 103
Bridgend. Devn 4B 8
Bridgend. Fife 2F 137
Bridgend. High 3F 157
Bridgend. Mor 5A 160
Bridgend. Per 1D 136
Bridgend. W Lot 2D 128
Bridgend of Lintrathen. Ang 3B 144
Bridgeness. Falk 1D 128
Bridge of Alford. Abers 2C 152
Bridge of Allan. Stir 4G 135
Bridge of Avon. Mor 5F 159
Bridge of Awe. Arg 1H 133
Bridge of Balgie. Per 4C 142
Bridge of Brown. High 1F 151
Bridge of Cally. Per 3A 144
Bridge of Canny. Abers 4D 152
Bridge of Dee. Dum 3E 111
Bridge of Don. Aber 2G 153
Bridge of Dun. Ang 3F 145
Bridge of Dye. Abers 5D 152
Bridge of Earn. Per 2D 136
Bridge of Ericht. Per 3C 142
Bridge of Feugh. Abers 4E 152
Bridge of Forss. High 2C 168
Bridge of Gairn. Abers 4A 152
Bridge of Gaur. Per 3C 142
Bridge of Muchalls. Abers 4F 153
Bridge of Oich. High 3F 149
Bridge of Orchy. Arg 5H 141
Bridge of Walls. Shet 6D 173
Bridge of Weir. Ren 3E 127
Bridge Reeve. Devn 1G 11
Bridgerule. Devn 2C 10
Bridge Sollers. Here 1H 47
Bridge Street. Suff 1B 54
Bridgetown. Devn 2E 9
Bridgetown. Som 3C 20
Bridge Town. Warw 5G 61
Bridge Trafford. Ches W 3G 83
Bridgeyate. S Glo 4B 34
Bridgham. Norf 2B 66
Bridgnorth. Shrp 1B 60
Bridgtown. Staf 5D 73
Bridgwater. Som 3G 21
Bridister. Shet 6D 173
Bridlington. E Yor 3F 101
Bridport. Dors 3H 13
Bridstow. Here 3A 48
Brierfield. Lanc 1G 91
Brierley. Glos 4B 48
Brierley. Here 5G 59
Brierley. S Yor 3E 93
Brierley Hill. W Mid 2D 60
Brierton. Hart 1B 106
Briestfield. W Yor 3C 92
Brigg. N Lin 4D 94
Briggate. Norf 3F 79
Briggswath. N Yor 4F 107
Brigham. Cumb 1B 102
Brigham. E Yor 4E 101
Brighouse. W Yor 2B 92
Brighstone. IOW 4C 16
Brightgate. Derbs 5G 85
Brighthampton. Oxon 5B 50
Brightholmlee. S Yor 1G 85
Brightley. Devn 3G 11
Brightling. E Sus 3A 28
Brightlingsea. Essx 4D 54
Brighton. Brig 5E 27 & 189
Brighton. Corn 3D 6
Brighton Hill. Hants 2E 24
Brightons. Falk 2C 128
Brightwalton. W Ber 4C 36
Brightwalton Green. W Ber 4C 36
Brightwell. Suff 1F 55
Brightwell Baldwin. Oxon 2E 37
Brightwell-cum-Sotwell. Oxon 2D 36
Brigmerston. Wilts 2G 23
Brignall. Dur 3D 104
Brig o'Turk. Stir 3E 135
Brigsley. NE Lin 4F 95
Brigsteer. Cumb 1D 97
Brigstock. Nptn 2G 63
Brill. Buck 4E 51
Brill. Corn 4E 5
Brilley. Here 1F 47
Brimaston. Pemb 2D 42
Brimfield. Here 4H 59
Brimington. Derbs 3B 86
Brimley. Devn 5B 12
Brimpsfield. Glos 4E 49
Brimpton. W Ber 5D 36
Brims. Orkn 9B 172
Brimscombe. Glos 5D 48
Brimstage. Mers 2F 83
Brincliffe. S Yor 2H 85
Brind. E Yor 1H 93
Brindister. Shet 8F 173
Brindle. Lanc 2E 90
Brindley. Ches E 5H 83
Brindley Ford. Stoke 5C 84
Brineton. Staf 4C 72
Bringhurst. Leics 1F 63
Brington. Cambs 3H 63
Brinian. Orkn 5D 172
Briningham. Norf 2C 78
Brinkhill. Linc 3C 88
Brinkley. Cambs 5F 65
Brinklow. Warw 3B 62
Brinkworth. Wilts 3F 35
Brinscall. Lanc 2E 91
Brinscombe. Som 1H 21
Brinsley. Notts 1B 74
Brinsty Common. Here 5A 60
Brinsworth. S Yor 2B 86
Brinton. Norf 2C 78
Brisco. Cumb 4F 113
Brisley. Norf 3B 78
Brislington. Bris 4B 34
Brissenden Green. Kent 2D 28
Bristol. Bris 4A 34 & 189
Bristol International Airport.
N Som 5A 34
Briston. Norf 2C 78
Britannia. Lanc 2G 91
Britford. Wilts 4G 23
Brithdir. Cphy 5E 47
Brithdir. Cdgn 1D 44
Brithdir. Gwyn 4G 69
Briton Ferry. Neat 3G 31
Britwell Salome. Oxon 2E 37
Brixham. Torb 3F 9
Brixton. Devn 3B 8
Brixton. G Lon 3E 39
Brixton Deverill. Wilts 3D 22
Brixworth. Nptn 3E 63
Brize Norton. Oxon 5B 50
Broad Alley. Worc 4C 60
Broad Blunsdon. Swin 2G 35
Broadbottom. G Man 1D 85
Broadbridge. W Sus 2G 17
Broadbridge Heath. W Sus 2C 26
Broad Campden. Glos 2G 49
Broad Chalke. Wilts 4F 23
Broadclyst. Devn 3C 12
Broadfield. Inv 2E 127
Broadfield. Pemb 4F 43
Broadfield. W Sus 2D 26
Broadford. High 1E 147
Broadford Bridge. W Sus 3B 26
Broadgate. Cumb 1A 96
Broad Green. Cambs 5F 65
Broad Green. C Beds 1H 51
Broad Green. Worc 3D 61
(nr. Bromsgrove)
Broad Green. Worc 5B 60
(nr. Worcester)
Broadhaven. High 3F 169
Broad Haven. Pemb 3C 42
Broadheath. G Man 2B 84
Broad Heath. Staf 3C 72
Broadheath. Worc 4A 60
Broadhembury. Devn 2E 12
Broadhempston. Devn 2E 9
Broad Hill. Cambs 3E 65
Broad Hinton. Wilts 4G 35
Broadholm. Derbs 1A 74
Broadholme. Linc 3F 87
Broadlay. Carm 5D 44
Broad Laying. Hants 5C 36
Broadley. Lanc 3G 91
Broadley. Mor 2A 160
Broadley Common. Essx 5E 53
Broad Marston. Worc 1G 49
Broadmayne. Dors 4C 14
Broadmere. Hants 2E 24
Broadmoor. Pemb 4E 43
Broad Oak. Carm 3F 45
Broad Oak. Cumb 5C 102
Broad Oak. Devn 3D 12
Broadoak. Dors 3H 13
(nr. Bridport)
Broad Oak. Dors 1C 14
(nr. Sturminster Newton)
Broad Oak. E Sus 4C 28
(nr. Hastings)
Broad Oak. E Sus 3H 27
(nr. Heathfield)
Broadoak. Glos 4B 48
Broadoak. Hants 1C 16
Broad Oak. Here 3H 47
Broad Oak. Kent 4F 41
Broadrashes. Mor 3B 160
Broads. Norf 5G 79
Broadsea. Abers 2G 161
Broad's Green. Essx 4G 53
Broadshard. Som 1H 13
Broadstairs. Kent 4H 41
Broadstone. Pool 3F 15
Broadstone. Shrp 2H 59
Broad Street. E Sus 4C 28
Broad Street. Kent 1F 29
(nr. Ashford)
Broad Street. Kent 5C 40
(nr. Maidstone)
Broad Street Green. Essx 5B 54
Broad, The. Here 4G 59
Broad Town. Wilts 4F 35
Broadwas. Worc 5B 60
Broadwath. Cumb 4F 113
Broadway. Carm 5D 45
(nr. Kidwelly)
Broadway. Carm 3G 43
(nr. Laugharne)
Broadway. Pemb 3C 42
Broadway. Som 1G 13
Broadway. Suff 3F 67
Broadway. Worc 2G 49
Broadwell. Glos 4A 48
(nr. Cinderford)
Broadwell. Glos 3H 49
(nr. Stow-on-the-Wold)
Broadwell. Oxon 5A 50
Broadwell. Warw 4B 62
Broadwell House. Nmbd 4C 114
Broadwey. Dors 4B 14
Broadwindsor. Dors 2H 13
Broadwoodkelly. Devn 2G 11
Broadwoodwidger. Devn 4E 11
Broallan. High 4G 157
Brobury. Here 1G 47
Brochel. High 4E 155
Brockamin. Worc 5B 60
Brockbridge. Hants 1E 16
Brockdish. Norf 3E 66
Brockencote. Worc 3C 60
Brockenhurst. Hants 2A 16
Brocketsbrae. S Lan 1H 117
Brockford Street. Suff 4D 66
Brockhall. Nptn 4D 62
Brockham. Surr 1C 26
Brockhampton. Glos 3E 49
(nr. Bishop's Cleeve)
Brockhampton. Glos 3F 49
(nr. Sevenhampton)
Brockhampton. Here 2A 48
Brockhill. Bord 2F 119
Brockholes. W Yor 3B 92
Brockhouse. S Yor 2C 86
Brockhurst. Hants 2D 16
Brocklesby. Linc 3E 95
Brockley. N Som 5H 33
Brockley Corner. Suff 3H 65
Brockley Green. Suff 1H 53
(nr. Bury St Edmunds)
Brockley Green. Suff 5H 65
(nr. Haverhill)
Brockleymoor. Cumb 1F 103
Brockmoor. W Mid 2C 60
Brockton. Shrp 2F 59
(nr. Bishop's Castle)
Brockton. Shrp 5B 72
(nr. Madeley)
Brockton. Shrp 1H 59
(nr. Much Wenlock)
Brockton. Shrp 5F 71
(nr. Pontesbury)
Brockton. Staf 2C 72
Brockton. Telf 4B 72
Brockweir. Glos 5A 48
Brockworth. Glos 4D 49
Brocton. Staf 4D 72
Brodick. N Ayr 2E 123
Brodie. Mor 3D 159
Brodiesord. Abers 3C 160
Brodsworth. S Yor 4F 93
Brogaig. High 2D 154
Brogborough. C Beds 2H 51
Brokenborough. Wilts 3E 35
Broken Cross. Ches E 3C 84
Bromborough. Mers 2F 83
Bromdon. Shrp 2A 60
Brome. Suff 3D 66
Brome Street. Suff 3D 66

Bromeswell. *Suff* 5F 67
Bromfield. *Cumb* 5C 112
Bromfield. *Shrp* 3G 59
Bromford. *W Mid* 1F 61
Bromham. *Bed* 5H 63
Bromham. *Wilts* 5E 35
Bromley. *G Lon* 4F 39
Bromley. *Herts* 3E 53
Bromley. *Shrp* 1B 60
Bromley Cross. *G Man* 3F 91
Bromley Green. *Kent* 2D 28
Bromley Wood. *Staf* 3F 73
Brompton. *Medw* 4B 40
Brompton. *N Yor* 5A 106
(nr. Northallerton)
Brompton. *N Yor* 1D 100
(nr. Scarborough)
Brompton. *Shrp* 5H 71
Brompton-on-Swale. *N Yor* 5F 105
Brompton Ralph. *Som* 3D 20
Brompton Regis. *Som* 3C 20
Bromsash. *Here* 3B 48
Bromsberrow. *Glos* 2C 48
Bromsberrow Heath. *Glos* 2C 48
Bromsgrove. *Worc* 3D 60
Bromstead Heath. *Staf* 4B 72
Bromyard. *Here* 5A 60
Bromyard Downs. *Here* 5A 60
Bronaber. *Gwyn* 2G 69
Broncroft. *Shrp* 2H 59
Brongest. *Cdgn* 1D 44
Brongwyn. *Cdgn* 1C 44
Bronington. *Wrex* 2G 71
Bronllys. *Powy* 2E 47
Bronnant. *Cdgn* 4F 57
Bronwydd Arms. *Carm* 3E 45
Bronydd. *Powy* 1F 47
Bronygarth. *Shrp* 2E 71
Brook. *Carm* 4G 43
Brook. *Hants* 1A 16
(nr. Cadnam)
Brook. *Hants* 4B 24
(nr. Romsey)
Brook. *IOW* 4B 16
Brook. *Kent* 1E 29
Brook. *Surr* 1B 26
(nr. Guildford)
Brook. *Surr* 2A 26
(nr. Haslemere)
Brooke. *Norf* 1E 67
Brooke. *Rut* 5F 75
Brookenby. *Linc* 1B 88
Brookend. *Glos* 5B 48
Brook End. *Worc* 1D 48
Brookfield. *Lanc* 1D 90
Brookfield. *Ren* 3F 127
Brookhouse. *Lanc* 3E 97
Brookhouse Green. *Ches E* 4C 84
Brookhouses. *Staf* 1D 73
Brookhurst. *Mers* 2F 83
Brookland. *Kent* 3D 28
Brooklands. *G Man* 1B 84
Brooklands. *Shrp* 1H 71
Brookmans Park. *Herts* 5C 52
Brooks. *Powy* 1D 58
Brooksby. *Leics* 4D 74
Brooks Green. *W Sus* 3C 26
Brook Street. *Essx* 1G 39
Brook Street. *Kent* 2D 28
Brook Street. *W Sus* 3E 27
Brookthorpe. *Glos* 4D 48
Brookville. *Norf* 1G 65
Brookwood. *Surr* 5A 38
Broom. *C Beds* 1B 52
Broom. *Fife* 3F 137
Broom. *Warw* 5E 61
Broome. *Norf* 1F 67
Broome. *Shrp* 1H 59
(nr. Cardington)
Broome. *Shrp* 2G 59
(nr. Craven Arms)
Broome. *Worc* 3D 60
Broomedge. *Warr* 2B 84
Broomend. *Abers* 2E 153
Broome Park. *Nmbd* 3F 121
Broomer's Corner. *W Sus* 3C 26
Broomfield. *Abers* 5G 161
Broomfield. *Essx* 4H 53
Broomfield. *Kent* 4F 41
(nr. Herne Bay)
Broomfield. *Kent* 5C 40
(nr. Maidstone)
Broomfield. *Som* 3F 21
Broomfleet. *E Yor* 2B 94
Broom Green. *Norf* 3B 78
Broomhall. *Ches E* 1A 72
Broomhall. *Wind* 4A 38
Broomhaugh. *Nmbd* 3D 114
Broom Hill. *Dors* 2F 15
Broomhill. *High* 1D 151
(nr. Grantown-on-Spey)
Broomhill. *High* 1B 158
(nr. Invergordon)
Broomhill. *Norf* 5F 77
Broomhill. *S Yor* 4E 93
Broom Hill. *Worc* 3D 60
Broomhillbank. *Dum* 5D 118
Broomholm. *Norf* 2F 79
Broomlands. *Dum* 4C 118
Broomley. *Nmbd* 3D 114
Broom of Moy. *Mor* 3E 159
Broompark. *Dur* 5F 115
Broom's Green. *Glos* 2C 48
Brora. *High* 3G 165
Broseley. *Shrp* 5A 72
Brotherhouse Bar. *Linc* 4B 76
Brotheridge Green. *Worc* 1D 48
Brotherlee. *Dur* 1C 104
Brothertoft. *Linc* 1B 76
Brotherton. *N Yor* 2E 93
Brotton. *Red C* 2D 107
Broubster. *High* 2C 168
Brough. *Cumb* 3A 104
Brough. *Derbs* 2F 85
Brough. *E Yor* 2C 94
Brough. *High* 1E 169
Brough. *Notts* 5F 87
Brough. *Orkn* 6C 172
(nr. Finstown)
Brough. *Orkn* 9D 172
(nr. St Margaret's Hope)
Brough. *Shet* 6F 173
(nr. Benston)
Brough. *Shet* 1G 173
(nr. Booth of Toft)
Brough. *Shet* 7G 173
(on Bressay)
Brough. *Shet* 5G 173
(on Whalsay)
Broughall. *Shrp* 1H 71
Brougham. *Cumb* 2G 103
Brough Lodge. *Shet* 2G 173
Brough Sowerby. *Cumb* 3A 104
Broughton. *Cambs* 3B 64
Broughton. *Flin* 4F 83
Broughton. *Hants* 3B 24
Broughton. *Lanc* 1D 90
Broughton. *Mil* 2G 51
Broughton. *Nptn* 3F 63
Broughton. *N Lin* 4C 94
Broughton. *N Yor* 2B 100
(nr. Malton)
Broughton. *N Yor* 4B 98
(nr. Skipton)
Broughton. *Orkn* 3D 172
Broughton. *Oxon* 2C 50
Broughton. *Bord* 1D 118
Broughton. *Staf* 2B 72
Broughton. *V Glam* 4C 32
Broughton Astley. *Leics* 1C 62
Broughton Beck. *Cumb* 1B 96
Broughton Cross. *Cumb* 1B 102
Broughton Gifford. *Wilts* 5D 35
Broughton Green. *Worc* 4D 60
Broughton Hackett. *Worc* 5D 60
Broughton in Furness. *Cumb* 1B 96
Broughton Mills. *Cumb* 5D 102
Broughton Moor. *Cumb* 1B 102
Broughton Park. *G Man* 4G 91
Broughton Poggs. *Oxon* 5H 49
Broughtown. *Orkn* 3F 172
Broughty Ferry. *D'dee* 5D 144
Browland. *Shet* 6D 173
Brownbread Street. *E Sus* 4A 28
Brown Candover. *Hants* 3D 24
Brown Edge. *Lanc* 3B 90
Brown Edge. *Staf* 5D 84
Brownhill. *Bkbn* 1E 91
Brownhill. *Shrp* 3G 71
Brownhills. *Shrp* 2A 72
Brownhills. *W Mid* 5E 73
Brown Knowl. *Ches W* 5G 83
Brownlow. *Ches E* 4C 84
Brownlow Heath. *Ches E* 4C 84
Brown's Green. *W Mid* 1E 61
Brownshill. *Glos* 5D 49
Brownston. *Devn* 3C 8
Brownstone. *Devn* 2A 12
Browston Green. *Norf* 5G 79
Broxa. *N Yor* 5G 107
Broxbourne. *Herts* 5D 52
Broxburn. *E Lot* 2C 130
Broxburn. *W Lot* 2D 129
Broxholme. *Linc* 3G 87
Broxted. *Essx* 3F 53
Broxton. *Ches W* 5G 83
Broxwood. *Here* 5F 59
Broyle Side. *E Sus* 4F 27
Brù. *W Isl* 3F 171
Bruach Mairi. *W Isl* 4G 171
Bruairnis. *W Isl* 8C 170
Bruan. *High* 5F 169
Bruar Lodge. *Per* 1F 143
Brucehill. *W Dun* 2E 127
Bruckley. *Abers* 3G 161
Bruera. *Ches W* 4G 83
Bruern Abbey. *Oxon* 3A 50
Bruichladdich. *Arg* 3A 124
Bruisyard. *Suff* 4F 67
Bruisyard Street. *Suff* 4F 67
Brumby. *N Lin* 4B 94
Brund. *Staf* 4F 85
Brundall. *Norf* 5F 79
Brundish. *Norf* 1F 67
Brundish. *Suff* 4E 67
Brundish Street. *Suff* 3E 67
Brunery. *High* 1B 140
Brunswick Village. *Tyne* 2F 115
Brunthwaite. *W Yor* 5C 98
Bruntingthorpe. *Leics* 1D 62
Brunton. *Fife* 1F 137
Brunton. *Nmbd* 2G 121
Brunton. *Wilts* 1H 23
Brushford. *Devn* 2G 11
Brushford. *Som* 4C 20
Brusta. *W Isl* 1E 170
Bruton. *Som* 3B 22
Bryanston. *Dors* 2D 15
Bryant's Bottom. *Buck* 2G 37
Brydekirk. *Dum* 2C 112
Brymbo. *Cnwy* 3H 81
Brymbo. *Wrex* 5E 83
Brympton D'Evercy. *Som* 1A 14
Bryn. *Carm* 5F 45
Bryn. *G Man* 4D 90
Bryn. *Neat* 2B 32
Bryn. *Shrp* 2E 59
Brynamman. *Carm* 4H 45
Brynberian. *Pemb* 1F 43
Brynbryddan. *Neat* 2A 32
Bryncae. *Rhon* 3C 32
Bryncethin. *B'end* 3C 32
Bryncir. *Gwyn* 1D 69
Bryn-coch. *Neat* 3G 31
Bryncroes. *Gwyn* 2B 68
Bryncrug. *Gwyn* 5F 69
Bryn Du. *IOA* 3C 80
Bryn Eden. *Gwyn* 3G 69
Bryneglwys. *Den* 1D 70
Bryn Eglwys. *Gwyn* 4F 81
Brynford. *Flin* 3D 82
Bryn Gates. *G Man* 4D 90
Bryn Golau. *Rhon* 3D 32
Bryngwran. *IOA* 3C 80
Bryngwyn. *Mon* 5G 47
Bryngwyn. *Powy* 1E 47
Bryn-henllan. *Pemb* 1E 43
Brynhoffnant. *Cdgn* 5C 56
Bryn-llwyn. *Flin* 2C 82
Brynllywarch. *Powy* 2D 58
Brynmawr. *Blae* 4E 47
Bryn-mawr. *Gwyn* 2B 68
Brynmenyn. *B'end* 3C 32
Brynmill. *Swan* 3F 31
Brynna. *Rhon* 3C 32
Brynrefail. *Gwyn* 4E 81
Brynrefail. *IOA* 2D 81
Brynsadler. *Rhon* 3D 32
Bryn-Saith Marchog. *Den* 5C 82
Brynsiencyn. *IOA* 4D 81
Brynteg. *IOA* 2D 81
Brynteg. *Wrex* 5F 83
Brynygwenyn. *Mon* 4G 47
Bryn-y-maen. *Cnwy* 3H 81
Buaile nam Bodach. *W Isl* 8C 170
Bualintur. *High* 1C 146
Bubbenhall. *Warw* 3A 62
Bubwith. *E Yor* 1H 93
Buccleuch. *Bord* 3F 119
Buchanan Smithy. *Stir* 1F 127
Buchanhaven. *Abers* 4H 161
Buchanty. *Per* 1B 136
Buchany. *Stir* 3G 135
Buchley. *E Dun* 2G 127
Buchlyvie. *Stir* 4E 135
Buckabank. *Cumb* 5E 113
Buckden. *Cambs* 4A 64
Buckden. *N Yor* 2B 98
Buckenham. *Norf* 5F 79
Buckerell. *Devn* 2E 13
Buckfast. *Devn* 2D 8
Buckfastleigh. *Devn* 2D 8
Buckhaven. *Fife* 4F 137
Buckholm. *Bord* 1G 119
Buckholt. *Here* 4A 48
Buckhorn Weston. *Dors* 4C 22
Buckhurst Hill. *Essx* 1F 39
Buckie. *Mor* 2B 160
Buckingham. *Buck* 2E 51
Buckland. *Buck* 4G 51
Buckland. *Glos* 2F 49
Buckland. *Here* 5H 59
Buckland. *Herts* 2D 52
Buckland. *Kent* 1H 29
Buckland. *Oxon* 2B 36
Buckland. *Surr* 5D 38
Buckland Brewer. *Devn* 4E 19
Buckland Common. *Buck* 5H 51
Buckland Dinham. *Som* 1C 22
Buckland Filleigh. *Devn* 2E 11
Buckland in the Moor. *Devn* 5H 11
Buckland Monachorum. *Devn* 2A 8
Buckland Newton. *Dors* 2B 14
Buckland Ripers. *Dors* 4B 14
Buckland St Mary. *Som* 1F 13
Buckland-tout-Saints. *Devn* 4D 8
Bucklebury. *W Ber* 4D 36
Bucklegate. *Linc* 2C 76
Buckleigh. *Devn* 4E 19
Buckler's Hard. *Hants* 3C 16
Bucklesham. *Suff* 1F 55
Buckley. *Flin* 4E 83
Buckley Green. *Warw* 4F 61
Buckley Hill. *Mers* 1F 83
Bucklow Hill. *Ches E* 2B 84
Buckminster. *Leics* 3F 75
Bucknall. *Linc* 4A 88
Bucknall. *Stoke* 1D 72
Bucknell. *Oxon* 3D 50
Bucknell. *Shrp* 3F 59
Buckpool. *Mor* 2B 160
Bucksburn. *Aber* 3F 153
Buck's Cross. *Devn* 4D 18
Bucks Green. *W Sus* 2B 26
Buckshaw Village. *Lanc* 2D 90
Bucks Hill. *Herts* 5A 52
Bucks Horn Oak. *Hants* 2G 25
Buck's Mills. *Devn* 4D 18
Buckton. *E Yor* 2F 101
Buckton. *Here* 3F 59
Buckton. *Nmbd* 1E 121
Buckton Vale. *G Man* 4H 91
Buckworth. *Cambs* 3A 64
Budby. *Notts* 4D 86
Bude. *Corn* 2C 10
Budge's Shop. *Corn* 3H 7
Budlake. *Devn* 2C 12
Budle. *Nmbd* 1F 121
Budleigh Salterton. *Devn* 4D 12
Budock Water. *Corn* 5B 6
Buerton. *Ches E* 1A 72
Buffler's Holt. *Buck* 2E 51
Bugbrooke. *Nptn* 5D 62
Buglawton. *Ches E* 4C 84
Bugle. *Corn* 3E 6
Bugthorpe. *E Yor* 4B 100
Buildwas. *Shrp* 5A 72
Builth Road. *Powy* 5C 58
Builth Wells. *Powy* 5C 58
Bulbourne. *Herts* 4H 51
Bulby. *Linc* 3H 75
Bulcote. *Notts* 1D 74
Buldoo. *High* 2B 168
Bulford. *Wilts* 2G 23
Bulford Camp. *Wilts* 2G 23
Bulkeley. *Ches E* 5H 83
Bulkington. *Warw* 2A 62
Bulkington. *Wilts* 1E 23
Bulkworthy. *Devn* 1D 11
Bullamoor. *N Yor* 5A 106
Bull Bay. *IOA* 1D 80
Bullbridge. *Derbs* 5A 86
Bullgill. *Cumb* 1B 102
Bull Hill. *Hants* 3B 16
Bullinghope. *Here* 2A 48
Bull's Green. *Herts* 4C 52
Bullwood. *Arg* 2C 126
Bulmer. *Essx* 1B 54
Bulmer. *N Yor* 3A 100
Bulmer Tye. *Essx* 2B 54
Bulphan. *Thur* 2H 39
Bulverhythe. *E Sus* 5B 28
Bulwark. *Abers* 4G 161
Bulwell. *Nott* 1C 74
Bulwick. *Nptn* 1G 63
Bumble's Green. *Essx* 5E 53
Bun Abhainn Eadarra. *W Isl* 7D 171
Bunacaimb. *High* 5E 147
Bun a' Mhuillinn. *W Isl* 7C 170
Bunarkaig. *High* 5D 148
Bunbury. *Ches E* 5H 83
Bunchrew. *High* 4A 158
Bundalloch. *High* 1A 148
Buness. *Shet* 1H 173
Bunessan. *Arg* 1A 132
Bungay. *Suff* 2F 67
Bunkegivie. *High* 2H 149
Bunker's Hill. *Cambs* 5D 76
Bunkers Hill. *Linc* 5B 88
Bunker's Hill. *Norf* 5H 79
Bunloit. *High* 1H 149
Bunnahabhain. *Arg* 2C 124
Bunny. *Notts* 3C 74
Bunoich. *High* 3F 149
Bunree. *High* 2E 141
Bunroy. *High* 5E 149
Buntait. *High* 5F 157
Buntingford. *Herts* 3D 52
Buntings Green. *Essx* 2B 54
Bunwell. *Norf* 1D 66
Burbage. *Derbs* 3E 85
Burbage. *Leics* 1B 62
Burbage. *Wilts* 5H 35
Burcher. *Here* 4F 59
Burchett's Green. *Wind* 3G 37
Burcombe. *Wilts* 3F 23
Burcot. *Oxon* 2D 36
Burcot. *Worc* 3D 61
Burcote. *Shrp* 1B 60
Burcott. *Buck* 3G 51
Burcott. *Som* 2A 22
Burdale. *N Yor* 3C 100
Burdrop. *Oxon* 2B 50
Bures. *Suff* 2C 54
Burford. *Oxon* 4A 50
Burford. *Shrp* 4H 59
Burf, The. *Worc* 4C 60
Burg. *Arg* 4E 139
Burgate Great Green. *Suff* 3C 66
Burgate Little Green. *Suff* 3C 66
Burgess Hill. *W Sus* 4E 27
Burgh. *Suff* 5E 67
Burgh by Sands. *Cumb* 4E 113
Burgh Castle. *Norf* 5G 79
Burghclere. *Hants* 5C 36
Burghead. *Mor* 2F 159
Burghfield. *W Ber* 5E 37
Burghfield Common. *W Ber* 5E 37
Burghfield Hill. *W Ber* 5E 37
Burgh Heath. *Surr* 5D 38
Burghill. *Here* 1H 47
Burgh le Marsh. *Linc* 4E 89
Burgh Muir. *Abers* 2E 153
Burgh next Aylsham. *Norf* 3E 78
Burgh on Bain. *Linc* 2B 88
Burgh St Margaret. *Norf* 4G 79
Burgh St Peter. *Norf* 1G 67
Burghwallis. *S Yor* 3F 93
Burgie. *Mor* 3E 159
Burham. *Kent* 4B 40
Buriton. *Hants* 4F 25
Burland. *Ches E* 5A 84
Burland. *Shet* 8E 173
Burlawn. *Corn* 2D 6
Burleigh. *Brac* 3A 38
Burleigh. *Glos* 5D 48
Burlescombe. *Devn* 1D 12
Burleston. *Dors* 3C 14
Burlestone. *Devn* 4E 9
Burley. *Hants* 2H 15
Burley. *Rut* 4F 75
Burley. *W Yor* 1C 92
Burley Gate. *Here* 1A 48
Burley in Wharfedale. *W Yor* 5D 98
Burley Street. *Hants* 2H 15
Burley Woodhead. *W Yor* 5D 98
Burlingjobb. *Powy* 5E 59
Burlington. *Shrp* 4B 72
Burlton. *Shrp* 3G 71
Burmantofts. *W Yor* 1D 92
Burmarsh. *Kent* 2F 29
Burmington. *Warw* 2A 50
Burn. *N Yor* 2F 93
Burnage. *G Man* 1C 84
Burnaston. *Derbs* 2G 73
Burnbanks. *Cumb* 3G 103
Burnby. *E Yor* 5C 100
Burncross. *S Yor* 1H 85
Burneside. *Cumb* 5G 103
Burness. *Orkn* 3F 172
Burneston. *N Yor* 1F 99
Burnett. *Bath* 5B 34
Burnfoot. *E Ayr* 4D 116
Burnfoot. *Per* 3B 136
Burnfoot. *Bord* 3H 119
(nr. Hawick)
Burnfoot. *Bord* 3G 119
(nr. Roberton)
Burngreave. *S Yor* 2A 86
Burnham. *Buck* 2A 38
Burnham. *N Lin* 3D 94
Burnham Deepdale. *Norf* 1H 77
Burnham Green. *Herts* 4C 52
Burnham Market. *Norf* 1H 77
Burnham Norton. *Norf* 1H 77
Burnham-on-Crouch. *Essx* 1D 40
Burnham-on-Sea. *Som* 2G 21
Burnham Overy Staithe. *Norf* 1H 77
Burnham Overy Town. *Norf* 1H 77
Burnham Thorpe. *Norf* 1A 78
Burnhaven. *Abers* 4H 161
Burnhead. *Dum* 5A 118
Burnhervie. *Abers* 2E 153
Burnhill Green. *Staf* 5B 72
Burnhope. *Dur* 5E 115
Burnhouse. *N Ayr* 4E 127
Burniston. *N Yor* 5H 107
Burnlee. *W Yor* 4B 92
Burnley. *Lanc* 1G 91
Burnleydam. *Ches E* 1A 72
Burnmouth. *Bord* 3F 131
Burn Naze. *Lanc* 5C 96
Burn of Cambus. *Stir* 3G 135
Burnopfield. *Dur* 4E 115
Burnsall. *N Yor* 3C 98
Burnside. *Ang* 3E 145
Burnside. *E Ayr* 3E 117
Burnside. *Per* 3D 136
Burnside. *Shet* 4D 173
Burnside. *S Lan* 4H 127
Burnside. *W Lot* 2D 129
(nr. Broxburn)
Burnside. *W Lot* 2D 128
(nr. Winchburgh)
Burntcommon. *Surr* 5B 38
Burntheath. *Derbs* 2G 73
Burnt Heath. *Essx* 3D 54
Burnt Hill. *W Ber* 4D 36
Burnt Houses. *Dur* 2E 105
Burntisland. *Fife* 1F 129
Burnt Oak. *G Lon* 1D 38
Burnton. *E Ayr* 4D 117
Burntstalk. *Norf* 2G 77
Burntwood. *Staf* 5E 73
Burntwood Green. *Staf* 5E 73
Burnt Yates. *N Yor* 3E 99
Burnwynd. *Edin* 3E 129
Burpham. *Surr* 5B 38
Burpham. *W Sus* 5B 26
Burradon. *Nmbd* 4D 121
Burradon. *Tyne* 2F 115
Burrafirth. *Shet* 1H 173
Burragarth. *Shet* 1G 173
Burras. *Corn* 5A 6
Burraton. *Corn* 3A 8
Burravoe. *Shet* 3E 173
(nr. North Roe)
Burravoe. *Shet* 5E 173
(on Mainland)
Burravoe. *Shet* 4G 173
(on Yell)
Burray Village. *Orkn* 8D 172
Burrells. *Cumb* 3H 103
Burrelton. *Per* 5A 144
Burridge. *Devn* 2G 13
Burridge. *Hants* 1D 16
Burrigill. *High* 5E 169
Burrill. *N Yor* 1E 99
Burringham. *N Lin* 4B 94
Burrington. *Devn* 1G 11
Burrington. *Here* 3G 59
Burrington. *N Som* 1H 21
Burrough End. *Cambs* 5F 65
Burrough Green. *Cambs* 5F 65
Burrough on the Hill. *Leics* 4E 75
Burroughston. *Orkn* 5E 172
Burrow. *Devn* 4D 12
Burrow. *Som* 2C 20
Burrowbridge. *Som* 4G 21
Burrowhill. *Surr* 4A 38
Burry. *Swan* 3D 30
Burry Green. *Swan* 3D 30
Burry Port. *Carm* 5E 45
Burscough. *Lanc* 3C 90
Burscough Bridge. *Lanc* 3C 90
Bursea. *E Yor* 1B 94
Burshill. *E Yor* 5E 101
Bursledon. *Hants* 2C 16
Burslem. *Stoke* 1C 72
Burstall. *Suff* 1D 54
Burstock. *Dors* 2H 13
Burston. *Devn* 2H 11
Burston. *Norf* 2D 66
Burston. *Staf* 2D 72
Burstow. *Surr* 1E 27
Burstwick. *E Yor* 2F 95
Burtersett. *N Yor* 1A 98
Burtholme. *Cumb* 3G 113
Burthorpe. *Suff* 4G 65
Burthwaite. *Cumb* 5F 113
Burtle. *Som* 2H 21
Burtoft. *Linc* 2B 76
Burton. *Ches W* 4H 83
(nr. Kelsall)
Burton. *Ches W* 3F 83
(nr. Neston)
Burton. *Dors* 3G 15
(nr. Christchurch)
Burton. *Dors* 3B 14
(nr. Dorchester)
Burton. *Nmbd* 1F 121
Burton. *Pemb* 4D 43
Burton. *Som* 2E 21
Burton. *Wilts* 4D 34
(nr. Chippenham)
Burton. *Wilts* 3D 22
(nr. Warminster)
Burton. *Wrex* 5F 83
Burton Agnes. *E Yor* 3F 101
Burton Bradstock. *Dors* 4H 13
Burton-by-Lincoln. *Linc* 3G 87
Burton Coggles. *Linc* 3G 75
Burton Constable. *E Yor* 1E 95
Burton Corner. *Linc* 1C 76
Burton End. *Cambs* 1G 53

Burton End. Essx 3F 53
Burton Fleming. E Yor 2E 101
Burton Green. W Mid 3G 61
Burton Green. Wrex 5F 83
Burton Hastings. Warw 2B 62
Burton-in-Kendal. Cumb 2E 97
Burton in Lonsdale. N Yor 2F 97
Burton Joyce. Notts 1D 74
Burton Latimer. Nptn 3G 63
Burton Lazars. Leics 4E 75
Burton Leonard. N Yor 3F 99
Burton on the Wolds. Leics 3C 74
Burton Overy. Leics 1D 62
Burton Pedwardine. Linc 1A 76
Burton Pidsea. E Yor 1F 95
Burton Salmon. N Yor 2E 93
Burton's Green. Essx 3B 54
Burton Stather. N Lin 3B 94
Burton upon Stather.
N Lin 3B 94
Burton upon Trent. Staf 3G 73
Burton Wolds. Leics 3D 74
Burtonwood. Warr 1H 83
Burwardsley. Ches W 5H 83
Burwarton. Shrp 2A 60
Burwash. E Sus 3A 28
Burwash Common. E Sus 3H 27
Burwash Weald. E Sus 3A 28
Burwell. Cambs 4E 65
Burwell. Linc 3C 88
Burwen. IOA 1D 80
Burwick. Orkn 9D 172
Bury. Cambs 2B 64
Bury. G Man 3G 91
Bury. Som 4C 20
Bury. W Sus 4B 26
Burybank. Staf 2C 72
Bury End. Worc 2F 49
Bury Green. Herts 3E 53
Bury St Edmunds. Suff 4A 66
Burythorpe. N Yor 3B 100
Busbridge. Surr 1A 26
Busby. E Ren 4G 127
Busby. Per 1C 136
Buscot. Oxon 2H 35
Bush. Corn 2C 10
Bush Bank. Here 5G 59
Bushbury. W Mid 5D 72
Bushby. Leics 5D 74
Bushey. Dors 4E 15
Bushey. Herts 1C 38
Bushey Heath. Herts 1C 38
Bush Green. Norf 1C 66
(nr. Attleborough)
Bush Green. Norf 2E 66
(nr. Harleston)
Bush Green. Suff 5B 66
Bushley. Worc 2D 48
Bushley Green. Worc 2D 48
Bushmead. Bed 4A 64
Bushmoor. Shrp 2G 59
Bushton. Wilts 4F 35
Bushy Common. Norf 4B 78
Busk. Cumb 5H 113
Buslingthorpe. Linc 2H 87
Bussage. Glos 5D 49
Bussex. Som 3G 21
Busta. Shet 5E 173
Bustard Green. Essx 3G 53
Butcher's Cross. E Sus 3G 27
Butcombe. N Som 5A 34
Bute Town. Cphy 5E 46
Butleigh. Som 3A 22
Butleigh Wootton. Som 3A 22
Butlers Marston. Warw 5H 61
Butley. Suff 5F 67
Butley High Corner. Suff 1G 55
Butlocks Heath. Hants 2C 16
Butterburn. Cumb 2H 113
Buttercrambe. N Yor 4B 100
Butterknowle. Dur 2E 105
Butterleigh. Devn 2C 12
Buttermere. Cumb 3C 102
Buttermere. Wilts 5B 36
Buttershaw. W Yor 2B 92
Butterstone. Per 4H 143
Butterton. Staf 5E 85
(nr. Leek)
Butterton. Staf 1C 72
(nr. Stoke-on-Trent)
Butterwick. Dur 2A 106
Butterwick. Linc 1C 76
Butterwick. N Yor 2B 100
(nr. Malton)
Butterwick. N Yor 2D 101
(nr. Weaverthorpe)
Butteryhaugh. Nmbd 5A 120
Butt Green. Ches E 5A 84
Buttington. Powy 5E 71
Buttonbridge. Shrp 3B 60
Buttonoak. Shrp 3B 60
Buttsash. Hants 2C 16
Butt's Green. Essx 5A 54
Butt Yeats. Lanc 3E 97
Buxhall. Suff 5C 66
Buxted. E Sus 3F 27
Buxton. Derbs 3E 85
Buxton. Norf 3E 79
Buxworth. Derbs 2E 85
Bwcle. Flin 4E 83
Bwlch. Powy 3E 47
Bwlchderwin. Gwyn 1D 68
Bwlchgwyn. Wrex 5E 83
Bwlch-Llan. Cdgn 5E 57
Bwlchnewydd. Carm 3D 44
Bwlchtocyn. Gwyn 3C 68
Bwlch-y-cibau. Powy 4D 70
Bwlchyddar. Powy 3D 70
Bwlch-y-fadfa. Cdgn 1E 45
Bwlch-y-ffridd. Powy 1C 58
Bwlch y Garreg. Powy 1C 58
Bwlch-y-groes. Pemb 1G 43
Bwlch-y-sarnau. Powy 3C 58
Bybrook. Kent 1E 28
Byermoor. Tyne 4E 115
Byers Garth. Dur 5G 115
Byers Green. Dur 1F 105
Byfield. Nptn 5C 62
Byfleet. Surr 4B 38
Byford. Here 1G 47
Bygrave. Herts 2C 52
Byker. Tyne 3F 115
Byland Abbey. N Yor 2H 99
Bylchau. Cnwy 4B 82
Byley. Ches W 4B 84
Bynea. Carm 3E 31
Byram. N Yor 2E 93
Byrness. Nmbd 4B 120
Bystock. Devn 4D 12
Bythorn. Cambs 3H 63
Byton. Here 4F 59
Bywell. Nmbd 3D 114
Byworth. W Sus 3A 26

C

Cabharstadh. W Isl 6F 171
Cabourne. Linc 4E 95
Cabrach. Arg 3C 124
Cabrach. Mor 1A 152
Cabus. Lanc 5D 97
Cadbury. Devn 2C 12
Cadder. E Dun 2H 127
Caddington. C Beds 4A 52
Caddonfoot. Bord 1G 119
Cadeby. Leics 5B 74
Cadeby. S Yor 4F 93
Cadeleigh. Devn 2C 12
Cade Street. E Sus 3H 27
Cadgwith. Corn 5E 5
Cadham. Fife 3E 137
Cadishead. G Man 1B 84
Cadle. Swan 3F 31
Cadley. Lanc 1D 90
Cadley. Wilts 1H 23
(nr. Ludgershall)
Cadley. Wilts 5H 35
(nr. Marlborough)
Cadmore End. Buck 2F 37
Cadnam. Hants 1A 16
Cadney. N Lin 4D 94
Cadole. Flin 4E 82
Cadoxton-Juxta-Neath.
Neat 2A 32
Cadwell. Herts 2B 52
Cadwst. Den 2C 70
Caeathro. Gwyn 4E 81
Caehopkin. Powy 4B 46
Caenby. Linc 2H 87
Caenn-na-Cleithe. W Isl 8D 171
Caerau. B'end 2B 32
Caerau. Card 4E 33
Cae'r-bont. Powy 4B 46
Cae'r-bryn. Carm 4F 45
Caerdeon. Gwyn 4F 69
Caerdydd.
Card 4E 33 & Cardiff 191
Caerfarchell. Pemb 2B 42
Caerffili. Cphy 3E 33
Caerfyrddin. Carm 4E 45
Caergeiliog. IOA 3C 80
Caergwrle. Flin 5F 83
Caergybi. IOA 2B 80
Caerlaverock. Per 2A 136
Caerleon. Newp 2G 33
Caerlleon. Carm 2G 43
Caerllion. Newp 2G 33
Caernarfon. Gwyn 4D 81 & 190
Caerphilly. Cphy 3E 33
Caersws. Powy 1C 58
Caerwedros. Cdgn 5C 56
Caerwent. Mon 2H 33
Caerwys. Flin 3D 82
Caim. IOA 2F 81
Caio. Carm 2G 45
Cairinis. W Isl 2D 170
Cairisiadar. W Isl 4D 171
Cairminis. W Isl 9C 171
Cairnbaan. Arg 4F 133
Cairnbulg. Abers 2H 161
Cairncross. Ang 1D 145
Cairndow. Arg 2A 134
Cairness. Abers 2H 161
Cairneyhill. Fife 1D 128
Cairngarroch. Dum 5F 109
Cairngorms. High 3D 151
Cairnhill. Abers 5D 160
Cairnie. Abers 4B 160
Cairnorrie. Abers 4F 161
Cairnryan. Dum 3F 109
Cairston. Orkn 6B 172
Caister-on-Sea. Norf 4H 79
Caistor. Linc 4E 95
Caistor St Edmund. Norf 5E 79
Caistron. Nmbd 4D 121
Cakebole. Worc 3C 60
Calais Street. Suff 1C 54
Calanais. W Isl 4E 171
Calbost. W Isl 6G 171
Calbourne. IOW 4C 16
Calceby. Linc 3C 88
Calcot. Glos 4F 49
Calcot Row. W Ber 4E 37
Calcott. Kent 4F 41
Calcott. Shrp 4G 71
Caldback. Shet 1H 173
Caldbeck. Cumb 1E 102
Caldbergh. N Yor 1C 98
Caldecote. Cambs 5C 64
(nr. Cambridge)
Caldecote. Cambs 2A 64
(nr. Peterborough)
Caldecote. Herts 2C 52
Caldecote. Warw 1A 62
Caldecott. Nptn 4G 63
Caldecott. Oxon 2C 36
Caldecott. Rut 1F 63
Calderbank. N Lan 3A 128
Calder Bridge. Cumb 4B 102
Calderbrook. G Man 3H 91
Caldercruix. N Lan 3B 128
Calder Grove. W Yor 3D 92
Calder Mains. High 3C 168
Caldermill. S Lan 5H 127
Calder Vale. Lanc 5E 97
Calderwood. S Lan 4H 127
Caldescote. Nptn 5D 62
Caldicot. Mon 3H 33
Caldwell. Derbs 4G 73
Caldwell. N Yor 3E 105
Caldy. Mers 2E 83
Calebrack. Cumb 1E 103
Caledfwlch. Carm 3G 45
Calf Heath. Staf 5D 72
Calford Green. Suff 1G 53
Calfsound. Orkn 4E 172
Calgary. Arg 3E 139
Califer. Mor 3E 159
California. Cambs 2E 65
California. Falk 2C 128
California. Norf 4H 79
California. Suff 1E 55
Calke. Derbs 3A 74
Callakille. High 3F 155
Callaly. Nmbd 4E 121
Callander. Stir 3F 135
Callaughton. Shrp 1A 60
Callendoun. Arg 1E 127
Callestick. Corn 3B 6
Calligarry. High 3E 147
Callington. Corn 2H 7
Callingwood. Staf 3F 73
Callow. Here 2H 47
Callowell. Glos 5D 48
Callow End. Worc 1D 48
Callow Hill. Wilts 3F 35
Callow Hill. Worc 3B 60
(nr. Bewdley)
Callow Hill. Worc 4E 61
(nr. Redditch)
Calmore. Hants 1B 16
Calmsden. Glos 5F 49
Calne. Wilts 4E 35
Calow. Derbs 3B 86
Calshot. Hants 2C 16
Calstock. Corn 2A 8
Calstone Wellington. Wilts 5F 35
Calthorpe. Norf 2D 78
Calthorpe Street. Norf 3G 79
Calthwaite. Cumb 5F 113
Calton. N Yor 4B 98
Calton. Staf 5F 85
Calveley. Ches E 5H 83
Calver. Derbs 3G 85
Calverhall. Shrp 2A 72
Calverleigh. Devn 1C 12
Calverley. W Yor 1C 92
Calvert. Buck 3E 51
Calverton. Mil 2F 51
Calverton. Notts 1D 74
Calvine. Per 2F 143
Calvo. Cumb 4C 112
Cam. Glos 2C 34
Camaghael. High 1F 141
Camas-luinie. High 1B 148
Camasnacroise. High 3C 140
Camastianavaig. High 5E 155
Camasunary. High 2D 146
Camault Muir. High 4H 157
Camb. Shet 2G 173
Camber. E Sus 4D 28
Camberley. Surr 5G 37
Camberwell. G Lon 3E 39
Camblesforth. N Yor 2G 93
Cambo. Nmbd 1D 114
Cambois. Nmbd 1G 115
Camborne. Corn 3D 4
Cambourne. Cambs 5C 64
Cambridge. Cambs 5D 64 & 191
Cambridge. Glos 5C 48
Cambrose. Corn 4A 6
Cambus. Clac 4A 136
Cambusbarron. Stir 4G 135
Cambuskenneth. Stir 4H 135
Cambuslang. S Lan 3H 127
Cambusnethan. N Lan 4B 128
Cambus o'May. Abers 4B 152
Camden Town. G Lon 2D 39
Cameley. Bath 1B 22
Camelford. Corn 4B 10
Camelon. Falk 1B 128
Camelsdale. Surr 2A 26
Camer's Green. Worc 2C 48
Camerton. Bath 1B 22
Camerton. Cumb 1B 102
Camerton. E Yor 2F 95
Camghouran. Per 3C 142
Cammachmore. Abers 4G 153
Cammeringham. Linc 2G 87
Camore. High 4E 165
Campbelton. N Ayr 4C 126
Campbeltown. Arg 3B 122
Campbeltown Airport. Arg 3A 122
Cample. Dum 5B 118
Campmuir. Per 5B 144
Campsall. S Yor 3F 93
Campsea Ashe. Suff 5F 67
Camps End. Cambs 1G 53
Camp, The. Glos 5E 49
Campton. C Beds 2B 52
Camptoun. E Lot 2B 130
Camptown. Bord 3A 120
Camrose. Pemb 2D 42
Camserney. Per 4F 143
Camster. High 4E 169
Camus Croise. High 2E 147
Camuscross. High 2E 147
Camusdarach. High 4E 147
Camusnagaul. High 1E 141
(nr. Fort William)
Camusnagaul. High 5E 163
(nr. Little Loch Broom)
Camusteel. High 4G 155
Camusterrach. High 4G 155
Camusvrachan. Per 4D 142
Canada. Hants 1A 16
Canadia. E Sus 4B 28
Canaston Bridge. Pemb 3E 43
Candlesby. Linc 4D 88
Candle Street. Suff 3C 66
Candy Mill. S Lan 5D 128
Cane End. Oxon 4E 37
Canewdon. Essx 1C 40
Canford Cliffs. Pool 4F 15
Canford Heath. Pool 3F 15
Canford Magna. Pool 3F 15
Cangate. Norf 3F 79
Canham's Green. Suff 4C 66
Canholes. Derbs 3E 85
Canisbay. High 1F 169
Canley. W Mid 3H 61
Cann. Dors 4D 22
Cann Common. Dors 4D 23
Cannich. High 5F 157
Cannington. Som 3F 21
Cannock. Staf 4D 73
Cannock Wood. Staf 4E 73
Canonbie. Dum 2E 113
Canon Bridge. Here 1H 47
Canon Frome. Here 1B 48
Canon Pyon. Here 1H 47
Canons Ashby. Nptn 5C 62
Canonstown. Corn 3C 4
Canterbury. Kent 5F 41 & 190
Cantley. Norf 5F 79
Cantley. S Yor 4G 93
Cantlop. Shrp 5H 71
Canton. Card 4E 33
Cantray. High 4B 158
Cantraybruich. High 4B 158
Cantraywood. High 4B 158
Cantsdam. Fife 4D 136
Cantsfield. Lanc 2F 97
Canvey Island. Essx 2B 40
Canwick. Linc 4G 87
Canworthy Water. Corn 3C 10
Caol. High 1F 141
Caolas. W Isl 9B 170
Caolas Liubharsaigh. W Isl 4D 170
Caolas Scalpaigh. W Isl 8E 171
Caolas Stocinis. W Isl 8D 171
Caoles. Arg 4B 138
Caol Ila. Arg 3C 124
Caol Loch Ailse. High 1F 147
Caol Reatha. High 1F 147
Capel. Kent 1H 27
Capel. Surr 1C 26
Capel Bangor. Cdgn 2F 57
Capel Betws Lleucu. Cdgn 5F 57
Capel Coch. IOA 2D 80
Capel Curig. Cnwy 5G 81
Capel Cynon. Cdgn 1D 45
Capel Dewi. Carm 3E 45
Capel Dewi. Cdgn 2F 57
(nr. Aberystwyth)
Capel Dewi. Cdgn 1E 45
(nr. Llandysul)
Capel Garmon. Cnwy 5H 81
Capel Green. Suff 1G 55
Capel Gwyn. IOA 3C 80
Capel Gwynfe. Carm 3H 45
Capel Hendre. Carm 4F 45
Capel Isaac. Carm 3F 45
Capel Iwan. Carm 1G 43
Capel-le-Ferne. Kent 2G 29
Capel Llanilterne. Card 4D 32
Capel Mawr. IOA 3D 80
Capel Newydd. Pemb 1G 43
Capel St Andrew. Suff 1G 55
Capel St Mary. Suff 2D 54
Capel Seion. Carm 4F 45
Capel Seion. Cdgn 3F 57
Capel Uchaf. Gwyn 1D 68
Capel-y-ffin. Powy 2F 47
Capenhurst. Ches W 3F 83
Capernwray. Lanc 2E 97
Capheaton. Nmbd 1D 114
Cappercleuch. Bord 2E 119
Capplegill. Dum 4D 118
Capton. Devn 3E 9
Capton. Som 3D 20
Caputh. Per 5H 143
Caradon Town. Corn 5C 10
Carbis Bay. Corn 3C 4
Carbost. High 5C 154
(nr. Loch Harport)
Carbost. High 4D 154
(nr. Portree)
Carbrook. S Yor 2A 86
Carbrooke. Norf 5B 78
Carburton. Notts 3D 86
Carcluie. S Ayr 3C 116
Car Colston. Notts 1E 74
Carcroft. S Yor 3F 93
Cardenden. Fife 4E 136
Cardeston. Shrp 4F 71
Cardewlees. Cumb 4E 113
Cardiff. Card 4E 33 & 191
Cardiff International Airport.
V Glam 5D 32
Cardigan. Cdgn 1B 44
Cardinal's Green. Cambs 1G 53
Cardington. Bed 1A 52
Cardington. Shrp 1H 59
Cardinham. Corn 2F 7
Cardno. Abers 2G 161
Cardow. Mor 4F 159
Cardross. Arg 2E 127
Cardurnock. Cumb 4C 112
Careby. Linc 4H 75
Careston. Ang 2E 145
Carew. Pemb 4E 43
Carew Cheriton. Pemb 4E 43
Carew Newton. Pemb 4E 43
Carey. Here 2A 48
Carfin. N Lan 4A 128
Carfrae. Bord 4B 130
Cargate Green. Norf 4F 79
Cargenbridge. Dum 2G 111
Cargill. Per 5A 144
Cargo. Cumb 4E 113
Cargreen. Corn 2A 8
Carham. Nmbd 1B 120
Carhampton. Som 2D 20
Carharrack. Corn 4B 6
Carie. Per 3D 142
(nr. Loch Rannah)
Carie. Per 5D 142
(nr. Loch Tay)
Carisbrooke. IOW 4C 16
Cark. Cumb 2C 96
Carkeel. Corn 2A 8
Carlabhagh. W Isl 3E 171
Carland Cross. Corn 3C 6
Carlbury. Darl 3F 105
Carlby. Linc 4H 75
Carlecotes. S Yor 4B 92
Carleen. Corn 4D 4
Carlesmoor. N Yor 2D 98
Carleton. Cumb 4F 113
(nr. Carlisle)
Carleton. Cumb 4B 102
(nr. Egremont)
Carleton. Cumb 2G 103
(nr. Penrith)
Carleton. Lanc 1B 90
Carleton. N Yor 5B 98
Carleton. W Yor 2E 93
Carleton Forehoe. Norf 5C 78
Carleton Rode. Norf 1D 66
Carleton St Peter. Norf 5F 79
Carlidnack. Corn 4E 5
Carlingcott. Bath 1B 22
Carlin How. Red C 3E 107
Carlisle. Cumb 4F 113 & 192
Carloonan. Arg 2H 133
Carlops. Bord 4E 129
Carlton. Bed 5G 63
Carlton. Cambs 5F 65
Carlton. Leics 5A 74
Carlton. N Yor 1A 100
(nr. Helmsley)
Carlton. N Yor 1C 98
(nr. Middleham)
Carlton. N Yor 2G 93
(nr. Selby)
Carlton. Notts 1D 74
Carlton. S Yor 3D 92
Carlton. Stoc T 2A 106
Carlton. Suff 4F 67
Carlton. W Yor 2D 92
Carlton Colville. Suff 1H 67
Carlton Curlieu. Leics 1D 62
Carlton Husthwaite. N Yor 2G 99
Carlton in Cleveland. N Yor 4C 106
Carlton in Lindrick. Notts 2C 86
Carlton-le-Moorland. Linc 5G 87
Carlton Miniott. N Yor 1F 99
Carlton-on-Trent. Notts 4F 87
Carlton Scroop. Linc 1G 75
Carluke. S Lan 4B 128
Carlyon Bay. Corn 3E 7
Carmarthen. Carm 4E 45
Carmel. Carm 4F 45
Carmel. Flin 3D 82
Carmel. Gwyn 5D 81
Carmel. IOA 2C 80
Carmichael. S Lan 1B 118
Carmunnock. Glas 4H 127
Carmyle. S Lan 3H 127
Carmyllie. Ang 4E 145
Carnaby. E Yor 3F 101
Carnach. High 1C 148
(nr. Lochcarron)
Carnach. High 4E 163
(nr. Ullapool)
Carnach. Mor 4E 159
Carnach. W Isl 8E 171
Carnachy. High 3H 167
Carnain. Arg 3B 124
Carnais. W Isl 4C 171
Carnan. Arg 4B 138
Carnan. W Isl 4C 170
Carnbee. Fife 3H 137
Carnbo. Per 3C 136
Carn Brea Village. Corn 4A 6
Carndu. High 1A 148
Carne. Corn 5D 6
Carnell. S Ayr 1D 116
Carnforth. Lanc 2E 97
Carn-gorm. High 1B 148
Carnhedryn. Pemb 2B 42
Carnhell Green. Corn 3D 4
Carnie. Abers 3F 153
Carnkie. Corn 5B 6
(nr. Falmouth)
Carnkie. Corn 5A 6
(nr. Redruth)
Carnkief. Corn 3B 6
Carno. Powy 1B 58
Carnock. Fife 1D 128
Carnon Downs. Corn 4B 6
Carnoustie. Ang 5E 145
Carntyne. Glas 3H 127
Carnwath. S Lan 5C 128
Carnyorth. Corn 3A 4
Carol Green. W Mid 3G 61
Carpalla. Corn 3D 6
Carperby. N Yor 1C 98
Carradale. Arg 2C 122
Carragraich. W Isl 8D 171
Carrbridge. High 1D 150
Carr Cross. Lanc 3B 90
Carreglefn. IOA 2C 80

Carrhouse. N Lin 4A 94
Carrick Castle. Arg 4A 134
Carrick Ho. Orkn 4E 172
Carriden. Falk 1D 128
Carrington. G Man 1B 84
Carrington. Linc 5C 88
Carrington. Midl 3G 129
Carrog. Cnwy 1G 69
Carrog. Den 1D 70
Carron. Falk 1B 128
Carron. Mor 4G 159
Carronbridge. Dum 5A 118
Carronshore. Falk 1B 128
Carrow Hill. Mon 2H 33
Carr Shield. Nmbd 5B 114
Carrutherstown. Dum 2C 112
Carr Vale. Derbs 4B 86
Carrville. Dur 5G 115
Carrycoats Hall. Nmbd 2C 114
Carsaig. Arg 1C 132
Carscreugh. Dum 3H 109
Carsegowan. Dum 4B 110
Carse House. Arg 3F 125
Carseriggan. Dum 3A 110
Carsethorn. Dum 4A 112
Carshalton. G Lon 4D 38
Carsington. Derbs 5G 85
Carskiey. Arg 5A 122
Carsluith. Dum 4B 110
Carsphairn. Dum 5E 117
Carstairs. S Lan 5C 128
Carstairs Junction. S Lan 5C 128
Cartbridge. Surr 5B 38
Carterhaugh. Ang 4D 144
Carter's Clay. Hants 4B 24
Carterton. Oxon 5A 50
Carterway Heads. Nmbd 4D 114
Carthew. Corn 3E 6
Carthorpe. N Yor 1F 99
Cartington. Nmbd 4E 121
Cartland. S Lan 5B 128
Cartmel. Cumb 2C 96
Cartmel Fell. Cumb 1D 96
Cartworth. W Yor 4B 92
Carwath. Cumb 5E 112
Carway. Carm 5E 45
Carwinley. Cumb 2F 113
Cascob. Powy 4E 59
Cas-gwent. Mon 2A 34
Cash Feus. Fife 3E 136
Cashlie. Per 4B 142
Cashmoor. Dors 1E 15
Cas-Mael. Pemb 2E 43
Casnewydd.
Newp 3G 33 & **Newport 205**
Cassington. Oxon 4C 50
Cassop. Dur 1A 106
Castell. Cnwy 4G 81
Castell. Den 4D 82
Castell Hendre. Pemb 2E 43
Castell-nedd. Neat 2A 32
Castell Newydd Emlyn. Carm 1D 44
Castell-y-bwch. Torf 2F 33
Casterton. Cumb 2F 97
Castle. Som 2A 22
Castle Acre. Norf 4H 77
Castle Ashby. Nptn 5F 63
Castlebay. W Isl 9B 170
Castle Bolton. N Yor 5D 104
Castle Bromwich. W Mid 2F 61
Castle Bytham. Linc 4G 75
Castlebythe. Pemb 2E 43
Castle Caereinion. Powy 5D 70
Castle Camps. Cambs 1G 53
Castle Carrock. Cumb 4G 113
Castlecary. N Lan 2A 128
Castle Cary. Som 3B 22
Castle Combe. Wilts 4D 34
Castlecraig. High 2C 158
Castle Donington. Leics 3B 74
Castle Douglas. Dum 3E 111
Castle Eaton. Swin 2G 35
Castle Eden. Dur 1B 106
Castleford. W Yor 2E 93
Castle Frome. Here 1B 48
Castle Green. Surr 4A 38
Castle Green. Warw 3G 61
Castle Gresley. Derbs 4G 73
Castle Heaton. Nmbd 5F 131
Castle Hedingham. Essx 2A 54
Castle Hill. Kent 1A 28
Castlehill. Per 5B 144
Castlehill. S Lan 4B 128
Castle Hill. Suff 1E 55
Castlehill. W Dun 2E 127
Castle Kennedy. Dum 4G 109
Castle Lachlan. Arg 4H 133
Castlemartin. Pemb 5D 42
Castlemilk. Glas 4H 127
Castlemorris. Pemb 1D 42
Castlemorton. Worc 2C 48
Castle O'er. Dum 5E 119
Castle Park. N Yor 3F 107
Castlerigg. Cumb 2D 102
Castle Rising. Norf 3F 77
Castleside. Dur 5D 115
Castlethorpe. Mil 1F 51
Castleton. Abers 4F 151
Castleton. Arg 1G 125
Castleton. Derbs 2F 85
Castleton. G Man 3G 91
Castleton. Mor 1F 151
Castleton. Newp 3F 33
Castleton. N Yor 4D 107
Castleton. Per 2B 136
Castletown. Cumb 1G 103
Castletown. Dors 5B 14
Castletown. High 2D 169
Castletown. IOM 5B 108
Castletown. Tyne 4G 115
Castley. N Yor 5E 99
Caston. Norf 1B 66
Castor. Pet 1A 64
Caswell. Swan 4E 31
Catacol. N Ayr 5H 125
Catbrook. Mon 5A 48
Catchems End. Worc 3B 60
Catchgate. Dur 4E 115
Catcleugh. Nmbd 4B 120
Catcliffe. S Yor 2B 86
Catcott. Som 3G 21
Caterham. Surr 5E 39
Catfield. Norf 3F 79
Catfield Common. Norf 3F 79
Catfirth. Shet 6F 173
Catford. G Lon 3E 39
Catforth. Lanc 1C 90
Cathcart. Glas 3G 127
Cathedine. Powy 3E 47
Catherine-de-Barnes. W Mid 2F 61
Catherington. Hants 1E 17
Catherston Leweston. Dors 3G 13
Catherton. Shrp 3A 60
Catisfield. Hants 2D 16
Catlodge. High 4A 150
Catlowdy. Cumb 2F 113
Catmore. W Ber 3C 36
Caton. Devn 5A 12
Caton. Lanc 3E 97
Catrine. E Ayr 2E 117
Cat's Ash. Newp 2G 33
Catsfield. E Sus 4B 28
Catsgore. Som 4A 22
Catshill. Worc 3D 60
Cattal. N Yor 4G 99
Cattawade. Suff 2E 54
Catterall. Lanc 5D 97
Catterick. N Yor 5F 105
Catterick Bridge. N Yor 5F 105
Catterick Garrison. N Yor 5E 105
Catterlen. Cumb 1F 103
Catterline. Abers 1H 145
Catterton. N Yor 5H 99
Catteshall. Surr 1A 26
Catthorpe. Leics 3C 62
Cattistock. Dors 3A 14
Catton. Nmbd 4B 114
Catton. N Yor 2F 99
Catwick. E Yor 5F 101
Catworth. Cambs 3H 63
Caudle Green. Glos 4E 49
Caulcott. Oxon 3D 50
Cauldhame. Stir 4F 135
Cauldmill. Bord 3H 119
Cauldon. Staf 1E 73
Cauldon Lowe. Staf 1E 73
Cauldwells. Abers 3E 161
Caulkerbush. Dum 4G 111
Caulside. Dum 1F 113
Caunsall. Worc 2C 60
Caunton. Notts 4E 87
Causewayend. S Lan 1C 118
Causewayhead. Stir 4H 135
Causey Park. Nmbd 5F 121
Caute. Devn 1E 11
Cautley. Cumb 5H 103
Cavendish. Suff 1B 54
Cavendish Bridge. Derbs 2B 74
Cavenham. Suff 4G 65
Caversfield. Oxon 3D 50
Caversham. Read 4F 37
Caversham Heights. Read 4E 37
Caverswall. Staf 1D 72
Cawdor. High 4C 158
Cawkwell. Linc 2B 88
Cawood. N Yor 1F 93
Cawsand. Corn 3A 8
Cawston. Norf 3D 78
Cawston. Warw 3B 62
Cawthorne. N Yor 1B 100
Cawthorne. S Yor 4C 92
Cawthorpe. Linc 3H 75
Cawton. N Yor 2A 100
Caxton. Cambs 5C 64
Caynham. Shrp 3H 59
Caythorpe. Linc 1G 75
Caythorpe. Notts 1D 74
Cayton. N Yor 1E 101
Ceallan. W Isl 3D 170
Ceann a Bhàigh. W Isl 9C 171
(on Harris)
Ceann a Bhaigh. W Isl 2C 170
(on North Uist)
Ceann a Bhaigh. W Isl 8E 171
(on Scalpay)
Ceann a Bhaigh. W Isl 8D 171
(on South Harris)
Ceannacroc Lodge. High 2E 149
Ceann a Deas Loch Baghasdail.
W Isl 7C 170
Ceann an Leothaid. High 5E 147
Ceann a Tuath Loch Baghasdail.
W Isl 6C 170
Ceann Loch Ailleart. High 5F 147
Ceann Loch Muideirt. High 1B 140
Ceann Shiphoirt. W Isl 6E 171
Ceann Tarabhaigh. W Isl 6E 171
Cearsiadar. W Isl 5F 171
Ceathramh Meadhanach. W Isl 1C 170
Cefn Berain. Cnwy 4B 82
Cefn-brith. Cnwy 5B 82
Cefn-bryn-brain. Carm 4H 45
Cefn Bychan. Cphy 2F 33
Cefn-bychan. Flin 4D 82
Cefncaeau. Carm 3E 31
Cefn Canol. Powy 2E 71
Cefn Coch. Powy 5C 70
(nr. Llanfair Caereinion)
Cefn-coch. Powy 3D 70
(nr. Llanrhaeadr-ym-Mochnant)
Cefn-coed-y-cymmer. Mer T 5D 46
Cefn Cribwr. B'end 3B 32
Cefn-ddwysarn. Gwyn 2B 70
Cefn Einion. Shrp 2E 59
Cefneithin. Carm 4F 45
Cefn Glas. B'end 3B 32
Cefngorwydd. Powy 1C 46
Cefn Llwyd. Cdgn 2F 57
Cefn-mawr. Wrex 1E 71
Cefn-y-bedd. Flin 5F 83
Cefn-y-coed. Powy 1D 58
Cefn-y-pant. Carm 2F 43
Cegidfa. Powy 4E 70
Ceinewydd. Cdgn 5C 56
Cellan. Cdgn 1G 45
Cellardyke. Fife 3H 137
Cellarhead. Staf 1D 72
Cemaes. IOA 1C 80
Cemmaes. Powy 5H 69
Cemmaes Road. Powy 5H 69
Cenarth. Carm 1C 44
Cenin. Gwyn 1D 68
Ceos. W Isl 5F 171
Ceres. Fife 2G 137
Ceri. Powy 2D 58
Cerist. Powy 2B 58
Cerne Abbas. Dors 2B 14
Cerney Wick. Glos 2F 35
Cerrigceinwen. IOA 3D 80
Cerrigydrudion. Cnwy 1B 70
Cess. Norf 4G 79
Cessford. Bord 2B 120
Ceunant. Gwyn 4E 81
Chaceley. Glos 2D 48
Chacewater. Corn 4B 6
Chackmore. Buck 2E 51
Chacombe. Nptn 1C 50
Chadderton. G Man 4H 91
Chaddesden. Derb 2A 74
Chaddesden Common. Derb 2A 74
Chaddesley Corbett. Worc 3C 60
Chaddlehanger. Devn 5E 11
Chaddleworth. W Ber 4C 36
Chadlington. Oxon 3B 50
Chadshunt. Warw 5H 61
Chadstone. Nptn 5F 63
Chad Valley. W Mid 2E 61
Chadwell. Leics 3E 75
Chadwell. Shrp 4B 72
Chadwell Heath. G Lon 2F 39
Chadwell St Mary. Thur 3H 39
Chadwick End. W Mid 3G 61
Chadwick Green. Mers 1H 83
Chaffcombe. Som 1G 13
Chafford Hundred. Thur 3H 39
Chagford. Devn 4H 11
Chailey. E Sus 4E 27
Chainbridge. Cambs 5D 76
Chain Bridge. Linc 1C 76
Chainhurst. Kent 1B 28
Chalbury. Dors 2F 15
Chalbury Common. Dors 2F 15
Chaldon. Surr 5E 39
Chaldon Herring. Dors 4C 14
Chale. IOW 5C 16
Chale Green. IOW 5C 16
Chalfont Common. Buck 1B 38
Chalfont St Giles. Buck 1A 38
Chalfont St Peter. Buck 2B 38
Chalford. Glos 5D 49
Chalgrove. Oxon 2E 37
Chalk. Kent 3A 40
Chalk End. Essx 4G 53
Chalk Hill. Glos 3G 49
Challaborough. Devn 4C 8
Challacombe. Devn 2G 19
Challister. Shet 5G 173
Challoch. Dum 3A 110
Challock. Kent 5E 40
Chalton. C Beds 5A 64
(nr. Bedford)
Chalton. C Beds 3A 52
(nr. Luton)
Chalton. Hants 1F 17
Chalvington. E Sus 5G 27
Champany. Falk 2D 128
Chance Inn. Fife 2F 137
Chancery. Cdgn 3E 57
Chandler's Cross. Herts 1B 38
Chandler's Cross. Worc 2C 48
Chandler's Ford. Hants 4C 24
Chanlockfoot. Dum 4G 117
Channel's End. Bed 5A 64
Channel Tunnel. Kent 2F 29
Channerwick. Shet 9F 173
Chantry. Som 2C 22
Chantry. Suff 1E 55
Chapel. Cumb 1D 102
Chapel. Fife 4E 137
Chapel Allerton. Som 1H 21
Chapel Allerton. W Yor 1D 92
Chapel Amble. Corn 1D 6
Chapel Brampton. Nptn 4E 63
Chapelbridge. Cambs 1B 64
Chapel Chorlton. Staf 2C 72
Chapel Cleeve. Som 2D 20
Chapel End. C Beds 1A 52
Chapel-en-le-Frith. Derbs 2E 85
Chapelfield. Abers 2G 145
Chapelgate. Linc 3D 76
Chapel Green. Warw 2G 61
(nr. Coventry)
Chapel Green. Warw 4B 62
(nr. Southam)
Chapel Haddlesey. N Yor 2F 93
Chapelhall. N Lan 3A 128
Chapel Hill. Abers 5H 161
Chapel Hill. Linc 5B 88
Chapel Hill. Mon 5A 48
Chapelhill. Per 1E 136
(nr. Glencarse)
Chapelhill. Per 5H 143
(nr. Harrietfield)
Chapelknowe. Dum 2E 112
Chapel Lawn. Shrp 3F 59
Chapel le Dale. N Yor 2G 97
Chapel Milton. Derbs 2E 85
Chapel of Garioch. Abers 1E 152
Chapel Row. W Ber 5D 36
Chapels. Cumb 1B 96
Chapel St Leonards. Linc 3E 89
Chapel Stile. Cumb 4E 102
Chapelthorne. W Yor 3D 92
Chapelton. Ang 4F 145
Chapelton. Devn 4F 19
Chapelton. High 2D 150
(nr. Grantown-on-Spey)
Chapelton. High 3H 157
(nr. Inverness)
Chapelton. S Lan 5H 127
Chapeltown. Bkbn 3F 91
Chapel Town. Corn 3C 6
Chapeltown. Mor 1G 151
Chapeltown. S Yor 1H 85
Chapmanslade. Wilts 2D 22
Chapmans Well. Devn 3D 10
Chapmore End. Herts 4D 52
Chappel. Essx 3B 54
Chard. Som 2G 13
Chard Junction. Dors 2G 13
Chardstock. Devn 2G 13
Charfield. S Glo 2C 34
Charing. Kent 1D 28
Charing Heath. Kent 1D 28
Charing Hill. Kent 5D 40
Charingworth. Glos 2G 49
Charlbury. Oxon 4B 50
Charlcombe. Bath 5C 34
Charlcutt. Wilts 4E 35
Charlecote. Warw 5G 61
Charles. Devn 3G 19
Charlesfield. Dum 3C 112
Charleshill. Surr 2G 25
Charleston. Ang 4C 144
Charleston. Ren 3F 127
Charlestown. Aber 3G 153
Charlestown. Abers 2H 161
Charlestown. Corn 3E 7
Charlestown. Dors 5B 14
Charlestown. Fife 1D 128
Charlestown. G Man 4G 91
Charlestown. High 1H 155
(nr. Gairloch)
Charlestown. High 4A 158
(nr. Inverness)
Charlestown. W Yor 2H 91
Charlestown of Aberlour. Mor 4G 159
Charles Tye. Suff 5C 66
Charlesworth. Derbs 1E 85
Charlton. G Lon 3F 39
Charlton. Hants 2B 24
Charlton. Herts 3B 52
Charlton. Nptn 2D 50
Charlton. Nmbd 1B 114
Charlton. Oxon 3C 36
Charlton. Som 1B 22
(nr. Radstock)
Charlton. Som 2B 22
(nr. Shepton Mallet)
Charlton. Som 4F 21
(nr. Taunton)
Charlton. Telf 4H 71
Charlton. W Sus 1G 17
Charlton. Wilts 3E 35
(nr. Malmesbury)
Charlton. Wilts 1G 23
(nr. Pewsey)
Charlton. Wilts 4G 23
(nr. Salisbury)
Charlton. Wilts 4E 23
(nr. Shaftesbury)
Charlton. Worc 1F 49
(nr. Evesham)
Charlton. Worc 3C 60
(nr. Stourport-on-Severn)
Charlton Abbots. Glos 3F 49
Charlton Adam. Som 4A 22
Charlton Down. Dors 3B 14
Charlton Horethorne. Som 4B 22
Charlton Kings. Glos 3E 49
Charlton Mackrell. Som 4A 22
Charlton Marshall. Dors 2E 15
Charlton Musgrove. Som 4C 22
Charlton-on-Otmoor. Oxon 4D 50
Charlton on the Hill. Dors 2D 15
Charlwood. Hants 3E 25
Charlwood. Surr 1D 26
Charlynch. Som 3F 21
Charminster. Dors 3B 14
Charmouth. Dors 3G 13
Charndon. Buck 3E 51
Charney Bassett. Oxon 2B 36
Charnock Green. Lanc 3D 90
Charnock Richard. Lanc 3D 90
Charsfield. Suff 5E 67
Chart Corner. Kent 5B 40
Charter Alley. Hants 1D 24
Charterhouse. Som 1H 21
Charterville Allotments. Oxon 4B 50
Chartham. Kent 5F 41
Chartham Hatch. Kent 5F 41
Chartridge. Buck 5H 51
Chart Sutton. Kent 5B 40
Chart, The. Kent 5F 39
Charvil. Wok 4F 37
Charwelton. Nptn 5C 62
Chase Terrace. Staf 5E 73
Chasetown. Staf 5E 73
Chastleton. Oxon 3H 49
Chasty. Devn 2D 10
Chatburn. Lanc 5G 97
Chatcull. Staf 2B 72
Chatham.
Medw 4B 40 & **Medway 204**
Chatham Green. Essx 4H 53
Chathill. Nmbd 2F 121
Chatley. Worc 4C 60
Chattenden. Medw 3B 40
Chatteris. Cambs 2C 64
Chattisham. Suff 1D 54
Chatton. Nmbd 2E 121
Chatwall. Shrp 1H 59
Chaulden. Herts 5A 52
Chaul End. C Beds 3A 52
Chawleigh. Devn 1H 11
Chawley. Oxon 5C 50
Chawston. Bed 5A 64
Chawton. Hants 3F 25
Chaxhill. Glos 4C 48
Cheadle. G Man 2C 84
Cheadle. Staf 1E 73
Cheadle Hulme. G Man 2C 84
Cheam. Surr 4D 38
Cheapside. Wind 4A 38
Chearsley. Buck 4F 51
Chebsey. Staf 3C 72
Checkendon. Oxon 3E 37
Checkley. Ches E 1B 72
Checkley. Here 2A 48
Checkley. Staf 2E 73
Chedburgh. Suff 5G 65
Cheddar. Som 1H 21
Cheddington. Buck 4H 51
Cheddleton. Staf 5D 84
Cheddon Fitzpaine. Som 4F 21
Chedglow. Wilts 2E 35
Chedgrave. Norf 1F 67
Chedington. Dors 2H 13
Chediston. Suff 3F 67
Chediston Green. Suff 3F 67
Chedworth. Glos 4F 49
Chedzoy. Som 3G 21
Cheeseman's Green. Kent 2E 29
Cheetham Hill. G Man 4G 91
Cheglinch. Devn 2F 19
Cheldon. Devn 1H 11
Chelford. Ches E 3C 84
Chellaston. Derb 2A 74
Chellington. Bed 5G 63
Chelmarsh. Shrp 2B 60
Chelmick. Shrp 1G 59
Chelmondiston. Suff 2F 55
Chelmorton. Derbs 4F 85
Chelmsford. Essx 5H 53
Chelsea. G Lon 3D 39
Chelsfield. G Lon 4F 39
Chelsham. Surr 5E 39
Chelston. Som 4E 21
Chelsworth. Suff 1C 54
Cheltenham. Glos 3E 49 & 192
Chelveston. Nptn 4G 63
Chelvey. N Som 5H 33
Chelwood. Bath 5B 34
Chelwood Common. E Sus 3F 27
Chelwood Gate. E Sus 3F 27
Chelworth. Wilts 2E 35
Chelworth Lower Green. Wilts 2F 35
Chelworth Upper Green. Wilts 2F 35
Chelynch. Som 2B 22
Cheney Longville. Shrp 2G 59
Chenies. Buck 1B 38
Chepstow. Mon 2A 34
Chequerfield. W Yor 2E 93
Chequers Corner. Norf 5D 77
Cherhill. Wilts 4F 35
Cherington. Glos 2E 35
Cherington. Warw 2A 50
Cheriton. Devn 2H 19
Cheriton. Hants 4D 24
Cheriton. Kent 2G 29
Cheriton. Pemb 5D 43
Cheriton. Swan 3D 30
Cheriton Bishop. Devn 3A 12
Cheriton Cross. Devn 3A 12
Cheriton Fitzpaine. Devn 2B 12
Cherrington. Telf 3A 72
Cherrybank. Per 1D 136
Cherry Burton. E Yor 5D 101
Cherry Green. Herts 3D 52
Cherry Hinton. Cambs 5D 65
Cherry Willingham. Linc 3H 87
Chertsey. Surr 4B 38
Cheselbourne. Dors 3C 14
Chesham. Buck 5H 51
Chesham. G Man 3G 91
Chesham Bois. Buck 1A 38
Cheshunt. Herts 5D 52
Cheslyn Hay. Staf 5D 73
Chessetts Wood. Warw 3F 61
Chessington. G Lon 4C 38
Chester. Ches W 4G 83 & 192
Chesterblade. Som 2B 22
Chesterfield. Derbs 3A 86
Chesterfield. Staf 5F 73
Chesterhope. Nmbd 1C 114
Chester-le-Street. Dur 4F 115
Chester Moor. Dur 5F 115
Chesters. Bord 3A 120
Chesterton. Cambs 4D 64
(nr. Cambridge)
Chesterton. Cambs 1A 64
(nr. Peterborough)
Chesterton. Glos 5F 49
Chesterton. Oxon 3D 50
Chesterton. Shrp 1B 60
Chesterton. Staf 1C 72
Chesterton Green. Warw 5H 61
Chesterwood. Nmbd 3B 114
Chestfield. Kent 4F 41
Cheston. Devn 3C 8
Cheswardine. Shrp 2B 72
Cheswell. Telf 4B 72
Cheswick. Nmbd 5G 131
Cheswick Green. W Mid 3F 61
Chetnole. Dors 2B 14
Chettiscombe. Devn 1C 12
Chettisham. Cambs 2E 65
Chettle. Dors 1E 15
Chetton. Shrp 1A 60
Chetwode. Buck 3E 51
Chetwynd Aston. Telf 4B 72
Cheveley. Cambs 4F 65
Chevening. Kent 5F 39
Chevington. Suff 5G 65
Chevithorne. Devn 1C 12

Chew Magna. *Bath* 5A **34**
Chew Moor. *G Man* 4E **91**
Chew Stoke. *Bath* 5A **34**
Chewton Keynsham. *Bath* 5B **34**
Chewton Mendip. *Som* 1A **22**
Chichacott. *Devn* 3G **11**
Chicheley. *Mil* 1H **51**
Chichester. *W Sus* 2G **17**
Chickerell. *Dors* 4B **14**
Chickering. *Suff* 3E **66**
Chicklade. *Wilts* 3E **23**
Chicksands. *C Beds* 2B **52**
Chickward. *Here* 5E **59**
Chidden. *Hants* 1E **17**
Chiddingfold. *Surr* 2A **26**
Chiddingly. *E Sus* 4G **27**
Chiddingstone. *Kent* 1G **27**
Chiddingstone Causeway. *Kent* 1G **27**
Chiddingstone Hoath. *Kent* 1F **27**
Chideock. *Dors* 3H **13**
Chidgley. *Som* 3D **20**
Chidham. *W Sus* 2F **17**
Chieveley. *W Ber* 4C **36**
Chignall St James. *Essx* 5G **53**
Chignall Smealy. *Essx* 4G **53**
Chigwell. *Essx* 1F **39**
Chigwell Row. *Essx* 1F **39**
Chilbolton. *Hants* 2B **24**
Chilcomb. *Hants* 4D **24**
Chilcombe. *Dors* 3A **14**
Chilcompton. *Som* 1B **22**
Chilcote. *Leics* 4G **73**
Childer Thornton. *Ches W* 3F **83**
Child Okeford. *Dors* 1D **14**
Childrey. *Oxon* 3B **36**
Child's Ercall. *Shrp* 3A **72**
Childswickham. *Worc* 2F **49**
Childwall. *Mers* 2G **83**
Childwick Green. *Herts* 4B **52**
Chilfrome. *Dors* 3A **14**
Chilgrove. *W Sus* 1G **17**
Chilham. *Kent* 5E **41**
Chilhampton. *Wilts* 3F **23**
Chilla. *Devn* 2E **11**
Chilland. *Hants* 3D **24**
Chillaton. *Devn* 4E **11**
Chillenden. *Kent* 5G **41**
Chillerton. *IOW* 4C **16**
Chillesford. *Suff* 5F **67**
Chillingham. *Nmbd* 2E **121**
Chillington. *Devn* 4D **9**
Chillington. *Som* 1G **13**
Chilmark. *Wilts* 3E **23**
Chilmington Green. *Kent* 1D **28**
Chilson. *Oxon* 4B **50**
Chilsworthy. *Corn* 5E **11**
Chilsworthy. *Devn* 2D **10**
Chiltern Green. *C Beds* 4B **52**
Chilthorne Domer. *Som* 1A **14**
Chilton. *Buck* 4E **51**
Chilton. *Devn* 2B **12**
Chilton. *Dur* 2F **105**
Chilton. *Oxon* 3C **36**
Chilton Candover. *Hants* 2D **24**
Chilton Cantelo. *Som* 4A **22**
Chilton Foliat. *Wilts* 4B **36**
Chilton Lane. *Dur* 1A **106**
Chilton Polden. *Som* 3G **21**
Chilton Street. *Suff* 1A **54**
Chilton Trinity. *Som* 3F **21**
Chilwell. *Notts* 2C **74**
Chilworth. *Hants* 1C **16**
Chilworth. *Surr* 1B **26**
Chimney. *Oxon* 5B **50**
Chimney Street. *Suff* 1H **53**
Chineham. *Hants* 1E **25**
Chingford. *G Lon* 1E **39**
Chinley. *Derbs* 2E **85**
Chinnor. *Oxon* 5F **51**
Chipley. *Som* 4E **20**
Chipnall. *Shrp* 2B **72**
Chippenham. *Cambs* 4F **65**
Chippenham. *Wilts* 4E **35**
Chipperfield. *Herts* 5A **52**
Chipping. *Herts* 2D **52**
Chipping. *Lanc* 5F **97**
Chipping Campden. *Glos* 2G **49**
Chipping Hill. *Essx* 4B **54**
Chipping Norton. *Oxon* 3B **50**
Chipping Ongar. *Essx* 5F **53**
Chipping Sodbury. *S Glo* 3C **34**
Chipping Warden. *Nptn* 1C **50**
Chipstable. *Som* 4D **20**
Chipstead. *Kent* 5G **39**
Chipstead. *Surr* 5D **38**
Chirbury. *Shrp* 1E **59**
Chirk. *Wrex* 2E **71**
Chirmorie. *S Ayr* 2H **109**
Chirnside. *Bord* 4E **131**
Chirnsidebridge. *Bord* 4E **131**
Chirton. *Wilts* 1F **23**
Chisbridge Cross. *Buck* 3G **37**
Chisbury. *Wilts* 5A **36**
Chiselborough. *Som* 1H **13**
Chiseldon. *Swin* 4G **35**
Chiselhampton. *Oxon* 2D **36**
Chiserley. *W Yor* 2A **92**
Chislehurst. *G Lon* 4F **39**
Chislet. *Kent* 4G **41**
Chiswell. *Dors* 5B **14**
Chiswell Green. *Herts* 5B **52**
Chiswick. *G Lon* 3D **38**
Chisworth. *Derbs* 1D **85**
Chitcombe. *E Sus* 3C **28**
Chithurst. *W Sus* 4G **25**
Chittering. *Cambs* 4D **65**
Chitterley. *Devn* 2C **12**
Chitterne. *Wilts* 2E **23**
Chittlehamholt. *Devn* 4G **19**
Chittlehampton. *Devn* 4G **19**
Chittoe. *Wilts* 5E **35**
Chivelstone. *Devn* 5D **9**
Chivenor. *Devn* 3F **19**
Chobham. *Surr* 4A **38**
Cholderton. *Wilts* 2H **23**
Cholesbury. *Buck* 5H **51**
Chollerford. *Nmbd* 2C **114**
Chollerton. *Nmbd* 2C **114**
Cholsey. *Oxon* 3D **36**
Cholstrey. *Here* 5G **59**
Chop Gate. *N Yor* 5C **106**
Choppington. *Nmbd* 1F **115**
Chopwell. *Tyne* 4E **115**
Chorley. *Ches E* 5H **83**
Chorley. *Lanc* 3D **90**
Chorley. *Shrp* 2A **60**
Chorley. *Staf* 4E **73**
Chorleywood. *Herts* 1B **38**
Chorlton. *Ches E* 5B **84**
Chorlton-cum-Hardy. *G Man* 1C **84**
Chorlton Lane. *Ches W* 1G **71**
Choulton. *Shrp* 2F **59**
Chrishall. *Essx* 2E **53**
Christchurch. *Cambs* 1D **65**
Christchurch. *Dors* 3G **15**
Christchurch. *Glos* 4A **48**
Christian Malford. *Wilts* 4E **35**
Christleton. *Ches W* 4G **83**
Christmas Common. *Oxon* 2F **37**
Christon. *N Som* 1G **21**
Christon Bank. *Nmbd* 2G **121**
Christow. *Devn* 4B **12**
Chryston. *N Lan* 2H **127**
Chuck Hatch. *E Sus* 2F **27**
Chudleigh. *Devn* 5B **12**
Chudleigh Knighton. *Devn* 5B **12**
Chulmleigh. *Devn* 1G **11**
Chunal. *Derbs* 1E **85**
Church. *Lanc* 2F **91**
Churcham. *Glos* 4C **48**
Church Aston. *Telf* 4B **72**
Church Brampton. *Nptn* 4E **62**
Church Brough. *Cumb* 3A **104**
Church Broughton. *Derbs* 2G **73**
Church Corner. *Suff* 2G **67**
Church Crookham. *Hants* 1G **25**
Churchdown. *Glos* 4D **48**
Church Eaton. *Staf* 4C **72**
Church End. *Cambs* 5D **65** (nr. Cambridge)
Church End. *Cambs* 2B **64** (nr. Sawtry)
Church End. *Cambs* 3C **64** (nr. Willingham)
Church End. *Cambs* 5C **76** (nr. Wisbech)
Church End. *C Beds* 3H **51** (nr. Dunstable)
Church End. *C Beds* 2B **52** (nr. Stotfold)
Church End. *E Yor* 4E **101**
Church End. *Essx* 3H **53** (nr. Braintree)
Churchend. *Essx* 3G **53** (nr. Great Dunmow)
Church End. *Essx* 1F **53** (nr. Saffron Walden)
Churchend. *Essx* 1E **40** (nr. Southend-on-Sea)
Church End. *Glos* 5C **48**
Church End. *Hants* 1E **25**
Church End. *Linc* 2B **76** (nr. Donington)
Church End. *Linc* 1D **88** (nr. North Somercotes)
Church End. *Norf* 4E **77**
Church End. *Warw* 1G **61** (nr. Coleshill)
Church End. *Warw* 1G **61** (nr. Nuneaton)
Church End. *Wilts* 4F **35**
Church Enstone. *Oxon* 3B **50**
Church Fenton. *N Yor* 1F **93**
Church Green. *Devn* 3E **13**
Church Gresley. *Derbs* 4G **73**
Church Hanborough. *Oxon* 4C **50**
Church Hill. *Ches W* 4A **84**
Church Hill. *Worc* 4E **61**
Church Hougham. *Kent* 1G **29**
Church Houses. *N Yor* 5D **106**
Churchill. *Devn* 2G **13** (nr. Axminster)
Churchill. *Devn* 2F **19** (nr. Barnstaple)
Churchill. *N Som* 1H **21**
Churchill. *Oxon* 3A **50**
Churchill. *Worc* 3C **60** (nr. Kidderminster)
Churchill. *Worc* 5D **60** (nr. Worcester)
Churchinford. *Som* 1F **13**
Church Knowle. *Dors* 4E **15**
Church Laneham. *Notts* 3F **87**
Church Langley. *Essx* 5E **53**
Church Langton. *Leics* 1E **62**
Church Lawford. *Warw* 3B **62**
Church Lawton. *Ches E* 5C **84**
Church Leigh. *Staf* 2E **73**
Church Lench. *Worc* 5E **61**
Church Mayfield. *Staf* 1F **73**
Church Minshull. *Ches E* 4A **84**
Church Norton. *W Sus* 3G **17**
Churchover. *Warw* 2C **62**
Church Preen. *Shrp* 1H **59**
Church Pulverbatch. *Shrp* 5G **71**
Churchstanton. *Som* 1E **13**
Church Stoke. *Powy* 1E **59**
Churchstow. *Devn* 4D **8**
Church Stowe. *Nptn* 5D **62**
Church Street. *Kent* 3B **40**
Church Stretton. *Shrp* 1G **59**
Churchthorpe. *Linc* 1C **88**
Churchtown. *Cumb* 5E **113**
Churchtown. *Derbs* 4G **85**
Churchtown. *Devn* 2G **19**
Churchtown. *IOM* 2D **108**
Churchtown. *Lanc* 5D **97**
Church Town. *Leics* 4A **74**
Churchtown. *Mers* 3B **90**
Church Town. *N Lin* 4A **94**
Churchtown. *Shrp* 2E **59**
Church Village. *Rhon* 3D **32**
Church Warsop. *Notts* 4C **86**
Church Westcote. *Glos* 3H **49**
Church Wilne. *Derbs* 2B **74**
Churnsike Lodge. *Nmbd* 2H **113**
Churston Ferrers. *Torb* 3F **9**
Churt. *Surr* 3G **25**
Churton. *Ches W* 5G **83**
Churwell. *W Yor* 2C **92**
Chute Standen. *Wilts* 1B **24**
Chwilog. *Gwyn* 2D **68**
Chwittfordd. *Flin* 3D **82**
Chyandour. *Corn* 3B **4**
Cilan Uchaf. *Gwyn* 3B **68**
Cilcain. *Flin* 4D **82**
Cilcennin. *Cdgn* 4E **57**
Cilfrew. *Neat* 5A **46**
Cilfynydd. *Rhon* 2D **32**
Cilgerran. *Pemb* 1B **44**
Cilgeti. *Pemb* 4F **43**
Cilgwyn. *Carm* 3H **45**
Cilgwyn. *Pemb* 1E **43**
Ciliau Aeron. *Cdgn* 5D **57**
Cill Amhlaidh. *W Isl* 4C **170**
Cill Donnain. *High* 1G **165**
Cill Donnain. *W Isl* 6C **170**
Cille a' Bhacstair. *High* 2C **154**
Cille Bhrighde. *W Isl* 7C **170**
Cille Pheadair. *W Isl* 7C **170**
Cilmaengwyn. *Neat* 5H **45**
Cilmeri. *Powy* 5C **58**
Cilmery. *Powy* 5C **58**
Cilrhedyn. *Pemb* 1G **43**
Cilsan. *Carm* 3F **45**
Ciltalgarth. *Gwyn* 1A **70**
Ciltwrch. *Powy* 1E **47**
Cilybebyll. *Neat* 5H **45**
Cilycwm. *Carm* 2A **46**
Cimla. *Neat* 2A **32**
Cinderford. *Glos* 4B **48**
Cinderhill. *Derbs* 1A **74**
Cippenham. *Slo* 2A **38**
Cippyn. *Pemb* 1B **44**
Cirbhig. *W Isl* 3D **171**
Circebost. *W Isl* 4D **171**
Cirencester. *Glos* 5F **49**
City. *Powy* 1E **58**
City. *V Glam* 4C **32**
City Centre. *Stoke* 1C **72** & **Stoke 211**
City Dulas. *IOA* 2D **80**
City (London) Airport. *G Lon* 2F **39**
City of London. *G Lon* 2E **39**
City, The. *Buck* 2F **37**
Clabhach. *Arg* 3C **138**
Clachaig. *Arg* 1C **126**
Clachaig. *High* 3F **141** (nr. Kinlochleven)
Clachaig. *High* 2E **151** (nr. Nethy Bridge)
Clachamish. *High* 3C **154**
Clachan. *Arg* 4F **125** (on Kintyre)
Clachan. *Arg* 4C **140** (on Lismore)
Clachan. *High* 2H **167** (nr. Bettyhill)
Clachan. *High* 2D **155** (nr. Staffin)
Clachan. *High* 1C **154** (nr. Uig)
Clachan. *High* 5E **155** (on Raasay)
Clachan Farm. *Arg* 2A **134**
Clachan na Luib. *W Isl* 2D **170**
Clachan of Campsie. *E Dun* 2H **127**
Clachan of Glendaruel. *Arg* 1A **126**
Clachan-Seil. *Arg* 2E **133**
Clachan Shannda. *W Isl* 1D **170**
Clachan Strachur. *Arg* 3H **133**
Clachbreck. *Arg* 2F **125**
Clachnaharry. *High* 4A **158**
Clachtoll. *High* 1E **163**
Clackmannan. *Clac* 4B **136**
Clackmannanshire Bridge. *Clac* 1C **128**
Clackmarras. *Mor* 3G **159**
Clacton-on-Sea. *Essx* 4E **55**
Cladach a Chaolais. *W Isl* 2C **170**
Cladach Chairinis. *W Isl* 3D **170**
Cladach Chirceboist. *W Isl* 2C **170**
Cladach Iolaraigh. *W Isl* 2C **170**
Cladich. *Arg* 1H **133**
Cladswell. *Worc* 5E **61**
Claggan. *High* 1F **141** (nr. Fort William)
Claggan. *High* 4A **140** (nr. Lochaline)
Claigan. *High* 3B **154**
Clandown. *Bath* 1B **22**
Clanfield. *Hants* 1E **17**
Clanfield. *Oxon* 5A **50**
Clanville. *Hants* 2B **24**
Clanville. *Som* 3B **22**
Claonaig. *Arg* 4G **125**
Clapgate. *Dors* 2F **15**
Clapgate. *Herts* 3E **53**
Clapham. *Bed* 5H **63**
Clapham. *Devn* 4B **12**
Clapham. *G Lon* 3D **39**
Clapham. *N Yor* 3G **97**
Clapham. *W Sus* 5B **26**
Clap Hill. *Kent* 2E **29**
Clappers. *Bord* 4F **131**
Clappersgate. *Cumb* 4E **103**
Clapphoull. *Shet* 9F **173**
Clapton. *Som* 2H **13** (nr. Crewkerne)
Clapton. *Som* 1B **22** (nr. Radstock)
Clapton-in-Gordano. *N Som* 4H **33**
Clapton-on-the-Hill. *Glos* 4G **49**
Clapworthy. *Devn* 4G **19**
Clara Vale. *Tyne* 3E **115**
Clarbeston. *Pemb* 2E **43**
Clarbeston Road. *Pemb* 2E **43**
Clarborough. *Notts* 2E **87**
Clare. *Suff* 1A **54**
Clarebrand. *Dum* 3E **111**
Clarencefield. *Dum* 3B **112**
Clarilaw. *Bord* 3H **119**
Clark's Green. *Surr* 2C **26**
Clark's Hill. *Linc* 3C **76**
Clarkston. *E Ren* 4G **127**
Clasheddy. *High* 2G **167**
Clashindarroch. *Abers* 5B **160**
Clashmore. *High* 5E **165** (nr. Dornoch)
Clashmore. *High* 1E **163** (nr. Stoer)
Clashnessie. *High* 5A **166**
Clashnoir. *Mor* 1G **151**
Clate. *Shet* 5G **173**
Clathick. *Per* 1H **135**
Clathy. *Per* 2B **136**
Clatt. *Abers* 1C **152**
Clatter. *Powy* 1B **58**
Clatterford. *IOW* 4C **16**
Clatworthy. *Som* 3D **20**
Claughton. *Lanc* 3E **97** (nr. Caton)
Claughton. *Lanc* 5E **97** (nr. Garstang)
Claughton. *Mers* 2F **83**
Claverdon. *Warw* 4F **61**
Claverham. *N Som* 5H **33**
Clavering. *Essx* 2E **53**
Claverley. *Shrp* 1B **60**
Claverton. *Bath* 5C **34**
Clawdd-coch. *V Glam* 4D **32**
Clawdd-newydd. *Den* 5C **82**
Clawson Hill. *Leics* 3E **75**
Clawton. *Devn* 3D **10**
Claxby. *Linc* 3D **88** (nr. Alford)
Claxby. *Linc* 1A **88** (nr. Market Rasen)
Claxton. *Norf* 5F **79**
Claxton. *N Yor* 4A **100**
Claybrooke Magna. *Leics* 2B **62**
Claybrooke Parva. *Leics* 2B **62**
Clay Common. *Suff* 2G **67**
Clay Coton. *Nptn* 3C **62**
Clay Cross. *Derbs* 4A **86**
Claydon. *Oxon* 5B **62**
Claydon. *Suff* 5D **66**
Clay End. *Herts* 3D **52**
Claygate. *Dum* 2E **113**
Claygate. *Kent* 1B **28**
Claygate. *Surr* 4C **38**
Claygate Cross. *Kent* 5H **39**
Clayhall. *Hants* 3E **16**
Clayhanger. *Devn* 4D **20**
Clayhanger. *W Mid* 5E **73**
Clayhidon. *Devn* 1E **13**
Clay Hill. *Bris* 4B **34**
Clayhill. *E Sus* 3C **28**
Clayhill. *Hants* 2B **16**
Clayhithe. *Cambs* 4E **65**
Clayholes. *Ang* 5E **145**
Clay Lake. *Linc* 3B **76**
Clayock. *High* 3D **168**
Claypits. *Glos* 5C **48**
Claypole. *Linc* 1F **75**
Claythorpe. *Linc* 3D **88**
Clayton. *G Man* 1C **84**
Clayton. *S Yor* 4E **93**
Clayton. *Staf* 1C **72**
Clayton. *W Sus* 4E **27**
Clayton. *W Yor* 1B **92**
Clayton Green. *Lanc* 2D **90**
Clayton-le-Moors. *Lanc* 1F **91**
Clayton-le-Woods. *Lanc* 2D **90**
Clayton West. *W Yor* 3C **92**
Clayworth. *Notts* 2E **87**
Cleadale. *High* 5C **146**
Cleadon. *Tyne* 3G **115**
Clearbrook. *Devn* 2B **8**
Clearwell. *Glos* 5A **48**
Cleasby. *N Yor* 3F **105**
Cleat. *Orkn* 3D **172** (nr. Braehead)
Cleat. *Orkn* 9D **172** (nr. St Margaret's Hope)
Cleatlam. *Dur* 3E **105**
Cleator. *Cumb* 3B **102**
Cleator Moor. *Cumb* 3B **102**
Cleckheaton. *W Yor* 2B **92**
Cleedownton. *Shrp* 2H **59**
Cleehill. *Shrp* 3H **59**
Cleekhimin. *N Lan* 4A **128**
Clee St Margaret. *Shrp* 2H **59**
Cleestanton. *Shrp* 3H **59**
Cleethorpes. *NE Lin* 4G **95**
Cleeton St Mary. *Shrp* 3A **60**
Cleeve. *N Som* 5H **33**
Cleeve. *Oxon* 3E **36**
Cleeve Hill. *Glos* 3E **49**
Cleeve Prior. *Worc* 1F **49**
Clehonger. *Here* 2H **47**
Cleigh. *Arg* 1F **133**
Cleish. *Per* 4C **136**
Cleland. *N Lan* 4B **128**
Clench Common. *Wilts* 5G **35**
Clenchwarton. *Norf* 3E **77**
Clennell. *Nmbd* 4D **120**
Clent. *Worc* 3D **60**
Cleobury Mortimer. *Shrp* 3A **60**
Cleobury North. *Shrp* 2A **60**
Clephanton. *High* 3C **158**
Clerkhill. *High* 2H **167**
Clestrain. *Orkn* 7C **172**
Clevancy. *Wilts* 4F **35**
Clevedon. *N Som* 4H **33**
Cleveley. *Oxon* 3B **50**
Cleveleys. *Lanc* 5C **96**
Clevelode. *Worc* 1D **48**
Cleverton. *Wilts* 3E **35**
Clewer. *Som* 1H **21**
Cley next the Sea. *Norf* 1C **78**
Cliaid. *W Isl* 8B **170**
Cliasmol. *W Isl* 7C **171**
Clibberswick. *Shet* 1H **173**
Cliburn. *Cumb* 2G **103**
Cliddesden. *Hants* 2E **25**
Clieves Hills. *Lanc* 4B **90**
Cliff. *Warw* 1G **61**
Cliffburn. *Ang* 4F **145**
Cliffe. *Medw* 3B **40**
Cliffe. *N Yor* 3F **105** (nr. Darlington)
Cliffe. *N Yor* 1G **93** (nr. Selby)
Cliff End. *E Sus* 4C **28**
Cliffe Woods. *Medw* 3B **40**
Clifford. *Here* 1F **47**
Clifford. *W Yor* 5G **99**
Clifford Chambers. *Warw* 5F **61**
Clifford's Mesne. *Glos* 3B **48**
Cliffsend. *Kent* 4H **41**
Clifton. *Bris* 4A **34**
Clifton. *C Beds* 2B **52**
Clifton. *Cumb* 2G **103**
Clifton. *Derbs* 1F **73**
Clifton. *Devn* 2G **19**
Clifton. *G Man* 4F **91**
Clifton. *Lanc* 1C **90**
Clifton. *Nmbd* 1F **115**
Clifton. *N Yor* 5D **98**
Clifton. *Nott* 2C **74**
Clifton. *Oxon* 2C **50**
Clifton. *S Yor* 1C **86**
Clifton. *Stir* 5H **141**
Clifton. *W Yor* 2B **92**
Clifton. *Worc* 1D **48**
Clifton. *York* 4H **99**
Clifton Campville. *Staf* 4G **73**
Clifton Hampden. *Oxon* 2D **36**
Clifton Hill. *Worc* 4B **60**
Clifton Reynes. *Mil* 5G **63**
Clifton upon Dunsmore. *Warw* 3C **62**
Clifton upon Teme. *Worc* 4B **60**
Cliftonville. *Kent* 3H **41**
Cliftonville. *Norf* 2F **79**
Climping. *W Sus* 5A **26**
Climpy. *S Lan* 4C **128**
Clint. *N Yor* 4E **99**
Clint Green. *Norf* 4C **78**
Clintmains. *Bord* 1A **120**
Cliobh. *W Isl* 4C **171**
Clipiau. *Gwyn* 4H **69**
Clippesby. *Norf* 4G **79**
Clippings Green. *Norf* 4C **78**
Clipsham. *Rut* 4G **75**
Clipston. *Nptn* 2E **62**
Clipston. *Notts* 2D **74**
Clipstone. *Notts* 4C **86**
Clitheroe. *Lanc* 5G **97**
Cliuthar. *W Isl* 8D **171**
Clive. *Shrp* 3H **71**
Clivocast. *Shet* 1H **173**
Clixby. *Linc* 4D **94**
Clocaenog. *Den* 5C **82**
Clochan. *Mor* 2B **160**
Clochforbie. *Abers* 3F **161**
Clock Face. *Mers* 1H **83**
Cloddiau. *Powy* 5E **70**
Cloddymoss. *Mor* 2D **159**
Clodock. *Here* 3G **47**
Cloford. *Som* 2C **22**
Clola. *Abers* 4H **161**
Clophill. *C Beds* 2A **52**
Clopton. *Nptn* 2H **63**
Clopton Corner. *Suff* 5E **66**
Clopton Green. *Suff* 5G **65**
Closeburn. *Dum* 5A **118**
Close Clark. *IOM* 4B **108**
Closworth. *Som* 1A **14**
Clothall. *Herts* 2C **52**
Clotton. *Ches W* 4H **83**
Clough. *G Man* 3H **91**
Clough. *W Yor* 3A **92**
Clough Foot. *W Yor* 2H **91**
Cloughton. *N Yor* 5H **107**
Cloughton Newlands. *N Yor* 5H **107**
Clousta. *Shet* 6E **173**
Clouston. *Orkn* 6B **172**
Clova. *Abers* 1B **152**
Clova. *Ang* 1C **144**
Clovelly. *Devn* 4D **18**
Clovenfords. *Bord* 1G **119**
Clovenstone. *Abers* 2E **153**
Clovullin. *High* 2E **141**
Clowne. *Derbs* 3B **86**
Clows Top. *Worc* 3B **60**
Cloy. *Wrex* 1F **71**
Cluanie Inn. *High* 2C **148**
Cluanie Lodge. *High* 2C **148**
Cluddley. *Telf* 5A **72**
Clun. *Shrp* 2F **59**
Clunas. *High* 4C **158**
Clunbury. *Shrp* 2F **59**
Clunderwen. *Pemb* 3F **43**
Clune. *High* 1B **150**
Clunes. *High* 5E **148**
Clungunford. *Shrp* 3F **59**
Clunie. *Per* 4A **144**
Clunton. *Shrp* 2F **59**
Cluny. *Fife* 4E **137**
Clutton. *Bath* 1B **22**
Clutton. *Ches W* 5G **83**
Clwt-y-bont. *Gwyn* 4E **81**

Clwydfagwyr. *Mer T* 5D **46**
Clydach. *Mon* 4F **47**
Clydach. *Swan* 5G **45**
Clydach Vale. *Rhon* 2C **32**
Clydebank. *W Dun* 2G **127**
Clydey. *Pemb* 1G **43**
Clyffe Pypard. *Wilts* 4F **35**
Clynder. *Arg* 1D **126**
Clyne. *Neat* 5B **46**
Clynelish. *High* 3F **165**
Clynnog-fawr. *Gwyn* 1D **68**
Clyro. *Powy* 1F **47**
Clyst Honiton. *Devn* 3C **12**
Clyst Hydon. *Devn* 2D **12**
Clyst St George. *Devn* 4C **12**
Clyst St Lawrence. *Devn* 2D **12**
Clyst St Mary. *Devn* 3C **12**
Clyth. *High* 5E **169**
Cnip. *W Isl* 4C **171**
Cnoc Amhlaigh. *W Isl* 4H **171**
Cnwcau. *Pemb* 1C **44**
Cnwch Coch. *Cdgn* 3F **57**
Coad's Green. *Corn* 5C **10**
Coal Aston. *Derbs* 3A **86**
Coalbrookdale. *Telf* 5A **72**
Coalbrookvale. *Blae* 5F **47**
Coalburn. *S Lan* 1H **117**
Coalburns. *Tyne* 3E **115**
Coalcleugh. *Nmbd* 5B **114**
Coaley. *Glos* 5C **48**
Coalford. *Abers* 4F **153**
Coalhall. *E Ayr* 3D **116**
Coalhill. *Essx* 1B **40**
Coalpit Heath. *S Glo* 3B **34**
Coal Pool. *W Mid* 5E **73**
Coalport. *Telf* 5B **72**
Coalsnaughton. *Clac* 4B **136**
Coaltown of Balgonie. *Fife* 4F **137**
Coaltown of Wemyss. *Fife* 4F **137**
Coalville. *Leics* 4B **74**
Coalville. *Mil* 5F **63**
Coalway. *Glos* 4A **48**
Coanwood. *Nmbd* 4H **113**
Coat. *Som* 4H **21**
Coatbridge. *N Lan* 3A **128**
Coatdyke. *N Lan* 3A **128**
Coate. *Swin* 3G **35**
Coate. *Wilts* 5F **35**
Coates. *Cambs* 1C **64**
Coates. *Glos* 5E **49**
Coates. *Linc* 2G **87**
Coates. *W Sus* 4A **26**
Coatham. *Red C* 2C **106**
Coatham Mundeville. *Darl* 2F **105**
Cobbaton. *Devn* 4G **19**
Coberley. *Glos* 4E **49**
Cobhall Common. *Here* 2H **47**
Cobham. *Kent* 4A **40**
Cobham. *Surr* 4C **38**
Cobnash. *Here* 4G **59**
Coburg. *Devn* 5B **12**
Cockayne. *N Yor* 5D **106**
Cockayne Hatley. *C Beds* 1C **52**
Cock Bank. *Wrex* 1F **71**
Cock Bridge. *Abers* 3G **151**
Cockburnspath. *Bord* 2D **130**
Cock Clarks. *Essx* 5B **54**
Cockenzie and Port Seton. *E Lot* 2H **129**
Cockerham. *Lanc* 4D **96**
Cockermouth. *Cumb* 1C **102**
Cockernhoe. *Herts* 3B **52**
Cockfield. *Dur* 2E **105**
Cockfield. *Suff* 5B **66**
Cockfosters. *G Lon* 1D **39**
Cock Gate. *Here* 4G **59**
Cock Green. *Essx* 4G **53**
Cocking. *W Sus* 1G **17**
Cocking Causeway. *W Sus* 1G **17**
Cockington. *Torb* 2F **9**
Cocklake. *Som* 2H **21**
Cocklaw. *Abers* 4H **161**
Cocklaw. *Nmbd* 2C **114**
Cockley Beck. *Cumb* 4D **102**
Cockley Cley. *Norf* 5G **77**
Cockmuir. *Abers* 3G **161**
Cockpole Green. *Wind* 3G **37**
Cockshutford. *Shrp* 2H **59**
Cockshutt. *Shrp* 3G **71**
Cockthorpe. *Norf* 1B **78**
Cockwood. *Devn* 4C **12**
Cockyard. *Derbs* 3E **85**
Cockyard. *Here* 2H **47**
Codda. *Corn* 5B **10**
Coddenham. *Suff* 5D **66**
Coddenham Green. *Suff* 5D **66**
Coddington. *Ches W* 5G **83**
Coddington. *Here* 1C **48**
Coddington. *Notts* 5F **87**
Codford St Mary. *Wilts* 3E **23**
Codford St Peter. *Wilts* 3E **23**
Codicote. *Herts* 4C **52**
Codmore Hill. *W Sus* 3B **26**
Codnor. *Derbs* 1B **74**
Codrington. *S Glo* 4C **34**
Codsall. *Staf* 5C **72**
Codsall Wood. *Staf* 5C **72**
Coed Duon. *Cphy* 2E **33**
Coedely. *Rhon* 3D **32**
Coedglasson. *Powy* 4C **58**
Coedkernew. *Newp* 3F **33**
Coed Morgan. *Mon* 4G **47**
Coedpoeth. *Wrex* 5E **83**
Coedway. *Powy* 4F **71**
Coed-y-bryn. *Cdgn* 1D **44**
Coed-y-paen. *Mon* 2G **33**
Coed-yr-ynys. *Powy* 3E **47**
Coed Ystumgwern. *Gwyn* 3E **69**
Coelbren. *Powy* 4B **46**
Coffinswell. *Devn* 2E **9**
Cofton Hackett. *Worc* 3E **61**
Cogan. *V Glam* 4E **33**
Cogenhoe. *Nptn* 4F **63**
Cogges. *Oxon* 5B **50**
Coggeshall. *Essx* 3B **54**
Coggeshall Hamlet. *Essx* 3B **54**
Coggins Mill. *E Sus* 3G **27**
Coignafearn Lodge. *High* 2A **150**
Coig Peighinnean. *W Isl* 1H **171**
Coig Peighinnean Bhuirgh. *W Isl* 2G **171**
Coilleag. *W Isl* 7C **170**
Coilliemore. *High* 1A **158**
Coillore. *High* 5C **154**
Coire an Fhuarain. *W Isl* 4E **171**
Coity. *B'end* 3C **32**
Cokhay Green. *Derbs* 3G **73**
Col. *W Isl* 3G **171**
Colaboll. *High* 2C **164**
Colan. *Corn* 2C **6**
Colaton Raleigh. *Devn* 4D **12**
Colbost. *High* 4B **154**
Colburn. *N Yor* 5E **105**
Colby. *Cumb* 2H **103**
Colby. *IOM* 4B **108**
Colby. *Norf* 2E **78**
Colchester. *Essx* 3D **54**
Cold Ash. *W Ber* 5D **36**
Cold Ashby. *Nptn* 3D **62**
Cold Ashton. *S Glo* 4C **34**
Cold Aston. *Glos* 4G **49**
Coldbackie. *High* 3G **167**
Cold Blow. *Pemb* 3F **43**
Cold Brayfield. *Mil* 5G **63**
Cold Cotes. *N Yor* 2G **97**
Coldean. *Brig* 5E **27**
Coldeast. *Devn* 5B **12**
Colden. *W Yor* 2H **91**
Colden Common. *Hants* 4C **24**
Coldfair Green. *Suff* 4G **67**
Coldham. *Cambs* 5D **76**
Coldham. *Staf* 5C **72**
Cold Hanworth. *Linc* 2H **87**
Coldharbour. *Corn* 4B **6**
Cold Harbour. *Dors* 3E **15**
Coldharbour. *Glos* 5A **48**
Coldharbour. *Kent* 5G **39**
Coldharbour. *Surr* 1C **26**
Cold Hatton. *Telf* 3A **72**
Cold Hatton Heath. *Telf* 3A **72**
Cold Hesledon. *Dur* 5H **115**
Cold Hiendley. *W Yor* 3D **92**
Cold Higham. *Nptn* 5D **62**
Coldingham. *Bord* 3F **131**
Cold Kirby. *N Yor* 1H **99**
Coldmeece. *Staf* 2C **72**
Cold Northcott. *Corn* 4C **10**
Cold Norton. *Essx* 5B **54**
Cold Overton. *Leics* 4F **75**
Coldrain. *Per* 3C **136**
Coldred. *Kent* 1G **29**
Coldridge. *Devn* 2G **11**
Cold Row. *Lanc* 5C **96**
Coldstream. *Bord* 5E **131**
Coldwaltham. *W Sus* 4B **26**
Coldwell. *Here* 2H **47**
Coldwells. *Abers* 5H **161**
Coldwells Croft. *Abers* 1C **152**
Cole. *Shet* 5E **173**
Cole. *Som* 3B **22**
Colebatch. *Shrp* 2F **59**
Colebrook. *Devn* 2D **12**
Colebrooke. *Devn* 2A **12**
Coleburn. *Mor* 3G **159**
Coleby. *Linc* 4G **87**
Coleby. *N Lin* 3B **94**
Cole End. *Warw* 2G **61**
Coleford. *Devn* 2A **12**
Coleford. *Glos* 4A **48**
Coleford. *Som* 2B **22**
Colegate End. *Norf* 2D **66**
Cole Green. *Herts* 4C **52**
Cole Henley. *Hants* 1C **24**
Colehill. *Dors* 2F **15**
Coleman Green. *Herts* 4B **52**
Coleman's Hatch. *E Sus* 2F **27**
Colemere. *Shrp* 2G **71**
Colemore. *Hants* 3F **25**
Colemore Green. *Shrp* 1B **60**
Coleorton. *Leics* 4B **74**
Colerne. *Wilts* 4D **34**
Colesbourne. *Glos* 4E **49**
Colesden. *Bed* 5A **64**
Coles Green. *Worc* 5B **60**
Coleshill. *Buck* 1A **38**
Coleshill. *Oxon* 2H **35**
Coleshill. *Warw* 2G **61**
Colestocks. *Devn* 2D **12**
Colethrop. *Glos* 4D **48**
Coley. *Bath* 1A **22**
Colgate. *W Sus* 2D **26**
Colinsburgh. *Fife* 3G **137**
Colinton. *Edin* 3F **129**
Colintraive. *Arg* 2B **126**
Colkirk. *Norf* 3B **78**
Collace. *Per* 5B **144**
Collam. *W Isl* 8D **171**
Collaton. *Devn* 5D **8**
Collaton St Mary. *Torb* 2E **9**
College of Roseisle. *Mor* 2F **159**
Collessie. *Fife* 2E **137**
Collier Row. *G Lon* 1F **39**
Colliers End. *Herts* 3D **52**
Collier Street. *Kent* 1B **28**
Colliery Row. *Tyne* 5G **115**
Collieston. *Abers* 1H **153**
Collin. *Dum* 2B **112**
Collingbourne Ducis. *Wilts* 1H **23**
Collingbourne Kingston. *Wilts* 1H **23**
Collingham. *Notts* 4F **87**
Collingham. *W Yor* 5F **99**
Collingtree. *Nptn* 5E **63**
Collins Green. *Warr* 1H **83**
Collins Green. *Worc* 5B **60**
Colliston. *Ang* 4F **145**
Colliton. *Devn* 2D **12**
Collydean. *Fife* 3E **137**
Collyweston. *Nptn* 5G **75**
Colmonell. *S Ayr* 1G **109**
Colmworth. *Bed* 5A **64**
Colnbrook. *Slo* 3B **38**
Colne. *Cambs* 3C **64**
Colne. *Lanc* 5A **98**
Colne Engaine. *Essx* 2B **54**
Colney. *Norf* 5D **78**
Colney Heath. *Herts* 5C **52**
Colney Street. *Herts* 5B **52**
Coln Rogers. *Glos* 5F **49**
Coln St Aldwyns. *Glos* 5G **49**
Coln St Dennis. *Glos* 4F **49**
Colpitts Grange. *Nmbd* 4C **114**
Colpy. *Abers* 5D **160**
Colscott. *Devn* 1D **10**
Colsterdale. *N Yor* 1D **98**
Colsterworth. *Linc* 3G **75**
Colston Bassett. *Notts* 2D **74**
Colstoun House. *E Lot* 2B **130**
Coltfield. *Mor* 2F **159**
Colthouse. *Cumb* 5E **103**
Coltishall. *Norf* 4E **79**
Coltness. *N Lan* 4A **128**
Colton. *Cumb* 1C **96**
Colton. *Norf* 5D **78**
Colton. *N Yor* 5H **99**
Colton. *Staf* 3E **73**
Colton. *W Yor* 1D **92**
Colt's Hill. *Kent* 1H **27**
Col Uarach. *W Isl* 4G **171**
Colvend. *Dum* 4F **111**
Colvister. *Shet* 2G **173**
Colwall. *Here* 1C **48**
Colwall Green. *Here* 1C **48**
Colwell. *Nmbd* 2C **114**
Colwich. *Staf* 3E **73**
Colwick. *Notts* 1D **74**
Colwinston. *V Glam* 4C **32**
Colworth. *W Sus* 5A **26**
Colwyn Bay. *Cnwy* 3A **82**
Colyford. *Devn* 3F **13**
Colyton. *Devn* 3F **13**
Combe. *Devn* 2D **8**
Combe. *Here* 4F **59**
Combe. *Oxon* 4C **50**
Combe. *W Ber* 5B **36**
Combe Almer. *Dors* 3E **15**
Combebow. *Devn* 4E **11**
Combe Down. *Bath* 5C **34**
Combe Fishacre. *Devn* 2E **9**
Combe Florey. *Som* 3E **21**
Combe Hay. *Bath* 1C **22**
Combeinteignhead. *Devn* 5C **12**
Combe Martin. *Devn* 2F **19**
Combe Moor. *Here* 4F **59**
Combe Raleigh. *Devn* 2E **13**
Comberbach. *Ches W* 3A **84**
Comberford. *Staf* 5F **73**
Comberton. *Cambs* 5C **64**
Comberton. *Here* 4G **59**
Combe St Nicholas. *Som* 1G **13**
Combpyne. *Devn* 3F **13**
Combridge. *Staf* 2E **73**
Combrook. *Warw* 5H **61**
Combs. *Derbs* 3E **85**
Combs. *Suff* 5C **66**
Combs Ford. *Suff* 5C **66**
Combwich. *Som* 2F **21**
Comers. *Abers* 3D **152**
Comhampton. *Worc* 4C **60**
Comins Coch. *Cdgn* 2F **57**
Comley. *Shrp* 1G **59**
Commercial End. *Cambs* 4E **65**
Commins. *Powy* 3D **70**
Commins Coch. *Powy* 5H **69**
Commondale. *N Yor* 3D **106**
Common End. *Cumb* 2B **102**
Common Hill. *Here* 2A **48**
Common Moor. *Corn* 2G **7**
Commonside. *Ches W* 3H **83**
Common Side. *Derbs* 3H **85**
(nr. Chesterfield)
Commonside. *Derbs* 1G **73**
(nr. Derby)
Common, The. *Wilts* 3H **23**
(nr. Salisbury)
Common, The. *Wilts* 3F **35**
(nr. Swindon)
Compstall. *G Man* 1D **84**
Compton. *Devn* 2E **9**
Compton. *Hants* 4C **24**
Compton. *Staf* 2C **60**
Compton. *Surr* 1A **26**
Compton. *W Ber* 3D **36**
Compton. *W Sus* 1F **17**
Compton. *Wilts* 1G **23**
Compton Abbas. *Dors* 1D **14**
Compton Abdale. *Glos* 4F **49**
Compton Bassett. *Wilts* 4F **35**
Compton Beauchamp. *Oxon* 3A **36**
Compton Bishop. *Som* 1G **21**
Compton Chamberlayne. *Wilts* 4F **23**
Compton Dando. *Bath* 5B **34**
Compton Dundon. *Som* 3H **21**
Compton Greenfield. *S Glo* 3A **34**
Compton Martin. *Bath* 1A **22**
Compton Pauncefoot. *Som* 4B **22**
Compton Valence. *Dors* 3A **14**
Comrie. *Fife* 1D **128**
Comrie. *Per* 1G **135**
Conaglen. *High* 2E **141**
Conchra. *Arg* 1B **126**
Conchra. *High* 1A **148**
Conder Green. *Lanc* 4D **96**
Conderton. *Worc* 2E **49**
Condicote. *Glos* 3G **49**
Condorrat. *N Lan* 2A **128**
Condover. *Shrp* 5G **71**
Coneyhurst Common. *W Sus* 3C **26**
Coneysthorpe. *N Yor* 2B **100**
Coneythorpe. *N Yor* 4F **99**
Coney Weston. *Suff* 3B **66**
Conford. *Hants* 3G **25**
Congdon's Shop. *Corn* 5C **10**
Congerstone. *Leics* 5A **74**
Congham. *Norf* 3G **77**
Congleton. *Ches E* 4C **84**
Congl-y-wal. *Gwyn* 1G **69**
Congresbury. *N Som* 5H **33**
Congreve. *Staf* 4D **72**
Conham. *S Glo* 4B **34**
Conicaval. *Mor* 3D **159**
Coningsby. *Linc* 5B **88**
Conington. *Cambs* 4C **64**
(nr. Fenstanton)
Conington. *Cambs* 2A **64**
(nr. Sawtry)
Conisbrough. *S Yor* 1C **86**
Conisby. *Arg* 3A **124**
Conisholme. *Linc* 1D **88**
Coniston. *Cumb* 5E **102**
Coniston. *E Yor* 1E **95**
Coniston Cold. *N Yor* 4B **98**
Conistone. *N Yor* 3B **98**
Connah's Quay. *Flin* 4E **83**
Connel. *Arg* 5D **140**
Connel Park. *E Ayr* 3F **117**
Connista. *High* 1D **154**
Connor Downs. *Corn* 3C **4**
Conock. *Wilts* 1F **23**
Conon Bridge. *High* 3H **157**
Cononley. *N Yor* 5B **98**
Cononsyth. *Ang* 4E **145**
Conordan. *High* 5E **155**
Consall. *Staf* 1D **73**
Consett. *Dur* 4E **115**
Constable Burton. *N Yor* 5E **105**
Constantine. *Corn* 4E **5**
Constantine Bay. *Corn* 1C **6**
Contin. *High* 3G **157**
Contullich. *High* 1A **158**
Conwy. *Cnwy* 3G **81**
Conyer. *Kent* 4D **40**
Conyer's Green. *Suff* 4A **66**
Cooden. *E Sus* 5B **28**
Cooil. *IOM* 4C **108**
Cookbury. *Devn* 2E **11**
Cookbury Wick. *Devn* 2D **11**
Cookham. *Wind* 3G **37**
Cookham Dean. *Wind* 3G **37**
Cookham Rise. *Wind* 3G **37**
Cookhill. *Worc* 5E **61**
Cookley. *Suff* 3F **67**
Cookley. *Worc* 2C **60**
Cookley Green. *Oxon* 2E **37**
Cookney. *Abers* 4F **153**
Cooksbridge. *E Sus* 4F **27**
Cooksey Green. *Worc* 4D **60**
Cookshill. *Staf* 1D **72**
Cooksmill Green. *Essx* 5G **53**
Coolham. *W Sus* 3C **26**
Cooling. *Medw* 3B **40**
Cooling Street. *Medw* 3B **40**
Coombe. *Corn* 1C **10**
(nr. Bude)
Coombe. *Corn* 3D **6**
(nr. St Austell)
Coombe. *Corn* 4C **6**
(nr. Truro)
Coombe. *Devn* 3E **12**
(nr. Sidmouth)
Coombe. *Devn* 5C **12**
(nr. Teignmouth)
Coombe. *Glos* 2C **34**
Coombe. *Hants* 4E **25**
Coombe. *Wilts* 1G **23**
Coombe Bissett. *Wilts* 4G **23**
Coombe Hill. *Glos* 3D **49**
Coombe Keynes. *Dors* 4D **14**
Coombes. *W Sus* 5C **26**
Coopersale Common. *Essx* 5E **53**
Coopersale Street. *Essx* 5E **53**
Cooper's Corner. *Kent* 1F **27**
Cooper Street. *Kent* 5H **41**
Cootham. *W Sus* 4B **26**
Copalder Corner. *Cambs* 1C **64**
Copdock. *Suff* 1E **54**
Copford. *Essx* 3C **54**
Copford Green. *Essx* 3C **54**
Copgrove. *N Yor* 3F **99**
Copister. *Shet* 4F **173**
Cople. *Bed* 1B **52**
Copley. *Dur* 2D **105**
Coplow Dale. *Derbs* 3F **85**
Copmanthorpe. *York* 5H **99**
Copp. *Lanc* 1C **90**
Coppathorne. *Corn* 2C **10**
Coppenhall. *Ches E* 5B **84**
Coppenhall. *Staf* 4D **72**
Coppenhall Moss. *Ches E* 5B **84**
Copperhouse. *Corn* 3C **4**
Coppicegate. *Shrp* 2B **60**
Coppingford. *Cambs* 2A **64**
Copplestone. *Devn* 2A **12**
Coppull. *Lanc* 3D **90**
Coppull Moor. *Lanc* 3D **90**
Copsale. *W Sus* 3C **26**
Copster Green. *Lanc* 1E **91**
Copston Magna. *Warw* 2B **62**
Copt Green. *Warw* 4F **61**
Copthall Green. *Essx* 5E **53**
Copt Heath. *W Mid* 3F **61**
Copt Hewick. *N Yor* 2F **99**
Copthill. *Dur* 5B **114**
Copthorne. *W Sus* 2E **27**
Coptiviney. *Shrp* 2G **71**
Copy's Green. *Norf* 2B **78**
Copythorne. *Hants* 1B **16**
Corbridge. *Nmbd* 3C **114**
Corby. *Nptn* 2F **63**
Corby Glen. *Linc* 3H **75**
Cordon. *N Ayr* 2E **123**
Coreley. *Shrp* 3A **60**
Corfe. *Som* 1F **13**
Corfe Castle. *Dors* 4E **15**
Corfe Mullen. *Dors* 3E **15**
Corfton. *Shrp* 2G **59**
Corgarff. *Abers* 3G **151**
Corhampton. *Hants* 4E **24**
Corlae. *Dum* 5F **117**
Corlannau. *Neat* 2A **32**
Corley. *Warw* 2H **61**
Corley Ash. *Warw* 2G **61**
Corley Moor. *Warw* 2G **61**
Cormiston. *S Lan* 1C **118**
Cornaa. *IOM* 3D **108**
Cornaigbeg. *Arg* 4A **138**
Cornaigmore. *Arg* 2D **138**
(on Coll)
Cornaigmore. *Arg* 4A **138**
(on Tiree)
Corner Row. *Lanc* 1C **90**
Corney. *Cumb* 5C **102**
Cornforth. *Dur* 1A **106**
Cornhill. *Abers* 3C **160**
Cornhill. *High* 4C **164**
Cornhill-on-Tweed. *Nmbd* 1C **120**
Cornholme. *W Yor* 2H **91**
Cornish Hall End. *Essx* 2G **53**
Cornquoy. *Orkn* 7E **172**
Cornriggs. *Dur* 5B **114**
Cornsay. *Dur* 5E **115**
Cornsay Colliery. *Dur* 5E **115**
Corntown. *High* 3H **157**
Corntown. *V Glam* 4C **32**
Cornwell. *Oxon* 3A **50**
Cornwood. *Devn* 3C **8**
Cornworthy. *Devn* 3E **9**
Corpach. *High* 1E **141**
Corpusty. *Norf* 3D **78**
Corra. *Dum* 3F **111**
Corran. *High* 2E **141**
(nr. Arnisdale)
Corran. *High* 3A **148**
(nr. Fort William)
Corrany. *IOM* 3D **108**
Corribeg. *High* 1D **141**
Corrie. *N Ayr* 5B **126**
Corrie Common. *Dum* 1D **112**
Corriecravie. *N Ayr* 3D **122**
Corriekinloch. *High* 1A **164**
Corriemoillie. *High* 2F **157**
Corrievarkie Lodge. *Per* 1C **142**
Corrievorrie. *High* 1B **150**
Corrigall. *Orkn* 6C **172**
Corrimony. *High* 5F **157**
Corringham. *Linc* 1F **87**
Corringham. *Thur* 2B **40**
Corris. *Gwyn* 5G **69**
Corris Uchaf. *Gwyn* 5G **69**
Corrour Shooting Lodge. *High* 2B **142**
Corry. *High* 1E **147**
Corrybrough. *High* 1C **150**
Corrygills. *N Ayr* 2E **123**
Corry of Ardnagrask. *High* 4H **157**
Corsback. *High* 1E **169**
(nr. Dunnet)
Corsback. *High* 3E **169**
(nr. Halkirk)
Corscombe. *Dors* 2A **14**
Corse. *Abers* 4D **160**
Corse. *Glos* 3C **48**
Corsehill. *Abers* 3G **161**
Corse Lawn. *Worc* 2D **48**
Corse of Kinnoir. *Abers* 4C **160**
Corsham. *Wilts* 4D **34**
Corsley. *Wilts* 2D **22**
Corsley Heath. *Wilts* 2D **22**
Corsock. *Dum* 2E **111**
Corston. *Bath* 5B **34**
Corston. *Wilts* 3E **35**
Corstorphine. *Edin* 2F **129**
Cortachy. *Ang* 3C **144**
Corton. *Suff* 1H **67**
Corton. *Wilts* 2E **23**
Corton Denham. *Som* 4B **22**
Corwar House. *S Ayr* 1H **109**
Corwen. *Den* 1C **70**
Coryates. *Dors* 4B **14**
Coryton. *Devn* 4E **11**
Coryton. *Thur* 2B **40**
Cosby. *Leics* 1C **62**
Coscote. *Oxon* 3D **36**
Coseley. *W Mid* 1D **60**
Cosgrove. *Nptn* 1F **51**
Cosham. *Port* 2E **17**
Cosheston. *Pemb* 4E **43**
Coskills. *N Lin* 3D **94**
Cosmeston. *V Glam* 5E **33**
Cossall. *Notts* 1B **74**
Cossington. *Leics* 4D **74**
Cossington. *Som* 2G **21**
Costa. *Orkn* 5C **172**
Costessey. *Norf* 4D **78**
Costock. *Notts* 3C **74**
Coston. *Leics* 3F **75**
Coston. *Norf* 5C **78**
Cote. *Oxon* 5B **50**
Cotebrook. *Ches W* 4H **83**
Cotehill. *Cumb* 4F **113**
Cotes. *Cumb* 1D **97**
Cotes. *Leics* 3C **74**
Cotes. *Staf* 2C **72**
Cotesbach. *Leics* 2C **62**
Cotes Heath. *Staf* 2C **72**
Cotford St Luke. *Som* 4E **21**
Cotgrave. *Notts* 2D **74**
Cothall. *Abers* 2F **153**
Cotham. *Notts* 1E **75**
Cothelstone. *Som* 3E **21**
Cotheridge. *Worc* 5B **60**
Cotherstone. *Dur* 3D **104**
Cothill. *Oxon* 2C **36**
Cotland. *Mon* 5A **48**
Cotleigh. *Devn* 2F **13**
Cotmanhay. *Derbs* 1B **74**
Coton. *Cambs* 5D **64**

Coton. *Nptn* 3D 62
Coton. *Staf* 3C 72 (nr. Gnosall)
Coton. *Staf* 2D 73 (nr. Stone)
Coton. *Staf* 5F 73 (nr. Tamworth)
Coton Clanford. *Staf* 3C 72
Coton Hayes. *Staf* 2D 73
Coton Hill. *Shrp* 4G 71
Coton in the Clay. *Staf* 3F 73
Coton in the Elms. *Derbs* 4G 73
Cotonwood. *Shrp* 2H 71
Cotonwood. *Staf* 3C 72
Cott. *Devn* 2D 9
Cott. *Orkn* 5F 172
Cottam. *E Yor* 3D 101
Cottam. *Lanc* 1D 90
Cottam. *Notts* 3F 87
Cottartown. *High* 5E 159
Cottarville. *Nptn* 4E 63
Cottenham. *Cambs* 4D 64
Cotterdale. *N Yor* 5B 104
Cottered. *Herts* 3D 52
Cotterstock. *Nptn* 1H 63
Cottesbrooke. *Nptn* 3E 62
Cottesmore. *Rut* 4G 75
Cotteylands. *Devn* 1C 12
Cottingham. *E Yor* 1D 94
Cottingham. *Nptn* 1F 63
Cottingley. *W Yor* 1B 92
Cottisford. *Oxon* 2D 50
Cotton. *Staf* 1E 73
Cotton. *Suff* 4C 66
Cotton End. *Bed* 1A 52
Cottown. *Abers* 4F 161
Cotts. *Devn* 2A 8
Cotwalton. *Staf* 2D 72
Couch's Mill. *Corn* 3F 7
Coughton. *Here* 3A 48
Coughton. *Warw* 4E 61
Coulags. *High* 4B 156
Coulby Newham. *Midd* 3C 106
Coulderton. *Cumb* 4A 102
Coulin Lodge. *High* 3C 156
Coull. *Abers* 3C 152
Coulport. *Arg* 1D 126
Coulsdon. *Surr* 5D 39
Coulston. *Wilts* 1E 23
Coulter. *S Lan* 1C 118
Coultershaw Bridge. *W Sus* 4A 26
Coultings. *Som* 2F 21
Coulton. *N Yor* 2A 100
Cound. *Shrp* 5H 71
Coundon. *Dur* 2F 105
Coundon Grange. *Dur* 2F 105
Countersett. *N Yor* 1B 98
Countess. *Wilts* 2G 23
Countess Cross. *Essx* 2B 54
Countesthorpe. *Leics* 1C 62
Countisbury. *Devn* 2H 19
Coupar Angus. *Per* 4B 144
Coupe Green. *Lanc* 2D 90
Coupland. *Cumb* 3A 104
Coupland. *Nmbd* 1D 120
Cour. *Arg* 5G 125
Courance. *Dum* 5C 118
Court-at-Street. *Kent* 2E 29
Courteachan. *High* 4E 147
Courteenhall. *Nptn* 5E 63
Court Henry. *Carm* 3F 45
Courtsend. *Essx* 1E 41
Courtway. *Som* 3F 21
Cousland. *Midl* 3G 129
Cousley Wood. *E Sus* 2A 28
Coustonn. *Arg* 2B 126
Cove. *Arg* 1D 126
Cove. *Devn* 1C 12
Cove. *Hants* 1G 25
Cove. *High* 4C 162
Cove. *Bord* 2D 130
Cove Bay. *Aber* 3G 153
Covehithe. *Suff* 2H 67
Coven. *Staf* 5D 72
Coveney. *Cambs* 2D 65
Covenham St Bartholomew. *Linc* 1C 88
Covenham St Mary. *Linc* 1C 88
Coven Heath. *Staf* 5D 72
Coventry. *W Mid* 3H 61 & 192
Coverack. *Corn* 5E 5
Coverham. *N Yor* 1D 98
Covesea. *Mor* 1F 159
Covingham. *Swin* 3G 35
Covington. *Cambs* 3H 63
Covington. *S Lan* 1B 118
Cowan Bridge. *Lanc* 2F 97
Cowan Head. *Cumb* 5F 103
Cowbar. *Red C* 3E 107
Cowbeech. *E Sus* 4H 27
Cowbit. *Linc* 4B 76
Cowbridge. *V Glam* 4C 32
Cowden. *Kent* 1F 27
Cowdenbeath. *Fife* 4D 136
Cowdenburn. *Bord* 4F 129
Cowdenend. *Fife* 4D 136
Cowers Lane. *Derbs* 1H 73
Cowes. *IOW* 3C 16
Cowesby. *N Yor* 1G 99
Cowfold. *W Sus* 3D 26
Cowfords. *Mor* 3H 159
Cowgill. *Cumb* 1G 97
Cowie. *Abers* 5F 153
Cowie. *Stir* 1B 128
Cowlam. *E Yor* 3D 100
Cowley. *Devn* 3C 12
Cowley. *Glos* 4E 49
Cowley. *G Lon* 2B 38
Cowley. *Oxon* 5D 50
Cowley. *Staf* 4C 72
Cowleymoor. *Devn* 1C 12
Cowling. *Lanc* 3D 90
Cowling. *N Yor* 1E 99 (nr. Bedale)
Cowling. *N Yor* 5B 98 (nr. Glusburn)
Cowlinge. *Suff* 5G 65
Cowmes. *W Yor* 3B 92
Cowpe. *Lanc* 2G 91
Cowpen. *Nmbd* 1F 115
Cowpen Bewley. *Stoc T* 2B 106
Cowplain. *Hants* 1E 17
Cowshill. *Dur* 5B 114
Cowslip Green. *N Som* 5H 33
Cowstrandburn. *Fife* 4C 136
Cowthorpe. *N Yor* 4G 99
Coxall. *Here* 3F 59
Coxbank. *Ches E* 1A 72
Coxbench. *Derbs* 1A 74
Cox Common. *Suff* 2G 67
Coxford. *Norf* 3H 77
Coxgreen. *Staf* 2C 60
Cox Green. *Surr* 2B 26
Cox Green. *Tyne* 4G 115
Coxheath. *Kent* 5B 40
Coxhoe. *Dur* 1A 106
Coxley. *Som* 2A 22
Coxwold. *N Yor* 2H 99
Coychurch. *V Glam* 3C 32
Coylton. *S Ayr* 3D 116
Coylumbridge. *High* 2D 150
Coynach. *Abers* 3B 152
Coynachie. *Abers* 5B 160
Coytrahen. *B'end* 3B 32
Crabbs Cross. *Worc* 4E 61
Crabgate. *Norf* 3C 78
Crab Orchard. *Dors* 2F 15
Crabtree. *W Sus* 3D 26
Crabtree Green. *Wrex* 1F 71
Crackaig. *High* 2G 165
Crackenthorpe. *Cumb* 2H 103
Crackington Haven. *Corn* 3B 10
Crackley. *Staf* 5C 84
Crackley. *Warw* 3G 61
Crackleybank. *Shrp* 4B 72
Crackpot. *N Yor* 5C 104
Cracoe. *N Yor* 3B 98
Craddock. *Devn* 1D 12
Cradhlastadh. *W Isl* 4C 171
Cradley. *Here* 1C 48
Cradley. *W Mid* 2D 60
Cradoc. *Powy* 2D 46
Crafthole. *Corn* 3H 7
Crafton. *Buck* 4G 51
Cragabus. *Arg* 5B 124
Crag Foot. *Lanc* 2D 97
Craggan. *High* 1E 151
Cragganmore. *Mor* 5F 159
Cragganvallie. *High* 5H 157
Craggie. *High* 1F 165
Craggiemore. *High* 5B 158
Cragg Vale. *W Yor* 2A 92
Craghead. *Dur* 4F 115
Crai. *Powy* 3B 46
Craibstone. *Aber* 2F 153
Craichie. *Ang* 4E 145
Craig. *Arg* 5E 141
Craig. *Dum* 2D 111
Craig. *High* 4C 156 (nr. Achnashellach)
Craig. *High* 2G 155 (nr. Lower Diabaig)
Craig. *High* 5H 155 (nr. Stromeferry)
Craiganour Lodge. *Per* 3D 142
Craigbrack. *Arg* 4A 134
Craig-cefn-parc. *Swan* 5G 45
Craigdallie. *Per* 1E 137
Craigdam. *Abers* 5F 161
Craigdarroch. *E Ayr* 4F 117
Craigdarroch. *High* 3G 157
Craigdhu. *High* 4G 157
Craigearn. *Abers* 2E 152
Craigellachie. *Mor* 4G 159
Craigend. *Per* 1D 136
Craigendoran. *Arg* 1E 126
Craigends. *Ren* 3F 127
Craigenputtock. *Dum* 1E 111
Craigens. *E Ayr* 3E 117
Craighall. *Edin* 2E 129
Craighead. *Fife* 2H 137
Craighouse. *Arg* 3D 124
Craigie. *Abers* 2G 153
Craigie. *D'dee* 5D 144
Craigie. *Per* 4A 144 (nr. Blairgowrie)
Craigie. *Per* 1D 136 (nr. Perth)
Craigie. *S Ayr* 1D 116
Craigielaw. *E Lot* 2A 130
Craiglemine. *Dum* 5B 110
Craig-llwyn. *Shrp* 3E 71
Craiglockhart. *Edin* 2F 129
Craig Lodge. *Arg* 2B 126
Craigmalloch. *E Ayr* 5D 117
Craigmaud. *Abers* 3F 161
Craigmill. *Stir* 4H 135
Craigmillar. *Edin* 2F 129
Craigmore. *Arg* 3C 126
Craigmuie. *Dum* 1E 111
Craignair. *Dum* 3F 111
Craignant. *Shrp* 2E 71
Craigneuk. *N Lan* 3A 128 (nr. Airdrie)
Craigneuk. *N Lan* 4A 128 (nr. Motherwell)
Craignure. *Arg* 5B 140
Craigo. *Abers* 2F 145
Craigrory. *High* 4A 158
Craigrothie. *Fife* 2F 137
Craigs. *Dum* 2D 112
Craigshill. *W Lot* 3D 128
Craigs, The. *High* 4B 164
Craigton. *Aber* 3F 153
Craigton. *Abers* 3E 152
Craigton. *Ang* 5E 145 (nr. Carnoustie)
Craigton. *Ang* 3C 144 (nr. Kirriemuir)
Craigton. *High* 4A 158
Craigtown. *High* 3A 168
Craig-y-Duke. *Neat* 5H 45
Craigyloch. *Ang* 3B 144
Craig-y-nos. *Powy* 4B 46
Craik. *Bord* 4F 119
Crail. *Fife* 3H 137
Crailing. *Bord* 2A 120
Crailinghall. *Bord* 2A 120
Crakehill. *N Yor* 2G 99
Crakemarsh. *Staf* 2E 73
Crambe. *N Yor* 3B 100
Crambeck. *N Yor* 3B 100
Cramlington. *Nmbd* 2F 115
Cramond. *Edin* 2E 129
Cramond Bridge. *Edin* 2E 129
Cranage. *Ches E* 4B 84
Cranberry. *Staf* 2C 72
Cranborne. *Dors* 1F 15
Cranbourne. *Brac* 3A 38
Cranbrook. *Devn* 3D 12
Cranbrook. *Kent* 2B 28
Cranbrook Common. *Kent* 2B 28
Crane Moor. *S Yor* 4D 92
Crane's Corner. *Norf* 4B 78
Cranfield. *C Beds* 1H 51
Cranford. *G Lon* 3B 38
Cranford St Andrew. *Nptn* 3G 63
Cranford St John. *Nptn* 3G 63
Cranham. *Glos* 4D 49
Cranham. *G Lon* 2G 39
Crank. *Mers* 1H 83
Cranleigh. *Surr* 2B 26
Cranley. *Suff* 3D 66
Cranloch. *Mor* 3G 159
Cranmer Green. *Suff* 3C 66
Cranmore. *IOW* 3B 16
Cranmore. *Linc* 5A 76
Crannich. *Arg* 4G 139
Crannoch. *Mor* 3B 160
Cranoe. *Leics* 1E 63
Cransford. *Suff* 4F 67
Cranshaws. *Bord* 3C 130
Cranstal. *IOM* 1D 108
Crantock. *Corn* 2B 6
Cranwell. *Linc* 5H 87
Cranwich. *Norf* 1G 65
Cranworth. *Norf* 5B 78
Craobh Haven. *Arg* 3E 133
Craobhnaclag. *High* 4G 157
Crapstone. *Devn* 2B 8
Crarae. *Arg* 4G 133
Crask. *High* 2H 167
Crask Inn. *High* 1C 164
Crask of Aigas. *High* 4G 157
Craster. *Nmbd* 3G 121
Cratfield. *Suff* 3F 67
Crathes. *Abers* 4E 153
Crathie. *Abers* 4G 151
Crathie. *High* 4H 149
Crathorne. *N Yor* 4B 106
Craven Arms. *Shrp* 2G 59
Crawcrook. *Tyne* 3E 115
Crawford. *Lanc* 4D 90
Crawford. *S Lan* 2B 118
Crawforddyke. *S Lan* 4B 128
Crawfordjohn. *S Lan* 2A 118
Crawick. *Dum* 3G 117
Crawley. *Devn* 2F 13
Crawley. *Hants* 3C 24
Crawley. *Oxon* 4B 50
Crawley. *W Sus* 2D 26
Crawley Down. *W Sus* 2E 27
Crawley Side. *Dur* 5C 114
Crawshawbooth. *Lanc* 2G 91
Crawton. *Abers* 5F 153
Cray. *N Yor* 2B 98
Cray. *Per* 2A 144
Crayford. *G Lon* 3G 39
Crayke. *N Yor* 2H 99
Craymere Beck. *Norf* 2C 78
Crays Hill. *Essx* 1B 40
Cray's Pond. *Oxon* 3E 37
Crazies Hill. *Wok* 3F 37
Creacombe. *Devn* 1B 12
Creagan. *Arg* 4D 141
Creag Aoil. *High* 1F 141
Creag Ghoraidh. *W Isl* 4C 170
Creaguaineach Lodge. *High* 2H 141
Creamore Bank. *Shrp* 2H 71
Creaton. *Nptn* 3E 62
Creca. *Dum* 2D 112
Credenhill. *Here* 1H 47
Crediton. *Devn* 2B 12
Creebridge. *Dum* 3B 110
Creech. *Dors* 4E 15
Creech Heathfield. *Som* 4F 21
Creech St Michael. *Som* 4F 21
Creed. *Corn* 4D 6
Creekmoor. *Pool* 3E 15
Creekmouth. *G Lon* 2F 39
Creeting St Mary. *Suff* 5C 66
Creeting St Peter. *Suff* 5C 66
Creeton. *Linc* 3H 75
Creetown. *Dum* 4B 110
Creggans. *Arg* 3H 133
Cregneash. *IOM* 5A 108
Cregrina. *Powy* 5D 58
Creich. *Arg* 2B 132
Creich. *Fife* 1F 137
Creighton. *Staf* 2E 73
Creigiau. *Card* 3D 32
Cremyll. *Corn* 3A 8
Crendell. *Dors* 1F 15
Crepkill. *High* 4D 154
Cressage. *Shrp* 5H 71
Cressbrook. *Derbs* 3F 85
Cresselly. *Pemb* 4E 43
Cressing. *Essx* 3A 54
Cresswell. *Nmbd* 5G 121
Cresswell. *Staf* 2D 73
Cresswell Quay. *Pemb* 4E 43
Creswell. *Derbs* 3C 86
Creswell Green. *Staf* 4E 73
Cretingham. *Suff* 4E 67
Crewe. *Ches E* 5B 84
Crewe-by-Farndon. *Ches W* 5G 83
Crewgreen. *Powy* 4F 71
Crewkerne. *Som* 2H 13
Crews Hill. *G Lon* 5D 52
Crewton. *Derb* 2A 74
Crianlarich. *Stir* 1C 134
Cribbs Causeway. *S Glo* 3A 34
Cribyn. *Cdgn* 5E 57
Criccieth. *Gwyn* 2D 69
Crich. *Derbs* 5A 86
Crichton. *Midl* 3G 129
Crick. *Mon* 2H 33
Crick. *Nptn* 3C 62
Crickadarn. *Powy* 1D 46
Cricket Hill. *Hants* 5G 37
Cricket Malherbie. *Som* 1G 13
Cricket St Thomas. *Som* 2G 13
Crickham. *Som* 2H 21
Crickheath. *Shrp* 3E 71
Crickhowell. *Powy* 4F 47
Cricklade. *Wilts* 2F 35
Cricklewood. *G Lon* 2D 38
Cridling Stubbs. *N Yor* 2F 93
Crieff. *Per* 1A 136
Criftins. *Shrp* 2F 71
Criggion. *Powy* 4E 71
Crigglestone. *W Yor* 3D 92
Crimchard. *Som* 2G 13
Crimdon Park. *Dur* 1B 106
Crimond. *Abers* 3H 161
Crimonmogate. *Abers* 3H 161
Crimplesham. *Norf* 5F 77
Crimscote. *Warw* 1H 49
Crinan. *Arg* 4E 133
Cringleford. *Norf* 5D 78
Crinow. *Pemb* 3F 43
Cripplesease. *Corn* 3C 4
Cripplestyle. *Dors* 1F 15
Cripp's Corner. *E Sus* 3B 28
Croanford. *Corn* 5A 10
Crockenhill. *Kent* 4G 39
Crocker End. *Oxon* 3F 37
Crockerhill. *Hants* 2D 16
Crockernwell. *Devn* 3A 12
Crocker's Ash. *Here* 4A 48
Crockerton. *Wilts* 2D 22
Crocketford. *Dum* 2F 111
Crockey Hill. *York* 5A 100
Crockham Hill. *Kent* 5F 39
Crockhurst Street. *Kent* 1H 27
Crockleford Heath. *Essx* 3D 54
Croeserw. *Neat* 2B 32
Croes-Goch. *Pemb* 1C 42
Croes Hywel. *Mon* 4G 47
Croes-lan. *Cdgn* 1D 45
Croesor. *Gwyn* 1F 69
Croesoswallt. *Shrp* 3E 71
Croesyceiliog. *Carm* 4E 45
Croesyceiliog. *Torf* 2F 33
Croes-y-mwyalch. *Torf* 2G 33
Croesywaun. *Gwyn* 5E 81
Croford. *Som* 4E 20
Croft. *Leics* 1C 62
Croft. *Linc* 4E 89
Croft. *Warr* 1A 84
Croftamie. *Stir* 1F 127
Croftfoot. *Glas* 3G 127
Croftmill. *Per* 5F 143
Crofton. *Cumb* 4E 112
Crofton. *W Yor* 3D 93
Crofton. *Wilts* 5A 36
Croft-on-Tees. *N Yor* 4F 105
Crofts. *Dum* 2E 111
Crofts of Benachielt. *High* 5D 169
Crofts of Dipple. *Mor* 3H 159
Crofty. *Swan* 3E 31
Croggan. *Arg* 1E 132
Croglin. *Cumb* 5G 113
Croich. *High* 4B 164
Croick. *High* 3A 168
Croig. *Arg* 3E 139
Cromarty. *High* 2B 158
Crombie. *Fife* 1D 128
Cromdale. *High* 1E 151
Cromer. *Herts* 3C 52
Cromer. *Norf* 1E 79
Cromford. *Derbs* 5G 85
Cromhall. *S Glo* 2B 34
Cromor. *W Isl* 5G 171
Cromra. *High* 5H 149
Cromwell. *Notts* 4E 87
Cronberry. *E Ayr* 2F 117
Crondall. *Hants* 2F 25
Cronk, The. *IOM* 2C 108
Cronk-y-Voddy. *IOM* 3C 108
Cronton. *Mers* 2G 83
Crook. *Cumb* 5F 103
Crook. *Dur* 1E 105
Crookdake. *Cumb* 5C 112
Crooke. *G Man* 4D 90
Crookedholm. *E Ayr* 1D 116
Crooked Soley. *Wilts* 4B 36
Crookes. *S Yor* 2H 85
Crookgate Bank. *Dur* 4E 115
Crookhall. *Dur* 4E 115
Crookham. *Nmbd* 1D 120
Crookham. *W Ber* 5D 36
Crookham Village. *Hants* 1F 25
Crooklands. *Cumb* 1E 97
Crook of Devon. *Per* 3C 136
Crookston. *Ren* 3G 127
Cropredy. *Oxon* 1C 50
Cropston. *Leics* 4C 74
Cropthorne. *Worc* 1E 49
Cropton. *N Yor* 1B 100
Cropwell Bishop. *Notts* 2D 74
Cropwell Butler. *Notts* 2D 74
Cros. *W Isl* 1H 171
Crosbie. *N Ayr* 5D 126
Crosbost. *W Isl* 5F 171
Crosby. *Cumb* 1B 102
Crosby. *IOM* 4C 108
Crosby. *Mers* 1F 83
Crosby. *N Lin* 3B 94
Crosby Court. *N Yor* 5A 106
Crosby Garrett. *Cumb* 4A 104
Crosby Ravensworth. *Cumb* 3H 103
Crosby Villa. *Cumb* 1B 102
Croscombe. *Som* 2A 22
Crosland Moor. *W Yor* 3B 92
Cross. *Som* 1H 21
Crossaig. *Arg* 4G 125
Crossapol. *Arg* 4A 138
Cross Ash. *Mon* 4H 47
Cross-at-Hand. *Kent* 1B 28
Crossbush. *W Sus* 5B 26
Crosscanonby. *Cumb* 1B 102
Crossdale Street. *Norf* 2E 79
Cross End. *Essx* 2B 54
Crossens. *Mers* 3B 90
Crossford. *Fife* 1D 128
Crossford. *S Lan* 5B 128
Cross Foxes. *Gwyn* 4G 69
Crossgate. *Orkn* 6D 172
Crossgate. *Staf* 2D 72
Crossgatehall. *E Lot* 3G 129
Crossgates. *Fife* 1E 129
Crossgates. *N Yor* 1E 101
Crossgates. *Powy* 4C 58
Cross Gates. *W Yor* 1D 92
Crossgill. *Lanc* 3E 97
Cross Green. *Devn* 4D 11
Cross Green. *Staf* 5D 72
Cross Green. *Suff* 5A 66 (nr. Cockfield)
Cross Green. *Suff* 5B 66 (nr. Hitcham)
Cross Hands. *Carm* 4F 45 (nr. Ammanford)
Crosshands. *Carm* 2F 43 (nr. Whitland)
Crosshands. *E Ayr* 1D 117
Cross Hill. *Derbs* 1B 74
Crosshill. *E Ayr* 2D 117
Crosshill. *Fife* 4D 136
Cross Hill. *Glos* 2A 34
Crosshill. *S Ayr* 4C 116
Crosshills. *High* 1A 158
Cross Hills. *N Yor* 5C 98
Cross Holme. *N Yor* 5C 106
Crosshouse. *E Ayr* 1C 116
Cross Houses. *Shrp* 5H 71
Crossings. *Cumb* 2G 113
Cross in Hand. *E Sus* 3G 27
Cross Inn. *Cdgn* 4E 57 (nr. Aberaeron)
Cross Inn. *Cdgn* 5C 56 (nr. New Quay)
Cross Inn. *Rhon* 3D 32
Crosskeys. *Cphy* 2F 33
Crosskirk. *High* 2C 168
Crosslands. *Cumb* 1C 96
Cross Lane Head. *Shrp* 1B 60
Cross Lanes. *Corn* 4D 5
Cross Lanes. *Dur* 3D 104
Cross Lanes. *N Yor* 3H 99
Crosslanes. *Shrp* 4F 71
Cross Lanes. *Wrex* 1F 71
Crosslee. *Ren* 3F 127
Crossmichael. *Dum* 3E 111
Crossmoor. *Lanc* 1C 90
Cross Oak. *Powy* 3E 46
Cross of Jackston. *Abers* 5E 161
Cross o' th' Hands. *Derbs* 1G 73
Crossroads. *Abers* 3G 153 (nr. Aberdeen)
Crossroads. *Abers* 4E 153 (nr. Banchory)
Crossroads. *E Ayr* 1D 116
Cross Side. *Devn* 4B 20
Cross Street. *Suff* 3D 66
Crosston. *Ang* 3E 145
Cross Town. *Ches E* 3B 84
Crossway. *Mon* 4H 47
Crossway. *Powy* 5C 58
Crossway Green. *Mon* 2A 34
Crossway Green. *Worc* 4C 60
Crossways. *Dors* 4C 14
Crosswell. *Pemb* 1F 43
Crosswood. *Cdgn* 3F 57
Crosthwaite. *Cumb* 5F 103
Croston. *Lanc* 3C 90
Crostwick. *Norf* 4E 79
Crostwight. *Norf* 3F 79
Crothair. *W Isl* 4D 171
Crouch. *Kent* 5H 39
Croucheston. *Wilts* 4F 23
Crouch Hill. *Dors* 1C 14
Croughton. *Nptn* 2D 50
Crovie. *Abers* 2F 161
Crow. *Hants* 2G 15
Crowan. *Corn* 3D 4
Crowborough. *E Sus* 2G 27
Crowcombe. *Som* 3E 21
Crowcroft. *Worc* 5B 60
Crowdecote. *Derbs* 4F 85
Crowden. *Derbs* 1E 85
Crowden. *Devn* 3E 11
Crowdhill. *Hants* 1C 16
Crowdon. *N Yor* 5G 107
Crow Edge. *S Yor* 4B 92
Crow End. *Cambs* 5C 64
Crowfield. *Nptn* 1E 50
Crowfield. *Suff* 5D 66
Crow Green. *Essx* 1G 39
Crow Hill. *Here* 3B 48
Crowhurst. *E Sus* 4B 28
Crowhurst. *Surr* 1E 27

Crowhurst Lane End. Surr 1E 27
Crowland. Linc 4B 76
Crowland. Suff 3C 66
Crowlas. Corn 3C 4
Crowle. N Lin 3A 94
Crowle. Worc 5D 60
Crowle Green. Worc 5D 60
Crowmarsh Gifford. Oxon 3E 36
Crown Corner. Suff 3E 67
Crownthorpe. Norf 5C 78
Crowntown. Corn 3D 4
Crows-an-wra. Corn 4A 4
Crowshill. Norf 5B 78
Crowthorne. Brac 5G 37
Crowton. Ches W 3H 83
Croxall. Staf 4F 73
Croxby. Linc 1A 88
Croxdale. Dur 1F 105
Croxden. Staf 2E 73
Croxley Green. Herts 1B 38
Croxton. Cambs 4B 64
Croxton. Norf 2B 78 (nr. Fakenham)
Croxton. Norf 2A 66 (nr. Thetford)
Croxton. N Lin 3D 94
Croxton. Staf 2B 72
Croxtonbank. Staf 2B 72
Croxton Green. Ches E 5H 83
Croxton Kerrial. Leics 3F 75
Croy. High 4B 158
Croy. N Lan 2A 128
Croyde. Devn 3E 19
Croydon. Cambs 1D 52
Croydon. G Lon 4E 39
Crubenbeg. High 4A 150
Crubenmore Lodge. High 4A 150
Cruckmeore. Shrp 5G 71
Cruckton. Shrp 4G 71
Cruden Bay. Abers 5H 161
Crudgington. Telf 4A 72
Crudie. Abers 3E 161
Crudwell. Wilts 2E 35
Cruft. Devn 3F 11
Crug. Powy 3D 58
Crughywel. Powy 4F 47
Crugmeer. Corn 1D 6
Crugybar. Carm 2G 45
Crug-y-byddar. Powy 2D 58
Crulabhig. W Isl 4D 171
Crumlin. Cphy 2F 33
Crumpsall. G Man 4G 91
Crumpsbrook. Shrp 3A 60
Crundale. Kent 1E 29
Crundale. Pemb 3D 42
Cruwys Morchard. Devn 1B 12
Crux Easton. Hants 1C 24
Cruxton. Dors 3B 14
Crwbin. Carm 4E 45
Cryers Hill. Buck 2G 37
Crymych. Pemb 1F 43
Crynant. Neat 5A 46
Crystal Palace. G Lon 3E 39
Cuaich. High 5A 150
Cuaig. High 3G 155
Cuan. Arg 2E 133
Cubbington. Warw 4H 61
Cubert. Corn 3B 6
Cubley. S Yor 4C 92
Cubley Common. Derbs 2F 73
Cublington. Buck 3G 51
Cublington. Here 2H 47
Cuckfield. W Sus 3E 27
Cucklington. Som 4C 22
Cuckney. Notts 3C 86
Cuckron. Shet 6F 173
Cuddesdon. Oxon 5E 50
Cuddington. Buck 4F 51
Cuddington. Ches W 3A 84
Cuddington Heath. Ches W 1G 71
Cuddy Hill. Lanc 1C 90
Cudham. G Lon 5F 39
Cudlipptown. Devn 5F 11
Cudworth. Som 1G 13
Cudworth. S Yor 4D 93
Cudworth. Surr 1D 26
Cuerdley Cross. Warr 2H 83
Cuffley. Herts 5D 52
Cuidhir. W Isl 8B 170
Cuidhsiadar. W Isl 2H 171
Cuidhtinis. W Isl 9C 171
Culbo. High 2A 158
Culbokie. High 3A 158
Culburnie. High 4G 157
Culcabock. High 4A 158
Culcharry. High 3C 158
Culcheth. Warr 1A 84
Culduie. High 4G 155
Culeave. High 4C 164
Culford. Suff 4H 65
Culgaith. Cumb 2H 103
Culham. Oxon 2D 36
Culkein. High 1E 163
Culkein Drumbeg. High 5B 166
Culkerton. Glos 2E 35
Cullen. Mor 2C 160
Cullercoats. Tyne 2G 115
Cullicudden. High 2A 158
Cullingworth. W Yor 1A 92
Cullipool. Arg 2E 133
Cullivoe. Shet 1G 173
Culloch. Per 2G 135
Culloden. High 4B 158
Cullompton. Devn 2D 12
Culm Davy. Devn 1E 13
Culmington. Shrp 2G 59
Culmstock. Devn 1E 12
Cul na Caepaich. High 5E 147
Culnacnoc. High 2E 155
Culnacraig. High 3E 163
Culrain. High 4C 164
Culross. Fife 1C 128
Culroy. S Ayr 3C 116
Culswick. Shet 7D 173
Cults. Aber 3F 153
Cults. Abers 5C 160
Cults. Fife 3F 137
Cultybraggan Camp. Per 1G 135
Culver. Devn 3B 12
Culverlane. Devn 2D 8
Culverstone Green. Kent 4H 39
Culverthorpe. Linc 1H 75
Culworth. Nptn 1D 50
Culzie Lodge. High 1H 157
Cumberlow Green. Herts 2D 52
Cumbernauld. N Lan 2A 128
Cumbernauld Village. N Lan 2A 128
Cumberworth. Linc 3E 89
Cumdivock. Cumb 5E 113
Cuminestown. Abers 3F 161
Cumledge Mill. Bord 4D 130
Cumlewick. Shet 9F 173
Cummersdale. Cumb 4E 113
Cummertrees. Dum 3C 112
Cummingstown. Mor 2F 159
Cumnock. E Ayr 3E 117
Cumnor. Oxon 5C 50
Cumrew. Cumb 4G 113
Cumwhinton. Cumb 4F 113
Cumwhitton. Cumb 4G 113
Cundall. N Yor 2G 99
Cunninghamhead. N Ayr 5E 127
Cunning Park. S Ayr 3C 116
Cunningsburgh. Shet 9F 173
Cunnister. Shet 2G 173
Cupar. Fife 2F 137
Cupar Muir. Fife 2F 137
Cupernham. Hants 4B 24
Curbar. Derbs 3G 85
Curborough. Staf 4F 73
Curbridge. Hants 1D 16
Curbridge. Oxon 5B 50
Curdridge. Hants 1D 16
Curdworth. Warw 1F 61
Curland. Som 1F 13
Curland Common. Som 1F 13
Curridge. W Ber 4C 36
Currie. Edin 3E 129
Curry Mallet. Som 4G 21
Curry Rivel. Som 4G 21
Curtisden Green. Kent 1B 28
Curtisknowle. Devn 3D 8
Cury. Corn 4D 5
Cusgarne. Corn 4B 6
Cusop. Here 1F 47
Cusworth. S Yor 4F 93
Cutcombe. Som 3C 20
Cuthill. E Lot 2G 129
Cutiau. Gwyn 4F 69
Cutlers Green. Essx 2F 53
Cutmadoc. Corn 2E 7
Cutnall Green. Worc 4C 60
Cutsdean. Glos 2F 49
Cutthorpe. Derbs 3H 85
Cuttiford's Door. Som 1G 13
Cuttivett. Corn 2H 7
Cutts. Shet 8F 173
Cuttybridge. Pemb 3D 42
Cuttyhill. Abers 3H 161
Cuxham. Oxon 2E 37
Cuxton. Medw 4B 40
Cuxwold. Linc 4E 95
Cwm. Blae 5E 47
Cwm. Den 3C 82
Cwm. Powy 1E 59
Cwmafan. Neat 2A 32
Cwmaman. Rhon 2C 32
Cwmann. Carm 1F 45
Cwmbach. Carm 2G 43
Cwmbach. Powy 2E 47
Cwmbach. Rhon 5D 46
Cwmbach Llechryd. Powy 5C 58
Cwmbelan. Powy 2B 58
Cwmbran. Torf 2F 33
Cwmbrwyno. Cdgn 2G 57
Cwm Capel. Carm 5E 45
Cwmcarn. Cphy 2F 33
Cwmcarvan. Mon 5H 47
Cwm-celyn. Blae 5F 47
Cwmcerdinen. Swan 5G 45
Cwm-Cewydd. Gwyn 4A 70
Cwmcoy. Cdgn 1C 44
Cwmcrawnon. Powy 4E 47
Cwmcych. Pemb 1G 43
Cwmdare. Rhon 5C 46
Cwmdu. Carm 2G 45
Cwmdu. Powy 3E 47
Cwmduad. Carm 2D 45
Cwm Dulais. Swan 5G 45
Cwmerfyn. Cdgn 2F 57
Cwmfelin. B'end 3B 32
Cwmfelin Boeth. Carm 3F 43
Cwmfelinfach. Cphy 2E 33
Cwmfelin Mynach. Carm 2G 43
Cwmffrwd. Carm 4E 45
Cwmgiedd. Powy 4A 46
Cwmgors. Neat 4H 45
Cwmgwili. Carm 4F 45
Cwmgwrach. Neat 5B 46
Cwmhiraeth. Carm 1H 43
Cwmifor. Carm 3G 45
Cwmisfael. Carm 4E 45
Cwm-Llinau. Powy 5H 69
Cwmllynfell. Neat 4H 45
Cwm-mawr. Carm 4F 45
Cwm-miles. Carm 2F 43
Cwmorgan. Carm 1G 43
Cwmparc. Rhon 2C 32
Cwm Penmachno. Cnwy 1G 69
Cwmpennar. Rhon 5D 46
Cwm Plysgog. Pemb 1B 44
Cwmrhos. Powy 3E 47
Cwmsychpant. Cdgn 1E 45
Cwmsyfiog. Cphy 5E 47
Cwmsymlog. Cdgn 2F 57
Cwmtillery. Blae 5F 47
Cwm-twrch Isaf. Powy 5A 46
Cwm-twrch Uchaf. Powy 4A 46
Cwmwysg. Powy 3B 46
Cwm-y-glo. Gwyn 4E 81
Cwmyoy. Mon 3G 47
Cwmystwyth. Cdgn 3G 57
Cwrt. Gwyn 1F 57
Cwrtnewydd. Cdgn 1E 45
Cwrt-y-Cadno. Carm 1G 45
Cydweli. Carm 5E 45
Cyffylliog. Den 5C 82
Cymau. Flin 5E 83
Cymer. Neat 2B 32
Cymmer. Neat 2B 32
Cymmer. Rhon 2D 32
Cyncoed. Card 3E 33
Cynghordy. Carm 2B 46
Cynghordy. Swan 5G 45
Cynheidre. Carm 5E 45
Cynonville. Neat 2B 32
Cynwyd. Den 1C 70
Cynwyl Elfed. Carm 3D 44
Cywarch. Gwyn 4A 70

D

Dacre. Cumb 2F 103
Dacre. N Yor 3D 98
Dacre Banks. N Yor 3D 98
Daddry Shield. Dur 1B 104
Dadford. Buck 2E 51
Dadlington. Leics 1B 62
Dafen. Carm 5F 45
Daffy Green. Norf 5B 78
Dagdale. Staf 2E 73
Dagenham. G Lon 2F 39
Daggons. Dors 1G 15
Daglingworth. Glos 5E 49
Dagnall. Buck 4H 51
Dagtail End. Worc 4E 61
Dail. Arg 5E 141
Dail Beag. W Isl 3E 171
Dail bho Dheas. W Isl 1G 171
Dailly. S Ayr 4B 116
Dail Mor. W Isl 3E 171
Dairsie. Fife 2G 137
Daisy Bank. W Mid 1E 61
Daisy Hill. G Man 4E 91
Daisy Hill. W Yor 1B 92
Dalabrog. W Isl 6C 170
Dalavich. Arg 2G 133
Dalbeattie. Dum 3F 111
Dalblair. E Ayr 3F 117
Dalbury. Derbs 2G 73
Dalby. IOM 4B 108
Dalby Wolds. Leics 3D 74
Dalchalm. High 3G 165
Dalcharn. High 3G 167
Dalchork. High 2C 164
Dalchreichart. High 2E 149
Dalchruin. Per 2G 135
Dalcross. High 4B 158
Dalderby. Linc 4B 88
Dale. Cumb 5G 113
Dale. Pemb 4C 42
Dale Abbey. Derbs 2B 74
Dalebank. Derbs 4A 86
Dale Bottom. Cumb 2D 102
Dale Head. Cumb 3F 103
Dalehouse. N Yor 3E 107
Dalelia. High 2B 140
Dale of Walls. Shet 6C 173
Dalgarven. N Ayr 5D 126
Dalgety Bay. Fife 1E 129
Dalginross. Per 1G 135
Dalguise. Per 4G 143
Dalhalvaig. High 3A 168
Dalham. Suff 4G 65
Dalintart. Arg 1F 133
Dalkeith. Midl 3G 129
Dallas. Mor 3F 159
Dalleagles. E Ayr 3E 117
Dall House. Per 3C 142
Dallinghoo. Suff 5E 67
Dallington. E Sus 4A 28
Dallow. N Yor 2D 98
Dalmally. Arg 1A 134
Dalmarnock. Glas 3H 127
Dalmellington. E Ayr 4D 117
Dalmeny. Edin 2E 129
Dalmigavie. High 2B 150
Dalmilling. S Ayr 2C 116
Dalmore. High 2A 158 (nr. Alness)
Dalmore. High 3E 164 (nr. Rogart)
Dalmuir. W Dun 2F 127
Dalmunach. Mor 4G 159
Dalnabreck. High 2B 140
Dalnacardoch Lodge. Per 1E 142
Dalnamein Lodge. Per 2E 143
Dalnaspidal Lodge. Per 1D 142
Dalnatrat. High 3D 140
Dalnavie. High 1A 158
Dalnawillan Lodge. High 4C 168
Dalness. High 3F 141
Dalnessie. High 2D 164
Dalqueich. Per 3C 136
Dalquhairn. S Ayr 5C 116
Dalreavoch. High 3E 165
Dalreoch. Per 2C 136
Dalry. Edin 2F 129
Dalry. N Ayr 5D 126
Dalrymple. E Ayr 3C 116
Dalscote. Nptn 5D 62
Dalserf. S Lan 4A 128
Dalsmirren. Arg 4A 122
Dalston. Cumb 4E 113
Dalswinton. Dum 1G 111
Dalton. Dum 2C 112
Dalton. Lanc 4C 90
Dalton. Nmbd 4C 114 (nr. Hexham)
Dalton. Nmbd 2E 115 (nr. Ponteland)
Dalton. N Yor 4E 105 (nr. Richmond)
Dalton. N Yor 2G 99 (nr. Thirsk)
Dalton. S Lan 4H 127
Dalton. S Yor 1B 86
Dalton-in-Furness. Cumb 2B 96
Dalton-le-Dale. Dur 5H 115
Dalton Magna. S Yor 1B 86
Dalton-on-Tees. N Yor 4F 105
Dalton Piercy. Hart 1B 106
Daltot. Arg 1F 125
Dalvey. High 5F 159
Dalwhinnie. High 5A 150
Dalwood. Devn 2F 13
Damerham. Hants 1G 15
Damgate. Norf 5G 79 (nr. Acle)
Damgate. Norf 4G 79 (nr. Martham)
Dam Green. Norf 2C 66
Damhead. Mor 3E 159
Danaway. Kent 4C 40
Danbury. Essx 5A 54
Danby. N Yor 4E 107
Danby Botton. N Yor 4D 107
Danby Wiske. N Yor 5A 106
Danderhall. Midl 3G 129
Danebank. Ches E 2D 85
Danebridge. Ches E 4D 84
Dane End. Herts 3D 52
Danehill. E Sus 3F 27
Danesford. Shrp 1B 60
Daneshill. Hants 1E 25
Danesmoor. Derbs 4A 86
Danestone. Aber 2G 153
Dangerous Corner. Lanc 3D 90
Daniel's Water. Kent 1D 28
Dan's Castle. Dur 1E 105
Danzey Green. Warw 4F 61
Dapple Heath. Staf 3E 73
Daren. Powy 4F 47
Darenth. Kent 3G 39
Daresbury. Hal 2H 83
Darfield. S Yor 4E 93
Dargate. Kent 4E 41
Dargill. Per 2A 136
Darite. Corn 2G 7
Darlaston. W Mid 1D 60
Darley. N Yor 4E 98
Darley Abbey. Derb 2A 74
Darley Bridge. Derbs 4G 85
Darley Dale. Derbs 4G 85
Darley Head. N Yor 4D 98
Darlingscott. Warw 1H 49
Darlington. Darl 3F 105
Darliston. Shrp 2H 71
Darlton. Notts 3E 87
Darmsden. Suff 5C 66
Darnall. S Yor 2A 86
Darnford. Abers 4E 153
Darnford. Staf 5F 73
Darnhall. Ches W 4A 84
Darnick. Bord 1H 119
Darowen. Powy 5H 69
Darra. Abers 4E 161
Darracott. Devn 3E 19
Darras Hall. Nmbd 2E 115
Darrington. W Yor 3E 93
Darrow Green. Norf 2E 67
Darsham. Suff 4G 67
Dartfield. Abers 3H 161
Dartford. Kent 3G 39
Dartford-Thurrock River Crossing. Kent 3G 39
Dartington. Devn 2D 9
Dartmeet. Devn 5G 11
Dartmoor. Devn 4F 11
Dartmouth. Devn 3E 9
Darton. S Yor 3D 92
Darvel. E Ayr 1E 117
Darwen. Bkbn 2E 91
Dassels. Herts 3D 53
Datchet. Wind 3A 38
Datchworth. Herts 4C 52
Datchworth Green. Herts 4C 52
Daubhill. G Man 4F 91
Dauntsey. Wilts 3E 35
Dauntsey Green. Wilts 3E 35
Dauntsey Lock. Wilts 3E 35
Dava. Mor 5E 159
Davenham. Ches W 3A 84
Daventry. Nptn 4C 62
Davidson's Mains. Edin 2F 129
Davidston. High 2B 158
Davidstow. Corn 4B 10
David's Well. Powy 3C 58
Davington. Dum 4E 119
Daviot. Abers 1E 153
Daviot. High 5B 158
Davyhulme. G Man 1B 84
Daw Cross. N Yor 4E 99
Dawdon. Dur 5H 115
Dawesgreen. Surr 1D 26
Dawley. Telf 5A 72
Dawlish. Devn 5C 12
Dawlish Warren. Devn 5C 12
Dawn. Cnwy 3A 82
Daws Heath. Essx 2C 40
Dawshill. Worc 5C 60
Daw's House. Corn 4D 10
Dawsmere. Linc 2D 76
Dayhills. Staf 2D 72
Dayhouse Bank. Worc 3D 60
Daylesford. Glos 3H 49
Daywall. Shrp 2E 71
Ddol. Flin 3D 82
Ddol Cownwy. Powy 4C 70
Deadman's Cross. C Beds 1B 52
Deadwater. Nmbd 5A 120
Deaf Hill. Dur 1A 106
Deal. Kent 5H 41
Dean. Cumb 2B 102
Dean. Devn 2G 19 (nr. Combe Martin)
Dean. Devn 2H 19 (nr. Lynton)
Dean. Dors 1E 15
Dean. Hants 1D 16 (nr. Bishop's Waltham)
Dean. Hants 3C 24 (nr. Winchester)
Dean. Oxon 3B 50
Dean. Som 2B 22
Dean Bank. Dur 1F 105
Deanburnhaugh. Bord 3F 119
Dean Cross. Devn 2F 19
Deane. Hants 1D 24
Deanich Lodge. High 5A 164
Deanland. Dors 1E 15
Deanlane End. W Sus 1F 17
Dean Park. Shrp 4H 59
Dean Prior. Devn 2D 8
Dean Row. Ches E 2C 84
Deans. W Lot 3D 128
Deanscales. Cumb 2B 102
Deanshanger. Nptn 2F 51
Deanston. Stir 3G 135
Dearham. Cumb 1B 102
Dearne. S Yor 4E 93
Dearne Valley. S Yor 4D 93
Debach. Suff 5E 67
Debden. Essx 2F 53
Debden Green. Essx 1F 39 (nr. Loughton)
Debden Green. Essx 2F 53 (nr. Saffron Walden)
Debenham. Suff 4D 66
Dechmont. W Lot 2D 128
Deddington. Oxon 2C 50
Dedham. Essx 2D 54
Dedham Heath. Essx 2D 54
Deebank. Abers 4D 152
Deene. Nptn 1G 63
Deenethorpe. Nptn 1G 63
Deepcar. S Yor 1G 85
Deepcut. Surr 5A 38
Deepdale. Cumb 1G 97
Deepdale. N Lin 3D 94
Deepdale. N Yor 2A 98
Deeping Gate. Pet 5A 76
Deeping St James. Linc 5A 76
Deeping St Nicholas. Linc 4B 76
Deerhill. Mor 3B 160
Deerhurst. Glos 3D 48
Deerhurst Walton. Glos 3D 49
Deerness. Orkn 7E 172
Defford. Worc 1E 49
Defynnog. Powy 3C 46
Deganwy. Cnwy 3G 81
Deighton. N Yor 4A 106
Deighton. W Yor 3B 92
Deighton. York 5A 100
Deiniolen. Gwyn 4E 81
Delabole. Corn 4A 10
Delamere. Ches W 4H 83
Delfour. High 3C 150
Dellieture. High 5E 159
Dell, The. Suff 1G 67
Delly End. Oxon 4B 50
Delny. High 1B 158
Delph. G Man 4H 91
Delves. Dur 5E 115
Delves, The. W Mid 1E 61
Delvin End. Essx 2A 54
Dembleby. Linc 2H 75
Demelza. Corn 2D 6
Denaby Main. S Yor 1B 86
Denbeath. Fife 4F 137
Denbigh. Den 4C 82
Denbury. Devn 2E 9
Denby. Derbs 1A 74
Denby Common. Derbs 1B 74
Denby Dale. W Yor 4C 92
Denchworth. Oxon 2B 36
Dendron. Cumb 2B 96
Deneside. Dur 5H 115
Denford. Nptn 3G 63
Dengie. Essx 5C 54
Denham. Buck 2B 38
Denham. Suff 4G 65 (nr. Bury St Edmunds)
Denham. Suff 3D 66 (nr. Eye)
Denham Green. Buck 2B 38
Denham Street. Suff 3D 66
Denhead. Abers 5G 161 (nr. Ellon)
Denhead. Abers 3G 161 (nr. Strichen)
Denhead. Fife 2G 137
Denholm. Bord 3H 119
Denholme. W Yor 1A 92
Denholme Clough. W Yor 1A 92
Denholme Gate. W Yor 1A 92
Denio. Gwyn 2C 68
Denmead. Hants 1E 17
Dennington. Suff 4E 67
Denny. Falk 1B 128
Denny End. Cambs 4D 65
Dennyloanhead. Falk 1B 128
Den of Lindores. Fife 2E 137
Denshaw. G Man 3H 91
Denside. Abers 4F 153
Densole. Kent 1G 29
Denston. Suff 5G 65
Denstone. Staf 1F 73
Denstroude. Kent 4F 41
Dent. Cumb 1G 97
Den, The. N Ayr 4E 127
Denton. Cambs 2A 64
Denton. Darl 3F 105

Denton. *E Sus* 5F **27**
Denton. *G Man* 1D **84**
Denton. *Kent* 1G **29**
Denton. *Linc* 2F **75**
Denton. *Norf* 2E **67**
Denton. *Nptn* 5F **63**
Denton. *N Yor* 5D **98**
Denton. *Oxon* 5D **50**
Denver. *Norf* 5F **77**
Denwick. *Nmbd* 3G **121**
Deopham. *Norf* 5C **78**
Deopham Green. *Norf* 1C **66**
Depden. *Suff* 5G **65**
Depden Green. *Suff* 5G **65**
Deptford. *G Lon* 3E **39**
Deptford. *Wilts* 3F **23**
Derby. *Derb* 2A **74** & **193**
Derbyhaven. *IOM* 5B **108**
Derculich. *Per* 3F **143**
Dereham. *Norf* 4B **78**
Deri. *Cphy* 5E **47**
Derril. *Devn* 2D **10**
Derringstone. *Kent* 1G **29**
Derrington. *Shrp* 1A **60**
Derrington. *Staf* 3C **72**
Derriton. *Devn* 2D **10**
Derryguaig. *Arg* 5F **139**
Derry Hill. *Wilts* 4E **35**
Derrythorpe. *N Lin* 4B **94**
Dersingham. *Norf* 2F **77**
Dervaig. *Arg* 3F **139**
Derwen. *Den* 5C **82**
Derwen Gam. *Cdgn* 5D **56**
Derwenlas. *Powy* 1G **57**
Desborough. *Nptn* 2F **63**
Desford. *Leics* 5B **74**
Detchant. *Nmbd* 1E **121**
Dethick. *Derbs* 5H **85**
Detling. *Kent* 5B **40**
Deuchar. *Ang* 2D **144**
Deuddwr. *Powy* 4E **71**
Devauden. *Mon* 2H **33**
Devil's Bridge. *Cdgn* 3G **57**
Devitts Green. *Warw* 1G **61**
Devizes. *Wilts* 5F **35**
Devonport. *Plym* 3A **8**
Devonside. *Clac* 4B **136**
Devoran. *Corn* 5B **6**
Dewartown. *Midl* 3G **129**
Dewlish. *Dors* 3C **14**
Dewsbury. *W Yor* 2C **92**
Dewshall Court. *Here* 2H **47**
Dexbeer. *Devn* 2C **10**
Dhoon. *IOM* 3D **108**
Dhoor. *IOM* 2D **108**
Dhowin. *IOM* 1D **108**
Dial Green. *W Sus* 3A **26**
Dial Post. *W Sus* 4C **26**
Dibberford. *Dors* 2H **13**
Dibden. *Hants* 2C **16**
Dibden Purlieu. *Hants* 2C **16**
Dickleburgh. *Norf* 2D **66**
Didbrook. *Glos* 2F **49**
Didcot. *Oxon* 2D **36**
Diddington. *Cambs* 4A **64**
Diddlebury. *Shrp* 2H **59**
Didley. *Here* 2H **47**
Didling. *W Sus* 1G **17**
Didmarton. *Glos* 3D **34**
Didsbury. *G Man* 1C **84**
Didworthy. *Devn* 2C **8**
Digby. *Linc* 5H **87**
Digg. *High* 2D **154**
Diggle. *G Man* 4A **92**
Digmoor. *Lanc* 4C **90**
Digswell. *Herts* 4C **52**
Dihewyd. *Cdgn* 5D **57**
Dilham. *Norf* 3F **79**
Dilhorne. *Staf* 1D **72**
Dillarburn. *S Lan* 5B **128**
Dillington. *Cambs* 4A **64**
Dilston. *Nmbd* 3C **114**
Dilton Marsh. *Wilts* 2D **22**
Dilwyn. *Here* 5G **59**
Dimmer. *Som* 3B **22**
Dimple. *G Man* 3F **91**
Dinas. *Carm* 1G **43**
Dinas. *Gwyn* 5D **81**
(nr. Caernarfon)
Dinas. *Gwyn* 2B **68**
(nr. Tudweiliog)
Dinas Cross. *Pemb* 1E **43**
Dinas Dinlle. *Gwyn* 5D **80**
Dinas Mawddwy. *Gwyn* 4A **70**
Dinas Powys. *V Glam* 4E **33**
Dinbych. *Den* 4C **82**
Dinbych-y-Pysgod. *Pemb* 4F **43**
Dinckley. *Lanc* 1E **91**
Dinder. *Som* 2A **22**
Dinedor. *Here* 2A **48**
Dinedor Cross. *Here* 2A **48**
Dingestow. *Mon* 4H **47**
Dingle. *Mers* 2F **83**
Dingleden. *Kent* 2C **28**
Dingleton. *Bord* 1H **119**
Dingley. *Nptn* 2E **63**
Dingwall. *High* 3H **157**
Dinmael. *Cnwy* 1C **70**
Dinnet. *Abers* 4B **152**
Dinnington. *Som* 1H **13**
Dinnington. *S Yor* 2C **86**
Dinnington. *Tyne* 2F **115**
Dinorwig. *Gwyn* 4E **81**
Dinton. *Buck* 4F **51**
Dinton. *Wilts* 3F **23**
Dinworthy. *Devn* 1D **10**
Dipley. *Hants* 1F **25**
Dippen. *Arg* 2B **122**
Dippenhall. *Surr* 2G **25**
Dippertown. *Devn* 4E **11**
Dippin. *N Ayr* 3E **123**
Dipple. *S Ayr* 4B **116**
Diptford. *Devn* 3D **8**
Dipton. *Dur* 4E **115**
Dirleton. *E Lot* 1B **130**
Dirt Pot. *Nmbd* 5B **114**
Discoed. *Powy* 4E **59**
Diseworth. *Leics* 3B **74**
Dishes. *Orkn* 5F **172**
Dishforth. *N Yor* 2F **99**
Disley. *Ches E* 2D **85**
Diss. *Norf* 3D **66**
Disserth. *Powy* 5C **58**
Distington. *Cumb* 2B **102**
Ditchampton. *Wilts* 3F **23**
Ditcheat. *Som* 3B **22**
Ditchingham. *Norf* 1F **67**
Ditchling. *E Sus* 4E **27**
Ditteridge. *Wilts* 5D **34**
Dittisham. *Devn* 3E **9**
Ditton. *Hal* 2G **83**
Ditton. *Kent* 5B **40**
Ditton Green. *Cambs* 5F **65**
Ditton Priors. *Shrp* 2A **60**
Divach. *High* 1G **149**
Dixonfield. *High* 2D **168**
Dixton. *Glos* 2E **49**
Dixton. *Mon* 4A **48**
Dizzard. *Corn* 3B **10**
Dobcross. *G Man* 4H **91**
Dobs Hill. *Flin* 4F **83**
Dobson's Bridge. *Shrp* 2G **71**
Dobwalls. *Corn* 2G **7**
Doccombe. *Devn* 4A **12**
Dochgarroch. *High* 4A **158**
Docking. *Norf* 2G **77**
Docklow. *Here* 5H **59**
Dockray. *Cumb* 2E **103**
Doc Penfro. *Pemb* 4D **42** & **215**
Dodbrooke. *Devn* 4D **8**
Doddenham. *Worc* 5B **60**
Doddinghurst. *Essx* 1G **39**
Doddington. *Cambs* 1C **64**
Doddington. *Kent* 5D **40**
Doddington. *Linc* 4G **87**
Doddington. *Nmbd* 1D **121**
Doddington. *Shrp* 3A **60**
Doddiscombsleigh. *Devn* 4B **12**
Doddshill. *Norf* 2G **77**
Dodford. *Nptn* 4D **62**
Dodford. *Worc* 3D **60**
Dodington. *Som* 2E **21**
Dodington. *S Glo* 4C **34**
Dodleston. *Ches W* 4F **83**
Dods Leigh. *Staf* 2E **73**
Dodworth. *S Yor* 4D **92**
Doe Lea. *Derbs* 4B **86**
Dogdyke. *Linc* 5B **88**
Dogmersfield. *Hants* 1F **25**
Dogsthorpe. *Pet* 5B **76**
Dog Village. *Devn* 3C **12**
Dolanog. *Powy* 4C **70**
Dolau. *Powy* 4D **58**
Dolau. *Rhon* 3D **32**
Dolbenmaen. *Gwyn* 1E **69**
Doley. *Staf* 3B **72**
Dol-fach. *Powy* 5B **70**
(nr. Llanbrynmair)
Dolfach. *Powy* 3B **58**
(nr. Llanidloes)
Dolfor. *Powy* 2D **58**
Dolgarrog. *Cnwy* 4G **81**
Dolgellau. *Gwyn* 4G **69**
Dolgoch. *Gwyn* 5F **69**
Dol-gran. *Carm* 2E **45**
Dolhelfa. *Powy* 3B **58**
Doll. *High* 3F **165**
Dollar. *Clac* 4B **136**
Dolley Green. *Powy* 4E **59**
Dollwen. *Cdgn* 2F **57**
Dolphin. *Flin* 3D **82**
Dolphingstone. *E Lot* 2G **129**
Dolphinholme. *Lanc* 4E **97**
Dolphinton. *S Lan* 5E **129**
Dolton. *Devn* 1F **11**
Dolwen. *Cnwy* 3A **82**
Dolwyddelan. *Cnwy* 5G **81**
Dol-y-Bont. *Cdgn* 2F **57**
Dolyhir. *Powy* 5E **59**
Domgay. *Powy* 4E **71**
Doncaster. *S Yor* 4F **93**
Donhead St Andrew. *Wilts* 4E **23**
Donhead St Mary. *Wilts* 4E **23**
Doniford. *Som* 2D **20**
Donington. *Linc* 2B **76**
Donington. *Shrp* 5C **72**
Donington Eaudike. *Linc* 2B **76**
Donington le Heath. *Leics* 4B **74**
Donington on Bain. *Linc* 2B **88**
Donington South Ing. *Linc* 2B **76**
Donisthorpe. *Leics* 4H **73**
Donkey Street. *Kent* 2F **29**
Donkey Town. *Surr* 4A **38**
Donna Nook. *Linc* 1D **88**
Donnington. *Glos* 3G **49**
Donnington. *Here* 2C **48**
Donnington. *Shrp* 5H **71**
Donnington. *Telf* 4B **72**
Donnington. *W Ber* 5C **36**
Donnington. *W Sus* 2G **17**
Donyatt. *Som* 1G **13**
Doomsday Green. *W Sus* 2C **26**
Doonfoot. *S Ayr* 3C **116**
Doonholm. *S Ayr* 3C **116**
Dorback Lodge. *High* 2E **151**
Dorchester. *Dors* 3B **14**
Dorchester on Thames. *Oxon* 2D **36**
Dordon. *Warw* 5G **73**
Dore. *S Yor* 2H **85**
Dores. *High* 5H **157**
Dorking. *Surr* 1C **26**
Dorking Tye. *Suff* 2C **54**
Dormansland. *Surr* 1F **27**
Dormans Park. *Surr* 1E **27**
Dormanstown. *Red C* 2C **106**
Dormington. *Here* 1A **48**
Dormston. *Worc* 5D **61**
Dorn. *Glos* 2H **49**
Dorney. *Buck* 3A **38**
Dornie. *High* 1A **148**
Dornoch. *High* 5E **165**
Dornock. *Dum* 3D **112**
Dorrery. *High* 3C **168**
Dorridge. *W Mid* 3F **61**
Dorrington. *Linc* 5H **87**
Dorrington. *Shrp* 5G **71**
Dorsington. *Warw* 1G **49**
Dorstone. *Here* 1G **47**
Dorton. *Buck* 4E **51**
Dotham. *IOA* 3C **80**
Dottery. *Dors* 3H **13**
Doublebois. *Corn* 2F **7**
Dougarie. *N Ayr* 2C **122**
Doughton. *Glos* 2D **35**
Douglas. *IOM* 4C **108**
Douglas. *S Lan* 1H **117**
Douglastown. *Ang* 4D **144**
Douglas Water. *S Lan* 1A **118**
Doulting. *Som* 2B **22**
Dounby. *Orkn* 5B **172**
Doune. *High* 3C **150**
(nr. Kingussie)
Doune. *High* 3B **164**
(nr. Lairg)
Doune. *Stir* 3G **135**
Dounie. *High* 4C **164**
(nr. Bonar Bridge)
Dounie. *High* 5D **164**
(nr. Tain)
Dounreay. *High* 2B **168**
Doura. *N Ayr* 5E **127**
Dousland. *Devn* 2B **8**
Dovaston. *Shrp* 3F **71**
Dove Holes. *Derbs* 3E **85**
Dovenby. *Cumb* 1B **102**
Dover. *Kent* 1H **29** & **193**
Dovercourt. *Essx* 2F **55**
Doverdale. *Worc* 4C **60**
Doveridge. *Derbs* 2F **73**
Doversgreen. *Surr* 1D **26**
Dowally. *Per* 4H **143**
Dowbridge. *Lanc* 1C **90**
Dowdeswell. *Glos* 4F **49**
Dowlais. *Mer T* 5D **46**
Dowland. *Devn* 1F **11**
Dowlands. *Devn* 3F **13**
Dowles. *Worc* 3B **60**
Dowlesgreen. *Wok* 5G **37**
Dowlish Wake. *Som* 1G **13**
Downall Green. *Mers* 4D **90**
Down Ampney. *Glos* 2F **35**
Downderry. *Corn* 3H **7**
(nr. Looe)
Downderry. *Corn* 3D **6**
(nr. St Austell)
Downe. *G Lon* 4F **39**
Downend. *IOW* 4D **16**
Downend. *S Glo* 4B **34**
Downend. *W Ber* 4C **36**
Down Field. *Cambs* 3F **65**
Downfield. *D'dee* 5C **144**
Downgate. *Corn* 5D **10**
(nr. Kelly Bray)
Downgate. *Corn* 5C **10**
(nr. Upton Cross)
Downham. *Essx* 1B **40**
Downham. *Lanc* 5G **97**
Downham. *Nmbd* 1C **120**
Downham Market. *Norf* 5F **77**
Down Hatherley. *Glos* 3D **48**
Downhead. *Som* 2B **22**
(nr. Frome)
Downhead. *Som* 4A **22**
(nr. Yeovil)
Downholland Cross. *Lanc* 4B **90**
Downholme. *N Yor* 5E **105**
Downies. *Abers* 4G **153**
Downley. *Buck* 2G **37**
Down St Mary. *Devn* 2H **11**
Downside. *Som* 1B **22**
(nr. Chilcompton)
Downside. *Som* 2B **22**
(nr. Shepton Mallet)
Downside. *Surr* 5C **38**
Down, The. *Shrp* 1A **60**
Down Thomas. *Devn* 3B **8**
Downton. *Hants* 3A **16**
Downton. *Wilts* 4G **23**
Downton on the Rock. *Here* 3G **59**
Dowsby. *Linc* 3A **76**
Dowsdale. *Linc* 4B **76**
Dowthwaitehead. *Cumb* 2E **103**
Doxey. *Staf* 3D **72**
Doxford. *Nmbd* 2F **121**
Doynton. *S Glo* 4C **34**
Drabblegate. *Norf* 3E **78**
Draethen. *Cphy* 3F **33**
Draffan. *S Lan* 5A **128**
Dragonby. *N Lin* 3C **94**
Dragons Green. *W Sus* 3C **26**
Drakelow. *Worc* 2C **60**
Drakemyre. *N Ayr* 4D **126**
Drakes Broughton. *Worc* 1E **49**
Drakes Cross. *Worc* 3E **61**
Drakewalls. *Corn* 5E **11**
Draughton. *Nptn* 3E **63**
Draughton. *N Yor* 4C **98**
Drax. *N Yor* 2G **93**
Draycot. *Oxon* 5E **51**
Draycote. *Warw* 3B **62**
Draycot Foliat. *Swin* 4G **35**
Draycott. *Derbs* 2B **74**
Draycott. *Glos* 2G **49**
Draycott. *Shrp* 1C **60**
Draycott. *Som* 1H **21**
(nr. Cheddar)
Draycott. *Som* 4A **22**
(nr. Yeovil)
Draycott. *Worc* 1D **48**
Draycott in the Clay. *Staf* 3F **73**
Draycott in the Moors. *Staf* 1D **73**
Drayford. *Devn* 1A **12**
Drayton. *Leics* 1F **63**
Drayton. *Linc* 2B **76**
Drayton. *Norf* 4D **78**
Drayton. *Nptn* 4C **62**
Drayton. *Oxon* 2C **36**
(nr. Abingdon)
Drayton. *Oxon* 1C **50**
(nr. Banbury)
Drayton. *Port* 2E **17**
Drayton. *Som* 4H **21**
Drayton. *Warw* 5F **61**
Drayton. *Worc* 3D **60**
Drayton Bassett. *Staf* 5F **73**
Drayton Beauchamp. *Buck* 4H **51**
Drayton Parslow. *Buck* 3G **51**
Drayton St Leonard. *Oxon* 2D **36**
Drebley. *N Yor* 4C **98**
Dreenhill. *Pemb* 3D **42**
Drefach. *Carm* 4F **45**
(nr. Meidrim)
Drefach. *Carm* 2D **44**
(nr. Newcastle Emlyn)
Drefach. *Carm* 2G **43**
(nr. Tumble)
Drefach. *Cdgn* 1E **45**
Dreghorn. *N Ayr* 1C **116**
Drellingore. *Kent* 1G **29**
Drem. *E Lot* 2B **130**
Dreumasdal. *W Isl* 5C **170**
Drewsteignton. *Devn* 3H **11**
Driby. *Linc* 3C **88**
Driffield. *E Yor* 4E **101**
Driffield. *Glos* 2F **35**
Drift. *Corn* 4B **4**
Drigg. *Cumb* 5B **102**
Drighlington. *W Yor* 2C **92**
Drimnin. *High* 3G **139**
Drimpton. *Dors* 2H **13**
Dringhoe. *E Yor* 4F **101**
Drinisiadar. *W Isl* 8D **171**
Drinkstone. *Suff* 4B **66**
Drinkstone Green. *Suff* 4B **66**
Drointon. *Staf* 3E **73**
Droitwich Spa. *Worc* 4C **60**
Droman. *High* 3B **166**
Dron. *Per* 2D **136**
Dronfield. *Derbs* 3A **86**
Dronfield Woodhouse. *Derbs* 3H **85**
Drongan. *E Ayr* 3D **116**
Dronley. *Ang* 5C **144**
Droop. *Dors* 2C **14**
Drope. *V Glam* 4E **32**
Droxford. *Hants* 1E **16**
Droylsden. *G Man* 1C **84**
Druggers End. *Worc* 2C **48**
Druid. *Den* 1C **70**
Druid's Heath. *W Mid* 5E **73**
Druidston. *Pemb* 3C **42**
Druim. *High* 3D **158**
Druimarbin. *High* 1E **141**
Druim Fhearna. *High* 2E **147**
Druimindarroch. *High* 5E **147**
Druim Saighdinis. *W Isl* 2D **170**
Drum. *Per* 3C **136**
Drumbeg. *High* 5B **166**
Drumblade. *Abers* 4C **160**
Drumbuie. *Dum* 1C **110**
Drumbuie. *High* 5G **155**
Drumburgh. *Cumb* 4D **112**
Drumburn. *Dum* 3A **112**
Drumchapel. *Glas* 2G **127**
Drumchardine. *High* 4H **157**
Drumchork. *High* 5C **162**
Drumclog. *S Lan* 1F **117**
Drumeldrie. *Fife* 3G **137**
Drumelzier. *Bord* 1D **118**
Drumfearn. *High* 2E **147**
Drumgask. *High* 4A **150**
Drumgelloch. *N Lan* 3A **128**
Drumgley. *Ang* 3D **144**
Drumguish. *High* 4B **150**
Drumin. *Mor* 5F **159**
Drumindorsair. *High* 4G **157**
Drumlamford House. *S Ayr* 2H **109**
Drumlasie. *Abers* 3D **152**
Drumlemble. *Arg* 4A **122**
Drumlithie. *Abers* 5E **153**
Drummoddie. *Dum* 5A **110**
Drummond. *High* 2A **158**
Drummore. *Dum* 5E **109**
Drummuir. *Mor* 4A **160**
Drumnadrochit. *High* 5H **157**
Drumnagorrach. *Mor* 3C **160**
Drumoak. *Abers* 4E **153**
Drumrunie. *High* 3F **163**
Drumry. *W Dun* 2G **127**
Drums. *Abers* 1G **153**
Drumsleet. *Dum* 2G **111**
Drumsmittal. *High* 4A **158**
Drums of Park. *Abers* 3C **160**
Drumsturdy. *Ang* 5D **145**
Drumtochty Castle. *Abers* 5D **152**
Drumuie. *High* 4D **154**
Drumuillie. *High* 1D **150**
Drumvaich. *Stir* 3F **135**
Drumwhindle. *Abers* 5G **161**
Drunkendub. *Ang* 4F **145**
Drury. *Flin* 4E **83**
Drury Square. *Norf* 4B **78**
Drybeck. *Cumb* 3H **103**
Drybridge. *Mor* 2B **160**
Drybridge. *N Ayr* 1C **116**
Drybrook. *Glos* 4B **48**
Drybrook. *Here* 4A **48**
Dryburgh. *Bord* 1H **119**
Dry Doddington. *Linc* 1F **75**
Dry Drayton. *Cambs* 4C **64**
Drym. *Corn* 3D **4**
Drymen. *Stir* 1F **127**
Drymuir. *Abers* 4G **161**
Drynachan Lodge. *High* 5C **158**
Drynie Park. *High* 3H **157**
Drynoch. *High* 5D **154**
Dry Sandford. *Oxon* 5C **50**
Dryslwyn. *Carm* 3F **45**
Dry Street. *Essx* 2A **40**
Dryton. *Shrp* 5H **71**
Dubford. *Abers* 2E **161**
Dubiton. *Abers* 3D **160**
Dubton. *Ang* 3E **145**
Duchally. *High* 2A **164**
Duck End. *Essx* 3G **53**
Duckington. *Ches W* 5G **83**
Ducklington. *Oxon* 5B **50**
Duckmanton. *Derbs* 3B **86**
Duck Street. *Hants* 2B **24**
Dudbridge. *Glos* 5D **48**
Duddenhoe End. *Essx* 2E **53**
Duddingston. *Edin* 2F **129**
Duddington. *Nptn* 5G **75**
Duddleswell. *E Sus* 3F **27**
Duddo. *Nmbd* 5F **131**
Duddon. *Ches W* 4H **83**
Duddon Bridge. *Cumb* 1A **96**
Dudleston. *Shrp* 2F **71**
Dudleston Heath. *Shrp* 2F **71**
Dudley. *Tyne* 2F **115**
Dudley. *W Mid* 2D **60**
Dudston. *Shrp* 1E **59**
Dudwells. *Pemb* 2D **42**
Duffield. *Derbs* 1H **73**
Duffryn. *Neat* 2B **32**
Dufftown. *Mor* 4H **159**
Duffus. *Mor* 2F **159**
Dufton. *Cumb* 2H **103**
Duggleby. *N Yor* 3C **100**
Duirinish. *High* 5G **155**
Duisdalemore. *High* 2E **147**
Duisdeil Mòr. *High* 2E **147**
Duisky. *High* 1E **141**
Dukesfield. *Nmbd* 4C **114**
Dukestown. *Blae* 5E **47**
Dukinfield. *G Man* 1D **84**
Dulas. *IOA* 2D **81**
Dulcote. *Som* 2A **22**
Dulford. *Devn* 2D **12**
Dull. *Per* 4F **143**
Dullatur. *N Lan* 2A **128**
Dullingham. *Cambs* 5F **65**
Dullingham Ley. *Cambs* 5F **65**
Dulnain Bridge. *High* 1D **151**
Duloe. *Bed* 4A **64**
Duloe. *Corn* 3G **7**
Dulverton. *Som* 4C **20**
Dulwich. *G Lon* 3E **39**
Dumbarton. *W Dun* 2F **127**
Dumbleton. *Glos* 2F **49**
Dumfin. *Arg* 1E **127**
Dumfries. *Dum* 2A **112** & **193**
Dumgoyne. *Stir* 1G **127**
Dummer. *Hants* 2D **24**
Dumpford. *W Sus* 4G **25**
Dun. *Ang* 2F **145**
Dunagoil. *Arg* 4B **126**
Dunalastair. *Per* 3E **142**
Dunan. *High* 1D **147**
Dunball. *Som* 2G **21**
Dunbar. *E Lot* 2C **130**
Dunbeath. *High* 5D **168**
Dunbeg. *Arg* 5C **140**
Dunblane. *Stir* 3G **135**
Dunbog. *Fife* 2E **137**
Dunbridge. *Hants* 4B **24**
Duncanston. *Abers* 1C **152**
Duncanston. *High* 3H **157**
Dun Charlabhaigh. *W Isl* 3D **171**
Dunchideock. *Devn* 4B **12**
Dunchurch. *Warw* 3B **62**
Duncote. *Nptn* 5D **62**
Duncow. *Dum* 1A **112**
Duncrievie. *Per* 3D **136**
Duncton. *W Sus* 4A **26**
Dundee. *D'dee* 5D **144** & **194**
Dundee Airport. *D'dee* 1F **137**
Dundon. *Som* 3H **21**
Dundonald. *S Ayr* 1C **116**
Dundonnell. *High* 5E **163**
Dundraw. *Cumb* 5D **112**
Dundreggan. *High* 2F **149**
Dundrennan. *Dum* 5E **111**
Dundridge. *Hants* 1D **16**
Dundry. *N Som* 5A **34**
Dunecht. *Abers* 3E **153**
Dunfermline. *Fife* 1D **129**
Dunford Bridge. *S Yor* 4B **92**
Dungate. *Kent* 5D **40**
Dunge. *Wilts* 1D **23**
Dungeness. *Kent* 4E **29**
Dungworth. *S Yor* 2G **85**
Dunham-on-the-Hill. *Ches W* 3G **83**
Dunham-on-Trent. *Notts* 3F **87**
Dunhampton. *Worc* 4C **60**
Dunham Town. *G Man* 2B **84**
Dunham Woodhouses. *G Man* 2B **84**
Dunholme. *Linc* 3H **87**
Dunino. *Fife* 2H **137**
Dunipace. *Falk* 1B **128**
Dunira. *Per* 1G **135**
Dunkeld. *Per* 4H **143**
Dunkerton. *Bath* 1C **22**
Dunkeswell. *Devn* 2E **13**
Dunkeswick. *N Yor* 5F **99**
Dunkirk. *Kent* 5E **41**
Dunkirk. *S Glo* 3C **34**
Dunkirk. *Staf* 5C **84**
Dunkirk. *Wilts* 5E **35**
Dunk's Green. *Kent* 5H **39**
Dunlappie. *Ang* 2E **145**
Dunley. *Hants* 1C **24**
Dunley. *Worc* 4B **60**
Dunlichity Lodge. *High* 5A **158**
Dunlop. *E Ayr* 5F **127**
Dunmaglass Lodge. *High* 1H **149**

Dunmore. Arg 3F 125
Dunmore. Falk 1B 128
Dunmore. High 4H 157
Dunnet. High 1E 169
Dunnichen. Ang 4E 145
Dunning. Per 2C 136
Dunnington. E Yor 4F 101
Dunnington. Warw 5E 61
Dunnington. York 4A 100
Dunningwell. Cumb 1A 96
Dunnockshaw. Lanc 2G 91
Dunoon. Arg 2C 126
Dunphail. Mor 4E 159
Dunragit. Dum 4G 109
Dunrostan. Arg 1F 125
Duns. Bord 4D 130
Dunsby. Linc 3A 76
Dunscar. G Man 3F 91
Dunscore. Dum 1F 111
Dunscroft. S Yor 4G 93
Dunsdale. Red C 3D 106
Dunsden Green. Oxon 4F 37
Dunsfold. Surr 2B 26
Dunsford. Devn 4B 12
Dunshalt. Fife 2E 137
Dunshillock. Abers 4G 161
Dunsley. N Yor 3F 107
Dunsley. Staf 2C 60
Dunsmore. Buck 5G 51
Dunsop Bridge. Lanc 4F 97
Dunstable. C Beds 3A 52
Dunstal. Staf 3E 73
Dunstall. Staf 3F 73
Dunstall Green. Suff 4G 65
Dunstall Hill. W Mid 1D 60
Dunstan. Nmbd 3G 121
Dunster. Som 2C 20
Duns Tew. Oxon 3C 50
Dunston. Linc 4H 87
Dunston. Norf 5E 79
Dunston. Staf 4D 72
Dunston. Tyne 3F 115
Dunstone. Devn 3B 8
Dunston Heath. Staf 4D 72
Dunsville. S Yor 4G 93
Dunswell. E Yor 1D 94
Dunsyre. S Lan 5D 128
Dunterton. Devn 5D 11
Duntisbourne Abbots. Glos 5E 49
Duntisbourne Leer. Glos 5E 49
Duntisbourne Rouse. Glos 5E 49
Duntish. Dors 2B 14
Duntocher. W Dun 2F 127
Dunton. Buck 3G 51
Dunton. C Beds 1C 52
Dunton. Norf 2A 78
Dunton Bassett. Leics 1C 62
Dunton Green. Kent 5G 39
Dunton Patch. Norf 2A 78
Duntulm. High 1D 154
Dunure. S Ayr 3B 116
Dunvant. Swan 3E 31
Dunvegan. High 4B 154
Dunwich. Suff 3G 67
Dunwood. Staf 5D 84
Durdar. Cumb 4F 113
Durgates. E Sus 2H 27
Durham. Dur 5F 115 & 194
Durham Tees Valley Airport.
Darl 3A 106
Durisdeer. Dum 4A 118
Durisdeermill. Dum 4A 118
Durkar. W Yor 3D 92
Durleigh. Som 3F 21
Durley. Hants 1D 16
Durley. Wilts 5H 35
Durley Street. Hants 1D 16
Durlow Common. Here 2B 48
Durnamuck. High 4E 163
Durness. High 2E 166
Durno. Abers 1E 152
Durns Town. Hants 3A 16
Duror. High 3D 141
Durran. Arg 3G 133
Durran. High 2D 169
Durrant Green. Kent 2C 28
Durrants. Hants 1F 17
Durrington. W Sus 5C 26
Durrington. Wilts 2G 23
Dursley. Glos 2C 34
Dursley Cross. Glos 4B 48
Durston. Som 4F 21
Durweston. Dors 2D 14
Dury. Shet 6F 173
Duston. Nptn 4E 62
Duthil. High 1D 150
Dutlas. Powy 3E 58
Duton Hill. Essx 3G 53
Dutson. Corn 4D 10
Dutton. Ches W 3H 83
Duxford. Cambs 1E 53
Duxford. Oxon 2B 36
Dwygyfylchi. Cnwy 3G 81
Dwyran. IOA 4D 80
Dyce. Aber 2F 153
Dyffryn. B'end 2B 32
Dyffryn. Carm 2H 43
Dyffryn. Pemb 1D 42
Dyffryn. V Glam 4D 32
Dyffryn Ardudwy. Gwyn 3E 69
Dyffryn Castell. Cdgn 2G 57
Dyffryn Ceidrych. Carm 3H 45
Dyffryn Cellwen. Neat 5B 46
Dyke. Linc 3A 76
Dyke. Mor 3D 159
Dykehead. Ang 2C 144
Dykehead. N Lan 3B 128
Dykehead. Stir 4E 135
Dykend. Ang 3B 144
Dykesfield. Cumb 4E 112
Dylife. Powy 1A 58
Dymchurch. Kent 3F 29
Dymock. Glos 2C 48
Dyrham. S Glo 4C 34
Dysart. Fife 4F 137
Dyserth. Den 3C 82

E

Eachwick. Nmbd 2E 115
Eadar Dha Fhadhail. W Isl 4C 171
Eagland Hill. Lanc 5D 96
Eagle. Linc 4F 87
Eagle Barnsdale. Linc 4F 87
Eagle Moor. Linc 4F 87
Eaglescliffe. Stoc T 3B 106
Eaglesfield. Cumb 2B 102
Eaglesfield. Dum 2D 112
Eaglesham. E Ren 4G 127
Eaglethorpe. Nptn 1H 63
Eagley. G Man 3F 91
Eairy. IOM 4B 108
Eakley Lanes. Mil 5F 63
Eakring. Notts 4D 86
Ealand. N Lin 3A 94
Ealing. G Lon 2C 38
Eallabus. Arg 3B 124
Eals. Nmbd 4H 113
Eamont Bridge. Cumb 2G 103
Earby. Lanc 5B 98
Earcroft. Bkbn 2E 91
Eardington. Shrp 1B 60
Eardisland. Here 5G 59
Eardisley. Here 1G 47
Eardiston. Shrp 3F 71
Eardiston. Worc 4A 60
Earith. Cambs 3C 64
Earlais. High 2C 154
Earle. Nmbd 2D 121
Earlesfield. Linc 2G 75
Earlestown. Mers 1H 83
Earley. Wok 4F 37
Earlham. Norf 5D 78
Earlish. High 2C 154
Earls Barton. Nptn 4F 63
Earls Colne. Essx 3B 54
Earls Common. Worc 5D 60
Earl's Croome. Worc 1D 48
Earlsdon. W Mid 3H 61
Earlsferry. Fife 3G 137
Earlsford. Abers 5F 161
Earl's Green. Suff 4C 66
Earlsheaton. W Yor 2C 92
Earl Shilton. Leics 1B 62
Earl Soham. Suff 4E 67
Earl Sterndale. Derbs 4E 85
Earlston. E Ayr 1D 116
Earlston. Bord 1H 119
Earl Stonham. Suff 5D 66
Earlstoun. Dum 1D 110
Earlswood. Mon 2H 33
Earlswood. Warw 3F 61
Earlyvale. Bord 4F 129
Earnley. W Sus 3G 17
Earsairidh. W Isl 9C 170
Earsdon. Tyne 2G 115
Earsham. Norf 2F 67
Earsham Street. Suff 3E 67
Earswick. York 4A 100
Eartham. W Sus 5A 26
Earthcott Green. S Glo 3B 34
Easby. N Yor 4C 106
(nr. Great Ayton)
Easby. N Yor 4E 105
(nr. Richmond)
Easdale. Arg 2E 133
Easebourne. W Sus 4G 25
Easenhall. Warw 3B 62
Eashing. Surr 1A 26
Easington. Buck 4E 51
Easington. Dur 5H 115
Easington. E Yor 3G 95
Easington. Nmbd 1F 121
Easington. Oxon 2C 50
(nr. Banbury)
Easington. Oxon 2E 37
(nr. Watlington)
Easington. Red C 3E 107
Easington Colliery. Dur 5H 115
Easington Lane. Tyne 5G 115
Easingwold. N Yor 3H 99
Easole Street. Kent 5G 41
Eassie. Ang 4C 144
Eassie and Nevay. Ang 4C 144
East Aberthaw. V Glam 5D 32
Eastacombe. Devn 4F 19
Eastacott. Devn 4G 19
East Allington. Devn 4D 8
East Anstey. Devn 4B 20
East Anton. Hants 2B 24
East Appleton. N Yor 5F 105
East Ardsley. W Yor 2D 92
East Ashley. Devn 1G 11
East Ashling. W Sus 2G 17
East Aston. Hants 2C 24
East Ayton. N Yor 1D 101
East Barkwith. Linc 2A 88
East Barnby. N Yor 3F 107
East Barnet. G Lon 1D 39
East Barns. E Lot 2D 130
East Barsham. Norf 2B 78
East Beach. W Sus 3G 17
East Beckham. Norf 1D 78
East Bedfont. G Lon 3B 38
East Bennan. N Ayr 3D 123
East Bergholt. Suff 2D 54
East Bierley. W Yor 2B 92
East Blatchington. E Sus 5F 27
East Bliney. Norf 4B 78
East Bloxworth. Dors 3D 15
East Boldre. Hants 2B 16
East Bolton. Nmbd 3F 121
Eastbourne. Darl 3F 105
Eastbourne. E Sus 5H 27 & 195
East Brent. Som 1G 21
East Bridge. Suff 4G 67
East Bridgford. Notts 1D 74
East Briscoe. Dur 3C 104
East Buckland. Devn 3G 19
(nr. Barnstaple)
East Buckland. Devn 4C 8
(nr. Thurlestone)
East Budleigh. Devn 4D 12
Eastburn. W Yor 5C 98
East Burnham. Buck 2A 38
East Burrafirth. Shet 6E 173
East Burton. Dors 4D 14
Eastbury. Herts 1B 38
Eastbury. W Ber 4B 36
East Butsfield. Dur 5E 115
East Butterleigh. Devn 2C 12
East Butterwick. N Lin 4B 94
Eastby. N Yor 4C 98
East Calder. W Lot 3D 129
East Carleton. Norf 5D 78
East Carlton. Nptn 2F 63
East Carlton. W Yor 5E 98
East Chaldon. Dors 4C 14
East Challow. Oxon 3B 36
East Charleton. Devn 4D 8
East Chelborough. Dors 2A 14
East Chiltington. E Sus 4E 27
East Chinnock. Som 1H 13
East Chisenbury. Wilts 1G 23
Eastchurch. Kent 3D 40
East Clandon. Surr 5B 38
East Claydon. Buck 3F 51
East Clevedon. N Som 4H 33
East Clyne. High 3F 165
East Clyth. High 5E 169
East Coker. Som 1A 14
Eastcombe. Glos 5D 49
East Combe. Som 3E 21
East Common. N Yor 1G 93
East Compton. Som 2B 22
East Cornworthy. Devn 3E 9
Eastcote. G Lon 2C 38
Eastcote. Nptn 5D 62
Eastcote. W Mid 3F 61
Eastcott. Corn 1C 10
Eastcott. Wilts 1F 23
East Cottingwith. E Yor 5B 100
Eastcourt. Wilts 5H 35
(nr. Pewsey)
Eastcourt. Wilts 2E 35
(nr. Tetbury)
East Cowes. IOW 3D 16
East Cowick. E Yor 2G 93
East Cowton. N Yor 4A 106
East Cramlington. Nmbd 2F 115
East Cranmore. Som 2B 22
East Creech. Dors 4E 15
East Croachy. High 1A 150
East Dean. E Sus 5G 27
East Dean. Glos 3B 48
East Dean. Hants 4A 24
East Dean. W Sus 4A 26
East Down. Devn 2G 19
East Drayton. Notts 3E 87
East Dundry. N Som 5A 34
East Ella. Hull 2D 94
East End. Cambs 3C 64
East End. Dors 3E 15
East End. E Yor 4F 101
(nr. Ulrome)
East End. E Yor 2F 95
(nr. Withernsea)
East End. Hants 3B 16
(nr. Lymington)
East End. Hants 5C 36
(nr. Newbury)
East End. Herts 3E 53
East End. Kent 3D 40
(nr. Minster)
East End. Kent 2C 28
(nr. Tenterden)
East End. N Som 4H 33
East End. Oxon 4B 50
East End. Som 1A 22
East End. Suff 2E 54
Easter Ardross. High 1A 158
Easter Balgedie. Per 3D 136
Easter Balmoral. Abers 4G 151
Easter Brae. High 2A 158
Easter Buckieburn. Stir 1A 128
Easter Bush. Midl 3F 129
Easter Compton. S Glo 3A 34
Easter Fearn. High 5D 164
Easter Galcantray.
High 4C 158
Eastergate. W Sus 5A 26
Easterhouse. Glas 3H 127
Easter Howgate. Midl 3F 129
Easter Kinkell. High 3H 157
Easter Lednathie. Ang 2C 144
Easter Ogil. Ang 2D 144
Easter Ord. Abers 3F 153
Easter Quarff. Shet 8F 173
Easter Rhynd. Per 2D 136
Easter Skeld. Shet 7E 173
Easter Suddie. High 3A 158
Easterton. Wilts 1F 23
Eastertown. Som 1G 21
Easter Tulloch. Abers 1G 145
East Everleigh. Wilts 1H 23
East Farleigh. Kent 5B 40
East Farndon. Nptn 2E 62
East Ferry. Linc 1F 87
Eastfield. N Lan 3B 128
(nr. Caldercruix)
Eastfield. N Lan 3B 128
(nr. Harthill)
Eastfield. N Yor 1E 101
Eastfield. S Lan 3H 127
Eastfield Hall. Nmbd 4G 121
East Fortune. E Lot 2B 130
East Garforth. W Yor 1E 93
East Garston. W Ber 4B 36
Eastgate. Dur 1C 104
Eastgate. Norf 3D 78
East Ginge. Oxon 3C 36
East Gores. Essx 3B 54
East Goscote. Leics 4D 74
East Grafton. Wilts 5A 36
East Green. Suff 5F 65
East Grimstead. Wilts 4H 23
East Grinstead.
W Sus 2E 27
East Guldeford. E Sus 3D 28
East Haddon. Nptn 4D 62
East Hagbourne. Oxon 3D 36
East Halton. N Lin 2E 95
East Ham. G Lon 2F 39
Eastham. Mers 2F 83
Eastham. Worc 4A 60
Eastham Ferry. Mers 2F 83
Easthampstead. Brac 5G 37
Easthampton. Here 4G 59
East Hanney. Oxon 2C 36
East Hanningfield. Essx 5A 54
East Hardwick. W Yor 3E 93
East Harling. Norf 2B 66
East Harlsey. N Yor 5B 106
East Harnham. Wilts 4G 23
East Harptree. Bath 1A 22
East Hartford. Nmbd 2F 115
East Harting. W Sus 1G 17
East Hatch. Wilts 4E 23
East Hatley. Cambs 5B 64
Easthaugh. Norf 4C 78
East Hauxwell. N Yor 5E 105
East Haven. Ang 5E 145
Eastheath. Wok 5G 37
East Heckington. Linc 1A 76
East Hedleyhope. Dur 5E 115
East Helmsdale. High 2H 165
East Hendred. Oxon 3C 36
East Heslerton. N Yor 2D 100
East Hoathly. E Sus 4G 27
East Holme. Dors 4D 15
Easthope. Shrp 1H 59
Easthorpe. Essx 3C 54
Easthorpe. Leics 2F 75
East Horrington. Som 2A 22
East Horsley. Surr 5B 38
East Horton. Nmbd 1E 121
Easthouses. Midl 3G 129
East Howe. Bour 3F 15
East Huntspill. Som 2G 21
East Hyde. C Beds 4B 52
East Ilsley. W Ber 3C 36
Eastington. Devn 2H 11
Eastington. Glos 4G 49
(nr. Northleach)
Eastington. Glos 5C 48
(nr. Stonehouse)
East Keal. Linc 4C 88
East Kennett. Wilts 5G 35
East Keswick. W Yor 5F 99
East Kilbride. S Lan 4H 127
East Kirkby. Linc 4C 88
East Knapton. N Yor 2C 100
East Knighton. Dors 4D 14
East Knowstone. Devn 4B 20
East Knoyle. Wilts 3D 23
East Kyloe. Nmbd 1E 121
East Lambrook. Som 1H 13
East Langdon. Kent 1H 29
East Langton. Leics 1E 63
East Langwell. High 3E 164
East Lavant. W Sus 2G 17
East Lavington. W Sus 4A 26
East Layton. N Yor 4E 105
Eastleach Martin. Glos 5H 49
Eastleach Turville. Glos 5G 49
East Leake. Notts 3C 74
East Learmouth. Nmbd 1C 120
Eastleigh. Devn 4E 19
(nr. Bideford)
East Leigh. Devn 2H 11
(nr. Crediton)
East Leigh. Devn 3C 8
(nr. Modbury)
Eastleigh. Hants 1C 16
East Lexham. Norf 4A 78
East Lilburn. Nmbd 2E 121
Eastling. Kent 5D 40
East Linton. E Lot 2B 130
East Liss. Hants 4F 25
East Lockinge. Oxon 3C 36
East Looe. Corn 3G 7
East Lound. N Lin 1E 87
East Lulworth. Dors 4D 14
East Lutton. N Yor 3D 100
East Lydford. Som 3A 22
East Lyng. Som 4G 21
East Mains. Abers 4D 152
East Malling. Kent 5B 40
East Marden. W Sus 1G 17
East Markham. Notts 3E 87
East Marton. N Yor 4B 98
East Meon. Hants 4E 25
East Mersea. Essx 4D 54
East Mey. High 1F 169
East Midlands Airport.
Leics 3B 74 & 216
East Molesey. Surr 4C 38
Eastmoor. Norf 5G 77
East Morden. Dors 3E 15
East Morton. W Yor 5D 98
East Ness. N Yor 2A 100
East Newton. E Yor 1F 95
East Newton. N Yor 2A 100
Eastney. Port 3E 17
Eastnor. Here 2C 48
East Norton. Leics 5E 75
East Nynehead. Som 4E 21
East Oakley. Hants 1D 24
Eastoft. N Lin 3B 94
East Ogwell. Devn 5B 12
Easton. Cambs 3A 64
Easton. Cumb 4D 112
(nr. Burgh by Sands)
Easton. Cumb 2F 113
(nr. Longtown)
Easton. Devn 4H 11
Easton. Dors 5B 14
Easton. Hants 3D 24
Easton. Linc 3G 75
Easton. Norf 4D 78
Easton. Som 2A 22
Easton. Suff 5E 67
Easton. Wilts 4D 35
Easton Grey. Wilts 3D 35
Easton-in-Gordano. N Som 4A 34
Easton Maudit. Nptn 5F 63
Easton on the Hill. Nptn 5H 75
Easton Royal. Wilts 5H 35
East Orchard. Dors 1D 14
East Ord. Nmbd 4F 131
East Panson. Devn 3D 10
East Peckham. Kent 1A 28
East Pennard. Som 3A 22
East Perry. Cambs 4A 64
East Pitcorthie. Fife 3H 137
East Portlemouth. Devn 5D 8
East Prawle. Devn 5D 9
East Preston. W Sus 5B 26
East Putford. Devn 1D 10
East Quantoxhead. Som 2E 21
East Rainton. Tyne 5G 115
East Ravendale. NE Lin 1B 88
East Raynham. Norf 3A 78
Eastrea. Cambs 1B 64
East Rhidorroch Lodge. High 4G 163
Eastriggs. Dum 3D 112
East Rigton. W Yor 5F 99
Eastrington. E Yor 1A 94
East Rounton. N Yor 4B 106
East Row. N Yor 3F 107
East Rudham. Norf 3H 77
East Runton. Norf 1D 78
East Ruston. Norf 3F 79
Eastry. Kent 5H 41
East Saltoun. E Lot 3A 130
East Shaws. Dur 3D 105
East Shefford. W Ber 4B 36
Eastshore. Shet 10E 173
East Sleekburn. Nmbd 1F 115
East Somerton. Norf 4G 79
East Stockwith. Linc 1E 87
East Stoke. Dors 4D 14
East Stoke. Notts 1E 75
East Stoke. Som 1H 13
East Stour. Dors 4D 22
East Stourmouth. Kent 4G 41
East Stowford. Devn 4G 19
East Stratton. Hants 2D 24
East Studdal. Kent 1H 29
East Taphouse. Corn 2F 7
East-the-Water. Devn 4E 19
East Thirston. Nmbd 5F 121
East Tilbury. Thur 3A 40
East Tisted. Hants 3F 25
East Torrington. Linc 2A 88
East Tuddenham. Norf 4C 78
East Tytherley. Hants 4A 24
East Tytherton. Wilts 4E 35
East Village. Devn 2B 12
Eastville. Linc 5D 88
East Wall. Shrp 1H 59
East Walton. Norf 4G 77
East Week. Devn 3G 11
Eastwell. Leics 3E 75
East Wellow. Hants 4B 24
East Wemyss. Fife 4F 137
East Whitburn. W Lot 3C 128
Eastwick. Herts 4E 53
Eastwick. Shet 4E 173
East Williamston. Pemb 4E 43
East Winch. Norf 4F 77
East Winterslow. Wilts 3H 23
East Wittering. W Sus 3F 17
East Witton. N Yor 1D 98
Eastwood. Notts 1B 74
Eastwood. S'end 2C 40
East Woodburn. Nmbd 1C 114
Eastwood End. Cambs 1D 64
East Woodhay. Hants 5C 36
East Woodlands. Som 2C 22
East Worldham. Hants 3F 25
East Worlington. Devn 1A 12
East Wretham. Norf 1B 66
East Youlstone. Devn 1C 10
Eathorpe. Warw 4A 62
Eaton. Ches E 4C 84
Eaton. Ches W 4H 83
Eaton. Leics 3E 75
Eaton. Norf 2F 77
(nr. Heacham)
Eaton. Norf 5E 78
(nr. Norwich)
Eaton. Notts 3E 86
Eaton. Oxon 5C 50
Eaton. Shrp 2F 59
(nr. Bishop's Castle)
Eaton. Shrp 1H 59
(nr. Church Stretton)
Eaton Bishop. Here 2H 47
Eaton Bray. C Beds 3H 51
Eaton Constantine. Shrp 5H 71
Eaton Hastings. Oxon 2A 36
Eaton Socon. Cambs 5A 64
Eaton upon Tern. Shrp 3A 72
Eau Brink. Norf 4E 77
Eaves Green. W Mid 2G 61
Ebberley Hill. Devn 1F 11
Ebberston. N Yor 1C 100
Ebbesbourne Wake. Wilts 4E 23
Ebblake. Dors 2G 15
Ebbsfleet. Kent 3H 39
Ebbw Vale. Blae 5E 47
Ebchester. Dur 4E 115
Ebernoe. W Sus 3A 26

Ebford. *Devn* 4C 12
Ebley. *Glos* 5D 48
Ebnal. *Ches W* 1G 71
Ebrington. *Glos* 1G 49
Ecchinswell. *Hants* 1D 24
Ecclefechan. *Dum* 2C 112
Eccles. *G Man* 1B 84
Eccles. *Kent* 4B 40
Eccles. *Bord* 5D 130
Ecclesall. *S Yor* 2H 85
Ecclesfield. *S Yor* 1A 86
Eccles Green. *Here* 1G 47
Eccleshall. *Staf* 3C 72
Eccleshill. *W Yor* 1B 92
Ecclesmachan. *W Lot* 2D 128
Eccles on Sea. *Norf* 3G 79
Eccles Road. *Norf* 1C 66
Eccleston. *Ches W* 4G 83
Eccleston. *Lanc* 3D 90
Eccleston. *Mers* 1G 83
Eccup. *W Yor* 5E 99
Echt. *Abers* 3E 153
Eckford. *Bord* 2B 120
Eckington. *Derbs* 3B 86
Eckington. *Worc* 1E 49
Ecton. *Nptn* 4F 63
Edale. *Derbs* 2F 85
Eday Airport. *Orkn* 4E 172
Edburton. *W Sus* 4D 26
Edderside. *Cumb* 5C 112
Edderton. *High* 5E 164
Eddington. *Kent* 4F 41
Eddington. *W Ber* 5B 36
Eddleston. *Bord* 5F 129
Eddlewood. *S Lan* 4A 128
Edenbridge. *Kent* 1F 27
Edendonich. *Arg* 1A 134
Edenfield. *Lanc* 3G 91
Edenhall. *Cumb* 1G 103
Edenham. *Linc* 3H 75
Edensor. *Derbs* 4G 85
Edentaggart. *Arg* 4C 134
Edenthorpe. *S Yor* 4G 93
Eden Vale. *Dur* 1B 106
Edern. *Gwyn* 2B 68
Edgarley. *Som* 3A 22
Edgbaston. *W Mid* 2E 61
Edgcott. *Buck* 3E 51
Edgcott. *Som* 3B 20
Edge. *Glos* 5D 48
Edge. *Shrp* 5F 71
Edgebolton. *Shrp* 3H 71
Edge End. *Glos* 4A 48
Edgefield. *Norf* 2C 78
Edgefield Street. *Norf* 2C 78
Edge Green. *Ches W* 5G 83
Edgehead. *Midl* 3G 129
Edgeley. *Shrp* 1H 71
Edgeside. *Lanc* 2G 91
Edgeworth. *Glos* 5E 49
Edgiock. *Worc* 4E 61
Edgmond. *Telf* 4B 72
Edgmond Marsh. *Telf* 3B 72
Edgton. *Shrp* 2F 59
Edgware. *G Lon* 1C 38
Edgworth. *Bkbn* 3F 91
Edinbane. *High* 3C 154
Edinburgh. *Edin* 2F 129 & 194
Edinburgh Airport. *Edin* 2E 129
Edingale. *Staf* 4G 73
Edingley. *Notts* 5D 86
Edingthorpe. *Norf* 2F 79
Edington. *Som* 3G 21
Edington. *Wilts* 1E 23
Edingworth. *Som* 1G 21
Edistone. *Devn* 4C 18
Edithmead. *Som* 2G 21
Edith Weston. *Rut* 5G 75
Edlaston. *Derbs* 1F 73
Edlesborough. *Buck* 4H 51
Edlingham. *Nmbd* 4F 121
Edlington. *Linc* 3B 88
Edmondsham. *Dors* 1F 15
Edmondsley. *Dur* 5F 115
Edmondthorpe. *Leics* 4F 75
Edmonstone. *Orkn* 5E 172
Edmonton. *Corn* 1D 6
Edmonton. *G Lon* 1E 39
Edmundbyers. *Dur* 4D 114
Ednam. *Bord* 1B 120
Ednaston. *Derbs* 1G 73
Edney Common. *Essx* 5G 53
Edrom. *Bord* 4E 131
Edstaston. *Shrp* 2H 71
Edstone. *Warw* 4F 61
Edwalton. *Notts* 2D 74
Edwardstone. *Suff* 1C 54
Edwardsville. *Mer T* 2D 32
Edwinsford. *Carm* 2G 45
Edwinstowe. *Notts* 4D 86
Edworth. *C Beds* 1C 52
Edwyn Ralph. *Here* 5A 60
Edzell. *Ang* 2F 145
Efail-fach. *Neat* 2A 32
Efail Isaf. *Rhon* 3D 32
Efailnewydd. *Gwyn* 2C 68
Efail-rhyd. *Powy* 3D 70
Efailwen. *Carm* 2F 43
Efenechtyd. *Den* 5D 82
Effingham. *Surr* 5C 38
Effingham Common. *Surr* 5C 38
Effirth. *Shet* 6E 173
Efflinch. *Staf* 4F 73
Efford. *Devn* 2B 12
Efstigarth. *Shet* 2F 173
Egbury. *Hants* 1C 24
Egdon. *Worc* 5D 60
Egerton. *G Man* 3F 91
Egerton. *Kent* 1D 28
Egerton Forstal. *Kent* 1C 28
Eggborough. *N Yor* 2F 93
Eggbuckland. *Plym* 3A 8
Eggesford. *Devn* 1G 11
Eggington. *C Beds* 3H 51
Egginton. *Derbs* 3G 73
Egglescliffe. *Stoc T* 3B 106
Eggleston. *Dur* 2C 104
Egham. *Surr* 3B 38
Egham Hythe. *Surr* 3B 38
Egleton. *Rut* 5F 75
Eglingham. *Nmbd* 3F 121
Egloshayle. *Corn* 5A 10
Egloskerry. *Corn* 4C 10
Eglwysbach. *Cnwy* 3H 81
Eglwys Brewis. *V Glam* 5D 32
Eglwys Fach. *Cdgn* 1F 57
Eglwyswrw. *Pemb* 1F 43
Egmanton. *Notts* 4E 87
Egmere. *Norf* 2B 78
Egremont. *Cumb* 3B 102
Egremont. *Mers* 1F 83
Egton. *N Yor* 4F 107
Egton Bridge. *N Yor* 4F 107
Egypt. *Buck* 2A 38
Egypt. *Hants* 2C 24
Eight Ash Green. *Essx* 3C 54
Eight Mile Burn. *Midl* 4E 129
Eignaig. *High* 4B 140
Eilanreach. *High* 2G 147
Eildon. *Bord* 1H 119
Eileanach Lodge. *High* 2H 157
Eilean Fhlodaigh. *W Isl* 3D 170
Eilean Iarmain. *High* 2F 147
Einacleit. *W Isl* 5D 171
Eisgein. *W Isl* 6F 171
Eisingrug. *Gwyn* 2F 69
Elan Village. *Powy* 4B 58
Elberton. *S Glo* 3B 34
Elbridge. *W Sus* 5A 26
Elburton. *Plym* 3B 8
Elcho. *Per* 1D 136
Elcombe. *Swin* 3G 35
Elcot. *W Ber* 5B 36
Eldernell. *Cambs* 1C 64
Eldersfield. *Worc* 2D 48
Elderslie. *Ren* 3F 127
Elder Street. *Essx* 2F 53
Eldon. *Dur* 2F 105
Eldroth. *N Yor* 3G 97
Eldwick. *W Yor* 5D 98
Elfhowe. *Cumb* 5F 103
Elford. *Nmbd* 1F 121
Elford. *Staf* 4F 73
Elford Closes. *Cambs* 3D 65
Elgin. *Mor* 2G 159
Elgol. *High* 2D 146
Elham. *Kent* 1F 29
Elie. *Fife* 3G 137
Eling. *Hants* 1B 16
Eling. *W Ber* 4D 36
Elishaw. *Nmbd* 5C 120
Elizafield. *Dum* 2B 112
Elkesley. *Notts* 3D 86
Elkington. *Nptn* 3D 62
Elkins Green. *Essx* 5G 53
Elkstone. *Glos* 4E 49
Ellan. *High* 1C 150
Elland. *W Yor* 2B 92
Ellary. *Arg* 2F 125
Ellastone. *Staf* 1F 73
Ellbridge. *Corn* 2A 8
Ellel. *Lanc* 4D 97
Ellemford. *Bord* 3D 130
Ellenabeich. *Arg* 2E 133
Ellenborough. *Cumb* 1B 102
Ellenbrook. *Herts* 5C 52
Ellenhall. *Staf* 3C 72
Ellen's Green. *Surr* 2B 26
Ellerbec. *N Yor* 5B 106
Ellerburn. *N Yor* 1C 100
Ellerby. *N Yor* 3E 107
Ellerdine. *Telf* 3A 72
Ellerdine Heath. *Telf* 3A 72
Ellerhayes. *Devn* 2C 12
Elleric. *Arg* 4E 141
Ellerker. *E Yor* 2C 94
Ellerton. *E Yor* 1H 93
Ellerton. *N Yor* 5F 105
Ellerton. *Shrp* 3B 72
Ellesborough. *Buck* 5G 51
Ellesmere. *Shrp* 2F 71
Ellesmere Port. *Ches W* 3G 83
Ellingham. *Hants* 2G 15
Ellingham. *Norf* 1F 67
Ellingham. *Nmbd* 2F 121
Ellingstring. *N Yor* 1D 98
Ellington. *Cambs* 3A 64
Ellington. *Nmbd* 5G 121
Ellington Thorpe. *Cambs* 3A 64
Elliot. *Ang* 5F 145
Ellisfield. *Hants* 2E 25
Ellishadder. *High* 2E 155
Ellistown. *Leics* 4B 74
Ellon. *Abers* 5G 161
Ellonby. *Cumb* 1F 103
Ellough. *Suff* 2G 67
Elloughton. *E Yor* 2C 94
Ellwood. *Glos* 5A 48
Elm. *Cambs* 5D 76
Elmbridge. *Glos* 4D 48
Elmbridge. *Worc* 4D 60
Elmdon. *Essx* 2E 53
Elmdon. *W Mid* 2F 61
Elmdon Heath. *W Mid* 2F 61
Elmesthorpe. *Leics* 1B 62
Elmfield. *IOW* 3D 16
Elm Hill. *Dors* 4D 22
Elmhurst. *Staf* 4F 73
Elmley Castle. *Worc* 1E 49
Elmley Lovett. *Worc* 4C 60
Elmore. *Glos* 4C 48
Elmore Back. *Glos* 4C 48
Elm Park. *G Lon* 2G 39
Elmscott. *Devn* 4C 18
Elmsett. *Suff* 1D 54
Elmstead. *Essx* 3D 54
Elmstead Heath. *Essx* 3D 54
Elmstead Market. *Essx* 3D 54
Elmsted. *Kent* 1F 29
Elmstone. *Kent* 4G 41
Elmstone Hardwicke. *Glos* 3E 49
Elmswell. *E Yor* 4D 101
Elmswell. *Suff* 4B 66
Elmton. *Derbs* 3C 86
Elphin. *High* 2G 163
Elphinstone. *E Lot* 2G 129
Elrick. *Abers* 3F 153
Elrick. *Mor* 1B 152
Elrig. *Dum* 5A 110
Elsdon. *Nmbd* 5D 120
Elsecar. *S Yor* 1A 86
Elsenham. *Essx* 3F 53
Elsfield. *Oxon* 4D 50
Elsham. *N Lin* 3D 94
Elsing. *Norf* 4C 78
Elslack. *N Yor* 5B 98
Elsrickle. *S Lan* 5D 128
Elstead. *Surr* 1A 26
Elsted. *W Sus* 1G 17
Elsted Marsh. *W Sus* 4G 25
Elsthorpe. *Linc* 3H 75
Elstob. *Dur* 2A 106
Elston. *Devn* 2A 12
Elston. *Lanc* 1E 90
Elston. *Notts* 1E 75
Elston. *Wilts* 2F 23
Elstone. *Devn* 1G 11
Elstow. *Bed* 1A 52
Elstree. *Herts* 1C 38
Elstronwick. *E Yor* 1F 95
Elswick. *Lanc* 1C 90
Elswick. *Tyne* 3F 115
Elsworth. *Cambs* 4C 64
Elterwater. *Cumb* 4E 103
Eltham. *G Lon* 3F 39
Eltisley. *Cambs* 5B 64
Elton. *Cambs* 1H 63
Elton. *Ches W* 3G 83
Elton. *Derbs* 4G 85
Elton. *Glos* 4C 48
Elton. *G Man* 3F 91
Elton. *Here* 3G 59
Elton. *Notts* 2E 75
Elton. *Stoc T* 3B 106
Elton Green. *Ches W* 3G 83
Eltringham. *Nmbd* 3D 115
Elvanfoot. *S Lan* 3B 118
Elvaston. *Derbs* 2B 74
Elveden. *Suff* 3H 65
Elvetham Heath. *Hants* 1F 25
Elvingston. *E Lot* 2A 130
Elvington. *Kent* 5G 41
Elvington. *York* 5B 100
Elwick. *Hart* 1B 106
Elwick. *Nmbd* 1F 121
Elworth. *Ches E* 4B 84
Elworth. *Dors* 4A 14
Elworthy. *Som* 3D 20
Ely. *Cambs* 2E 65
Ely. *Card* 4E 33
Emberton. *Mil* 1G 51
Embleton. *Cumb* 1C 102
Embleton. *Dur* 2B 106
Embleton. *Nmbd* 2G 121
Embo. *High* 4F 165
Emborough. *Som* 1B 22
Embo Street. *High* 4F 165
Embsay. *N Yor* 4C 98
Emery Down. *Hants* 2A 16
Emley. *W Yor* 3C 92
Emmbrook. *Wok* 5F 37
Emmer Green. *Read* 4F 37
Emmington. *Oxon* 5F 51
Emneth. *Norf* 5D 77
Emneth Hungate. *Norf* 5E 77
Empingham. *Rut* 5G 75
Empshott. *Hants* 3F 25
Emsworth. *Hants* 2F 17
Enborne. *W Ber* 5C 36
Enborne Row. *W Ber* 5C 36
Enchmarsh. *Shrp* 1H 59
Enderby. *Leics* 1C 62
Endmoor. *Cumb* 1E 97
Endon. *Staf* 5D 84
Endon Bank. *Staf* 5D 84
Enfield. *G Lon* 1E 39
Enfield Wash. *G Lon* 1E 39
Enford. *Wilts* 1G 23
Engine Common. *S Glo* 3B 34
Englefield. *W Ber* 4E 36
Englefield Green. *Surr* 3A 38
Engleseabrook. *Ches E* 5B 84
English Bicknor. *Glos* 4A 48
Englishcombe. *Bath* 5C 34
English Frankton. *Shrp* 3G 71
Enham Alamein. *Hants* 2B 24
Enmore. *Som* 3F 21
Ennerdale Bridge. *Cumb* 3B 102
Enniscaven. *Corn* 3D 6
Enoch. *Dum* 4A 118
Enochdhu. *Per* 2H 143
Ensay. *Arg* 4E 139
Ensbury. *Bour* 3F 15
Ensdon. *Shrp* 4G 71
Ensis. *Devn* 4F 19
Enson. *Staf* 3D 72
Enstone. *Oxon* 3B 50
Enterkinfoot. *Dum* 4A 118
Enville. *Staf* 2C 60
Eolaigearraidh. *W Isl* 8C 170
Eorabus. *Arg* 1A 132
Eoropaidh. *W Isl* 1H 171
Epney. *Glos* 4C 48
Epperstone. *Notts* 1D 74
Epping. *Essx* 5E 53
Epping Green. *Essx* 5E 53
Epping Green. *Herts* 5C 52
Epping Upland. *Essx* 5E 53
Eppleby. *N Yor* 3E 105
Eppleworth. *E Yor* 1D 94
Epsom. *Surr* 4D 38
Epwell. *Oxon* 1B 50
Epworth. *N Lin* 4A 94
Epworth Turbary. *N Lin* 4A 94
Erbistock. *Wrex* 1F 71
Erbusaig. *High* 1F 147
Erchless Castle. *High* 4G 157
Erdington. *W Mid* 1F 61
Eredine. *Arg* 3G 133
Eriboll. *High* 3E 167
Ericstane. *Dum* 3C 118
Eridge Green. *E Sus* 2G 27
Erines. *Arg* 2G 125
Eriswell. *Suff* 3G 65
Erith. *G Lon* 3G 39
Erlestoke. *Wilts* 1E 23
Ermine. *Linc* 3G 87
Ermington. *Devn* 3C 8
Ernesettle. *Plym* 3A 8
Erpingham. *Norf* 2D 78
Erriottwood. *Kent* 5D 40
Errogie. *High* 1H 149
Errol. *Per* 1E 137
Errol Station. *Per* 1E 137
Erskine. *Ren* 2F 127
Erskine Bridge. *Ren* 2F 127
Ervie. *Dum* 3F 109
Erwarton. *Suff* 2F 55
Erwood. *Powy* 1D 46
Eryholme. *N Yor* 4A 106
Eryrys. *Den* 5E 82
Escalls. *Corn* 4A 4
Escomb. *Dur* 1E 105
Escrick. *N Yor* 5A 100
Esgair. *Carm* 3D 45 (nr. Carmarthen)
Esgair. *Carm* 3G 43 (nr. St Clears)
Esgairgeiliog. *Powy* 5G 69
Esh. *Dur* 5E 115
Esher. *Surr* 4C 38
Esholt. *W Yor* 5D 98
Eshott. *Nmbd* 5G 121
Eshton. *N Yor* 4B 98
Esh Winning. *Dur* 5E 115
Eskadale. *High* 5G 157
Eskbank. *Midl* 3G 129
Eskdale Green. *Cumb* 4C 102
Eskdalemuir. *Dum* 5E 119
Eskham. *Linc* 1C 88
Esknish. *Arg* 3B 124
Esk Valley. *N Yor* 4F 107
Eslington Hall. *Nmbd* 3E 121
Espley Hall. *Nmbd* 5F 121
Esprick. *Lanc* 1C 90
Essendine. *Rut* 4H 75
Essendon. *Herts* 5C 52
Essich. *High* 5A 158
Essington. *Staf* 5D 72
Eston. *Red C* 3C 106
Estover. *Plym* 3B 8
Eswick. *Shet* 6F 173
Etal. *Nmbd* 1D 120
Etchilhampton. *Wilts* 5F 35
Etchingham. *E Sus* 3B 28
Etchinghill. *Kent* 2F 29
Etchinghill. *Staf* 4E 73
Etherley Dene. *Dur* 2E 105
Ethie Haven. *Ang* 4F 145
Etling Green. *Norf* 4C 78
Etloe. *Glos* 5B 48
Eton. *Wind* 3A 38
Eton Wick. *Wind* 3A 38
Etteridge. *High* 4A 150
Ettersgill. *Dur* 2B 104
Ettiley Heath. *Ches E* 4B 84
Ettington. *Warw* 1A 50
Etton. *E Yor* 5D 101
Etton. *Pet* 5A 76
Ettrick. *Bord* 3E 119
Ettrickbridge. *Bord* 2F 119
Etwall. *Derbs* 2G 73
Eudon Burnell. *Shrp* 2B 60
Eudon George. *Shrp* 2A 60
Euston. *Suff* 3A 66
Euxton. *Lanc* 3D 90
Evanstown. *B'end* 3C 32
Evanton. *High* 2A 158
Evedon. *Linc* 1H 75
Evelix. *High* 4E 165
Evendine. *Here* 1C 48
Evenjobb. *Powy* 4E 59
Evenley. *Nptn* 2D 50
Evenlode. *Glos* 3H 49
Even Swindon. *Swin* 3G 35
Evenwood. *Dur* 2E 105
Evenwood Gate. *Dur* 2E 105
Everbay. *Orkn* 5F 172
Evercreech. *Som* 3B 22
Everdon. *Nptn* 5C 62
Everingham. *E Yor* 5C 100
Everleigh. *Wilts* 1H 23
Everley. *N Yor* 1D 100
Eversholt. *C Beds* 2H 51
Evershot. *Dors* 2A 14
Eversley. *Hants* 5F 37
Eversley Centre. *Hants* 5F 37
Eversley Cross. *Hants* 5F 37
Everthorpe. *E Yor* 1C 94
Everton. *C Beds* 5B 64
Everton. *Hants* 3A 16
Everton. *Mers* 1F 83
Everton. *Notts* 1D 86
Evertown. *Dum* 2E 113
Evesbatch. *Here* 1B 48
Evesham. *Worc* 1F 49
Evington. *Leic* 5D 74
Ewden Village. *S Yor* 1G 85
Ewdness. *Shrp* 1B 60
Ewell. *Surr* 4D 38
Ewell Minnis. *Kent* 1G 29
Ewelme. *Oxon* 2E 37
Ewen. *Glos* 2F 35
Ewenny. *V Glam* 4C 32
Ewerby. *Linc* 1A 76
Ewes. *Dum* 5F 119
Ewesley. *Nmbd* 5E 121
Ewhurst. *Surr* 1B 26
Ewhurst Green. *E Sus* 3B 28
Ewhurst Green. *Surr* 2B 26
Ewlo. *Flin* 4F 83
Ewloe. *Flin* 4F 83
Ewood Bridge. *Lanc* 2F 91
Eworthy. *Devn* 3E 11
Ewshot. *Hants* 1G 25
Ewyas Harold. *Here* 3G 47
Exbourne. *Devn* 2G 11
Exbury. *Hants* 2C 16
Exceat. *E Sus* 5G 27
Exebridge. *Som* 4C 20
Exelby. *N Yor* 1E 99
Exeter. *Devn* 3C 12 & 195
Exeter International Airport. *Devn* 3D 12
Exford. *Som* 3B 20
Exfords Green. *Shrp* 5G 71
Exhall. *Warw* 5F 61
Exlade Street. *Oxon* 3E 37
Exminster. *Devn* 4C 12
Exmoor. *Som* 3B 20
Exmouth. *Devn* 4D 12
Exnaboe. *Shet* 10E 173
Exning. *Suff* 4F 65
Exton. *Devn* 4C 12
Exton. *Hants* 4E 24
Exton. *Rut* 4G 75
Exton. *Som* 3C 20
Exwick. *Devn* 3C 12
Eyam. *Derbs* 3G 85
Eydon. *Nptn* 5C 62
Eye. *Here* 4G 59
Eye. *Pet* 5B 76
Eye. *Suff* 3D 66
Eye Green. *Pet* 5B 76
Eyemouth. *Bord* 3F 131
Eyeworth. *C Beds* 1C 52
Eyhorne Street. *Kent* 5C 40
Eyke. *Suff* 5F 67
Eynesbury. *Cambs* 5A 64
Eynort. *High* 1B 146
Eynsford. *Kent* 4G 39
Eynsham. *Oxon* 5C 50
Eyre. *High* 3D 154 (on Isle of Skye)
Eyre. *High* 5E 155 (on Raasay)
Eythorne. *Kent* 1G 29
Eyton. *Here* 4G 59
Eyton. *Shrp* 2F 59 (nr. Bishop's Castle)
Eyton. *Shrp* 4F 71 (nr. Shrewsbury)
Eyton. *Wrex* 1F 71
Eyton on Severn. *Shrp* 5H 71
Eyton upon the Weald Moors. *Telf* 4A 72

F

Faccombe. *Hants* 1B 24
Faceby. *N Yor* 4B 106
Faddiley. *Ches E* 5H 83
Fadmoor. *N Yor* 1A 100
Fagwyr. *Swan* 5G 45
Faichem. *High* 3E 149
Faifley. *W Dun* 2G 127
Fail. *S Ayr* 2D 116
Failand. *N Som* 4A 34
Failford. *S Ayr* 2D 116
Failsworth. *G Man* 4H 91
Fairbourne. *Gwyn* 4F 69
Fairbourne Heath. *Kent* 5C 40
Fairburn. *N Yor* 2E 93
Fairfield. *Derbs* 3E 85
Fairfield. *Kent* 3D 28
Fairfield. *Worc* 3D 60 (nr. Bromsgrove)
Fairfield. *Worc* 1F 49 (nr. Evesham)
Fairford. *Glos* 5G 49
Fair Green. *Norf* 4F 77
Fair Hill. *Cumb* 1G 103
Fairhill. *S Lan* 4A 128
Fair Isle Airport. *Shet* 1B 172
Fairlands. *Surr* 5A 38
Fairlie. *N Ayr* 4D 126
Fairlight. *E Sus* 4C 28
Fairlight Cove. *E Sus* 4C 28
Fairmile. *Devn* 3D 12
Fairmile. *Surr* 4C 38
Fairmilehead. *Edin* 3F 129
Fair Oak. *Devn* 1D 12
Fair Oak. *Hants* 1C 16 (nr. Eastleigh)
Fair Oak. *Hants* 5D 36 (nr. Kingsclere)
Fairoak. *Staf* 2B 72
Fair Oak Green. *Hants* 5E 37
Fairseat. *Kent* 4H 39
Fairstead. *Essx* 4A 54
Fairstead. *Norf* 4F 77
Fairwarp. *E Sus* 3F 27
Fairwater. *Card* 4E 33
Fairy Cross. *Devn* 4E 19
Fakenham. *Norf* 3B 78
Fakenham Magna. *Suff* 3B 66
Fala. *Midl* 3H 129
Fala Dam. *Midl* 3H 129
Falcon. *Here* 2B 48
Faldingworth. *Linc* 2H 87
Falfield. *S Glo* 2B 34
Falkenham. *Suff* 2F 55
Falkirk. *Falk* 2B 128 & 195
Falkland. *Fife* 3E 137

Fallin. *Stir* 4H 135
Fallowfield. *G Man* 1C 84
Falmer. *E Sus* 5E 27
Falmouth. *Corn* 5C 6
Falsgrave. *N Yor* 1E 101
Falstone. *Nmbd* 1A 114
Fanagmore. *High* 4B 166
Fancott. *C Beds* 3A 52
Fanellan. *High* 4G 157
Fangdale Beck. *N Yor* 5C 106
Fangfoss. *E Yor* 4B 100
Fankerton. *Falk* 1A 128
Fanmore. *Arg* 4F 139
Fanner's Green. *Essx* 4G 53
Fannich Lodge. *High* 2E 156
Fans. *Bord* 5C 130
Farcet. *Cambs* 1B 64
Far Cotton. *Nptn* 5E 63
Fareham. *Hants* 2D 16
Farewell. *Staf* 4E 73
Far Forest. *Worc* 3B 60
Farforth. *Linc* 3C 88
Far Green. *Glos* 5C 48
Far Hoarcross. *Staf* 3F 73
Faringdon. *Oxon* 2A 36
Farington. *Lanc* 2D 90
Farlam. *Cumb* 4G 113
Farleigh. *N Som* 5H 33
Farleigh. *Surr* 4E 39
Farleigh Hungerford. *Som* 1D 22
Farleigh Wallop. *Hants* 2E 24
Farleigh Wick. *Wilts* 5D 34
Farlesthorpe. *Linc* 3D 88
Farleton. *Cumb* 1E 97
Farleton. *Lanc* 3E 97
Farley. *High* 4G 157
Farley. *N Som* 4H 33
Farley. *Shrp* 5F 71
(nr. Shrewsbury)
Farley. *Shrp* 5A 72
(nr. Telford)
Farley. *Staf* 1E 73
Farley. *Wilts* 4H 23
Farley Green. *Suff* 5G 65
Farley Green. *Surr* 1B 26
Farley Hill. *Wok* 5F 37
Farley's End. *Glos* 4C 48
Farlington. *N Yor* 3A 100
Farlington. *Port* 2E 17
Farlow. *Shrp* 2A 60
Farmborough. *Bath* 5B 34
Farmcote. *Glos* 3F 49
Farmcote. *Shrp* 1B 60
Farmington. *Glos* 4G 49
Far Moor. *G Man* 4D 90
Farmoor. *Oxon* 5C 50
Farmtown. *Mor* 3C 160
Farnah Green. *Derbs* 1H 73
Farnborough. *G Lon* 4F 39
Farnborough. *Hants* 1G 25
Farnborough. *Warw* 1C 50
Farnborough. *W Ber* 3C 36
Farncombe. *Surr* 1A 26
Farndish. *Bed* 4G 63
Farndon. *Ches W* 5G 83
Farndon. *Notts* 5E 87
Farnell. *Ang* 3F 145
Farnham. *Dors* 1E 15
Farnham. *Essx* 3E 53
Farnham. *N Yor* 3F 99
Farnham. *Suff* 4F 67
Farnham. *Surr* 2G 25
Farnham Common. *Buck* 2A 38
Farnham Green. *Essx* 3E 53
Farnham Royal. *Buck* 2A 38
Farnhill. *N Yor* 5C 98
Farningham. *Kent* 4G 39
Farnley. *N Yor* 5E 98
Farnley Tyas. *W Yor* 3B 92
Farnsfield. *Notts* 5D 86
Farnworth. *G Man* 4F 91
Farnworth. *Hal* 2H 83
Far Oakridge. *Glos* 5E 49
Farr. *High* 2H 167
(nr. Bettyhill)
Farr. *High* 5A 158
(nr. Inverness)
Farr. *High* 3C 150
(nr. Kingussie)
Farraline. *High* 1H 149
Farringdon. *Devn* 3D 12
Farrington. *Dors* 1D 14
Farrington Gurney. *Bath* 1B 22
Far Sawrey. *Cumb* 5E 103
Farsley. *W Yor* 1C 92
Farthinghoe. *Nptn* 2D 50
Farthingstone. *Nptn* 5D 62
Farthorpe. *Linc* 3B 88
Fartown. *W Yor* 3B 92
Farway. *Devn* 3E 13
Fasag. *High* 3A 156
Fascadale. *High* 1G 139
Fasnacloich. *Arg* 4E 141
Fassfern. *High* 1E 141
Fatfield. *Tyne* 4G 115
Faugh. *Cumb* 4G 113
Fauld. *Staf* 3F 73
Fauldhouse. *W Lot* 3C 128
Faulkbourne. *Essx* 4A 54
Faulkland. *Som* 1C 22
Fauls. *Shrp* 2H 71
Faverdale. *Darl* 3F 105
Faversham. *Kent* 4E 40
Fawdington. *N Yor* 2G 99
Fawfieldhead. *Staf* 4E 85
Fawkham Green. *Kent* 4G 39
Fawler. *Oxon* 4B 50
Fawley. *Buck* 3F 37
Fawley. *Hants* 2C 16
Fawley. *W Ber* 3B 36
Fawley Chapel. *Here* 3A 48
Fawton. *Corn* 2F 7
Faxfleet. *E Yor* 2B 94
Faygate. *W Sus* 2D 26
Fazakerley. *Mers* 1F 83
Fazeley. *Staf* 5F 73
Feagour. *High* 4H 149
Fearann Dhomhnaill. *High* 3E 147
Fearby. *N Yor* 1D 98
Fearn. *High* 1C 158
Fearnan. *Per* 4E 142
Fearnbeg. *High* 3G 155
Fearnhead. *Warr* 1A 84
Fearnmore. *High* 2G 155
Featherstone. *Staf* 5D 72
Featherstone. *W Yor* 2E 93
Featherstone Castle. *Nmbd* 3H 113
Feckenham. *Worc* 4E 61
Feering. *Essx* 3B 54
Feetham. *N Yor* 5C 104
Feizor. *N Yor* 3G 97
Felbridge. *Surr* 2E 27
Felbrigg. *Norf* 2E 78
Felcourt. *Surr* 1E 27
Felden. *Herts* 5A 52
Felhampton. *Shrp* 2G 59
Felindre. *Carm* 3F 45
(nr. Llandeilo)
Felindre. *Carm* 2G 45
(nr. Llandovery)
Felindre. *Carm* 2D 44
(nr. Newcastle Emlyn)
Felindre. *Powy* 2D 58
Felindre. *Swan* 5G 45
Felindre Farchog. *Pemb* 1F 43
Felinfach. *Cdgn* 5E 57
Felinfach. *Powy* 2D 46
Felinfoel. *Carm* 5F 45
Felingwmisaf. *Carm* 3F 45
Felingwmuchaf. *Carm* 3F 45
Felin Newydd. *Powy* 5C 70
(nr. Newtown)
Felin Newydd. *Powy* 3E 70
(nr. Oswestry)
Felin Wnda. *Cdgn* 1D 44
Felinwynt. *Cdgn* 5B 56
Felixkirk. *N Yor* 1G 99
Felixstowe. *Suff* 2F 55
Felixstowe Ferry. *Suff* 2G 55
Felkington. *Nmbd* 5F 131
Fell End. *Cumb* 5A 104
Felling. *Tyne* 3F 115
Fell Side. *Cumb* 1E 102
Felmersham. *Bed* 5G 63
Felmingham. *Norf* 3E 79
Felpham. *W Sus* 3H 17
Felsham. *Suff* 5B 66
Felsted. *Essx* 3G 53
Feltham. *G Lon* 3C 38
Felthamhill. *Surr* 3B 38
Felthorpe. *Norf* 4D 78
Felton. *Here* 1A 48
Felton. *N Som* 5A 34
Felton. *Nmbd* 4F 121
Felton Butler. *Shrp* 4F 71
Feltwell. *Norf* 1G 65
Fenay Bridge. *W Yor* 3B 92
Fence. *Lanc* 1G 91
Fence Houses. *Tyne* 4G 115
Fencott. *Oxon* 4D 50
Fen Ditton. *Cambs* 4D 65
Fen Drayton. *Cambs* 4C 64
Fen End. *Linc* 3B 76
Fen End. *W Mid* 3G 61
Fenham. *Nmbd* 5G 131
Fenham. *Tyne* 3F 115
Fenhouses. *Linc* 1B 76
Feniscowles. *Bkbn* 2E 91
Feniton. *Devn* 3D 12
Fenn Green. *Shrp* 2B 60
Fenn's Bank. *Wrex* 2H 71
Fenn Street. *Medw* 3B 40
Fenny Bentley. *Derbs* 5F 85
Fenny Bridges. *Devn* 3E 12
Fenny Compton. *Warw* 5B 62
Fenny Drayton. *Leics* 1A 62
Fenny Stratford. *Mil* 2G 51
Fenrother. *Nmbd* 5F 121
Fenstanton. *Cambs* 4C 64
Fen Street. *Norf* 1C 66
Fenton. *Cambs* 3C 64
Fenton. *Cumb* 4G 113
Fenton. *Linc* 5F 87
(nr. Caythorpe)
Fenton. *Linc* 3F 87
(nr. Saxilby)
Fenton. *Nmbd* 1D 120
Fenton. *Notts* 2E 87
Fenton. *Stoke* 1C 72
Fentonadle. *Corn* 5A 10
Fenton Barns. *E Lot* 1B 130
Fenwick. *E Ayr* 5F 127
Fenwick. *Nmbd* 5G 131
(nr. Berwick-upon-Tweed)
Fenwick. *Nmbd* 2D 114
(nr. Hexham)
Fenwick. *S Yor* 3F 93
Feochaig. *Arg* 4B 122
Feock. *Corn* 5C 6
Feolin Ferry. *Arg* 3C 124
Feorlan. *Arg* 5A 122
Ferindonald. *High* 3E 147
Feriniquarrie. *High* 3A 154
Fern. *Ang* 2D 145
Ferndale. *Rhon* 2C 32
Ferndown. *Dors* 2F 15
Ferness. *High* 4D 158
Fernham. *Oxon* 2A 36
Fernhill. *W Sus* 1D 27
Fernhill Heath. *Worc* 5C 60
Fernhurst. *W Sus* 4G 25
Fernieflatt. *Abers* 1H 145
Ferniegair. *S Lan* 4A 128
Fernilea. *High* 5C 154
Fernilee. *Derbs* 3E 85
Ferrensby. *N Yor* 3F 99
Ferriby Sluice. *N Lin* 2C 94
Ferring. *W Sus* 5C 26
Ferrybridge. *W Yor* 2E 93
Ferryden. *Ang* 3G 145
Ferryhill. *Aber* 3G 153
Ferry Hill. *Cambs* 2C 64
Ferryhill. *Dur* 1F 105
Ferryhill Station. *Dur* 1F 105
Ferryside. *Carm* 4D 44
Ferryton. *High* 2A 158
Fersfield. *Norf* 2C 66
Fersit. *High* 1A 142
Feshiebridge. *High* 3C 150
Fetcham. *Surr* 5C 38
Fetterangus. *Abers* 3G 161
Fettercairn. *Abers* 1F 145
Fewcott. *Oxon* 3D 50
Fewston. *N Yor* 4D 98
Ffairfach. *Carm* 3G 45
Ffair Rhos. *Cdgn* 4G 57
Ffaldybrenin. *Carm* 1G 45
Ffarmers. *Carm* 1G 45
Ffawyddog. *Powy* 4F 47
Ffodun. *Powy* 5E 71
Ffont-y-gari. *V Glam* 5D 32
Fforest. *Carm* 5F 45
Fforest-fach. *Swan* 3F 31
Fforest Goch. *Neat* 5H 45
Ffostrasol. *Cdgn* 1D 44
Ffos-y-ffin. *Cdgn* 4D 56
Ffrith. *Flin* 5E 83
Ffrwdgrech. *Powy* 3D 46
Ffwl-y-mwn. *V Glam* 5D 32
Ffynnon-ddrain. *Carm* 3E 45
Ffynnongroyw. *Flin* 2D 82
Ffynnon Gynydd. *Powy* 1E 47
Ffynnonoer. *Cdgn* 5E 57
Fiag Lodge. *High* 1B 164
Fidden. *Arg* 2B 132
Fiddington. *Glos* 2E 49
Fiddington. *Som* 2F 21
Fiddleford. *Dors* 1D 14
Fiddlers Hamlet. *Essx* 5E 53
Field. *Staf* 2E 73
Field Assarts. *Oxon* 4B 50
Field Broughton. *Cumb* 1C 96
Field Dalling. *Norf* 2C 78
Fieldhead. *Cumb* 1F 103
Field Head. *Leics* 5B 74
Fifehead Magdalen. *Dors* 4C 22
Fifehead Neville. *Dors* 1C 14
Fifehead St Quintin. *Dors* 1C 14
Fife Keith. *Mor* 3B 160
Fifield. *Oxon* 4H 49
Fifield. *Wilts* 1G 23
Fifield. *Wind* 3A 38
Fifield Bavant. *Wilts* 4F 23
Figheldean. *Wilts* 2G 23
Filby. *Norf* 4G 79
Filey. *N Yor* 1F 101
Filford. *Dors* 3H 13
Filgrave. *Mil* 1G 51
Filkins. *Oxon* 5H 49
Filleigh. *Devn* 1H 11
(nr. Crediton)
Filleigh. *Devn* 4G 19
(nr. South Molton)
Fillingham. *Linc* 2G 87
Fillongley. *Warw* 2G 61
Filton. *S Glo* 4B 34
Fimber. *E Yor* 3C 100
Finavon. *Ang* 3D 145
Fincham. *Norf* 5F 77
Finchampstead. *Wok* 5F 37
Fincharn. *Arg* 3G 133
Finchdean. *Hants* 1F 17
Finchingfield. *Essx* 2G 53
Finchley. *G Lon* 1D 38
Findern. *Derbs* 2H 73
Findhorn. *Mor* 2E 159
Findhorn Bridge. *High* 1C 150
Findochty. *Mor* 2B 160
Findo Gask. *Per* 1C 136
Findon. *Abers* 4G 153
Findon. *W Sus* 5C 26
Findon Mains. *High* 2A 158
Findon Valley. *W Sus* 5C 26
Finedon. *Nptn* 3G 63
Fingal Street. *Suff* 3E 66
Fingest. *Buck* 2F 37
Finghall. *N Yor* 1D 98
Fingland. *Cumb* 4D 112
Fingland. *Dum* 3G 117
Finglesham. *Kent* 5H 41
Fingringhoe. *Essx* 3D 54
Finiskaig. *High* 4A 148
Finmere. *Oxon* 2E 51
Finnart. *Per* 3C 142
Finningham. *Suff* 4C 66
Finningley. *S Yor* 1D 86
Finnyguad. *Abers* 3D 160
Finsbury. *G Lon* 2E 39
Finstall. *Worc* 3D 61
Finsthwaite. *Cumb* 1C 96
Finstock. *Oxon* 4B 50
Finstown. *Orkn* 6C 172
Fintry. *Abers* 3E 161
Fintry. *D'dee* 5D 144
Fintry. *Stir* 1H 127
Finwood. *Warw* 4F 61
Finzean. *Abers* 4D 152
Fionnphort. *Arg* 2B 132
Fionnsabhagh. *W Isl* 9C 171
Firbeck. *S Yor* 2C 86
Firby. *N Yor* 1E 99
(nr. Bedale)
Firby. *N Yor* 3B 100
(nr. Malton)
Firgrove. *G Man* 3H 91
Firle. *E Sus* 5F 27
Firsby. *Linc* 4D 88
Firsdown. *Wilts* 3H 23
First Coast. *High* 4D 162
Firth. *Shet* 4F 173
Fir Tree. *Dur* 1E 105
Fishbourne. *IOW* 3D 16
Fishbourne. *W Sus* 2G 17
Fishburn. *Dur* 1A 106
Fishcross. *Clac* 4B 136
Fisherford. *Abers* 5D 160
Fisherrow. *E Lot* 2G 129
Fisher's Pond. *Hants* 4C 24
Fisher's Row. *Lanc* 5D 96
Fisherstreet. *W Sus* 2A 26
Fisherton. *High* 3B 158
Fisherton. *S Ayr* 3B 116
Fisherton de la Mere. *Wilts* 3E 23
Fishguard. *Pemb* 1D 42
Fishlake. *S Yor* 3G 93
Fishley. *Norf* 4G 79
Fishnish. *Arg* 4A 140
Fishpond Bottom. *Dors* 3G 13
Fishponds. *Bris* 4B 34
Fishpool. *Glos* 3B 48
Fishpool. *G Man* 4G 91
Fishpools. *Powy* 4D 58
Fishtoft. *Linc* 1C 76
Fishtoft Drove. *Linc* 1C 76
Fishwick. *Bord* 4F 131
Fiskavaig. *High* 5C 154
Fiskerton. *Linc* 3H 87
Fiskerton. *Notts* 5E 87
Fitch. *Shet* 7E 173
Fitling. *E Yor* 1F 95
Fittleton. *Wilts* 2G 23
Fittleworth. *W Sus* 4B 26
Fitton End. *Cambs* 4D 76
Fitz. *Shrp* 4G 71
Fitzhead. *Som* 4E 20
Fitzwilliam. *W Yor* 3E 93
Fiunary. *High* 4A 140
Five Ash Down. *E Sus* 3F 27
Five Ashes. *E Sus* 3G 27
Five Bells. *Som* 2D 20
Five Bridges. *Here* 1B 48
Fivehead. *Som* 4G 21
Five Lane Ends. *Lanc* 4E 97
Fivelanes. *Corn* 4C 10
Five Oak Green. *Kent* 1H 27
Five Oaks. *W Sus* 3B 26
Five Roads. *Carm* 5E 45
Five Ways. *Warw* 3G 61
Flack's Green. *Essx* 4A 54
Flackwell Heath. *Buck* 3G 37
Fladbury. *Worc* 1E 49
Fladda. *Shet* 3E 173
Fladdabister. *Shet* 8F 173
Flagg. *Derbs* 4F 85
Flamborough. *E Yor* 2G 101
Flamstead. *Herts* 4A 52
Flansham. *W Sus* 5A 26
Flasby. *N Yor* 4B 98
Flash. *Staf* 4E 85
Flashader. *High* 3C 154
Flatt, The. *Cumb* 2G 113
Flaunden. *Herts* 5A 52
Flawborough. *Notts* 1E 75
Flawith. *N Yor* 3G 99
Flax Bourton. *N Som* 5A 34
Flaxby. *N Yor* 4F 99
Flaxholme. *Derbs* 1H 73
Flaxley. *Glos* 4B 48
Flaxley Green. *Staf* 4E 73
Flaxpool. *Som* 3E 21
Flaxton. *N Yor* 3A 100
Fleck. *Shet* 10E 173
Fleckney. *Leics* 1D 62
Flecknoe. *Warw* 4C 62
Fledborough. *Notts* 3F 87
Fleet. *Dors* 4B 14
Fleet. *Hants* 1G 25
(nr. Farnborough)
Fleet. *Hants* 2F 17
(nr. South Hayling)
Fleet. *Linc* 3C 76
Fleet Hargate. *Linc* 3C 76
Fleetville. *Herts* 5B 52
Fleetwood. *Lanc* 5C 96
Fleggburgh. *Norf* 4G 79
Fleisirin. *W Isl* 4H 171
Flemingston. *V Glam* 4D 32
Flemington. *S Lan* 3H 127
(nr. Glasgow)
Flemington. *S Lan* 5A 128
(nr. Strathaven)
Flempton. *Suff* 4H 65
Fleoideabhagh. *W Isl* 9C 171
Fletcher's Green. *Kent* 1G 27
Fletchertown. *Cumb* 5D 112
Fletching. *E Sus* 3F 27
Fleuchary. *High* 4E 165
Flexbury. *Corn* 2C 10
Flexford. *Surr* 5A 38
Flimby. *Cumb* 1B 102
Flimwell. *E Sus* 2B 28
Flint. *Flin* 3E 83
Flintham. *Notts* 1E 75
Flint Mountain. *Flin* 3E 83
Flinton. *E Yor* 1F 95
Flintsham. *Here* 5F 59
Flishinghurst. *Kent* 2B 28
Flitcham. *Norf* 3G 77
Flitton. *C Beds* 2A 52
Flitwick. *C Beds* 2A 52
Flixborough. *N Lin* 3B 94
Flixton. *G Man* 1B 84
Flixton. *N Yor* 2E 101
Flixton. *Suff* 2F 67
Flockton. *W Yor* 3C 92
Flodden. *Nmbd* 1D 120
Flodigarry. *High* 1D 154
Flood's Ferry. *Cambs* 1C 64
Flookburgh. *Cumb* 2C 96
Flordon. *Norf* 1D 66
Flore. *Nptn* 4D 62
Flotterton. *Nmbd* 4E 121
Flowton. *Suff* 1D 54
Flushing. *Abers* 4H 161
Flushing. *Corn* 5C 6
Fluxton. *Devn* 3D 12
Flyford Flavell. *Worc* 5D 61
Fobbing. *Thur* 2B 40
Fochabers. *Mor* 3H 159
Fochriw. *Cphy* 5E 46
Fockerby. *N Lin* 3B 94
Fodderty. *High* 3H 157
Foddington. *Som* 4A 22
Foel. *Powy* 4B 70
Foffarty. *Ang* 4D 144
Foggathorpe. *E Yor* 1A 94
Fogo. *Bord* 5D 130
Fogorig. *Bord* 5D 130
Foindle. *High* 4B 166
Folda. *Ang* 2A 144
Fole. *Staf* 2E 73
Foleshill. *W Mid* 2A 62
Foley Park. *Worc* 3C 60
Folke. *Dors* 1B 14
Folkestone. *Kent* 2G 29 & 195
Folkingham. *Linc* 2H 75
Folkington. *E Sus* 5G 27
Folksworth. *Cambs* 1A 64
Folkton. *N Yor* 2E 101
Folla Rule. *Abers* 5E 161
Follifoot. *N Yor* 4F 99
Folly Cross. *Devn* 2E 11
Folly Gate. *Devn* 3F 11
Folly, The. *Herts* 4B 52
Folly, The. *W Ber* 5C 36
Fonmon. *V Glam* 5D 32
Fonthill Bishop. *Wilts* 3E 23
Fonthill Gifford. *Wilts* 3E 23
Fontmell Magna. *Dors* 1D 14
Fontwell. *W Sus* 5A 26
Font-y-gary. *V Glam* 5D 32
Foodieash. *Fife* 2F 137
Foolow. *Derbs* 3F 85
Footdee. *Aber* 3G 153
Footherley. *Staf* 5F 73
Foots Cray. *G Lon* 3F 39
Forbestown. *Abers* 2A 152
Force Forge. *Cumb* 5E 103
Force Mills. *Cumb* 5E 103
Forcett. *N Yor* 3E 105
Ford. *Arg* 3F 133
Ford. *Buck* 5F 51
Ford. *Derbs* 2B 86
Ford. *Devn* 4E 19
(nr. Bideford)
Ford. *Devn* 3C 8
(nr. Holbeton)
Ford. *Devn* 4D 9
(nr. Salcombe)
Ford. *Glos* 3F 49
Ford. *Nmbd* 1D 120
Ford. *Plym* 3A 8
Ford. *Shrp* 4G 71
Ford. *Som* 1A 22
(nr. Wells)
Ford. *Som* 4D 20
(nr. Wiveliscombe)
Ford. *Staf* 5E 85
Ford. *W Sus* 5B 26
Ford. *Wilts* 4D 34
(nr. Chippenham)
Ford. *Wilts* 3G 23
(nr. Salisbury)
Forda. *Devn* 3E 19
Ford Barton. *Devn* 1C 12
Fordcombe. *Kent* 1G 27
Fordell. *Fife* 1E 129
Forden. *Powy* 5E 71
Ford End. *Essx* 4G 53
Forder Green. *Devn* 2D 9
Ford Green. *Lanc* 5D 97
Fordham. *Cambs* 3F 65
Fordham. *Essx* 3C 54
Fordham. *Norf* 1F 65
Fordham Heath. *Essx* 3C 54
Ford Heath. *Shrp* 4G 71
Fordhouses. *W Mid* 5D 72
Fordie. *Per* 1G 135
Fordingbridge. *Hants* 1G 15
Fordington. *Linc* 3D 88
Fordon. *E Yor* 2E 101
Fordoun. *Abers* 1G 145
Ford Street. *Essx* 3C 54
Ford Street. *Som* 1E 13
Fordton. *Devn* 3B 12
Fordwells. *Oxon* 4B 50
Fordwich. *Kent* 5F 41
Fordyce. *Abers* 2C 160
Forebridge. *Staf* 3D 72
Foremark. *Derbs* 3H 73
Forest. *N Yor* 4F 105
Forestburn Gate. *Nmbd* 5E 121
Foresterseat. *Mor* 3F 159
Forest Green. *Glos* 2D 34
Forest Green. *Surr* 1C 26
Forest Hall. *Cumb* 4G 103
Forest Head. *Cumb* 4G 113
Forest Hill. *Oxon* 5D 50
Forest-in-Teesdale. *Dur* 2B 104
Forest Lodge. *Per* 1G 143
Forest Mill. *Clac* 4B 136
Forest Row. *E Sus* 2F 27
Forestside. *W Sus* 1F 17
Forest Town. *Notts* 4C 86
Forfar. *Ang* 3D 144
Forgandenny. *Per* 2C 136
Forge. *Powy* 1G 57
Forge Side. *Torf* 5F 47
Forge, The. *Here* 5F 59
Forgewood. *N Lan* 4A 128
Forgie. *Mor* 3A 160
Forgue. *Abers* 4D 160
Formby. *Mers* 4A 90
Forncett End. *Norf* 1D 66
Forncett St Mary. *Norf* 1D 66

Forncett St Peter. Norf 1D 66
Forneth. Per 4H 143
Fornham All Saints. Suff 4H 65
Fornham St Martin. Suff 4A 66
Forres. Mor 3E 159
Forrestfield. N Lan 3B 128
Forrest Lodge. Dum 1C 110
Forsbrook. Staf 1D 72
Forse. High 5E 169
Forsinard. High 4A 168
Forss. High 2C 168
Forstal, The. Kent 2E 29
Forston. Dors 3B 14
Fort Augustus. High 3F 149
Forteviot. Per 2C 136
Fort George. High 3B 158
Forth. S Lan 4C 128
Forthampton. Glos 2D 48
Forthay. Glos 2C 34
Forth Road Bridge. Fife 2E 129
Fortingall. Per 4E 143
Fort Matilda. Inv 2D 126
Forton. Hants 2C 24
Forton. Lanc 4D 97
Forton. Shrp 4G 71
Forton. Som 2G 13
Forton. Staf 3B 72
Forton Heath. Shrp 4G 71
Fortrie. Abers 4D 160
Fortrose. High 3B 158
Fortuneswell. Dors 5B 14
Fort William. High 1F 141
Forty Green. Buck 1A 38
Forty Hill. G Lon 1E 39
Forward Green. Suff 5C 66
Fosbury. Wilts 1B 24
Foscot. Oxon 3H 49
Fosdyke. Linc 2C 76
Foss. Per 3E 143
Fossebridge. Glos 4F 49
Foster Street. Essx 5E 53
Foston. Derbs 2F 73
Foston. Leics 1D 62
Foston. Linc 1F 75
Foston. N Yor 3A 100
Foston on the Wolds. E Yor 4F 101
Fotherby. Linc 1C 88
Fothergill. Cumb 1B 102
Fotheringhay. Nptn 1H 63
Foubister. Orkn 7E 172
Foula Airport. Shet 8A 173
Foul Anchor. Cambs 4D 76
Foulbridge. Cumb 5F 113
Foulden. Norf 1G 65
Foulden. Bord 4F 131
Foul Mile. E Sus 4H 27
Foulridge. Lanc 5A 98
Foulsham. Norf 3C 78
Fountainhall. Bord 5H 129
Four Alls, The. Shrp 2A 72
Four Ashes. Staf 5D 72
(nr. Cannock)
Four Ashes. Staf 2C 60
(nr. Kinver)
Four Ashes. Suff 3C 66
Four Crosses. Powy 5C 70
(nr. Llanerfyl)
Four Crosses. Powy 4E 71
(nr. Llanymynech)
Four Crosses. Staf 5D 72
Four Elms. Kent 1F 27
Four Forks. Som 3F 21
Four Gotes. Cambs 4D 76
Four Lane End. S Yor 4C 92
Four Lane Ends. Lanc 4E 97
Four Lanes. Corn 5A 6
Fourlanes End. Ches E 5B 84
Four Marks. Hants 3E 25
Four Mile Bridge. IOA 3B 80
Four Oaks. E Sus 3C 28
Four Oaks. Glos 3B 48
Four Oaks. W Mid 2G 61
Four Roads. Carm 5E 45
Four Roads. IOM 5B 108
Fourstones. Nmbd 3B 114
Four Throws. Kent 3B 28
Fovant. Wilts 4F 23
Foveran. Abers 1G 153
Fowey. Corn 3F 7
Fowlershill. Abers 2G 153
Fowley Common. Warr 1A 84
Fowlis. Ang 5C 144
Fowlis Wester. Per 1B 136
Fowlmere. Cambs 1E 53
Fownhope. Here 2A 48
Foxcombe Hill. Oxon 5C 50
Fox Corner. Surr 5A 38
Foxcote. Glos 4F 49
Foxcote. Som 1C 22
Foxdale. IOM 4B 108
Foxearth. Essx 1B 54
Foxfield. Cumb 1B 96
Foxham. Wilts 4E 35
Fox Hatch. Essx 1G 39
Foxhole. Corn 3D 6
Foxholes. N Yor 2E 101
Foxhunt Green. E Sus 4G 27
Fox Lane. Hants 1G 25
Foxley. Norf 3C 78
Foxley. Nptn 5D 62
Foxley. Wilts 3D 35
Foxlydiate. Worc 4E 61
Fox Street. Essx 3D 54
Foxt. Staf 1E 73
Foxton. Cambs 1E 53
Foxton. Dur 2A 106
Foxton. Leics 2D 62
Foxton. N Yor 5B 106
Foxup. N Yor 2A 98
Foxwist Green. Ches W 4A 84
Foxwood. Shrp 3A 60
Foy. Here 3A 48
Foyers. High 1G 149
Foynesfield. High 3C 158
Fraddam. Corn 3C 4
Fraddon. Corn 3D 6
Fradley. Staf 4F 73
Fradley South. Staf 4F 73
Fradswell. Staf 2D 73
Fraisthorpe. E Yor 3F 101
Framfield. E Sus 3F 27
Framingham Earl. Norf 5E 79
Framingham Pigot. Norf 5E 79
Framlingham. Suff 4E 67
Frampton. Dors 3B 14
Frampton. Linc 2C 76
Frampton Cotterell. S Glo 3B 34
Frampton Mansell. Glos 5E 49
Frampton on Severn. Glos 5C 48
Frampton West End. Linc 1B 76
Framsden. Suff 5D 66
Framwellgate Moor. Dur 5F 115
Franche. Worc 3C 60
Frandley. Ches W 3A 84
Frankby. Mers 2E 83
Frankfort. Norf 3F 79
Frankley. Worc 2D 61
Frank's Bridge. Powy 5D 58
Frankton. Warw 3B 62
Frankwell. Shrp 4G 71
Frant. E Sus 2G 27
Fraserburgh. Abers 2G 161
Frating Green. Essx 3D 54
Fratton. Port 2E 17
Freathy. Corn 3A 8
Freckenham. Suff 3F 65
Freckleton. Lanc 2C 90
Freeby. Leics 3F 75
Freefolk Priors. Hants 2C 24
Freehay. Staf 1E 73
Freeland. Oxon 4C 50
Freester. Shet 6F 173
Freethorpe. Norf 5G 79
Freiston. Linc 1C 76
Freiston Shore. Linc 1C 76
Fremington. Devn 3F 19
Fremington. N Yor 5D 104
Frenchay. Bris 4B 34
Frenchbeer. Devn 4G 11
French Street. Kent 5F 39
Frenich. Stir 3D 134
Frensham. Surr 2G 25
Frenze. Norf 2D 66
Fresgoe. High 2B 168
Freshfield. Mers 4A 90
Freshford. Bath 5C 34
Freshwater. IOW 4B 16
Freshwater Bay. IOW 4B 16
Freshwater East. Pemb 5E 43
Fressingfield. Suff 3E 67
Freston. Suff 2E 55
Freswick. High 2F 169
Fretherne. Glos 5C 48
Frettenham. Norf 4E 79
Freuchie. Fife 3E 137
Freystrop. Pemb 3D 42
Friar's Gate. E Sus 2F 27
Friar Waddon. Dors 4B 14
Friday Bridge. Cambs 5D 76
Friday Street. E Sus 5H 27
Friday Street. Surr 1C 26
Fridaythorpe. E Yor 4C 100
Friden. Derbs 4F 85
Friern Barnet. G Lon 1D 39
Friesthorpe. Linc 2H 87
Frieston. Linc 1G 75
Frieth. Buck 2F 37
Friezeland. Notts 5B 86
Frilford. Oxon 2C 36
Frilsham. W Ber 4D 36
Frimley. Surr 1G 25
Frimley Green. Surr 1G 25
Frindsbury. Medw 4B 40
Fring. Norf 2G 77
Fringford. Oxon 3E 50
Frinsted. Kent 5C 40
Frinton-on-Sea. Essx 4F 55
Friockheim. Ang 4E 145
Friog. Gwyn 4F 69
Frisby. Leics 5E 74
Frisby on the Wreake. Leics 4D 74
Friskney. Linc 5D 88
Friskney Eaudyke. Linc 5D 88
Friston. E Sus 5G 27
Friston. Suff 4G 67
Fritchley. Derbs 5A 86
Fritham. Hants 1H 15
Frith Bank. Linc 1C 76
Frith Common. Worc 4A 60
Frithelstock. Devn 1E 11
Frithelstock Stone. Devn 1E 11
Frithsden. Herts 5A 52
Frithville. Linc 5C 88
Frittenden. Kent 1C 28
Frittiscombe. Devn 4E 9
Fritton. Norf 5G 79
(nr. Great Yarmouth)
Fritton. Norf 1E 67
(nr. Long Stratton)
Fritwell. Oxon 3D 50
Frizinghall. W Yor 1B 92
Frizington. Cumb 3B 102
Frobost. W Isl 6C 170
Frocester. Glos 5C 48
Frochas. Powy 5D 70
Frodesley. Shrp 5H 71
Frodingham. N Lin 3C 94
Frodsham. Ches W 3H 83
Froggat. Derbs 3G 85
Froghall. Staf 1E 73
Frogham. Hants 1G 15
Frogham. Kent 5G 41
Frogmore. Devn 4D 8
Frogmore. Hants 5G 37
Frogmore. Herts 5B 52
Frognall. Linc 4A 76
Frogshall. Norf 2E 79
Frogwell. Corn 2H 7
Frolesworth. Leics 1C 62
Frome. Som 2C 22
Fromefield. Som 2C 22
Frome St Quintin. Dors 2A 14
Fromes Hill. Here 1B 48
Fron. Carm 2A 46
Fron. Gwyn 2C 68
Fron. Powy 4C 58
(nr. Llandrindod Wells)
Fron. Powy 1D 58
(nr. Newtown)
Fron. Powy 5E 71
(nr. Welshpool)
Froncysyllte. Wrex 1E 71
Frongoch. Gwyn 2B 70
Fron Isaf. Wrex 1E 71
Fronoleu. Gwyn 2G 69
Frosterley. Dur 1D 104
Frotoft. Orkn 5D 172
Froxfield. C Beds 2H 51
Froxfield. Wilts 5A 36
Froxfield Green. Hants 4F 25
Fryern Hill. Hants 4C 24
Fryerning. Essx 5G 53
Fryton. N Yor 2A 100
Fugglestone St Peter. Wilts 3G 23
Fulbeck. Linc 5G 87
Fulbourn. Cambs 5E 65
Fulbrook. Oxon 4A 50
Fulflood. Hants 3C 24
Fulford. Som 4F 21
Fulford. Staf 2D 72
Fulford. York 5A 100
Fulham. G Lon 3D 38
Fulking. W Sus 4D 26
Fuller's Moor. Ches W 5G 83
Fuller Street. Essx 4H 53
Fullerton. Hants 3B 24
Fulletby. Linc 3B 88
Full Sutton. E Yor 4B 100
Fullwood. E Ayr 4F 127
Fulmer. Buck 2A 38
Fulmodestone. Norf 2B 78
Fulnetby. Linc 3H 87
Fulney. Linc 3B 76
Fulstow. Linc 1C 88
Fulthorpe. Stoc T 2B 106
Fulwell. Tyne 4G 115
Fulwood. Lanc 1D 90
Fulwood. Notts 5B 86
Fulwood. Som 1F 13
Fulwood. S Yor 2G 85
Fundenhall. Norf 1D 66
Funtington. W Sus 2G 17
Funtley. Hants 2D 16
Funzie. Shet 2H 173
Furley. Devn 2F 13
Furnace. Arg 3H 133
Furnace. Carm 5F 45
Furnace. Cdgn 1F 57
Furner's Green. E Sus 3F 27
Furness Vale. Derbs 2E 85
Furneux Pelham. Herts 3E 53
Furzebrook. Dors 4E 15
Furzehill. Devn 2H 19
Furzehill. Dors 2F 15
Furzeley Corner. Hants 1E 17
Furzey Lodge. Hants 2B 16
Furzley. Hants 1A 16
Fyfield. Essx 5F 53
Fyfield. Glos 5H 49
Fyfield. Hants 2A 24
Fyfield. Oxon 2C 36
Fyfield. Wilts 5G 35
Fylde, The. Lanc 1B 90
Fylingthorpe. N Yor 4G 107
Fyning. W Sus 4G 25
Fyvie. Abers 5E 161

G

Gabhsann bho Dheas. W Isl 2G 171
Gabhsann bho Thuath. W Isl 2G 171
Gabroc Hill. E Ayr 4F 127
Gadbrook. Surr 1D 26
Gaddesby. Leics 4D 74
Gadfa. IOA 2D 80
Gadgirth. S Ayr 2D 116
Gaer. Powy 3E 47
Gaerwen. IOA 3D 81
Gagingwell. Oxon 3C 50
Gaick Lodge. High 5B 150
Gailey. Staf 4D 72
Gainford. Dur 3E 105
Gainsborough. Linc 1F 87
Gainsborough. Suff 1E 55
Gainsford End. Essx 2H 53
Gairletter. Arg 1C 126
Gairloch. Abers 3E 153
Gairloch. High 1H 155
Gairlochy. High 5D 148
Gairney Bank. Per 4D 136
Gairnshiel Lodge. Abers 3G 151
Gaisgill. Cumb 4H 103
Gaitsgill. Cumb 5E 113
Galashiels. Bord 1G 119
Galgate. Lanc 4D 97
Galhampton. Som 4B 22
Gallatown. Fife 4E 137
Galley Common. Warw 1H 61
Galleyend. Essx 5H 53
Galleywood. Essx 5H 53
Gallin. Per 4C 142
Gallowfauld. Ang 4D 144
Gallowhill. E Dun 2H 127
Gallowhill. Per 5A 144
Gallowhill. Ren 3F 127
Gallowhills. Abers 3H 161
Gallows Green. Staf 1E 73
Gallows Green. Worc 4D 60
Gallowstree Common. Oxon 3E 37
Galltair. High 1G 147
Gallt Melyd. Den 2C 82
Galmington. Som 4F 21
Galmisdale. High 5C 146
Galmpton. Devn 4C 8
Galmpton. Torb 3E 9
Galmpton Warborough. Torb 3E 9
Galphay. N Yor 2E 99
Galston. E Ayr 1D 117
Galton. Dors 4C 14
Galtrigill. High 3A 154
Gamblesby. Cumb 1H 103
Gamelsby. Cumb 4D 112
Gamesley. Derbs 1E 85
Gamlingay. Cambs 5B 64
Gamlingay Cinques. Cambs 5B 64
Gamlingay Great Heath. C Beds 5B 64
Gammaton. Devn 4E 19
Gammersgill. N Yor 1C 98
Gamston. Notts 2D 74
(nr. Nottingham)
Gamston. Notts 3E 86
(nr. Retford)
Ganarew. Here 4A 48
Ganavan. Arg 5C 140
Ganborough. Glos 3G 49
Gang. Corn 2H 7
Ganllwyd. Gwyn 3G 69
Gannochy. Ang 1E 145
Gannochy. Per 1D 136
Gansclet. High 4F 169
Ganstead. E Yor 1E 95
Ganthorpe. N Yor 2A 100
Ganton. N Yor 2D 101
Gants Hill. G Lon 2F 39
Gappah. Devn 5B 12
Garafad. High 2D 155
Garboldisham. Norf 2C 66
Garden City. Flin 4F 83
Gardeners Green. Wok 5G 37
Gardenstown. Abers 2F 161
Garden Village. S Yor 1G 85
Garden Village. Swan 3E 31
Garderhouse. Shet 7E 173
Gardham. E Yor 5D 100
Gardie. Shet 5C 173
(on Papa Stour)
Gardie. Shet 1H 173
(on Unst)
Gardie Ho. Shet 7F 173
Gare Hill. Som 2C 22
Garelochhead. Arg 4B 134
Garford. Oxon 2C 36
Garforth. W Yor 1E 93
Gargrave. N Yor 4B 98
Gargunnock. Stir 4G 135
Garleffin. S Ayr 1F 109
Garlieston. Dum 5B 110
Garlinge Green. Kent 5F 41
Garlogie. Abers 3E 153
Garmelow. Staf 3B 72
Garmond. Abers 3F 161
Garmondsway. Dur 1A 106
Garmony. Arg 4A 140
Garmouth. Mor 2H 159
Garmston. Shrp 5A 72
Garnant. Carm 4G 45
Garndiffaith. Torf 5F 47
Garndolbenmaen. Gwyn 1D 69
Garnett Bridge. Cumb 5G 103
Garnfadryn. Gwyn 2B 68
Garnkirk. N Lan 3H 127
Garnlydan. Blae 4E 47
Garnsgate. Linc 3D 76
Garnswllt. Swan 5G 45
Garn-yr-erw. Torf 4F 47
Garrabost. W Isl 4H 171
Garrallan. E Ayr 3E 117
Garras. Corn 4E 5
Garreg. Gwyn 1F 69
Garrigill. Cumb 5A 114
Garriston. N Yor 5E 105
Garrogie Lodge. High 2H 149
Garros. High 2D 155
Garrow. Per 4F 143
Garsdale. Cumb 1G 97
Garsdale Head. Cumb 5A 104
Garsdon. Wilts 3E 35
Garshall Green. Staf 2D 72
Garsington. Oxon 5D 50
Garstang. Lanc 5D 97
Garston. Mers 2G 83
Garswood. Mers 1H 83
Gartcosh. N Lan 3H 127
Garth. B'end 2B 32
Garth. Cdgn 2F 57
Garth. Gwyn 2E 69
Garth. IOM 4C 108
Garth. Powy 1C 46
(nr. Builth Wells)
Garth. Powy 3E 59
(nr. Knighton)
Garth. Shet 6D 173
(nr. Sandness)
Garth. Shet 6F 173
(nr. Skellister)
Garth. Wrex 1E 71
Garthamlock. Glas 3H 127
Garthbrengy. Powy 2D 46
Gartheli. Cdgn 5E 57
Garthmyl. Powy 1D 58
Garthorpe. Leics 3F 75
Garthorpe. N Lin 3B 94
Garth Owen. Powy 1D 58
Garth Row. Cumb 5G 103
Gartly. Abers 5C 160
Gartmore. Stir 4E 135
Gartness. N Lan 3A 128
Gartness. Stir 1G 127
Gartocharn. W Dun 1F 127
Garton. E Yor 1F 95
Garton-on-the-Wolds. E Yor 4D 101
Gartsherrie. N Lan 3A 128
Gartymore. High 2H 165
Garvald. E Lot 2B 130
Garvamore. High 4H 149
Garvard. Arg 4A 132
Garvault. High 5H 167
Garve. High 2F 157
Garvestone. Norf 5C 78
Garvie. Arg 4H 133
Garvock. Abers 1G 145
Garvock. Inv 2D 126
Garway. Here 3H 47
Garway Common. Here 3H 47
Garway Hill. Here 3H 47
Garwick. Linc 1A 76
Gaskan. High 1C 140
Gasper. Wilts 3C 22
Gastard. Wilts 5D 35
Gasthorpe. Norf 2B 66
Gatcombe. IOW 4C 16
Gateacre. Mers 2G 83
Gatebeck. Cumb 1E 97
Gate Burton. Linc 2F 87
Gateforth. N Yor 2F 93
Gatehead. E Ayr 1C 116
Gate Helmsley. N Yor 4A 100
Gatehouse. Nmbd 1A 114
Gatehouse of Fleet. Dum 4D 110
Gatelawbridge. Dum 5B 118
Gateley. Norf 3B 78
Gatenby. N Yor 1F 99
Gatesgarth. Cumb 3C 102
Gateshead. Tyne 3F 115
Gatesheath. Ches W 4G 83
Gateside. Ang 4D 144
(nr. Forfar)
Gateside. Ang 4C 144
(nr. Kirriemuir)
Gateside. Fife 3D 136
Gateside. N Ayr 4E 127
Gathurst. G Man 4D 90
Gatley. G Man 2C 84
Gatton. Surr 5D 39
Gattonside. Bord 1H 119
Gatwick (London) Airport.
W Sus 1D 27 & 216
Gaufron. Powy 4B 58
Gaulby. Leics 5D 74
Gauldry. Fife 1F 137
Gaultree. Norf 5D 77
Gaunt's Common. Dors 2F 15
Gaunt's Earthcott. S Glo 3B 34
Gautby. Linc 3A 88
Gavinton. Bord 4D 130
Gawber. S Yor 4D 92
Gawcott. Buck 2E 51
Gawsworth. Ches E 4C 84
Gawthorpe. W Yor 2C 92
Gawthrop. Cumb 1F 97
Gawthwaite. Cumb 1B 96
Gay Bowers. Essx 5A 54
Gaydon. Warw 5A 62
Gayfield. Orkn 2D 172
Gayhurst. Mil 1G 51
Gayle. N Yor 1A 98
Gayles. N Yor 4E 105
Gay Street. W Sus 3B 26
Gayton. Mers 2E 83
Gayton. Norf 4G 77
Gayton. Nptn 5E 62
Gayton. Staf 3D 73
Gayton le Marsh. Linc 2D 88
Gayton le Wold. Linc 2B 88
Gayton Thorpe. Norf 4G 77
Gaywood. Norf 3F 77
Gazeley. Suff 4G 65
Geanies. High 1C 158
Gearraidh Bhailteas. W Isl 6C 170
Gearraidh Bhaird. W Isl 6F 171
Gearraidh ma Monadh. W Isl 7C 170
Gearraidh na h-Aibhne. W Isl 4E 171
Geary. High 2B 154
Geddes. High 3C 158
Gedding. Suff 5B 66
Geddington. Nptn 2F 63
Gedintailor. High 5E 155
Gedling. Notts 1D 74
Gedney. Linc 3D 76
Gedney Broadgate. Linc 3D 76
Gedney Drove End. Linc 3D 76
Gedney Dyke. Linc 3D 76
Gedney Hill. Linc 4C 76
Gee Cross. G Man 1D 84
Geeston. Rut 5G 75
Geilston. Arg 2E 127
Geirinis. W Isl 4C 170
Geise. High 2D 168
Geisiadar. W Isl 4D 171
Gelder Shiel. Abers 5G 151
Geldeston. Norf 1F 67
Gell. Cnwy 4A 82
Gelli. Pemb 3E 43
Gelli. Rhon 2C 32
Gellifor. Den 4D 82
Gelligaer. Cphy 2E 33
Gellilydan. Gwyn 2F 69
Gellinudd. Neat 5H 45
Gellyburn. Per 5H 143
Gellywen. Carm 2G 43
Gelston. Dum 4E 111
Gelston. Linc 1G 75
Gembling. E Yor 4F 101
Geneva. Cdgn 5D 56
Gentleshaw. Staf 4E 73
Geocrab. W Isl 8D 171
George Green. Buck 2A 38
Georgeham. Devn 3E 19
George Nympton. Devn 4H 19
Georgetown. Blae 5E 47
Georgetown. Ren 3F 127
Georth. Orkn 5C 172
Gerlan. Gwyn 4F 81
Germansweek. Devn 3E 11

Germoe. *Corn* 4C **4**
Gerrans. *Corn* 5C **6**
Gerrard's Bromley. *Staf* 2B **72**
Gerrards Cross. *Buck* 2A **38**
Gerston. *High* 3D **168**
Gestingthorpe. *Essx* 2B **54**
Gethsemane. *Pemb* 1A **44**
Geuffordd. *Powy* 4E **70**
Gibraltar. *Buck* 4F **51**
Gibraltar. *Linc* 5E **89**
Gibraltar. *Suff* 5D **66**
Gibsmere. *Notts* 1E **74**
Giddeahall. *Wilts* 4D **34**
Gidea Park. *G Lon* 2G **39**
Gidleigh. *Devn* 4G **11**
Giffnock. *E Ren* 4G **127**
Gifford. *E Lot* 3B **130**
Giffordtown. *Fife* 2E **137**
Giggetty. *Staf* 1C **60**
Giggleswick. *N Yor* 3H **97**
Gignog. *Pemb* 2C **42**
Gilberdyke. *E Yor* 2B **94**
Gilbert's End. *Worc* 1D **48**
Gilbert's Green. *Warw* 3F **61**
Gilchriston. *E Lot* 3A **130**
Gilcrux. *Cumb* 1C **102**
Gildersome. *W Yor* 2C **92**
Gildingwells. *S Yor* 2C **86**
Gilesgate Moor. *Dur* 5F **115**
Gileston. *V Glam* 5D **32**
Gilfach. *Cphy* 2E **33**
Gilfach Goch. *Rhon* 2C **32**
Gilfachreda. *Cdgn* 5D **56**
Gilgarran. *Cumb* 2B **102**
Gillamoor. *N Yor* 5D **107**
Gillan. *Corn* 4E **5**
Gillar's Green. *Mers* 1G **83**
Gillen. *High* 3B **154**
Gilling East. *N Yor* 2A **100**
Gillingham. *Dors* 4D **22**
Gillingham. *Medw* 4B **40** & **Medway 204**
Gillingham. *Norf* 1G **67**
Gilling West. *N Yor* 4E **105**
Gillock. *High* 3E **169**
Gillow Heath. *Staf* 5C **84**
Gills. *High* 1F **169**
Gill's Green. *Kent* 2B **28**
Gilmanscleuch. *Bord* 2F **119**
Gilmerton. *Edin* 3F **129**
Gilmerton. *Per* 1A **136**
Gilmonby. *Dur* 3C **104**
Gilmorton. *Leics* 2C **62**
Gilsland. *Nmbd* 3H **113**
Gilsland Spa. *Cumb* 3H **113**
Gilston. *Midl* 4H **129**
Giltbrook. *Notts* 1B **74**
Gilwern. *Mon* 4F **47**
Gimingham. *Norf* 2E **79**
Giosla. *W Isl* 5D **171**
Gipping. *Suff* 4C **66**
Gipsey Bridge. *Linc* 1B **76**
Gipton. *W Yor* 1D **92**
Girdle Toll. *N Ayr* 5E **127**
Girlsta. *Shet* 6F **173**
Girsby. *N Yor* 4A **106**
Girthon. *Dum* 4D **110**
Girton. *Cambs* 4D **64**
Girton. *Notts* 4F **87**
Girvan. *S Ayr* 5A **116**
Gisburn. *Lanc* 5H **97**
Gisleham. *Suff* 2H **67**
Gislingham. *Suff* 3C **66**
Gissing. *Norf* 2D **66**
Gittisham. *Devn* 3E **13**
Gladestry. *Powy* 5E **59**
Gladsmuir. *E Lot* 2A **130**
Glaichbea. *High* 5H **157**
Glais. *Swan* 5H **45**
Glaisdale. *N Yor* 4E **107**
Glame. *High* 4E **155**
Glamis. *Ang* 4C **144**
Glamisdale. *High* 5C **146**
Glanaman. *Carm* 4G **45**
Glan-Conwy. *Cnwy* 5H **81**
Glandford. *Norf* 1C **78**
Glan Duar. *Carm* 1F **45**
Glandwr. *Blae* 5F **47**
Glandwr. *Pemb* 2F **43**
Glan-Dwyfach. *Gwyn* 1D **69**
Glandy Cross. *Carm* 2F **43**
Glandyfi. *Cdgn* 1F **57**
Glangrwyney. *Powy* 4F **47**
Glanmule. *Powy* 1D **58**
Glanrhyd. *Gwyn* 2B **68**
Glanrhyd. *Pemb* 1B **44** (nr. Cardigan)
Glan-rhyd. *Pemb* 1F **43** (nr. Crymych)
Glan-rhyd. *Powy* 5A **46**
Glanton. *Nmbd* 3E **121**
Glanton Pyke. *Nmbd* 3E **121**
Glanvilles Wootton. *Dors* 2B **14**
Glan-y-don. *Flin* 3D **82**
Glan-y-nant. *Powy* 2B **58**
Glan-yr-afon. *Gwyn* 1C **70**
Glan-yr-afon. *IOA* 2F **81**
Glan-yr-afon. *Powy* 5C **70**
Glan-y-wern. *Gwyn* 2F **69**
Glapthorn. *Nptn* 1H **63**
Glapwell. *Derbs* 4B **86**
Glas Aird. *Arg* 4A **132**
Glas-allt Shiel. *Abers* 5G **151**
Glasbury. *Powy* 2E **47**
Glaschoil. *Mor* 5E **159**
Glascoed. *Den* 3B **82**
Glascoed. *Mon* 5G **47**
Glascote. *Staf* 5G **73**
Glascwm. *Powy* 5D **58**
Glasfryn. *Cnwy* 5B **82**
Glasgow. *Glas* 3G **127** & **196**
Glasgow Airport. *Ren* 3F **127** & **216**
Glasgow Prestwick International Airport. *S Ayr* 2C **116**
Glashvin. *High* 2D **154**
Glasinfryn. *Gwyn* 4E **81**
Glas na Cardaich. *High* 4E **147**
Glasnacardoch. *High* 4E **147**
Glasnakille. *High* 2D **146**
Glaspwll. *Cdgn* 1G **57**
Glassburn. *High* 5F **157**
Glassenbury. *Kent* 2B **28**
Glasserton. *Dum* 5B **110**
Glassford. *S Lan* 5A **128**
Glassgreen. *Mor* 2G **159**
Glasshouse. *Glos* 3C **48**
Glasshouses. *N Yor* 3D **98**
Glasson. *Cumb* 3D **112**
Glasson. *Lanc* 4D **96**
Glassonby. *Cumb* 1G **103**
Glasterlaw. *Ang* 3E **145**
Glaston. *Rut* 5F **75**
Glastonbury. *Som* 3H **21**
Glatton. *Cambs* 2A **64**
Glazebrook. *Warr* 1A **84**
Glazebury. *Warr* 1A **84**
Glazeley. *Shrp* 2B **60**
Gleadless. *S Yor* 2A **86**
Gleadsmoss. *Ches E* 4C **84**
Gleann Dail bho Dheas. *W Isl* 7C **170**
Gleann Tholastaidh. *W Isl* 3H **171**
Gleann Uige. *High* 1A **140**
Gleaston. *Cumb* 2B **96**
Glecknabae. *Arg* 3B **126**
Gledrid. *Shrp* 2E **71**
Gleiniant. *Powy* 1B **58**
Glemsford. *Suff* 1B **54**
Glen. *Dum* 4C **110**
Glenancross. *High* 4E **147**
Glen Audlyn. *IOM* 2D **108**
Glenbarr. *Arg* 2A **122**
Glenbeg. *High* 2G **139**
Glen Bernisdale. *High* 4D **154**
Glenbervie. *Abers* 5E **153**
Glenboig. *N Lan* 3A **128**
Glenborrodale. *High* 2A **140**
Glenbranter. *Arg* 4A **134**
Glenbreck. *Bord* 2C **118**
Glenbrein Lodge. *High* 2G **149**
Glenbrittle. *High* 1C **146**
Glenbuchat Lodge. *Abers* 2H **151**
Glenbuck. *E Ayr* 2G **117**
Glenburn. *Ren* 3F **127**
Glencalvie Lodge. *High* 5B **164**
Glencaple. *Dum* 3A **112**
Glencarron Lodge. *High* 3C **156**
Glencarse. *Per* 1D **136**
Glencassley Castle. *High* 3B **164**
Glencat. *Abers* 4C **152**
Glencoe. *High* 3F **141**
Glen Cottage. *High* 5E **147**
Glencraig. *Fife* 4D **136**
Glendale. *High* 4A **154**
Glendevon. *Per* 3B **136**
Glendoebeg. *High* 3G **149**
Glendoick. *Per* 1E **136**
Glendoune. *S Ayr* 5A **116**
Glenduckie. *Fife* 2E **137**
Gleneagles. *Per* 3B **136**
Glenegedale. *Arg* 4B **124**
Glenegedale Lots. *Arg* 4B **124**
Glenelg. *High* 2G **147**
Glenernie. *Mor* 4E **159**
Glenesslin. *Dum* 1F **111**
Glenfarg. *Per* 2D **136**
Glenfarquhar Lodge. *Abers* 5E **152**
Glenferness Mains. *High* 4D **158**
Glenfeshie Lodge. *High* 4C **150**
Glenfiddich Lodge. *Mor* 5H **159**
Glenfield. *Leics* 5C **74**
Glenfinnan. *High* 5B **148**
Glenfintaig Lodge. *High* 5E **149**
Glenfoot. *Per* 2D **136**
Glenfyne Lodge. *Arg* 2B **134**
Glengap. *Dum* 4D **110**
Glengarnock. *N Ayr* 4E **126**
Glengolly. *High* 2D **168**
Glengorm Castle. *Arg* 3F **139**
Glengrasco. *High* 4D **154**
Glenhead Farm. *Ang* 2B **144**
Glenholm. *Bord* 1D **118**
Glen House. *Bord* 1E **119**
Glenhurich. *High* 2C **140**
Glenkerry. *Bord* 3E **119**
Glenkiln. *Dum* 2F **111**
Glenkindle. *Abers* 2B **152**
Glenkinglass Lodge. *Arg* 5F **141**
Glenkirk. *Bord* 2C **118**
Glenlean. *Arg* 1B **126**
Glenlee. *Dum* 1D **110**
Glenleraig. *High* 5B **166**
Glenlichorn. *Per* 2G **135**
Glenlivet. *Mor* 1F **151**
Glenlochar. *Dum* 3E **111**
Glenlochsie Lodge. *Per* 1H **143**
Glenluce. *Dum* 4G **109**
Glenmarskie. *High* 3F **157**
Glenmassan. *Arg* 1C **126**
Glenmavis. *N Lan* 3A **128**
Glen Maye. *IOM* 4B **108**
Glenmazeran Lodge. *High* 1B **150**
Glenmidge. *Dum* 1F **111**
Glen Mona. *IOM* 3D **108**
Glenmore. *High* 2G **139** (nr. Glenborrodale)
Glenmore. *High* 3D **151** (nr. Kingussie)
Glenmore. *High* 4D **154** (on Isle of Skye)
Glenmoy. *Ang* 2D **144**
Glennoe. *Arg* 5E **141**
Glen of Coachford. *Abers* 4B **160**
Glenogil. *Ang* 2D **144**
Glen Parva. *Leics* 1C **62**
Glenprosen Village. *Ang* 2C **144**
Glenree. *N Ayr* 3D **122**
Glenridding. *Cumb* 3E **103**
Glenrosa. *N Ayr* 2E **123**
Glenrothes. *Fife* 3E **137**
Glensanda. *High* 4C **140**
Glensaugh. *Abers* 1F **145**
Glenshero Lodge. *High* 4H **149**
Glensluain. *Arg* 4H **133**
Glenstockadale. *Dum* 3F **109**
Glenstriven. *Arg* 2B **126**
Glen Tanar House. *Abers* 4B **152**
Glentham. *Linc* 1H **87**
Glenton. *Abers* 1D **152**
Glentress. *Bord* 1E **119**
Glentromie Lodge. *High* 4B **150**
Glentrool Lodge. *Dum* 1B **110**
Glentrool Village. *Dum* 2A **110**
Glentruim House. *High* 4A **150**
Glentworth. *Linc* 2G **87**
Glenuig. *High* 1A **140**
Glen Village. *Falk* 2B **128**
Glen Vine. *IOM* 4C **108**
Glenwhilly. *Dum* 2G **109**
Glenzierfoot. *Dum* 2E **113**
Glespin. *S Lan* 2H **117**
Gletness. *Shet* 6F **173**
Glewstone. *Here* 3A **48**
Glib Cheois. *W Isl* 5F **171**
Glinton. *Pet* 5A **76**
Glooston. *Leics* 1E **63**
Glossop. *Derbs* 1E **85**
Gloster Hill. *Nmbd* 4G **121**
Gloucester. *Glos* 4D **48** & **196**
Gloucestershire Airport. *Glos* 3D **49**
Gloup. *Shet* 1G **173**
Glusburn. *N Yor* 5C **98**
Glutt Lodge. *High* 5B **168**
Glutton Bridge. *Staf* 4E **85**
Gluvian. *Corn* 2D **6**
Glympton. *Oxon* 3C **50**
Glyn. *Cnwy* 3A **82**
Glynarthen. *Cdgn* 1D **44**
Glynbrochan. *Powy* 2B **58**
Glyn Ceiriog. *Wrex* 2E **70**
Glyncoch. *Rhon* 2D **32**
Glyncorrwg. *Neat* 2B **32**
Glynde. *E Sus* 5F **27**
Glyndebourne. *E Sus* 4F **27**
Glyndyfrdwy. *Den* 1D **70**
Glyn Ebwy. *Blae* 5E **47**
Glynllan. *B'end* 3C **32**
Glyn-neath. *Neat* 5B **46**
Glynogwr. *B'end* 3C **32**
Glyntaff. *Rhon* 3D **32**
Glyntawe. *Powy* 4B **46**
Glynteg. *Carm* 2D **44**
Gnosall. *Staf* 3C **72**
Gnosall Heath. *Staf* 3C **72**
Goadby. *Leics* 1E **63**
Goadby Marwood. *Leics* 3E **75**
Goatacre. *Wilts* 4F **35**
Goathill. *Dors* 1B **14**
Goathland. *N Yor* 4F **107**
Goathurst. *Som* 3F **21**
Goathurst Common. *Kent* 5F **39**
Goat Lees. *Kent* 1E **28**
Gobernuisgach Lodge. *High* 4E **167**
Gobernuisgeach. *High* 5B **168**
Gobhaig. *W Isl* 7C **171**
Gobowen. *Shrp* 2F **71**
Godalming. *Surr* 1A **26**
Goddard's Corner. *Suff* 4E **67**
Goddard's Green. *Kent* 2C **28** (nr. Benenden)
Goddard's Green. *Kent* 2B **28** (nr. Cranbrook)
Goddards Green. *W Sus* 3D **27**
Godford Cross. *Devn* 2E **13**
Godleybrook. *Staf* 1D **73**
Godmanchester. *Cambs* 3B **64**
Godmanstone. *Dors* 3B **14**
Godmersham. *Kent* 5E **41**
Godolphin Cross. *Corn* 3D **4**
Godre'r-graig. *Neat* 5A **46**
Godshill. *Hants* 1G **15**
Godshill. *IOW* 4D **16**
Godstone. *Staf* 2E **73**
Godstone. *Surr* 5E **39**
Goetre. *Mon* 5G **47**
Goff's Oak. *Herts* 5D **52**
Gogar. *Edin* 2E **129**
Goginan. *Cdgn* 2F **57**
Golan. *Gwyn* 1E **69**
Golant. *Corn* 3F **7**
Golberdon. *Corn* 5D **10**
Golborne. *G Man* 1A **84**
Golcar. *W Yor* 3A **92**
Goldcliff. *Newp* 3G **33**
Golden Cross. *E Sus* 4G **27**
Golden Green. *Kent* 1H **27**
Golden Grove. *Carm* 4F **45**
Golden Grove. *N Yor* 4F **107**
Golden Hill. *Pemb* 2D **43**
Goldenhill. *Stoke* 5C **84**
Golden Pot. *Hants* 2F **25**
Golden Valley. *Glos* 3E **49**
Golders Green. *G Lon* 2D **38**
Goldhanger. *Essx* 5C **54**
Gold Hill. *Norf* 1E **65**
Golding. *Shrp* 5H **71**
Goldington. *Bed* 5H **63**
Goldsborough. *N Yor* 4F **99** (nr. Harrogate)
Goldsborough. *N Yor* 3F **107** (nr. Whitby)
Goldsithney. *Corn* 3C **4**
Goldstone. *Kent* 4G **41**
Goldstone. *Shrp* 3B **72**
Goldthorpe. *S Yor* 4E **93**
Goldworthy. *Devn* 4D **19**
Golfa. *Powy* 3D **70**
Gollanfield. *High* 3C **158**
Gollinglith Foot. *N Yor* 1D **98**
Golsoncott. *Som* 3D **20**
Golspie. *High* 4F **165**
Gomeldon. *Wilts* 3G **23**
Gomersal. *W Yor* 2C **92**
Gometra House. *Arg* 4E **139**
Gomshall. *Surr* 1B **26**
Gonalston. *Notts* 1D **74**
Gonerby Hill Foot. *Linc* 2G **75**
Gonfirth. *Shet* 5E **173**
Good Easter. *Essx* 4G **53**
Gooderstone. *Norf* 5G **77**
Goodleigh. *Devn* 3G **19**
Goodmanham. *E Yor* 5C **100**
Goodmayes. *G Lon* 2F **39**
Goodnestone. *Kent* 5G **41** (nr. Aylesham)
Goodnestone. *Kent* 4E **41** (nr. Faversham)
Goodrich. *Here* 4A **48**
Goodrington. *Torb* 3E **9**
Goodshaw. *Lanc* 2G **91**
Goodshaw Fold. *Lanc* 2G **91**
Goodstone. *Devn* 5A **12**
Goodwick. *Pemb* 1D **42**
Goodworth Clatford. *Hants* 2B **24**
Goole. *E Yor* 2H **93**
Goom's Hill. *Worc* 5E **61**
Goonabarn. *Corn* 3D **6**
Goonbell. *Corn* 4B **6**
Goonhavern. *Corn* 3B **6**
Goonvrea. *Corn* 4B **6**
Goose Green. *Cumb* 1E **97**
Goose Green. *S Glo* 3C **34**
Gooseham. *Corn* 1C **10**
Goosewell. *Plym* 3B **8**
Goosey. *Oxon* 2B **36**
Goosnargh. *Lanc* 1D **90**
Goostrey. *Ches E* 3B **84**
Gorcott Hill. *Warw* 4E **61**
Gord. *Shet* 9F **173**
Gordon. *Bord* 5C **130**
Gordonbush. *High* 3F **165**
Gordonstown. *Abers* 3C **160** (nr. Cornhill)
Gordonstown. *Abers* 5E **160** (nr. Fyvie)
Gorebridge. *Midl* 3G **129**
Gorefield. *Cambs* 4D **76**
Gores. *Wilts* 1G **23**
Gorgie. *Edin* 2F **129**
Goring. *Oxon* 3E **36**
Goring-by-Sea. *W Sus* 5C **26**
Goring Heath. *Oxon* 4E **37**
Gorleston-on-Sea. *Norf* 5H **79**
Gornalwood. *W Mid* 1D **60**
Gorran Churchtown. *Corn* 4D **6**
Gorran Haven. *Corn* 4E **6**
Gorran High Lanes. *Corn* 4D **6**
Gors. *Cdgn* 3F **57**
Gorsedd. *Flin* 3D **82**
Gorseinon. *Swan* 3E **31**
Gorseness. *Orkn* 6D **172**
Gorseybank. *Derbs* 5G **85**
Gorsgoch. *Cdgn* 5D **57**
Gorslas. *Carm* 4F **45**
Gorsley. *Glos* 3B **48**
Gorsley Common. *Here* 3B **48**
Gorstan. *High* 2F **157**
Gorstella. *Ches W* 4F **83**
Gorsty Common. *Here* 2H **47**
Gorsty Hill. *Staf* 3E **73**
Gortantaoid. *Arg* 2B **124**
Gorteneorn. *High* 2A **140**
Gortenfern. *High* 2A **140**
Gorton. *G Man* 1C **84**
Gosbeck. *Suff* 5D **66**
Gosberton. *Linc* 2B **76**
Gosberton Cheal. *Linc* 3B **76**
Gosberton Clough. *Linc* 3A **76**
Goseley Dale. *Derbs* 3H **73**
Gosfield. *Essx* 3A **54**
Gosford. *Oxon* 4D **50**
Gosforth. *Cumb* 4B **102**
Gosforth. *Tyne* 3F **115**
Gosmore. *Herts* 3B **52**
Gospel End Village. *Staf* 1C **60**
Gosport. *Hants* 2E **16**
Gossabrough. *Shet* 3G **173**
Gossington. *Glos* 5C **48**
Gossops Green. *W Sus* 2D **26**
Goswick. *Nmbd* 5G **131**
Gotham. *Notts* 2C **74**
Gotherington. *Glos* 3E **49**
Gott. *Arg* 4B **138**
Gott. *Shet* 7F **173**
Goudhurst. *Kent* 2B **28**
Goulceby. *Linc* 3B **88**
Gourdon. *Abers* 1H **145**
Gourock. *Inv* 2D **126**
Govan. *Glas* 3G **127**
Govanhill. *Glas* 3G **127**
Goverton. *Notts* 1E **74**
Goveton. *Devn* 4D **8**
Govilon. *Mon* 4F **47**
Gowanhill. *Abers* 2H **161**
Gowdall. *E Yor* 2G **93**
Gowerton. *Swan* 3E **31**
Gowkhall. *Fife* 1D **128**
Gowthorpe. *E Yor* 4B **100**
Goxhill. *E Yor* 5F **101**
Goxhill. *N Lin* 2E **94**
Goxhill Haven. *N Lin* 2E **94**
Goytre. *Neat* 3A **32**
Grabhair. *W Isl* 6F **171**
Graby. *Linc* 3H **75**
Graffham. *W Sus* 4A **26**
Grafham. *Cambs* 4A **64**
Grafham. *Surr* 1B **26**
Grafton. *Here* 2H **47**
Grafton. *N Yor* 3G **99**
Grafton. *Oxon* 5A **50**
Grafton. *Shrp* 4G **71**
Grafton. *Worc* 2E **49** (nr. Evesham)
Grafton. *Worc* 4H **59** (nr. Leominster)
Grafton Flyford. *Worc* 5D **60**
Grafton Regis. *Nptn* 1F **51**
Grafton Underwood. *Nptn* 2G **63**
Grafty Green. *Kent* 1C **28**
Graianrhyd. *Den* 5E **82**
Graig. *Carm* 5E **45**
Graig. *Cnwy* 3H **81**
Graig. *Den* 3C **82**
Graig-fechan. *Den* 5D **82**
Graig Penllyn. *V Glam* 4C **32**
Grain. *Medw* 3C **40**
Grainsby. *Linc* 1B **88**
Grainthorpe. *Linc* 1C **88**
Grainthorpe Fen. *Linc* 1C **88**
Graiselound. *N Lin* 1E **87**
Gramasdail. *W Isl* 3D **170**
Grampound. *Corn* 4D **6**
Grampound Road. *Corn* 3D **6**
Granborough. *Buck* 3F **51**
Granby. *Notts* 2E **75**
Grandborough. *Warw* 4B **62**
Grandpont. *Oxon* 5D **50**
Grandtully. *Per* 3G **143**
Grange. *Cumb* 3D **102**
Grange. *E Ayr* 1D **116**
Grange. *Here* 3G **59**
Grange. *Mers* 2E **83**
Grange. *Per* 1E **137**
Grange Crossroads. *Mor* 3B **160**
Grange Hill. *G Lon* 1F **39**
Grangemill. *Derbs* 5G **85**
Grange Moor. *W Yor* 3C **92**
Grangemouth. *Falk* 1C **128**
Grange of Lindores. *Fife* 2E **137**
Grange-over-Sands. *Cumb* 2D **96**
Grangepans. *Falk* 1D **128**
Grange, The. *N Yor* 5C **106**
Grangetown. *Card* 4E **33**
Grangetown. *Red C* 2C **106**
Grange Villa. *Dur* 4F **115**
Granish. *High* 2C **150**
Gransmoor. *E Yor* 4F **101**
Granston. *Pemb* 1C **42**
Grantchester. *Cambs* 5D **64**
Grantham. *Linc* 2G **75**
Grantley. *N Yor* 3E **99**
Grantlodge. *Abers* 2E **152**
Granton. *Edin* 2F **129**
Grantown-on-Spey. *High* 1E **151**
Grantshouse. *Bord* 3E **130**
Grappenhall. *Warr* 2A **84**
Grasby. *Linc* 4D **94**
Grasmere. *Cumb* 4E **103**
Grasscroft. *G Man* 4H **91**
Grassendale. *Mers* 2F **83**
Grassgarth. *Cumb* 5E **113**
Grassholme. *Dur* 2C **104**
Grassington. *N Yor* 3C **98**
Grassmoor. *Derbs* 4B **86**
Grassthorpe. *Notts* 4E **87**
Grateley. *Hants* 2A **24**
Gratton. *Devn* 1D **11**
Gratton. *Staf* 5D **84**
Gratwich. *Staf* 2E **73**
Graveley. *Cambs* 4B **64**
Graveley. *Herts* 3C **52**
Gravelhill. *Shrp* 4G **71**
Gravel Hole. *G Man* 4H **91**
Gravelly Hill. *W Mid* 1F **61**
Graven. *Shet* 4F **173**
Graveney. *Kent* 4E **41**
Gravesend. *Kent* 3H **39**
Grayingham. *Linc* 1G **87**
Grayrigg. *Cumb* 5G **103**
Grays. *Thur* 3H **39**
Grayshott. *Hants* 3G **25**
Grayson Green. *Cumb* 2A **102**
Grayswood. *Surr* 2A **26**
Graythorp. *Hart* 2C **106**
Grazeley. *Wok* 5E **37**
Grealin. *High* 2E **155**
Greasbrough. *S Yor* 1B **86**
Greasby. *Mers* 2E **83**
Great Abington. *Cambs* 1F **53**
Great Addington. *Nptn* 3G **63**
Great Alne. *Warw* 5F **61**
Great Altcar. *Lanc* 4B **90**
Great Amwell. *Herts* 4D **52**
Great Asby. *Cumb* 3H **103**
Great Ashfield. *Suff* 4B **66**
Great Ayton. *N Yor* 3C **106**
Great Baddow. *Essx* 5H **53**
Great Bardfield. *Essx* 2G **53**
Great Barford. *Bed* 5A **64**
Great Barr. *W Mid* 1E **61**
Great Barrington. *Glos* 4H **49**
Great Barrow. *Ches W* 4G **83**
Great Barton. *Suff* 4A **66**
Great Barugh. *N Yor* 2B **100**
Great Bavington. *Nmbd* 1C **114**
Great Bealings. *Suff* 1F **55**
Great Bedwyn. *Wilts* 5A **36**
Great Bentley. *Essx* 3E **54**
Great Billing. *Nptn* 4F **63**
Great Bircham. *Norf* 2G **77**
Great Blakenham. *Suff* 5D **66**
Great Blencow. *Cumb* 1F **103**
Great Bolas. *Telf* 3A **72**
Great Bookham. *Surr* 5C **38**
Great Bosullow. *Corn* 3B **4**
Great Bourton. *Oxon* 1C **50**
Great Bowden. *Leics* 2E **63**
Great Bradley. *Suff* 5F **65**
Great Braxted. *Essx* 4B **54**
Great Bricett. *Suff* 5C **66**
Great Brickhill. *Buck* 2H **51**
Great Bridgeford. *Staf* 3C **72**
Great Brington. *Nptn* 4D **62**

Great Bromley. *Essx* 3D 54
Great Broughton. *Cumb* 1B 102
Great Broughton. *N Yor* 4C 106
Great Budworth. *Ches W* 3A 84
Great Burdon. *Darl* 3A 106
Great Burstead. *Essx* 1A 40
Great Busby. *N Yor* 4C 106
Great Canfield. *Essx* 4F 53
Great Carlton. *Linc* 2D 88
Great Casterton. *Rut* 5H 75
Great Chalfield. *Wilts* 5D 34
Great Chart. *Kent* 1D 28
Great Chatwell. *Staf* 4B 72
Great Chesterford. *Essx* 1F 53
Great Cheverell. *Wilts* 1E 23
Great Chilton. *Dur* 1F 105
Great Chishill. *Cambs* 2E 53
Great Clacton. *Essx* 4E 55
Great Cliff. *W Yor* 3D 92
Great Clifton. *Cumb* 2B 102
Great Coates. *NE Lin* 3F 95
Great Comberton. *Worc* 1E 49
Great Corby. *Cumb* 4F 113
Great Cornard. *Suff* 1B 54
Great Cowden. *E Yor* 5G 101
Great Coxwell. *Oxon* 2A 36
Great Crakehall. *N Yor* 1E 99
Great Cransley. *Nptn* 3F 63
Great Cressingham. *Norf* 5H 77
Great Crosby. *Mers* 1F 83
Great Cubley. *Derbs* 2F 73
Great Dalby. *Leics* 4E 75
Great Doddington. *Nptn* 4F 63
Great Doward. *Here* 4A 48
Great Dunham. *Norf* 4A 78
Great Dunmow. *Essx* 3G 53
Great Durnford. *Wilts* 3G 23
Great Easton. *Essx* 3G 53
Great Easton. *Leics* 1F 63
Great Eccleston. *Lanc* 5D 96
Great Edstone. *N Yor* 1B 100
Great Ellingham. *Norf* 1C 66
Great Elm. *Som* 2C 22
Great Eppleton. *Tyne* 5G 115
Great Eversden. *Cambs* 5C 64
Great Fencote. *N Yor* 5F 105
Great Finborough. *Suff* 5C 66
Greatford. *Linc* 4H 75
Great Fransham. *Norf* 4A 78
Great Gaddesden. *Herts* 4A 52
Great Gate. *Staf* 1E 73
Great Gidding. *Cambs* 2A 64
Great Givendale. *E Yor* 4C 100
Great Glemham. *Suff* 4F 67
Great Glen. *Leics* 1D 62
Great Gonerby. *Linc* 2G 75
Great Gransden. *Cambs* 5B 64
Great Green. *Norf* 2E 67
Great Green. *Suff* 5B 66
(nr. Lavenham)
Great Green. *Suff* 3D 66
(nr. Palgrave)
Great Habton. *N Yor* 2B 100
Great Hale. *Linc* 1A 76
Great Hallingbury. *Essx* 4F 53
Greatham. *Hants* 3F 25
Greatham. *Hart* 2B 106
Greatham. *W Sus* 4B 26
Great Hampden. *Buck* 5G 51
Great Harrowden. *Nptn* 3F 63
Great Harwood. *Lanc* 1F 91
Great Haseley. *Oxon* 5E 51
Great Hatfield. *E Yor* 5F 101
Great Haywood. *Staf* 3D 73
Great Heath. *W Mid* 2H 61
Great Heck. *N Yor* 2F 93
Great Henny. *Essx* 2B 54
Great Hinton. *Wilts* 1E 23
Great Hockham. *Norf* 1B 66
Great Holland. *Essx* 4F 55
Great Horkesley. *Essx* 2C 54
Great Hormead. *Herts* 2E 53
Great Horton. *W Yor* 1B 92
Great Horwood. *Buck* 2F 51
Great Houghton. *Nptn* 5E 63
Great Houghton. *S Yor* 4E 93
Great Hucklow. *Derbs* 3F 85
Great Kelk. *E Yor* 4F 101
Great Kendale. *E Yor* 3E 101
Great Kimble. *Buck* 5G 51
Great Kingshill. *Buck* 2G 37
Great Langdale. *Cumb* 4D 102
Great Langton. *N Yor* 5F 105
Great Leighs. *Essx* 4H 53
Great Limber. *Linc* 4E 95
Great Linford. *Mil* 1G 51
Great Livermere. *Suff* 3A 66
Great Longstone. *Derbs* 3G 85
Great Lumley. *Dur* 5F 115
Great Lyth. *Shrp* 5G 71
Great Malvern. *Worc* 1C 48
Great Maplestead. *Essx* 2B 54
Great Marton. *Bkpl* 1B 90
Great Massingham. *Norf* 3G 77
Great Melton. *Norf* 5D 78
Great Milton. *Oxon* 5E 51
Great Missenden. *Buck* 5G 51
Great Mitton. *Lanc* 1F 91
Great Mongeham. *Kent* 5H 41
Great Moulton. *Norf* 1D 66
Great Munden. *Herts* 3D 52
Great Musgrave. *Cumb* 3A 104
Great Ness. *Shrp* 4F 71
Great Notley. *Essx* 3H 53
Great Oak. *Mon* 5G 47
Great Oakley. *Essx* 3E 55
Great Oakley. *Nptn* 2F 63
Great Offley. *Herts* 3B 52
Great Ormside. *Cumb* 3A 104
Great Orton. *Cumb* 4E 113
Great Ouseburn. *N Yor* 3G 99
Great Oxendon. *Nptn* 2E 63
Great Oxney Green. *Essx* 5G 53
Great Parndon. *Essx* 5E 53
Great Paxton. *Cambs* 4B 64
Great Plumpton. *Lanc* 1B 90
Great Plumstead. *Norf* 4F 79
Great Ponton. *Linc* 2G 75
Great Potheridge. *Devn* 1F 11
Great Preston. *W Yor* 2E 93
Great Raveley. *Cambs* 2B 64
Great Rissington. *Glos* 4G 49
Great Rollright. *Oxon* 2B 50
Great Ryburgh. *Norf* 3B 78
Great Ryle. *Nmbd* 3E 121
Great Ryton. *Shrp* 5G 71
Great Saling. *Essx* 3G 53
Great Salkeld. *Cumb* 1G 103
Great Sampford. *Essx* 2G 53
Great Sankey. *Warr* 2H 83
Great Saredon. *Staf* 5D 72
Great Saxham. *Suff* 4G 65
Great Shefford. *W Ber* 4B 36
Great Shelford. *Cambs* 5D 64
Great Shoddesden. *Hants* 2A 24
Great Smeaton. *N Yor* 4A 106
Great Snoring. *Norf* 2B 78
Great Somerford. *Wilts* 3E 35
Great Stainton. *Darl* 2A 106
Great Stambridge. *Essx* 1C 40
Great Staughton. *Cambs* 4A 64
Great Steeping. *Linc* 4D 88
Great Stonar. *Kent* 5H 41
Greatstone-on-Sea. *Kent* 3E 29
Great Strickland. *Cumb* 2G 103
Great Stukeley. *Cambs* 3B 64
Great Sturton. *Linc* 3B 88
Great Sutton. *Ches W* 3F 83
Great Sutton. *Shrp* 2H 59
Great Swinburne. *Nmbd* 2C 114
Great Tew. *Oxon* 3B 50
Great Tey. *Essx* 3B 54
Great Thirkleby. *N Yor* 2G 99
Great Thorness. *IOW* 3C 16
Great Thurlow. *Suff* 5F 65
Great Torr. *Devn* 4C 8
Great Torrington. *Devn* 1E 11
Great Tosson. *Nmbd* 4E 121
Great Totham North. *Essx* 4B 54
Great Totham South. *Essx* 4B 54
Great Tows. *Linc* 1B 88
Great Urswick. *Cumb* 2B 96
Great Wakering. *Essx* 2D 40
Great Waldingfield. *Suff* 1C 54
Great Walsingham. *Norf* 2B 78
Great Waltham. *Essx* 4G 53
Great Warley. *Essx* 1G 39
Great Washbourne. *Glos* 2E 49
Great Wenham. *Suff* 2D 54
Great Whelnetham. *Suff* 5A 66
Great Whittington. *Nmbd* 2D 114
Great Wigborough. *Essx* 4C 54
Great Wilbraham. *Cambs* 5E 65
Great Wilne. *Derbs* 2B 74
Great Wishford. *Wilts* 3F 23
Great Witchingham. *Norf* 3D 78
Great Witcombe. *Glos* 4E 49
Great Witley. *Worc* 4B 60
Great Wolford. *Warw* 2H 49
Greatworth. *Nptn* 1D 50
Great Wratting. *Suff* 1G 53
Great Wymondley. *Herts* 3C 52
Great Wyrley. *Staf* 5D 73
Great Wytheford. *Shrp* 4H 71
Great Yarmouth. *Norf* 5H 79 & 196
Great Yeldham. *Essx* 2A 54
Grebby. *Linc* 4D 88
Greeba Castle. *IOM* 3C 108
Greenbank. *Shet* 1G 173
Greenbottom. *Corn* 4B 6
Greenburn. *W Lot* 3C 128
Greencroft. *Dur* 4E 115
Greencroft Park. *Dur* 5E 115
Greendown. *Som* 1A 22
Greendykes. *Nmbd* 2E 121
Green End. *Bed* 1A 52
(nr. Bedford)
Green End. *Bed* 4A 64
(nr. St Neots)
Green End. *Herts* 2D 52
(nr. Buntingford)
Green End. *Herts* 3D 52
(nr. Stevenage)
Green End. *N Yor* 4F 107
Green End. *Warw* 2G 61
Greenfield. *Arg* 4B 134
Greenfield. *C Beds* 2A 52
Greenfield. *Flin* 3D 82
Greenfield. *G Man* 4H 91
Greenfield. *Oxon* 2F 37
Greenfoot. *N Lan* 3A 128
Greenford. *G Lon* 2C 38
Greengairs. *N Lan* 2A 128
Greengate. *Norf* 4C 78
Greengill. *Cumb* 1C 102
Greenhalgh. *Lanc* 1C 90
Greenham. *Dors* 2H 13
Greenham. *Som* 4D 20
Greenham. *W Ber* 5C 36
Green Hammerton. *N Yor* 4G 99
Greenhaugh. *Nmbd* 1A 114
Greenhead. *Nmbd* 3H 113
Green Heath. *Staf* 4D 73
Greenhill. *Dum* 2C 112
Greenhill. *Falk* 2B 128
Greenhill. *Kent* 4F 41
Greenhill. *S Yor* 2H 85
Greenhill. *Worc* 3C 60
Greenhills. *N Ayr* 4E 127
Greenhithe. *Kent* 3G 39
Greenholm. *E Ayr* 1E 117
Greenhow Hill. *N Yor* 3D 98
Greenigoe. *Orkn* 7D 172
Greenland. *High* 2E 169
Greenland Mains. *High* 2E 169
Greenlands. *Worc* 4E 61
Green Lane. *Shrp* 3A 72
Green Lane. *Warw* 4E 61
Greenlaw. *Bord* 5D 130
Greenlea. *Dum* 2B 112
Greenloaning. *Per* 3H 135
Greenmount. *G Man* 3F 91
Greenmow. *Shet* 9F 173
Greenock. *Inv* 2D 126
Greenock Mains. *E Ayr* 2F 117
Greenodd. *Cumb* 1C 96
Green Ore. *Som* 1A 22
Greenrow. *Cumb* 4C 112
Greens. *Abers* 4F 161
Greensgate. *Norf* 4D 78
Greenside. *Tyne* 3E 115
Greensidehill. *Nmbd* 3D 121
Greens Norton. *Nptn* 1E 51
Greenstead Green. *Essx* 3B 54
Greensted Green. *Essx* 5F 53
Green Street. *Herts* 1C 38
Green Street. *Suff* 3D 66
Green Street Green. *G Lon* 4F 39
Green Street Green. *Kent* 3G 39
Greenstreet Green. *Suff* 1D 54
Green, The. *Cumb* 1A 96
Green, The. *Wilts* 3D 22
Green Tye. *Herts* 4E 53
Greenwall. *Orkn* 7E 172
Greenway. *Pemb* 2E 43
Greenway. *V Glam* 4D 32
Greenwell. *Cumb* 4G 113
Greenwich. *G Lon* 3E 39
Greet. *Glos* 2F 49
Greete. *Shrp* 3H 59
Greetham. *Linc* 3C 88
Greetham. *Rut* 4G 75
Greetland. *W Yor* 2A 92
Gregson Lane. *Lanc* 2D 90
Grein. *W Isl* 8B 170
Greinetobht. *W Isl* 1D 170
Greinton. *Som* 3H 21
Gremista. *Shet* 7F 173
Grenaby. *IOM* 4B 108
Grendon. *Nptn* 4F 63
Grendon. *Warw* 1G 61
Grendon Common. *Warw* 1G 61
Grendon Green. *Here* 5H 59
Grendon Underwood. *Buck* 3E 51
Grenofen. *Devn* 5E 11
Grenoside. *S Yor* 1H 85
Greosabhagh. *W Isl* 8D 171
Gresford. *Wrex* 5F 83
Gresham. *Norf* 2D 78
Greshornish. *High* 3C 154
Gressenhall. *Norf* 4B 78
Gressingham. *Lanc* 2E 97
Greta Bridge. *Dur* 3D 105
Gretna. *Dum* 3E 112
Gretna Green. *Dum* 3E 112
Gretton. *Glos* 2F 49
Gretton. *Nptn* 1G 63
Gretton. *Shrp* 1H 59
Grewelthorpe. *N Yor* 2E 99
Greygarth. *N Yor* 2D 98
Grey Green. *N Lin* 4A 94
Greylake. *Som* 3G 21
Greysouthen. *Cumb* 2B 102
Greystoke. *Cumb* 1F 103
Greystoke Gill. *Cumb* 2F 103
Greystone. *Ang* 4E 145
Greystones. *S Yor* 2H 85
Greywell. *Hants* 1F 25
Griais. *W Isl* 3G 171
Grianan. *W Isl* 4G 171
Gribthorpe. *E Yor* 1A 94
Gribun. *Arg* 5F 139
Griff. *Warw* 2A 62
Griffithstown. *Torf* 2F 33
Griffydam. *Leics* 4B 74
Griggs Green. *Hants* 3G 25
Grimbister. *Orkn* 6C 172
Grimeford Village. *Lanc* 3E 90
Grimeston. *Orkn* 6C 172
Grimethorpe. *S Yor* 4E 93
Griminis. *W Isl* 3C 170
(on Benbecula)
Griminis. *W Isl* 1C 170
(on North Uist)
Grimister. *Shet* 2F 173
Grimley. *Worc* 4C 60
Grimness. *Orkn* 8D 172
Grimoldby. *Linc* 2C 88
Grimpo. *Shrp* 3F 71
Grimsargh. *Lanc* 1D 90
Grimsbury. *Oxon* 1C 50
Grimsby. *NE Lin* 3F 95
Grimscote. *Nptn* 5D 62
Grimscott. *Corn* 2C 10
Grimshaw. *Bkbn* 2F 91
Grimshaw Green. *Lanc* 3C 90
Grimsthorpe. *Linc* 3H 75
Grimston. *E Yor* 1F 95
Grimston. *Leics* 3D 74
Grimston. *Norf* 3G 77
Grimston. *York* 4A 100
Grimstone. *Dors* 3B 14
Grimstone End. *Suff* 4B 66
Grinacombe Moor. *Devn* 3E 11
Grindale. *E Yor* 2F 101
Grindhill. *Devn* 3E 11
Grindiscol. *Shet* 8F 173
Grindle. *Shrp* 5B 72
Grindleford. *Derbs* 3G 85
Grindleton. *Lanc* 5G 97
Grindley. *Staf* 3E 73
Grindley Brook. *Shrp* 1H 71
Grindlow. *Derbs* 3F 85
Grindon. *Nmbd* 5F 131
Grindon. *Staf* 5E 85
Gringley on the Hill. *Notts* 1E 87
Grinsdale. *Cumb* 4E 113
Grinshill. *Shrp* 3H 71
Grinton. *N Yor* 5D 104
Griomsidar. *W Isl* 5G 171
Grishipoll. *Arg* 3C 138
Grisling Common. *E Sus* 3F 27
Gristhorpe. *N Yor* 1E 101
Griston. *Norf* 1B 66
Gritley. *Orkn* 7E 172
Grittenham. *Wilts* 3F 35
Grittleton. *Wilts* 4D 34
Grizebeck. *Cumb* 1B 96
Grizedale. *Cumb* 5E 103
Grobister. *Orkn* 5F 172
Grobsness. *Shet* 5E 173
Groby. *Leics* 5C 74
Groes. *Cnwy* 4C 82
Groes. *Neat* 3A 32
Groes-faen. *Rhon* 3D 32
Groesffordd. *Gwyn* 2B 68
Groesffordd. *Powy* 3D 46
Groeslon. *Gwyn* 5D 81
Groes-lwyd. *Powy* 4E 70
Groes-wen. *Cphy* 3E 33
Grogport. *Arg* 5G 125
Groigearraidh. *W Isl* 4C 170
Gromford. *Suff* 5F 67
Gronant. *Flin* 2C 82
Groombridge. *E Sus* 2G 27
Grosmont. *Mon* 3H 47
Grosmont. *N Yor* 4F 107
Groton. *Suff* 1C 54
Grove. *Dors* 5C 14
Grove. *Kent* 4G 41
Grove. *Notts* 3E 87
Grove. *Oxon* 2B 36
Grovehill. *E Yor* 1D 94
Grove Park. *G Lon* 3F 39
Grovesend. *Swan* 5F 45
Grove, The. *Dum* 2A 112
Grove, The. *Worc* 1D 48
Grub Street. *Staf* 3B 72
Grudie. *High* 2F 157
Gruids. *High* 3C 164
Gruinard House. *High* 4D 162
Gruinart. *Arg* 3A 124
Grulinbeg. *Arg* 3A 124
Gruline. *Arg* 4G 139
Grummore. *High* 5G 167
Grundisburgh. *Suff* 5E 66
Gruting. *Shet* 7D 173
Grutness. *Shet* 10F 173
Gualachulain. *High* 4F 141
Gualin House. *High* 3D 166
Guardbridge. *Fife* 2G 137
Guarlford. *Worc* 1D 48
Guay. *Per* 4H 143
Gubblecote. *Herts* 4H 51
Guestling Green. *E Sus* 4C 28
Guestling Thorn. *E Sus* 4C 28
Guestwick. *Norf* 3C 78
Guestwick Green. *Norf* 3C 78
Guide. *Bkbn* 2F 91
Guide Post. *Nmbd* 1F 115
Guilden Down. *Shrp* 2F 59
Guilden Morden. *Cambs* 1C 52
Guilden Sutton. *Ches W* 4G 83
Guildford. *Surr* 1A 26 & 197
Guildtown. *Per* 5A 144
Guilsborough. *Nptn* 3D 62
Guilsfield. *Powy* 4E 70
Guineaford. *Devn* 3F 19
Guisborough. *Red C* 3D 106
Guiseley. *W Yor* 5D 98
Guist. *Norf* 3B 78
Guiting Power. *Glos* 3F 49
Gulberwick. *Shet* 8F 173
Gullane. *E Lot* 1A 130
Gulling Green. *Suff* 5H 65
Gulval. *Corn* 3B 4
Gumfreston. *Pemb* 4F 43
Gumley. *Leics* 1D 62
Gunby. *E Yor* 1H 93
Gunby. *Linc* 3G 75
Gundleton. *Hants* 3E 24
Gun Green. *Kent* 2B 28
Gun Hill. *E Sus* 4G 27
Gunn. *Devn* 3G 19
Gunnerside. *N Yor* 5C 104
Gunnerton. *Nmbd* 2C 114
Gunness. *N Lin* 3B 94
Gunnislake. *Corn* 5E 11
Gunnista. *Shet* 7F 173
Gunsgreenhill. *Bord* 3F 131
Gunstone. *Staf* 5C 72
Gunthorpe. *Norf* 2C 78
Gunthorpe. *N Lin* 1F 87
Gunthorpe. *Notts* 1D 74
Gunthorpe. *Pet* 5A 76
Gunville. *IOW* 4C 16
Gupworthy. *Som* 3C 20
Gurnard. *IOW* 3C 16
Gurney Slade. *Som* 2B 22
Gurnos. *Powy* 5A 46
Gussage All Saints. *Dors* 1F 15
Gussage St Andrew. *Dors* 1E 15
Gussage St Michael. *Dors* 1E 15
Guston. *Kent* 1H 29
Gutcher. *Shet* 2G 173
Guthram Gowt. *Linc* 3A 76
Guthrie. *Ang* 3E 145
Guyhirn. *Cambs* 5D 76
Guyhirn Gull. *Cambs* 5C 76
Guy's Head. *Linc* 3D 77
Guy's Marsh. *Dors* 4D 22
Guyzance. *Nmbd* 4G 121
Gwaelod-y-garth. *Card* 3E 32
Gwaenynog Bach. *Den* 4C 82
Gwaenysgor. *Flin* 2C 82
Gwalchmai. *IOA* 3C 80
Gwastad. *Pemb* 2E 43
Gwaun-Cae-Gurwen. *Neat* 4H 45
Gwaun-y-bara. *Cphy* 3E 33
Gwbert. *Cdgn* 1B 44
Gweek. *Corn* 4E 5
Gwehelog. *Mon* 5G 47
Gwenddwr. *Powy* 1D 46
Gwennap. *Corn* 4B 6
Gwenter. *Corn* 5E 5
Gwernaffield. *Flin* 4E 82
Gwernesney. *Mon* 5H 47
Gwernogle. *Carm* 2F 45
Gwern-y-go. *Powy* 1E 58
Gwernymynydd. *Flin* 4E 82
Gwersyllt. *Wrex* 5F 83
Gwespyr. *Flin* 2D 82
Gwinear. *Corn* 3C 4
Gwithian. *Corn* 2C 4
Gwredog. *IOA* 2D 80
Gwyddelwern. *Den* 1C 70
Gwyddgrug. *Carm* 2E 45
Gwynfryn. *Wrex* 5E 83
Gwystre. *Powy* 4C 58
Gwytherin. *Cnwy* 4A 82
Gyfelia. *Wrex* 1F 71
Gyffin. *Cnwy* 3G 81

H

Haa of Houlland. *Shet* 1G 173
Habberley. *Shrp* 5F 71
Habblesthorpe. *Notts* 2E 87
Habergham. *Lanc* 1G 91
Habin. *W Sus* 4G 25
Habrough. *NE Lin* 3E 95
Haceby. *Linc* 2H 75
Hacheston. *Suff* 5F 67
Hackenthorpe. *S Yor* 2B 86
Hackford. *Norf* 5C 78
Hackforth. *N Yor* 5F 105
Hackland. *Orkn* 5C 172
Hackleton. *Nptn* 5F 63
Hackman's Gate. *Worc* 3C 60
Hackness. *N Yor* 5G 107
Hackness. *Orkn* 8C 172
Hackney. *G Lon* 2E 39
Hackthorn. *Linc* 2G 87
Hackthorpe. *Cumb* 2G 103
Haclait. *W Isl* 4D 170
Haconby. *Linc* 3A 76
Hadden. *Bord* 1B 120
Haddenham. *Buck* 5F 51
Haddenham. *Cambs* 3D 64
Haddenham End. *Cambs* 3D 64
Haddington. *E Lot* 2B 130
Haddington. *Linc* 4G 87
Haddiscoe. *Norf* 1G 67
Haddo. *Abers* 5F 161
Haddon. *Cambs* 1A 64
Hademore. *Staf* 5F 73
Hadfield. *Derbs* 1E 85
Hadham Cross. *Herts* 4E 53
Hadham Ford. *Herts* 3E 53
Hadleigh. *Essx* 2C 40
Hadleigh. *Suff* 1D 54
Hadleigh Heath. *Suff* 1C 54
Hadley. *Telf* 4A 72
Hadley. *Worc* 4C 60
Hadley End. *Staf* 3F 73
Hadley Wood. *G Lon* 1D 38
Hadlow. *Kent* 1H 27
Hadlow Down. *E Sus* 3G 27
Hadnall. *Shrp* 3H 71
Hadstock. *Essx* 1F 53
Hadston. *Nmbd* 5G 121
Hady. *Derbs* 3A 86
Hadzor. *Worc* 4D 60
Haffenden Quarter. *Kent* 1C 28
Haggate. *Lanc* 1G 91
Haggbeck. *Cumb* 2F 113
Haggersta. *Shet* 7E 173
Haggerston. *Nmbd* 5G 131
Haggrister. *Shet* 4E 173
Hagley. *Here* 1A 48
Hagley. *Worc* 2D 60
Hagnaby. *Linc* 4C 88
Hagworthingham. *Linc* 4C 88
Haigh. *G Man* 4E 90
Haigh Moor. *W Yor* 2C 92
Haighton Green. *Lanc* 1D 90
Haile. *Cumb* 4B 102
Hailes. *Glos* 2F 49
Hailey. *Herts* 4D 52
Hailey. *Oxon* 4B 50
Hailsham. *E Sus* 5G 27
Hail Weston. *Cambs* 4A 64
Hainault. *G Lon* 1F 39
Hainford. *Norf* 4E 78
Hainton. *Linc* 2A 88
Hainworth. *W Yor* 1A 92
Haisthorpe. *E Yor* 3F 101
Hakin. *Pemb* 4C 42
Halam. *Notts* 5D 86
Halbeath. *Fife* 1E 129
Halberton. *Devn* 1D 12
Halcro. *High* 2E 169
Hale. *Cumb* 2E 97
Hale. *G Man* 2B 84
Hale. *Hal* 2G 83
Hale. *Hants* 1G 15
Hale. *Surr* 2G 25
Hale Bank. *Hal* 2G 83
Halebarns. *G Man* 2B 84
Hales. *Norf* 1F 67
Hales. *Staf* 2B 72
Halesgate. *Linc* 3C 76
Hales Green. *Derbs* 1F 73
Halesowen. *W Mid* 2D 60
Hale Street. *Kent* 1A 28
Halesworth. *Suff* 3F 67
Halewood. *Mers* 2G 83
Halford. *Shrp* 2G 59
Halford. *Warw* 1A 50
Halfpenny. *Cumb* 1E 97
Halfpenny Furze. *Carm* 3G 43
Halfpenny Green. *Shrp* 1C 60
Halfway. *Carm* 2G 45
Halfway. *Powy* 2B 46

Halfway. S Yor 2B 86
Halfway. W Ber 5C 36
Halfway House. Shrp 4F 71
Halfway Houses. Kent 3D 40
Halgabron. Corn 4A 10
Halifax. W Yor 2A 92
Halistra. High 3B 154
Halket. E Ayr 4F 127
Halkirk. High 3D 168
Halkyn. Flin 3E 82
Hall. E Ren 4F 127
Hallam Fields. Derbs 1B 74
Halland. E Sus 4G 27
Hallands, The. N Lin 2D 94
Hallaton. Leics 1E 63
Hallatrow. Bath 1B 22
Hallbank. Cumb 5H 103
Hallbankgate. Cumb 4G 113
Hall Dunnerdale. Cumb 5D 102
Hallen. S Glo 3A 34
Hall End. Bed 1A 52
Hallgarth. Dur 5G 115
Hall Green. Ches E 5C 84
Hall Green. Norf 2D 66
Hall Green. W Mid 2F 61
Hall Green. W Yor 3D 92
Hall Green. Wrex 1G 71
Halliburton. Bord 5C 130
Hallin. High 3B 154
Halling. Medw 4B 40
Hallington. Linc 2C 88
Hallington. Nmbd 2C 114
Halloughton. Notts 5D 86
Hallow. Worc 5C 60
Hallow Heath. Worc 5C 60
Hallowsgate. Ches W 4H 83
Hallsands. Devn 5E 9
Hall's Green. Herts 3C 52
Hallspill. Devn 4E 19
Hallthwaites. Cumb 1A 96
Hall Waberthwaite. Cumb 5C 102
Hallwood Green. Glos 2B 48
Hallworthy. Corn 4B 10
Hallyne. Bord 5E 129
Halmer End. Staf 1C 72
Halmond's Frome. Here 1B 48
Halmore. Glos 5B 48
Halnaker. W Sus 5A 26
Halsall. Lanc 3B 90
Halse. Nptn 1D 50
Halse. Som 4E 21
Halsetown. Corn 3C 4
Halsham. E Yor 2F 95
Halsinger. Devn 3F 19
Halstead. Essx 2B 54
Halstead. Kent 4F 39
Halstead. Leics 5E 75
Halstock. Dors 2A 14
Halsway. Som 3E 21
Haltcliff Bridge. Cumb 1E 103
Haltham. Linc 4B 88
Haltoft End. Linc 1C 76
Halton. Buck 5G 51
Halton. Hal 2H 83
Halton. Lanc 3E 97
Halton. Nmbd 3C 114
Halton. W Yor 1D 92
Halton. Wrex 2F 71
Halton East. N Yor 4C 98
Halton Fenside. Linc 4D 88
Halton Gill. N Yor 2A 98
Halton Holegate. Linc 4D 88
Halton Lea Gate. Nmbd 4H 113
Halton Moor. W Yor 1D 92
Halton Shields. Nmbd 3D 114
Halton West. N Yor 4H 97
Haltwhistle. Nmbd 3A 114
Halvergate. Norf 5G 79
Halwell. Devn 3D 9
Halwill. Devn 3E 11
Halwill Junction. Devn 3E 11
Ham. Devn 2F 13
Ham. Glos 2B 34
Ham. G Lon 3C 38
Ham. High 1E 169
Ham. Kent 5H 41
Ham. Plym 3A 8
Ham. Shet 8A 173
Ham. Som 1F 13 (nr. Ilminster)
Ham. Som 4F 21 (nr. Taunton)
Ham. Som 4E 21 (nr. Wellington)
Ham. Wilts 5B 36
Hambleden. Buck 3F 37
Hambledon. Hants 1E 17
Hambledon. Surr 2A 26
Hamble-le-Rice. Hants 2C 16
Hambleton. Lanc 5C 96
Hambleton. N Yor 1F 93
Hambridge. Som 4G 21
Hambrook. S Glo 4B 34
Hambrook. W Sus 2F 17
Ham Common. Dors 4D 22
Hameringham. Linc 4C 88
Hamerton. Cambs 3A 64
Ham Green. Here 1C 48
Ham Green. Kent 4C 40
Ham Green. N Som 4A 34
Ham Green. Worc 4E 61
Ham Hill. Kent 4A 40
Hamilton. Leics 5D 74
Hamilton. S Lan 4A 128
Hamister. Shet 5G 173
Hammer. W Sus 3G 25
Hammersmith. G Lon 3D 38
Hammerwich. Staf 5E 73
Hammerwood. E Sus 2F 27
Hammill. Kent 5G 41
Hammond Street. Herts 5D 52
Hammoon. Dors 1D 14
Hamnavoe. Shet 3D 173 (nr. Braehoulland)
Hamnavoe. Shet 8E 173 (nr. Burland)
Hamnavoe. Shet 4F 173 (nr. Lunna)
Hamnavoe. Shet 3F 173 (on Yell)
Hamp. Som 3G 21
Hampden Park. E Sus 5H 27
Hampen. Glos 3F 49
Hamperden End. Essx 2F 53
Hamperley. Shrp 2G 59
Hampnett. Glos 4F 49
Hampole. S Yor 3F 93
Hampreston. Dors 3F 15
Hampstead. G Lon 2D 38
Hampstead Norreys. W Ber 4D 36
Hampsthwaite. N Yor 4E 99
Hampton. Devn 3F 13
Hampton. G Lon 3C 38
Hampton. Kent 4F 41
Hampton. Shrp 2B 60
Hampton. Swin 2G 35
Hampton. Worc 1F 49
Hampton Bishop. Here 2A 48
Hampton Fields. Glos 2D 35
Hampton Hargate. Pet 1A 64
Hampton Heath. Ches W 1H 71
Hampton in Arden. W Mid 2G 61
Hampton Loade. Shrp 2B 60
Hampton Lovett. Worc 4C 60
Hampton Lucy. Warw 5G 61
Hampton Magna. Warw 4G 61
Hampton on the Hill. Warw 4G 61
Hampton Poyle. Oxon 4D 50
Hampton Wick. G Lon 4C 38
Hamptworth. Wilts 1H 15
Hamrow. Norf 3B 78
Hamsey. E Sus 4F 27
Hamsey Green. Surr 5E 39
Hamstall Ridware. Staf 4F 73
Hamstead. IOW 3C 16
Hamstead. W Mid 1E 61
Hamstead Marshall. W Ber 5C 36
Hamsterley. Dur 4E 115 (nr. Consett)
Hamsterley. Dur 1E 105 (nr. Wolsingham)
Hamsterley Mill. Dur 4E 115
Hamstreet. Kent 2E 28
Ham Street. Som 3A 22
Hamworthy. Pool 3E 15
Hanbury. Staf 3F 73
Hanbury. Worc 4D 60
Hanbury Woodend. Staf 3F 73
Hanby. Linc 2H 75
Hanchurch. Staf 1C 72
Hand and Pen. Devn 3D 12
Handbridge. Ches W 4G 83
Handcross. W Sus 3D 26
Handforth. Ches E 2C 84
Handley. Ches W 5G 83
Handley. Derbs 4A 86
Handsacre. Staf 4E 73
Handsworth. S Yor 2B 86
Handsworth. W Mid 1E 61
Handy Cross. Buck 2G 37
Hanford. Dors 1D 14
Hanford. Stoke 1C 72
Hangersley. Hants 2G 15
Hanging Houghton. Nptn 3E 63
Hanging Langford. Wilts 3F 23
Hangleton. Brig 5D 26
Hangleton. W Sus 5B 26
Hanham. S Glo 4B 34
Hanham Green. S Glo 4B 34
Hankelow. Ches E 1A 72
Hankerton. Wilts 2E 35
Hankham. E Sus 5H 27
Hanley. Stoke 1C 72 & **Stoke 211**
Hanley Castle. Worc 1D 48
Hanley Childe. Worc 4A 60
Hanley Swan. Worc 1D 48
Hanley William. Worc 4A 60
Hanlith. N Yor 3B 98
Hanmer. Wrex 2G 71
Hannaborough. Devn 2F 11
Hannaford. Devn 4G 19
Hannah. Linc 3E 89
Hannington. Hants 1D 24
Hannington. Nptn 3F 63
Hannington. Swin 2G 35
Hannington Wick. Swin 2G 35
Hanscombe End. C Beds 2B 52
Hanslope. Mil 1G 51
Hanthorpe. Linc 3H 75
Hanwell. G Lon 2C 38
Hanwell. Oxon 1C 50
Hanwood. Shrp 5G 71
Hanworth. G Lon 3C 38
Hanworth. Norf 2D 78
Happas. Ang 4D 144
Happendon. S Lan 1A 118
Happisburgh. Norf 2F 79
Happisburgh Common. Norf 3F 79
Hapsford. Ches W 3G 83
Hapton. Lanc 1F 91
Hapton. Norf 1D 66
Harberton. Devn 3D 9
Harbertonford. Devn 3D 9
Harbledown. Kent 5F 41
Harborne. W Mid 2E 61
Harborough Magna. Warw 3B 62
Harbottle. Nmbd 4D 120
Harbourneford. Devn 2D 8
Harbours Hill. Worc 4D 60
Harbridge. Hants 1G 15
Harbury. Warw 4A 62
Harby. Leics 2E 75
Harby. Notts 3F 87
Harcombe. Devn 3E 13
Harcombe Bottom. Devn 3G 13
Harcourt. Corn 5C 6
Harden. W Yor 1A 92
Hardenhuish. Wilts 4E 35
Hardgate. Abers 3E 153
Hardgate. Dum 3F 111
Hardham. W Sus 4B 26
Hardingham. Norf 5C 78
Hardingstone. Nptn 5E 63
Hardings Wood. Ches E 5C 84
Hardington. Som 1C 22
Hardington Mandeville. Som 1A 14
Hardington Marsh. Som 2A 14
Hardington Moor. Som 1A 14
Hardley. Hants 2C 16
Hardley Street. Norf 5F 79
Hardmead. Mil 1H 51
Hardraw. N Yor 5B 104
Hardstoft. Derbs 4B 86
Hardway. Hants 2E 16
Hardway. Som 3C 22
Hardwick. Buck 4G 51
Hardwick. Cambs 5C 64
Hardwick. Norf 2E 66
Hardwick. Nptn 4F 63
Hardwick. Oxon 3D 50 (nr. Bicester)
Hardwick. Oxon 5B 50 (nr. Witney)
Hardwick. Shrp 1F 59
Hardwick. S Yor 2B 86
Hardwick. Stoc T 2B 106
Hardwick. W Mid 1E 61
Hardwicke. Glos 3E 49 (nr. Cheltenham)
Hardwicke. Glos 4C 48 (nr. Gloucester)
Hardwicke. Here 1F 47
Hardwick Village. Notts 3D 86
Hardy's Green. Essx 3C 54
Hare. Som 1F 13
Hareby. Linc 4C 88
Hareden. Lanc 4F 97
Harefield. G Lon 1B 38
Hare Green. Essx 3D 54
Hare Hatch. Wok 4G 37
Harehill. Derbs 2F 73
Harehills. W Yor 1D 92
Harehope. Nmbd 2E 121
Harelaw. Dum 2F 113
Harelaw. Dur 4E 115
Hareplain. Kent 2C 28
Haresceugh. Cumb 5H 113
Harescombe. Glos 4D 48
Haresfield. Glos 4D 48
Haresfinch. Mers 1H 83
Hareshaw. N Lan 3B 128
Hare Street. Essx 5E 53
Hare Street. Herts 3D 53
Harewood. W Yor 5F 99
Harewood End. Here 3A 48
Harford. Devn 3C 8
Hargate. Norf 1D 66
Hargatewall. Derbs 3F 85
Hargrave. Ches W 4G 83
Hargrave. Nptn 3H 63
Hargrave. Suff 5G 65
Harker. Cumb 3E 113
Harkland. Shet 3F 173
Harkstead. Suff 2E 55
Harlaston. Staf 4G 73
Harlaxton. Linc 2F 75
Harlech. Gwyn 2E 69
Harlequin. Notts 2D 74
Harlescott. Shrp 4H 71
Harleston. Devn 4D 9
Harleston. Norf 2E 67
Harleston. Suff 4C 66
Harlestone. Nptn 4E 62
Harley. Shrp 5H 71
Harley. S Yor 1A 86
Harling Road. Norf 2B 66
Harlington. C Beds 2A 52
Harlington. G Lon 3B 38
Harlington. S Yor 4E 93
Harlosh. High 4B 154
Harlow. Essx 4E 53
Harlow Hill. Nmbd 3D 115
Harlsey Castle. N Yor 5B 106
Harlthorpe. E Yor 1H 93
Harlton. Cambs 5C 64
Harlyn Bay. Corn 1C 6
Harman's Cross. Dors 4E 15
Harmby. N Yor 1D 98
Harmer Green. Herts 4C 52
Harmer Hill. Shrp 3G 71
Harmondsworth. G Lon 3B 38
Harmston. Linc 4G 87
Harnage. Shrp 5H 71
Harnham. Nmbd 1D 115
Harnhill. Glos 5F 49
Harold Hill. G Lon 1G 39
Haroldston West. Pemb 3C 42
Haroldswick. Shet 1H 173
Harold Wood. G Lon 1G 39
Harome. N Yor 1A 100
Harpenden. Herts 4B 52
Harpford. Devn 3D 12
Harpham. E Yor 3E 101
Harpley. Norf 3G 77
Harpley. Worc 4A 60
Harpole. Nptn 4D 62
Harpsdale. High 3D 168
Harpsden. Oxon 3F 37
Harpswell. Linc 2G 87
Harpurhey. G Man 4G 91
Harpur Hill. Derbs 3E 85
Harraby. Cumb 4F 113
Harracott. Devn 4F 19
Harrapool. High 1E 147
Harrapul. High 1E 147
Harrietfield. Per 1B 136
Harrietsham. Kent 5C 40
Harrington. Cumb 2A 102
Harrington. Linc 3C 88
Harrington. Nptn 2E 63
Harringworth. Nptn 1G 63
Harriseahead. Staf 5C 84
Harriston. Cumb 5C 112
Harrogate. N Yor 4F 99 & 197
Harrold. Bed 5G 63
Harrop Dale. G Man 4A 92
Harrow. G Lon 2C 38
Harrowbarrow. Corn 2H 7
Harrowden. Bed 1A 52
Harrowgate Hill. Darl 3F 105
Harrow on the Hill. G Lon 2C 38
Harrow Weald. G Lon 1C 38
Harry Stoke. S Glo 4B 34
Harston. Cambs 5D 64
Harston. Leics 2F 75
Harswell. E Yor 5C 100
Hart. Hart 1B 106
Hartburn. Nmbd 1D 115
Hartburn. Stoc T 3B 106
Hartest. Suff 5H 65
Hartfield. E Sus 2F 27
Hartford. Cambs 3B 64
Hartford. Ches W 3A 84
Hartford. Som 4C 20
Hartfordbridge. Hants 1F 25
Hartford End. Essx 4G 53
Harthill. Ches W 5H 83
Harthill. N Lan 3C 128
Harthill. S Yor 2B 86
Hartington. Derbs 4F 85
Hartland. Devn 4C 18
Hartland Quay. Devn 4C 18
Hartle. Worc 3D 60
Hartlebury. Worc 3C 60
Hartlepool. Hart 1C 106
Hartley. Cumb 4A 104
Hartley. Kent 2B 28 (nr. Cranbrook)
Hartley. Kent 4H 39 (nr. Dartford)
Hartley. Nmbd 2G 115
Hartley Green. Staf 2D 73
Hartley Mauditt. Hants 3F 25
Hartley Wespall. Hants 1E 25
Hartley Wintney. Hants 1F 25
Hartlip. Kent 4C 40
Hartmount. High 1B 158
Hartoft End. N Yor 5E 107
Harton. N Yor 3B 100
Harton. Shrp 2G 59
Harton. Tyne 3G 115
Hartpury. Glos 3C 48
Hartshead. W Yor 2B 92
Hartshill. Warw 1H 61
Hartshorne. Derbs 3H 73
Hartsop. Cumb 3F 103
Hart Station. Hart 1B 106
Hartswell. Som 4D 20
Hartwell. Nptn 5E 63
Hartwood. Lanc 3D 90
Hartwood. N Lan 4B 128
Harvel. Kent 4A 40
Harvington. Worc 1F 49 (nr. Evesham)
Harvington. Worc 3C 60 (nr. Kidderminster)
Harwell. Oxon 3C 36
Harwich. Essx 2F 55 & 215
Harwood. Dur 1B 104
Harwood. G Man 3F 91
Harwood Dale. N Yor 5G 107
Harworth. Notts 1D 86
Hascombe. Surr 2A 26
Haselbech. Nptn 3E 62
Haselbury Plucknett. Som 1H 13
Haseley. Warw 4G 61
Haselor. Warw 5F 61
Hasfield. Glos 3D 48
Hasguard. Pemb 4C 42
Haskayne. Lanc 4B 90
Hasketon. Suff 5E 67
Hasland. Derbs 4A 86
Haslemere. Surr 2A 26
Haslingden. Lanc 2F 91
Haslingden Grane. Lanc 2F 91
Haslingfield. Cambs 5D 64
Haslington. Ches E 5B 84
Hassall. Ches E 5B 84
Hassall Green. Ches E 5B 84
Hassell Street. Kent 1E 29
Hassendean. Bord 2H 119
Hassingham. Norf 5F 79
Hassness. Cumb 3C 102
Hassocks. W Sus 4E 27
Hassop. Derbs 3G 85
Haster. High 3F 169
Hasthorpe. Linc 4D 89
Hastigrow. High 2E 169
Hastingleigh. Kent 1E 29
Hastings. E Sus 5C 28
Hastingwood. Essx 5E 53
Hastoe. Herts 5H 51
Haston. Shrp 3H 71
Haswell. Dur 5G 115
Haswell Plough. Dur 5G 115
Hatch. C Beds 1B 52
Hatch Beauchamp. Som 4G 21
Hatch End. G Lon 1C 38
Hatch Green. Som 1G 13
Hatching Green. Herts 4B 52
Hatchmere. Ches W 3H 83
Hatch Warren. Hants 2E 24
Hatcliffe. NE Lin 4F 95
Hatfield. Here 5H 59
Hatfield. Herts 5C 52
Hatfield. S Yor 4G 93
Hatfield. Worc 5C 60
Hatfield Broad Oak. Essx 4F 53
Hatfield Garden Village. Herts 5C 52
Hatfield Heath. Essx 4F 53
Hatfield Hyde. Herts 4C 52
Hatfield Peverel. Essx 4A 54
Hatfield Woodhouse. S Yor 4G 93
Hatford. Oxon 2B 36
Hatherden. Hants 1B 24
Hatherleigh. Devn 2F 11
Hathern. Leics 3C 74
Hatherop. Glos 5G 49
Hathersage. Derbs 2G 85
Hathersage Booths. Derbs 2G 85
Hatherton. Ches E 1A 72
Hatherton. Staf 4D 72
Hatley St George. Cambs 5B 64
Hatt. Corn 2H 7
Hattersley. G Man 1D 85
Hattingley. Hants 3E 25
Hatton. Abers 5H 161
Hatton. Derbs 2G 73
Hatton. G Lon 3B 38
Hatton. Linc 3A 88
Hatton. Shrp 1G 59
Hatton. Warr 2H 83
Hatton. Warw 4G 61
Hattoncrook. Abers 1F 153
Hatton Heath. Ches W 4G 83
Hatton of Fintray. Abers 2F 153
Haugh. E Ayr 2D 117
Haugh. Linc 3D 88
Haugham. Linc 2C 88
Haugh Head. Nmbd 2E 121
Haughley. Suff 4C 66
Haughley Green. Suff 4C 66
Haugh of Ballechin. Per 3G 143
Haugh of Glass. Mor 5B 160
Haugh of Urr. Dum 3F 111
Haughton. Ches E 5H 83
Haughton. Notts 3D 86
Haughton. Shrp 1A 60 (nr. Bridgnorth)
Haughton. Shrp 3F 71 (nr. Oswestry)
Haughton. Shrp 5B 72 (nr. Shifnal)
Haughton. Shrp 4H 71 (nr. Shrewsbury)
Haughton. Staf 3C 72
Haughton Green. G Man 1D 84
Haughton le Skerne. Darl 3A 106
Haultwick. Herts 3D 52
Haunn. Arg 4E 139
Haunn. W Isl 7C 170
Haunton. Staf 4G 73
Hauxton. Cambs 5D 64
Havannah. Ches E 4C 84
Havant. Hants 2F 17
Haven. Here 5G 59
Haven Bank. Linc 5B 88
Havenside. E Yor 2E 95
Havenstreet. IOW 3D 16
Haven, The. W Sus 2B 26
Havercroft. W Yor 3D 93
Haverfordwest. Pemb 3D 42
Haverhill. Suff 1G 53
Haverigg. Cumb 2A 96
Havering-atte-Bower. G Lon 1G 39
Havering's Grove. Essx 1A 40
Haversham. Mil 1G 51
Haverthwaite. Cumb 1C 96
Haverton Hill. Stoc T 2B 106
Havyatt. Som 3A 22
Hawarden. Flin 4F 83
Hawbridge. Worc 1E 49
Hawcoat. Cumb 2B 96
Hawcross. Glos 2C 48
Hawen. Cdgn 1D 44
Hawes. N Yor 1A 98
Hawes Green. Norf 1E 67
Hawick. Bord 3H 119
Hawkchurch. Devn 2G 13
Hawkedon. Suff 5G 65
Hawkenbury. Kent 1C 28
Hawkeridge. Wilts 1D 22
Hawkerland. Devn 4D 12
Hawkesbury. S Glo 3C 34
Hawkesbury. W Mid 2A 62
Hawkesbury Upton. S Glo 3C 34
Hawkes End. W Mid 2G 61
Hawk Green. G Man 2D 84
Hawkhurst. Kent 2B 28
Hawkhurst Common. E Sus 4G 27
Hawkinge. Kent 1G 29
Hawkley. Hants 4F 25
Hawkridge. Som 3B 20
Hawksdale. Cumb 5E 113
Hawkshaw. G Man 3F 91
Hawkshead. Cumb 5E 103
Hawkshead Hill. Cumb 5E 103
Hawkswick. N Yor 2B 98
Hawksworth. Notts 1E 75
Hawksworth. W Yor 5D 98
Hawkwell. Essx 1C 40
Hawley. Hants 1G 25
Hawley. Kent 3G 39
Hawling. Glos 3F 49
Hawnby. N Yor 1H 99
Haworth. W Yor 1A 92
Hawstead. Suff 5A 66
Hawthorn. Dur 5H 115
Hawthorn Hill. Brac 4G 37
Hawthorn Hill. Linc 5B 88
Hawthorpe. Linc 3H 75
Hawton. Notts 5E 87
Haxby. York 4A 100
Haxey. N Lin 1E 87
Haybridge. Shrp 3A 60
Haybridge. Som 2A 22
Haydock. Mers 1H 83
Haydon. Bath 1B 22
Haydon. Dors 1B 14
Haydon. Som 4F 21
Haydon Bridge. Nmbd 3B 114
Haydon Wick. Swin 3G 35
Haye. Corn 2H 7

Hayes. *G Lon* 4F 39 (nr. Bromley)
Hayes. *G Lon* 2B 38 (nr. Uxbridge)
Hayfield. *Derbs* 2E 85
Hay Green. *Norf* 4E 77
Hayhill. *E Ayr* 3D 116
Haylands. *IOW* 3D 16
Hayle. *Corn* 3C 4
Hayley Green. *W Mid* 2D 60
Hayling Island. *Hants* 3F 17
Hayne. *Devn* 2B 12
Haynes. *C Beds* 1A 52
Haynes West End. *C Beds* 1A 52
Hay-on-Wye. *Powy* 1F 47
Hayscastle. *Pemb* 2C 42
Hayscastle Cross. *Pemb* 2D 42
Haysden. *Kent* 1G 27
Hayshead. *Ang* 4F 145
Hay Street. *Herts* 3D 53
Hayton. *Aber* 3G 153
Hayton. *Cumb* 5C 112 (nr. Aspatria)
Hayton. *Cumb* 4G 113 (nr. Brampton)
Hayton. *E Yor* 5C 100
Hayton. *Notts* 2E 87
Hayton's Bent. *Shrp* 2H 59
Haytor Vale. *Devn* 5A 12
Haytown. *Devn* 1D 11
Haywards Heath. *W Sus* 3E 27
Haywood. *S Lan* 4C 128
Hazelbank. *S Lan* 5B 128
Hazelbury Bryan. *Dors* 2C 14
Hazeleigh. *Essx* 5B 54
Hazeley. *Hants* 1F 25
Hazel Grove. *G Man* 2D 84
Hazelhead. *S Yor* 4B 92
Hazelslade. *Staf* 4E 73
Hazel Street. *Kent* 2A 28
Hazelton Walls. *Fife* 1F 137
Hazelwood. *Derbs* 1H 73
Hazlemere. *Buck* 2G 37
Hazler. *Shrp* 1G 59
Hazlerigg. *Tyne* 2F 115
Hazles. *Staf* 1E 73
Hazleton. *Glos* 4F 49
Hazon. *Nmbd* 4F 121
Heacham. *Norf* 2F 77
Headbourne Worthy. *Hants* 3C 24
Headcorn. *Kent* 1C 28
Headingley. *W Yor* 1C 92
Headington. *Oxon* 5D 50
Headlam. *Dur* 3E 105
Headless Cross. *Worc* 4E 61
Headley. *Hants* 3G 25 (nr. Haslemere)
Headley. *Hants* 5D 36 (nr. Kingsclere)
Headley. *Surr* 5D 38
Headley Down. *Hants* 3G 25
Headley Heath. *Worc* 3E 61
Headley Park. *Bris* 5A 34
Head of Muir. *Falk* 1B 128
Headon. *Notts* 3E 87
Heads Nook. *Cumb* 4F 113
Heage. *Derbs* 5A 86
Healaugh. *N Yor* 5D 104 (nr. Grinton)
Healaugh. *N Yor* 5H 99 (nr. York)
Heald Green. *G Man* 2C 84
Heale. *Devn* 2G 19
Healey. *G Man* 3G 91
Healey. *Nmbd* 4D 114
Healey. *N Yor* 1D 98
Healeyfield. *Dur* 5D 114
Healey Hall. *Nmbd* 4D 114
Healing. *NE Lin* 3F 95
Heamoor. *Corn* 3B 4
Heanish. *Arg* 4B 138
Heanor. *Derbs* 1B 74
Heanton Punchardon. *Devn* 3F 19
Heapham. *Linc* 2F 87
Heartsease. *Powy* 4D 58
Heasley Mill. *Devn* 3H 19
Heaste. *High* 2E 147
Heath. *Derbs* 4B 86
Heath and Reach. *C Beds* 3H 51
Heath Common. *W Sus* 4C 26
Heathcote. *Derbs* 4F 85
Heath Cross. *Devn* 3H 11
Heathencote. *Nptn* 1F 51
Heath End. *Derbs* 3A 74
Heath End. *Hants* 5D 36
Heath End. *W Mid* 5E 73
Heather. *Leics* 4A 74
Heatherfield. *High* 4D 155
Heatherton. *Derb* 2H 73
Heathfield. *Cambs* 1E 53
Heathfield. *Cumb* 5C 112
Heathfield. *Devn* 5B 12
Heathfield. *E Sus* 3G 27
Heathfield. *Ren* 3E 126
Heathfield. *Som* 3E 21 (nr. Lydeard St Lawrence)
Heathfield. *Som* 4E 21 (nr. Norton Fitzwarren)
Heath Green. *Worc* 3E 61
Heathhall. *Dum* 2A 112
Heath Hayes. *Staf* 4E 73
Heath Hill. *Shrp* 4B 72
Heath House. *Som* 2H 21
Heathrow (London) Airport. *G Lon* 3B 38 & 216
Heathstock. *Devn* 2F 13
Heath, The. *Norf* 3E 79 (nr. Buxton)
Heath, The. *Norf* 3B 78 (nr. Fakenham)
Heath, The. *Norf* 3D 78 (nr. Hevingham)
Heath, The. *Staf* 2E 73
Heath, The. *Suff* 2E 55
Heathton. *Shrp* 1C 60
Heathtop. *Derbs* 2F 73
Heath Town. *W Mid* 1D 60
Heatley. *G Man* 2B 84
Heatley. *Staf* 3E 73
Heaton. *Lanc* 3D 96
Heaton. *Staf* 4D 84
Heaton. *Tyne* 3F 115
Heaton. *W Yor* 1B 92
Heaton Moor. *G Man* 1C 84
Heaton's Bridge. *Lanc* 3C 90
Heaverham. *Kent* 5G 39
Heavitree. *Devn* 3C 12
Hebburn. *Tyne* 3G 115
Hebden. *N Yor* 3C 98
Hebden Bridge. *W Yor* 2H 91
Hebden Green. *Ches W* 4A 84
Hebing End. *Herts* 3D 52
Hebron. *Carm* 2F 43
Hebron. *Nmbd* 1E 115
Heck. *Dum* 1B 112
Heckdyke. *Notts* 1E 87
Heckfield. *Hants* 5F 37
Heckfield Green. *Suff* 3D 66
Heckfordbridge. *Essx* 3C 54
Heckington. *Linc* 1A 76
Heckmondwike. *W Yor* 2C 92
Heddington. *Wilts* 5E 35
Heddle. *Orkn* 6C 172
Heddon. *Devn* 4G 19
Heddon-on-the-Wall. *Nmbd* 3E 115
Hedenham. *Norf* 1F 67
Hedge End. *Hants* 1C 16
Hedgerley. *Buck* 2A 38
Hedging. *Som* 4G 21
Hedley on the Hill. *Nmbd* 4D 115
Hednesford. *Staf* 4E 73
Hedon. *E Yor* 2E 95
Hegdon Hill. *Here* 5H 59
Heglibister. *Shet* 6E 173
Heighington. *Darl* 2F 105
Heighington. *Linc* 4H 87
Heightington. *Worc* 3B 60
Heights of Brae. *High* 2H 157
Heights of Fodderty. *High* 2H 157
Heights of Kinlochewe. *High* 2C 156
Heiton. *Bord* 1B 120
Hele. *Devn* 2C 12 (nr. Exeter)
Hele. *Devn* 3D 10 (nr. Holsworthy)
Hele. *Devn* 2F 19 (nr. Ilfracombe)
Hele. *Torb* 2F 9
Helensburgh. *Arg* 1D 126
Helford. *Corn* 4E 5
Helhoughton. *Norf* 3A 78
Helions Bumpstead. *Essx* 1G 53
Helland. *Corn* 5A 10
Helland. *Som* 4G 21
Hellandbridge. *Corn* 5A 10
Hellesdon. *Norf* 4E 78
Hellesveor. *Corn* 2C 4
Hellidon. *Nptn* 5C 62
Hellifield. *N Yor* 4A 98
Hellingly. *E Sus* 4G 27
Hellington. *Norf* 5F 79
Hellister. *Shet* 7E 173
Helmdon. *Nptn* 1D 50
Helmingham. *Suff* 5D 66
Helmington Row. *Dur* 1E 105
Helmsdale. *High* 2H 165
Helmshore. *Lanc* 2F 91
Helmsley. *N Yor* 1A 100
Helperby. *N Yor* 3G 99
Helperthorpe. *N Yor* 2D 100
Helpringham. *Linc* 1A 76
Helpston. *Pet* 5A 76
Helsby. *Ches W* 3G 83
Helsey. *Linc* 3E 89
Helston. *Corn* 4D 4
Helstone. *Corn* 4A 10
Helton. *Cumb* 2G 103
Helwith. *N Yor* 4D 105
Helwith Bridge. *N Yor* 3H 97
Helygain. *Flin* 3E 82
Hemblington. *Norf* 4F 79
Hemel Hempstead. *Herts* 5A 52
Hemerdon. *Devn* 3B 8
Hemingbrough. *N Yor* 1G 93
Hemingby. *Linc* 3B 88
Hemingfield. *S Yor* 4D 93
Hemingford Abbots. *Cambs* 3B 64
Hemingford Grey. *Cambs* 3B 64
Hemingstone. *Suff* 5D 66
Hemington. *Leics* 3B 74
Hemington. *Nptn* 2H 63
Hemington. *Som* 1C 22
Hemley. *Suff* 1F 55
Hemlington. *Midd* 3B 106
Hempholme. *E Yor* 4E 101
Hempnall. *Norf* 1E 67
Hempnall Green. *Norf* 1E 67
Hempriggs. *High* 4F 169
Hemp's Green. *Essx* 3C 54
Hempstead. *Essx* 2G 53
Hempstead. *Medw* 4B 40
Hempstead. *Norf* 2D 78 (nr. Holt)
Hempstead. *Norf* 3G 79 (nr. Stalham)
Hempsted. *Glos* 4D 48
Hempton. *Norf* 3B 78
Hempton. *Oxon* 2C 50
Hemsby. *Norf* 4G 79
Hemswell. *Linc* 1G 87
Hemswell Cliff. *Linc* 2G 87
Hemsworth. *Dors* 2E 15
Hemsworth. *W Yor* 3E 93
Hem, The. *Shrp* 5B 72
Hemyock. *Devn* 1E 13
Henallt. *Carm* 3E 45
Henbury. *Bris* 4A 34
Henbury. *Ches E* 3C 84
Hendomen. *Powy* 1E 58
Hendon. *G Lon* 2D 38
Hendon. *Tyne* 4H 115
Hendra. *Corn* 3D 6
Hendre. *B'end* 3C 32
Hendreforgan. *Rhon* 3C 32
Hendy. *Carm* 5F 45
Heneglwys. *IOA* 3D 80
Henfeddau Fawr. *Pemb* 1G 43
Henfield. *S Glo* 4B 34
Henfield. *W Sus* 4D 26
Henford. *Devn* 3D 10
Hengoed. *Cphy* 2E 33
Hengoed. *Shrp* 2E 71
Hengrave. *Suff* 4H 65
Henham. *Essx* 3F 53
Heniarth. *Powy* 5D 70
Henlade. *Som* 4F 21
Henley. *Dors* 2B 14
Henley. *Shrp* 2G 59 (nr. Church Stretton)
Henley. *Shrp* 3H 59 (nr. Ludlow)
Henley. *Som* 3H 21
Henley. *Suff* 5D 66
Henley. *W Sus* 4G 25
Henley-in-Arden. *Warw* 4F 61
Henley-on-Thames. *Oxon* 3F 37
Henley's Down. *E Sus* 4B 28
Henley Street. *Kent* 4A 40
Henllan. *Cdgn* 1D 44
Henllan. *Den* 4C 82
Henllan. *Mon* 3F 47
Henllan Amgoed. *Carm* 3F 43
Henllys. *Torf* 2F 33
Henlow. *C Beds* 2B 52
Hennock. *Devn* 4B 12
Henny Street. *Essx* 2B 54
Henryd. *Cnwy* 3G 81
Henry's Moat. *Pemb* 2E 43
Hensall. *N Yor* 2F 93
Henshaw. *Nmbd* 3A 114
Hensingham. *Cumb* 3A 102
Henstead. *Suff* 2G 67
Hensting. *Hants* 4C 24
Henstridge. *Som* 1C 14
Henstridge Ash. *Som* 4C 22
Henstridge Bowden. *Som* 4B 22
Henstridge Marsh. *Som* 4C 22
Henton. *Oxon* 5F 51
Henton. *Som* 2H 21
Henwood. *Corn* 5C 10
Heogan. *Shet* 7F 173
Heol Senni. *Powy* 3C 46
Heol-y-Cyw. *B'end* 3C 32
Hepburn. *Nmbd* 2E 121
Hepple. *Nmbd* 4D 121
Hepscott. *Nmbd* 1F 115
Heptonstall. *W Yor* 2H 91
Hepworth. *Suff* 3B 66
Hepworth. *W Yor* 4B 92
Herbrandston. *Pemb* 4C 42
Hereford. *Here* 2A 48 & 197
Heribusta. *High* 1D 154
Heriot. *Bord* 4H 129
Hermiston. *Edin* 2E 129
Hermitage. *Dors* 2B 14
Hermitage. *Bord* 5H 119
Hermitage. *W Ber* 4D 36
Hermitage. *W Sus* 2F 17
Hermon. *Carm* 3G 45 (nr. Llandeilo)
Hermon. *Carm* 2D 44 (nr. Newcastle Emlyn)
Hermon. *IOA* 4C 80
Hermon. *Pemb* 1G 43
Herne. *Kent* 4F 41
Herne Bay. *Kent* 4F 41
Herne Common. *Kent* 4F 41
Herne Pound. *Kent* 5A 40
Herner. *Devn* 4F 19
Hernhill. *Kent* 4E 41
Herodsfoot. *Corn* 2G 7
Heronden. *Kent* 5G 41
Herongate. *Essx* 1H 39
Heronsford. *S Ayr* 1G 109
Heronsgate. *Herts* 1B 38
Heron's Ghyll. *E Sus* 3F 27
Herra. *Shet* 2H 173
Herriard. *Hants* 2E 25
Herringfleet. *Suff* 1G 67
Herringswell. *Suff* 4G 65
Herrington. *Tyne* 4G 115
Hersden. *Kent* 4G 41
Hersham. *Corn* 2C 10
Hersham. *Surr* 4C 38
Herstmonceux. *E Sus* 4H 27
Herston. *Dors* 5F 15
Herston. *Orkn* 8D 172
Hertford. *Herts* 4D 52
Hertford Heath. *Herts* 4D 52
Hertingfordbury. *Herts* 4D 52
Hesketh. *Lanc* 2C 90
Hesketh Bank. *Lanc* 2C 90
Hesketh Lane. *Lanc* 5F 97
Hesket Newmarket. *Cumb* 1E 103
Heskin Green. *Lanc* 3D 90
Hesleden. *Dur* 1B 106
Hesleyside. *Nmbd* 1B 114
Heslington. *York* 4A 100
Hessay. *York* 4H 99
Hessenford. *Corn* 3H 7
Hessett. *Suff* 4B 66
Hessilhead. *N Ayr* 4E 127
Hessle. *Hull* 2D 94
Hestaford. *Shet* 6D 173
Hest Bank. *Lanc* 3D 96
Hester's Way. *Glos* 3E 49
Hestinsetter. *Shet* 7D 173
Heston. *G Lon* 3C 38
Hestwall. *Orkn* 6B 172
Heswall. *Mers* 2E 83
Hethe. *Oxon* 3D 50
Hethelpit Cross. *Glos* 3C 48
Hethersett. *Norf* 5D 78
Hethersgill. *Cumb* 3F 113
Hetherside. *Cumb* 3F 113
Hethpool. *Nmbd* 2C 120
Hett. *Dur* 1F 105
Hetton. *N Yor* 4B 98
Hetton-le-Hole. *Tyne* 5G 115
Hetton Steads. *Nmbd* 1E 121
Heugh. *Nmbd* 2D 115
Heugh-head. *Abers* 2A 152
Heveningham. *Suff* 3F 67
Hever. *Kent* 1F 27
Heversham. *Cumb* 1D 97
Hevingham. *Norf* 3D 78
Hewas Water. *Corn* 4D 6
Hewelsfield. *Glos* 5A 48
Hewish. *N Som* 5G 33
Hewish. *Som* 2H 13
Hewood. *Dors* 2G 13
Heworth. *York* 4A 100
Hexham. *Nmbd* 3C 114
Hextable. *Kent* 3G 39
Hexton. *Herts* 2B 52
Hexworthy. *Devn* 5G 11
Heybridge. *Essx* 1H 39 (nr. Brentwood)
Heybridge. *Essx* 5B 54 (nr. Maldon)
Heybridge Basin. *Essx* 5B 54
Heybrook Bay. *Devn* 4A 8
Heydon. *Cambs* 1E 53
Heydon. *Norf* 3D 78
Heydour. *Linc* 2H 75
Heylipol. *Arg* 4A 138
Heyop. *Powy* 3E 59
Heysham. *Lanc* 3D 96
Heyshott. *W Sus* 1G 17
Heytesbury. *Wilts* 2E 23
Heythrop. *Oxon* 3B 50
Heywood. *G Man* 3G 91
Heywood. *Wilts* 1D 22
Hibaldstow. *N Lin* 4C 94
Hickleton. *S Yor* 4E 93
Hickling. *Norf* 3G 79
Hickling. *Notts* 3D 74
Hickling Green. *Norf* 3G 79
Hickling Heath. *Norf* 3G 79
Hickstead. *W Sus* 3D 26
Hidcote Bartrim. *Glos* 1G 49
Hidcote Boyce. *Glos* 1G 49
Higford. *Shrp* 5B 72
High Ackworth. *W Yor* 3E 93
Higham. *Derbs* 5A 86
Higham. *Kent* 3B 40
Higham. *Lanc* 1G 91
Higham. *S Yor* 4D 92
Higham. *Suff* 2D 54 (nr. Ipswich)
Higham. *Suff* 4G 65 (nr. Newmarket)
Higham Dykes. *Nmbd* 2E 115
Higham Ferrers. *Nptn* 4G 63
Higham Gobion. *C Beds* 2B 52
Higham on the Hill. *Leics* 1A 62
Highampton. *Devn* 2E 11
Higham Wood. *Kent* 1G 27
High Angerton. *Nmbd* 1D 115
High Auldgirth. *Dum* 1G 111
High Bankhill. *Cumb* 5G 113
High Banton. *N Lan* 1A 128
High Barnet. *G Lon* 1D 38
High Beech. *Essx* 1F 39
High Bentham. *N Yor* 3F 97
High Bickington. *Devn* 4G 19
High Biggins. *Cumb* 2F 97
High Birkwith. *N Yor* 2H 97
High Blantyre. *S Lan* 4H 127
High Bonnybridge. *Falk* 2B 128
High Borrans. *Cumb* 4F 103
High Bradfield. *S Yor* 1G 85
High Bray. *Devn* 3G 19
Highbridge. *Cumb* 5E 113
Highbridge. *High* 5D 148
Highbridge. *Som* 2G 21
Highbrook. *W Sus* 2E 27
High Brooms. *Kent* 1G 27
High Bullen. *Devn* 4F 19
Highburton. *W Yor* 3B 92
Highbury. *Som* 2B 22
High Buston. *Nmbd* 4G 121
High Callerton. *Nmbd* 2E 115
High Carlingill. *Cumb* 4H 103
High Catton. *E Yor* 4B 100
High Church. *Nmbd* 1E 115
Highclere. *Hants* 5C 36
Highcliffe. *Dors* 3H 15
High Cogges. *Oxon* 5B 50
High Common. *Norf* 5B 78
High Coniscliffe. *Darl* 3F 105
High Crosby. *Cumb* 4F 113
High Cross. *Hants* 4F 25
High Cross. *Herts* 4D 52
High Dougarie. *N Ayr* 2C 122
High Easter. *Essx* 4G 53
High Eggborough. *N Yor* 2F 93
High Ellington. *N Yor* 1D 98
Higher Alham. *Som* 2B 22
Higher Ansty. *Dors* 2C 14
Higher Ashton. *Devn* 4B 12
Higher Ballam. *Lanc* 1B 90
Higher Bartle. *Lanc* 1D 90
Higher Bockhampton. *Dors* 3C 14
Higher Bojewyan. *Corn* 3A 4
High Ercall. *Telf* 4H 71
Higher Cheriton. *Devn* 2E 12
Higher Clovelly. *Devn* 4D 18
Higher Compton. *Plym* 3A 8
Higher Dean. *Devn* 2D 8
Higher Dinting. *Derbs* 1E 85
Higher Dunstone. *Devn* 5H 11
Higher End. *G Man* 4D 90
Higherford. *Lanc* 5A 98
Higher Gabwell. *Devn* 2F 9
Higher Halstock Leigh. *Dors* 2A 14
Higher Heysham. *Lanc* 3D 96
Higher Hurdsfield. *Ches E* 3D 84
Higher Kingcombe. *Dors* 3A 14
Higher Kinnerton. *Flin* 4F 83
Higher Melcombe. *Dors* 2C 14
Higher Penwortham. *Lanc* 2D 90
Higher Porthpean. *Corn* 3E 7
Higher Poynton. *Ches E* 2D 84
Higher Shotton. *Flin* 4F 83
Higher Shurlach. *Ches W* 3A 84
Higher Slade. *Devn* 2F 19
Higher Tale. *Devn* 2D 12
Highertown. *Corn* 4C 6
Higher Town. *IOS* 1B 4
Higher Town. *Som* 2C 20
Higher Vexford. *Som* 3E 20
Higher Walton. *Lanc* 2D 90
Higher Walton. *Warr* 2H 83
Higher Whatcombe. *Dors* 2D 14
Higher Wheelton. *Lanc* 2E 90
Higher Whiteleigh. *Corn* 3C 10
Higher Whitley. *Ches W* 3A 84
Higher Wincham. *Ches W* 3A 84
Higher Wraxall. *Dors* 2A 14
Higher Wych. *Wrex* 1G 71
Higher Yalberton. *Torb* 3E 9
High Etherley. *Dur* 2E 105
High Ferry. *Linc* 1C 76
Highfield. *E Yor* 1H 93
Highfield. *N Ayr* 4E 126
Highfield. *Tyne* 4E 115
Highfields Caldecote. *Cambs* 5C 64
High Garrett. *Essx* 3A 54
Highgate. *G Lon* 2D 39
Highgate. *N Ayr* 4E 127
Highgate. *Powy* 1D 58
High Grange. *Dur* 1E 105
High Green. *Cumb* 4F 103
High Green. *Norf* 5D 78
High Green. *Shrp* 2B 60
High Green. *S Yor* 1H 85
High Green. *W Yor* 3B 92
High Green. *Worc* 1D 49
Highgreen Manor. *Nmbd* 5C 120
High Halden. *Kent* 2C 28
High Halstow. *Medw* 3B 40
High Ham. *Som* 3H 21
High Harrington. *Cumb* 2B 102
High Haswell. *Dur* 5G 115
High Hatton. *Shrp* 3A 72
High Hawkser. *N Yor* 4G 107
High Hesket. *Cumb* 5F 113
High Hesleden. *Dur* 1B 106
High Hoyland. *S Yor* 3C 92
High Hunsley. *E Yor* 1C 94
High Hurstwood. *E Sus* 3F 27
High Hutton. *N Yor* 3B 100
High Ireby. *Cumb* 1D 102
High Keil. *Arg* 5A 122
High Kelling. *Norf* 1D 78
High Kilburn. *N Yor* 2H 99
High Knipe. *Cumb* 3G 103
High Lands. *Dur* 2E 105
Highlands, The. *Shrp* 2A 60
Highlane. *Ches E* 4C 84
Highlane. *Derbs* 2B 86
High Lane. *G Man* 2D 84
High Lane. *Here* 4A 60
High Laver. *Essx* 5F 53
Highlaws. *Cumb* 5C 112
Highleadon. *Glos* 3C 48
High Legh. *Ches E* 2A 84
Highleigh. *W Sus* 3G 17
High Leven. *Stoc T* 3B 106
Highley. *Shrp* 2B 60
High Littleton. *Bath* 1B 22
High Longthwaite. *Cumb* 5D 112
High Lorton. *Cumb* 2C 102
High Marishes. *N Yor* 2C 100
High Marnham. *Notts* 3F 87
High Melton. *S Yor* 4F 93
High Mickley. *Nmbd* 3D 115
Highmoor. *Cumb* 5D 112
High Moor. *Lanc* 3D 90
Highmoor. *Oxon* 3F 37
Highmoor Cross. *Oxon* 3F 37
Highmoor Hill. *Mon* 3H 33
High Mowthorpe. *N Yor* 3C 100
Highnam. *Glos* 4C 48
High Newport. *Tyne* 4G 115
High Newton. *Cumb* 1D 96
High Newton-by-the-Sea. *Nmbd* 2G 121
High Nibthwaite. *Cumb* 1B 96
High Offley. *Staf* 3B 72
High Ongar. *Essx* 5F 53
High Onn. *Staf* 4C 72
High Orchard. *Glos* 4D 48
High Park. *Mers* 3B 90
High Roding. *Essx* 4G 53
High Row. *Cumb* 1E 103
High Salvington. *W Sus* 5C 26
High Scales. *Cumb* 5C 112
High Shaw. *N Yor* 5B 104
High Shincliffe. *Dur* 5F 115
High Side. *Cumb* 1D 102
High Spen. *Tyne* 3E 115
Highsted. *Kent* 4D 40
High Stoop. *Dur* 5E 115
High Street. *Corn* 3D 6
High Street. *Suff* 5G 67 (nr. Aldeburgh)
High Street. *Suff* 2F 67 (nr. Bungay)
High Street. *Suff* 3G 67 (nr. Yoxford)
Highstreet Green. *Essx* 2A 54
Highstreet Green. *Suff* 5C 66
Highstreet Green. *Surr* 2A 26

Hightae. Dum 2B 112
High Throston. Hart 1B 106
Hightown. Ches E 4C 84
Hightown. Mers 4A 90
High Town. Staf 4D 73
Hightown Green. Suff 5B 66
High Toynton. Linc 4B 88
High Trewhitt. Nmbd 4E 121
High Valleyfield. Fife 1D 128
Highway. Here 1H 47
Highweek. Devn 5B 12
High Westwood. Dur 4E 115
Highwood. Staf 2E 73
Highwood. Worc 4A 60
High Worsall. N Yor 4A 106
Highworth. Swin 2H 35
High Wray. Cumb 5E 103
High Wych. Herts 4E 53
High Wycombe. Buck 2G 37
Hilborough. Norf 5H 77
Hilcott. Wilts 1G 23
Hildenborough. Kent 1G 27
Hildersham. Cambs 1F 53
Hilderstone. Staf 2D 72
Hilderthorpe. E Yor 3F 101
Hilfield. Dors 2B 14
Hilgay. Norf 1F 65
Hill. S Glo 2B 34
Hill. Warw 4B 62
Hill. Worc 1E 49
Hillam. N Yor 2F 93
Hillbeck. Cumb 3A 104
Hillberry. IOM 4C 108
Hillborough. Kent 4G 41
Hillbourne. Pool 3F 15
Hillbrae. Abers 4D 160
(nr. Aberchirder)
Hillbrae. Abers 1E 153
(nr. Inverurie)
Hillbrae. Abers 5F 161
(nr. Methlick)
Hill Brow. Hants 4F 25
Hillbutts. Dors 2E 15
Hillclifflane. Derbs 1G 73
Hillcommon. Som 4E 21
Hill Deverill. Wilts 2D 22
Hilldyke. Linc 1C 76
Hill End. Dur 1D 104
Hillend. Fife 1E 129
(nr. Inverkeithing)
Hill End. Fife 4C 136
(nr. Saline)
Hillend. N Lan 3B 128
Hill End. N Yor 4C 98
Hillend. Shrp 1C 60
Hillend. Swan 3D 30
Hillersland. Glos 4A 48
Hillerton. Devn 3H 11
Hillesden. Buck 3E 51
Hillesley. Glos 3C 34
Hillfarrance. Som 4E 21
Hill Furze. Worc 1E 49
Hill Gate. Here 3H 47
Hill Green. Essx 2E 53
Hillgreen. W Ber 4C 36
Hillhead. Abers 5C 160
Hill Head. Hants 2D 16
Hillhead. S Ayr 3D 116
Hillhead. Torb 3F 9
Hillhead of Auchentumb.
Abers 3G 161
Hilliard's Cross. Staf 4F 73
Hilliclay. High 2D 168
Hillingdon. G Lon 2B 38
Hillington. Norf 3G 77
Hillington. Ren 3G 127
Hillmorton. Warw 3C 62
Hill of Beath. Fife 4D 136
Hill of Fearn. High 1C 158
Hill of Fiddes. Abers 1G 153
Hill of Keillor. Ang 4B 144
Hill of Overbrae. Abers 2F 161
Hill Ridware. Staf 4E 73
Hillsborough. S Yor 1H 85
Hillside. Abers 4G 153
Hillside. Ang 2G 145
Hillside. Devn 2D 8
Hillside. Mers 3B 90
Hillside. Orkn 5C 172
Hillside. Shet 5F 173
Hillside. Shrp 2A 60
Hill Side. W Yor 3B 92
Hillside. Worc 4B 60
Hillside of Prieston. Ang 5C 144
Hill Somersal. Derbs 2F 73
Hillstown. Derbs 4B 86
Hillstreet. Hants 1B 16
Hillswick. Shet 4D 173
Hill, The. Cumb 1A 96
Hill Top. Dur 2C 104
(nr. Barnard Castle)
Hill Top. Dur 5F 115
(nr. Durham)
Hill Top. Dur 4E 115
(nr. Stanley)
Hill Top. Hants 2C 16
Hill View. Dors 3E 15
Hillwell. Shet 10E 173
Hill Wootton. Warw 4H 61
Hillyland. Per 1C 136
Hilmarton. Wilts 4F 35
Hilperton. Wilts 1D 22
Hilperton Marsh. Wilts 1D 22
Hilsea. Port 2E 17
Hilston. E Yor 1F 95
Hiltingbury. Hants 4C 24
Hilton. Cambs 4B 64
Hilton. Cumb 2A 104
Hilton. Derbs 2G 73
Hilton. Dors 2C 14
Hilton. Dur 2E 105
Hilton. High 5E 165
Hilton. Shrp 1B 60
Hilton. Staf 5E 73
Hilton. Stoc T 3B 106
Hilton of Cadboll. High 1C 158
Himbleton. Worc 5D 60
Himley. Staf 1C 60
Hincaster. Cumb 1E 97
Hinchcliffe Mill. W Yor 4B 92
Hinchwick. Glos 2G 49
Hinckley. Leics 1B 62
Hinderclay. Suff 3C 66
Hinderwell. N Yor 3E 107
Hindford. Shrp 2F 71
Hindhead. Surr 3G 25
Hindley. G Man 4E 90
Hindley. Nmbd 4D 114
Hindley Green. G Man 4E 91
Hindlip. Worc 5C 60
Hindolveston. Norf 3C 78
Hindon. Wilts 3E 23
Hindringham. Norf 2B 78
Hingham. Norf 5C 78
Hinksford. Staf 2C 60
Hinstock. Shrp 3A 72
Hintlesham. Suff 1D 54
Hinton. Hants 3H 15
Hinton. Here 2G 47
Hinton. Nptn 5C 62
Hinton. Shrp 5G 71
Hinton. S Glo 4C 34
Hinton Ampner. Hants 4D 24
Hinton Blewett. Bath 1A 22
Hinton Charterhouse. Bath 1C 22
Hinton-in-the-Hedges. Nptn 2D 50
Hinton Martell. Dors 2F 15
Hinton on the Green. Worc 1F 49
Hinton Parva. Swin 3H 35
Hinton St George. Som 1H 13
Hinton St Mary. Dors 1C 14
Hinton Waldrist. Oxon 2B 36
Hints. Shrp 3A 60
Hints. Staf 5F 73
Hinwick. Bed 4G 63
Hinxhill. Kent 1E 29
Hinxton. Cambs 1E 53
Hinxworth. Herts 1C 52
Hipley. Hants 1E 16
Hipperholme. W Yor 2B 92
Hipsburn. Nmbd 3G 121
Hipswell. N Yor 5E 105
Hiraeth. Carm 2F 43
Hirn. Abers 3E 153
Hirnant. Powy 3C 70
Hirst. N Lan 3B 128
Hirst. Nmbd 1F 115
Hirst Courtney. N Yor 2G 93
Hirwaen. Den 4D 82
Hirwaun. Rhon 5C 46
Hiscott. Devn 4F 19
Histon. Cambs 4D 64
Hitcham. Suff 5B 66
Hitchin. Herts 3B 52
Hittisleigh. Devn 3H 11
Hittisleigh Barton. Devn 3H 11
Hive. E Yor 1B 94
Hixon. Staf 3E 73
Hoaden. Kent 5G 41
Hoar Cross. Staf 3F 73
Hoarwithy. Here 3A 48
Hoath. Kent 4G 41
Hobarris. Shrp 3F 59
Hobbister. Orkn 7C 172
Hobbles Green. Suff 5G 65
Hobbs Cross. Essx 1F 39
Hobkirk. Bord 3H 119
Hobson. Dur 4E 115
Hoby. Leics 4D 74
Hockering. Norf 4C 78
Hockering Heath. Norf 4C 78
Hockerton. Notts 5E 86
Hockley. Essx 1C 40
Hockley. Staf 5G 73
Hockley. W Mid 3G 61
Hockley Heath. W Mid 3F 61
Hockliffe. C Beds 3H 51
Hockwold cum Wilton. Norf 2G 65
Hockworthy. Devn 1D 12
Hoddesdon. Herts 5D 52
Hoddlesden. Bkbn 2F 91
Hoddomcross. Dum 2C 112
Hodgeston. Pemb 5E 43
Hodley. Powy 1D 58
Hodnet. Shrp 3A 72
Hodsoll Street. Kent 4H 39
Hodson. Swin 3G 35
Hodthorpe. Derbs 3C 86
Hoe. Norf 4B 78
Hoe Gate. Hants 1E 17
Hoe, The. Plym 3A 8
Hoff. Cumb 3H 103
Hoffleet Stow. Linc 2B 76
Hogaland. Shet 4E 173
Hogben's Hill. Kent 5E 41
Hoggard's Green. Suff 5A 66
Hoggeston. Buck 3G 51
Hoggrill's End. Warw 1G 61
Hogha Gearraidh. W Isl 1C 170
Hoghton. Lanc 2E 90
Hoghton Bottoms. Lanc 2E 91
Hognaston. Derbs 5G 85
Hogsthorpe. Linc 3E 89
Hogstock. Dors 2E 15
Holbeach. Linc 3C 76
Holbeach Bank. Linc 3C 76
Holbeach Clough. Linc 3C 76
Holbeach Drove. Linc 4C 76
Holbeach Hurn. Linc 3C 76
Holbeach St Johns. Linc 4C 76
Holbeach St Marks. Linc 2C 76
Holbeach St Matthew. Linc 2D 76
Holbeck. Notts 3C 86
Holbeck. W Yor 1C 92
Holbeck Woodhouse. Notts 3C 86
Holberrow Green. Worc 5E 61
Holbeton. Devn 3C 8
Holborn. G Lon 2E 39
Holbrook. Derbs 1A 74
Holbrook. S Yor 2B 86
Holbrook. Suff 2E 55
Holburn. Nmbd 1E 121
Holbury. Hants 2C 16
Holcombe. Devn 5C 12
Holcombe. G Man 3F 91
Holcombe. Som 2B 22
Holcombe Brook. G Man 3F 91
Holcombe Rogus. Devn 1D 12
Holcot. Nptn 4E 63
Holden. Lanc 5G 97
Holdenby. Nptn 4D 62
Holder's Green. Essx 3G 53
Holdgate. Shrp 2H 59
Holdingham. Linc 1H 75
Holditch. Dors 2G 13
Holemoor. Devn 2E 11
Hole Street. W Sus 4C 26
Holford. Som 2E 21
Holker. Cumb 2C 96
Holkham. Norf 1A 78
Hollacombe. Devn 2D 11
Holland. Orkn 2D 172
(on Papa Westray)
Holland. Orkn 5F 172
(on Stronsay)
Holland Fen. Linc 1B 76
Holland Lees. Lanc 4D 90
Holland-on-Sea. Essx 4F 55
Holland Park. W Mid 5E 73
Hollandstoun. Orkn 2G 172
Hollesley. Suff 1G 55
Hollinfare. Warr 1A 84
Hollingbourne. Kent 5C 40
Hollingbury. Brig 5E 27
Hollingdon. Buck 3G 51
Hollingrove. E Sus 3A 28
Hollington. Derbs 1G 73
Hollington. E Sus 4B 28
Hollington. Staf 2E 73
Hollington Grove. Derbs 2G 73
Hollingworth. G Man 1E 85
Hollins. Derbs 3H 85
Hollins. G Man 4G 91
(nr. Bury)
Hollins. G Man 4G 91
(nr. Middleton)
Hollinsclough. Staf 4E 85
Hollinswood. Telf 5A 72
Hollinthorpe. W Yor 1D 93
Hollinwood. G Man 4H 91
Hollinwood. Shrp 2H 71
Hollocombe. Devn 1G 11
Holloway. Derbs 5H 85
Hollow Court. Worc 5D 61
Hollowell. Nptn 3D 62
Hollow Meadows. S Yor 2G 85
Hollows. Dum 2E 113
Hollybush. Cphy 5E 47
Hollybush. E Ayr 3C 116
Hollybush. Worc 2C 48
Holly End. Norf 5D 77
Holly Hill. N Yor 4E 105
Hollyhurst. Ches E 1H 71
Hollym. E Yor 2G 95
Hollywood. Worc 3E 61
Holmacott. Devn 4F 19
Holmbridge. W Yor 4B 92
Holmbury St Mary. Surr 1C 26
Holmbush. Corn 3E 7
Holmcroft. Staf 3D 72
Holme. Cambs 2A 64
Holme. Cumb 2E 97
Holme. N Lin 4C 94
Holme. N Yor 1F 99
Holme. Notts 5F 87
Holme. W Yor 4B 92
Holmebridge. Dors 4D 15
Holme Chapel. Lanc 2G 91
Holme Hale. Norf 5A 78
Holme Lacy. Here 2A 48
Holme Marsh. Here 5F 59
Holmend. Dum 4C 118
Holme next the Sea. Norf 1G 77
Holme-on-Spalding-Moor. E Yor 1B 94
Holme on the Wolds. E Yor 5D 100
Holme Pierrepont. Notts 2D 74
Holmer. Here 1A 48
Holmer Green. Buck 1A 38
Holmes. Lanc 3C 90
Holme St Cuthbert. Cumb 5C 112
Holmes Chapel. Ches E 4B 84
Holmesfield. Derbs 3H 85
Holmeswood. Lanc 3C 90
Holmewood. Derbs 4B 86
Holmfirth. W Yor 4B 92
Holmhead. E Ayr 2E 117
Holmisdale. High 4A 154
Holm of Drumlanrig. Dum 5H 117
Holmpton. E Yor 2G 95
Holmrook. Cumb 5B 102
Holmsgarth. Shet 7F 173
Holmside. Dur 5F 115
Holmwrangle. Cumb 5G 113
Holne. Devn 2D 8
Holsworthy. Devn 2D 10
Holsworthy Beacon. Devn 2D 10
Holt. Dors 2F 15
Holt. Norf 2C 78
Holt. Wilts 5D 34
Holt. Worc 4C 60
Holt. Wrex 5G 83
Holtby. York 4A 100
Holt End. Hants 3E 25
Holt End. Worc 4E 61
Holt Fleet. Worc 4C 60
Holt Green. Lanc 4B 90
Holt Heath. Dors 2F 15
Holt Heath. Worc 4C 60
Holton. Oxon 5E 50
Holton. Som 4B 22
Holton. Suff 3F 67
Holton cum Beckering. Linc 2A 88
Holton Heath. Dors 3E 15
Holton le Clay. Linc 4F 95
Holton le Moor. Linc 1H 87
Holton St Mary. Suff 2D 54
Holt Pound. Hants 2G 25
Holtsmere End. Herts 4A 52
Holtye. E Sus 2F 27
Holwell. Dors 1C 14
Holwell. Herts 2B 52
Holwell. Leics 3E 75
Holwell. Oxon 5H 49
Holwell. Som 2C 22
Holwick. Dur 2C 104
Holworth. Dors 4C 14
Holybourne. Hants 2F 25
Holy City. Devn 2G 13
Holy Cross. Worc 3D 60
Holyfield. Essx 5D 53
Holyhead. IOA 2B 80
Holy Island. Nmbd 5H 131
Holymoorside. Derbs 4H 85
Holyport. Wind 4G 37
Holystone. Nmbd 4D 120
Holytown. N Lan 3A 128
Holywell. Cambs 3C 64
Holywell. Dors 2A 14
Holywell. Flin 3D 82
Holywell. Glos 2C 34
Holywell. Nmbd 2G 115
Holywell. Warw 4F 61
Holywell Bay. Corn 3B 6
Holywell Green. W Yor 3A 92
Holywell Lake. Som 4E 20
Holywell Row. Suff 3G 65
Holywood. Dum 1G 111
Homer. Shrp 5A 72
Homer Green. Mers 4B 90
Homersfield. Suff 2E 67
Hom Green. Here 3A 48
Homington. Wilts 4G 23
Honeyborough. Pemb 4D 42
Honeybourne. Worc 1G 49
Honeychurch. Devn 2G 11
Honeydon. Bed 5A 64
Honey Hill. Kent 4F 41
Honey Street. Wilts 5G 35
Honey Tye. Suff 2C 54
Honeywick. C Beds 3H 51
Honiley. Warw 3G 61
Honing. Norf 3F 79
Honingham. Norf 4D 78
Honington. Linc 1G 75
Honington. Suff 3B 66
Honington. Warw 1A 50
Honiton. Devn 2E 13
Honley. W Yor 3B 92
Honnington. Telf 4B 72
Hoo. Suff 5E 67
Hoobrook. Worc 3C 60
Hood Green. S Yor 4D 92
Hooe. E Sus 5A 28
Hooe. Plym 3B 8
Hooe Common. E Sus 4A 28
Hoo Green. Ches E 2B 84
Hoohill. Bkpl 1B 90
Hook. Cambs 1D 64
Hook. E Yor 2A 94
Hook. G Lon 4C 38
Hook. Hants 1F 25
(nr. Basingstoke)
Hook. Hants 2D 16
(nr. Fareham)
Hook. Pemb 3D 43
Hook. Wilts 3F 35
Hook-a-Gate. Shrp 5G 71
Hook Bank. Worc 1D 48
Hooke. Dors 2A 14
Hooker Gate. Tyne 4E 115
Hookgate. Staf 2B 72
Hook Green. Kent 2A 28
(nr. Lamberhurst)
Hook Green. Kent 3H 39
(nr. Longfield)
Hook Green. Kent 4H 39
(nr. Meopham)
Hook Norton. Oxon 2B 50
Hook's Cross. Herts 3C 52
Hook Street. Glos 2B 34
Hookway. Devn 3B 12
Hookwood. Surr 1D 26
Hoole. Ches W 4G 83
Hooley. Surr 5D 39
Hooley Bridge. G Man 3G 91
Hooley Brow. G Man 3G 91
Hoo St Werburgh. Medw 3B 40
Hooton. Ches W 3F 83
Hooton Levitt. S Yor 1C 86
Hooton Pagnell. S Yor 4E 93
Hooton Roberts. S Yor 1B 86
Hoove. Shet 7E 173
Hope. Derbs 2F 85
Hope. Flin 5F 83
Hope. High 2E 167
Hope. Powy 5E 71
Hope. Shrp 5F 71
Hope. Staf 5F 85
Hope Bagot. Shrp 3H 59
Hope Bowdler. Shrp 1G 59
Hopedale. Staf 5F 85
Hope Green. Ches E 2D 84
Hopeman. Mor 2F 159
Hope Mansell. Here 4B 48
Hopesay. Shrp 2F 59
Hope's Green. Essx 2B 40
Hopetown. W Yor 2D 93
Hope under Dinmore. Here 5H 59
Hopley's Green. Here 5F 59
Hopperton. N Yor 4G 99
Hop Pole. Linc 4A 76
Hopstone. Shrp 1B 60
Hopton. Derbs 5G 85
Hopton. Powy 1E 59
Hopton. Shrp 3F 71
(nr. Oswestry)
Hopton. Shrp 3H 71
(nr. Wem)
Hopton. Staf 3D 72
Hopton. Suff 3B 66
Hopton Cangeford. Shrp 2H 59
Hopton Castle. Shrp 3F 59
Hoptonheath. Shrp 3F 59
Hopton Heath. Staf 3D 72
Hopton on Sea. Norf 5H 79
Hopton Wafers. Shrp 3A 60
Hopwas. Staf 5F 73
Hopwood. Worc 3E 61
Horam. E Sus 4G 27
Horbling. Linc 2A 76
Horbury. W Yor 3C 92
Horcott. Glos 5G 49
Horden. Dur 5H 115
Horderley. Shrp 2G 59
Hordle. Hants 3A 16
Hordley. Shrp 2F 71
Horeb. Carm 3F 45
(nr. Brechfa)
Horeb. Carm 5E 45
(nr. Llanelli)
Horeb. Cdgn 1D 45
Horfield. Bris 4B 34
Horgabost. W Isl 8C 171
Horham. Suff 3E 66
Horkesley Heath. Essx 3C 54
Horkstow. N Lin 3C 94
Horley. Oxon 1C 50
Horley. Surr 1D 27
Horn Ash. Dors 2G 13
Hornblotton Green. Som 3A 22
Hornby. Lanc 3E 97
Hornby. N Yor 4A 106
(nr. Appleton Wiske)
Hornby. N Yor 5F 105
(nr. Catterick Garrison)
Horncastle. Linc 4B 88
Hornchurch. G Lon 2G 39
Horncliffe. Nmbd 5F 131
Horndean. Hants 1E 17
Horndean. Bord 5E 131
Horndon. Devn 4F 11
Horndon on the Hill. Thur 2A 40
Horne. Surr 1E 27
Horner. Som 2C 20
Horning. Norf 4F 79
Horninghold. Leics 1F 63
Horninglow. Staf 3G 73
Horningsea. Cambs 4D 65
Horningsham. Wilts 2D 22
Horningtoft. Norf 3B 78
Hornsbury. Som 1G 13
Hornsby. Cumb 4G 113
Hornsbygate. Cumb 4G 113
Horns Corner. Kent 3B 28
Horns Cross. Devn 4D 19
Hornsea. E Yor 5G 101
Hornsea Burton. E Yor 5G 101
Hornsey. G Lon 2E 39
Hornton. Oxon 1B 50
Horpit. Swin 3H 35
Horrabridge. Devn 2B 8
Horringer. Suff 4H 65
Horringford. IOW 4D 16
Horrocks Fold. G Man 3F 91
Horrocksford. Lanc 5G 97
Horsbrugh Ford. Bord 1E 119
Horsebridge. Devn 5E 11
Horsebridge. E Sus 4G 27
Horsebridge. Hants 3B 24
Horse Bridge. Staf 5D 84
Horsebrook. Staf 4C 72
Horsecastle. N Som 5H 33
Horsehay. Telf 5A 72
Horseheath. Cambs 1G 53
Horsehouse. N Yor 1C 98
Horsell. Surr 5A 38
Horseman's Green. Wrex 1G 71
Horsenden. Buck 5F 51
Horseway. Cambs 2D 64
Horsey. Norf 3G 79
Horsey. Som 3G 21
Horsford. Norf 4D 78
Horsforth. W Yor 1C 92
Horsham. W Sus 2C 26
Horsham. Worc 5B 60
Horsham St Faith. Norf 4E 78
Horsington. Linc 4A 88
Horsington. Som 4C 22
Horsley. Derbs 1A 74
Horsley. Glos 2D 34
Horsley. Nmbd 3D 115
(nr. Prudhoe)
Horsley. Nmbd 5C 120
(nr. Rochester)
Horsley Cross. Essx 3E 54
Horsleycross Street. Essx 3E 54
Horsleyhill. Bord 3H 119
Horsleyhope. Dur 5D 114
Horsley Woodhouse. Derbs 1A 74
Horsmonden. Kent 1A 28
Horspath. Oxon 5D 50
Horstead. Norf 4E 79
Horsted Keynes. W Sus 3E 27
Horton. Buck 4H 51
Horton. Dors 2F 15
Horton. Lanc 4A 98
Horton. Nptn 5F 63
Horton. Shrp 2G 71
Horton. Som 1G 13
Horton. S Glo 3C 34
Horton. Staf 5D 84
Horton. Swan 4D 30
Horton. Wilts 5F 35
Horton. Wind 3B 38
Horton Cross. Som 1G 13

Horton-cum-Studley. *Oxon* 4D 50
Horton Grange. *Nmbd* 2F 115
Horton Green. *Ches W* 1G 71
Horton Heath. *Hants* 1C 16
Horton in Ribblesdale. *N Yor* 2H 97
Horton Kirby. *Kent* 4G 39
Hortonwood. *Telf* 4A 72
Horwich. *G Man* 3E 91
Horwich End. *Derbs* 2E 85
Horwood. *Devn* 4F 19
Hoscar. *Lanc* 3C 90
Hose. *Leics* 3E 75
Hosh. *Per* 1A 136
Hosta. *W Isl* 1C 170
Hoswick. *Shet* 9F 173
Hotham. *E Yor* 1B 94
Hothfield. *Kent* 1D 28
Hoton. *Leics* 3C 74
Houbie. *Shet* 2H 173
Hough. *Arg* 4A 138
Hough. *Ches E* 5B 84
(nr. Crewe)
Hough. *Ches E* 3C 84
(nr. Wilmslow)
Hougham. *Linc* 1F 75
Hough Green. *Hal* 2G 83
Hough-on-the-Hill. *Linc* 1G 75
Houghton. *Cambs* 3B 64
Houghton. *Cumb* 4F 113
Houghton. *Hants* 3B 24
Houghton. *Nmbd* 3E 115
Houghton. *Pemb* 4D 43
Houghton. *W Sus* 4B 26
Houghton Bank. *Darl* 2F 105
Houghton Conquest. *C Beds* 1A 52
Houghton Green. *E Sus* 3D 28
Houghton-le-Side. *Darl* 2F 105
Houghton-le-Spring. *Tyne* 5G 115
Houghton on the Hill. *Leics* 5D 74
Houghton Regis. *C Beds* 3A 52
Houghton St Giles. *Norf* 2B 78
Houlland. *Shet* 6E 173
(on Mainland)
Houlland. *Shet* 4G 173
(on Yell)
Houlsyke. *N Yor* 4E 107
Hound. *Hants* 2C 16
Hound Green. *Hants* 1F 25
Houndslow. *Bord* 5C 130
Houndsmoor. *Som* 4E 21
Houndwood. *Bord* 3E 131
Hounsdown. *Hants* 1B 16
Hounslow. *G Lon* 3C 38
Housabister. *Shet* 6F 173
Housay. *Shet* 4H 173
Househill. *High* 3C 158
Housetter. *Shet* 3E 173
Houss. *Shet* 8E 173
Houston. *Ren* 3F 127
Housty. *High* 5D 168
Houton. *Orkn* 7C 172
Hove. *Brig* 5D 27 & 189
Hoveringham. *Notts* 1E 74
Hoveton. *Norf* 4F 79
Hovingham. *N Yor* 2A 100
How. *Cumb* 4G 113
How Caple. *Here* 2B 48
Howden. *E Yor* 2H 93
Howden-le-Wear. *Dur* 1E 105
Howe. *High* 2F 169
Howe. *Norf* 5E 79
Howe. *N Yor* 1F 99
Howe Green. *Essx* 5H 53
(nr. Chelmsford)
Howegreen. *Essx* 5B 54
(nr. Maldon)
Howe Green. *Warw* 2H 61
Howell. *Linc* 1A 76
How End. *C Beds* 1A 52
Howe of Teuchar. *Abers* 4E 161
Howes. *Dum* 3C 112
Howe Street. *Essx* 4G 53
(nr. Chelmsford)
Howe Street. *Essx* 2G 53
(nr. Finchingfield)
Howe, The. *Cumb* 1D 96
Howe, The. *IOM* 5A 108
Howey. *Powy* 5C 58
Howgate. *Midl* 4F 129
Howgill. *Lanc* 5H 97
Howgill. *N Yor* 4C 98
How Green. *Kent* 1F 27
How Hill. *Norf* 4F 79
Howick. *Nmbd* 3G 121
Howle. *Telf* 3A 72
Howle Hill. *Here* 3B 48
Howleigh. *Som* 1F 13
Howlett End. *Essx* 2F 53
Howley. *Som* 2F 13
Howley. *Warr* 2A 84
Hownam. *Bord* 3B 120
Howsham. *N Lin* 4D 94
Howsham. *N Yor* 3B 100
Howtel. *Nmbd* 1C 120
Howt Green. *Kent* 4C 40
Howton. *Here* 3H 47
Howwood. *Ren* 3E 127
Hoxne. *Suff* 3D 66
Hoylake. *Mers* 2E 82
Hoyland. *S Yor* 4D 92
Hoylandswaine. *S Yor* 4C 92
Hoyle. *W Sus* 4A 26
Hubberholme. *N Yor* 2B 98
Hubberston. *Pemb* 4C 42
Hubbert's Bridge. *Linc* 1B 76
Huby. *N Yor* 5E 99
(nr. Harrogate)
Huby. *N Yor* 3H 99
(nr. York)
Hucclecote. *Glos* 4D 48
Hucking. *Kent* 5C 40
Hucknall. *Notts* 1C 74
Huddersfield. *W Yor* 3B 92
Huddington. *Worc* 5D 60
Huddlesford. *Staf* 5F 73
Hudswell. *N Yor* 4E 105
Huggate. *E Yor* 4C 100
Hugglescote. *Leics* 4B 74
Hughenden Valley. *Buck* 2G 37
Hughley. *Shrp* 1H 59
Hughton. *High* 4G 157
Hugh Town. *IOS* 1B 4
Hugus. *Corn* 4B 6
Huish. *Devn* 1F 11
Huish. *Wilts* 5G 35
Huish Champflower. *Som* 4D 20
Huish Episcopi. *Som* 4H 21
Huisinis. *W Isl* 6B 171
Hulcote. *Nptn* 5E 62
Hulcott. *Buck* 4G 51
Hulham. *Devn* 4D 12
Hull. *Hull* 2D 94 & 199
Hulland. *Derbs* 1G 73
Hulland Moss. *Derbs* 1G 73
Hulland Ward. *Derbs* 1G 73
Hullavington. *Wilts* 3D 35
Hullbridge. *Essx* 1C 40
Hulme. *G Man* 1C 84
Hulme. *Staf* 1D 72
Hulme End. *Staf* 5F 85
Hulme Walfield. *Ches E* 4C 84
Hulverstone. *IOW* 4B 16
Hulver Street. *Suff* 2G 67
Humber. *Devn* 5C 12
Humber. *Here* 5H 59
Humber Bridge. *N Lin* 2D 94
Humberside International Airport. *N Lin* 3D 94
Humberston. *NE Lin* 4G 95
Humberstone. *Leic* 5D 74
Humbie. *E Lot* 3A 130
Humbleton. *E Yor* 1F 95
Humbleton. *Nmbd* 2D 121
Humby. *Linc* 2H 75
Hume. *Bord* 5D 130
Humshaugh. *Nmbd* 2C 114
Huna. *High* 1F 169
Huncoat. *Lanc* 1F 91
Huncote. *Leics* 1C 62
Hundall. *Derbs* 3A 86
Hunderthwaite. *Dur* 2C 104
Hundleby. *Linc* 4C 88
Hundle Houses. *Linc* 5B 88
Hundleton. *Pemb* 4D 42
Hundon. *Suff* 1H 53
Hundred Acres. *Hants* 1D 16
Hundred House. *Powy* 5D 58
Hundred, The. *Here* 4H 59
Hungarton. *Leics* 5D 74
Hungerford. *Hants* 1G 15
Hungerford. *Shrp* 2H 59
Hungerford. *Som* 2D 20
Hungerford. *W Ber* 5B 36
Hungerford Newtown. *W Ber* 4B 36
Hunger Hill. *G Man* 4E 91
Hungerton. *Linc* 2F 75
Hungladder. *High* 1C 154
Hungryhatton. *Shrp* 3A 72
Hunmanby. *N Yor* 2E 101
Hunmanby Sands. *N Yor* 2F 101
Hunningham. *Warw* 4A 62
Hunnington. *Worc* 2D 60
Hunny Hill. *IOW* 4C 16
Hunsdon. *Herts* 4E 53
Hunsdonbury. *Herts* 4E 53
Hunsingore. *N Yor* 4G 99
Hunslet. *W Yor* 1D 92
Hunslet Carr. *W Yor* 2D 92
Hunsonby. *Cumb* 1G 103
Hunspow. *High* 1E 169
Hunstanton. *Norf* 1F 77
Hunstanworth. *Dur* 5C 114
Hunston. *Suff* 4B 66
Hunston. *W Sus* 2G 17
Hunstrete. *Bath* 5B 34
Hunt End. *Worc* 4E 61
Hunterfield. *Midl* 3G 129
Hunters Forstal. *Kent* 4F 41
Hunter's Quay. *Arg* 2C 126
Huntham. *Som* 4G 21
Hunthill Lodge. *Ang* 1D 144
Huntingdon. *Cambs* 3B 64
Huntingfield. *Suff* 3F 67
Huntingford. *Wilts* 3D 22
Huntington. *Ches W* 4G 83
Huntington. *E Lot* 2A 130
Huntington. *Here* 5E 59
Huntington. *Staf* 4D 72
Huntington. *Telf* 5A 72
Huntington. *York* 4A 100
Huntingtower. *Per* 1C 136
Huntley. *Glos* 4C 48
Huntley. *Staf* 1E 73
Huntly. *Abers* 4C 160
Huntlywood. *Bord* 5C 130
Hunton. *Hants* 3C 24
Hunton. *Kent* 1B 28
Hunton. *N Yor* 5E 105
Hunton Bridge. *Herts* 5A 52
Hunt's Corner. *Norf* 2C 66
Huntscott. *Som* 2C 20
Hunt's Cross. *Mers* 2G 83
Hunts Green. *Warw* 1F 61
Huntsham. *Devn* 4D 20
Huntshaw. *Devn* 4F 19
Huntspill. *Som* 2G 21
Huntstile. *Som* 3F 21
Huntstrete. *Bath* 5B 34
Huntworth. *Som* 3G 21
Hunwick. *Dur* 1E 105
Hunworth. *Norf* 2C 78
Hurcott. *Som* 1G 13
(nr. Ilminster)
Hurcott. *Som* 4A 22
(nr. Somerton)
Hurdcott. *Wilts* 3G 23
Hurdley. *Powy* 1E 59
Hurdsfield. *Ches E* 3D 84
Hurlet. *Glas* 3G 127
Hurley. *Warw* 1G 61
Hurley. *Wind* 3G 37
Hurlford. *E Ayr* 1D 116
Hurliness. *Orkn* 9B 172
Hurlston Green. *Lanc* 3B 90
Hurn. *Dors* 3G 15
Hursey. *Dors* 2H 13
Hursley. *Hants* 4C 24
Hurst. *G Man* 4H 91
Hurst. *N Yor* 4D 104
Hurst. *Som* 1H 13
Hurst. *Wok* 4F 37
Hurstbourne Priors. *Hants* 2C 24
Hurstbourne Tarrant. *Hants* 1B 24
Hurst Green. *Ches E* 1H 71
Hurst Green. *E Sus* 3B 28
Hurst Green. *Essx* 4D 54
Hurst Green. *Lanc* 1E 91
Hurst Green. *Surr* 5E 39
Hurstley. *Here* 1G 47
Hurstpierpoint. *W Sus* 4D 27
Hurstway Common. *Here* 1F 47
Hurst Wickham. *W Sus* 4D 27
Hurstwood. *Lanc* 1G 91
Hurtmore. *Surr* 1A 26
Hurworth-on-Tees. *Darl* 3A 106
Hurworth Place. *Darl* 3F 105
Hury. *Dur* 3C 104
Husbands Bosworth. *Leics* 2D 62
Husborne Crawley. *C Beds* 2H 51
Husthwaite. *N Yor* 2H 99
Hutcherleigh. *Devn* 3D 9
Hut Green. *N Yor* 2F 93
Huthwaite. *Notts* 5B 86
Huttoft. *Linc* 3E 89
Hutton. *Cumb* 2F 103
Hutton. *E Yor* 4E 101
Hutton. *Essx* 1H 39
Hutton. *Lanc* 2C 90
Hutton. *N Som* 1G 21
Hutton. *Bord* 4F 131
Hutton Bonville. *N Yor* 4A 106
Hutton Buscel. *N Yor* 1D 100
Hutton Conyers. *N Yor* 2F 99
Hutton Cranswick. *E Yor* 4E 101
Hutton End. *Cumb* 1F 103
Hutton Gate. *Red C* 3C 106
Hutton Henry. *Dur* 1B 106
Hutton-le-Hole. *N Yor* 1B 100
Hutton Magna. *Dur* 3E 105
Hutton Mulgrave. *N Yor* 4F 107
Hutton Roof. *Cumb* 2E 97
(nr. Kirkby Lonsdale)
Hutton Roof. *Cumb* 1E 103
(nr. Penrith)
Hutton Rudby. *N Yor* 4B 106
Huttons Ambo. *N Yor* 3B 100
Hutton Sessay. *N Yor* 2G 99
Hutton Village. *Red C* 3D 106
Hutton Wandesley. *N Yor* 4H 99
Huxham. *Devn* 3C 12
Huxham Green. *Som* 3A 22
Huxley. *Ches W* 4H 83
Huxter. *Shet* 6C 173
(on Mainland)
Huxter. *Shet* 5G 173
(on Whalsay)
Huyton. *Mers* 1G 83
Hwlffordd. *Pemb* 3D 42
Hycemoor. *Cumb* 1A 96
Hyde. *Glos* 5D 49
(nr. Stroud)
Hyde. *Glos* 3F 49
(nr. Winchcombe)
Hyde. *G Man* 1D 84
Hyde Heath. *Buck* 5H 51
Hyde Lea. *Staf* 3D 72
Hyde Park. *S Yor* 4F 93
Hydestile. *Surr* 1A 26
Hyndford Bridge. *S Lan* 5C 128
Hynish. *Arg* 5A 138
Hyssington. *Powy* 1F 59
Hythe. *Hants* 2C 16
Hythe. *Kent* 2F 29
Hythe End. *Wind* 3B 38
Hythie. *Abers* 3H 161
Hyton. *Cumb* 1A 96

I

Ianstown. *Mor* 2B 160
Iarsiadar. *W Isl* 4D 171
Ibberton. *Dors* 2C 14
Ible. *Derbs* 5G 85
Ibrox. *Glas* 3G 127
Ibsley. *Hants* 2G 15
Ibstock. *Leics* 4B 74
Ibstone. *Buck* 2F 37
Ibthorpe. *Hants* 1B 24
Iburndale. *N Yor* 4F 107
Ibworth. *Hants* 1D 24
Icelton. *N Som* 5G 33
Ichrachan. *Arg* 5E 141
Ickburgh. *Norf* 1H 65
Ickenham. *G Lon* 2B 38
Ickenthwaite. *Cumb* 1C 96
Ickford. *Buck* 5E 51
Ickham. *Kent* 5G 41
Ickleford. *Herts* 2B 52
Icklesham. *E Sus* 4C 28
Ickleton. *Cambs* 1E 53
Icklingham. *Suff* 3G 65
Ickwell. *C Beds* 1B 52
Icomb. *Glos* 3H 49
Idbury. *Oxon* 3H 49
Iddesleigh. *Devn* 2F 11
Ide. *Devn* 3B 12
Ideford. *Devn* 5B 12
Ide Hill. *Kent* 5F 39
Iden. *E Sus* 3D 28
Iden Green. *Kent* 2C 28
(nr. Benenden)
Iden Green. *Kent* 2B 28
(nr. Goudhurst)
Idle. *W Yor* 1B 92
Idless. *Corn* 4C 6
Idlicote. *Warw* 1A 50
Idmiston. *Wilts* 3G 23
Idole. *Carm* 4E 45
Idridgehay. *Derbs* 1G 73
Idrigill. *High* 2C 154
Idstone. *Oxon* 3A 36
Iffley. *Oxon* 5D 50
Ifield. *W Sus* 2D 26
Ifieldwood. *W Sus* 2D 26
Ifold. *W Sus* 2B 26
Iford. *E Sus* 5F 27
Ifton Heath. *Shrp* 2F 71
Ightfield. *Shrp* 2H 71
Ightham. *Kent* 5G 39
Iken. *Suff* 5G 67
Ilam. *Staf* 5F 85
Ilchester. *Som* 4A 22
Ilderton. *Nmbd* 2E 121
Ilford. *G Lon* 2F 39
Ilford. *Som* 1G 13
Ilfracombe. *Devn* 2F 19
Ilkeston. *Derbs* 1B 74
Ilketshall St Andrew. *Suff* 2F 67
Ilketshall St Lawrence. *Suff* 2F 67
Ilketshall St Margaret. *Suff* 2F 67
Ilkley. *W Yor* 5D 98
Illand. *Corn* 5C 10
Illey. *W Mid* 2D 61
Illidge Green. *Ches E* 4B 84
Illington. *Norf* 2B 66
Illingworth. *W Yor* 2A 92
Illogan. *Corn* 4A 6
Illogan Highway. *Corn* 4A 6
Illston on the Hill. *Leics* 1E 62
Ilmer. *Buck* 5F 51
Ilmington. *Warw* 1H 49
Ilminster. *Som* 1G 13
Ilsington. *Devn* 5A 12
Ilsington. *Dors* 3C 14
Ilston. *Swan* 3E 31
Ilton. *N Yor* 2D 98
Ilton. *Som* 1G 13
Imachar. *N Ayr* 5G 125
Imber. *Wilts* 2E 23
Immingham. *NE Lin* 3E 95
Immingham Dock. *NE Lin* 3E 95
Impington. *Cambs* 4D 64
Ince. *Ches W* 3G 83
Ince Blundell. *Mers* 4B 90
Ince-in-Makerfield. *G Man* 4D 90
Inchbae Lodge. *High* 2G 157
Inchbare. *Ang* 2F 145
Inchberry. *Mor* 3H 159
Inchbraoch. *Ang* 3G 145
Inchbrook. *Glos* 5D 48
Incheril. *High* 2C 156
Inchinnan. *Ren* 3F 127
Inchlaggan. *High* 3D 148
Inchmichael. *Per* 1E 137
Inchnadamph. *High* 1G 163
Inchree. *High* 2E 141
Inchture. *Per* 1E 137
Inchyra. *Per* 1D 136
Indian Queens. *Corn* 3D 6
Ingatestone. *Essx* 1H 39
Ingbirchworth. *S Yor* 4C 92
Ingestre. *Staf* 3D 73
Ingham. *Linc* 2G 87
Ingham. *Norf* 3F 79
Ingham. *Suff* 3A 66
Ingham Corner. *Norf* 3F 79
Ingleborough. *Norf* 4D 76
Ingleby. *Derbs* 3H 73
Ingleby Arncliffe. *N Yor* 4B 106
Ingleby Barwick. *Stoc T* 3B 106
Ingleby Greenhow. *N Yor* 4C 106
Ingleigh Green. *Devn* 2G 11
Inglemire. *Hull* 1D 94
Inglesbatch. *Bath* 5C 34
Ingleton. *Dur* 2E 105
Ingleton. *N Yor* 2F 97
Inglewhite. *Lanc* 5E 97
Ingoe. *Nmbd* 2D 114
Ingol. *Lanc* 1D 90
Ingoldisthorpe. *Norf* 2F 77
Ingoldmells. *Linc* 4E 89
Ingoldsby. *Linc* 2H 75
Ingon. *Warw* 5G 61
Ingram. *Nmbd* 3E 121
Ingrave. *Essx* 1H 39
Ingrow. *W Yor* 1A 92
Ings. *Cumb* 5F 103
Ingst. *S Glo* 3A 34
Ingthorpe. *Rut* 5G 75
Ingworth. *Norf* 3D 78
Inkberrow. *Worc* 5E 61
Inkford. *Worc* 3E 61
Inkpen. *W Ber* 5B 36
Inkstack. *High* 1E 169
Innellan. *Arg* 3C 126
Inner Hope. *Devn* 5C 8
Innerleith. *Fife* 2E 137
Innerleithen. *Bord* 1F 119
Innerleven. *Fife* 3F 137
Innermessan. *Dum* 3F 109
Innerwick. *E Lot* 2D 130
Innerwick. *Per* 4C 142
Innsworth. *Glos* 3D 48
Insch. *Abers* 1D 152
Insh. *High* 3C 150
Inshegra. *High* 3C 166
Inshore. *High* 1D 166
Inskip. *Lanc* 1C 90
Instow. *Devn* 3E 19
Intwood. *Norf* 5D 78
Inver. *Abers* 4G 151
Inver. *High* 5F 165
Inver. *Per* 4H 143
Inverailort. *High* 5F 147
Inveralligin. *High* 3H 155
Inverallochy. *Abers* 2H 161
Inveramsay. *Abers* 1E 153
Inveran. *High* 4C 164
Inveraray. *Arg* 3H 133
Inverarish. *High* 5E 155
Inverarity. *Ang* 4D 144
Inverarnan. *Arg* 2C 134
Inverarnie. *High* 5A 158
Inverbeg. *Arg* 4C 134
Inverbervie. *Abers* 1H 145
Inverboyndie. *Abers* 2D 160
Invercassley. *High* 3B 164
Invercharnan. *High* 4F 141
Inverchoran. *High* 3E 157
Invercreran. *Arg* 4E 141
Inverdruie. *High* 2D 150
Inverebrie. *Abers* 5G 161
Invereck. *Arg* 1C 126
Inveresk. *E Lot* 2G 129
Inveresragan. *Arg* 5D 141
Inverey. *Abers* 5E 151
Inverfarigaig. *High* 1H 149
Invergarry. *High* 3F 149
Invergeldie. *Per* 1G 135
Invergordon. *High* 2B 158
Invergowrie. *Per* 5C 144
Inverguseran. *High* 3F 147
Inverharroch. *Mor* 5A 160
Inverie. *High* 3F 147
Inverinan. *Arg* 2G 133
Inverinate. *High* 1B 148
Inverkeilor. *Ang* 4F 145
Inverkeithing. *Fife* 1E 129
Inverkeithny. *Abers* 4D 160
Inverkip. *Inv* 2D 126
Inverkirkaig. *High* 2E 163
Inverlael. *High* 5F 163
Inverliever Lodge. *Arg* 3F 133
Inverliver. *Arg* 5E 141
Inverloch. *High* 1F 141
Inverlochlarig. *Stir* 2D 134
Inverlussa. *Arg* 1E 125
Inver Mallie. *High* 5D 148
Invermarkie. *Abers* 5B 160
Invermoriston. *High* 2G 149
Invernaver. *High* 2H 167
Inverneil House. *Arg* 1G 125
Inverness. *High* 4A 158 & 198
Inverness Airport. *High* 3B 158
Invernettie. *Abers* 4H 161
Inverpolly Lodge. *High* 2E 163
Inverquhomery. *Abers* 4H 161
Inverroy. *High* 5E 149
Inversanda. *High* 3D 140
Invershiel. *High* 2B 148
Invershin. *High* 4C 164
Invershore. *High* 5E 169
Inversnaid. *Stir* 3C 134
Inverugie. *Abers* 4H 161
Inveruglas. *Arg* 3C 134
Inverurie. *Abers* 1E 153
Invervar. *Per* 4D 142
Inverythan. *Abers* 4E 161
Inwardleigh. *Devn* 3F 11
Inworth. *Essx* 4B 54
Iochdar. *W Isl* 4C 170
Iping. *W Sus* 4G 25
Ipplepen. *Devn* 2E 9
Ipsden. *Oxon* 3E 37
Ipstones. *Staf* 1E 73
Ipswich. *Suff* 1E 55 & 198
Irby. *Mers* 2E 83
Irby in the Marsh. *Linc* 4D 88
Irby upon Humber. *NE Lin* 4E 95
Irchester. *Nptn* 4G 63
Ireby. *Cumb* 1D 102
Ireby. *Lanc* 2F 97
Ireland. *Shet* 9E 173
Ireleth. *Cumb* 2B 96
Ireshopeburn. *Dur* 1B 104
Ireton Wood. *Derbs* 1G 73
Irlam. *G Man* 1B 84
Irnham. *Linc* 3H 75
Iron Acton. *S Glo* 3B 34
Iron Bridge. *Cambs* 1D 65
Ironbridge. *Telf* 5A 72
Iron Cross. *Warw* 5E 61
Ironville. *Derbs* 5B 86
Irstead. *Norf* 3F 79
Irthington. *Cumb* 3F 113
Irthlingborough. *Nptn* 3G 63
Irton. *N Yor* 1E 101
Irvine. *N Ayr* 1C 116
Irvine Mains. *N Ayr* 1C 116
Isabella Pit. *Nmbd* 1G 115
Isauld. *High* 2B 168
Isbister. *Orkn* 6C 172
Isbister. *Shet* 2E 173
(on Mainland)
Isbister. *Shet* 5G 173
(on Whalsay)
Isfield. *E Sus* 4F 27
Isham. *Nptn* 3F 63
Island Carr. *N Lin* 4C 94
Islay Airport. *Arg* 4B 124
Isle Abbotts. *Som* 4G 21
Isle Brewers. *Som* 4G 21
Isleham. *Cambs* 3F 65
Isle of Man Airport. *IOM* 5B 108
Isle of Thanet. *Kent* 4H 41
Isle of Whithorn. *Dum* 5B 110
Isleornsay. *High* 2F 147
Islesburgh. *Shet* 5E 173
Isles of Scilly (St Mary's) Airport. *IOS* 1B 4
Islesteps. *Dum* 2A 112
Isleworth. *G Lon* 3C 38
Isley Walton. *Leics* 3B 74
Islibhig. *W Isl* 5B 171

Islington. G Lon 2E 39
Islington. Telf 3B 72
Islip. Nptn 3G 63
Islip. Oxon 4D 50
Islwyn. Cphy 2F 33
Isombridge. Telf 4A 72
Istead Rise. Kent 4H 39
Itchen. Sotn 1C 16
Itchen Abbas. Hants 3D 24
Itchen Stoke. Hants 3D 24
Itchingfield. W Sus 3C 26
Itchington. S Glo 3B 34
Itlaw. Abers 3D 160
Itteringham. Norf 2D 78
Itteringham Common. Norf 3D 78
Itton. Devn 3G 11
Itton Common. Mon 2H 33
Ivegill. Cumb 5F 113
Ivelet. N Yor 5C 104
Iverchaolain. Arg 2B 126
Iver Heath. Buck 2B 38
Iveston. Dur 4E 115
Ivetsey Bank. Staf 4C 72
Ivinghoe. Buck 4H 51
Ivinghoe Aston. Buck 4H 51
Ivington. Here 5G 59
Ivington Green. Here 5G 59
Ivybridge. Devn 3C 8
Ivychurch. Kent 3E 29
Ivy Hatch. Kent 5G 39
Ivy Todd. Norf 5A 78
Iwade. Kent 4D 40
Iwerne Courtney. Dors 1D 14
Iwerne Minster. Dors 1D 14
Ixworth. Suff 3B 66
Ixworth Thorpe. Suff 3B 66

J

Jackfield. Shrp 5A 72
Jack Hill. N Yor 4E 98
Jacksdale. Notts 5B 86
Jackton. S Lan 4G 127
Jacobstow. Corn 3B 10
Jacobstowe. Devn 2F 11
Jacobswell. Surr 5A 38
Jameston. Pemb 5E 43
Jamestown. Dum 5F 119
Jamestown. Fife 1E 129
Jamestown. High 3G 157
Jamestown. W Dun 1E 127
Janetstown. High 2C 168 (nr. Thurso)
Janetstown. High 3F 169 (nr. Wick)
Jarrow. Tyne 3G 115
Jarvis Brook. E Sus 3G 27
Jasper's Green. Essx 3H 53
Jaywick. Essx 4E 55
Jedburgh. Bord 2A 120
Jeffreyston. Pemb 4E 43
Jemimaville. High 2B 158
Jenkins Park. High 3F 149
Jersey Marine. Neat 3G 31
Jesmond. Tyne 3F 115
Jevington. E Sus 5G 27
Jingle Street. Mon 4H 47
Jockey End. Herts 4A 52
Jodrell Bank. Ches E 3B 84
Johnby. Cumb 1F 103
John o' Gaunts. W Yor 2D 92
John o' Groats. High 1F 169
John's Cross. E Sus 3B 28
Johnshaven. Abers 2G 145
Johnson Street. Norf 4F 79
Johnston. Pemb 3D 42
Johnstone. Ren 3F 127
Johnstonebridge. Dum 5C 118
Johnstown. Carm 4D 45
Johnstown. Wrex 1F 71
Joppa. Edin 2G 129
Joppa. S Ayr 3D 116
Jordan Green. Norf 3C 78
Jordans. Buck 1A 38
Jordanston. Pemb 1D 42
Jump. S Yor 4D 93
Jumpers Common. Dors 3G 15
Juniper. Nmbd 4C 114
Juniper Green. Edin 3E 129
Jurby East. IOM 2C 108
Jurby West. IOM 2C 108
Jury's Gap. E Sus 4D 28

K

Kaber. Cumb 3A 104
Kaimend. S Lan 5C 128
Kaimes. Edin 3F 129
Kaimrig End. Bord 5D 129
Kames. Arg 2A 126
Kames. E Ayr 2F 117
Kea. Corn 4C 6
Keadby. N Lin 3B 94
Keal Cotes. Linc 4C 88
Kearsley. G Man 4F 91
Kearsney. Kent 1G 29
Kearstwick. Cumb 1F 97
Kearton. N Yor 5C 104
Kearvaig. High 1C 166
Keasden. N Yor 3G 97
Keason. Corn 2H 7
Keckwick. Hal 2H 83
Keddington. Linc 2C 88
Keddington Corner. Linc 2C 88
Kedington. Suff 1H 53
Kedleston. Derbs 1H 73
Kedlock Feus. Fife 2F 137
Keekle. Cumb 3B 102
Keelby. Linc 3E 95
Keele. Staf 1C 72
Keeley Green. Bed 1A 52
Keeston. Pemb 3D 42
Keevil. Wilts 1E 23
Kegworth. Leics 3B 74
Kehelland. Corn 2D 4
Keig. Abers 2D 152
Keighley. W Yor 5C 98
Keilarsbrae. Clac 4A 136
Keillmore. Arg 1E 125
Keillor. Per 4B 144
Keillour. Per 1B 136
Keills. Arg 3C 124
Keiloch. Abers 4F 151
Keils. Arg 3D 124
Keinton Mandeville. Som 3A 22
Keir Mill. Dum 5A 118
Keirsleywell Row. Nmbd 4A 114
Keisby. Linc 3H 75
Keisley. Cumb 2A 104
Keiss. High 2F 169
Keith. Mor 3B 160
Keith Inch. Abers 4H 161
Kelbrook. Lanc 5B 98
Kelby. Linc 1H 75
Keld. Cumb 3G 103
Keld. N Yor 4B 104
Keldholme. N Yor 1B 100
Kelfield. N Lin 4B 94
Kelfield. N Yor 1F 93
Kelham. Notts 5E 87
Kellacott. Devn 4E 11
Kellan. Arg 4G 139
Kellas. Ang 5D 144
Kellas. Mor 3F 159
Kellaton. Devn 5E 9
Kelleth. Cumb 4H 103
Kelling. Norf 1C 78
Kellingley. N Yor 2F 93
Kellington. N Yor 2F 93
Kelloe. Dur 1A 106
Kelloholm. Dum 3G 117
Kells. Cumb 3A 102
Kelly. Devn 4D 11
Kelly Bray. Corn 5D 10
Kelmarsh. Nptn 3E 63
Kelmscott. Oxon 2A 36
Kelsale. Suff 4F 67
Kelsall. Ches W 4H 83
Kelshall. Herts 2D 52
Kelsick. Cumb 4C 112
Kelso. Bord 1B 120
Kelstedge. Derbs 4H 85
Kelstern. Linc 1B 88
Kelsterton. Flin 3E 83
Kelston. Bath 5C 34
Keltneyburn. Per 4E 143
Kelton. Dum 2A 112
Kelton Hill. Dum 4E 111
Kelty. Fife 4D 136
Kelvedon. Essx 4B 54
Kelvedon Hatch. Essx 1G 39
Kelvinside. Glas 3G 127
Kelynack. Corn 3A 4
Kemback. Fife 2G 137
Kemberton. Shrp 5B 72
Kemble. Glos 2E 35
Kemerton. Worc 2E 49
Kemeys Commander. Mon 5G 47
Kemnay. Abers 2E 153
Kempe's Corner. Kent 1E 29
Kempley. Glos 3B 48
Kempley Green. Glos 3B 48
Kempsey. Worc 1D 48
Kempsford. Glos 2G 35
Kemps Green. Warw 3F 61
Kempshott. Hants 1E 24
Kempston. Bed 1A 52
Kempston Hardwick. Bed 1A 52
Kempton. Shrp 2F 59
Kemp Town. Brig 5E 27
Kemsing. Kent 5G 39
Kemsley. Kent 4D 40
Kenardington. Kent 2D 28
Kenchester. Here 1H 47
Kencot. Oxon 5A 50
Kendal. Cumb 5G 103
Kendleshire. S Glo 4B 34
Kendray. S Yor 4D 92
Kenfig. B'end 3B 32
Kenfig Hill. B'end 3B 32
Kengharair. Arg 4F 139
Kenilworth. Warw 3G 61
Kenknock. Stir 5B 142
Kenley. G Lon 5E 39
Kenley. Shrp 5H 71
Kenmore. High 3G 155
Kenmore. Per 4E 143
Kenn. Devn 4C 12
Kenn. N Som 5H 33
Kennacraig. Arg 3G 125
Kenneggy Downs. Corn 4C 4
Kennerleigh. Devn 2B 12
Kennet. Clac 4B 136
Kennethmont. Abers 1C 152
Kennett. Cambs 4G 65
Kennford. Devn 4C 12
Kenninghall. Norf 2C 66
Kennington. Kent 1E 29
Kennington. Oxon 5D 50
Kennoway. Fife 3F 137
Kennyhill. Suff 3F 65
Kennythorpe. N Yor 3B 100
Kenovay. Arg 4A 138
Kensaleyre. High 3D 154
Kensington. G Lon 3D 38
Kenstone. Shrp 3H 71
Kensworth. C Beds 4A 52
Kensworth Common. C Beds 4A 52
Kentallen. High 3E 141
Kentchurch. Here 3H 47
Kentford. Suff 4G 65
Kent International Airport. Kent 4H 41
Kentisbeare. Devn 2D 12
Kentisbury. Devn 2G 19
Kentisbury Ford. Devn 2G 19
Kentmere. Cumb 4F 103
Kenton. Devn 4C 12
Kenton. G Lon 2C 38
Kenton. Suff 4D 66
Kenton Bankfoot. Tyne 3F 115
Kentra. High 2A 140
Kentrigg. Cumb 5G 103
Kents Bank. Cumb 2C 96
Kent's Green. Glos 3C 48
Kent's Oak. Hants 4B 24
Kent Street. E Sus 4B 28
Kent Street. Kent 5A 40
Kent Street. W Sus 3D 26
Kenwick. Shrp 2G 71
Kenwyn. Corn 4C 6
Kenyon. Warr 1A 84
Keoldale. High 2D 166
Keppoch. High 1B 148
Kepwick. N Yor 5B 106
Keresley. W Mid 2H 61
Keresley Newland. Warw 2H 61
Keristal. IOM 4C 108
Kerne Bridge. Here 4A 48
Kerridge. Ches E 3D 84
Kerris. Corn 4B 4
Kerrow. High 5F 157
Kerry. Powy 2D 58
Kerrycroy. Arg 3C 126
Kerry's Gate. Here 2G 47
Kersall. Notts 4E 86
Kersbrook. Devn 4D 12
Kerse. Ren 4E 127
Kersey. Suff 1D 54
Kershopefoot. Cumb 1F 113
Kersoe. Worc 2E 49
Kerswell. Devn 2D 12
Kerswell Green. Worc 1D 48
Kesgrave. Suff 1F 55
Kessingland. Suff 2H 67
Kessingland Beach. Suff 2H 67
Kestle. Corn 4D 6
Kestle Mill. Corn 3C 6
Keston. G Lon 4F 39
Keswick. Cumb 2D 102
Keswick. Norf 2F 79 (nr. North Walsham)
Keswick. Norf 5E 78 (nr. Norwich)
Ketsby. Linc 3C 88
Kettering. Nptn 3F 63
Ketteringham. Norf 5D 78
Kettins. Per 5B 144
Kettlebaston. Suff 5B 66
Kettlebridge. Fife 3F 137
Kettlebrook. Staf 5G 73
Kettleburgh. Suff 4E 67
Kettleholm. Dum 2C 112
Kettleness. N Yor 3F 107
Kettleshulme. Ches E 3D 85
Kettlesing. N Yor 4E 99
Kettlesing Bottom. N Yor 4E 99
Kettlestone. Norf 2B 78
Kettlethorpe. Linc 3F 87
Kettletoft. Orkn 4F 172
Kettlewell. N Yor 2B 98
Ketton. Rut 5G 75
Kew. G Lon 3C 38
Kewaigue. IOM 4C 108
Kewstoke. N Som 5G 33
Kexbrough. S Yor 4D 92
Kexby. Linc 2F 87
Kexby. York 4B 100
Keyford. Som 2C 22
Key Green. Ches E 4C 84
Key Green. N Yor 4F 107
Keyham. Leics 5D 74
Keyhaven. Hants 3B 16
Keyhead. Abers 3H 161
Keyingham. E Yor 2F 95
Keymer. W Sus 4E 27
Keynsham. Bath 5B 34
Keysoe. Bed 4H 63
Keysoe Row. Bed 4H 63
Key's Toft. Linc 5D 89
Keyston. Cambs 3H 63
Key Street. Kent 4C 40
Keyworth. Notts 2D 74
Kibblesworth. Tyne 4F 115
Kibworth Beauchamp. Leics 1D 62
Kibworth Harcourt. Leics 1D 62
Kidbrooke. G Lon 3F 39
Kidburngill. Cumb 2B 102
Kiddemore Green. Staf 5C 72
Kidderminster. Worc 3C 60
Kiddington. Oxon 3C 50
Kidd's Moor. Norf 5D 78
Kidlington. Oxon 4C 50
Kidmore End. Oxon 4E 37
Kidnal. Ches W 1G 71
Kidsgrove. Staf 5C 84
Kidstones. N Yor 1B 98
Kidwelly. Carm 5E 45
Kiel Crofts. Arg 5D 140
Kielder. Nmbd 5A 120
Kilbagie. Fife 4B 136
Kilbarchan. Ren 3F 127
Kilbeg. High 3E 147
Kilberry. Arg 3F 125
Kilbirnie. N Ayr 4E 126
Kilbride. Arg 1F 133
Kilbride. High 1D 147
Kilbucho Place. Bord 1C 118
Kilburn. Derbs 1A 74
Kilburn. G Lon 2D 38
Kilburn. N Yor 2H 99
Kilby. Leics 1D 62
Kilchattan. Arg 4A 132 (on Colonsay)
Kilchattan. Arg 4C 126 (on Isle of Bute)
Kilchattan Bay. Arg 4B 126
Kilchenzie. Arg 3A 122
Kilcheran. Arg 5C 140
Kilchiaran. Arg 3A 124
Kilchoan. High 4F 147 (nr. Inverie)
Kilchoan. High 2F 139 (nr. Tobermory)
Kilchoman. Arg 3A 124
Kilchrenan. Arg 1H 133
Kilconquhar. Fife 3G 137
Kilcot. Glos 3B 48
Kilcoy. High 3H 157
Kilcreggan. Arg 1D 126
Kildale. N Yor 4D 106
Kildary. High 1B 158
Kildermorie Lodge. High 1H 157
Kildonan. Dum 4F 109
Kildonan. High 1G 165 (nr. Helmsdale)
Kildonan. High 3C 154 (on Isle of Skye)
Kildonan. N Ayr 3E 123
Kildonnan. High 5C 146
Kildrummy. Abers 2B 152
Kildwick. N Yor 5C 98
Kilfillan. Dum 4H 109
Kilfinan. Arg 2H 125
Kilfinnan. High 4E 149
Kilgetty. Pemb 4F 43
Kilgour. Fife 3E 136
Kilgrammie. S Ayr 4B 116
Kilham. E Yor 3E 101
Kilham. Nmbd 1C 120
Kilkenneth. Arg 4A 138
Kilkhampton. Corn 1C 10
Killamarsh. Derbs 2B 86
Killandrist. Arg 4C 140
Killay. Swan 3F 31
Killean. Arg 5E 125
Killearn. Stir 1G 127
Killellan. Arg 4A 122
Killen. High 3A 158
Killerby. Darl 3E 105
Killichonan. Per 3C 142
Killiechronan. Arg 4G 139
Killiecrankie. Per 2G 143
Killilan. High 5B 156
Killimster. High 3F 169
Killin. Stir 5C 142
Killinghall. N Yor 4E 99
Killington. Cumb 1F 97
Killingworth. Tyne 2F 115
Killin Lodge. High 3H 149
Killinochonoch. Arg 4F 133
Killochyett. Bord 5A 130
Killundine. High 4G 139
Kilmacolm. Inv 3E 127
Kilmahog. Stir 3F 135
Kilmahumaig. Arg 4E 133
Kilmalieu. High 3C 140
Kilmaluag. High 1D 154
Kilmany. Fife 1F 137
Kilmarie. High 2D 146
Kilmarnock. E Ayr 1D 116 & 198
Kilmaron. Fife 2F 137
Kilmartin. Arg 4F 133
Kilmaurs. E Ayr 5F 127
Kilmelford. Arg 2F 133
Kilmeny. Arg 3B 124
Kilmersdon. Som 1B 22
Kilmeston. Hants 4D 24
Kilmichael Glassary. Arg 4F 133
Kilmichael of Inverlussa. Arg 1F 125
Kilmington. Devn 3F 13
Kilmington. Wilts 3C 22
Kilmoluag. Arg 4A 138
Kilmorack. High 4G 157
Kilmore. Arg 1F 133
Kilmore. High 3E 147
Kilmory. Arg 2F 125
Kilmory. High 1G 139 (nr. Kilchoan)
Kilmory. High 3B 146 (on Rùm)
Kilmory. N Ayr 3D 122
Kilmory Lodge. Arg 3E 132
Kilmote. High 2G 165
Kilmuir. High 4B 154 (nr. Dunvegan)
Kilmuir. High 1B 158 (nr. Invergordon)
Kilmuir. High 4A 158 (nr. Inverness)
Kilmuir. High 1C 154 (nr. Uig)
Kilmun. Arg 1C 126
Kilnave. Arg 2A 124
Kilncadzow. S Lan 5B 128
Kilndown. Kent 2B 28
Kiln Green. Here 4B 48
Kiln Green. Wind 4G 37
Kilnhill. Cumb 1D 102
Kilnhurst. S Yor 1B 86
Kilninian. Arg 4E 139
Kilninver. Arg 1F 133
Kiln Pit Hill. Nmbd 4D 114
Kilnsea. E Yor 3H 95
Kilnsey. N Yor 3B 98
Kilnwick. E Yor 5D 101
Kiloran. Arg 4A 132
Kilpatrick. N Ayr 3D 122
Kilpeck. Here 2H 47
Kilpin. E Yor 2A 94
Kilpin Pike. E Yor 2A 94
Kilrenny. Fife 3H 137
Kilsby. Nptn 3C 62
Kilspindie. Per 1E 136
Kilsyth. N Lan 2A 128
Kiltarlity. High 4H 157
Kilton. Som 2E 21
Kilton Thorpe. Red C 3D 107
Kilvaxter. High 2C 154
Kilve. Som 2E 21
Kilvington. Notts 1F 75
Kilwinning. N Ayr 5D 126
Kimberley. Norf 5C 78
Kimberley. Notts 1B 74
Kimblesworth. Dur 5F 115
Kimble Wick. Buck 5G 51
Kimbolton. Cambs 4H 63
Kimbolton. Here 4H 59
Kimcote. Leics 2C 62
Kimmeridge. Dors 5E 15
Kimmerston. Nmbd 1D 120
Kimpton. Hants 2A 24
Kimpton. Herts 4B 52
Kinbeachie. High 2A 158
Kinbrace. High 5A 168
Kinbuck. Stir 3G 135
Kincaple. Fife 2G 137
Kincardine. Fife 1C 128
Kincardine. High 5D 164
Kincardine Bridge. Fife 1C 128
Kincardine O'Neil. Abers 4C 152
Kinchrackine. Arg 1A 134
Kincorth. Aber 3G 153
Kincraig. High 3C 150
Kincraigie. Per 4G 143
Kindallachan. Per 3G 143
Kineton. Glos 3F 49
Kineton. Warw 5H 61
Kinfauns. Per 1D 136
Kingairloch. High 3C 140
Kingarth. Arg 4B 126
Kingcoed. Mon 5H 47
King Edward. Abers 3E 160
Kingerby. Linc 1H 87
Kingham. Oxon 3A 50
Kingholm Quay. Dum 2A 112
Kinghorn. Fife 1F 129
Kingie. High 3D 148
Kinglassie. Fife 4E 137
Kingledores. Bord 2D 118
Kingodie. Per 1F 137
King o' Muirs. Clac 4A 136
King's Acre. Here 1H 47
Kingsand. Corn 3A 8
Kingsash. Buck 5G 51
Kingsbarns. Fife 2H 137
Kingsbridge. Devn 4D 8
Kingsbridge. Som 3C 20
King's Bromley. Staf 4F 73
Kingsburgh. High 3C 154
Kingsbury. G Lon 2C 38
Kingsbury. Warw 1G 61
Kingsbury Episcopi. Som 4H 21
Kings Caple. Here 3A 48
Kingscavil. W Lot 2D 128
Kingsclere. Hants 1D 24
King's Cliffe. Nptn 1H 63
Kings Clipstone. Notts 4D 86
Kingscote. Glos 2D 34
Kingscott. Devn 1F 11
Kings Coughton. Warw 5E 61
Kingscross. N Ayr 3E 123
Kingsdon. Som 4A 22
Kingsdown. Kent 1H 29
Kingsdown. Swin 3G 35
Kingsdown. Wilts 5D 34
Kingseat. Fife 4D 136
Kingsey. Buck 5F 51
Kingsfold. Lanc 2D 90
Kingsfold. W Sus 2C 26
Kingsford. E Ayr 5F 127
Kingsford. Worc 2C 60
Kingsforth. N Lin 3D 94
Kingsgate. Kent 3H 41
King's Green. Glos 2C 48
Kingshall Street. Suff 4B 66
Kingsheanton. Devn 3F 19
King's Heath. W Mid 2E 61
Kings Hill. Kent 5A 40
Kingsholm. Glos 4D 48
Kingshouse. High 3G 141
Kingshouse. Stir 1E 135
Kingshurst. W Mid 2F 61
Kingskerswell. Devn 2E 9
Kingskettle. Fife 3F 137
Kingsland. Here 4G 59
Kingsland. IOA 2B 80
Kings Langley. Herts 5A 52
Kingsley. Ches W 3H 83
Kingsley. Hants 3F 25
Kingsley. Staf 1E 73
Kingsley Green. W Sus 3G 25
Kingsley Holt. Staf 1E 73
King's Lynn. Norf 3F 77
King's Meaburn. Cumb 2H 103
Kings Moss. Mers 4D 90
Kingsmuir. Ang 4D 145
Kingsmuir. Fife 3H 137
Kings Muir. Bord 1E 119
King's Newnham. Warw 3B 62
Kings Newton. Derbs 3A 74
Kingsnorth. Kent 2E 28
Kingsnorth. Medw 3C 40
King's Norton. Leics 5D 74
King's Norton. W Mid 3E 61
King's Nympton. Devn 1G 11
King's Pyon. Here 5G 59
Kings Ripton. Cambs 3B 64
King's Somborne. Hants 3B 24
King's Stag. Dors 1C 14
King's Stanley. Glos 5D 48
King's Sutton. Nptn 2C 50
Kingstanding. W Mid 1E 61
Kingsteignton. Devn 5B 12
Kingsteps. High 3D 158
King Sterndale. Derbs 3E 85
King's Thorn. Here 2A 48
Kingsthorpe. Nptn 4E 63
Kingston. Cambs 5C 64
Kingston. Devn 4C 8
Kingston. Dors 2C 14 (nr. Sturminster Newton)
Kingston. Dors 5E 15 (nr. Swanage)

Kingston. E Lot 1B 130
Kingston. Hants 2G 15
Kingston. IOW 4C 16
Kingston. Kent 5F 41
Kingston. Mor 2H 159
Kingston. W Sus 5B 26
Kingston Bagpuize. Oxon 2C 36
Kingston Blount. Oxon 2F 37
Kingston by Sea. W Sus 5D 26
Kingston Deverill. Wilts 3D 22
Kingstone. Here 2H 47
Kingstone. Som 1G 13
Kingstone. Staf 3E 73
Kingston Lisle. Oxon 3B 36
Kingston Maurward. Dors 3C 14
Kingston near Lewes. E Sus 5E 27
Kingston on Soar. Notts 3C 74
Kingston Russell. Dors 3A 14
Kingston St Mary. Som 4F 21
Kingston Seymour. N Som 5H 33
Kingston Stert. Oxon 5F 51
Kingston upon Hull. Hull 2D 94 & 199
Kingston upon Thames. G Lon 4C 38
King's Walden. Herts 3B 52
Kingswear. Devn 3E 9
Kingswells. Aber 3F 153
Kingswinford. W Mid 2C 60
Kingswood. Buck 4E 51
Kingswood. Glos 2C 34
Kingswood. Here 5E 59
Kingswood. Kent 5C 40
Kingswood. Per 5H 143
Kingswood. Powy 5E 71
Kingswood. Som 3E 20
Kingswood. S Glo 4B 34
Kingswood. Surr 5D 38
Kingswood. Warw 3F 61
Kingswood Common. Staf 5C 72
Kings Worthy. Hants 3C 24
Kingthorpe. Linc 3A 88
Kington. Here 5F 59
Kington. S Glo 2B 34
Kington. Worc 5D 61
Kington Langley. Wilts 4E 35
Kington Magna. Dors 4C 22
Kington St Michael. Wilts 4E 35
Kingussie. High 3B 150
Kingweston. Som 3A 22
Kinharrachie. Abers 5G 161
Kinhrive. High 1B 158
Kinkell Bridge. Per 2B 136
Kinknockie. Abers 4H 161
Kinkry Hill. Cumb 2G 113
Kinlet. Shrp 2B 60
Kinloch. High 5D 166
(nr. Loch More)
Kinloch. High 3A 140
(nr. Lochaline)
Kinloch. High 4C 146
(on Rùm)
Kinloch. Per 4A 144
Kinlochard. Stir 3D 134
Kinlochbervie. High 3C 166
Kinlocheil. High 1D 141
Kinlochewe. High 2C 156
Kinloch Hourn. High 3B 148
Kinloch Laggan. High 5H 149
Kinlochleven. High 2F 141
Kinloch Lodge. High 3F 167
Kinlochmoidart. High 1B 140
Kinlochmore. High 2F 141
Kinloch Rannoch. Per 3D 142
Kinlochspelve. Arg 1D 132
Kinloid. High 5E 147
Kinloss. Mor 2E 159
Kinmel Bay. Cnwy 2B 82
Kinmuck. Abers 2F 153
Kinnadie. Abers 4G 161
Kinnaird. Per 1E 137
Kinneff. Abers 1H 145
Kinnelhead. Dum 4C 118
Kinnell. Ang 3F 145
Kinnerley. Shrp 3F 71
Kinnernie. Abers 2E 152
Kinnersley. Here 1G 47
Kinnersley. Worc 1D 48
Kinnerton. Powy 4E 59
Kinnerton. Shrp 1F 59
Kinnesswood. Per 3D 136
Kinninvie. Dur 2D 104
Kinnordy. Ang 3C 144
Kinoulton. Notts 2D 74
Kinross. Per 3D 136
Kinrossie. Per 5A 144
Kinsbourne Green. Herts 4B 52
Kinsey Heath. Ches E 1A 72
Kinsham. Here 4F 59
Kinsham. Worc 2E 49
Kinsley. W Yor 3E 93
Kinson. Bour 3F 15
Kintbury. W Ber 5B 36
Kintessack. Mor 2E 159
Kintillo. Per 2D 136
Kinton. Here 3G 59
Kinton. Shrp 4F 71
Kintore. Abers 2E 153
Kintour. Arg 4C 124
Kintra. Arg 2B 132
Kintraw. Arg 3F 133
Kinveachy. High 2D 150
Kinver. Staf 2C 60
Kinwarton. Warw 5F 61
Kiplingcotes. E Yor 5D 100
Kippax. W Yor 1E 93
Kippen. Stir 4F 135
Kippford. Dum 4F 111
Kipping's Cross. Kent 1H 27
Kirbister. Orkn 7C 172
(nr. Hobbister)
Kirbister. Orkn 6B 172
(nr. Quholm)
Kirbuster. Orkn 5F 172
Kirby Bedon. Norf 5E 79
Kirby Bellars. Leics 4E 74
Kirby Cane. Norf 1F 67
Kirby Cross. Essx 3F 55
Kirby Fields. Leics 5C 74
Kirby Green. Norf 1F 67
Kirby Grindalythe. N Yor 3D 100
Kirby Hill. N Yor 4E 105
(nr. Richmond)
Kirby Hill. N Yor 3F 99
(nr. Ripon)
Kirby Knowle. N Yor 1G 99
Kirby-le-Soken. Essx 3F 55
Kirby Misperton. N Yor 2B 100
Kirby Muxloe. Leics 5C 74
Kirby Sigston. N Yor 5B 106
Kirby Underdale. E Yor 4C 100
Kirby Wiske. N Yor 1F 99
Kirdford. W Sus 3B 26
Kirk. High 3E 169
Kirkabister. Shet 8F 173
(on Bressay)
Kirkabister. Shet 6F 173
(on Mainland)
Kirkandrews. Dum 5D 110
Kirkandrews-on-Eden. Cumb 4E 113
Kirkapol. Arg 4B 138
Kirkbampton. Cumb 4E 112
Kirkbean. Dum 4A 112
Kirk Bramwith. S Yor 3G 93
Kirkbride. Cumb 4D 112
Kirkbridge. N Yor 5F 105
Kirkbuddo. Ang 4E 145
Kirkburn. E Yor 4D 101
Kirkburton. W Yor 3B 92
Kirkby. Linc 1H 87
Kirkby. Mers 1G 83
Kirkby. N Yor 4C 106
Kirkby Fenside. Linc 4C 88
Kirkby Fleetham. N Yor 5F 105
Kirkby Green. Linc 5H 87
Kirkby-in-Ashfield. Notts 5C 86
Kirkby Industrial Estate. Mers 1G 83
Kirkby-in-Furness. Cumb 1B 96
Kirkby la Thorpe. Linc 1A 76
Kirkby Lonsdale. Cumb 2F 97
Kirkby Malham. N Yor 3A 98
Kirkby Mallory. Leics 5B 74
Kirkby Malzeard. N Yor 2E 99
Kirkby Mills. N Yor 1B 100
Kirkbymoorside. N Yor 1A 100
Kirkby on Bain. Linc 4B 88
Kirkby Overblow. N Yor 5F 99
Kirkby Stephen. Cumb 4A 104
Kirkby Thore. Cumb 2H 103
Kirkby Underwood. Linc 3H 75
Kirkby Wharfe. N Yor 5H 99
Kirkcaldy. Fife 4E 137
Kirkcambeck. Cumb 3G 113
Kirkcolm. Dum 3F 109
Kirkconnel. Dum 3G 117
Kirkconnell. Dum 3A 112
Kirkcowan. Dum 3A 110
Kirkcudbright. Dum 4D 111
Kirkdale. Mers 1F 83
Kirk Deighton. N Yor 4F 99
Kirk Ella. E Yor 2D 94
Kirkfieldbank. S Lan 5B 128
Kirkforthar Feus. Fife 3E 137
Kirkgunzeon. Dum 3F 111
Kirk Hallam. Derbs 1B 74
Kirkham. Lanc 1C 90
Kirkham. N Yor 3B 100
Kirkhamgate. W Yor 2C 92
Kirk Hammerton. N Yor 4G 99
Kirkharle. Nmbd 1D 114
Kirkheaton. Nmbd 2D 114
Kirkheaton. W Yor 3B 92
Kirkhill. Ang 2F 145
Kirkhill. High 4H 157
Kirkhope. S Lan 4B 118
Kirkhouse. Bord 1F 119
Kirkibost. High 2D 146
Kirkinch. Ang 4C 144
Kirkinner. Dum 4B 110
Kirkintilloch. E Dun 2H 127
Kirk Ireton. Derbs 5G 85
Kirkland. Cumb 3B 102
(nr. Cleator Moor)
Kirkland. Cumb 1H 103
(nr. Penrith)
Kirkland. Cumb 5D 112
(nr. Wigton)
Kirkland. Dum 3G 117
(nr. Kirkconnel)
Kirkland. Dum 5H 117
(nr. Moniaive)
Kirkland Guards. Cumb 5C 112
Kirk Langley. Derbs 2G 73
Kirklauchline. Dum 4F 109
Kirkleatham. Red C 2C 106
Kirklevington. Stoc T 4B 106
Kirkley. Suff 1H 67
Kirklington. N Yor 1F 99
Kirklington. Notts 5D 86
Kirklinton. Cumb 3F 113
Kirkliston. Edin 2E 129
Kirkmabreck. Dum 4B 110
Kirkmaiden. Dum 5E 109
Kirk Merrington. Dur 1F 105
Kirk Michael. IOM 2C 108
Kirkmichael. Per 2H 143
Kirkmichael. S Ayr 4C 116
Kirkmuirhill. S Lan 5A 128
Kirknewton. Nmbd 1D 120
Kirknewton. W Lot 3E 129
Kirkney. Abers 5C 160
Kirk of Shotts. N Lan 3B 128
Kirkoswald. Cumb 5G 113
Kirkoswald. S Ayr 4B 116
Kirkpatrick. Dum 5B 118
Kirkpatrick Durham. Dum 2E 111
Kirkpatrick-Fleming. Dum 2D 112
Kirk Sandall. S Yor 4G 93
Kirksanton. Cumb 1A 96
Kirk Smeaton. N Yor 3F 93
Kirkstall. W Yor 1C 92
Kirkstile. Dum 5F 119
Kirkstyle. High 1F 169
Kirkthorpe. W Yor 2D 92
Kirkton. Abers 2D 152
(nr. Alford)
Kirkton. Abers 1D 152
(nr. Insch)
Kirkton. Abers 4F 161
(nr. Turriff)
Kirkton. Ang 5D 144
(nr. Dundee)
Kirkton. Ang 4D 144
(nr. Forfar)
Kirkton. Ang 5B 152
(nr. Tarfside)
Kirkton. Dum 1A 112
Kirkton. Fife 1F 137
Kirkton. High 4E 165
(nr. Golspie)
Kirkton. High 1G 147
(nr. Kyle of Lochalsh)
Kirkton. High 4B 156
(nr. Lochcarron)
Kirkton. Bord 3H 119
Kirkton. S Lan 2B 118
Kirktonhill. W Dun 2E 127
Kirkton Manor. Bord 1E 118
Kirkton of Airlie. Ang 3C 144
Kirkton of Auchterhouse. Ang 5C 144
Kirkton of Bourtie. Abers 1F 153
Kirkton of Collace. Per 5A 144
Kirkton of Craig. Ang 3G 145
Kirkton of Culsalmond. Abers 5D 160
Kirkton of Durris. Abers 4E 153
Kirkton of Glenbuchat. Abers 2A 152
Kirkton of Glenisla. Ang 2B 144
Kirkton of Kingoldrum. Ang 3C 144
Kirkton of Largo. Fife 3G 137
Kirkton of Lethendy. Per 4A 144
Kirkton of Logie Buchan.
Abers 1G 153
Kirkton of Maryculter. Abers 4F 153
Kirkton of Menmuir. Ang 2E 145
Kirkton of Monikie. Ang 5E 145
Kirkton of Oyne. Abers 1D 152
Kirkton of Rayne. Abers 5D 160
Kirkton of Skene. Abers 3F 153
Kirktown. Abers 2G 161
(nr. Fraserburgh)
Kirktown. Abers 3H 161
(nr. Peterhead)
Kirktown of Alvah. Abers 2D 160
Kirktown of Auchterless.
Abers 4E 160
Kirktown of Deskford. Mor 2C 160
Kirktown of Fetteresso. Abers 5F 153
Kirktown of Mortlach. Mor 5H 159
Kirktown of Slains. Abers 1H 153
Kirkurd. Bord 5E 129
Kirkwall. Orkn 6D 172
Kirkwall Airport. Orkn 7D 172
Kirkwhelpington. Nmbd 1C 114
Kirk Yetholm. Bord 2C 120
Kirmington. N Lin 3E 94
Kirmond le Mire. Linc 1A 88
Kirn. Arg 2C 126
Kirriemuir. Ang 3C 144
Kirstead Green. Norf 1E 67
Kirtlebridge. Dum 2D 112
Kirtleton. Dum 2D 112
Kirtling. Cambs 5F 65
Kirtling Green. Cambs 5F 65
Kirtlington. Oxon 4D 50
Kirtomy. High 2H 167
Kirton. Linc 2C 76
Kirton. Notts 4D 86
Kirton. Suff 2F 55
Kirton End. Linc 1B 76
Kirton Holme. Linc 1B 76
Kirton in Lindsey. N Lin 1G 87
Kishorn. High 4H 155
Kislingbury. Nptn 5D 62
Kite Hill. IOW 3D 16
Kites Hardwick. Warw 4B 62
Kittisford. Som 4D 20
Kittle. Swan 4E 31
Kittybrewster. Aber 3G 153
Kitwood. Hants 3E 25
Kivernoll. Here 2H 47
Kiveton Park. S Yor 2B 86
Knaith. Linc 2F 87
Knaith Park. Linc 2F 87
Knaphill. Surr 5A 38
Knapp. Hants 4C 24
Knapp. Per 5B 144
Knapp. Som 4G 21
Knapperfield. High 3E 169
Knapton. Norf 2F 79
Knapton. York 4H 99
Knapton Green. Here 5G 59
Knapwell. Cambs 4C 64
Knaresborough. N Yor 4F 99
Knarsdale. Nmbd 4H 113
Knatts Valley. Kent 4G 39
Knaven. Abers 4F 161
Knayton. N Yor 1G 99
Knebworth. Herts 3C 52
Knedlington. E Yor 2H 93
Kneesall. Notts 4E 86
Kneesworth. Cambs 1D 52
Kneeton. Notts 1E 74
Knelston. Swan 4D 30
Knenhall. Staf 2D 72
Knightacott. Devn 3G 19
Knightcote. Warw 5B 62
Knightcott. N Som 1G 21
Knightley. Staf 3C 72
Knightley Dale. Staf 3C 72
Knightlow Hill. Warw 3B 62
Knighton. Devn 4B 8
Knighton. Dors 1B 14
Knighton. Leic 5D 74
Knighton. Powy 3E 59
Knighton. Som 2E 21
Knighton. Staf 3B 72
(nr. Eccleshall)
Knighton. Staf 1B 72
(nr. Woore)
Knighton. Warw 5H 61
Knighton. Wilts 4A 36
Knighton. Worc 5E 61
Knighton Common. Worc 3A 60
Knight's End. Cambs 1D 64
Knightswood. Glas 3G 127
Knightwick. Worc 5B 60
Knill. Here 4E 59
Knipton. Leics 2F 75
Knitsley. Dur 5E 115
Kniveton. Derbs 5G 85
Knock. Arg 5G 139
Knock. Cumb 2H 103
Knock. Mor 3C 160
Knockally. High 5D 168
Knockan. Arg 1B 132
Knockan. High 2G 163
Knockandhu. Mor 1G 151
Knockando. Mor 4F 159
Knockarthur. High 3E 165
Knockbain. High 3A 158
Knockbreck. High 2B 154
Knockdee. High 2D 168
Knockdolian. S Ayr 1G 109
Knockdon. S Ayr 3C 116
Knockdown. Glos 3D 34
Knockenbaird. Abers 1D 152
Knockenkelly. N Ayr 3E 123
Knockentiber. E Ayr 1C 116
Knockfarrel. High 3H 157
Knockglass. High 2C 168
Knockholt. Kent 5F 39
Knockholt Pound. Kent 5F 39
Knockie Lodge. High 2G 149
Knockin. Shrp 3F 71
Knockinlaw. E Ayr 1D 116
Knockinnon. High 5D 169
Knockrome. Arg 2D 124
Knocksharry. IOM 3B 108
Knockshinnoch. E Ayr 3D 116
Knockvennie. Dum 2E 111
Knockvologan. Arg 3B 132
Knodishall. Suff 4G 67
Knole. Som 4H 21
Knollbury. Mon 3H 33
Knolls Green. Ches E 3C 84
Knolton. Wrex 2F 71
Knook. Wilts 2E 23
Knossington. Leics 5F 75
Knott. High 3C 154
Knott End-on-Sea. Lanc 5C 96
Knotting. Bed 4H 63
Knotting Green. Bed 4H 63
Knottingley. W Yor 2E 93
Knotts. Cumb 2F 103
Knotty Ash. Mers 1G 83
Knotty Green. Buck 1A 38
Knowbury. Shrp 3H 59
Knowe. Dum 2A 110
Knowefield. Cumb 4F 113
Knowehead. Dum 5F 117
Knowes. E Lot 2C 130
Knowesgate. Nmbd 1C 114
Knoweside. S Ayr 3B 116
Knowle. Bris 4A 34
Knowle. Devn 3E 19
(nr. Braunton)
Knowle. Devn 4D 12
(nr. Budleigh Salterton)
Knowle. Devn 2A 12
(nr. Crediton)
Knowle. Shrp 3H 59
Knowle. W Mid 3F 61
Knowle Green. Lanc 1E 91
Knowle St Giles. Som 1G 13
Knowlesands. Shrp 1B 60
Knowles of Elrick. Abers 3D 160
Knowle Village. Hants 2D 16
Knowl Hill. Wind 4G 37
Knowlton. Kent 5G 41
Knowsley. Mers 1G 83
Knowstone. Devn 4B 20
Knucklas. Powy 3E 59
Knuston. Nptn 4G 63
Knutsford. Ches E 3B 84
Knypersley. Staf 5C 84
Krumlin. W Yor 3A 92
Kuggar. Corn 5E 5
Kyleakin. High 1F 147
Kyle of Lochalsh. High 1F 147
Kylerhea. High 1F 147
Kylesku. High 5C 166
Kyles Lodge. W Isl 9B 171
Kylesmorar. High 4G 147
Kylestrome. High 5C 166
Kymin. Mon 4A 48
Kynaston. Here 2B 48
Kynaston. Shrp 3F 71
Kynnersley. Telf 4A 72
Kyre Green. Worc 4A 60
Kyre Park. Worc 4A 60
Kyrewood. Worc 4A 60

L

Labost. W Isl 3E 171
Lacasaidh. W Isl 5F 171
Lacasdail. W Isl 4G 171
Laceby. NE Lin 4F 95
Lacey Green. Buck 5G 51
Lach Dennis. Ches W 3B 84
Lache. Ches W 4F 83
Lackford. Suff 3G 65
Lacock. Wilts 5E 35
Ladbroke. Warw 5B 62
Laddingford. Kent 1A 28
Lade Bank. Linc 5C 88
Ladock. Corn 3C 6
Lady. Orkn 3F 172
Ladybank. Fife 2F 137
Ladycross. Corn 4D 10
Lady Green. Mers 4B 90
Lady Hall. Cumb 1A 96
Ladykirk. Bord 5E 131
Ladysford. Abers 2G 161
Ladywood. W Mid 2E 61
Ladywood. Worc 4C 60
Laga. High 2A 140
Lagavulin. Arg 5C 124
Lagg. Arg 2D 125
Lagg. N Ayr 3D 122
Laggan. Arg 4A 124
Laggan. High 4E 149
(nr. Fort Augustus)
Laggan. High 4A 150
(nr. Newtonmore)
Laggan. Mor 5H 159
Lagganlia. High 3C 150
Lagganulva. Arg 4F 139
Laglingarten. Arg 3A 134
Lagness. W Sus 2G 17
Laid. High 3E 166
Laide. High 4D 162
Laigh Fenwick. E Ayr 5F 127
Laindon. Essx 2A 40
Lairg. High 3C 164
Lairg Muir. High 3C 164
Laithes. Cumb 1F 103
Laithkirk. Dur 2C 104
Lake. Devn 3F 19
Lake. IOW 4D 16
Lake. Wilts 3G 23
Lake District. Cumb 3E 103
Lakenham. Norf 5E 79
Lakenheath. Suff 2G 65
Lakesend. Norf 1E 65
Lakeside. Cumb 1C 96
Laleham. Surr 4B 38
Laleston. B'end 3B 32
Lamancha. Bord 4F 129
Lamarsh. Essx 2B 54
Lamas. Norf 3E 79
Lamb Corner. Essx 2D 54
Lambden. Bord 5D 130
Lamberhead Green. G Man 4D 90
Lamberhurst. Kent 2A 28
Lamberhurst Quarter. Kent 2A 28
Lamberton. Bord 4F 131
Lambeth. G Lon 3E 39
Lambfell Moar. IOM 3B 108
Lambhill. Glas 3G 127
Lambley. Nmbd 4H 113
Lambley. Notts 1D 74
Lambourn. W Ber 4B 36
Lambourne End. Essx 1F 39
Lambourn Woodlands. W Ber 4B 36
Lambrook. Som 4F 21
Lambs Green. Dors 3E 15
Lambs Green. W Sus 2D 26
Lambston. Pemb 3D 42
Lamellion. Corn 2G 7
Lamerton. Devn 5E 11
Lamesley. Tyne 4F 115
Laminess. Orkn 4F 172
Lamington. High 1B 158
Lamington. S Lan 1B 118
Lamlash. N Ayr 2E 123
Lamonby. Cumb 1F 103
Lamorick. Corn 2E 7
Lamorna. Corn 4B 4
Lamorran. Corn 4C 6
Lampeter. Cdgn 1F 45
Lampeter Velfrey.
Pemb 3F 43
Lamphey. Pemb 4E 43
Lamplugh. Cumb 2B 102
Lamport. Nptn 3E 63
Lamyatt. Som 3B 22
Lana. Devn 3D 10
(nr. Ashwater)
Lana. Devn 2D 10
(nr. Holsworthy)
Lanark. S Lan 5B 128
Lanarth. Corn 4E 5
Lancaster. Lanc 3D 97
Lanchester. Dur 5E 115
Lancing. W Sus 5C 26
Landbeach. Cambs 4D 64
Landcross. Devn 4E 19
Landerberry. Abers 3E 153
Landford. Wilts 1A 16
Land Gate. G Man 4D 90
Landhallow. High 5D 169
Landimore. Swan 3D 30
Landkey. Devn 3F 19
Landkey Newland.
Devn 3F 19
Landore. Swan 3F 31
Landport. Port 2E 17
Landrake. Corn 2H 7
Landscove. Devn 2D 9
Land's End (St Just) Airport.
Corn 4A 4
Landshipping. Pemb 3E 43
Landulph. Corn 2A 8
Landywood. Staf 5D 73
Lane. Corn 2C 6
Laneast. Corn 4C 10
Lane Bottom. Lanc 1G 91
Lane End. Buck 2G 37
Lane End. Hants 4D 24
Lane End. IOW 4E 17
Lane End. Wilts 2D 22
Lane Ends. Derbs 2G 73
Lane Ends. Dur 1E 105
Lane Ends. Lanc 4G 97
Laneham. Notts 3F 87

Lanehead. Dur 5B 114 (nr. Cowshill)
Lane Head. Dur 3E 105 (nr. Hutton Magna)
Lane Head. Dur 2D 105 (nr. Woodland)
Lane Head. G Man 1A 84
Lanehead. Nmbd 1A 114
Lane Head. W Yor 4B 92
Lane Heads. Lanc 1C 90
Lanercost. Cumb 3G 113
Laneshaw Bridge. Lanc 5B 98
Laney Green. Staf 5D 72
Langais. W Isl 2D 170
Langal. High 2B 140
Langar. Notts 2E 74
Langbank. Ren 2E 127
Langbar. N Yor 4C 98
Langburnshiels. Bord 4H 119
Langcliffe. N Yor 3H 97
Langdale End. N Yor 5G 107
Langdon. Corn 3C 10
Langdon Beck. Dur 1B 104
Langdon Cross. Corn 4D 10
Langdon Hills. Essx 2A 40
Langdown. Hants 2C 16
Langdyke. Fife 3F 137
Langenhoe. Essx 4D 54
Langford. C Beds 1B 52
Langford. Devn 2D 12
Langford. Essx 5B 54
Langford. Notts 5F 87
Langford. Oxon 5H 49
Langford. Som 4F 21
Langford Budville. Som 4E 20
Langham. Dors 4C 22
Langham. Essx 2D 54
Langham. Norf 1C 78
Langham. Rut 4F 75
Langham. Suff 4B 66
Langho. Lanc 1F 91
Langholm. Dum 1E 113
Langland. Swan 4F 31
Langleeford. Nmbd 2D 120
Langley. Ches E 3D 84
Langley. Derbs 1B 74
Langley. Essx 2E 53
Langley. Glos 3F 49
Langley. Hants 2C 16
Langley. Herts 3C 52
Langley. Kent 5C 40
Langley. Nmbd 3B 114
Langley. Slo 3B 38
Langley. Som 4D 20
Langley. Warw 4F 61
Langley. W Sus 4G 25
Langley Burrell. Wilts 4E 35
Langleybury. Herts 5A 52
Langley Common. Derbs 2G 73
Langley Green. Derbs 2G 73
Langley Green. Norf 5F 79
Langley Green. Warw 4F 61
Langley Green. W Sus 2D 26
Langley Heath. Kent 5C 40
Langley Marsh. Som 4D 20
Langley Moor. Dur 5F 115
Langley Park. Dur 5F 115
Langley Street. Norf 5F 79
Langney. E Sus 5H 27
Langold. Notts 2C 86
Langore. Corn 4D 10
Langport. Som 4H 21
Langrick. Linc 1B 76
Langridge. Bath 5C 34
Langridgeford. Devn 4F 19
Langrigg. Cumb 5C 112
Langrish. Hants 4F 25
Langsett. S Yor 4C 92
Langshaw. Bord 1H 119
Langstone. Hants 2F 17
Langthorne. N Yor 5F 105
Langthorpe. N Yor 3F 99
Langthwaite. N Yor 4D 104
Langtoft. E Yor 3E 101
Langtoft. Linc 4A 76
Langton. Dur 3E 105
Langton. Linc 4B 88 (nr. Horncastle)
Langton. Linc 3C 88 (nr. Spilsby)
Langton. N Yor 3B 100
Langton by Wragby. Linc 3A 88
Langton Green. Kent 2G 27
Langton Herring. Dors 4B 14
Langton Long Blandford. Dors 2E 15
Langton Matravers. Dors 5F 15
Langtree. Devn 1E 11
Langwathby. Cumb 1G 103
Langwith. Derbs 4C 86
Langworth. Linc 3H 87
Lanivet. Corn 2E 7
Lanjeth. Corn 3D 6
Lank. Corn 5A 10
Lanlivery. Corn 3E 7
Lanner. Corn 5B 6
Lanreath. Corn 3F 7
Lansallos. Corn 3F 7
Lansdown. Bath 5C 34
Lansdown. Glos 3E 49
Lanteglos Highway. Corn 3F 7
Lanton. Nmbd 1D 120
Lanton. Bord 2A 120
Lapford. Devn 2H 11
Lapford Cross. Devn 2H 11
Laphroaig. Arg 5B 124
Lapley. Staf 4C 72
Lapworth. Warw 3F 61
Larachbeg. High 4A 140
Larbert. Falk 1B 128
Larden Green. Ches E 5H 83
Larel. High 3D 169
Largie. Abers 5D 160
Largiemore. Arg 1H 125
Largoward. Fife 3G 137
Largs. N Ayr 4D 126
Largue. Abers 4D 160
Largybeg. N Ayr 3E 123
Largymeanoch. N Ayr 3E 123
Largymore. N Ayr 3E 123
Larkfield. Inv 2D 126
Larkfield. Kent 5A 40
Larkhall. Bath 5C 34
Larkhall. S Lan 4A 128
Larkhill. Wilts 2G 23
Larling. Norf 2B 66
Larport. Here 2A 48
Lartington. Dur 3D 104
Lary. Abers 3H 151
Lasham. Hants 2E 25
Lashenden. Kent 1C 28
Lassodie. Fife 4D 136
Lasswade. Midl 3G 129
Lastingham. N Yor 5E 107
Latchford. Herts 3D 53
Latchford. Oxon 5E 51
Latchingdon. Essx 5B 54
Latchley. Corn 5E 11
Latchmere Green. Hants 5E 37
Lathbury. Mil 1G 51
Latheron. High 5D 169
Latheronwheel. High 5D 169
Lathom. Lanc 4C 90
Lathones. Fife 3G 137
Latimer. Buck 1B 38
Latteridge. S Glo 3B 34
Lattiford. Som 4B 22
Latton. Wilts 2F 35
Laudale House. High 3B 140
Lauder. Bord 5B 130
Laugharne. Carm 3H 43
Laughterton. Linc 3F 87
Laughton. E Sus 4G 27
Laughton. Leics 2D 62
Laughton. Linc 1F 87 (nr. Gainsborough)
Laughton. Linc 2H 75 (nr. Grantham)
Laughton Common. S Yor 2C 86
Laughton en le Morthen. S Yor 2C 86
Launcells. Corn 2C 10
Launceston. Corn 4D 10
Launcherley. Som 2A 22
Launton. Oxon 3E 50
Laurencekirk. Abers 1G 145
Laurieston. Dum 3D 111
Laurieston. Falk 2C 128
Lavendon. Mil 5G 63
Lavenham. Suff 1C 54
Laverhay. Dum 5D 118
Laversdale. Cumb 3F 113
Laverstock. Wilts 3G 23
Laverstoke. Hants 2C 24
Laverton. Glos 2F 49
Laverton. N Yor 2E 99
Laverton. Som 1C 22
Lavister. Wrex 5F 83
Law. S Lan 4B 128
Lawers. Per 5D 142
Lawford. Essx 2D 54
Lawhitton. Corn 4D 10
Lawkland. N Yor 3G 97
Lawley. Shrp 5A 72
Lawnhead. Staf 3C 72
Lawrenny. Pemb 4E 43
Lawshall. Suff 5A 66
Lawton. Here 5G 59
Laxey. IOM 3D 108
Laxfield. Suff 3E 67
Laxfirth. Shet 6F 173
Laxo. Shet 5F 173
Laxton. E Yor 2A 94
Laxton. Nptn 1G 63
Laxton. Notts 4E 86
Laycock. W Yor 5C 98
Layer Breton. Essx 4C 54
Layer-de-la-Haye. Essx 3C 54
Layer Marney. Essx 4C 54
Layland's Green. W Ber 5B 36
Laymore. Dors 2G 13
Laysters Pole. Here 4H 59
Layter's Green. Buck 1A 38
Laytham. E Yor 1H 93
Lazenby. Red C 3C 106
Lazonby. Cumb 1G 103
Lea. Derbs 5H 85
Lea. Here 3B 48
Lea. Linc 2F 87
Lea. Shrp 2F 59 (nr. Bishop's Castle)
Lea. Shrp 5G 71 (nr. Shrewsbury)
Lea. Wilts 3E 35
Leabrooks. Derbs 5B 86
Leac a Li. W Isl 8D 171
Leachd. Arg 4H 133
Leachkin. High 4A 158
Leachpool. Pemb 3D 42
Leadburn. Midl 4F 129
Leadenham. Linc 5G 87
Leaden Roding. Essx 4F 53
Leaderfoot. Bord 1H 119
Leadgate. Cumb 5A 114
Leadgate. Dur 4E 115
Leadgate. Nmbd 4E 115
Leadhills. S Lan 3A 118
Leadingcross Green. Kent 5C 40
Lea End. Worc 3E 61
Leafield. Oxon 4B 50
Leagrave. Lutn 3A 52
Lea Hall. W Mid 2F 61
Lea Heath. Staf 3E 73
Leake. N Yor 5B 106
Leake Common Side. Linc 5C 88
Leake Fold Hill. Linc 5D 88
Leake Hurn's End. Linc 1D 76
Lealholm. N Yor 4E 107
Lealt. Arg 4D 132
Lealt. High 2E 155
Leam. Derbs 3G 85
Lea Marston. Warw 1G 61
Leamington Hastings. Warw 4B 62
Leamington Spa, Royal. Warw 4H 61
Leamonsley. Staf 5F 73
Leamside. Dur 5G 115
Leargybreck. Arg 2D 124
Lease Rigg. N Yor 4F 107
Leasgill. Cumb 1D 97
Leasingham. Linc 1H 75
Leasingthorne. Dur 1F 105
Leasowe. Mers 1E 83
Leatherhead. Surr 5C 38
Leathley. N Yor 5E 99
Leaths. Dum 3E 111
Leaton. Shrp 4G 71
Leaton. Telf 4A 72
Lea Town. Lanc 1C 90
Leaveland. Kent 5E 40
Leavenheath. Suff 2C 54
Leavening. N Yor 3B 100
Leaves Green. G Lon 4F 39
Lea Yeat. Cumb 1G 97
Leazes. Dur 4E 115
Lebberston. N Yor 1E 101
Lechlade on Thames. Glos 2H 35
Leck. Lanc 2F 97
Leckford. Hants 3B 24
Leckfurin. High 3H 167
Leckgruinart. Arg 3A 124
Leckhampstead. Buck 2F 51
Leckhampstead. W Ber 4C 36
Leckhampstead Street. W Ber 4C 36
Leckhampton. Glos 4E 49
Leckmelm. High 4F 163
Leckwith. V Glam 4E 33
Leconfield. E Yor 5E 101
Ledaig. Arg 5D 140
Ledburn. Buck 3H 51
Ledbury. Here 2C 48
Ledgemoor. Here 5G 59
Ledgowan. High 3D 156
Ledicot. Here 4G 59
Ledmore. High 2G 163
Lednabirichen. High 4E 165
Lednagullin. High 2A 168
Ledsham. Ches W 3F 83
Ledsham. W Yor 2E 93
Ledston. W Yor 2E 93
Ledstone. Devn 4D 8
Ledwell. Oxon 3C 50
Lee. Devn 2E 19 (nr. Ilfracombe)
Lee. Devn 4B 20 (nr. South Molton)
Lee. G Lon 3F 39
Lee. Hants 1B 16
Lee. Lanc 4E 97
Lee. Shrp 2G 71
Leeans. Shet 7E 173
Leebotten. Shet 9F 173
Leebotwood. Shrp 1G 59
Lee Brockhurst. Shrp 3H 71
Leece. Cumb 3B 96
Leechpool. Mon 3A 34
Lee Clump. Buck 5H 51
Leeds. Kent 5C 40
Leeds. W Yor 1C 92 & 199
Leeds Bradford International Airport. W Yor 5E 98
Leedstown. Corn 3D 4
Leegomery. Telf 4A 72
Lee Head. Derbs 1E 85
Leek. Staf 5D 85
Leekbrook. Staf 5D 85
Leek Wootton. Warw 4G 61
Lee Mill. Devn 3B 8
Leeming. N Yor 1E 99
Leeming Bar. N Yor 5F 105
Lee Moor. Devn 2B 8
Lee Moor. W Yor 2D 92
Lee-on-the-Solent. Hants 2D 16
Lees. Derbs 2G 73
Lees. G Man 4H 91
Lees. W Yor 1A 92
Lees, The. Kent 5E 40
Leeswood. Flin 4E 83
Lee, The. Buck 5H 51
Leetown. Per 1E 136
Leftwich. Ches W 3A 84
Legbourne. Linc 2C 88
Legburthwaite. Cumb 3E 102
Legerwood. Bord 5B 130
Legsby. Linc 2A 88
Leicester. Leic 5C 74 & 200
Leicester Forest East. Leics 5C 74
Leigh. Dors 2B 14
Leigh. G Man 4E 91
Leigh. Kent 1G 27
Leigh. Shrp 5F 71
Leigh. Surr 1D 26
Leigh. Wilts 2F 35
Leigh. Worc 5B 60
Leigham. Plym 3B 8
Leigh Beck. Essx 2C 40
Leigh Common. Som 4C 22
Leigh Delamere. Wilts 4D 35
Leigh Green. Kent 2D 28
Leighland Chapel. Som 3D 20
Leigh-on-Sea. S'end 2C 40
Leigh Park. Hants 2F 17
Leigh Sinton. Worc 5B 60
Leighterton. Glos 2D 34
Leigh, The. Glos 3D 48
Leighton. N Yor 2D 98
Leighton. Powy 5E 71
Leighton. Shrp 5A 72
Leighton. Som 2C 22
Leighton Bromswold. Cambs 3A 64
Leighton Buzzard. C Beds 3H 51
Leigh-upon-Mendip. Som 2B 22
Leinthall Earls. Here 4G 59
Leinthall Starkes. Here 4G 59
Leintwardine. Here 3G 59
Leire. Leics 1C 62
Leirinmore. High 2E 166
Leishmore. High 4G 157
Leiston. Suff 4G 67
Leitfie. Per 4B 144
Leith. Edin 2F 129
Leitholm. Bord 5D 130
Lelant. Corn 3C 4
Lelant Downs. Corn 3C 4
Lelley. E Yor 1F 95
Lem Hill. Worc 3B 60
Lemington. Tyne 3E 115
Lemmington Hall. Nmbd 3F 121
Lempitlaw. Bord 1B 120
Lemsford. Herts 4C 52
Lenacre. Cumb 1F 97
Lenchie. Abers 5C 160
Lenchwick. Worc 1F 49
Lendalfoot. S Ayr 5A 116
Lendrick. Stir 3E 135
Lenham. Kent 5C 40
Lenham Heath. Kent 1D 28
Lenimore. N Ayr 5G 125
Lennel. Bord 5E 131
Lennoxtown. E Dun 2H 127
Lenton. Linc 2H 75
Lentran. High 4H 157
Lenwade. Norf 4C 78
Lenzie. E Dun 2H 127
Leochel Cushnie. Abers 2C 152
Leogh. Shet 1B 172
Leominster. Here 5G 59
Leonard Stanley. Glos 5D 48
Lepe. Hants 3C 16
Lephenstrath. Arg 5A 122
Lephin. High 4A 154
Lephinchapel. Arg 4G 133
Lephinmore. Arg 4G 133
Leppington. N Yor 3B 100
Lepton. W Yor 3C 92
Lerryn. Corn 3F 7
Lerwick. Shet 7F 173
Lerwick (Tingwall) Airport. Shet 7F 173
Lesbury. Nmbd 3G 121
Leslie. Abers 1C 152
Leslie. Fife 3E 137
Lesmahagow. S Lan 1H 117
Lesnewth. Corn 3B 10
Lessingham. Norf 3F 79
Lessonhall. Cumb 4D 112
Leswalt. Dum 3F 109
Letchmore Heath. Herts 1C 38
Letchworth Garden City. Herts 2C 52
Letcombe Bassett. Oxon 3B 36
Letcombe Regis. Oxon 3B 36
Letham. Ang 4E 145
Letham. Falk 1B 128
Letham. Fife 2F 137
Lethanhill. E Ayr 3D 116
Lethenty. Abers 4F 161
Letheringham. Suff 5E 67
Letheringsett. Norf 2C 78
Lettaford. Devn 4H 11
Lettan. Orkn 3G 172
Letter. Abers 2E 153
Letterewe. High 1B 156
Letterfearn. High 1A 148
Lettermore. Arg 4F 139
Letters. High 5F 163
Letterston. Pemb 2D 42
Letton. Here 1G 47 (nr. Kington)
Letton. Here 3F 59 (nr. Leintwardine)
Letty Green. Herts 4C 52
Letwell. S Yor 2C 86
Leuchars. Fife 1G 137
Leumrabhagh. W Isl 6F 171
Leusdon. Devn 5H 11
Levaneap. Shet 5F 173
Levedale. Staf 4C 72
Leven. E Yor 5F 101
Leven. Fife 3F 137
Levencorroch. N Ayr 3E 123
Levenhall. E Lot 2G 129
Levens. Cumb 1D 97
Levens Green. Herts 3D 52
Levenshulme. G Man 1C 84
Levenwick. Shet 9F 173
Leverburgh. W Isl 9C 171
Leverington. Cambs 4D 76
Leverton. Linc 1D 76
Leverton. W Ber 4B 36
Leverton Lucasgate. Linc 1D 76
Leverton Outgate. Linc 1D 76
Levington. Suff 2F 55
Levisham. N Yor 5F 107
Levishie. High 2G 149
Lew. Oxon 5B 50
Lewaigue. IOM 2D 108
Lewannick. Corn 4C 10
Lewdown. Devn 4E 11
Lewes. E Sus 4F 27
Leweston. Pemb 2D 42
Lewisham. G Lon 3E 39
Lewiston. High 1H 149
Lewistown. B'end 3C 32
Lewknor. Oxon 2F 37
Leworthy. Devn 3G 19 (nr. Barnstaple)
Leworthy. Devn 2D 10 (nr. Holsworthy)
Lewson Street. Kent 4D 40
Lewthorn Cross. Devn 5A 12
Lewtrenchard. Devn 4E 11
Ley. Corn 2F 7
Leybourne. Kent 5A 40
Leyburn. N Yor 5E 105
Leycett. Staf 1B 72
Leyfields. Staf 5G 73
Ley Green. Herts 3B 52
Ley Hill. Buck 5H 51
Leyland. Lanc 2D 90
Leylodge. Abers 2E 153
Leymoor. W Yor 3B 92
Leys. Per 5B 144
Leysdown-on-Sea. Kent 3E 41
Leysmill. Ang 4F 145
Leyton. G Lon 2E 39
Leytonstone. G Lon 2F 39
Lezant. Corn 5D 10
Leziate. Norf 4F 77
Lhanbryde. Mor 2G 159
Lhen, The. IOM 1C 108
Liatrie. High 5E 157
Libanus. Powy 3C 46
Libberton. S Lan 5C 128
Libbery. Worc 5D 60
Liberton. Edin 3F 129
Liceasto. W Isl 8D 171
Lichfield. Staf 5F 73
Lickey. Worc 3D 61
Lickey End. Worc 3D 61
Lickfold. W Sus 3A 26
Liddaton. Devn 4E 11
Liddington. Swin 3H 35
Liddle. Orkn 9D 172
Lidgate. Suff 5G 65
Lidgett. Notts 4D 86
Lidham Hill. E Sus 4C 28
Lidlington. C Beds 2H 51
Lidsey. W Sus 5A 26
Lidstone. Oxon 3B 50
Lienassie. High 1B 148
Liff. Ang 5C 144
Lifford. W Mid 2E 61
Lifton. Devn 4D 11
Liftondown. Devn 4D 10
Lighthorne. Warw 5H 61
Light Oaks. Staf 5D 84
Lightwater. Surr 4A 38
Lightwood. Staf 1E 73
Lightwood. Stoke 1D 72
Lightwood Green. Ches E 1A 72
Lightwood Green. Wrex 1F 71
Lilbourne. Nptn 3C 62
Lilburn Tower. Nmbd 2E 121
Lillesdon. Som 4G 21
Lilleshall. Telf 4B 72
Lilley. Herts 3B 52
Lilliesleaf. Bord 2H 119
Lillingstone Dayrell. Buck 2F 51
Lillingstone Lovell. Buck 1F 51
Lillington. Dors 1B 14
Lilstock. Som 2E 21
Lilybank. Inv 2E 126
Lilyhurst. Shrp 4B 72
Limbrick. Lanc 3E 90
Limbury. Lutn 3A 52
Limekilnburn. S Lan 4A 128
Limekilns. Fife 1D 129
Limerigg. Falk 2B 128
Limestone Brae. Nmbd 5A 114
Lime Street. Worc 2D 48
Limington. Som 4A 22
Limpenhoe. Norf 5F 79
Limpley Stoke. Wilts 5C 34
Limpsfield. Surr 5E 39
Limpsfield Chart. Surr 5F 39
Linburn. W Lot 3E 129
Linby. Notts 5C 86
Linchmere. W Sus 3G 25
Lincluden. Dum 2A 112
Lincoln. Linc 3G 87 & 198
Lincomb. Worc 4C 60
Lindale. Cumb 1D 96
Lindal in Furness. Cumb 2B 96
Lindean. Bord 1G 119
Linden. Glos 4D 48
Lindfield. W Sus 3E 27
Lindford. Hants 3G 25
Lindores. Fife 2E 137
Lindridge. Worc 4A 60
Lindsell. Essx 3G 53
Lindsey. Suff 1C 54
Lindsey Tye. Suff 1C 54
Linford. Hants 2G 15
Linford. Thur 3A 40
Lingague. IOM 4B 108
Lingdale. Red C 3D 106
Lingen. Here 4F 59
Lingfield. Surr 1E 27
Lingoed. Mon 3G 47
Lingreabhagh. W Isl 9C 171
Ling, The. Norf 1F 67
Lingwood. Norf 5F 79
Lingy Close. Cumb 4E 113
Linicro. High 2C 154
Linkend. Worc 2D 48
Linkenholt. Hants 1B 24
Linkinhorne. Corn 5D 10
Linklater. Orkn 9D 172
Linksness. Orkn 6E 172
Linktown. Fife 4E 137
Linkwood. Mor 2G 159
Linley. Shrp 1F 59 (nr. Bishop's Castle)
Linley. Shrp 1A 60 (nr. Bridgnorth)
Linley Green. Here 5A 60
Linlithgow. W Lot 2C 128
Linlithgow Bridge. Falk 2C 128
Linneraineach. High 3F 163
Linshiels. Nmbd 4C 120
Linsiadar. W Isl 4E 171
Linsidemore. High 4C 164
Linslade. C Beds 3H 51
Linstead Parva. Suff 3F 67
Linstock. Cumb 4F 113
Linthwaite. W Yor 3B 92
Lintlaw. Bord 4E 131
Lintmill. Mor 2C 160

Linton. Cambs 1F 53
Linton. Derbs 4G 73
Linton. Here 3B 48
Linton. Kent 5B 40
Linton. N Yor 3B 98
Linton. Bord 2B 120
Linton. W Yor 5F 99
Linton Colliery. Nmbd 5G 121
Linton Hill. Here 3B 48
Linton-on-Ouse. N Yor 3G 99
Lintzford. Tyne 4E 115
Lintzgarth. Dur 5C 114
Linwood. Hants 2G 15
Linwood. Linc 2A 88
Linwood. Ren 3F 127
Lionacleit. W Isl 4C 170
Lionacro. High 2C 154
Lionacuidhe. W Isl 4C 170
Lional. W Isl 1H 171
Liphook. Hants 3G 25
Lipley. Shrp 2B 72
Lipyeate. Som 1B 22
Liquo. N Lan 4B 128
Liscard. Mers 1F 83
Liscombe. Som 3B 20
Liskeard. Corn 2G 7
Lisle Court. Hants 3B 16
Liss. Hants 4F 25
Lissett. E Yor 4F 101
Liss Forest. Hants 4F 25
Lissington. Linc 2A 88
Liston. Essx 1B 54
Lisvane. Card 3E 33
Liswerry. Newp 3G 33
Litcham. Norf 4A 78
Litchard. B'end 3C 32
Litchborough. Nptn 5D 62
Litchfield. Hants 1C 24
Litherland. Mers 1F 83
Litlington. Cambs 1D 52
Litlington. E Sus 5G 27
Littemill. Nmbd 3G 121
Litterty. Abers 3E 161
Little Abington. Cambs 1F 53
Little Addington. Nptn 3G 63
Little Airmyn. N Yor 2H 93
Little Alne. Warw 4F 61
Little Ardo. Abers 5F 161
Little Asby. Cumb 4H 103
Little Aston. Staf 5E 73
Little Atherfield. IOW 4C 16
Little Ayton. N Yor 3C 106
Little Baddow. Essx 5A 54
Little Badminton. S Glo 3D 34
Little Ballinluig. Per 3G 143
Little Bampton. Cumb 4D 112
Little Bardfield. Essx 2G 53
Little Barford. Bed 5A 64
Little Barningham. Norf 2D 78
Little Barrington. Glos 4H 49
Little Barrow. Ches W 4G 83
Little Barugh. N Yor 2B 100
Little Bavington. Nmbd 2C 114
Little Bealings. Suff 1F 55
Littlebeck. Cumb 3H 103
Little Bedwyn. Wilts 5A 36
Little Bentley. Essx 3E 54
Little Berkhamsted. Herts 5C 52
Little Billing. Nptn 4F 63
Little Billington. C Beds 3H 51
Little Birch. Here 2A 48
Little Bispham. Bkpl 5C 96
Little Blakenham. Suff 1E 54
Little Blencow. Cumb 1F 103
Little Bognor. W Sus 3B 26
Little Bolas. Shrp 3A 72
Little Bollington. Ches E 2B 84
Little Bookham. Surr 5C 38
Littleborough. Devn 1B 12
Littleborough. G Man 3H 91
Littleborough. Notts 2F 87
Littlebourne. Kent 5G 41
Little Bourton. Oxon 1C 50
Little Bowden. Leics 2E 63
Little Bradley. Suff 5F 65
Little Brampton. Shrp 2F 59
Little Brechin. Ang 2E 145
Littlebredy. Dors 4A 14
Little Brickhill. Mil 2H 51
Little Bridgeford. Staf 3C 72
Little Brington. Nptn 4D 62
Little Bromley. Essx 3D 54
Little Broughton. Cumb 1B 102
Little Budworth. Ches W 4H 83
Little Burstead. Essx 1A 40
Little Burton. E Yor 5F 101
Littlebury. Essx 2F 53
Littlebury Green. Essx 2E 53
Little Bytham. Linc 4H 75
Little Canfield. Essx 3F 53
Little Canford. Dors 3F 15
Little Carlton. Linc 2C 88
Little Carlton. Notts 5E 87
Little Casterton. Rut 5H 75
Little Catwick. E Yor 5F 101
Little Catworth. Cambs 3A 64
Little Cawthorpe. Linc 2C 88
Little Chalfont. Buck 1A 38
Little Chart. Kent 1D 28
Little Chesterford. Essx 1F 53
Little Cheverell. Wilts 1E 23
Little Chishill. Cambs 2E 53
Little Clacton. Essx 4E 55
Little Clanfield. Oxon 5A 50
Little Clifton. Cumb 2B 102
Little Coates. NE Lin 4F 95
Little Comberton. Worc 1E 49
Little Common. E Sus 5B 28
Little Compton. Warw 2A 50
Little Cornard. Suff 2B 54
Littlecote. Buck 3G 51
Littlecott. Wilts 1G 23
Little Cowarne. Here 5A 60
Little Coxwell. Oxon 2A 36
Little Crakehall. N Yor 5F 105
Little Crawley. Mil 1H 51
Little Creich. High 5D 164
Little Cressingham. Norf 5A 78
Little Crosby. Mers 4B 90
Little Crosthwaite. Cumb 2D 102
Little Cubley. Derbs 2F 73
Little Dalby. Leics 4E 75
Little Dawley. Telf 5A 72
Littledean. Glos 4B 48
Little Dens. Abers 4H 161
Little Dewchurch. Here 2A 48
Little Ditton. Cambs 5F 65
Little Down. Hants 1B 24
Little Downham. Cambs 2E 65
Little Drayton. Shrp 2A 72
Little Driffield. E Yor 4E 101
Little Dunham. Norf 4A 78
Little Dunkeld. Per 4H 143
Little Dunmow. Essx 3G 53
Little Easton. Essx 3G 53
Little Eaton. Derbs 1A 74
Little Eccleston. Lanc 5D 96
Little Ellingham. Norf 1C 66
Little Elm. Som 2C 22
Little End. Essx 5F 53
Little Everdon. Nptn 5C 62
Little Eversden. Cambs 5C 64
Little Faringdon. Oxon 5H 49
Little Fencote. N Yor 5F 105
Little Fenton. N Yor 1F 93
Littleferry. High 4F 165
Little Fransham. Norf 4B 78
Little Gaddesden. Herts 4H 51
Little Garway. Here 3H 47
Little Gidding. Cambs 2A 64
Little Glemham. Suff 5F 67
Little Glenshee. Per 5G 143
Little Gransden. Cambs 5B 64
Little Green. Suff 3C 66
Little Green. Wrex 1G 71
Little Grimsby. Linc 1C 88
Little Habton. N Yor 2B 100
Little Hadham. Herts 3E 53
Little Hale. Linc 1A 76
Little Hallingbury. Essx 4E 53
Littleham. Devn 4E 19
(nr. Bideford)
Littleham. Devn 4D 12
(nr. Exmouth)
Little Hampden. Buck 5G 51
Littlehampton. W Sus 5B 26
Little Haresfield. Glos 5D 48
Little Harrowden. Nptn 3F 63
Little Haseley. Oxon 5E 51
Little Hatfield. E Yor 5F 101
Little Hautbois. Norf 3E 79
Little Haven. Pemb 3C 42
Little Hay. Staf 5F 73
Little Hayfield. Derbs 2E 85
Little Haywood. Staf 3E 73
Little Heath. W Mid 2H 61
Little Heck. N Yor 2F 93
Littlehempston. Devn 2E 9
Little Herbert's. Glos 3E 49
Little Hereford. Here 4H 59
Little Horkesley. Essx 2C 54
Little Hormead. Herts 3E 53
Little Horsted. E Sus 4F 27
Little Horton. W Yor 1B 92
Little Horwood. Buck 2F 51
Little Houghton. Nptn 5F 63
Littlehoughton. Nmbd 3G 121
Little Houghton. S Yor 4E 93
Little Hucklow. Derbs 3F 85
Little Hulton. G Man 4F 91
Little Irchester. Nptn 4G 63
Little Kelk. E Yor 3E 101
Little Kimble. Buck 5G 51
Little Kineton. Warw 5H 61
Little Kingshill. Buck 2G 37
Little Langdale. Cumb 4E 102
Little Langford. Wilts 3F 23
Little Laver. Essx 5F 53
Little Lawford. Warw 3B 62
Little Leigh. Ches W 3A 84
Little Leighs. Essx 4H 53
Little Leven. E Yor 5E 101
Little Lever. G Man 4F 91
Little Linford. Mil 1G 51
Little London. Buck 4E 51
Little London. E Sus 4G 27
Little London. Hants 2B 24
(nr. Andover)
Little London. Hants 1E 24
(nr. Basingstoke)
Little London. Linc 3D 76
(nr. Long Sutton)
Little London. Linc 3B 76
(nr. Spalding)
Little London. Norf 2E 79
(nr. North Walsham)
Little London. Norf 1G 65
(nr. Northwold)
Little London. Norf 2D 78
(nr. Saxthorpe)
Little London. Norf 1F 65
(nr. Southery)
Little London. Powy 2C 58
Little Longstone. Derbs 3F 85
Little Malvern. Worc 1C 48
Little Maplestead. Essx 2B 54
Little Marcle. Here 2B 48
Little Marlow. Buck 3G 37
Little Massingham. Norf 3G 77
Little Melton. Norf 5D 78
Littlemill. Abers 4H 151
Littlemill. E Ayr 3D 116
Littlemill. High 4D 158
Little Mill. Mon 5G 47
Little Milton. Oxon 5E 50
Little Missenden. Buck 1A 38
Littlemoor. Derbs 4A 86
Littlemoor. Dors 4B 14
Littlemore. Oxon 5D 50
Little Mountain. Flin 4E 83
Little Musgrave. Cumb 3A 104
Little Ness. Shrp 4G 71
Little Neston. Ches W 3F 83
Little Newcastle. Pemb 2D 43
Little Newsham. Dur 3E 105
Little Oakley. Essx 3F 55
Little Oakley. Nptn 2F 63
Little Onn. Staf 4C 72
Little Ormside. Cumb 3A 104
Little Orton. Cumb 4E 113
Little Orton. Leics 5H 73
Little Ouse. Norf 2F 65
Little Ouseburn. N Yor 3G 99
Littleover. Derb 2H 73
Little Packington. Warw 2G 61
Little Paxton. Cambs 4A 64
Little Petherick. Corn 1D 6
Little Plumpton. Lanc 1B 90
Little Plumstead. Norf 4F 79
Little Ponton. Linc 2G 75
Littleport. Cambs 2E 65
Little Posbrook. Hants 2D 16
Little Potheridge. Devn 1F 11
Little Preston. Nptn 5C 62
Little Raveley. Cambs 3B 64
Little Reynoldston. Swan 4D 31
Little Ribston. N Yor 4F 99
Little Rissington. Glos 4G 49
Little Rogart. High 3E 165
Little Rollright. Oxon 2A 50
Little Ryburgh. Norf 3B 78
Little Ryle. Nmbd 3E 121
Little Ryton. Shrp 5G 71
Little Salkeld. Cumb 1G 103
Little Sampford. Essx 2G 53
Little Sandhurst. Brac 5G 37
Little Saredon. Staf 5D 72
Little Saxham. Suff 4G 65
Little Scatwell. High 3F 157
Little Shelford. Cambs 5D 64
Little Shoddesden. Hants 2A 24
Little Singleton. Lanc 1B 90
Little Smeaton. N Yor 3F 93
Little Snoring. Norf 2B 78
Little Sodbury. S Glo 3C 34
Little Somborne. Hants 3B 24
Little Somerford. Wilts 3E 35
Little Soudley. Shrp 3B 72
Little Stainforth. N Yor 3H 97
Little Stainton. Darl 2A 106
Little Stanney. Ches W 3G 83
Little Staughton. Bed 4A 64
Little Steeping. Linc 4D 88
Littlester. Shet 3G 173
Little Stoke. Staf 2D 72
Littlestone-on-Sea. Kent 3E 29
Little Stonham. Suff 4D 66
Little Stretton. Leics 5D 74
Little Stretton. Shrp 1G 59
Little Strickland. Cumb 3G 103
Little Stukeley. Cambs 3B 64
Little Sugnall. Staf 2C 72
Little Sutton. Ches W 3F 83
Little Sutton. Linc 3D 76
Little Swinburne. Nmbd 2C 114
Little Tew. Oxon 3B 50
Little Tey. Essx 3B 54
Little Thetford. Cambs 3E 65
Little Thirkleby. N Yor 2G 99
Little Thornage. Norf 2C 78
Little Thornton. Lanc 5C 96
Littlethorpe. Leics 1C 62
Littlethorpe. N Yor 3F 99
Little Thorpe. W Yor 2B 92
Little Thurlow. Suff 5F 65
Little Thurrock. Thur 3H 39
Littleton. Ches W 4G 83
Littleton. Hants 3C 24
Littleton. Som 3H 21
Littleton. Surr 1A 26
(nr. Guildford)
Littleton. Surr 4B 38
(nr. Staines)
Littleton Drew. Wilts 3D 34
Littleton Pannell. Wilts 1E 23
Littleton-upon-Severn. S Glo 3A 34
Little Torboll. High 4E 165
Little Torrington. Devn 1E 11
Little Totham. Essx 4B 54
Little Town. Cumb 3D 102
Littletown. Dur 5G 115
Littletown. High 5E 165
Little Town. Lanc 1E 91
Little Twycross. Leics 5H 73
Little Urswick. Cumb 2B 96
Little Wakering. Essx 2D 40
Little Walden. Essx 1F 53
Little Waldingfield. Suff 1C 54
Little Walsingham. Norf 2B 78
Little Waltham. Essx 4H 53
Little Warley. Essx 1H 39
Little Washbourne. Glos 2E 49
Little Weighton. E Yor 1C 94
Little Wenham. Suff 2D 54
Little Wenlock. Telf 5A 72
Little Whelnetham. Suff 5A 66
Little Whittingham Green. Suff 3E 67
Littlewick Green. Wind 4G 37
Little Wilbraham. Cambs 5E 65
Littlewindsor. Dors 2H 13
Little Wisbeach. Linc 2A 76
Little Witcombe. Glos 4E 49
Little Witley. Worc 4B 60
Little Wittenham. Oxon 2D 36
Little Wolford. Warw 2A 50
Littleworth. Bed 1A 52
Littleworth. Glos 2G 49
Littleworth. Oxon 2B 36
Littleworth. Staf 4E 73
(nr. Cannock)
Littleworth. Staf 3B 72
(nr. Eccleshall)
Littleworth. Staf 3D 72
(nr. Stafford)
Littleworth. W Sus 3C 26
Littleworth. Worc 4D 61
(nr. Redditch)
Littleworth. Worc 1D 49
(nr. Worcester)
Little Wratting. Suff 1G 53
Little Wymington. Nptn 4G 63
Little Wymondley. Herts 3C 52
Little Wyrley. Staf 5E 73
Little Yeldham. Essx 2A 54
Littley Green. Essx 4G 53
Litton. Derbs 3F 85
Litton. N Yor 2B 98
Litton. Som 1A 22
Litton Cheney. Dors 3A 14
Liurbost. W Isl 5F 171
Liverpool. Mers 1F 83 & 200
Liverpool John Lennon Airport. Mers 2G 83
Liversedge. W Yor 2B 92
Liverton. Devn 5B 12
Liverton. Red C 3E 107
Liverton Mines. Red C 3E 107
Livingston. W Lot 3D 128
Livingston Village. W Lot 3D 128
Lixwm. Flin 3D 82
Lizard. Corn 5E 5
Llaingoch. IOA 2B 80
Llaithddu. Powy 2C 58
Llampha. V Glam 4C 32
Llan. Powy 5A 70
Llanaber. Gwyn 4F 69
Llanaelhaearn. Gwyn 1C 68
Llanaeron. Cdgn 4D 57
Llanafan. Cdgn 3F 57
Llanafan-fawr. Powy 5B 58
Llanafan-fechan. Powy 5B 58
Llanallgo. IOA 2D 81
Llanandras. Powy 4F 59
Llananno. Powy 3C 58
Llanarmon. Gwyn 2D 68
Llanarmon Dyffryn Ceiriog. Wrex 2D 70
Llanarmon-yn-Ial. Den 5D 82
Llanarth. Cdgn 5D 56
Llanarth. Mon 4G 47
Llanarthne. Carm 3F 45
Llanasa. Flin 2D 82
Llanbabo. IOA 2C 80
Llanbadarn Fawr. Cdgn 2F 57
Llanbadarn Fynydd. Powy 3C 58
Llanbadarn-y-garreg. Powy 1E 46
Llanbadoc. Mon 5G 47
Llanbadrig. IOA 1C 80
Llanbeder. Newp 2G 33
Llanbedr. Gwyn 3E 69
Llanbedr. Powy 3F 47
(nr. Crickhowell)
Llanbedr. Powy 1E 47
(nr. Hay-on-Wye)
Llanbedr-Dyffryn-Clwyd. Den 5D 82
Llanbedrgoch. IOA 2E 81
Llanbedrog. Gwyn 2C 68
Llanbedr Pont Steffan. Cdgn 1F 45
Llanbedr-y-cennin. Cnwy 4G 81
Llanberis. Gwyn 4E 81
Llanbethery. V Glam 5D 32
Llanbister. Powy 3D 58
Llanblethian. V Glam 4C 32
Llanboidy. Carm 2G 43
Llanbradach. Cphy 2E 33
Llanbrynmair. Powy 5A 70
Llanbydderi. V Glam 5D 32
Llancadle. V Glam 5D 32
Llancarfan. V Glam 4D 32
Llancatal. V Glam 5D 32
Llancayo. Mon 5G 47
Llancloudy. Here 3H 47
Llancoch. Powy 3E 58
Llancynfelyn. Cdgn 1F 57
Llandaff. Card 4E 33
Llandanwg. Gwyn 3E 69
Llandarcy. Neat 3G 31
Llandawke. Carm 3G 43
Llanddaniel-Fab. IOA 3D 81
Llanddarog. Carm 4F 45
Llanddeiniol. Cdgn 3E 57
Llanddeiniolen. Gwyn 4E 81
Llandderfel. Gwyn 2B 70
Llanddeusant. Carm 3A 46
Llanddeusant. IOA 2C 80
Llanddew. Powy 2D 46
Llanddewi. Swan 4D 30
Llanddewi Brefi. Cdgn 5F 57
Llanddewi'r Cwm. Powy 1D 46
Llanddewi Rhydderch. Mon 4G 47
Llanddewi Velfrey. Pemb 3F 43
Llanddewi Ystradenni. Powy 4D 58
Llanddoged. Cnwy 4H 81
Llanddona. IOA 3E 81
Llanddowror. Carm 3G 43
Llanddulas. Cnwy 3B 82
Llanddwywe. Gwyn 3E 69
Llanddyfnan. IOA 3E 81
Llandecwyn. Gwyn 2F 69
Llandefaelog Fach. Powy 2D 46
Llandefaelog-tre'r-graig. Powy 2E 47
Llandefalle. Powy 2E 46
Llandegfan. IOA 3E 81
Llandegla. Den 5D 82
Llandegley. Powy 4D 58
Llandegveth. Mon 2G 33
Llandeilo. Carm 3G 45
Llandeilo Graban. Powy 1D 46
Llandeilo'r Fan. Powy 2B 46
Llandeloy. Pemb 2C 42
Llandenny. Mon 5H 47
Llandevaud. Newp 2H 33
Llandevenny. Mon 3G 33
Llandilo. Pemb 2F 43
Llandinabo. Here 3A 48
Llandinam. Powy 2C 58
Llandissilio. Pemb 2F 43
Llandogo. Mon 5A 48
Llandough. V Glam 4C 32
(nr. Cowbridge)
Llandough. V Glam 4E 33
(nr. Penarth)
Llandovery. Carm 2A 46
Llandow. V Glam 4C 32
Llandre. Cdgn 2F 57
Llandrillo. Den 2C 70
Llandrillo-yn-Rhos. Cnwy 2H 81
Llandrindod. Powy 4C 58
Llandrindod Wells. Powy 4C 58
Llandrinio. Powy 4E 71
Llandsadwrn. Carm 2G 45
Llandudno. Cnwy 2G 81
Llandudno Junction. Cnwy 3G 81
Llandudoch. Pemb 1B 44
Llandw. V Glam 4C 32
Llandwrog. Gwyn 5D 80
Llandybie. Carm 4G 45
Llandyfaelog. Carm 4E 45
Llandyfan. Carm 4G 45
Llandyfriog. Cdgn 1D 44
Llandyfrydog. IOA 2D 80
Llandygai. Gwyn 3E 81
Llandygwydd. Cdgn 1C 44
Llandynan. Den 1D 70
Llandyrnog. Den 4D 82
Llandysilio. Powy 4E 71
Llandyssil. Powy 1D 58
Llandysul. Cdgn 1E 45
Llanedeyrn. Card 3F 33
Llaneglwys. Powy 2D 46
Llanegryn. Gwyn 5F 69
Llanegwad. Carm 3F 45
Llaneilian. IOA 1D 80
Llanelian-yn-Rhos. Cnwy 3A 82
Llanelidan. Den 5D 82
Llanelieu. Powy 2E 47
Llanellen. Mon 4G 47
Llanelli. Carm 3E 31
Llanelltyd. Gwyn 4G 69
Llanelly. Mon 4F 47
Llanelly Hill. Mon 4F 47
Llanelwedd. Powy 5C 58
Llanelwy. Den 3C 82
Llanenddwyn. Gwyn 3E 69
Llanengan. Gwyn 3B 68
Llanerch. Powy 1F 59
Llanerchymedd. IOA 2D 80
Llanerfyl. Powy 5C 70
Llaneuddog. IOA 2D 80
Llanfachraeth. IOA 2C 80
Llanfaelog. IOA 3C 80
Llanfaelrhys. Gwyn 3B 68
Llanfaenor. Mon 4H 47
Llanfaes. IOA 3F 81
Llanfaes. Powy 3D 46
Llanfaethlu. IOA 2C 80
Llanfaglan. Gwyn 4D 80
Llanfair. Gwyn 3E 69
Llanfair. Here 1F 47
Llanfair Caereinion. Powy 5D 70
Llanfair Clydogau. Cdgn 5F 57
Llanfair Dyffryn Clwyd. Den 5D 82
Llanfairfechan. Cnwy 3F 81
Llanfair-Nant-Gwyn. Pemb 1F 43
Llanfair Pwllgwyngyll. IOA 3E 81
Llanfair Talhaiarn. Cnwy 3B 82
Llanfair Waterdine. Shrp 3E 59
Llanfair-ym-Muallt. Powy 5C 58
Llanfairyneubwll. IOA 3C 80
Llanfairynghornwy. IOA 1C 80
Llanfallteg. Carm 3F 43
Llanfallteg West. Carm 3F 43
Llanfaredd. Powy 5C 58
Llanfarian. Cdgn 3E 57
Llanfechain. Powy 3D 70
Llanfechell. IOA 1C 80
Llanfechreth. Gwyn 3G 69
Llanfendigaid. Gwyn 5E 69
Llanferres. Den 4D 82
Llan Ffestiniog. Gwyn 1G 69
Llanfflewyn. IOA 2C 80
Llanfihangel Glyn Myfyr. Cnwy 1B 70
Llanfihangel Nant Bran. Powy 2C 46
Llanfihangel-Nant-Melan. Powy 5D 58
Llanfihangel Rhydithon. Powy 4D 58
Llanfihangel Rogiet. Mon 3H 33
Llanfihangel Tal-y-llyn. Powy 3E 46
Llanfihangel-uwch-Gwili. Carm 3E 45
Llanfihangel-yng-Ngwynfa. Powy 4C 70
Llanfihangel yn Nhowyn. IOA 3C 80
Llanfihangel-y-pennant. Gwyn 1E 69
(nr. Golan)
Llanfihangel-y-pennant. Gwyn 5F 69
(nr. Tywyn)
Llanfilo. Powy 2E 46
Llanfinhangel-ar-Arth. Carm 2E 45
Llanfinhangel-y-Creuddyn. Cdgn 3F 57
Llanfinhangel-y-traethau. Gwyn 2E 69
Llanfleiddan. V Glam 4C 32
Llanfoist. Mon 4F 47
Llanfor. Gwyn 2B 70
Llanfrechfa. Torf 2G 33
Llanfrothen. Gwyn 1F 69
Llanfrynach. Powy 3D 46
Llanfwrog. Den 5D 82
Llanfwrog. IOA 2C 80
Llanfyllin. Powy 4D 70
Llanfynydd. Carm 3F 45
Llanfynydd. Flin 5E 83
Llanfyrnach. Pemb 1G 43
Llangadfan. Powy 4C 70

Llangadog. *Carm* 3H 45
(nr. Llandovery)
Llangadog. *Carm* 5E 45
(nr. Llanelli)
Llangadwaladr. *IOA* 4C 80
Llangadwaladr. *Powy* 2D 70
Llangaffo. *IOA* 4D 80
Llangain. *Carm* 4D 45
Llangammarch Wells. *Powy* 1C 46
Llangan. *V Glam* 4C 32
Llangarron. *Here* 3A 48
Llangasty-Talyllyn. *Powy* 3E 47
Llangathen. *Carm* 3F 45
Llangattock. *Powy* 4F 47
Llangattock Lingoed. *Mon* 3G 47
Llangattock-Vibon-Avel. *Mon* 4H 47
Llangedwyn. *Powy* 3D 70
Llangefni. *IOA* 3D 80
Llangeinor. *B'end* 3C 32
Llangeitho. *Cdgn* 5F 57
Llangeler. *Carm* 2D 44
Llangelynin. *Gwyn* 5E 69
Llangendeirne. *Carm* 4E 45
Llangennech. *Carm* 5F 45
Llangennith. *Swan* 3D 30
Llangenny. *Powy* 4F 47
Llangernyw. *Cnwy* 4A 82
Llangian. *Gwyn* 3B 68
Llangiwg. *Neat* 5H 45
Llangloffan. *Pemb* 1D 42
Llanglydwen. *Carm* 2F 43
Llangoed. *IOA* 3F 81
Llangoedmor. *Cdgn* 1B 44
Llangollen. *Den* 1E 70
Llangolman. *Pemb* 2F 43
Llangorse. *Powy* 3E 47
Llangorwen. *Cdgn* 2F 57
Llangovan. *Mon* 5H 47
Llangower. *Gwyn* 2B 70
Llangranog. *Cdgn* 5C 56
Llangristiolus. *IOA* 3D 80
Llangrove. *Here* 4A 48
Llangua. *Mon* 3G 47
Llangunllo. *Powy* 3E 58
Llangunnor. *Carm* 3E 45
Llangurig. *Powy* 3B 58
Llangwm. *Cnwy* 1B 70
Llangwm. *Mon* 5H 47
Llangwm. *Pemb* 4D 43
Llangwm-isaf. *Mon* 5H 47
Llangwnnadl. *Gwyn* 2B 68
Llangwyfan. *Den* 4D 82
Llangwyfan-isaf. *IOA* 4C 80
Llangwyllog. *IOA* 3D 80
Llangwyryfon. *Cdgn* 3E 57
Llangybi. *Cdgn* 5F 57
Llangybi. *Gwyn* 1D 68
Llangybi. *Mon* 2G 33
Llangyfelach. *Swan* 3F 31
Llangynhafal. *Den* 4D 82
Llangynidr. *Powy* 4E 47
Llangynin. *Carm* 3G 43
Llangynog. *Carm* 3H 43
Llangynog. *Powy* 3C 70
Llangynwyd. *B'end* 3B 32
Llanhamlach. *Powy* 3D 46
Llanharan. *Rhon* 3D 32
Llanharry. *Rhon* 3D 32
Llanhennock. *Mon* 2G 33
Llanhilleth. *Blae* 5F 47
Llanidloes. *Powy* 2B 58
Llaniestyn. *Gwyn* 2B 68
Llanigon. *Powy* 1F 47
Llanilar. *Cdgn* 3F 57
Llanilid. *Rhon* 3C 32
Llanilltud Fawr. *V Glam* 5C 32
Llanishen. *Card* 3E 33
Llanishen. *Mon* 5H 47
Llanllawddog. *Carm* 3E 45
Llanllechid. *Gwyn* 4F 81
Llanllowell. *Mon* 2G 33
Llanllugan. *Powy* 5C 70
Llanllwch. *Carm* 4D 45
Llanllwchaiarn. *Powy* 1D 58
Llanllwni. *Carm* 2E 45
Llanllyfni. *Gwyn* 5D 80
Llanmadoc. *Swan* 3D 30
Llanmaes. *V Glam* 5C 32
Llanmartin. *Newp* 3G 33
Llanmerwig. *Powy* 1D 58
Llanmihangel. *V Glam* 4C 32
Llan-mill. *Pemb* 3F 43
Llanmiloe. *Carm* 4G 43
Llanmorlais. *Swan* 3E 31
Llannefydd. *Cnwy* 3B 82
Llannon. *Carm* 5F 45
Llan-non. *Cdgn* 4E 57
Llannor. *Gwyn* 2C 68
Llanpumsaint. *Carm* 3E 45
Llanrhaeadr. *Den* 4C 82
Llanrhaeadr-ym-Mochnant.
Powy 3D 70
Llanrhidian. *Swan* 3D 31
Llanrhos. *Cnwy* 2G 81
Llanrhyddlad. *IOA* 2C 80
Llanrhystud. *Cdgn* 4E 57
Llanrian. *Pemb* 1C 42
Llanrothal. *Here* 4H 47
Llanrug. *Gwyn* 4E 81
Llanrumney. *Card* 3F 33
Llanrwst. *Cnwy* 4G 81
Llansadurnen. *Carm* 3G 43
Llansadwrn. *IOA* 3E 81
Llansaint. *Carm* 5D 45
Llansamlet. *Swan* 3F 31
Llansanffraid Glan Conwy.
Cnwy 3H 81
Llansannan. *Cnwy* 4B 82
Llansannor. *V Glam* 4C 32
Llansantffraed. *Cdgn* 4E 57
Llansantffraed. *Powy* 3E 46
Llansantffraed Cwmdeuddwr.
Powy 4B 58
Llansantffraed in Elwel. *Powy* 5C 58
Llansantffraid-ym-Mechain.
Powy 3E 70
Llansawel. *Carm* 2G 45
Llansawel. *Neat* 3G 31
Llansilin. *Powy* 3E 70
Llansoy. *Mon* 5H 47
Llanspyddid. *Powy* 3D 46
Llanstadwell. *Pemb* 4D 42
Llansteffan. *Carm* 3H 43
Llanstephan. *Powy* 1E 46
Llantarnam. *Torf* 2F 33
Llanteg. *Pemb* 3F 43
Llanthony. *Mon* 3F 47
Llantilio Crossenny. *Mon* 4G 47
Llantilio Pertholey. *Mon* 4G 47
Llantood. *Pemb* 1B 44
Llantrisant. *Mon* 2G 33
Llantrisant. *Rhon* 3D 32
Llantrithyd. *V Glam* 4D 32
Llantwit Fardre. *Rhon* 3D 32
Llantwit Major. *V Glam* 5C 32
Llanuwchllyn. *Gwyn* 2A 70
Llanvaches. *Newp* 2H 33
Llanvair Discoed. *Mon* 2H 33
Llanvapley. *Mon* 4G 47
Llanvetherine. *Mon* 4G 47
Llanveynoe. *Here* 2G 47
Llanvihangel Crucorney. *Mon* 3G 47
Llanvihangel Gobion. *Mon* 5G 47
Llanvihangel Ystern-Llewern.
Mon 4H 47
Llanwarne. *Here* 3A 48
Llanwddyn. *Powy* 4C 70
Llanwenarth. *Mon* 4F 47
Llanwenog. *Cdgn* 1E 45
Llanwern. *Newp* 3G 33
Llanwinio. *Carm* 2G 43
Llanwnda. *Gwyn* 5D 81
Llanwnda. *Pemb* 1D 42
Llanwnnen. *Cdgn* 1F 45
Llanwnog. *Powy* 1C 58
Llanwrda. *Carm* 2H 45
Llanwrin. *Powy* 5G 69
Llanwrthwl. *Powy* 4B 58
Llanwrtud. *Powy* 1B 46
Llanwrtyd. *Powy* 1B 46
Llanwrtyd Wells. *Powy* 1B 46
Llanwyddelan. *Powy* 5C 70
Llanyblodwel. *Shrp* 3E 71
Llanybri. *Carm* 3H 43
Llanybydder. *Carm* 1F 45
Llanycefn. *Pemb* 2E 43
Llanychaer. *Pemb* 1D 43
Llanycil. *Gwyn* 2B 70
Llanymawddwy. *Gwyn* 4B 70
Llanymddyfri. *Carm* 2A 46
Llanymynech. *Shrp* 3E 71
Llanynghenedl. *IOA* 2C 80
Llanynys. *Den* 4D 82
Llan-y-pwll. *Wrex* 5F 83
Llanyrafon. *Torf* 2G 33
Llanyre. *Powy* 4C 58
Llanystumdwy. *Gwyn* 2D 68
Llanywern. *Powy* 3E 46
Llawhaden. *Pemb* 3E 43
Llawndy. *Flin* 2D 82
Llawnt. *Shrp* 2E 71
Llawr Dref. *Gwyn* 3B 68
Llawryglyn. *Powy* 1B 58
Llay. *Wrex* 5F 83
Llechfaen. *Powy* 3D 46
Llechryd. *Cphy* 5E 46
Llechryd. *Cdgn* 1C 44
Llechrydau. *Wrex* 2E 71
Lledrod. *Cdgn* 3F 57
Llethrid. *Swan* 3E 31
Llidiad-Nenog. *Carm* 2F 45
Llidiardau. *Gwyn* 2A 70
Llidiart y Parc. *Den* 1D 70
Llithfaen. *Gwyn* 1C 68
Lloc. *Flin* 3D 82
Llong. *Flin* 4E 83
Llowes. *Powy* 1E 47
Lloyney. *Powy* 3E 59
Llundain-fach. *Cdgn* 5E 57
Llwydcoed. *Rhon* 5C 46
Llwyncelyn. *Cdgn* 5D 56
Llwyncelyn. *Swan* 5G 45
Llwyndafydd. *Cdgn* 5C 56
Llwynderw. *Powy* 5E 70
Llwyn-du. *Mon* 4F 47
Llwyngwril. *Gwyn* 5E 69
Llwynhendy. *Carm* 3E 31
Llwynmawr. *Wrex* 2E 71
Llwyn-on Village. *Mer T* 4D 46
Llwyn-teg. *Carm* 5F 45
Llwyn-y-brain. *Carm* 3F 43
Llwynygog. *Powy* 1A 58
Llwyn-y-groes. *Cdgn* 5E 57
Llwynypia. *Rhon* 2C 32
Llynclys. *Shrp* 3E 71
Llynfaes. *IOA* 3D 80
Llysfaen. *Cnwy* 3A 82
Llyswen. *Powy* 2E 47
Llysworney. *V Glam* 4C 32
Llys-y-fran. *Pemb* 2E 43
Llywel. *Powy* 2B 46
Llywernog. *Cdgn* 2G 57
Loan. *Falk* 2C 128
Loanend. *Nmbd* 4F 131
Loanhead. *Midl* 3F 129
Loaningfoot. *Dum* 4A 112
Loanreoch. *High* 1A 158
Loans. *S Ayr* 1C 116
Loansdean. *Nmbd* 1F 115
Lobb. *Devn* 3E 19
Lobhillcross. *Devn* 4E 11
Lochaber. *Mor* 3E 159
Loch a Charnain. *W Isl* 4D 170
Loch a Ghainmhich. *W Isl* 5E 171
Lochailort. *High* 5F 147
Lochaline. *High* 4A 140
Lochans. *Dum* 4F 109
Locharbriggs. *Dum* 1A 112
Lochardil. *High* 4A 158
Lochassynt Lodge. *High* 1F 163
Lochavich. *Arg* 2G 133
Lochawe. *Arg* 1A 134
Loch Baghasdail. *W Isl* 7C 170
Lochboisdale. *W Isl* 7C 170
Lochbuie. *Arg* 1D 132
Lochcarron. *High* 5A 156
Loch Choire Lodge. *High* 5G 167
Lochdar. *W Isl* 4C 170
Lochdochart House. *Stir* 1D 134
Lochdon. *Arg* 5B 140
Lochearnhead. *Stir* 1E 135
Lochee. *D'dee* 5C 144
Lochend. *High* 5H 157
(nr. Inverness)
Lochend. *High* 2E 169
(nr. Thurso)
Locherben. *Dum* 5B 118
Loch Euphort. *W Isl* 2D 170
Lochfoot. *Dum* 2F 111
Lochgair. *Arg* 4G 133
Lochgarthside. *High* 2H 149
Lochgelly. *Fife* 4D 136
Lochgilphead. *Arg* 1G 125
Lochgoilhead. *Arg* 3A 134
Loch Head. *Dum* 5A 110
Lochhill. *Mor* 2G 159
Lochindorb Lodge. *High* 5D 158
Lochinver. *High* 1E 163
Lochlane. *Per* 1H 135
Loch Lomond. *Arg* 3C 134
Loch Loyal Lodge. *High* 4G 167
Lochluichart. *High* 2F 157
Lochmaben. *Dum* 1B 112
Lochmaddy. *W Isl* 2E 170
Loch nam Madadh. *W Isl* 2E 170
Lochore. *Fife* 4D 136
Lochportain. *W Isl* 1E 170
Lochranza. *N Ayr* 4H 125
Loch Sgioport. *W Isl* 5D 170
Lochside. *Abers* 2G 145
Lochside. *High* 5A 168
(nr. Achentoul)
Lochside. *High* 3C 158
(nr. Nairn)
Lochslin. *High* 5F 165
Lochstack Lodge. *High* 4C 166
Lochton. *Abers* 4E 153
Lochty. *Fife* 3H 137
Lochuisge. *High* 3B 140
Lochussie. *High* 3G 157
Lochwinnoch. *Ren* 4E 127
Lochyside. *High* 1F 141
Lockengate. *Corn* 2E 7
Lockerbie. *Dum* 1C 112
Lockeridge. *Wilts* 5G 35
Lockerley. *Hants* 4A 24
Lockhills. *Cumb* 5G 113
Locking. *N Som* 1G 21
Lockington. *E Yor* 5D 101
Lockington. *Leics* 3B 74
Lockleywood. *Shrp* 3A 72
Locksgreen. *IOW* 3C 16
Locks Heath. *Hants* 2D 16
Lockton. *N Yor* 5F 107
Loddington. *Leics* 5E 75
Loddington. *Nptn* 3F 63
Loddiswell. *Devn* 4D 8
Loddon. *Norf* 1F 67
Lode. *Cambs* 4E 65
Loders. *Dors* 3H 13
Lodsworth. *W Sus* 3A 26
Lofthouse. *N Yor* 2D 98
Lofthouse. *W Yor* 2D 92
Lofthouse Gate. *W Yor* 2D 92
Loftus. *Red C* 3E 107
Logan. *E Ayr* 2E 117
Loganlea. *W Lot* 3C 128
Logaston. *Here* 5F 59
Loggerheads. *Staf* 2B 72
Loggie. *High* 4F 163
Logie. *Ang* 2F 145
Logie. *Fife* 1G 137
Logie. *Mor* 3E 159
Logie Coldstone. *Abers* 3B 152
Logie Pert. *Ang* 2F 145
Logierait. *Per* 3G 143
Login. *Carm* 2F 43
Lolworth. *Cambs* 4C 64
Lonbain. *High* 3F 155
Londesborough. *E Yor* 5C 100
London. *G Lon* 2E 39 & 202-203
London Apprentice. *Corn* 3E 6
London Ashford (Lydd) Airport.
Kent 3E 29
London City Airport. *G Lon* 2F 39
London Colney. *Herts* 5B 52
Londonderry. *N Yor* 1F 99
London Gatwick Airport.
W Sus 1D 27 & 216
London Heathrow Airport.
G Lon 3B 38 & 216
London Luton Airport.
Lutn 3B 52 & 216
London Southend Airport. *Essx* 2C 40
London Stansted Airport.
Essx 3F 53 & 216
Londonthorpe. *Linc* 2G 75
Londubh. *High* 5C 162
Lone. *High* 4D 166
Lonemore. *High* 5E 165
(nr. Dornoch)
Lonemore. *High* 1G 155
(nr. Gairloch)
Long Ashton. *N Som* 4A 34
Long Bank. *Worc* 3B 60
Longbar. *N Ayr* 4E 127
Long Bennington. *Linc* 1F 75
Longbenton. *Tyne* 3F 115
Longborough. *Glos* 3G 49
Long Bredy. *Dors* 3A 14
Longbridge. *Warw* 4G 61
Longbridge. *W Mid* 3E 61
Longbridge Deverill. *Wilts* 2D 22
Long Buckby. *Nptn* 4D 62
Long Buckby Wharf. *Nptn* 4D 62
Longburgh. *Cumb* 4E 112
Longburton. *Dors* 1B 14
Long Clawson. *Leics* 3E 74
Longcliffe. *Derbs* 5G 85
Long Common. *Hants* 1D 16
Long Compton. *Staf* 3C 72
Long Compton. *Warw* 2A 50
Longcot. *Oxon* 2A 36
Long Crendon. *Buck* 5E 51
Long Crichel. *Dors* 1E 15
Longcroft. *Cumb* 4D 112
Longcroft. *Falk* 2A 128
Longcross. *Surr* 4A 38
Longdale. *Cumb* 4H 103
Longdales. *Cumb* 5G 113
Longden. *Shrp* 5G 71
Longden Common. *Shrp* 5G 71
Long Ditton. *Surr* 4C 38
Longdon. *Staf* 4E 73
Longdon. *Worc* 2D 48
Longdon Green. *Staf* 4E 73
Longdon on Tern. *Telf* 4A 72
Longdown. *Devn* 3B 12
Longdowns. *Corn* 5B 6
Long Drax. *N Yor* 2G 93
Long Duckmanton. *Derbs* 3B 86
Long Eaton. *Derbs* 2B 74
Longfield. *Kent* 4H 39
Longfield. *Shet* 10E 173
Longfield Hill. *Kent* 4H 39
Longford. *Derbs* 2G 73
Longford. *Glos* 3D 48
Longford. *G Lon* 3B 38
Longford. *Shrp* 2A 72
Longford. *Telf* 4B 72
Longford. *W Mid* 2H 61
Longforgan. *Per* 1F 137
Longformacus. *Bord* 4C 130
Longframlington. *Nmbd* 4F 121
Long Gardens. *Essx* 2B 54
Long Green. *Ches W* 3G 83
Long Green. *Worc* 2D 48
Longham. *Dors* 3F 15
Longham. *Norf* 4B 78
Long Hanborough. *Oxon* 4C 50
Longhedge. *Wilts* 2D 22
Longhill. *Abers* 3H 161
Longhirst. *Nmbd* 1F 115
Longhope. *Glos* 4B 48
Longhope. *Orkn* 8C 172
Longhorsley. *Nmbd* 5F 121
Longhoughton. *Nmbd* 3G 121
Long Itchington. *Warw* 4B 62
Longlands. *Cumb* 1D 102
Longlane. *Derbs* 2G 73
Long Lane. *Telf* 4A 72
Longlane. *W Ber* 4C 36
Long Lawford. *Warw* 3B 62
Long Lease. *N Yor* 4G 107
Longley Green. *Worc* 5B 60
Long Load. *Som* 4H 21
Longmanhill. *Abers* 2E 161
Long Marston. *Herts* 4G 51
Long Marston. *N Yor* 4H 99
Long Marston. *Warw* 1G 49
Long Marton. *Cumb* 2H 103
Long Meadow. *Cambs* 4E 65
Long Meadowend. *Shrp* 2G 59
Long Melford. *Suff* 1B 54
Longmoor Camp. *Hants* 3F 25
Longmorn. *Mor* 3G 159
Longmoss. *Ches E* 3C 84
Long Newnton. *Glos* 2E 35
Longnewton. *Bord* 2H 119
Long Newton. *Stoc T* 3A 106
Longney. *Glos* 4C 48
Longniddry. *E Lot* 2H 129
Longnor. *Shrp* 5G 71
Longnor. *Staf* 4E 85
(nr. Leek)
Longnor. *Staf* 4C 72
(nr. Stafford)
Longparish. *Hants* 2C 24
Longpark. *Cumb* 3F 113
Long Preston. *N Yor* 4H 97
Longridge. *Lanc* 1E 90
Longridge. *Staf* 4D 72
Longridge. *W Lot* 3C 128
Longriggend. *N Lan* 2B 128
Long Riston. *E Yor* 5F 101
Longrock. *Corn* 3C 4
Longsdon. *Staf* 5D 84
Longshaw. *G Man* 4D 90
Longshaw. *Staf* 1E 73
Longside. *Abers* 4H 161
Longslow. *Shrp* 2A 72
Longstanton. *Cambs* 4C 64
Longstock. *Hants* 3B 24
Longstowe. *Cambs* 5C 64
Long Stratton. *Norf* 1D 66
Long Street. *Mil* 1F 51
Longstreet. *Wilts* 1G 23
Long Sutton. *Hants* 2F 25
Long Sutton. *Linc* 3D 76
Long Sutton. *Som* 4H 21
Longthorpe. *Pet* 1A 64
Long Thurlow. *Suff* 4C 66
Longthwaite. *Cumb* 2F 103
Longton. *Lanc* 2C 90
Longton. *Stoke* 1D 72
Longtown. *Cumb* 3E 113
Longtown. *Here* 3G 47
Longville in the Dale. *Shrp* 1H 59
Long Whatton. *Leics* 3B 74
Longwick. *Buck* 5F 51
Long Wittenham. *Oxon* 2D 36
Longwitton. *Nmbd* 1D 115
Longworth. *Oxon* 2B 36
Longyester. *E Lot* 3B 130
Lonmore. *High* 4B 154
Looe. *Corn* 3G 7
Loose. *Kent* 5B 40
Loosegate. *Linc* 3C 76
Loosley Row. *Buck* 5G 51
Lopcombe Corner. *Wilts* 3A 24
Lopen. *Som* 1H 13
Loppington. *Shrp* 3G 71
Lorbottle. *Nmbd* 4E 121
Lorbottle Hall. *Nmbd* 4E 121
Lordington. *W Sus* 2F 17
Loscoe. *Derbs* 1B 74
Loscombe. *Dors* 3A 14
Losgaintir. *W Isl* 8C 171
Lossiemouth. *Mor* 2G 159
Lossit. *Arg* 4A 124
Lostock Gralam. *Ches W* 3A 84
Lostock Green. *Ches W* 3A 84
Lostock Hall. *Lanc* 2D 90
Lostock Junction. *G Man* 4E 91
Lostwithiel. *Corn* 3F 7
Lothbeg. *High* 2G 165
Lothersdale. *N Yor* 5B 98
Lothianbridge. *Midl* 3G 129
Lothianburn. *Edin* 3F 129
Lothmore. *High* 2G 165
Lottisham. *Som* 3A 22
Loudwater. *Buck* 1A 38
Loughborough. *Leics* 4C 74
Loughor. *Swan* 3E 31
Loughton. *Essx* 1F 39
Loughton. *Mil* 2G 51
Loughton. *Shrp* 2A 60
Lound. *Linc* 4H 75
Lound. *Notts* 2D 86
Lound. *Suff* 1H 67
Lount. *Leics* 4A 74
Louth. *Linc* 2C 88
Love Clough. *Lanc* 2G 91
Lovedean. *Hants* 1E 17
Lover. *Wilts* 4H 23
Loversall. *S Yor* 1C 86
Loves Green. *Essx* 5G 53
Loveston. *Pemb* 4E 43
Lovington. *Som* 3A 22
Low Ackworth. *W Yor* 3E 93
Low Angerton. *Nmbd* 1D 115
Low Ardwell. *Dum* 5F 109
Low Ballochdoan. *S Ayr* 2F 109
Lowbands. *Glos* 2C 48
Low Barlings. *Linc* 3H 87
Low Bell End. *N Yor* 5E 107
Low Bentham. *N Yor* 3F 97
Low Borrowbridge. *Cumb* 4H 103
Low Bradfield. *S Yor* 1G 85
Low Bradley. *N Yor* 5C 98
Low Braithwaite. *Cumb* 5F 113
Low Brunton. *Nmbd* 2C 114
Low Burnham. *N Lin* 4A 94
Lowca. *Cumb* 2A 102
Low Catton. *E Yor* 4B 100
Low Coniscliffe. *Darl* 3F 105
Low Coylton. *S Ayr* 3D 116
Low Crosby. *Cumb* 4F 113
Low Dalby. *N Yor* 1C 100
Lowdham. *Notts* 1D 74
Low Dinsdale. *Darl* 3A 106
Lowe. *Shrp* 2G 71
Low Ellington. *N Yor* 1E 98
Lower Amble. *Corn* 1D 6
Lower Ansty. *Dors* 2C 14
Lower Arboll. *High* 5F 165
Lower Arncott. *Oxon* 4E 50
Lower Ashton. *Devn* 4B 12
Lower Assendon. *Oxon* 3F 37
Lower Auchenreath. *Mor* 2A 160
Lower Badcall. *High* 4B 166
Lower Ballam. *Lanc* 1B 90
Lower Basildon. *W Ber* 4E 36
Lower Beeding. *W Sus* 3D 26
Lower Benefield. *Nptn* 2G 63
Lower Bentley. *Worc* 4D 61
Lower Beobridge. *Shrp* 1B 60
Lower Bockhampton. *Dors* 3C 14
Lower Boddington. *Nptn* 5B 62
Lower Bordean. *Hants* 4E 25
Lower Brailes. *Warw* 2B 50
Lower Breakish. *High* 1E 147
Lower Broadheath. *Worc* 5C 60
Lower Brynamman. *Neat* 4H 45
Lower Bullingham. *Here* 2A 48
Lower Bullington. *Hants* 2C 24
Lower Burgate. *Hants* 1G 15
Lower Cam. *Glos* 5C 48
Lower Catesby. *Nptn* 5C 62
Lower Chapel. *Powy* 2D 46
Lower Cheriton. *Devn* 2E 12
Lower Chicksgrove. *Wilts* 3E 23
Lower Chute. *Wilts* 1B 24
Lower Clopton. *Warw* 5F 61
Lower Common. *Hants* 2E 25
Lower Crossings. *Derbs* 2E 85
Lower Cumberworth. *W Yor* 4C 92
Lower Darwen. *Bkbn* 2E 91
Lower Dean. *Bed* 4H 63
Lower Dean. *Devn* 2D 8
Lower Diabaig. *High* 2G 155
Lower Dicker. *E Sus* 4G 27
Lower Dounreay. *High* 2B 168
Lower Down. *Shrp* 2F 59
Lower Dunsforth. *N Yor* 3G 99
Lower East Carleton. *Norf* 5D 78
Lower Egleton. *Here* 1B 48
Lower Ellastone. *Derbs* 1F 73
Lower End. *Nptn* 4F 63
Lower Everleigh. *Wilts* 1G 23
Lower Eype. *Dors* 3H 13
Lower Failand. *N Som* 4A 34
Lower Faintree. *Shrp* 2A 60
Lower Farringdon. *Hants* 3F 25
Lower Foxdale. *IOM* 4B 108
Lower Frankton. *Shrp* 2F 71

Lower Froyle. *Hants* 2F 25
Lower Gabwell. *Devn* 2F 9
Lower Gledfield. *High* 4C 164
Lower Godney. *Som* 2H 21
Lower Gravenhurst. *C Beds* 2B 52
Lower Green. *Essx* 2E 53
Lower Green. *Norf* 2B 78
Lower Green. *Staf* 5D 72
Lower Green. *W Ber* 5B 36
Lower Halstow. *Kent* 4C 40
Lower Hardres. *Kent* 5F 41
Lower Hardwick. *Here* 5G 59
Lower Hartshay. *Derbs* 5A 86
Lower Hawthwaite. *Cumb* 1B 96
Lower Hayton. *Shrp* 2H 59
Lower Hergest. *Here* 5E 59
Lower Heyford. *Oxon* 3C 50
Lower Heysham. *Lanc* 3D 96
Lower Higham. *Kent* 3B 40
Lower Holbrook. *Suff* 2E 55
Lower Holditch. *Dors* 2G 13
Lower Hordley. *Shrp* 3F 71
Lower Horncroft. *W Sus* 4B 26
Lower Kilcott. *Glos* 3C 34
Lower Killeyan. *Arg* 5A 124
Lower Kingcombe. *Dors* 3A 14
Lower Kingswood. *Surr* 5D 38
Lower Kinnerton. *Ches W* 4F 83
Lower Langford. *N Som* 5H 33
Lower Largo. *Fife* 3G 137
Lower Layham. *Suff* 1D 54
Lower Ledwyche. *Shrp* 3H 59
Lower Leigh. *Staf* 2E 73
Lower Lemington. *Glos* 2H 49
Lower Lenie. *High* 1H 149
Lower Ley. *Glos* 4C 48
Lower Llanfadog. *Powy* 4B 58
Lower Lode. *Glos* 2D 49
Lower Lovacott. *Devn* 4F 19
Lower Loxhore. *Devn* 3G 19
Lower Loxley. *Staf* 2E 73
Lower Lydbrook. *Glos* 4A 48
Lower Lye. *Here* 4G 59
Lower Machen. *Newp* 3F 33
Lower Maes-coed. *Here* 2G 47
Lower Meend. *Glos* 5A 48
Lower Milovaig. *High* 3A 154
Lower Moor. *Worc* 1E 49
Lower Morton. *S Glo* 2B 34
Lower Mountain. *Flin* 5F 83
Lower Nazeing. *Essx* 5D 53
Lower Netchwood. *Shrp* 1A 60
Lower Nyland. *Dors* 4C 22
Lower Oakfield. *Fife* 4D 136
Lower Oddington. *Glos* 3H 49
Lower Ollach. *High* 5E 155
Lower Penarth. *V Glam* 5E 33
Lower Penn. *Staf* 1C 60
Lower Pennington. *Hants* 3B 16
Lower Peover. *Ches W* 3B 84
Lower Pilsley. *Derbs* 4B 86
Lower Pitkerrie. *High* 1C 158
Lower Place. *G Man* 3H 91
Lower Quinton. *Warw* 1G 49
Lower Rainham. *Medw* 4C 40
Lower Raydon. *Suff* 2D 54
Lower Seagry. *Wilts* 3E 35
Lower Shelton. *C Beds* 1H 51
Lower Shiplake. *Oxon* 4F 37
Lower Shuckburgh. *Warw* 4B 62
Lower Skelty. *Swan* 3F 31
Lower Slade. *Devn* 2F 19
Lower Slaughter. *Glos* 3G 49
Lower Soudley. *Glos* 4B 48
Lower Stanton St Quintin. *Wilts* 3E 35
Lower Stoke. *Medw* 3C 40
Lower Stondon. *C Beds* 2B 52
Lower Stonnall. *Staf* 5E 73
Lower Stow Bedon. *Norf* 1B 66
Lower Street. *Norf* 2E 79
Lower Strensham. *Worc* 1E 49
Lower Sundon. *C Beds* 3A 52
Lower Swanwick. *Hants* 2C 16
Lower Swell. *Glos* 3G 49
Lower Tale. *Devn* 2D 12
Lower Tean. *Staf* 2E 73
Lower Thurlton. *Norf* 1G 67
Lower Thurnham. *Lanc* 4D 96
Lower Thurvaston. *Derbs* 2G 73
Lowertown. *Corn* 4D 4
Lower Town. *Here* 1B 48
Lower Town. *IOS* 1B 4
Lowertown. *Orkn* 8D 172
Lower Town. *Pemb* 1D 42
Lower Tysoe. *Warw* 1B 50
Lower Upham. *Hants* 1D 16
Lower Upnor. *Medw* 3B 40
Lower Vexford. *Som* 3E 20
Lower Walton. *Warr* 2A 84
Lower Wear. *Devn* 4C 12
Lower Weare. *Som* 1H 21
Lower Welson. *Here* 5E 59
Lower Whatcombe. *Dors* 2D 14
Lower Whitley. *Ches W* 3A 84
Lower Wield. *Hants* 2E 25
Lower Withington. *Ches E* 4C 84
Lower Woodend. *Buck* 3G 37
Lower Woodford. *Wilts* 3G 23
Lower Wraxall. *Dors* 2A 14
Lower Wych. *Ches W* 1G 71
Lower Wyche. *Worc* 1C 48
Lowesby. *Leics* 5E 74
Lowestoft. *Suff* 1H 67
Loweswater. *Cumb* 2C 102
Low Etherley. *Dur* 2E 105
Lowfield Heath. *W Sus* 1D 26
Lowford. *Hants* 1C 16
Low Fulney. *Linc* 3B 76
Low Gate. *Nmbd* 3C 114
Lowgill. *Cumb* 5H 103
Lowgill. *Lanc* 3F 97
Low Grantley. *N Yor* 2E 99
Low Green. *N Yor* 4E 98
Low Habberley. *Worc* 3C 60
Low Ham. *Som* 4H 21
Low Hameringham. *Linc* 4C 88
Low Hawkser. *N Yor* 4G 107
Low Hesket. *Cumb* 5F 113
Low Hesleyhurst. *Nmbd* 5E 121
Lowick. *Cumb* 1B 96
Lowick. *Nptn* 2G 63
Lowick. *Nmbd* 1E 121
Lowick Bridge. *Cumb* 1B 96
Lowick Green. *Cumb* 1B 96
Low Knipe. *Cumb* 3G 103
Low Leighton. *Derbs* 2E 85
Low Lorton. *Cumb* 2C 102
Low Marishes. *N Yor* 2C 100
Low Marnham. *Notts* 4F 87
Low Mill. *N Yor* 5D 106
Low Moor. *Lanc* 5G 97
Low Moor. *W Yor* 2B 92
Low Moorsley. *Tyne* 5G 115
Low Newton-by-the-Sea. *Nmbd* 2G 121
Lownie Moor. *Ang* 4D 145
Lowood. *Bord* 1H 119
Low Row. *Cumb* 3G 113 (nr. Brampton)
Low Row. *Cumb* 5C 112 (nr. Wigton)
Low Row. *N Yor* 5C 104
Lowsonford. *Warw* 4F 61
Low Street. *Norf* 5C 78
Lowther. *Cumb* 2G 103
Lowthorpe. *E Yor* 3E 101
Lowton. *Devn* 2G 11
Lowton. *G Man* 1A 84
Lowton. *Som* 1E 13
Lowton Common. *G Man* 1A 84
Low Torry. *Fife* 1D 128
Low Toynton. *Linc* 3B 88
Low Valleyfield. *Fife* 1C 128
Low Westwood. *Dur* 4E 115
Low Whinnow. *Cumb* 4E 112
Low Wood. *Cumb* 1C 96
Low Worsall. *N Yor* 4A 106
Low Wray. *Cumb* 4E 103
Loxbeare. *Devn* 1C 12
Loxhill. *Surr* 2B 26
Loxhore. *Devn* 3G 19
Loxley. *S Yor* 2H 85
Loxley. *Warw* 5G 61
Loxley Green. *Staf* 2E 73
Loxton. *N Som* 1G 21
Loxwood. *W Sus* 2B 26
Lubcroy. *High* 3A 164
Lubenham. *Leics* 2E 62
Lubinvullin. *High* 2F 167
Luccombe. *Som* 2C 20
Luccombe Village. *IOW* 4D 16
Lucker. *Nmbd* 1F 121
Luckett. *Corn* 5D 11
Luckington. *Wilts* 3D 34
Lucklawhill. *Fife* 1G 137
Luckwell Bridge. *Som* 3C 20
Lucton. *Here* 4G 59
Ludag. *W Isl* 7C 170
Ludborough. *Linc* 1B 88
Ludchurch. *Pemb* 3F 43
Luddenden. *W Yor* 2A 92
Luddenden Foot. *W Yor* 2A 92
Luddenham. *Kent* 4D 40
Ludderburn. *Cumb* 5F 103
Luddesdown. *Kent* 4A 40
Luddington. *N Lin* 3B 94
Luddington. *Warw* 5F 61
Luddington in the Brook. *Nptn* 2A 64
Ludford. *Linc* 2A 88
Ludford. *Shrp* 3H 59
Ludgershall. *Buck* 4E 51
Ludgershall. *Wilts* 1A 24
Ludgvan. *Corn* 3C 4
Ludham. *Norf* 4F 79
Ludlow. *Shrp* 3H 59
Ludstone. *Shrp* 1C 60
Ludwell. *Wilts* 4E 23
Ludworth. *Dur* 5G 115
Luffenhall. *Herts* 3C 52
Luffincott. *Devn* 3D 10
Lugar. *E Ayr* 2E 117
Luggate Burn. *E Lot* 2C 130
Lugg Green. *Here* 4G 59
Luggiebank. *N Lan* 2A 128
Lugton. *E Ayr* 4F 127
Lugwardine. *Here* 1A 48
Luib. *High* 1D 146
Luib. *Stir* 1D 135
Lulham. *Here* 1H 47
Lullington. *Derbs* 4G 73
Lullington. *E Sus* 5G 27
Lullington. *Som* 1C 22
Lulsgate Bottom. *N Som* 5A 34
Lulsley. *Worc* 5B 60
Lulworth Camp. *Dors* 4D 14
Lumb. *Lanc* 2G 91
Lumb. *W Yor* 2A 92
Lumby. *N Yor* 1E 93
Lumphanan. *Abers* 3C 152
Lumphinnans. *Fife* 4D 136
Lumsdaine. *Bord* 3E 131
Lumsden. *Abers* 1B 152
Lunan. *Ang* 3F 145
Lunanhead. *Ang* 3D 145
Luncarty. *Per* 1C 136
Lund. *E Yor* 5D 100
Lund. *N Yor* 1G 93
Lundie. *Ang* 5B 144
Lundin Links. *Fife* 3G 137
Lundy Green. *Norf* 1E 67
Lunna. *Shet* 5F 173
Lunning. *Shet* 5G 173
Lunnon. *Swan* 4E 31
Lunsford. *Kent* 5B 40
Lunsford's Cross. *E Sus* 4B 28
Lunt. *Mers* 4B 90
Luppitt. *Devn* 2E 13
Lupridge. *Devn* 3D 8
Lupset. *W Yor* 3D 92
Lupton. *Cumb* 1E 97
Lurgashall. *W Sus* 3A 26
Lurley. *Devn* 1C 12
Lusby. *Linc* 4C 88
Luscombe. *Devn* 3D 9
Luson. *Devn* 4C 8
Luss. *Arg* 4C 134
Lussagiven. *Arg* 1E 125
Lusta. *High* 3B 154
Lustleigh. *Devn* 4A 12
Luston. *Here* 4G 59
Luthermuir. *Abers* 2F 145
Luthrie. *Fife* 2F 137
Lutley. *Staf* 2C 60
Luton. *Devn* 2D 12 (nr. Honiton)
Luton. *Devn* 5C 12 (nr. Teignmouth)
Luton. *Lutn* 3A 52 & 201
Luton (London) Airport. *Lutn* 3B 52 & 216
Lutterworth. *Leics* 2C 62
Lutton. *Devn* 3B 8 (nr. Ivybridge)
Lutton. *Devn* 2C 8 (nr. South Brent)
Lutton. *Linc* 3D 76
Lutton. *Nptn* 2A 64
Lutton Gowts. *Linc* 3D 76
Lutworthy. *Devn* 1A 12
Luxborough. *Som* 3C 20
Luxley. *Glos* 3B 48
Luxulyan. *Corn* 3E 7
Lybster. *High* 5E 169
Lydbury North. *Shrp* 2F 59
Lydcott. *Devn* 3G 19
Lydd. *Kent* 3E 29
Lydden. *Kent* 1G 29 (nr. Dover)
Lydden. *Kent* 4H 41 (nr. Margate)
Lyddington. *Rut* 1F 63
Lydd (London Ashford) Airport. *Kent* 3E 29
Lydd-on-Sea. *Kent* 3E 29
Lydeard St Lawrence. *Som* 3E 21
Lyde Green. *Hants* 1F 25
Lydford. *Devn* 4F 11
Lydford Fair Place. *Som* 3A 22
Lydgate. *G Man* 4H 91
Lydgate. *W Yor* 2H 91
Lydham. *Shrp* 1F 59
Lydiard Millicent. *Wilts* 3F 35
Lydiate. *Mers* 4B 90
Lydiate Ash. *Worc* 3D 61
Lydlinch. *Dors* 1C 14
Lydmarsh. *Som* 2G 13
Lydney. *Glos* 5B 48
Lydstep. *Pemb* 5E 43
Lye. *W Mid* 2D 60
Lye Green. *Buck* 5H 51
Lye Green. *E Sus* 2G 27
Lye Head. *Worc* 3B 60
Lye, The. *Shrp* 1A 60
Lyford. *Oxon* 2B 36
Lyham. *Nmbd* 1E 121
Lylestone. *N Ayr* 5E 127
Lymbridge Green. *Kent* 1F 29
Lyme Regis. *Dors* 3G 13
Lyminge. *Kent* 1F 29
Lymington. *Hants* 3B 16
Lyminster. *W Sus* 5B 26
Lymm. *Warr* 2A 84
Lymore. *Hants* 3A 16
Lympne. *Kent* 2F 29
Lympsham. *Som* 1G 21
Lympstone. *Devn* 4C 12
Lynaberack Lodge. *High* 4B 150
Lynbridge. *Devn* 2H 19
Lynch. *Som* 2C 20
Lynchat. *High* 3B 150
Lynch Green. *Norf* 5D 78
Lyndhurst. *Hants* 2B 16
Lyndon. *Rut* 5G 75
Lyne. *Bord* 5F 129
Lyne. *Surr* 4B 38
Lyneal. *Shrp* 2G 71
Lyne Down. *Here* 2B 48
Lyneham. *Oxon* 3A 50
Lyneham. *Wilts* 4F 35
Lyneholmeford. *Cumb* 2G 113
Lynemouth. *Nmbd* 5G 121
Lyne of Gorthleck. *High* 1H 149
Lyne of Skene. *Abers* 2E 153
Lynesack. *Dur* 2D 105
Lyness. *Orkn* 8C 172
Lyng. *Norf* 4C 78
Lyngate. *Norf* 2E 79 (nr. North Walsham)
Lyngate. *Norf* 3F 79 (nr. Worstead)
Lynmouth. *Devn* 2H 19
Lynn. *Staf* 5E 73
Lynn. *Telf* 4B 72
Lynsted. *Kent* 4D 40
Lynstone. *Corn* 2C 10
Lynton. *Devn* 2H 19
Lynwilg. *High* 2C 150
Lyon's Gate. *Dors* 2B 14
Lyonshall. *Here* 5F 59
Lytchett Matravers. *Dors* 3E 15
Lytchett Minster. *Dors* 3E 15
Lyth. *High* 2E 169
Lytham. *Lanc* 2B 90
Lytham St Anne's. *Lanc* 2B 90
Lythe. *N Yor* 3F 107
Lythes. *Orkn* 9D 172
Lythmore. *High* 2C 168

M

Mabe Burnthouse. *Corn* 5B 6
Mabie. *Dum* 2A 112
Mablethorpe. *Linc* 2E 89
Macbiehill. *Bord* 4E 129
Macclesfield. *Ches E* 3D 84
Macclesfield Forest. *Ches E* 3D 85
Macduff. *Abers* 2E 160
Machan. *S Lan* 4A 128
Macharioch. *Arg* 5B 122
Machen. *Cphy* 3F 33
Machrie. *N Ayr* 2C 122
Machrihanish. *Arg* 3A 122
Machroes. *Gwyn* 3C 68
Machynlleth. *Powy* 5G 69
Mackerye End. *Herts* 4B 52
Mackworth. *Derb* 2H 73
Macmerry. *E Lot* 2H 129
Madderty. *Per* 1B 136
Maddington. *Wilts* 2F 23
Maddiston. *Falk* 2C 128
Madehurst. *W Sus* 4A 26
Madeley. *Staf* 1B 72
Madeley. *Telf* 5A 72
Madeley Heath. *Staf* 1B 72
Madeley Heath. *Worc* 3D 60
Madford. *Devn* 1E 13
Madingley. *Cambs* 4C 64
Madley. *Here* 2H 47
Madresfield. *Worc* 1D 48
Madron. *Corn* 3B 4
Maenaddwyn. *IOA* 2D 80
Maenclochog. *Pemb* 2E 43
Maendy. *V Glam* 4D 32
Maenporth. *Corn* 4E 5
Maentwrog. *Gwyn* 1F 69
Maen-y-groes. *Cdgn* 5C 56
Maer. *Staf* 2B 72
Maerdy. *Carm* 3G 45
Maerdy. *Cnwy* 1C 70
Maerdy. *Rhon* 2C 32
Maesbrook. *Shrp* 3F 71
Maesbury. *Shrp* 3F 71
Maesbury Marsh. *Shrp* 3F 71
Maes-glas. *Flin* 3D 82
Maesgwyn-Isaf. *Powy* 4D 70
Maeshafn. *Den* 4E 82
Maes Llyn. *Cdgn* 1D 44
Maesmynis. *Powy* 1D 46
Maesteg. *B'end* 2B 32
Maestir. *Cdgn* 1F 45
Maesybont. *Carm* 4F 45
Maesycrugiau. *Carm* 1E 45
Maesycwmmer. *Cphy* 2E 33
Maesyrhandir. *Powy* 1C 58
Magdalen Laver. *Essx* 5F 53
Maggieknockater. *Mor* 4H 159
Magham Down. *E Sus* 4H 27
Maghull. *Mers* 4B 90
Magna Park. *Leics* 2C 62
Magor. *Mon* 3H 33
Magpie Green. *Suff* 3C 66
Magwyr. *Mon* 3H 33
Maidenbower. *W Sus* 2D 27
Maiden Bradley. *Wilts* 3D 22
Maidencombe. *Torb* 2F 9
Maidenhayne. *Devn* 3F 13
Maidenhead. *Wind* 3G 37
Maiden Law. *Dur* 5E 115
Maiden Newton. *Dors* 3A 14
Maidens. *S Ayr* 4B 116
Maiden's Green. *Brac* 4G 37
Maidensgrove. *Oxon* 3F 37
Maidenwell. *Corn* 5B 10
Maidenwell. *Linc* 3C 88
Maiden Wells. *Pemb* 5D 42
Maidford. *Nptn* 5D 62
Maids Moreton. *Buck* 2F 51
Maidstone. *Kent* 5B 40
Maidwell. *Nptn* 3E 63
Mail. *Shet* 9F 173
Maindee. *Newp* 3G 33
Mainsforth. *Dur* 1A 106
Mains of Auchindachy. *Mor* 4B 160
Mains of Auchnagatt. *Abers* 4G 161
Mains of Drum. *Abers* 4F 153
Mains of Edingight. *Mor* 3C 160
Mainsriddle. *Dum* 4G 111
Mainstone. *Shrp* 2E 59
Maisemore. *Glos* 3D 48
Major's Green. *Worc* 3F 61
Makeney. *Derbs* 1A 74
Makerstoun. *Bord* 1A 120
Malacleit. *W Isl* 1C 170
Malaig. *High* 4E 147
Malaig Bheag. *High* 4E 147
Malborough. *Devn* 5D 8
Malcoff. *Derbs* 2E 85
Malcolmburn. *Mor* 3A 160
Malden Rushett. *G Lon* 4C 38
Maldon. *Essx* 5B 54
Malham. *N Yor* 3B 98
Maligar. *High* 2D 155
Malinslee. *Telf* 5A 72
Mallaig. *High* 4E 147
Malleny Mills. *Edin* 3E 129
Mallows Green. *Essx* 3E 53
Malltraeth. *IOA* 4D 80
Mallwyd. *Gwyn* 4A 70
Malmesbury. *Wilts* 3E 35
Malmsmead. *Devn* 2A 20
Malpas. *Ches W* 1G 71
Malpas. *Corn* 4C 6
Malpas. *Newp* 2F 33
Malswick. *Glos* 3C 48
Maltby. *S Yor* 1C 86
Maltby. *Stoc T* 3B 106
Maltby le Marsh. *Linc* 2D 88
Malt Lane. *Arg* 3H 133
Maltman's Hill. *Kent* 1D 28
Malton. *N Yor* 2B 100
Malvern Link. *Worc* 1C 48
Malvern Wells. *Worc* 1C 48
Mamble. *Worc* 3A 60
Mamhilad. *Mon* 5G 47
Manaccan. *Corn* 4E 5
Manafon. *Powy* 5D 70
Manais. *W Isl* 9D 171
Manaton. *Devn* 4A 12
Manby. *Linc* 2C 88
Mancetter. *Warw* 1H 61
Manchester. *G Man* 1C 84 & 201
Manchester International Airport. *G Man* 2C 84 & 216
Mancot. *Flin* 4F 83
Manea. *Cambs* 2D 65
Maney. *W Mid* 1F 61
Manfield. *N Yor* 3F 105
Mangotsfield. *S Glo* 4B 34
Mangurstadh. *W Isl* 4C 171
Mankinholes. *W Yor* 2H 91
Manley. *Ches W* 3H 83
Manmoel. *Cphy* 5E 47
Mannal. *Arg* 4A 138
Mannerston. *Falk* 2D 128
Manningford Bohune. *Wilts* 1G 23
Manningford Bruce. *Wilts* 1G 23
Manningham. *W Yor* 1B 92
Mannings Heath. *W Sus* 3D 26
Mannington. *Dors* 2F 15
Manningtree. *Essx* 2E 54
Mannofield. *Aber* 3G 153
Manorbier. *Pemb* 5E 43
Manorbier Newton. *Pemb* 5E 43
Manorowen. *Pemb* 1D 42
Manor Park. *G Lon* 2F 39
Mansell Gamage. *Here* 1G 47
Mansell Lacy. *Here* 1H 47
Mansergh. *Cumb* 1F 97
Mansewood. *Glas* 3G 127
Mansfield. *E Ayr* 3F 117
Mansfield. *Notts* 4C 86
Mansfield Woodhouse. *Notts* 4C 86
Mansriggs. *Cumb* 1B 96
Manston. *Dors* 1D 14
Manston. *Kent* 4H 41
Manston. *W Yor* 1D 92
Manston Airport. *Kent* 4H 41
Manswood. *Dors* 2E 15
Manthorpe. *Linc* 4H 75 (nr. Bourne)
Manthorpe. *Linc* 2G 75 (nr. Grantham)
Manton. *N Lin* 4C 94
Manton. *Notts* 3C 86
Manton. *Rut* 5F 75
Manton. *Wilts* 5G 35
Manuden. *Essx* 3E 53
Maperton. *Som* 4B 22
Maplebeck. *Notts* 4E 86
Maple Cross. *Herts* 1B 38
Mapledurham. *Oxon* 4E 37
Mapledurwell. *Hants* 1E 25
Maplehurst. *W Sus* 3C 26
Maplescombe. *Kent* 4G 39
Mapperley. *Derbs* 1B 74
Mapperley. *Notts* 1C 74
Mapperley Park. *Notts* 1C 74
Mapperton. *Dors* 3A 14 (nr. Beaminster)
Mapperton. *Dors* 3E 15 (nr. Poole)
Mappleborough Green. *Warw* 4E 61
Mappleton. *Derbs* 1F 73
Mappleton. *E Yor* 5G 101
Mapplewell. *S Yor* 4D 92
Mappowder. *Dors* 2C 14
Maraig. *W Isl* 7E 171
Marazion. *Corn* 3C 4
Marbhig. *W Isl* 6G 171
Marbury. *Ches E* 1H 71
March. *Cambs* 1D 64
Marcham. *Oxon* 2C 36
Marchamley. *Shrp* 3H 71
Marchington. *Staf* 2F 73
Marchington Woodlands. *Staf* 3F 73
Marchwiel. *Wrex* 1F 71
Marchwood. *Hants* 1B 16
Marcross. *V Glam* 5C 32
Marden. *Here* 1A 48
Marden. *Kent* 1B 28
Marden. *Wilts* 1F 23
Marden Beech. *Kent* 1B 28
Marden Thorn. *Kent* 1B 28
Mardu. *Shrp* 2E 59
Mardy. *Mon* 4G 47
Marefield. *Leics* 5E 75
Mareham le Fen. *Linc* 4B 88
Mareham on the Hill. *Linc* 4B 88
Marehay. *Derbs* 1A 74
Marehill. *W Sus* 4B 26
Maresfield. *E Sus* 3F 27
Marfleet. *Hull* 2E 95
Marford. *Wrex* 5F 83
Margam. *Neat* 3A 32
Margaret Marsh. *Dors* 1D 14
Margaret Roding. *Essx* 4F 53
Margaretting. *Essx* 5G 53
Margaretting Tye. *Essx* 5G 53
Margate. *Kent* 3H 41
Margery. *Surr* 5D 38
Margnaheglish. *N Ayr* 2E 123
Marham. *Norf* 5G 77
Marhamchurch. *Corn* 2C 10
Marholm. *Pet* 5A 76
Marian Cwm. *Den* 3C 82
Mariandyrys. *IOA* 2F 81
Marian-glas. *IOA* 2E 81
Mariansleigh. *Devn* 4H 19
Marian-y-de. *Gwyn* 2C 68
Marine Town. *Kent* 3D 40

Marion-y-mor. Gwyn 2C 68
Marishader. High 2D 155
Marjoriebanks. Dum 1B 112
Mark. Dum 4G 109
Mark. Som 2G 21
Markbeech. Kent 1F 27
Markby. Linc 3D 89
Mark Causeway. Som 2G 21
Mark Cross. E Sus 2G 27
Markeaton. Derb 2H 73
Market Bosworth. Leics 5B 74
Market Deeping. Linc 4A 76
Market Drayton. Shrp 2A 72
Market End. Warw 2H 61
Market Harborough. Leics 2E 63
Markethill. Per 5B 144
Market Lavington. Wilts 1F 23
Market Overton. Rut 4F 75
Market Rasen. Linc 2A 88
Market Stainton. Linc 2B 88
Market Weighton. E Yor 5C 100
Market Weston. Suff 3B 66
Markfield. Leics 4B 74
Markham. Cphy 5E 47
Markinch. Fife 3E 137
Markington. N Yor 3E 99
Marksbury. Bath 5B 34
Mark's Corner. IOW 3C 16
Marks Tey. Essx 3C 54
Markwell. Corn 3H 7
Markyate. Herts 4A 52
Marlborough. Wilts 5G 35
Marlcliff. Warw 5E 61
Marldon. Devn 2E 9
Marle Green. E Sus 4G 27
Marlesford. Suff 5F 67
Marley Green. Ches E 1H 71
Marley Hill. Tyne 4F 115
Marlingford. Norf 5D 78
Mar Lodge. Abers 5E 151
Marloes. Pemb 4B 42
Marlow. Buck 3G 37
Marlow. Here 3G 59
Marlow Bottom. Buck 3G 37
Marlow Common. Buck 3G 37
Marlpit Hill. Kent 1F 27
Marlpits. E Sus 3F 27
Marlpool. Derbs 1B 74
Marnhull. Dors 1C 14
Marnoch. Abers 3C 160
Marnock. N Lan 3A 128
Marple. G Man 2D 84
Marr. S Yor 4F 93
Marrel. High 2H 165
Marrick. N Yor 5D 105
Marrister. Shet 5G 173
Marros. Carm 4G 43
Marsden. Tyne 3G 115
Marsden. W Yor 3A 92
Marsett. N Yor 1B 98
Marsh. Buck 5G 51
Marsh. Devn 1F 13
Marshall Meadows. Nmbd 4F 131
Marshalsea. Dors 2G 13
Marshalswick. Herts 5B 52
Marsham. Norf 3D 78
Marshaw. Lanc 4E 97
Marsh Baldon. Oxon 2D 36
Marsh Benham. W Ber 5C 36
Marshborough. Kent 5H 41
Marshbrook. Shrp 2G 59
Marshbury. Essx 4G 53
Marshchapel. Linc 1C 88
Marshfield. Newp 3F 33
Marshfield. S Glo 4C 34
Marshgate. Corn 3B 10
Marsh Gibbon. Buck 3E 51
Marsh Green. Devn 3D 12
Marsh Green. Kent 1F 27
Marsh Green. Staf 5C 84
Marsh Green. Telf 4A 72
Marsh Lane. Derbs 3B 86
Marshside. Kent 4G 41
Marshside. Mers 3B 90
Marsh Side. Norf 1G 77
Marsh Street. Som 2C 20
Marsh, The. Powy 1F 59
Marsh, The. Shrp 3A 72
Marshwood. Dors 3G 13
Marske. N Yor 4E 105
Marske-by-the-Sea. Red C 2D 106
Marston. Ches W 3A 84
Marston. Here 5F 59
Marston. Linc 1F 75
Marston. Oxon 5D 50
Marston. Staf 3D 72
(nr. Stafford)
Marston. Staf 4C 72
(nr. Wheaton Aston)
Marston. Warw 1G 61
Marston. Wilts 1E 23
Marston Doles. Warw 5B 62
Marston Green. W Mid 2F 61
Marston Hill. Glos 2G 35
Marston Jabbett. Warw 2A 62
Marston Magna. Som 4A 22
Marston Meysey. Wilts 2G 35
Marston Montgomery. Derbs 2F 73
Marston Moretaine.
C Beds 1H 51
Marston on Dove. Derbs 3G 73
Marston St Lawrence.
Nptn 1D 50
Marston Stannett. Here 5H 59
Marston Trussell. Nptn 2D 62
Marstow. Here 4A 48
Marsworth. Buck 4H 51
Marten. Wilts 5A 36
Marthall. Ches E 3C 84
Martham. Norf 4G 79
Marthwaite. Cumb 5H 103
Martin. Hants 1F 15
Martin. Kent 1H 29
Martin. Linc 4B 88
(nr. Horncastle)
Martin. Linc 5A 88
(nr. Metheringham)
Martindale. Cumb 3F 103
Martin Dales. Linc 4A 88
Martin Drove End. Hants 4F 23
Martinhoe. Devn 2G 19
Martinhoe Cross. Devn 2G 19
Martin Hussingtree. Worc 4C 60
Martin Mill. Kent 1H 29
Martinscroft. Warr 2A 84
Martin's Moss. Ches E 4C 84
Martinstown. Dors 4B 14
Martlesham. Suff 1F 55
Martlesham Heath. Suff 1F 55
Martletwy. Pemb 3E 43
Martley. Worc 5B 60
Martock. Som 1H 13
Marton. Ches E 4C 84
Marton. Cumb 2B 96
Marton. E Yor 3G 101
(nr. Bridlington)
Marton. E Yor 1E 95
(nr. Hull)
Marton. Linc 2F 87
Marton. Midd 3C 106
Marton. N Yor 3G 99
(nr. Boroughbridge)
Marton. N Yor 1B 100
(nr. Pickering)
Marton. Shrp 3G 71
(nr. Myddle)
Marton. Shrp 5E 71
(nr. Worthen)
Marton. Warw 4B 62
Marton Abbey. N Yor 3H 99
Marton-le-Moor. N Yor 2F 99
Martyr's Green. Surr 5B 38
Martyr Worthy. Hants 3D 24
Marwick. Orkn 5B 172
Marwood. Devn 3F 19
Marybank. High 3G 157
(nr. Dingwall)
Marybank. High 1B 158
(nr. Invergordon)
Maryburgh. High 3H 157
Maryfield. Corn 3A 8
Maryhill. Glas 3G 127
Marykirk. Abers 2F 145
Marylebone. G Lon 2D 39
Marylebone. G Man 4D 90
Marypark. Mor 5F 159
Maryport. Cumb 1B 102
Maryport. Dum 5E 109
Marystow. Devn 4E 11
Mary Tavy. Devn 5F 11
Maryton. Ang 3C 144
(nr. Kirriemuir)
Maryton. Ang 3F 145
(nr. Montrose)
Marywell. Abers 4C 152
Marywell. Ang 4F 145
Masham. N Yor 1E 98
Mashbury. Essx 4G 53
Masongill. N Yor 2F 97
Masons Lodge. Abers 3F 153
Mastin Moor. Derbs 3B 86
Mastrick. Aber 3G 153
Matching. Essx 4F 53
Matching Green. Essx 4F 53
Matching Tye. Essx 4F 53
Matfen. Nmbd 2D 114
Matfield. Kent 1A 28
Mathern. Mon 2A 34
Mathon. Here 1C 48
Mathry. Pemb 1C 42
Matlaske. Norf 2D 78
Matlock. Derbs 4G 85
Matlock Bath. Derbs 5G 85
Matterdale End. Cumb 2E 103
Mattersey. Notts 2D 86
Mattersey Thorpe. Notts 2D 86
Mattingley. Hants 1F 25
Mattishall. Norf 4C 78
Mattishall Burgh. Norf 4C 78
Mauchline. E Ayr 2D 117
Maud. Abers 4G 161
Maudlin. Corn 2E 7
Maugersbury. Glos 3G 49
Maughold. IOM 2D 108
Maulden. C Beds 2A 52
Maulds Meaburn. Cumb 3H 103
Maunby. N Yor 1F 99
Maund Bryan. Here 5H 59
Mautby. Norf 4G 79
Mavesyn Ridware. Staf 4E 73
Mavis Enderby. Linc 4C 88
Mawbray. Cumb 5B 112
Mawdesley. Lanc 3C 90
Mawdlam. B'end 3B 32
Mawgan. Corn 4E 5
Mawgan Porth. Corn 2C 6
Maw Green. Ches E 5B 84
Mawla. Corn 4B 6
Mawnan. Corn 4E 5
Mawnan Smith. Corn 4E 5
Mawsley Village. Nptn 3F 63
Mawthorpe. Linc 3D 88
Maxey. Pet 5A 76
Maxstoke. Warw 2G 61
Maxted Street. Kent 1F 29
Maxton. Kent 1G 29
Maxton. Bord 1A 120
Maxwellheugh. Bord 1B 120
Maxwelltown. Dum 2A 112
Maxworthy. Corn 3C 10
Mayals. Swan 4F 31
Maybole. S Ayr 4C 116
Maybush. Sotn 1B 16
Mayes Green. Surr 2C 26
Mayfield. E Sus 3G 27
Mayfield. Midl 3G 129
Mayfield. Per 1C 136
Mayfield. Staf 1F 73
Mayford. Surr 5A 38
Mayhill. Swan 3F 31
Mayland. Essx 5C 54
Maylandsea. Essx 5C 54
Maynard's Green. E Sus 4G 27
Maypole. IOS 1B 4
Maypole. Kent 4G 41
Maypole. Mon 4H 47
Maypole Green. Norf 1G 67
Maypole Green. Suff 5B 66
Maywick. Shet 9E 173
Mead. Devn 1C 10
Meadgate. Bath 1B 22
Meadle. Buck 5G 51
Meadowbank. Ches W 4A 84
Meadowfield. Dur 1F 105
Meadow Green. Here 5B 60
Meadowmill. E Lot 2H 129
Meadows. Nott 2C 74
Meadowtown. Shrp 5F 71
Meadwell. Devn 4E 11
Meaford. Staf 2C 72
Mealabost. W Isl 2G 171
(nr. Borgh)
Mealabost. W Isl 4G 171
(nr. Stornoway)
Mealasta. W Isl 5B 171
Meal Bank. Cumb 5G 103
Mealrigg. Cumb 5C 112
Mealsgate. Cumb 5D 112
Meanwood. W Yor 1C 92
Mearbeck. N Yor 3H 97
Meare. Som 2H 21
Meare Green. Som 4F 21
(nr. Curry Mallet)
Meare Green. Som 4G 21
(nr. Stoke St Gregory)
Mears Ashby. Nptn 4F 63
Measham. Leics 4H 73
Meath Green. Surr 1D 27
Meathop. Cumb 1D 96
Meaux. E Yor 1D 94
Meavy. Devn 2B 8
Medbourne. Leics 1E 63
Medburn. Nmbd 2E 115
Meddon. Devn 1C 10
Meden Vale. Notts 4C 86
Medlam. Linc 5C 88
Medlicott. Shrp 1G 59
Medmenham. Buck 3G 37
Medomsley. Dur 4E 115
Medstead. Hants 3E 25
Medway Towns. Medw 4B 40 & 204
Meerbrook. Staf 4D 85
Meer End. W Mid 3G 61
Meers Bridge. Linc 2D 89
Meesden. Herts 2E 53
Meeson. Telf 3A 72
Meeth. Devn 2F 11
Meeting Green. Suff 5G 65
Meeting House Hill. Norf 3F 79
Meidrim. Carm 2G 43
Meifod. Powy 4D 70
Meigle. Per 4B 144
Meikle Earnock. S Lan 4A 128
Meikle Kilchattan Butts. Arg 4B 126
Meikleour. Per 5A 144
Meikle Tarty. Abers 1G 153
Meikle Wartle. Abers 5E 160
Meinciau. Carm 4E 45
Meir. Stoke 1D 72
Meir Heath. Staf 1D 72
Melbourn. Cambs 1D 53
Melbourne. Derbs 3A 74
Melbourne. E Yor 5B 100
Melbury Abbas. Dors 4D 23
Melbury Bubb. Dors 2A 14
Melbury Osmond. Dors 2A 14
Melbury Sampford. Dors 2A 14
Melby. Shet 6C 173
Melchbourne. Bed 4H 63
Melcombe Bingham. Dors 2C 14
Melcombe Regis. Dors 4B 14
Meldon. Devn 3F 11
Meldon. Nmbd 1E 115
Meldreth. Cambs 1D 53
Melfort. Arg 2F 133
Melgarve. High 4G 149
Meliden. Den 2C 82
Melinbyrhedyn. Powy 1H 57
Melincourt. Neat 5B 46
Melin-y-coed. Cnwy 4H 81
Melin-y-ddol. Powy 5C 70
Melin-y-wig. Den 1C 70
Melkington. Nmbd 5E 131
Melkinthorpe. Cumb 2G 103
Melkridge. Nmbd 3A 114
Melksham. Wilts 5E 35
Mellangaun. High 5C 162
Melldalloch. Arg 2H 125
Mellguards. Cumb 5F 113
Melling. Lanc 2E 97
Melling. Mers 4B 90
Melling Mount. Mers 4C 90
Mellis. Suff 3C 66
Mellon Charles. High 4C 162
Mellon Udrigle. High 4C 162
Mellor. G Man 2D 85
Mellor. Lanc 1E 91
Mellor Brook. Lanc 1E 91
Mells. Som 2C 22
Melmerby. Cumb 1H 103
Melmerby. N Yor 1C 98
(nr. Middleham)
Melmerby. N Yor 2F 99
(nr. Ripon)
Melplash. Dors 3H 13
Melrose. Bord 1H 119
Melsetter. Orkn 9B 172
Melsonby. N Yor 4E 105
Meltham. W Yor 3A 92
Meltham Mills. W Yor 3B 92
Melton. E Yor 2C 94
Melton. Suff 5E 67
Meltonby. E Yor 4B 100
Melton Constable. Norf 2C 78
Melton Mowbray. Leics 4E 75
Melton Ross. N Lin 3D 94
Melvaig. High 5B 162
Melverley. Shrp 4F 71
Melverley Green. Shrp 4F 71
Melvich. High 2A 168
Membury. Devn 2F 13
Memsie. Abers 2G 161
Memus. Ang 3D 144
Menabilly. Corn 3E 7
Menai Bridge. IOA 3E 81
Mendham. Suff 2E 67
Mendlesham. Suff 4D 66
Mendlesham Green. Suff 4C 66
Menethorpe. N Yor 3B 100
Menheniot. Corn 2G 7
Menithwood. Worc 4B 60
Menna. Corn 3D 6
Mennock. Dum 4H 117
Menston. W Yor 5D 98
Menstrie. Clac 4H 135
Menthorpe. N Yor 1H 93
Mentmore. Buck 4H 51
Meole Brace. Shrp 4G 71
Meols. Mers 2E 83
Meon. Hants 2D 16
Meonstoke. Hants 4E 24
Meopham. Kent 4H 39
Meopham Green. Kent 4H 39
Meopham Station. Kent 4H 39
Mepal. Cambs 2D 64
Meppershall. C Beds 2B 52
Merbach. Here 1G 47
Mercaston. Derbs 1G 73
Merchiston. Edin 2F 129
Mere. Ches E 2B 84
Mere. Wilts 3D 22
Mere Brow. Lanc 3C 90
Mereclough. Lanc 1G 91
Mere Green. W Mid 1F 61
Mere Green. Worc 4D 60
Mere Heath. Ches W 3A 84
Mereside. Bkpl 1B 90
Meretown. Staf 3B 72
Mereworth. Kent 5A 40
Meriden. W Mid 2G 61
Merkadale. High 5C 154
Merkland. S Ayr 5B 116
Merkland Lodge. High 1A 164
Merley. Pool 3F 15
Merlin's Bridge. Pemb 3D 42
Merridge. Som 3F 21
Merrington. Shrp 3G 71
Merrion. Pemb 5D 42
Merriott. Som 1H 13
Merrivale. Devn 5F 11
Merrow. Surr 5B 38
Merrybent. Darl 3F 105
Merry Lees. Leics 5B 74
Merrymeet. Corn 2G 7
Mersham. Kent 2E 29
Merstham. Surr 5D 39
Merston. W Sus 2G 17
Merstone. IOW 4D 16
Merther. Corn 4C 6
Merthyr. Carm 3D 44
Merthyr Cynog. Powy 2C 46
Merthyr Dyfan. V Glam 4E 32
Merthyr Mawr. B'end 4B 32
Merthyr Tudful. Mer T 5D 46
Merthyr Tydfil. Mer T 5D 46
Merthyr Vale. Mer T 5D 46
Merton. Devn 1F 11
Merton. G Lon 4D 38
Merton. Norf 1B 66
Merton. Oxon 4D 50
Meshaw. Devn 1A 12
Messing. Essx 4B 54
Messingham. N Lin 4B 94
Metcombe. Devn 3D 12
Metfield. Suff 2E 67
Metherell. Corn 2A 8
Metheringham. Linc 4H 87
Methil. Fife 4F 137
Methilhill. Fife 4F 137
Methley. W Yor 2D 93
Methley Junction. W Yor 2D 93
Methlick. Abers 5F 161
Methven. Per 1C 136
Methwold. Norf 1G 65
Methwold Hythe. Norf 1G 65
Mettingham. Suff 1F 67
Metton. Norf 2D 78
Mevagissey. Corn 4E 6
Mexborough. S Yor 4E 93
Mey. High 1E 169
Meysey Hampton. Glos 2G 35
Miabhag. W Isl 8D 171
Miabhag. W Isl 7C 171
(nr. Cliasmol)
Miabhaig. W Isl 4C 171
(nr. Timsgearraidh)
Mial. High 1G 155
Michaelchurch. Here 3A 48
Michaelchurch Escley. Here 2G 47
Michaelchurch-on-Arrow. Powy 5E 59
Michaelston-le-Pit. V Glam 4E 33
Michaelston-y-Fedw. Newp 3F 33
Michaelstow. Corn 5A 10
Michelcombe. Devn 2C 8
Micheldever. Hants 3D 24
Micheldever Station. Hants 2D 24
Michelmersh. Hants 4B 24
Mickfield. Suff 4D 66
Micklebring. S Yor 1C 86
Mickleby. N Yor 3F 107
Micklefield. W Yor 1E 93
Micklefield Green. Herts 1B 38
Mickleham. Surr 5C 38
Mickleover. Derb 2H 73
Micklethwaite. Cumb 4D 112
Micklethwaite. W Yor 5D 98
Mickleton. Dur 2C 104
Mickleton. Glos 1G 49
Mickletown. W Yor 2D 93
Mickle Trafford. Ches W 4G 83
Mickley. N Yor 2E 99
Mickley Green. Suff 5H 65
Mickley Square. Nmbd 3D 115
Mid Ardlaw. Abers 2G 161
Midbea. Orkn 3D 172
Mid Beltie. Abers 3D 152
Mid Calder. W Lot 3D 129
Mid Clyth. High 5E 169
Middle Assendon. Oxon 3F 37
Middle Aston. Oxon 3C 50
Middle Barton. Oxon 3C 50
Middlebie. Dum 2D 112
Middle Chinnock. Som 1H 13
Middle Claydon. Buck 3F 51
Middlecliffe. S Yor 4E 93
Middlecott. Devn 4H 11
Middle Drums. Ang 3E 145
Middle Duntisbourne. Glos 5E 49
Middle Essie. Abers 3H 161
Middleforth Green. Lanc 2D 90
Middleham. N Yor 1D 98
Middle Handley. Derbs 3B 86
Middle Harling. Norf 2B 66
Middlehope. Shrp 2G 59
Middle Littleton. Worc 1F 49
Middle Maes-coed. Here 2G 47
Middlemarsh. Dors 2B 14
Middle Marwood. Devn 3F 19
Middle Mayfield. Staf 1F 73
Middlemoor. Devn 5E 11
Middlemuir. Abers 4F 161
(nr. New Deer)
Middlemuir. Abers 3G 161
(nr. Strichen)
Middle Rainton. Tyne 5G 115
Middle Rasen. Linc 2H 87
Middlesbrough. Midd 3B 106 & 201
Middlesceugh. Cumb 5E 113
Middleshaw. Cumb 1E 97
Middlesmoor. N Yor 2C 98
Middles, The. Dur 4F 115
Middlestone. Dur 1F 105
Middlestone Moor. Dur 1F 105
Middle Stoughton. Som 2H 21
Middlestown. W Yor 3C 92
Middle Street. Glos 5C 48
Middle Taphouse. Corn 2F 7
Middleton. Ang 4E 145
Middleton. Arg 4A 138
Middleton. Cumb 1F 97
Middleton. Derbs 4F 85
(nr. Bakewell)
Middleton. Derbs 5G 85
(nr. Wirksworth)
Middleton. Essx 2B 54
Middleton. G Man 4G 91
Middleton. Hants 2C 24
Middleton. Hart 1C 106
Middleton. Here 4H 59
Middleton. IOW 4B 16
Middleton. Lanc 4D 96
Middleton. Midl 4G 129
Middleton. Norf 4F 77
Middleton. Nptn 1F 63
Middleton. Nmbd 1F 121
(nr. Belford)
Middleton. Nmbd 1D 114
(nr. Morpeth)
Middleton. N Yor 5D 98
(nr. Ilkley)
Middleton. N Yor 1B 100
(nr. Pickering)
Middleton. Per 3D 136
Middleton. Shrp 3H 59
(nr. Ludlow)
Middleton. Shrp 3F 71
(nr. Oswestry)
Middleton. Suff 4G 67
Middleton. Swan 4D 30
Middleton. Warw 1F 61
Middleton. W Yor 2D 92
Middleton Cheney. Nptn 1D 50
Middleton Green. Staf 2D 73
Middleton Hall. Nmbd 2D 121
Middleton-in-Teesdale. Dur 2C 104
Middleton One Row. Darl 3A 106
Middleton-on-Leven. N Yor 4B 106
Middleton-on-Sea. W Sus 5A 26
Middleton on the Hill. Here 4H 59
Middleton-on-the-Wolds.
E Yor 5D 100
Middleton Priors. Shrp 1A 60
Middleton Quernhow. N Yor 2F 99
Middleton St George. Darl 3A 106
Middleton Scriven. Shrp 2A 60
Middleton Stoney. Oxon 3D 50
Middleton Tyas. N Yor 4F 105
Middletown. Cumb 4A 102
Middle Town. IOS 1B 4
Middletown. Powy 4F 71
Middle Tysoe. Warw 1B 50
Middle Wallop. Hants 3A 24
Middlewich. Ches E 4B 84
Middle Winterslow. Wilts 3H 23
Middlewood. Corn 5C 10
Middlewood. S Yor 1H 85
Middle Woodford. Wilts 3G 23
Middlewood Green. Suff 4C 66
Middleyard. Glos 5D 48
Middlezoy. Som 3G 21
Middridge. Dur 2F 105
Midelney. Som 4H 21
Midfield. High 2F 167
Midford. Bath 5C 34
Mid Garrary. Dum 2C 110

Midge Hall. Lanc 2D 90
Midgeholme. Cumb 4H 113
Midgham. W Ber 5D 36
Midgley. W Yor 2A 92
(nr. Halifax)
Midgley. W Yor 3C 92
(nr. Horbury)
Mid Ho. Shet 2G 173
Midhopestones. S Yor 1G 85
Midhurst. W Sus 4G 25
Mid Kirkton. N Ayr 4C 126
Mid Lambrook. Som 1H 13
Midland. Orkn 7C 172
Mid Lavant. W Sus 2G 17
Midlem. Bord 2H 119
Midney. Som 4A 22
Midsomer Norton. Bath 1B 22
Midton. Inv 2D 126
Midtown. High 5C 162
(nr. Poolewe)
Midtown. High 2F 167
(nr. Tongue)
Midville. Linc 5C 88
Mid Walls. Shet 7C 173
Midway. Derbs 3H 73
Mid Yell. Shet 2G 173
Migdale. High 4D 164
Migvie. Abers 3B 152
Milborne Port. Som 1B 14
Milborne St Andrew. Dors 3D 14
Milborne Wick. Som 4B 22
Milbourne. Nmbd 2E 115
Milbourne. Wilts 3E 35
Milburn. Cumb 2H 103
Milbury Heath. S Glo 2B 34
Milby. N Yor 3G 99
Milcombe. Oxon 2C 50
Milden. Suff 1C 54
Mildenhall. Suff 3G 65
Mildenhall. Wilts 5H 35
Milebrook. Powy 3F 59
Milebush. Kent 1B 28
Mile End. Cambs 2F 65
Mile End. Essx 3C 54
Mileham. Norf 4B 78
Mile Oak. Brig 5D 26
Miles Green. Staf 5C 84
Miles Hope. Here 4H 59
Milesmark. Fife 1D 128
Mile Town. Kent 3D 40
Milfield. Nmbd 1D 120
Milford. Derbs 1A 74
Milford. Devn 4C 18
Milford. Powy 1C 58
Milford. Staf 3D 72
Milford. Surr 1A 26
Milford Haven. Pemb 4D 42
Milford on Sea. Hants 3A 16
Milkwall. Glos 5A 48
Milkwell. Wilts 4E 23
Milland. W Sus 4G 25
Millbank. High 2D 168
Mill Bank. W Yor 2A 92
Millbeck. Cumb 2D 102
Millbounds. Orkn 4E 172
Millbreck. Abers 4H 161
Millbridge. Surr 2G 25
Millbrook. C Beds 2A 52
Millbrook. Corn 3A 8
Millbrook. G Man 1D 85
Millbrook. Sotn 1B 16
Mill Common. Suff 2G 67
Mill Corner. E Sus 3C 28
Milldale. Staf 5F 85
Millden Lodge. Ang 1E 145
Milldens. Ang 3E 145
Millearn. Per 2B 136
Mill End. Buck 3F 37
Mill End. Cambs 5F 65
Millend. Glos 2C 34
(nr. Dursley)
Mill End. Glos 4G 49
(nr. Northleach)
Mill End. Herts 2D 52
Millerhill. Midl 3G 129
Miller's Dale. Derbs 3F 85
Millers Green. Derbs 5G 85
Millerston. N Lan 3H 127
Millfield. Abers 4B 152
Millfield. Pet 1A 64
Millgate. Lanc 3G 91
Mill Green. Essx 5G 53
Mill Green. Norf 2D 66
Mill Green. Shrp 3A 72
Mill Green. Staf 3E 73
Mill Green. Suff 1C 54
Millhalf. Here 1F 47
Millhall. E Ren 4G 127
Millhayes. Devn 2F 13
(nr. Honiton)
Millhayes. Devn 1E 13
(nr. Wellington)
Millhead. Lanc 2D 97
Millheugh. S Lan 4A 128
Mill Hill. Bkbn 2E 91
Mill Hill. G Lon 1D 38
Millholme. Cumb 5G 103
Millhouse. Arg 2A 126
Millhouse. Cumb 1E 103
Millhousebridge. Dum 1C 112
Millhouses. S Yor 2H 85
Millikenpark. Ren 3F 127
Millington. E Yor 4C 100
Millington Green. Derbs 1G 73
Mill Knowe. Arg 3B 122
Mill Lane. Hants 1F 25
Millmeece. Staf 2C 72
Mill of Craigievar. Abers 2C 152
Mill of Fintray. Abers 2F 153
Mill of Haldane. W Dun 1F 127
Millom. Cumb 1A 96
Millow. C Beds 1C 52
Millpool. Corn 5B 10
Millport. N Ayr 4C 126
Mill Side. Cumb 1D 96
Mill Street. Norf 4C 78
(nr. Lyng)
Mill Street. Norf 4C 78
(nr. Swanton Morley)
Millthorpe. Derbs 3H 85
Millthorpe. Linc 2A 76
Millthrop. Cumb 5H 103
Milltimber. Aber 3F 153
Milltown. Abers 3G 151
(nr. Corgarff)
Milltown. Abers 2B 152
(nr. Lumsden)
Milltown. Corn 3F 7
Milltown. Derbs 4A 86
Milltown. Devn 3F 19
Milltown. Dum 2E 113
Milltown. Mor 4C 160
Milltown of Aberdalgie. Per 1C 136
Milltown of Auchindoun. Mor 4A 160
Milltown of Campfield. Abers 3D 152
Milltown of Edinville. Mor 4G 159
Milltown of Towie. Abers 2B 152
Milnacraig. Ang 3B 144
Milnathort. Per 3D 136
Milngavie. E Dun 2G 127
Milnholm. Stir 1A 128
Milnrow. G Man 3H 91
Milnthorpe. Cumb 1D 97
Milnthorpe. W Yor 3D 92
Milson. Shrp 3A 60
Milstead. Kent 5D 40
Milston. Wilts 2G 23
Milthorpe. Nptn 1D 50
Milton. Ang 4C 144
Milton. Cambs 4D 65
Milton. Cumb 2C 50
(nr. Banbury)
Milton. Cumb 3G 113
(nr. Brampton)
Milton. Cumb 1E 97
(nr. Crooklands)
Milton. Derbs 3H 73
Milton. Dum 2F 111
(nr. Crocketford)
Milton. Dum 4H 109
(nr. Glenluce)
Milton. E Ayr 2D 116
Milton. Glas 2G 127
Milton. High 3F 157
(nr. Achnasheen)
Milton. High 4G 155
(nr. Applecross)
Milton. High 5G 157
(nr. Drumnadrochit)
Milton. High 1B 158
(nr. Invergordon)
Milton. High 4H 157
(nr. Inverness)
Milton. High 3F 169
(nr. Wick)
Milton. Mor 2C 160
(nr. Cullen)
Milton. Mor 2F 151
(nr. Tomintoul)
Milton. N Som 5G 33
Milton. Notts 3E 86
Milton. Oxon 2C 36
Milton. Pemb 4E 43
Milton. Port 3E 17
Milton. Som 4H 21
Milton. Stir 3E 135
(nr. Aberfoyle)
Milton. Stir 4D 134
(nr. Drymen)
Milton. Stoke 5D 84
Milton. W Dun 2F 127
Milton Abbas. Dors 2D 14
Milton Abbot. Devn 5E 11
Milton Auchlossan. Abers 3C 152
Milton Bridge. Midl 3F 129
Milton Bryan. C Beds 2H 51
Milton Clevedon. Som 3B 22
Milton Coldwells. Abers 5G 161
Milton Combe. Devn 2A 8
Milton Common. Oxon 5E 51
Milton Damerel. Devn 1D 11
Miltonduff. Mor 2F 159
Milton End. Glos 5G 49
Milton Ernest. Bed 5H 63
Milton Green. Ches W 5G 83
Milton Hill. Devn 5C 12
Milton Hill. Oxon 2C 36
Milton Keynes. Mil 2G 51 & 204
Milton Keynes Village. Mil 2G 51
Milton Lilbourne. Wilts 5G 35
Milton Malsor. Nptn 5E 63
Milton Morenish. Per 5D 142
Milton of Auchinhove. Abers 3C 152
Milton of Balgonie. Fife 3F 137
Milton of Barras. Abers 1H 145
Milton of Campsie. E Dun 2H 127
Milton of Cultoquhey. Per 1A 136
Milton of Cushnie. Abers 2C 152
Milton of Finavon. Ang 3D 145
Milton of Gollanfield. High 3B 158
Milton of Lesmore. Abers 1B 152
Milton of Leys. High 4A 158
Milton of Tullich. Abers 4A 152
Milton on Stour. Dors 4C 22
Milton Regis. Kent 4C 40
Milton Street. E Sus 5G 27
Milton-under-Wychwood. Oxon 4A 50
Milverton. Som 4E 20
Milverton. Warw 4H 61
Milwich. Staf 2D 72
Mimbridge. Surr 4A 38
Minard. Arg 4G 133
Minchington. Dors 1E 15
Minchinhampton. Glos 5D 49
Mindrum. Nmbd 1C 120
Minehead. Som 2C 20
Minera. Wrex 5E 83
Minety. Wilts 2F 35
Minffordd. Gwyn 2E 69
Mingarrypark. High 2A 140
Mingary. High 2G 139
Mingearraidh. W Isl 6C 170
Miningsby. Linc 4C 88
Minions. Corn 5C 10
Minishant. S Ayr 3C 116
Minllyn. Gwyn 4A 70
Minnigaff. Dum 3B 110
Minorca. IOM 3D 108
Minskip. N Yor 3F 99
Minstead. Hants 1A 16
Minsted. W Sus 4G 25
Minster. Kent 4H 41
(nr. Ramsgate)
Minster. Kent 3D 40
(nr. Sheerness)
Minsteracres. Nmbd 4D 114
Minsterley. Shrp 5F 71
Minster Lovell. Oxon 4B 50
Minsterworth. Glos 4C 48
Minterne Magna. Dors 2B 14
Minterne Parva. Dors 2B 14
Minting. Linc 3A 88
Mintlaw. Abers 4H 161
Minto. Bord 2H 119
Minton. Shrp 1G 59
Minwear. Pemb 3E 43
Minworth. W Mid 1F 61
Miodar. Arg 4B 138
Mirbister. Orkn 5C 172
Mirehouse. Cumb 3A 102
Mireland. High 2F 169
Mirfield. W Yor 3C 92
Miserden. Glos 5E 49
Miskin. Rhon 3D 32
Misson. Notts 1D 86
Misterton. Leics 2C 62
Misterton. Notts 1E 87
Misterton. Som 2H 13
Mistley. Essx 2E 54
Mistley Heath. Essx 2E 55
Mitcham. G Lon 4D 39
Mitcheldean. Glos 4B 48
Mitchell. Corn 3C 6
Mitchel Troy. Mon 4H 47
Mitcheltroy Common. Mon 5H 47
Mitford. Nmbd 1E 115
Mithian. Corn 3B 6
Mitton. Staf 4C 72
Mixbury. Oxon 2E 50
Mixenden. W Yor 2A 92
Mixon. Staf 5E 85
Moaness. Orkn 7B 172
Moarfield. Shet 1G 173
Moat. Cumb 2F 113
Moats Tye. Suff 5C 66
Mobberley. Ches E 3B 84
Mobberley. Staf 1E 73
Moccas. Here 1G 47
Mochdre. Cnwy 3H 81
Mochdre. Powy 2C 58
Mochrum. Dum 5A 110
Mockbeggar. Hants 2G 15
Mockerkin. Cumb 2B 102
Modbury. Devn 3C 8
Moddershall. Staf 2D 72
Modsarie. High 2G 167
Moelfre. Cnwy 3B 82
Moelfre. IOA 2E 81
Moelfre. Powy 3D 70
Moffat. Dum 4C 118
Moggerhanger. C Beds 1B 52
Mogworthy. Devn 1B 12
Moira. Leics 4H 73
Molash. Kent 5E 41
Mol-chlach. High 2C 146
Mold. Flin 4E 83
Molehill Green. Essx 3F 53
Molescroft. E Yor 5E 101
Molesden. Nmbd 1E 115
Molesworth. Cambs 3H 63
Moll. High 5E 155
Molland. Devn 4B 20
Mollington. Ches W 3F 83
Mollington. Oxon 1C 50
Mollinsburn. N Lan 2A 128
Monachty. Cdgn 4E 57
Monachyle. Stir 2D 134
Monar Lodge. High 4E 156
Monaughty. Powy 4E 59
Monewden. Suff 5E 67
Moneydie. Per 1C 136
Moneyrow Green. Wind 4G 37
Moniaive. Dum 5G 117
Monifieth. Ang 5E 145
Monikie. Ang 5E 145
Monimail. Fife 2E 137
Monington. Pemb 1B 44
Monk Bretton. S Yor 4D 92
Monken Hadley. G Lon 1D 38
Monk Fryston. N Yor 2F 93
Monk Hesleden. Dur 1B 106
Monkhide. Here 1B 48
Monkhill. Cumb 4E 113
Monkhopton. Shrp 1A 60
Monkland. Here 5G 59
Monkleigh. Devn 4E 19
Monknash. V Glam 4C 32
Monkokehampton. Devn 2F 11
Monkseaton. Tyne 2G 115
Monks Eleigh. Suff 1C 54
Monk's Gate. W Sus 3D 26
Monk's Heath. Ches E 3C 84
Monk Sherborne. Hants 1E 24
Monkshill. Abers 4E 161
Monksilver. Som 3D 20
Monks Kirby. Warw 2B 62
Monk Soham. Suff 4E 66
Monk Soham Green. Suff 4E 66
Monkspath. W Mid 3F 61
Monks Risborough. Buck 5G 51
Monksthorpe. Linc 4D 88
Monk Street. Essx 3G 53
Monkswood. Mon 5G 47
Monkton. Devn 2E 13
Monkton. Kent 4G 41
Monkton. Pemb 4D 42
Monkton. S Ayr 2C 116
Monkton Combe. Bath 5C 34
Monkton Deverill. Wilts 3D 22
Monkton Farleigh. Wilts 5D 34
Monkton Heathfield. Som 4F 21
Monktonhill. S Ayr 2C 116
Monkton Up Wimborne. Dors 1F 15
Monkton Wyld. Dors 3G 13
Monkwearmouth. Tyne 4H 115
Monkwood. Dors 3H 13
Monkwood. Hants 3E 25
Monmarsh. Here 1A 48
Monmouth. Mon 4A 48
Monnington on Wye. Here 1G 47
Monreith. Dum 5A 110
Montacute. Som 1H 13
Montford. Arg 3C 126
Montford. Shrp 4G 71
Montford Bridge. Shrp 4G 71
Montgarrie. Abers 2C 152
Montgarswood. E Ayr 2E 117
Montgomery. Powy 1E 58
Montgreenan. N Ayr 5E 127
Montrave. Fife 3F 137
Montrose. Ang 3G 145
Monxton. Hants 2B 24
Monyash. Derbs 4F 85
Monymusk. Abers 2D 152
Monzie. Per 1A 136
Moodiesburn. N Lan 2H 127
Moon's Green. Kent 3C 28
Moonzie. Fife 2F 137
Moor. Som 1H 13
Moor Allerton. W Yor 1C 92
Moorbath. Dors 3H 13
Moorbrae. Shet 3F 173
Moorby. Linc 4B 88
Moorcot. Here 5F 59
Moor Crichel. Dors 2E 15
Moor Cross. Devn 3C 8
Moordown. Bour 3F 15
Moore. Hal 2H 83
Moorend. Dum 2D 112
Moor End. E Yor 1B 94
Moorend. Glos 5C 48
(nr. Dursley)
Moorend. Glos 4D 48
(nr. Gloucester)
Moorends. S Yor 3G 93
Moorgate. S Yor 1B 86
Moorgreen. Hants 1C 16
Moorgreen. Notts 1B 74
Moor Green. Wilts 5D 34
Moorhaigh. Notts 4C 86
Moorhall. Derbs 3H 85
Moorhampton. Here 1G 47
Moorhouse. Cumb 4E 113
(nr. Carlisle)
Moorhouse. Cumb 4D 112
(nr. Wigton)
Moorhouse. Notts 4E 87
Moorhouse. Surr 5F 39
Moorhouses. Linc 5B 88
Moorland. Som 3G 21
Moorlinch. Som 3H 21
Moor Monkton. N Yor 4H 99
Moor of Granary. Mor 3E 159
Moor Row. Cumb 3B 102
(nr. Whitehaven)
Moor Row. Cumb 5D 112
(nr. Wigton)
Moorsholm. Red C 3D 107
Moorside. Dors 1C 14
Moorside. G Man 4H 91
Moor, The. Kent 3B 28
Moortown. Devn 3D 10
Moortown. Hants 2G 15
Moortown. IOW 4C 16
Moortown. Linc 1H 87
Moortown. Telf 4A 72
Moortown. W Yor 1D 92
Morangie. High 5E 165
Morar. High 4E 147
Morborne. Cambs 1A 64
Morchard Bishop. Devn 2A 12
Morcombelake. Dors 3H 13
Morcott. Rut 5G 75
Morda. Shrp 3E 71
Morden. G Lon 4D 38
Mordiford. Here 2A 48
Mordon. Dur 2A 106
More. Shrp 1F 59
Morebath. Devn 4C 20
Morebattle. Bord 2B 120
Morecambe. Lanc 3D 96
Morefield. High 4F 163
Moreleigh. Devn 3D 8
Morenish. Per 5C 142
Moresby Parks. Cumb 3A 102
Morestead. Hants 4D 24
Moreton. Dors 4D 14
Moreton. Essx 5F 53
Moreton. Here 4H 59
Moreton. Mers 1E 83
Moreton. Oxon 5E 51
Moreton. Staf 4B 72
Moreton Corbet. Shrp 3H 71
Moretonhampstead. Devn 4A 12
Moreton-in-Marsh. Glos 2H 49
Moreton Jeffries. Here 1B 48
Moreton Morrell. Warw 5H 61
Moreton on Lugg. Here 1A 48
Moreton Pinkney. Nptn 1D 50
Moreton Say. Shrp 2A 72
Moreton Valence. Glos 5C 48
Morfa. Cdgn 5C 56
Morfa Bach. Carm 4D 44
Morfa Bychan. Gwyn 2E 69
Morfa Glas. Neat 5B 46
Morfa Nefyn. Gwyn 1B 68
Morganstown. Card 3E 33
Morgan's Vale. Wilts 4G 23
Morham. E Lot 2B 130
Moriah. Cdgn 3F 57
Morland. Cumb 2G 103
Morley. Ches E 2C 84
Morley. Derbs 1A 74
Morley. Dur 2E 105
Morley. W Yor 2C 92
Morley St Botolph. Norf 1C 66
Morningside. Edin 2F 129
Morningside. N Lan 4B 128
Morningthorpe. Norf 1E 66
Morpeth. Nmbd 1F 115
Morrey. Staf 4F 73
Morridge Side. Staf 5E 85
Morridge Top. Staf 4E 85
Morrington. Dum 1F 111
Morris Green. Essx 2H 53
Morriston. Swan 3F 31
Morston. Norf 1C 78
Mortehoe. Devn 2E 19
Morthen. S Yor 2B 86
Mortimer. W Ber 5E 37
Mortimer's Cross. Here 4G 59
Mortimer West End. Hants 5E 37
Mortomley. S Yor 1H 85
Morton. Cumb 1F 103
(nr. Calthwaite)
Morton. Cumb 4E 113
(nr. Carlisle)
Morton. Derbs 4B 86
Morton. Linc 3H 75
(nr. Bourne)
Morton. Linc 1F 87
(nr. Gainsborough)
Morton. Linc 4F 87
(nr. Lincoln)
Morton. Norf 4D 78
Morton. Notts 5E 87
Morton. Shrp 3E 71
Morton. S Glo 2B 34
Morton Bagot. Warw 4F 61
Morton Mill. Shrp 3H 71
Morton-on-Swale. N Yor 5A 106
Morton Tinmouth. Dur 2E 105
Morvah. Corn 3B 4
Morval. Corn 3G 7
Morvich. High 3E 165
(nr. Golspie)
Morvich. High 1B 148
(nr. Shiel Bridge)
Morvil. Pemb 1E 43
Morville. Shrp 1A 60
Morwenstow. Corn 1C 10
Morwick Hall. Nmbd 4G 121
Mosborough. S Yor 2B 86
Moscow. E Ayr 5F 127
Mose. Shrp 1B 60
Mosedale. Cumb 1E 103
Moseley. W Mid 2E 61
(nr. Birmingham)
Moseley. W Mid 5D 72
(nr. Wolverhampton)
Moseley. Worc 5C 60
Moss. Arg 4A 138
Moss. High 2A 140
Moss. S Yor 3F 93
Moss. Wrex 5F 83
Mossatt. Abers 2B 152
Moss Bank. Mers 1H 83
Mossbank. Shet 4F 173
Mossblown. S Ayr 2D 116
Mossbrow. G Man 2B 84
Mossburnford. Bord 3A 120
Mossdale. Dum 2D 110
Mossedge. Cumb 3F 113
Mossend. N Lan 3A 128
Mossgate. Staf 2D 72
Moss Lane. Ches E 3D 84
Mossley. Ches E 4C 84
Mossley. G Man 4H 91
Mossley Hill. Mers 2F 83
Moss of Barmuckity. Mor 2G 159
Mosspark. Glas 3G 127
Mosspaul. Bord 5G 119
Moss Side. Cumb 4C 112
Moss Side. G Man 1C 84
Moss-side. High 3C 158
Moss Side. Lanc 1B 90
(nr. Blackpool)
Moss Side. Lanc 2D 90
(nr. Preston)
Moss Side. Mers 4B 90
Moss-side of Cairness. Abers 2H 161
Mosstodloch. Mor 2H 159
Mosswood. Nmbd 4D 114
Mossy Lea. Lanc 3D 90
Mosterton. Dors 2H 13
Moston. Shrp 3H 71
Moston Green. Ches E 4B 84
Mostyn. Flin 2D 82
Mostyn Quay. Flin 2D 82
Motcombe. Dors 4D 22
Mothecombe. Devn 4C 8
Motherby. Cumb 2F 103
Motherwell. N Lan 4A 128
Mottingham. G Lon 3F 39
Mottisfont. Hants 4B 24
Mottistone. IOW 4C 16
Mottram in Longdendale.
G Man 1D 85
Mottram St Andrew. Ches E 3C 84
Mott's Mill. E Sus 2G 27
Mouldsworth. Ches W 3H 83
Moulin. Per 3G 143
Moulsecoomb. Brig 5E 27
Moulsford. Oxon 3D 36
Moulsoe. Mil 1H 51

Moulton. *Ches W* 4A **84**
Moulton. *Linc* 3C **76**
Moulton. *Nptn* 4E **63**
Moulton. *N Yor* 4F **105**
Moulton. *Suff* 4F **65**
Moulton. *V Glam* 4D **32**
Moulton Chapel. *Linc* 4B **76**
Moulton Eugate. *Linc* 4B **76**
Moulton St Mary. *Norf* 5F **79**
Moulton Seas End. *Linc* 3C **76**
Mount. *Corn* 2F **7**
(nr. Bodmin)
Mount. *Corn* 3B **6**
(nr. Newquay)
Mountain Ash. *Rhon* 2D **32**
Mountain Cross. *Bord* 5E **129**
Mountain Street. *Kent* 5E **41**
Mountain Water. *Pemb* 2D **42**
Mount Ambrose. *Corn* 4B **6**
Mountbenger. *Bord* 2F **119**
Mountblow. *W Dun* 2F **127**
Mount Bures. *Essx* 2C **54**
Mountfield. *E Sus* 3B **28**
Mountgerald. *High* 2H **157**
Mount Hawke. *Corn* 4B **6**
Mount High. *High* 2A **158**
Mountjoy. *Corn* 2C **6**
Mount Lothian. *Midl* 4F **129**
Mountnessing. *Essx* 1H **39**
Mounton. *Mon* 2A **34**
Mount Pleasant. *Buck* 2E **51**
Mount Pleasant. *Ches E* 5C **84**
Mount Pleasant. *Derbs* 1H **73**
(nr. Derby)
Mount Pleasant. *Derbs* 4G **73**
(nr. Swadlincote)
Mount Pleasant. *E Sus* 4F **27**
Mount Pleasant. *Fife* 2E **137**
Mount Pleasant. *Hants* 3A **16**
Mount Pleasant. *Norf* 1B **66**
Mount Skippett. *Oxon* 4B **50**
Mountsorrel. *Leics* 4C **74**
Mount Stuart. *Arg* 4C **126**
Mousehole. *Corn* 4B **4**
Mouswald. *Dum* 2B **112**
Mow Cop. *Ches E* 5C **84**
Mowden. *Darl* 3F **105**
Mowhaugh. *Bord* 2C **120**
Mowmacre Hill. *Leic* 5C **74**
Mowsley. *Leics* 2D **62**
Moy. *High* 5B **158**
Moylgrove. *Pemb* 1B **44**
Moy Lodge. *High* 5G **149**
Muasdale. *Arg* 5E **125**
Muchalls. *Abers* 4G **153**
Much Birch. *Here* 2A **48**
Much Cowarne. *Here* 1B **48**
Much Dewchurch. *Here* 2H **47**
Muchelney. *Som* 4H **21**
Muchelney Ham. *Som* 4H **21**
Much Hadham. *Herts* 4E **53**
Much Hoole. *Lanc* 2C **90**
Muchlarnick. *Corn* 3G **7**
Much Marcle. *Here* 2B **48**
Muchrachd. *High* 5E **157**
Much Wenlock. *Shrp* 1A **60**
Mucking. *Thur* 2A **40**
Muckle Breck. *Shet* 5G **173**
Muckleford. *Dors* 3B **14**
Mucklestone. *Staf* 2B **72**
Muckleton. *Norf* 2H **77**
Muckleton. *Shrp* 3H **71**
Muckley. *Shrp* 1A **60**
Muckley Corner. *Staf* 5E **73**
Muckton. *Linc* 2C **88**
Mudale. *High* 5F **167**
Muddiford. *Devn* 3F **19**
Mudeford. *Dors* 3G **15**
Mudford. *Som* 1A **14**
Mudgley. *Som* 2H **21**
Mugdock. *Stir* 2G **127**
Mugeary. *High* 5D **154**
Muggington. *Derbs* 1G **73**
Muggintonlane End. *Derbs* 1G **73**
Muggleswick. *Dur* 4D **114**
Mugswell. *Surr* 5D **38**
Muie. *High* 3D **164**
Muirden. *Abers* 3E **160**
Muirdrum. *Ang* 5E **145**
Muiredge. *Per* 1E **137**
Muirend. *Glas* 3G **127**
Muirhead. *Ang* 5C **144**
Muirhead. *Fife* 3E **137**
Muirhead. *N Lan* 3H **127**
Muirhouses. *Falk* 1D **128**
Muirkirk. *E Ayr* 2F **117**
Muir of Alford. *Abers* 2C **152**
Muir of Fairburn. *High* 3G **157**
Muir of Fowlis. *Abers* 2C **152**
Muir of Miltonduff. *Mor* 3F **159**
Muir of Ord. *High* 3H **157**
Muir of Tarradale. *High* 3H **157**
Muirshearlich. *High* 5D **148**
Muirtack. *Abers* 5G **161**
Muirton. *High* 2B **158**
Muirton. *Per* 1D **136**
Muirton of Ardblair. *Per* 4A **144**
Muirtown. *Per* 2B **136**
Muiryfold. *Abers* 3E **161**
Muker. *N Yor* 5C **104**
Mulbarton. *Norf* 5D **78**
Mulben. *Mor* 3A **160**
Mulindry. *Arg* 4B **124**
Mulla. *Shet* 5F **173**
Mullach Charlabhaigh. *W Isl* 3E **171**
Mullacott. *Devn* 2F **19**
Mullion. *Corn* 5D **5**
Mullion Cove. *Corn* 5D **4**
Mumbles. *Swan* 4F **31**
Mumby. *Linc* 3E **89**
Munderfield Row. *Here* 5A **60**
Munderfield Stocks. *Here* 5A **60**
Mundesley. *Norf* 2F **79**
Mundford. *Norf* 1H **65**
Mundham. *Norf* 1F **67**
Mundon. *Essx* 5B **54**
Munerigie. *High* 3E **149**
Muness. *Shet* 1H **173**
Mungasdale. *High* 4D **162**
Mungrisdale. *Cumb* 1E **103**
Munlochy. *High* 3A **158**
Munsley. *Here* 1B **48**
Munslow. *Shrp* 2H **59**
Murchington. *Devn* 4G **11**
Murcot. *Worc* 1F **49**
Murcott. *Oxon* 4D **50**
Murdishaw. *Hal* 2H **83**
Murieston. *W Lot* 3D **128**
Murkle. *High* 2D **168**
Murlaggan. *High* 4C **148**
Murra. *Orkn* 7B **172**
Murrayfield. *Edin* 2F **129**
Murray, The. *S Lan* 4H **127**
Murrell Green. *Hants* 1F **25**
Murroes. *Ang* 5D **144**
Murrow. *Cambs* 5C **76**
Mursley. *Buck* 3G **51**
Murthly. *Per* 5H **143**
Murton. *Cumb* 2A **104**
Murton. *Dur* 5G **115**
Murton. *Nmbd* 5F **131**
Murton. *Swan* 4E **31**
Murton. *York* 4A **100**
Musbury. *Devn* 3F **13**
Muscoates. *N Yor* 1A **100**
Muscott. *Nptn* 4D **62**
Musselburgh. *E Lot* 2G **129**
Muston. *Leics* 2F **75**
Muston. *N Yor* 2E **101**
Mustow Green. *Worc* 3C **60**
Muswell Hill. *G Lon* 2D **39**
Mutehill. *Dum* 5D **111**
Mutford. *Suff* 2G **67**
Muthill. *Per* 2A **136**
Mutterton. *Devn* 2D **12**
Muxton. *Telf* 4B **72**
Mwmbwls. *Swan* 4F **31**
Mybster. *High* 3D **168**
Myddfai. *Carm* 2A **46**
Myddle. *Shrp* 3G **71**
Mydroilyn. *Cdgn* 5D **56**
Myerscough. *Lanc* 1C **90**
Mylor Bridge. *Corn* 5C **6**
Mylor Churchtown. *Corn* 5C **6**
Mynachlog-ddu. *Pemb* 1F **43**
Mynydd-bach. *Mon* 2H **33**
Mynydd Isa. *Flin* 4E **83**
Mynyddislwyn. *Cphy* 2E **33**
Mynydd Llandegai. *Gwyn* 4F **81**
Mynydd Mechell. *IOA* 1C **80**
Mynydd-y-briw. *Powy* 3D **70**
Mynyddygarreg. *Carm* 5E **45**
Mynytho. *Gwyn* 2C **68**
Myrebird. *Abers* 4E **153**
Myrelandhorn. *High* 3E **169**
Mytchett. *Surr* 1G **25**
Mythe, The. *Glos* 2D **49**
Mytholmroyd. *W Yor* 2A **92**
Myton-on-Swale. *N Yor* 3G **99**
Mytton. *Shrp* 4G **71**

N

Naast. *High* 5C **162**
Na Buirgh. *W Isl* 8C **171**
Naburn. *York* 5H **99**
Nab Wood. *W Yor* 1B **92**
Nackington. *Kent* 5F **41**
Nacton. *Suff* 1F **55**
Nafferton. *E Yor* 4E **101**
Na Gearrannan. *W Isl* 3D **171**
Nailbridge. *Glos* 4B **48**
Nailsbourne. *Som* 4F **21**
Nailsea. *N Som* 4H **33**
Nailstone. *Leics* 5B **74**
Nailsworth. *Glos* 2D **34**
Nairn. *High* 3C **158**
Nalderswood. *Surr* 1D **26**
Nancegollan. *Corn* 3D **4**
Nancledra. *Corn* 3B **4**
Nangreaves. *G Man* 3G **91**
Nanhyfer. *Pemb* 1E **43**
Nannerch. *Flin* 4D **82**
Nanpantan. *Leics* 4C **74**
Nanpean. *Corn* 3D **6**
Nanstallon. *Corn* 2E **7**
Nant-ddu. *Powy* 4D **46**
Nanternis. *Cdgn* 5C **56**
Nantgaredig. *Carm* 3E **45**
Nantgarw. *Rhon* 3E **33**
Nant Glas. *Powy* 4B **58**
Nantglyn. *Den* 4C **82**
Nantgwyn. *Powy* 3B **58**
Nantlle. *Gwyn* 5E **81**
Nantmawr. *Shrp* 3E **71**
Nantmel. *Powy* 4C **58**
Nantmor. *Gwyn* 1F **69**
Nant Peris. *Gwyn* 5F **81**
Nantwich. *Ches E* 5A **84**
Nant-y-bai. *Carm* 1A **46**
Nant-y-bwch. *Blae* 4E **47**
Nant-y-Derry. *Mon* 5G **47**
Nant-y-dugoed. *Powy* 4B **70**
Nant-y-felin. *Cnwy* 3F **81**
Nantyffyllon. *B'end* 2B **32**
Nantyglo. *Blae* 4E **47**
Nant-y-meichiaid. *Powy* 4D **70**
Nant-y-moel. *B'end* 2C **32**
Nant-y-Pandy. *Cnwy* 3F **81**
Naphill. *Buck* 2G **37**
Nappa. *Lanc* 4A **98**
Napton on the Hill. *Warw* 4B **62**
Narberth. *Pemb* 3F **43**
Narberth Bridge. *Pemb* 3F **43**
Narborough. *Leics* 1C **62**
Narborough. *Norf* 4G **77**
Narkurs. *Corn* 3H **7**
Narth, The. *Mon* 5A **48**
Narthwaite. *Cumb* 5A **104**
Nasareth. *Gwyn* 1D **68**
Naseby. *Nptn* 3D **62**
Nash. *Buck* 2F **51**
Nash. *Here* 4F **59**
Nash. *Kent* 5G **41**
Nash. *Newp* 3G **33**
Nash. *Shrp* 3A **60**
Nash Lee. *Buck* 5G **51**
Nassington. *Nptn* 1H **63**
Nasty. *Herts* 3D **52**
Natcott. *Devn* 4C **18**
Nateby. *Cumb* 4A **104**
Nateby. *Lanc* 5D **96**
Nately Scures. *Hants* 1F **25**
Natland. *Cumb* 1E **97**
Naughton. *Suff* 1D **54**
Naunton. *Glos* 3G **49**
Naunton. *Worc* 2D **49**
Naunton Beauchamp. *Worc* 5D **60**
Navenby. *Linc* 5G **87**
Navestock Heath. *Essx* 1G **39**
Navestock Side. *Essx* 1G **39**
Navidale. *High* 2H **165**
Nawton. *N Yor* 1A **100**
Nayland. *Suff* 2C **54**
Nazeing. *Essx* 5E **53**
Neacroft. *Hants* 3G **15**
Nealhouse. *Cumb* 4E **113**
Neal's Green. *W Mid* 2H **61**
Neap House. *N Lin* 3B **94**
Near Sawrey. *Cumb* 5E **103**
Neasden. *G Lon* 2D **38**
Neasham. *Darl* 3A **106**
Neath. *Neat* 2A **32**
Neath Abbey. *Neat* 3G **31**
Neatishead. *Norf* 3F **79**
Neaton. *Norf* 5B **78**
Nebo. *Cdgn* 4E **57**
Nebo. *Cnwy* 5H **81**
Nebo. *Gwyn* 5D **81**
Nebo. *IOA* 1D **80**
Necton. *Norf* 5A **78**
Nedd. *High* 5B **166**
Nedderton. *Nmbd* 1F **115**
Nedging. *Suff* 1D **54**
Nedging Tye. *Suff* 1D **54**
Needham. *Norf* 2E **67**
Needham Market. *Suff* 5C **66**
Needham Street. *Suff* 4G **65**
Needingworth. *Cambs* 3C **64**
Needwood. *Staf* 3F **73**
Neen Savage. *Shrp* 3A **60**
Neen Sollars. *Shrp* 3A **60**
Neenton. *Shrp* 2A **60**
Nefyn. *Gwyn* 1C **68**
Neilston. *E Ren* 4F **127**
Neithrop. *Oxon* 1C **50**
Nelly Andrews Green. *Powy* 5E **71**
Nelson. *Cphy* 2E **32**
Nelson. *Lanc* 1G **91**
Nelson Village. *Nmbd* 2F **115**
Nemphlar. *S Lan* 5B **128**
Nempnett Thrubwell. *Bath* 5A **34**
Nene Terrace. *Linc* 5B **76**
Nenthall. *Cumb* 5A **114**
Nenthead. *Cumb* 5A **114**
Nenthorn. *Bord* 1A **120**
Nercwys. *Flin* 4E **83**
Neribus. *Arg* 4A **124**
Nerston. *S Lan* 4H **127**
Nesbit. *Nmbd* 1D **121**
Nesfield. *N Yor* 5C **98**
Ness. *Ches W* 3F **83**
Nesscliffe. *Shrp* 4F **71**
Ness of Tenston. *Orkn* 6B **172**
Neston. *Ches W* 3E **83**
Neston. *Wilts* 5D **34**
Nethanfoot. *S Lan* 5B **128**
Nether Alderley. *Ches E* 3C **84**
Netheravon. *Wilts* 2G **23**
Nether Blainslie. *Bord* 5B **130**
Netherbrae. *Abers* 3E **161**
Netherbrough. *Orkn* 6C **172**
Nether Broughton. *Leics* 3D **74**
Netherburn. *S Lan* 5B **128**
Nether Burrow. *Lanc* 2F **97**
Netherbury. *Dors* 3H **13**
Netherby. *Cumb* 2E **113**
Nether Careston. *Ang* 3E **145**
Nether Cerne. *Dors* 3B **14**
Nether Compton. *Dors* 1A **14**
Nethercote. *Glos* 3G **49**
Nethercote. *Warw* 4C **62**
Nethercott. *Devn* 3E **19**
Nethercott. *Oxon* 3C **50**
Nether Dallachy. *Mor* 2A **160**
Nether Durdie. *Per* 1E **136**
Nether End. *Derbs* 3G **85**
Netherend. *Glos* 5A **48**
Nether Exe. *Devn* 2C **12**
Netherfield. *E Sus* 4B **28**
Netherfield. *Notts* 1D **74**
Nethergate. *Norf* 3C **78**
Netherhampton. *Wilts* 4G **23**
Nether Handley. *Derbs* 3B **86**
Nether Haugh. *S Yor* 1B **86**
Nether Heage. *Derbs* 5A **86**
Nether Heyford. *Nptn* 5D **62**
Netherhouses. *Cumb* 1B **96**
Nether Howcleugh. *Dum* 3C **118**
Nether Kellet. *Lanc* 3E **97**
Nether Kinmundy. *Abers* 4H **161**
Netherland Green. *Staf* 2F **73**
Nether Langwith. *Notts* 3C **86**
Netherlaw. *Dum* 5E **111**
Netherley. *Abers* 4F **153**
Nethermill. *Dum* 1B **112**
Nethermills. *Mor* 3C **160**
Nether Moor. *Derbs* 4A **86**
Nether Padley. *Derbs* 3G **85**
Netherplace. *E Ren* 4G **127**
Nether Poppleton. *York* 4H **99**
Netherseal. *Derbs* 4G **73**
Nether Silton. *N Yor* 5B **106**
Nether Stowey. *Som* 3E **21**
Nether Street. *Essx* 4F **53**
Netherstreet. *Wilts* 5E **35**
Netherthird. *E Ayr* 3E **117**
Netherthong. *W Yor* 4B **92**
Netherton. *Ang* 3E **145**
Netherton. *Cumb* 1B **102**
Netherton. *Devn* 5B **12**
Netherton. *Hants* 1B **24**
Netherton. *Here* 3A **48**
Netherton. *Mers* 1F **83**
Netherton. *N Lan* 4A **128**
Netherton. *Nmbd* 4D **121**
Netherton. *Per* 3A **144**
Netherton. *Shrp* 2B **60**
Netherton. *Stir* 2G **127**
Netherton. *W Mid* 2D **60**
Netherton. *W Yor* 3C **92**
(nr. Horbury)
Netherton. *W Yor* 3B **92**
(nr. Huddersfield)
Netherton. *Worc* 1E **49**
Nethertown. *Cumb* 4A **102**
Nethertown. *High* 1F **169**
Nethertown. *Staf* 4F **73**
Nether Urquhart. *Fife* 3D **136**
Nether Wallop. *Hants* 3B **24**
Nether Wasdale. *Cumb* 4C **102**
Nether Welton. *Cumb* 5E **113**
Nether Westcote. *Glos* 3H **49**
Nether Whitacre. *Warw* 1G **61**
Netherwhitton. *Nmbd* 5F **121**
Nether Winchendon. *Buck* 4F **51**
Nether Worton. *Oxon* 2C **50**
Nethy Bridge. *High* 1E **151**
Netley. *Hants* 2C **16**
Netley. *Shrp* 5G **71**
Netley Marsh. *Hants* 1B **16**
Nettlebed. *Oxon* 3F **37**
Nettlebridge. *Som* 2B **22**
Nettlecombe. *Dors* 3A **14**
Nettlecombe. *IOW* 5D **16**
Nettleden. *Herts* 4A **52**
Nettleham. *Linc* 3H **87**
Nettlestead. *Kent* 5A **40**
Nettlestead Green. *Kent* 5A **40**
Nettlestone. *IOW* 3E **16**
Nettlesworth. *Dur* 5F **115**
Nettleton. *Linc* 4E **94**
Nettleton. *Wilts* 4D **34**
Netton. *Devn* 4B **8**
Netton. *Wilts* 3G **23**
Neuadd. *Carm* 3H **45**
Neuadd. *Powy* 5C **70**
Neuk, The. *Abers* 4E **153**
Nevendon. *Essx* 1B **40**
Nevern. *Pemb* 1A **44**
New Abbey. *Dum* 3A **112**
New Aberdour. *Abers* 2F **161**
New Addington. *G Lon* 4E **39**
Newall. *W Yor* 5D **98**
New Alresford. *Hants* 3D **24**
New Alyth. *Per* 4B **144**
Newark. *Orkn* 3G **172**
Newark. *Pet* 5B **76**
Newark-on-Trent. *Notts* 5E **87**
New Arley. *Warw* 2G **61**
Newarthill. *N Lan* 4A **128**
New Ash Green. *Kent* 4H **39**
New Balderton. *Notts* 5F **87**
New Barn. *Kent* 4H **39**
New Barnetby. *N Lin* 3D **94**
Newbattle. *Midl* 3G **129**
New Bewick. *Nmbd* 2E **121**
Newbie. *Dum* 3C **112**
Newbiggin. *Cumb* 2H **103**
(nr. Appleby)
Newbiggin. *Cumb* 3B **96**
(nr. Barrow-in-Furness)
Newbiggin. *Cumb* 5G **113**
(nr. Cumrew)
Newbiggin. *Cumb* 2F **103**
(nr. Penrith)
Newbiggin. *Cumb* 5B **102**
(nr. Seascale)
Newbiggin. *Dur* 5E **115**
(nr. Consett)
Newbiggin. *Dur* 2C **104**
(nr. Holwick)
Newbiggin. *Nmbd* 5C **114**
Newbiggin. *N Yor* 5C **104**
(nr. Askrigg)
Newbiggin. *N Yor* 1F **101**
(nr. Filey)
Newbiggin. *N Yor* 1B **98**
(nr. Thoralby)
Newbiggin-by-the-Sea. *Nmbd* 1G **115**
Newbigging. *Ang* 5D **145**
(nr. Monikie)
Newbigging. *Ang* 4B **144**
(nr. Newtyle)
Newbigging. *Ang* 5D **144**
(nr. Tealing)
Newbigging. *Edin* 2E **129**
Newbigging. *S Lan* 5D **128**
Newbiggin-on-Lune. *Cumb* 4A **104**
Newbold. *Derbs* 3A **86**
Newbold. *Leics* 4B **74**
Newbold on Avon. *Warw* 3B **62**
Newbold on Stour. *Warw* 1H **49**
Newbold Pacey. *Warw* 5G **61**
Newbold Verdon. *Leics* 5B **74**
New Bolingbroke. *Linc* 5C **88**
Newborough. *IOA* 4D **80**
Newborough. *Pet* 5B **76**
Newborough. *Staf* 3F **73**
Newbottle. *Nptn* 2D **50**
Newbottle. *Tyne* 4G **115**
New Boultham. *Linc* 3G **87**
Newbourne. *Suff* 1F **55**
New Brancepeth. *Dur* 5F **115**
Newbridge. *Cphy* 2F **33**
Newbridge. *Cdgn* 5E **57**
Newbridge. *Corn* 3B **4**
New Bridge. *Dum* 2G **111**
Newbridge. *Edin* 2E **129**
Newbridge. *Hants* 1A **16**
Newbridge. *IOW* 4C **16**
Newbridge. *N Yor* 1C **100**
Newbridge. *Pemb* 1D **42**
Newbridge. *Wrex* 1E **71**
Newbridge Green. *Worc* 2D **48**
Newbridge-on-Usk. *Mon* 2G **33**
Newbridge on Wye. *Powy* 5C **58**
New Brighton. *Flin* 4E **83**
New Brighton. *Hants* 2F **17**
New Brighton. *Mers* 1F **83**
New Brinsley. *Notts* 5B **86**
Newbrough. *Nmbd* 3B **114**
New Broughton. *Wrex* 5F **83**
New Buckenham. *Norf* 1C **66**
Newbuildings. *Devn* 2A **12**
Newburgh. *Abers* 1G **153**
Newburgh. *Fife* 2E **137**
Newburgh. *Lanc* 3C **90**
Newburn. *Tyne* 3E **115**
Newbury. *W Ber* 5C **36**
Newbury. *Wilts* 2D **22**
Newby. *Cumb* 2G **103**
Newby. *N Yor* 2G **97**
(nr. Ingleton)
Newby. *N Yor* 1E **101**
(nr. Scarborough)
Newby. *N Yor* 3C **106**
(nr. Stokesley)
Newby Bridge. *Cumb* 1C **96**
Newby Cote. *N Yor* 2G **97**
Newby East. *Cumb* 4F **113**
Newby Head. *Cumb* 2G **103**
New Byth. *Abers* 3F **161**
Newby West. *Cumb* 4E **113**
Newby Wiske. *N Yor* 1F **99**
Newcastle. *B'end* 3B **32**
Newcastle. *Mon* 4H **47**
Newcastle. *Shrp* 2E **59**
Newcastle Emlyn. *Carm* 1D **44**
Newcastle International Airport. *Tyne* 2E **115**
Newcastleton. *Bord* 1F **113**
Newcastle-under-Lyme. *Staf* 1C **72**
Newcastle Upon Tyne. *Tyne* 3F **115** & **205**
Newchapel. *Pemb* 1G **43**
Newchapel. *Powy* 2B **58**
Newchapel. *Staf* 5C **84**
Newchapel. *Surr* 1E **27**
New Cheriton. *Hants* 4D **24**
Newchurch. *Carm* 3D **45**
Newchurch. *Here* 5F **59**
Newchurch. *IOW* 4D **16**
Newchurch. *Kent* 2E **29**
Newchurch. *Lanc* 1G **91**
(nr. Nelson)
Newchurch. *Lanc* 2G **91**
(nr. Rawtenstall)
Newchurch. *Mon* 2H **33**
Newchurch. *Powy* 5E **58**
Newchurch. *Staf* 3F **73**
New Costessey. *Norf* 4D **78**
Newcott. *Devn* 2F **13**
New Cowper. *Cumb* 5C **112**
Newcraighall. *Edin* 2G **129**
New Crofton. *W Yor* 3D **93**
New Cross. *Cdgn* 3F **57**
New Cross. *Som* 1H **13**
New Cumnock. *E Ayr* 3F **117**
New Deer. *Abers* 4F **161**
New Denham. *Buck* 2B **38**
Newdigate. *Surr* 1C **26**
New Duston. *Nptn* 4E **62**
New Earswick. *York* 4A **100**
New Edlington. *S Yor* 1C **86**
New Elgin. *Mor* 2G **159**
New Ellerby. *E Yor* 1E **95**
Newell Green. *Brac* 4G **37**
New Eltham. *G Lon* 3F **39**
New End. *Warw* 4F **61**
New End. *Worc* 5E **61**
Newenden. *Kent* 3C **28**
New England. *Essx* 1H **53**
New England. *Pet* 5A **76**
Newent. *Glos* 3C **48**
New Ferry. *Mers* 2F **83**
Newfield. *Dur* 4F **115**
(nr. Chester-le-Street)
Newfield. *Dur* 1F **105**
(nr. Willington)
New Forest. *Hants* 1H **15**
Newfound. *Hants* 1D **24**
New Fryston. *W Yor* 2E **93**
New Galloway. *Dum* 2D **110**
Newgate. *Norf* 1C **78**
Newgate. *Pemb* 2C **42**
Newgate Street. *Herts* 5D **52**
New Greens. *Herts* 5B **52**
New Grimsby. *IOS* 1A **4**
New Hainford. *Norf* 4E **78**
Newhall. *Ches E* 1A **72**
Newhall. *Staf* 3G **73**
Newham. *Nmbd* 2F **121**
New Hartley. *Nmbd* 2G **115**
Newhaven. *Derbs* 4F **85**
Newhaven. *E Sus* 5F **27** & **215**
Newhaven. *Edin* 2F **129**
New Haw. *Surr* 4B **38**
New Hedges. *Pemb* 4F **43**
New Herrington. *Tyne* 4G **115**
Newhey. *G Man* 3H **91**
New Holkham. *Norf* 2A **78**
New Holland. *N Lin* 2D **94**
Newholm. *N Yor* 3F **107**

New Houghton. Derbs 4C 86
New Houghton. Norf 3G 77
Newhouse. N Lan 3A 128
New Houses. N Yor 2H 97
New Hutton. Cumb 5G 103
New Hythe. Kent 5B 40
Newick. E Sus 3F 27
Newingreen. Kent 2F 29
Newington. Edin 2F 129
Newington. Kent 2F 29 (nr. Folkestone)
Newington. Kent 4C 40 (nr. Sittingbourne)
Newington. Notts 1D 86
Newington. Oxon 2E 36
Newington Bagpath. Glos 2D 34
New Inn. Carm 2E 45
New Inn. Mon 5H 47
New Inn. N Yor 2H 97
New Inn. Torf 5G 47
New Invention. Shrp 3E 59
New Kelso. High 4B 156
New Lanark. S Lan 5B 128
Newland. Glos 5A 48
Newland. Hull 1D 94
Newland. N Yor 2G 93
Newland. Som 3B 20
Newland. Worc 1C 48
Newlandrig. Midl 3G 129
Newlands. Cumb 1E 103
Newlands. Essx 2C 40
Newlands. High 4B 158
Newlands. Nmbd 4D 115
Newlands. Staf 3E 73
Newlands of Geise. High 2C 168
Newlands of Tynet. Mor 2A 160
Newlands Park. IOA 2B 80
New Lane. Lanc 3C 90
New Lane End. Warr 1A 84
New Langholm. Dum 1E 113
New Leake. Linc 5D 88
New Leeds. Abers 3G 161
New Lenton. Nott 2C 74
New Longton. Lanc 2D 90
Newlot. Orkn 6E 172
New Luce. Dum 3G 109
Newlyn. Corn 4B 4
Newmachar. Abers 2F 153
Newmains. N Lan 4B 128
New Mains of Ury. Abers 5F 153
New Malden. G Lon 4D 38
Newman's Green. Suff 1B 54
Newmarket. Suff 4F 65
Newmarket. W Isl 4G 171
New Marske. Red C 2D 106
New Marton. Shrp 2F 71
New Micklefield. W Yor 1E 93
New Mill. Abers 4E 160
New Mill. Corn 3B 4
New Mill. Herts 4H 51
Newmill. Mor 3B 160
Newmill. Bord 3G 119
New Mill. W Yor 4B 92
New Mill. Wilts 5G 35
Newmillerdam. W Yor 3D 92
New Mills. Corn 3C 6
New Mills. Derbs 2E 85
Newmills. Fife 1D 128
Newmills. High 2A 158
New Mills. Mon 5A 48
New Mills. Powy 5C 70
Newmiln. Per 5A 144
Newmilns. E Ayr 1E 117
New Milton. Hants 3H 15
New Mistley. Essx 2E 54
New Moat. Pemb 2E 43
Newmore. High 3H 157 (nr. Dingwall)
Newmore. High 1A 158 (nr. Invergordon)
Newnham. Cambs 5D 64
Newnham. Glos 4B 48
Newnham. Hants 1F 25
Newnham. Herts 2C 52
Newnham. Kent 5D 40
Newnham. Nptn 5C 62
Newnham. Warw 4F 61
Newnham Bridge. Worc 4A 60
New Ollerton. Notts 4D 86
New Oscott. W Mid 1F 61
Newpark. Fife 2G 137
New Park. N Yor 4E 99
New Pitsligo. Abers 3F 161
New Polzeath. Corn 1D 6
Newport. Corn 4D 10
Newport. Devn 3F 19
Newport. E Yor 1B 94
Newport. Essx 2F 53
Newport. Glos 2B 34
Newport. High 1H 165
Newport. IOW 4D 16
Newport. Newp 3G 33 & 205
Newport. Norf 4H 79
Newport. Pemb 1E 43
Newport. Som 4G 21
Newport. Telf 4B 72
Newport-on-Tay. Fife 1G 137
Newport Pagnell. Mil 1G 51
Newpound Common. W Sus 3B 26
New Prestwick. S Ayr 2C 116
New Quay. Cdgn 5C 56
Newquay. Corn 2C 6
Newquay Cornwall Airport. Corn 2C 6
New Rackheath. Norf 4E 79
New Radnor. Powy 4E 58
New Rent. Cumb 1F 103
New Ridley. Nmbd 4D 114
New Romney. Kent 3E 29
New Rossington. S Yor 1D 86
New Row. Cdgn 3G 57
New Row. Lanc 1E 91
New Row. N Yor 3D 106
New Sauchie. Clac 4A 136
Newsbank. Ches E 4C 84
Newseat. Abers 5E 160
Newsham. Lanc 1D 90
Newsham. Nmbd 2G 115
Newsham. N Yor 3E 105 (nr. Richmond)
Newsham. N Yor 1F 99 (nr. Thirsk)
New Sharlston. W Yor 3D 93
Newsholme. E Yor 2H 93
Newsholme. Lanc 4H 97
New Shoreston. Nmbd 1F 121
New Springs. G Man 4D 90
Newstead. Notts 5C 86
Newstead. Bord 1H 119
New Stevenston. N Lan 4A 128
New Street. Here 5F 59
Newstreet Lane. Shrp 2A 72
New Swanage. Dors 4F 15
New Swannington. Leics 4B 74
Newthorpe. N Yor 1E 93
Newthorpe. Notts 1B 74
Newton. Arg 4H 133
Newton. B'end 4B 32
Newton. Cambs 1E 53 (nr. Cambridge)
Newton. Cambs 4D 76 (nr. Wisbech)
Newton. Ches W 4G 83 (nr. Chester)
Newton. Ches W 5H 83 (nr. Tattenhall)
Newton. Cumb 2B 96
Newton. Derbs 5B 86
Newton. Dors 1C 14
Newton. Dum 2D 112 (nr. Annan)
Newton. Dum 5D 118 (nr. Moffat)
Newton. G Man 1D 84
Newton. Here 2G 47 (nr. Ewyas Harold)
Newton. Here 5H 59 (nr. Leominster)
Newton. High 2B 158 (nr. Cromarty)
Newton. High 4B 158 (nr. Inverness)
Newton. High 5C 166 (nr. Kylestrome)
Newton. High 4F 169 (nr. Wick)
Newton. Lanc 2E 97 (nr. Carnforth)
Newton. Lanc 4F 97 (nr. Clitheroe)
Newton. Lanc 1C 90 (nr. Kirkham)
Newton. Linc 2H 75
Newton. Mers 2E 83
Newton. Mor 2F 159
Newton. Norf 4H 77
Newton. Nptn 2F 63
Newton. Nmbd 3D 114
Newton. Notts 1D 74
Newton. Bord 2A 120
Newton. Shet 8E 173
Newton. Shrp 1B 60 (nr. Bridgnorth)
Newton. Shrp 2G 71 (nr. Wem)
Newton. Som 3E 20
Newton. S Lan 3H 127 (nr. Glasgow)
Newton. S Lan 1B 118 (nr. Lanark)
Newton. Staf 3E 73
Newton. Suff 1C 54
Newton. Swan 4F 31
Newton. Warw 3C 62
Newton. W Lot 2D 129
Newton. Wilts 4H 23
Newton Abbot. Devn 5B 12
Newtonairds. Dum 1F 111
Newton Arlosh. Cumb 4D 112
Newton Aycliffe. Dur 2F 105
Newton Bewley. Hart 2B 106
Newton Blossomville. Mil 5G 63
Newton Bromswold. Bed 4G 63
Newton Burgoland. Leics 5A 74
Newton by Toft. Linc 2H 87
Newton Ferrers. Devn 4B 8
Newton Flotman. Norf 1E 66
Newtongrange. Midl 3G 129
Newton Green. Mon 2A 34
Newton Hall. Dur 5F 115
Newton Hall. Nmbd 3D 114
Newton Harcourt. Leics 1D 62
Newton Heath. G Man 4G 91
Newtonhill. Abers 4G 153
Newtonhill. High 4H 157
Newton Hill. W Yor 2D 92
Newton Ketton. Darl 2A 106
Newton Kyme. N Yor 5G 99
Newton-le-Willows. Mers 1H 83
Newton-le-Willows. N Yor 1E 98
Newton Longville. Buck 2G 51
Newton Mearns. E Ren 4G 127
Newtonmore. High 4B 150
Newton Morrell. N Yor 4F 105
Newton Mulgrave. N Yor 3E 107
Newton of Ardtoe. High 1A 140
Newton of Balcanquhal. Per 2D 136
Newton of Beltrees. Ren 4E 127
Newton of Falkland. Fife 3E 137
Newton of Mountblairy. Abers 3E 160
Newton of Pitcairns. Per 2C 136
Newton-on-Ouse. N Yor 4H 99
Newton-on-Rawcliffe. N Yor 5F 107
Newton on the Hill. Shrp 3G 71
Newton-on-the-Moor. Nmbd 4F 121
Newton on Trent. Linc 3F 87
Newton Poppleford. Devn 4D 12
Newton Purcell. Oxon 2E 51
Newton Regis. Warw 5G 73
Newton Reigny. Cumb 1F 103
Newton Rigg. Cumb 1F 103
Newton St Cyres. Devn 3B 12
Newton St Faith. Norf 4E 78
Newton St Loe. Bath 5C 34
Newton St Petrock. Devn 1E 11
Newton Solney. Derbs 3G 73
Newton Stacey. Hants 2C 24
Newton Stewart. Dum 3B 110
Newton Toney. Wilts 2H 23
Newton Tony. Wilts 2H 23
Newton Tracey. Devn 4F 19
Newton under Roseberry. Red C 3C 106
Newton Unthank. Leics 5B 74
Newton upon Ayr. S Ayr 2C 116
Newton upon Derwent. E Yor 5B 100
Newton Valence. Hants 3F 25
Newton-with-Scales. Lanc 1B 90
Newtown. Abers 2E 160
Newtown. Cambs 4H 63
Newtown. Corn 5C 10
Newtown. Cumb 5B 112 (nr. Aspatria)
Newtown. Cumb 3G 113 (nr. Brampton)
Newtown. Cumb 2G 103 (nr. Penrith)
Newtown. Derbs 2D 85
Newtown. Devn 4A 20
Newtown. Dors 2H 13 (nr. Beaminster)
New Town. Dors 1E 15 (nr. Sixpenny Handley)
New Town. E Lot 2H 129
Newtown. Falk 1C 128
Newtown. Glos 5B 48 (nr. Lydney)
Newtown. Glos 2E 49 (nr. Tewkesbury)
Newtown. Hants 1D 16 (nr. Bishop's Waltham)
Newtown. Hants 3G 25 (nr. Liphook)
Newtown. Hants 1A 16 (nr. Lyndhurst)
Newtown. Hants 5C 36 (nr. Newbury)
Newtown. Hants 4B 24 (nr. Romsey)
Newtown. Hants 2C 16 (nr. Warsash)
Newtown. Hants 1E 16 (nr. Wickham)
Newtown. Here 2A 48 (nr. Little Dewchurch)
Newtown. Here 1B 48 (nr. Stretton Grandison)
Newtown. High 3F 149
Newtown. IOM 4C 108
Newtown. IOW 3C 16
Newtown. Lanc 3D 90
New Town. Lutn 3A 52
Newtown. Nmbd 4E 121 (nr. Rothbury)
Newtown. Nmbd 2E 121 (nr. Wooler)
Newtown. Pool 3F 15
Newtown. Powy 1D 58
Newtown. Rhon 2D 32
Newtown. Shet 3F 173
Newtown. Shrp 2G 71
Newtown. Som 1F 13
Newtown. Staf 4D 84 (nr. Biddulph)
Newtown. Staf 5D 73 (nr. Cannock)
Newtown. Staf 4E 85 (nr. Longnor)
New Town. W Yor 2E 93
Newtown. Wilts 4E 23
Newtown-in-St Martin. Corn 4E 5
Newtown Linford. Leics 5C 74
Newtown St Boswells. Bord 1H 119
New Tredegar. Cphy 5E 47
Newtyle. Ang 4B 144
New Village. E Yor 1D 94
New Village. S Yor 4F 93
New Walsoken. Cambs 5D 76
New Waltham. NE Lin 4F 95
New Winton. E Lot 2H 129
New World. Cambs 1C 64
New Yatt. Oxon 4B 50
Newyears Green. G Lon 2B 38
New York. Linc 5B 88
New York. Tyne 2G 115
Nextend. Here 5F 59
Neyland. Pemb 4D 42
Nib Heath. Shrp 4G 71
Nicholashayne. Devn 1E 12
Nicholaston. Swan 4E 31
Nidd. N Yor 3F 99
Niddrie. Edin 2F 129
Niddry. Edin 2D 129
Nigg. Aber 3G 153
Nigg. High 1C 158
Nigg Ferry. High 2B 158
Nightcott. Som 4B 20
Nimmer. Som 1G 13
Nine Ashes. Essx 5F 53
Ninebanks. Nmbd 4A 114
Nine Elms. Swin 3G 35
Ninemile Bar. Dum 2F 111
Nine Mile Burn. Midl 4E 129
Ninfield. E Sus 4B 28
Ningwood. IOW 4C 16
Nisbet. Bord 2A 120
Nisbet Hill. Bord 4D 130
Niton. IOW 5D 16
Nitshill. E Ren 4G 127
Niwbwrch. IOA 4D 80
Noak Hill. G Lon 1G 39
Nobold. Shrp 4G 71
Nobottle. Nptn 4D 62
Nocton. Linc 4H 87
Nogdam End. Norf 5F 79
Noke. Oxon 4D 50
Nolton. Pemb 3C 42
Nolton Haven. Pemb 3C 42
No Man's Heath. Ches W 1H 71
No Man's Heath. Warw 5G 73
Nomansland. Devn 1B 12
Nomansland. Wilts 1A 16
Noneley. Shrp 3G 71
Noness. Shet 9F 173
Nonikiln. High 1A 158
Nonington. Kent 5G 41
Nook. Cumb 2F 113 (nr. Longtown)
Nook. Cumb 1E 97 (nr. Milnthorpe)
Noranside. Ang 2D 144
Norbreck. Bkpl 5C 96
Norbridge. Here 1C 48
Norbury. Ches E 1H 71
Norbury. Derbs 1F 73
Norbury. Shrp 1F 59
Norbury. Staf 3B 72
Norby. N Yor 1G 99
Norby. Shet 6C 173
Norcross. Lanc 5C 96
Nordelph. Norf 5E 77
Norden. G Man 3G 91
Nordley. Shrp 1A 60
Norfolk Broads. Norf 5G 79
Norham. Nmbd 5F 131
Norland Town. W Yor 2A 92
Norley. Ches W 3H 83
Norleywood. Hants 3B 16
Normanby. N Lin 3B 94
Normanby. N Yor 1B 100
Normanby. Red C 3C 106
Normanby-by-Spital. Linc 2H 87
Normanby le Wold. Linc 1A 88
Norman Cross. Cambs 1A 64
Normandy. Surr 5A 38
Norman's Bay. E Sus 5A 28
Norman's Green. Devn 2D 12
Normanton. Derb 2H 73
Normanton. Leics 1F 75
Normanton. Linc 1G 75
Normanton. Notts 5E 86
Normanton. W Yor 2D 93
Normanton le Heath. Leics 4A 74
Normanton on Soar. Notts 3C 74
Normanton-on-the-Wolds. Notts 2D 74
Normanton on Trent. Notts 4E 87
Normoss. Lanc 1B 90
Norrington Common. Wilts 5D 35
Norris Green. Mers 1F 83
Norris Hill. Leics 4H 73
Norristhorpe. W Yor 2C 92
Northacre. Norf 1B 66
Northall. Buck 3H 51
Northallerton. N Yor 5A 106
Northam. Devn 4E 19
Northam. Sotn 1C 16
Northampton. Nptn 4E 63 & 206
North Anston. S Yor 2C 86
North Ascot. Brac 4A 38
North Aston. Oxon 3C 50
Northaw. Herts 5C 52
Northay. Som 1F 13
North Baddesley. Hants 4B 24
North Balfern. Dum 4B 110
North Ballachulish. High 2E 141
North Barrow. Som 4B 22
North Barsham. Norf 2B 78
Northbeck. Linc 1H 75
North Benfleet. Essx 2B 40
North Bersted. W Sus 5A 26
North Berwick. E Lot 1B 130
North Bitchburn. Dur 1E 105
North Blyth. Nmbd 1G 115
North Boarhunt. Hants 1E 16
North Bockhampton. Dors 3G 15
Northborough. Pet 5A 76
Northbourne. Kent 5H 41
Northbourne. Oxon 3D 36
North Bovey. Devn 4H 11
North Bowood. Dors 3H 13
North Bradley. Wilts 1D 22
North Brentor. Devn 4E 11
North Brewham. Som 3C 22
Northbrook. Oxon 3C 50
North Brook End. Cambs 1C 52
North Broomhill. Nmbd 4G 121
North Buckland. Devn 2E 19
North Burlingham. Norf 4F 79
North Cadbury. Som 4B 22
North Carlton. Linc 3G 87
North Cave. E Yor 1B 94
North Cerney. Glos 5F 49
North Chailey. E Sus 3E 27
Northchapel. W Sus 3A 26
North Charford. Hants 1G 15
North Charlton. Nmbd 2F 121
North Cheriton. Som 4B 22
North Chideock. Dors 3H 13
Northchurch. Herts 5H 51
North Cliffe. E Yor 1B 94
North Clifton. Notts 3F 87
North Close. Dur 1F 105
North Cockerington. Linc 1C 88
North Coker. Som 1A 14
North Collafirth. Shet 3E 173
North Common. E Sus 3E 27
North Commonty. Abers 4F 161
North Coombe. Devn 1B 12
North Cornelly. B'end 3B 32
North Cotes. Linc 4G 95
Northcott. Devn 3D 10 (nr. Boyton)
Northcott. Devn 1D 12 (nr. Culmstock)
Northcourt. Oxon 2D 36
North Cove. Suff 2G 67
North Cowton. N Yor 4F 105
North Craigo. Ang 2F 145
North Crawley. Mil 1H 51
North Cray. G Lon 3F 39
North Creake. Norf 2A 78
North Curry. Som 4G 21
North Dalton. E Yor 4D 100
North Deighton. N Yor 4F 99
North Dronley. Ang 5C 144
North Duffield. N Yor 1G 93
Northdyke. Orkn 5B 172
Northedge. Derbs 4A 86
North Elkington. Linc 1B 88
North Elmham. Norf 3B 78
North Elmsall. W Yor 3E 93
Northend. Buck 2F 37
North End. E Yor 1F 95
North End. Essx 4G 53 (nr. Great Dunmow)
North End. Essx 2A 54 (nr. Great Yeldham)
North End. Hants 5C 36
North End. Leics 4C 74
North End. Linc 1B 76
North End. Norf 1B 66
North End. N Som 5H 33
North End. Port 2E 17
Northend. Warw 5A 62
North End. W Sus 5C 26
North End. Wilts 2F 35
North Erradale. High 5B 162
North Evington. Leic 5D 74
North Fambridge. Essx 1C 40
North Fearns. High 5E 155
North Featherstone. W Yor 2E 93
North Feorline. N Ayr 3D 122
North Ferriby. E Yor 2C 94
Northfield. Aber 3F 153
Northfield. Hull 2D 94
Northfield. Som 3F 21
Northfield. W Mid 3E 61
Northfleet. Kent 3H 39
North Frodingham. E Yor 4F 101
Northgate. Linc 3A 76
North Gluss. Shet 4E 173
North Gorley. Hants 1G 15
North Green. Norf 2E 66
North Green. Suff 4F 67 (nr. Framlingham)
North Green. Suff 3F 67 (nr. Halesworth)
North Green. Suff 4F 67 (nr. Saxmundham)
North Greetwell. Linc 3H 87
North Grimston. N Yor 3C 100
North Halling. Medw 4B 40
North Hayling. Hants 2F 17
North Hazelrigg. Nmbd 1E 121
North Heasley. Devn 3H 19
North Heath. W Sus 3B 26
North Hill. Corn 5C 10
North Hinksey Village. Oxon 5C 50
North Holmwood. Surr 1C 26
North Huish. Devn 3D 8
North Hykeham. Linc 4G 87
Northiam. E Sus 3C 28
Northill. C Beds 1B 52
Northington. Hants 3D 24
North Kelsey. Linc 4D 94
North Kelsey Moor. Linc 4D 94
North Kessock. High 4A 158
North Killingholme. N Lin 3E 95
North Kilvington. N Yor 1G 99
North Kilworth. Leics 2D 62
North Kyme. Linc 5A 88
North Lancing. W Sus 5C 26
Northlands. Linc 5C 88
Northleach. Glos 4G 49
North Lee. Buck 5G 51
North Lees. N Yor 2E 99
Northleigh. Devn 3G 19 (nr. Barnstaple)
Northleigh. Devn 3E 13 (nr. Honiton)
North Leigh. Kent 1F 29
North Leigh. Oxon 4B 50
North Leverton. Notts 2E 87
Northlew. Devn 3F 11
North Littleton. Worc 1F 49
North Lopham. Norf 2C 66
North Luffenham. Rut 5G 75
North Marden. W Sus 1G 17
North Marston. Buck 3F 51
North Middleton. Midl 4G 129
North Middleton. Nmbd 2E 121
North Molton. Devn 4H 19
North Moor. N Yor 1D 100
Northmoor. Oxon 5C 50
Northmoor Green. Som 3G 21
North Moreton. Oxon 3D 36
Northmuir. Ang 3C 144
North Mundham. W Sus 2G 17
North Murie. Per 1E 137
North Muskham. Notts 5E 87
North Ness. Orkn 8C 172
North Newbald. E Yor 1C 94
North Newington. Oxon 2C 50
North Newnton. Wilts 1G 23
North Newton. Som 3F 21
Northney. Hants 2F 17
North Nibley. Glos 2C 34
North Oakley. Hants 1D 24
North Ockendon. G Lon 2G 39
Northolt. G Lon 2C 38
Northop. Flin 4E 83
Northop Hall. Flin 4E 83
North Ormesby. Midd 3C 106

North Ormsby. Linc 1B 88
Northorpe. Linc 4H 75
(nr. Bourne)
Northorpe. Linc 2B 76
(nr. Donington)
Northorpe. Linc 1F 87
(nr. Gainsborough)
North Otterington. N Yor 1F 99
Northover. Som 3H 21
(nr. Glastonbury)
Northover. Som 4A 22
(nr. Yeovil)
North Owersby. Linc 1H 87
Northowram. W Yor 2B 92
North Perrott. Som 2H 13
North Petherton. Som 3F 21
North Petherwin. Corn 4C 10
North Pickenham. Norf 5A 78
North Piddle. Worc 5D 60
North Poorton. Dors 3A 14
North Port. Arg 1H 133
Northport. Dors 4E 15
North Queensferry. Fife 1E 129
North Radworthy. Devn 3A 20
North Rauceby. Linc 1H 75
Northrepps. Norf 2E 79
North Rigton. N Yor 5E 99
North Rode. Ches E 4C 84
North Roe. Shet 3E 173
North Ronaldsay Airport. Orkn 2G 172
North Row. Cumb 1D 102
North Runcton. Norf 4F 77
North Sannox. N Ayr 5B 126
North Scale. Cumb 2A 96
North Scarle. Linc 4F 87
North Seaton. Nmbd 1F 115
North Seaton Colliery. Nmbd 1F 115
North Sheen. G Lon 3C 38
North Shian. Arg 4D 140
North Shields. Tyne 3G 115
North Shoebury. S'end 2D 40
North Shore. Bkpl 1B 90
North Side. Cumb 2B 102
North Skelton. Red C 3D 106
North Somercotes. Linc 1D 88
North Stainley. N Yor 2E 99
North Stainmore. Cumb 3B 104
North Stifford. Thur 2H 39
North Stoke. Bath 5C 34
North Stoke. Oxon 3E 36
North Stoke. W Sus 4B 26
Northstowe. Cambs 4D 64
North Street. Hants 3E 25
North Street. Kent 5E 40
North Street. Medw 3C 40
North Street. W Ber 4E 37
North Sunderland. Nmbd 1G 121
North Tamerton. Corn 3D 10
North Tawton. Devn 2G 11
North Thoresby. Linc 1B 88
North Town. Devn 2F 11
Northtown. Orkn 8D 172
North Town. Shet 10E 173
North Tuddenham. Norf 4C 78
North Walbottle. Tyne 3E 115
Northwall. Orkn 3G 172
North Walney. Cumb 3A 96
North Walsham. Norf 2E 79
North Waltham. Hants 2D 24
North Warnborough. Hants 1F 25
North Water Bridge. Ang 2F 145
North Watten. High 3E 169
Northway. Glos 2E 49
Northway. Swan 4E 31
North Weald Bassett. Essx 5F 53
North Weston. N Som 4H 33
North Weston. Oxon 5E 51
North Wheatley. Notts 2E 87
North Whilborough. Devn 2E 9
Northwich. Ches W 3A 84
North Wick. Bath 5A 34
Northwick. Som 2G 21
Northwick. S Glo 3A 34
North Widcombe. Bath 1A 22
North Willingham. Linc 2A 88
North Wingfield. Derbs 4B 86
North Witham. Linc 3G 75
Northwold. Norf 1G 65
Northwood. Derbs 4G 85
Northwood. G Lon 1B 38
Northwood. IOW 3C 16
Northwood. Kent 4H 41
Northwood. Shrp 2G 71
Northwood. Stoke 1C 72
Northwood Green. Glos 4C 48
North Wootton. Dors 1B 14
North Wootton. Norf 3F 77
North Wootton. Som 2A 22
North Wraxall. Wilts 4D 34
North Wroughton. Swin 3G 35
North Yardhope. Nmbd 4D 120
North York Moors. N Yor 5D 107
Norton. Devn 3E 9
Norton. Glos 3D 48
Norton. Hal 2H 83
Norton. Herts 2C 52
Norton. IOW 4B 16
Norton. Mon 3H 47
Norton. Nptn 4D 62
Norton. Notts 3C 86
Norton. Powy 4F 59
Norton. Shrp 2G 59
(nr. Ludlow)
Norton. Shrp 5B 72
(nr. Madeley)
Norton. Shrp 5H 71
(nr. Shrewsbury)
Norton. S Yor 3F 93
(nr. Askern)
Norton. S Yor 2A 86
(nr. Sheffield)
Norton. Stoc T 2B 106
Norton. Suff 4B 66
Norton. Swan 4F 31
Norton. W Sus 5A 26
(nr. Arundel)
Norton. W Sus 3G 17
(nr. Selsey)
Norton. Wilts 3D 35
Norton. Worc 1F 49
(nr. Evesham)
Norton. Worc 5C 60
(nr. Worcester)
Norton Bavant. Wilts 2E 23
Norton Bridge. Staf 2C 72
Norton Canes. Staf 5E 73
Norton Canon. Here 1G 47
Norton Corner. Norf 3C 78
Norton Disney. Linc 5F 87
Norton East. Staf 5E 73
Norton Ferris. Wilts 3C 22
Norton Fitzwarren. Som 4F 21
Norton Green. IOW 4B 16
Norton Green. Stoke 5D 84
Norton Hawkfield. Bath 5A 34
Norton Heath. Essx 5G 53
Norton in Hales. Shrp 2B 72
Norton in the Moors. Stoke 5C 84
Norton-Juxta-Twycross. Leics 5H 73
Norton-le-Clay. N Yor 2G 99
Norton Lindsey. Warw 4G 61
Norton Little Green. Suff 4B 66
Norton Malreward. Bath 5B 34
Norton Mandeville. Essx 5F 53
Norton-on-Derwent. N Yor 2B 100
Norton St Philip. Som 1C 22
Norton Subcourse. Norf 1G 67
Norton sub Hamdon. Som 1H 13
Norton Woodseats. S Yor 2A 86
Norwell. Notts 4E 87
Norwell Woodhouse. Notts 4E 87
Norwich. Norf 5E 79 & 205
Norwich International Airport. Norf 4E 79
Norwick. Shet 1H 173
Norwood. Derbs 2B 86
Norwood Green. W Yor 2B 92
Norwood Hill. Surr 1D 26
Norwood Park. Som 3A 22
Norwoodside. Cambs 1D 64
Noseley. Leics 1E 63
Noss. Shet 10E 173
Noss Mayo. Devn 4B 8
Nosterfield. N Yor 1E 99
Nostie. High 1A 148
Notgrove. Glos 3G 49
Nottage. B'end 4B 32
Nottingham. Nott 1C 74 & 206
Nottington. Dors 4B 14
Notton. Dors 3B 14
Notton. W Yor 3D 92
Notton. Wilts 5E 35
Nounsley. Essx 4A 54
Noutard's Green. Worc 4B 60
Nox. Shrp 4G 71
Noyadd Trefawr. Cdgn 1C 44
Nuffield. Oxon 3E 37
Nunburnholme. E Yor 5C 100
Nuncargate. Notts 5B 86
Nunclose. Cumb 5F 113
Nuneaton. Warw 1A 62
Nuneham Courtenay. Oxon 2D 36
Nun Monkton. N Yor 4H 99
Nunnerie. S Lan 3B 118
Nunney. Som 2C 22
Nunnington. N Yor 2A 100
Nunnykirk. Nmbd 5E 121
Nunsthorpe. NE Lin 4F 95
Nunthorpe. Red C 3C 106
Nunthorpe. York 5H 99
Nunton. Wilts 4G 23
Nunwick. Nmbd 2B 114
Nunwick. N Yor 2F 99
Nupend. Glos 5C 48
Nursling. Hants 1B 16
Nursted. W Sus 4F 25
Nursteed. Wilts 5F 35
Nurston. V Glam 5D 32
Nutbourne. W Sus 2F 17
(nr. Chichester)
Nutbourne. W Sus 4B 26
(nr. Pulborough)
Nutfield. Surr 5E 39
Nuthall. Notts 1C 74
Nuthampstead. Herts 2E 53
Nuthurst. Warw 3F 61
Nuthurst. W Sus 3C 26
Nutley. E Sus 3F 27
Nuttall. G Man 3F 91
Nutwell. S Yor 4G 93
Nybster. High 2F 169
Nyetimber. W Sus 3G 17
Nyewood. W Sus 4G 25
Nymet Rowland. Devn 2H 11
Nymet Tracey. Devn 2H 11
Nympsfield. Glos 5D 48
Nynehead. Som 4E 21
Nyton. W Sus 5A 26

O

Oadby. Leics 5D 74
Oad Street. Kent 4C 40
Oakamoor. Staf 1E 73
Oakbank. Arg 5B 140
Oakbank. W Lot 3D 129
Oakdale. Cphy 2E 33
Oakdale. Pool 3F 15
Oake. Som 4E 21
Oaken. Staf 5C 72
Oakenclough. Lanc 5E 97
Oakengates. Telf 4B 72
Oakenholt. Flin 3E 83
Oakenshaw. Dur 1F 105
Oakenshaw. W Yor 2B 92
Oakerthorpe. Derbs 5A 86
Oakford. Cdgn 5D 56
Oakford. Devn 4C 20
Oakfordbridge. Devn 4C 20
Oakgrove. Ches E 4D 84
Oakham. Rut 5F 75
Oakhanger. Ches E 5B 84
Oakhanger. Hants 3F 25
Oakhill. Som 2B 22
Oakington. Cambs 4D 64
Oaklands. Powy 5C 58
Oakle Street. Glos 4C 48
Oakley. Bed 5H 63
Oakley. Buck 4E 51
Oakley. Fife 1D 128
Oakley. Hants 1D 24
Oakley. Suff 3D 66
Oakley Green. Wind 3A 38
Oakley Park. Powy 2B 58
Oakmere. Ches W 4H 83
Oakridge. Glos 5E 49
Oaks. Shrp 5G 71
Oaksey. Wilts 2E 35
Oaks Green. Derbs 2F 73
Oakshaw Ford. Cumb 2G 113
Oakshott. Hants 4F 25
Oakthorpe. Leics 4H 73
Oak Tree. Darl 3A 106
Oakwood. Derb 2A 74
Oakwood. W Yor 1D 92
Oakwoodhill. Surr 2C 26
Oakworth. W Yor 1A 92
Oape. High 3B 164
Oare. Kent 4E 40
Oare. Som 2B 20
Oare. W Ber 4D 36
Oare. Wilts 5G 35
Oareford. Som 2B 20
Oasby. Linc 2H 75
Oath. Som 4G 21
Oathlaw. Ang 3D 145
Oatlands. N Yor 4F 99
Oban. Arg 1F 133 & 206
Oban. W Isl 7D 171
Oborne. Dors 1B 14
Obsdale. High 2A 158
Obthorpe. Linc 4H 75
Occlestone Green. Ches W 4A 84
Occold. Suff 3D 66
Ochiltree. E Ayr 2E 117
Ochtermuthill. Per 2H 135
Ochtertyre. Per 1H 135
Ockbrook. Derbs 2B 74
Ockeridge. Worc 4B 60
Ockham. Surr 5B 38
Ockle. High 1G 139
Ockley. Surr 1C 26
Ocle Pychard. Here 1A 48
Octofad. Arg 4A 124
Octomore. Arg 4A 124
Octon. E Yor 3E 101
Odcombe. Som 1A 14
Odd Down. Bath 5C 34
Oddingley. Worc 5D 60
Oddington. Oxon 4D 50
Oddsta. Shet 2G 173
Odell. Bed 5G 63
Odie. Orkn 5F 172
Odiham. Hants 1F 25
Odsey. Cambs 2C 52
Odstock. Wilts 4G 23
Odstone. Leics 5A 74
Offchurch. Warw 4A 62
Offenham. Worc 1F 49
Offenham Cross. Worc 1F 49
Offerton. G Man 2D 84
Offerton. Tyne 4G 115
Offham. E Sus 4F 27
Offham. Kent 5A 40
Offham. W Sus 5B 26
Offleyhay. Staf 3C 72
Offley Hoo. Herts 3B 52
Offleymarsh. Staf 3B 72
Offord Cluny. Cambs 4B 64
Offord D'Arcy. Cambs 4B 64
Offton. Suff 1D 54
Offwell. Devn 3E 13
Ogbourne Maizey. Wilts 4G 35
Ogbourne St Andrew. Wilts 4G 35
Ogbourne St George. Wilts 4H 35
Ogden. G Man 3H 91
Ogle. Nmbd 2E 115
Ogmore. V Glam 4B 32
Ogmore-by-Sea. V Glam 4B 32
Ogmore Vale. B'end 2C 32
Okeford Fitzpaine. Dors 1D 14
Okehampton. Devn 3F 11
Okehampton Camp. Devn 3F 11
Okraquoy. Shet 8F 173
Okus. Swin 3G 35
Old. Nptn 3E 63
Old Aberdeen. Aber 3G 153
Old Alresford. Hants 3D 24
Oldany. High 5B 166
Old Arley. Warw 1G 61
Old Basford. Nott 1C 74
Old Basing. Hants 1E 25
Oldberrow. Warw 4F 61
Old Bewick. Nmbd 2E 121
Old Bexley. G Lon 3F 39
Old Blair. Per 2F 143
Old Bolingbroke. Linc 4C 88
Oldborough. Devn 2A 12
Old Brampton. Derbs 3H 85
Old Bridge of Tilt. Per 2F 143
Old Bridge of Urr. Dum 3E 111
Old Buckenham. Norf 1C 66
Old Burghclere. Hants 1C 24
Oldbury. Shrp 1B 60
Oldbury. Warw 1H 61
Oldbury. W Mid 2D 61
Oldbury-on-Severn. S Glo 2B 34
Oldbury on the Hill. Glos 3D 34
Old Byland. N Yor 1H 99
Old Cassop. Dur 1A 106
Oldcastle. Mon 3G 47
Oldcastle Heath. Ches W 1G 71
Old Catton. Norf 4E 79
Old Clee. NE Lin 4F 95
Old Cleeve. Som 2D 20
Old Colwyn. Cnwy 3A 82
Oldcotes. Notts 2C 86
Old Coulsdon. G Lon 5E 39
Old Dailly. S Ayr 5B 116
Old Dalby. Leics 3D 74
Old Dam. Derbs 3F 85
Old Deer. Abers 4G 161
Old Dilton. Wilts 2D 22
Old Down. S Glo 3B 34
Oldeamere. Cambs 1C 64
Old Edlington. S Yor 1C 86
Old Eldon. Dur 2F 105
Old Ellerby. E Yor 1E 95
Old Fallings. W Mid 5D 72
Oldfallow. Staf 4D 72
Old Felixstowe. Suff 2G 55
Oldfield. Shrp 2A 60
Oldfield. Worc 4C 60
Old Fletton. Pet 1A 64
Oldford. Som 1C 22
Old Forge. Here 4A 48
Old Glossop. Derbs 1E 85
Old Goole. E Yor 2H 93
Old Gore. Here 3B 48
Old Graitney. Dum 3E 112
Old Grimsby. IOS 1A 4
Oldhall. High 3E 169
Old Hall Street. Norf 2F 79
Oldham. G Man 4H 91
Oldhamstocks. E Lot 2D 130
Old Heathfield. E Sus 3G 27
Old Hill. W Mid 2D 60
Old Hunstanton. Norf 1F 77
Old Hurst. Cambs 3B 64
Old Hutton. Cumb 1E 97
Old Kea. Corn 4C 6
Old Kilpatrick. W Dun 2F 127
Old Kinnernie. Abers 3E 152
Old Knebworth. Herts 3C 52
Oldland. S Glo 4B 34
Old Laxey. IOM 3D 108
Old Leake. Linc 5D 88
Old Lenton. Nott 2C 74
Old Llanberis. Gwyn 5F 81
Old Malton. N Yor 2B 100
Oldmeldrum. Abers 1F 153
Old Micklefield. W Yor 1E 93
Old Mill. Corn 5D 10
Oldmixon. N Som 1G 21
Old Monkland. N Lan 3A 128
Old Newton. Suff 4C 66
Old Park. Telf 5A 72
Old Pentland. Midl 3F 129
Old Philpstoun. W Lot 2D 128
Old Quarrington. Dur 1A 106
Old Radnor. Powy 5E 59
Old Rayne. Abers 1D 152
Oldridge. Devn 3B 12
Old Romney. Kent 3E 29
Old Scone. Per 1D 136
Oldshore Beg. High 3B 166
Oldshoremore. High 3C 166
Old Snydale. W Yor 2E 93
Old Sodbury. S Glo 3C 34
Old Somerby. Linc 2G 75
Old Spital. Dur 3C 104
Oldstead. N Yor 1H 99
Old Stratford. Nptn 1F 51
Old Swan. Mers 1F 83
Old Swarland. Nmbd 4F 121
Old Tebay. Cumb 4H 103
Old Town. Cumb 5F 113
Old Town. E Sus 5G 27
Oldtown. High 5C 164
Old Town. IOS 1B 4
Old Town. Nmbd 5C 120
Oldtown of Ord. Abers 3D 160
Old Trafford. G Man 1C 84
Old Tupton. Derbs 4A 86
Oldwall. Cumb 3F 113
Oldwalls. Swan 3D 31
Old Warden. C Beds 1B 52
Oldways End. Som 4B 20
Old Westhall. Abers 1D 152
Old Weston. Cambs 3H 63
Oldwhat. Abers 3F 161
Old Windsor. Wind 3A 38
Old Wives Lees. Kent 5E 41
Old Woking. Surr 5B 38
Oldwood Common. Worc 4H 59
Old Woodstock. Oxon 4C 50
Olgrinmore. High 3C 168
Oliver's Battery. Hants 4C 24
Ollaberry. Shet 3E 173
Ollerton. Ches E 3B 84
Ollerton. Notts 4D 86
Ollerton. Shrp 3A 72
Olmarch. Cdgn 5F 57
Olmstead Green. Cambs 1G 53
Olney. Mil 5F 63
Olrig. High 2D 169
Olton. W Mid 2F 61
Olveston. S Glo 3B 34
Ombersley. Worc 4C 60
Ompton. Notts 4D 86
Omunsgarth. Shet 7E 173
Onchan. IOM 4D 108
Onecote. Staf 5E 85
Onehouse. Suff 5C 66
Onen. Mon 4H 47
Ongar Hill. Norf 3E 77
Ongar Street. Here 4F 59
Onibury. Shrp 3G 59
Onich. High 2E 141
Onllwyn. Neat 4B 46
Onneley. Shrp 1B 72
Onslow Green. Essx 4G 53
Onslow Village. Surr 1A 26
Onthank. E Ayr 1D 116
Openwoodgate. Derbs 1A 74
Opinan. High 1G 155
(nr. Gairloch)
Opinan. High 4C 162
(nr. Laide)
Orasaigh. W Isl 6F 171
Orbost. High 4B 154
Orby. Linc 4D 89
Orchard Hill. Devn 4E 19
Orchard Portman. Som 4F 21
Orcheston. Wilts 2F 23
Orcop. Here 3H 47
Orcop Hill. Here 3H 47
Ord. High 2E 147
Ordale. Shet 1H 173
Ordhead. Abers 2D 152
Ordie. Abers 3B 152
Ordiquish. Mor 3H 159
Ordley. Nmbd 4C 114
Ordsall. Notts 3E 86
Ore. E Sus 4C 28
Oreham Common. W Sus 4D 26
Oreton. Shrp 2A 60
Orford. Suff 1H 55
Orford. Warr 1A 84
Organford. Dors 3E 15
Orgil. Orkn 7B 172
Orgreave. Staf 4F 73
Oridge Street. Glos 3C 48
Orlestone. Kent 2D 28
Orleton. Here 4G 59
Orleton. Worc 4A 60
Orleton Common. Here 4G 59
Orlingbury. Nptn 3F 63
Ormacleit. W Isl 5C 170
Ormathwaite. Cumb 2D 102
Ormesby. Midd 3C 106
Ormesby St Margaret. Norf 4G 79
Ormesby St Michael. Norf 4G 79
Ormiscaig. High 4C 162
Ormiston. E Lot 3H 129
Ormsaigbeg. High 2F 139
Ormsaigmore. High 2F 139
Ormsary. Arg 2F 125
Ormsgill. Cumb 2A 96
Ormskirk. Lanc 4C 90
Orphir. Orkn 7C 172
Orpington. G Lon 4F 39
Orrell. Lanc 4D 90
Orrell. Mers 1F 83
Orrisdale. IOM 2C 108
Orsett. Thur 2H 39
Orslow. Staf 4C 72
Orston. Notts 1E 75
Orthwaite. Cumb 1D 102
Orton. Cumb 4H 103
Orton. Mor 3H 159
Orton. Nptn 3F 63
Orton. Staf 1C 60
Orton Longueville. Pet 1A 64
Orton-on-the-Hill. Leics 5H 73
Orton Waterville. Pet 1A 64
Orton Wistow. Pet 1A 64
Orwell. Cambs 5C 64
Osbaldeston. Lanc 1E 91
Osbaldwick. York 4A 100
Osbaston. Leics 5B 74
Osbaston. Shrp 3F 71
Osbournby. Linc 2H 75
Osclay. High 5E 169
Oscroft. Ches W 4H 83
Ose. High 4C 154
Osgathorpe. Leics 4B 74
Osgodby. Linc 1H 87
Osgodby. N Yor 1E 101
(nr. Scarborough)
Osgodby. N Yor 1G 93
(nr. Selby)
Oskaig. High 5E 155
Oskamull. Arg 4F 139
Osleston. Derbs 2G 73
Osmaston. Derb 2A 74
Osmaston. Derbs 1G 73
Osmington. Dors 4C 14
Osmington Mills. Dors 4C 14
Osmondthorpe. W Yor 1D 92
Osmondwall. Orkn 9C 172
Osmotherley. N Yor 5B 106
Osnaburgh. Fife 2G 137
Ospisdale. High 5E 164
Ospringe. Kent 4E 40
Ossett. W Yor 2C 92
Ossington. Notts 4E 87
Ostend. Essx 1D 40
Ostend. Norf 2F 79
Osterley. G Lon 3C 38
Oswaldkirk. N Yor 2A 100
Oswaldtwistle. Lanc 2F 91
Oswestry. Shrp 3E 71
Otby. Linc 1A 88
Otford. Kent 5G 39
Otham. Kent 5B 40
Otherton. Staf 4D 72
Othery. Som 3G 21
Otley. Suff 5E 66
Otley. W Yor 5E 98
Otterbourne. Hants 4C 24
Otterburn. Nmbd 5C 120
Otterburn. N Yor 4A 98
Otterburn Camp. Nmbd 5C 120
Otterburn Hall. Nmbd 5C 120
Otter Ferry. Arg 1H 125
Otterford. Som 1F 13
Otterham. Corn 3B 10
Otterhampton. Som 2F 21
Otterham Quay. Kent 4C 40
Ottershaw. Surr 4B 38
Otterspool. Mers 2F 83
Otterswick. Shet 3G 173
Otterton. Devn 4D 12

Otterwood. Hants 2C 16
Ottery St Mary. Devn 3E 12
Ottinge. Kent 1F 29
Ottringham. E Yor 2F 95
Oughterby. Cumb 4D 112
Oughtershaw. N Yor 1A 98
Oughterside. Cumb 5C 112
Oughtibridge. S Yor 1H 85
Oughtrington. Warr 2A 84
Oulston. N Yor 2H 99
Oulton. Cumb 4D 112
Oulton. Norf 3D 78
Oulton. Staf 3B 72
(nr. Gnosall Heath)
Oulton. Staf 2D 72
(nr. Stone)
Oulton. Suff 1H 67
Oulton. W Yor 2D 92
Oulton Broad. Suff 1H 67
Oulton Street. Norf 3D 78
Oundle. Nptn 2H 63
Ousby. Cumb 1H 103
Ousdale. High 1H 165
Ousden. Suff 5G 65
Ousefleet. E Yor 2B 94
Ouston. Dur 4F 115
Ouston. Nmbd 4A 114
(nr. Bearsbridge)
Ouston. Nmbd 2D 114
(nr. Stamfordham)
Outer Hope. Devn 4C 8
Outertown. Orkn 6B 172
Outgate. Cumb 5E 103
Outhgill. Cumb 4A 104
Outlands. Staf 3B 72
Outlane. W Yor 3A 92
Out Newton. E Yor 2G 95
Out Rawcliffe. Lanc 5D 96
Outwell. Norf 5E 77
Outwick. Hants 1G 15
Outwood. Surr 1E 27
Outwood. W Yor 2D 92
Outwood. Worc 3D 60
Outwoods. Leics 4B 74
Outwoods. Staf 4B 72
Ouzlewell Green. W Yor 2D 92
Ovenden. W Yor 2A 92
Over. Cambs 3C 64
Over. Ches W 4A 84
Over. Glos 4D 48
Over. S Glo 3A 34
Overbister. Orkn 3F 172
Over Burrows. Derbs 2G 73
Overbury. Worc 2E 49
Overcombe. Dors 4B 14
Over Compton. Dors 1A 14
Over End. Cambs 1H 63
Over Finlarg. Ang 4D 144
Overgreen. Derbs 3H 85
Over Green. W Mid 1F 61
Over Haddon. Derbs 4G 85
Over Hulton. G Man 4E 91
Over Kellet. Lanc 2E 97
Over Kiddington. Oxon 3C 50
Overleigh. Som 3H 21
Overley. Staf 4F 73
Over Monnow. Mon 4A 48
Over Norton. Oxon 3B 50
Over Peover. Ches E 3B 84
Overpool. Ches W 3F 83
Overscaig. High 1B 164
Overseal. Derbs 4G 73
Over Silton. N Yor 5B 106
Oversland. Kent 5E 41
Overstone. Nptn 4F 63
Over Stowey. Som 3E 21
Overstrand. Norf 1E 79
Over Stratton. Som 1H 13
Over Street. Wilts 3F 23
Overthorpe. Nptn 1C 50
Overton. Aber 2F 153
Overton. Ches W 3H 83
Overton. Hants 2D 24
Overton. High 5E 169
Overton. Lanc 4D 96
Overton. N Yor 4H 99
Overton. Shrp 2A 60
(nr. Bridgnorth)
Overton. Shrp 3H 59
(nr. Ludlow)
Overton. Swan 4D 30
Overton. W Yor 3C 92
Overton. Wrex 1F 71
Overtown. Lanc 2F 97
Overtown. N Lan 4B 128
Overtown. Swin 4G 35
Over Wallop. Hants 3A 24
Over Whitacre. Warw 1G 61
Over Worton. Oxon 3C 50
Oving. Buck 3F 51
Oving. W Sus 5A 26
Ovingdean. Brig 5E 27
Ovingham. Nmbd 3D 115
Ovington. Dur 3E 105
Ovington. Essx 1A 54
Ovington. Hants 3D 24
Ovington. Norf 5B 78
Ovington. Nmbd 3D 114
Owen's Bank. Staf 3G 73
Ower. Hants 2C 16
(nr. Holbury)
Ower. Hants 1B 16
(nr. Totton)
Owermoigne. Dors 4C 14
Owlbury. Shrp 1F 59
Owler Bar. Derbs 3G 85
Owlerton. S Yor 2H 85
Owlsmoor. Brac 5G 37
Owlswick. Buck 5F 51
Owmby. Linc 4D 94
Owmby-by-Spital. Linc 2H 87
Ownham. W Ber 4C 36
Owrytn. Wrex 1F 71
Owslebury. Hants 4D 24
Owston. Leics 5E 75
Owston. S Yor 3F 93
Owston Ferry. N Lin 4B 94
Owstwick. E Yor 1F 95
Owthorne. E Yor 2G 95
Owthorpe. Notts 2D 74
Owton Manor. Hart 2B 106
Oxborough. Norf 5G 77
Oxbridge. Dors 3H 13
Oxcombe. Linc 3C 88
Oxen End. Essx 3G 53
Oxenhall. Glos 3C 48
Oxenholme. Cumb 5G 103
Oxenhope. W Yor 1A 92
Oxen Park. Cumb 1C 96
Oxenpill. Som 2H 21
Oxenton. Glos 2E 49
Oxenwood. Wilts 1B 24
Oxford. Oxon 5D 50 & 207
Oxgangs. Edin 3F 129
Oxhey. Herts 1C 38
Oxhill. Warw 1B 50
Oxley. W Mid 5C 72
Oxley Green. Essx 4C 54
Oxley's Green. E Sus 3A 28
Oxlode. Cambs 2D 65
Oxnam. Bord 3B 120
Oxshott. Surr 4C 38
Oxspring. S Yor 4C 92
Oxted. Surr 5E 39
Oxton. Mers 2E 83
Oxton. N Yor 5H 99
Oxton. Notts 5D 86
Oxton. Bord 4A 130
Oxwich. Swan 4D 31
Oxwich Green. Swan 4D 31
Oxwick. Norf 3B 78
Oykel Bridge. High 3A 164
Oyne. Abers 1D 152
Oystermouth. Swan 4F 31
Ozleworth. Glos 2C 34

P

Pabail Iarach. W Isl 4H 171
Pabail Uarach. W Isl 4H 171
Pachesham. Surr 5C 38
Packers Hill. Dors 1C 14
Packington. Leics 4A 74
Packmoor. Stoke 5C 84
Packmores. Warw 4G 61
Packwood. W Mid 3F 61
Packwood Gullett. W Mid 3F 61
Padanaram. Ang 3D 144
Padbury. Buck 2F 51
Paddington. G Lon 2D 38
Paddington. Warr 2A 84
Paddlesworth. Kent 2F 29
Paddock. Kent 5D 40
Paddockhole. Dum 1D 112
Paddock Wood. Kent 1A 28
Paddolgreen. Shrp 2H 71
Padeswood. Flin 4E 83
Padiham. Lanc 1F 91
Padside. N Yor 4D 98
Padson. Devn 3F 11
Padstow. Corn 1D 6
Padworth. W Ber 5E 36
Page Bank. Dur 1F 105
Pagham. W Sus 3G 17
Paglesham Churchend. Essx 1D 40
Paglesham Eastend. Essx 1D 40
Paibeil. W Isl 2C 170
(on North Uist)
Paibeil. W Isl 8C 171
(on Taransay)
Paiblesgearraidh. W Isl 2C 170
Paignton. Torb 2E 9
Pailton. Warw 2B 62
Paine's Corner. E Sus 3H 27
Painleyhill. Staf 2E 73
Painscastle. Powy 1E 47
Painshawfield. Nmbd 3D 114
Painsthorpe. E Yor 4C 100
Painswick. Glos 5D 48
Painter's Forstal. Kent 5D 40
Painthorpe. W Yor 3D 92
Pairc Shiaboist. W Isl 3E 171
Paisley. Ren 3F 127 & 207
Pakefield. Suff 1H 67
Pakenham. Suff 4B 66
Pale. Gwyn 2B 70
Palehouse Common. E Sus 4F 27
Palestine. Hants 2A 24
Paley Street. Wind 4G 37
Palgowan. Dum 1A 110
Palgrave. Suff 3D 66
Pallington. Dors 3C 14
Palmarsh. Kent 2F 29
Palmer Moor. Derbs 2F 73
Palmers Cross. W Mid 5C 72
Palmerstown. V Glam 5E 33
Palnackie. Dum 4F 111
Palnure. Dum 3B 110
Palterton. Derbs 4B 86
Pamber End. Hants 1E 24
Pamber Green. Hants 1E 24
Pamber Heath. Hants 5E 36
Pamington. Glos 2E 49
Pamphill. Dors 2E 15
Pampisford. Cambs 1E 53
Panborough. Som 2H 21
Panbride. Ang 5E 145
Pancakehill. Glos 4F 49
Pancrasweek. Devn 2C 10
Pandy. Gwyn 3A 70
(nr. Bala)
Pandy. Gwyn 5F 69
(nr. Tywyn)
Pandy. Mon 3G 47
Pandy. Powy 5B 70
Pandy. Wrex 2D 70
Pandy Tudur. Cnwy 4A 82
Panfield. Essx 3H 53
Pangbourne. W Ber 4E 37
Pannal. N Yor 4F 99
Pannal Ash. N Yor 4E 99
Pannanich. Abers 4A 152
Pant. Shrp 3E 71
Pant. Wrex 1F 71
Pantasaph. Flin 3D 82
Pant Glas. Gwyn 1D 68
Pant-glas. Shrp 2E 71
Pantgwyn. Carm 3F 45
Pantgwyn. Cdgn 1C 44
Pant-lasau. Swan 3F 31
Panton. Linc 3A 88
Pant-pastynog. Den 4C 82
Pantperthog. Gwyn 5G 69
Pant-teg. Carm 3E 45
Pant-y-Caws. Carm 2F 43
Pant-y-dwr. Powy 3B 58
Pant-y-ffridd. Powy 5D 70
Pantyffynnon. Carm 4G 45
Pantygasseg. Torf 5F 47
Pant-y-llyn. Carm 4G 45
Pant-yr-awel. B'end 3C 32
Pant y Wacco. Flin 3D 82
Panxworth. Norf 4F 79
Papa Stour Airport. Shet 6C 173
Papa Westray Airport. Orkn 2D 172
Papcastle. Cumb 1C 102
Papigoe. High 3F 169
Papil. Shet 8E 173
Papple. E Lot 2B 130
Papplewick. Notts 5C 86
Papworth Everard. Cambs 4B 64
Papworth St Agnes. Cambs 4B 64
Par. Corn 3E 7
Paramour Street. Kent 4G 41
Parbold. Lanc 3C 90
Parbrook. Som 3A 22
Parbrook. W Sus 3B 26
Parc. Gwyn 2A 70
Parcllyn. Cdgn 5B 56
Parc-Seymour. Newp 2H 33
Pardown. Hants 2D 24
Pardshaw. Cumb 2B 102
Parham. Suff 4F 67
Park. Abers 4E 153
Park. Arg 4D 140
Park. Dum 5B 118
Park Bottom. Corn 4A 6
Parkburn. Abers 5E 161
Park Corner. E Sus 2G 27
Park Corner. Oxon 3E 37
Parkend. Glos 5B 48
Park End. Nmbd 2B 114
Parkeston. Essx 2F 55
Parkfield. Corn 2H 7
Parkgate. Ches W 3E 83
Parkgate. Cumb 5D 112
Parkgate. Dum 1B 112
Park Gate. Hants 2D 16
Parkgate. Surr 1D 26
Park Gate. Worc 3D 60
Parkhall. W Dun 2F 127
Parkham. Devn 4D 19
Parkham Ash. Devn 4D 18
Parkhead. Cumb 5E 113
Parkhead. Glas 3H 127
Park Hill. Mers 4C 90
Parkhouse. Mon 5H 47
Parkhurst. IOW 3C 16
Park Lane. G Man 4F 91
Park Lane. Staf 5C 72
Parkmill. Swan 4E 31
Park Mill. W Yor 3C 92
Parkneuk. Abers 1G 145
Parkside. N Lan 4B 128
Parkstone. Pool 3F 15
Park Street. Herts 5B 52
Park Street. W Sus 2C 26
Park Town. Oxon 5D 50
Park Village. Nmbd 3H 113
Parkway. Here 2C 48
Parley Cross. Dors 3F 15
Parmoor. Buck 3F 37
Parr. Mers 1H 83
Parracombe. Devn 2G 19
Parrog. Pemb 1E 43
Parsonage Green. Essx 4H 53
Parsonby. Cumb 1C 102
Parson Cross. S Yor 1A 86
Parson Drove. Cambs 5C 76
Partick. Glas 3G 127
Partington. G Man 1B 84
Partney. Linc 4D 88
Parton. Cumb 2A 102
(nr. Whitehaven)
Parton. Cumb 4D 112
(nr. Wigton)
Parton. Dum 2D 111
Partridge Green. W Sus 4C 26
Parwich. Derbs 5F 85
Passenham. Nptn 2F 51
Passfield. Hants 3G 25
Passingford Bridge. Essx 1G 39
Paston. Norf 2F 79
Pasturefields. Staf 3D 73
Patchacott. Devn 3E 11
Patcham. Brig 5E 27
Patchetts Green. Herts 1C 38
Patching. W Sus 5B 26
Patchole. Devn 2G 19
Patchway. S Glo 3B 34
Pateley Bridge. N Yor 3D 98
Pathe. Som 3G 21
Pathfinder Village. Devn 3B 12
Pathhead. Abers 2G 145
Pathhead. E Ayr 3F 117
Pathhead. Fife 4E 137
Pathhead. Midl 3G 129
Pathlow. Warw 5F 61
Path of Condie. Per 2C 136
Pathstruie. Per 2C 136
Patmore Heath. Herts 3E 53
Patna. E Ayr 3D 116
Patney. Wilts 1F 23
Patrick. IOM 3B 108
Patrick Brompton. N Yor 5F 105
Patrington. E Yor 2G 95
Patrington Haven. E Yor 2G 95
Patrixbourne. Kent 5F 41
Patterdale. Cumb 3E 103
Pattiesmuir. Fife 1D 129
Pattingham. Staf 1C 60
Pattishall. Nptn 5D 62
Pattiswick. Essx 3B 54
Patton Bridge. Cumb 5G 103
Paul. Corn 4B 4
Paulerspury. Nptn 1F 51
Paull. E Yor 2E 95
Paulton. Bath 1B 22
Pauperhaugh. Nmbd 5F 121
Pave Lane. Telf 4B 72
Pavenham. Bed 5G 63
Pawlett. Som 2G 21
Pawston. Nmbd 1C 120
Paxford. Glos 2G 49
Paxton. Bord 4F 131
Payhembury. Devn 2D 12
Paythorne. Lanc 4H 97
Payton. Som 4E 20
Peacehaven. E Sus 5F 27
Peak Dale. Derbs 3E 85
Peak District. Derbs 2F 85
Peak Forest. Derbs 3F 85
Peak Hill. Linc 4B 76
Peakirk. Pet 5A 76
Pearsie. Ang 3C 144
Peasedown St John. Bath 1C 22
Peaseland Green. Norf 4C 78
Peasemore. W Ber 4C 36
Peasenhall. Suff 4F 67
Pease Pottage. W Sus 2D 26
Peaslake. Surr 1B 26
Peasley Cross. Mers 1H 83
Peasmarsh. E Sus 3C 28
Peasmarsh. Som 1G 13
Peasmarsh. Surr 1A 26
Peaston. E Lot 3H 129
Peastonbank. E Lot 3H 129
Peathill. Abers 2G 161
Peat Inn. Fife 3G 137
Peatling Magna. Leics 1C 62
Peatling Parva. Leics 2C 62
Peaton. Arg 1D 126
Peaton. Shrp 2H 59
Peats Corner. Suff 4D 66
Pebmarsh. Essx 2B 54
Pebworth. Worc 1G 49
Pecket Well. W Yor 2H 91
Peckforton. Ches E 5H 83
Peckham Bush. Kent 5A 40
Peckleton. Leics 5B 74
Pedair-ffordd. Powy 3D 70
Pedham. Norf 4F 79
Pedlinge. Kent 2F 29
Pedmore. W Mid 2D 60
Pedwell. Som 3H 21
Peebles. Bord 5F 129
Peel. IOM 3B 108
Peel. Bord 1G 119
Peel Common. Hants 2D 16
Peening Quarter. Kent 3C 28
Peggs Green. Leics 4B 74
Pegsdon. C Beds 2B 52
Pegswood. Nmbd 1F 115
Peinchorran. High 5E 155
Peinlich. High 3D 154
Pelaw. Tyne 3G 115
Pelcomb Bridge. Pemb 3D 42
Pelcomb Cross. Pemb 3D 42
Peldon. Essx 4C 54
Pelsall. W Mid 5E 73
Pelton. Dur 4F 115
Pelutho. Cumb 5C 112
Pelynt. Corn 3G 7
Pemberton. Carm 5F 45
Pembrey. Carm 5E 45
Pembridge. Here 5F 59
Pembroke. Pemb 4D 43
Pembroke Dock. Pemb 4D 42 & 215
Pembroke Ferry. Pemb 4D 43
Pembury. Kent 1H 27
Penallt. Mon 4A 48
Penally. Pemb 5F 43
Penalt. Here 3A 48
Penalum. Pemb 5F 43
Penare. Corn 4D 6
Penarth. V Glam 4E 33
Penbeagle. Corn 3C 4
Penberth. Corn 4B 4
Pen-bont Rhydybeddau. Cdgn 2F 57
Penbryn. Cdgn 5B 56
Pencader. Carm 2E 45
Pen-cae. Cdgn 5D 56
Pencaenewydd. Gwyn 1D 68
Pencaerau. Neat 3G 31
Pencaitland. E Lot 3H 129
Pencarnisiog. IOA 3C 80
Pencarreg. Carm 1F 45
Pencarrow. Corn 4B 10
Pencelli. Powy 3D 46
Pen-clawdd. Swan 3E 31
Pencoed. B'end 3C 32
Pencombe. Here 5H 59
Pencraig. Here 3A 48
Pencraig. Powy 3C 70
Pendeen. Corn 3A 4
Pendeford. W Mid 5D 72
Penderyn. Rhon 5C 46
Pendine. Carm 4G 43
Pendlebury. G Man 4F 91
Pendleton. G Man 1C 84
Pendleton. Lanc 1F 91
Pendock. Worc 2C 48
Pendoggett. Corn 5A 10
Pendomer. Som 1A 14
Pendoylan. V Glam 4D 32
Pendre. B'end 3C 32
Penegoes. Powy 5G 69
Penelewey. Corn 4C 6
Penffordd. Pemb 2E 43
Penffordd-Lâs. Powy 1A 58
Penfro. Pemb 4D 43
Pengam. Cphy 2E 33
Pengam. Card 4F 33
Penge. G Lon 3E 39
Pengelly. Corn 4A 10
Pengenffordd. Powy 2E 47
Pengorffwysfa. IOA 1D 80
Pengover Green. Corn 2G 7
Pengwern. Den 3C 82
Penhale. Corn 5D 5
(nr. Mullion)
Penhale. Corn 3D 6
(nr. St Austell)
Penhale Camp. Corn 3B 6
Penhallow. Corn 3B 6
Penhalvean. Corn 5B 6
Penhelig. Gwyn 1F 57
Penhill. Swin 3G 35
Penhow. Newp 2H 33
Penhurst. E Sus 4A 28
Peniarth. Gwyn 5F 69
Penicuik. Midl 3F 129
Peniel. Carm 3E 45
Penifiler. High 4D 155
Peninver. Arg 3B 122
Penisa'r Waun. Gwyn 4E 81
Penistone. S Yor 4C 92
Penketh. Warr 2H 83
Penkill. S Ayr 5B 116
Penkridge. Staf 4D 72
Penley. Wrex 2G 71
Penllech. Gwyn 2B 68
Penllergaer. Swan 3F 31
Pen-llyn. IOA 2C 80
Penmachno. Cnwy 5G 81
Penmaen. Swan 4E 31
Penmaenmawr. Cnwy 3G 81
Penmaenpool. Gwyn 4F 69
Penmaen Rhos. Cnwy 3A 82
Pen-marc. V Glam 5D 32
Penmark. V Glam 5D 32
Penmarth. Corn 5B 6
Penmon. IOA 2F 81
Penmorfa. Gwyn 1E 69
Penmynydd. IOA 3E 81
Penn. Buck 1A 38
Penn. Dors 3G 13
Penn. W Mid 1C 60
Pennal. Gwyn 5G 69
Pennan. Abers 2F 161
Pennant. Cdgn 4E 57
Pennant. Den 2C 70
Pennant. Gwyn 3B 70
Pennant. Powy 1A 58
Pennant Melangell. Powy 3C 70
Pennar. Pemb 4D 42
Pennard. Swan 4E 31
Pennerley. Shrp 1F 59
Pennington. Cumb 2B 96
Pennington. G Man 1A 84
Pennington. Hants 3B 16
Pennorth. Powy 3E 46
Penn Street. Buck 1A 38
Pennsylvania. Devn 3C 12
Pennsylvania. S Glo 4C 34
Penny Bridge. Cumb 1C 96
Pennycross. Plym 3A 8
Pennygate. Norf 3F 79
Pennyghael. Arg 1C 132
Penny Hill. Linc 3C 76
Pennylands. Lanc 4C 90
Pennymoor. Devn 1B 12
Pennyvenie. E Ayr 4D 117
Pennywell. Tyne 4G 115
Penparc. Cdgn 1C 44
Penparcau. Cdgn 2E 57
Penpedairheol. Cphy 2E 33
Penperlleni. Mon 5G 47
Penpillick. Corn 3E 7
Penpol. Corn 5C 6
Penpoll. Corn 3F 7
Penponds. Corn 3D 4
Penpont. Corn 5A 10
Penpont. Dum 5H 117
Penpont. Powy 3C 46
Penprysg. B'end 3C 32
Penquit. Devn 3C 8
Penrherber. Carm 1G 43
Penrhiw. Pemb 1C 44
Penrhiwceiber. Rhon 2D 32
Pen Rhiwfawr. Neat 4H 45
Penrhiw-llan. Cdgn 1D 44
Penrhiw-pal. Cdgn 1D 44
Penrhos. Gwyn 2C 68
Penrhos. Here 5F 59
Penrhos. IOA 2B 80
Penrhos. Mon 4H 47
Penrhos. Powy 4A 46
Penrhos Garnedd. Gwyn 3E 81
Penrhyn. IOA 1C 80
Penrhyn Bay. Cnwy 2H 81
Penrhyn-coch. Cdgn 2F 57
Penrhyndeudraeth. Gwyn 2F 69
Penrhyn Side. Cnwy 2H 81
Penrice. Swan 4D 31
Penrith. Cumb 2G 103
Penrose. Corn 1C 6
Penruddock. Cumb 2F 103
Penryn. Corn 5B 6
Pensarn. Carm 4E 45
Pen-sarn. Gwyn 3E 69
Pensax. Worc 4B 60
Pensby. Mers 2E 83
Penselwood. Som 3C 22

Pensford. *Bath* 5B 34
Pensham. *Worc* 1E 49
Penshaw. *Tyne* 4G 115
Penshurst. *Kent* 1G 27
Pensilva. *Corn* 2G 7
Pensnett. *W Mid* 2D 60
Penston. *E Lot* 2H 129
Penstone. *Devn* 2A 12
Pente-tafarn-y-fedw. *Cnwy* 4H 81
Pentewan. *Corn* 4E 6
Pentir. *Gwyn* 4E 81
Pentire. *Corn* 2B 6
Pentlepoir. *Pemb* 4F 43
Pentlow. *Essx* 1B 54
Pentney. *Norf* 4G 77
Penton Mewsey. *Hants* 2B 24
Pentraeth. *IOA* 3E 81
Pentre. *Powy* 1E 59
(nr. Church Stoke)
Pentre. *Powy* 2D 58
(nr. Kerry)
Pentre. *Powy* 2C 58
(nr. Mochdre)
Pentre. *Rhon* 2C 32
Pentre. *Shrp* 4F 71
Pentre. *Wrex* 2D 70
(nr. Llanfyllin)
Pentre. *Wrex* 1E 71
(nr. Rhosllanerchrugog)
Pentrebach. *Carm* 2B 46
Pentre-bach. *Cdgn* 1F 45
Pentrebach. *Mer T* 5D 46
Pentre-bach. *Powy* 2C 46
Pentrebach. *Swan* 5G 45
Pentre Berw. *IOA* 3D 80
Pentre-bont. *Cnwy* 5G 81
Pentrecagal. *Carm* 1D 44
Pentre-celyn. *Den* 5D 82
Pentre-clawdd. *Shrp* 2E 71
Pentreclwydau. *Neat* 5B 46
Pentre-cwrt. *Carm* 2D 45
Pentre Dolau Honddu. *Powy* 1C 46
Pentre-dwr. *Swan* 3F 31
Pentrefelin. *Carm* 3F 45
Pentrefelin. *Cdgn* 1G 45
Pentrefelin. *Cnwy* 3H 81
Pentrefelin. *Gwyn* 2E 69
Pentrefoelas. *Cnwy* 5A 82
Pentre Galar. *Pemb* 1F 43
Pentregat. *Cdgn* 5C 56
Pentre Gwenlais. *Carm* 4G 45
Pentre Gwynfryn. *Gwyn* 3E 69
Pentre Halkyn. *Flin* 3E 82
Pentre Hodre. *Shrp* 3F 59
Pentre-Llanrhaeadr. *Den* 4C 82
Pentre Llifior. *Powy* 1D 58
Pentrellwyn. *IOA* 2E 81
Pentre-llwyn-llwyd. *Powy* 5B 58
Pentre-llyn-cymmer. *Cnwy* 5B 82
Pentre Meyrick. *V Glam* 4C 32
Pentre-piod. *Gwyn* 2A 70
Pentre-poeth. *Newp* 3F 33
Pentre'r Beirdd. *Powy* 4D 70
Pentre'r-felin. *Powy* 2C 46
Pentre-ty-gwyn. *Carm* 2B 46
Pentre-uchaf. *Gwyn* 2C 68
Pentrich. *Derbs* 5A 86
Pentridge. *Dors* 1F 15
Pen-twyn. *Cphy* 5F 47
(nr. Oakdale)
Pentwyn. *Cphy* 5E 46
(nr. Rhymney)
Pentwyn. *Card* 3F 33
Pentyrch. *Card* 3E 32
Pentywyn. *Carm* 4G 43
Penuwch. *Cdgn* 4E 57
Penwithick. *Corn* 3E 7
Penwyllt. *Powy* 4B 46
Penybanc. *Carm* 4G 45
(nr. Ammanford)
Pen-y-banc. *Carm* 3G 45
(nr. Llandeilo)
Pen-y-bont. *Carm* 2H 43
Penybont. *Powy* 4D 58
(nr. Llandrindod Wells)
Pen-y-bont. *Powy* 3E 70
(nr. Llanfyllin)
Pen-y-Bont Ar Ogwr. *B'end* 3C 32
Penybontfawr. *Powy* 3C 70
Penybryn. *Cphy* 2E 33
Pen-y-bryn. *Pemb* 1B 44
Pen-y-bryn. *Wrex* 1E 71
Pen-y-cae. *Powy* 4B 46
Penycae. *Wrex* 1E 71
Pen-y-cae-mawr. *Mon* 2H 33
Penycaerau. *Gwyn* 3A 68
Pen-y-cefn. *Flin* 3D 82
Pen-y-clawdd. *Mon* 5H 47
Pen-y-coedcae. *Rhon* 3D 32
Penycwm. *Pemb* 2C 42
Pen-y-Darren. *Mer T* 5D 46
Pen-y-fai. *B'end* 3B 32
Penyffordd. *Flin* 4F 83
(nr. Mold)
Pen-y-ffordd. *Flin* 2D 82
(nr. Prestatyn)
Penyffridd. *Gwyn* 5E 81
Pen-y-garn. *Cdgn* 2F 57
Pen-y-garnedd. *IOA* 3E 81
Penygarnedd. *Powy* 3D 70
Pen-y-graig. *Gwyn* 2B 68
Penygraig. *Rhon* 2C 32
Penygraigwen. *IOA* 2D 80
Pen-y-groes. *Carm* 4F 45
Penygroes. *Gwyn* 5D 80
Penygroes. *Pemb* 1F 43
Pen-y-Mynydd. *Carm* 5E 45
Penymynydd. *Flin* 4F 83
Penyrheol. *Cphy* 3E 33
Pen-yr-heol. *Mon* 4H 47
Penyrheol. *Swan* 3E 31
Pen-yr-Heolgerrig. *Mer T* 5D 46
Penysarn. *IOA* 1D 80
Pen-y-stryt. *Den* 5E 82
Penywaun. *Rhon* 5C 46
Penzance. *Corn* 3B 4
Peopleton. *Worc* 5D 60
Peover Heath. *Ches E* 3B 84
Peper Harow. *Surr* 1A 26
Peplow. *Shrp* 3A 72
Pepper Arden. *N Yor* 4F 105
Perceton. *N Ayr* 5E 127
Percyhorner. *Abers* 2G 161
Perham Down. *Wilts* 2A 24
Periton. *Som* 2C 20
Perkinsville. *Dur* 4F 115
Perlethorpe. *Notts* 3D 86
Perranarworthal. *Corn* 5B 6
Perranporth. *Corn* 3B 6
Perranuthnoe. *Corn* 4C 4
Perranwell. *Corn* 5B 6
Perranzabuloe. *Corn* 3B 6
Perrott's Brook. *Glos* 5F 49
Perry. *W Mid* 1E 61
Perry Barr. *W Mid* 1E 61
Perry Crofts. *Staf* 5G 73
Perry Green. *Essx* 3B 54
Perry Green. *Herts* 4E 53
Perry Green. *Wilts* 3E 35
Perry Street. *Kent* 3H 39
Perry Street. *Som* 2G 13
Perrywood. *Kent* 5E 41
Pershall. *Staf* 3C 72
Pershore. *Worc* 1E 49
Pertenhall. *Bed* 4H 63
Perth. *Per* 1D 136 & 207
Perthy. *Shrp* 2F 71
Perton. *Staf* 1C 60
Pertwood. *Wilts* 3D 23
Peterborough. *Pet* 1A 64 & 208
Peterburn. *High* 5B 162
Peterchurch. *Here* 2G 47
Peterculter. *Aber* 3F 153
Peterhead. *Abers* 4H 161
Peterlee. *Dur* 5H 115
Petersfield. *Hants* 4F 25
Petersfinger. *Wilts* 4G 23
Peter's Green. *Herts* 4B 52
Peters Marland. *Devn* 1E 11
Peterstone Wentlooge. *Newp* 3F 33
Peterston-super-Ely. *V Glam* 4D 32
Peterstow. *Here* 3A 48
Peter Tavy. *Devn* 5F 11
Petertown. *Orkn* 7C 172
Petham. *Kent* 5F 41
Petherwin Gate. *Corn* 4C 10
Petrockstowe. *Devn* 2F 11
Petsoe End. *Mil* 1G 51
Pett. *E Sus* 4C 28
Pettaugh. *Suff* 5D 66
Pett Bottom. *Kent* 5F 41
Petteridge. *Kent* 1A 28
Pettinain. *S Lan* 5C 128
Pettistree. *Suff* 5E 67
Petton. *Devn* 4D 20
Petton. *Shrp* 3G 71
Petts Wood. *G Lon* 4F 39
Pettycur. *Fife* 1F 129
Pettywell. *Norf* 3C 78
Petworth. *W Sus* 3A 26
Pevensey. *E Sus* 5A 28
Pevensey Bay. *E Sus* 5A 28
Pewsey. *Wilts* 5G 35
Pheasants Hill. *Buck* 3F 37
Philadelphia. *Tyne* 4G 115
Philham. *Devn* 4C 18
Philiphaugh. *Bord* 2G 119
Phillack. *Corn* 3C 4
Philleigh. *Corn* 5C 6
Philpstoun. *W Lot* 2D 128
Phocle Green. *Here* 3B 48
Phoenix Green. *Hants* 1F 25
Pibsbury. *Som* 4H 21
Pibwrlwyd. *Carm* 4E 45
Pica. *Cumb* 2B 102
Piccadilly. *Warw* 1G 61
Piccadilly Corner. *Norf* 2E 67
Piccotts End. *Herts* 5A 52
Pickering. *N Yor* 1B 100
Picket Piece. *Hants* 2B 24
Picket Post. *Hants* 2G 15
Pickford. *W Mid* 2G 61
Pickhill. *N Yor* 1F 99
Picklenash. *Glos* 3C 48
Picklescott. *Shrp* 1G 59
Pickletillem. *Fife* 1G 137
Pickmere. *Ches E* 3A 84
Pickstock. *Telf* 3B 72
Pickwell. *Devn* 2E 19
Pickwell. *Leics* 4E 75
Pickworth. *Linc* 2H 75
Pickworth. *Rut* 4G 75
Picton. *Ches W* 3G 83
Picton. *Flin* 2D 82
Picton. *N Yor* 4B 106
Pict's Hill. *Som* 4H 21
Piddinghoe. *E Sus* 5F 27
Piddington. *Buck* 2G 37
Piddington. *Nptn* 5F 63
Piddington. *Oxon* 4E 51
Piddlehinton. *Dors* 3C 14
Piddletrenthide. *Dors* 2C 14
Pidley. *Cambs* 3C 64
Pidney. *Dors* 2C 14
Pie Corner. *Here* 4A 60
Piercebridge. *Darl* 3F 105
Pierowall. *Orkn* 3D 172
Pigdon. *Nmbd* 1E 115
Pightley. *Som* 3F 21
Pikehall. *Derbs* 5F 85
Pikeshill. *Hants* 2A 16
Pilford. *Dors* 2F 15
Pilgrims Hatch. *Essx* 1G 39
Pilham. *Linc* 1F 87
Pill. *N Som* 4A 34
Pillaton. *Corn* 2H 7
Pillaton. *Staf* 4D 72
Pillerton Hersey. *Warw* 1A 50
Pillerton Priors. *Warw* 1A 50
Pilleth. *Powy* 4E 59
Pilley. *Hants* 3B 16
Pilley. *S Yor* 4D 92
Pillgwenlly. *Newp* 3G 33
Pilling. *Lanc* 5D 96
Pilling Lane. *Lanc* 5C 96
Pillowell. *Glos* 5B 48
Pill, The. *Mon* 3H 33
Pillwell. *Dors* 1C 14
Pilning. *S Glo* 3A 34
Pilsbury. *Derbs* 4F 85
Pilsdon. *Dors* 3H 13
Pilsgate. *Pet* 5H 75
Pilsley. *Derbs* 3G 85
(nr. Bakewell)
Pilsley. *Derbs* 4B 86
(nr. Clay Cross)
Pilson Green. *Norf* 4F 79
Piltdown. *E Sus* 3F 27
Pilton. *Edin* 2F 129
Pilton. *Nptn* 2H 63
Pilton. *Rut* 5G 75
Pilton. *Som* 2A 22
Pilton Green. *Swan* 4D 30
Pimperne. *Dors* 2E 15
Pinchbeck. *Linc* 3B 76
Pinchbeck Bars. *Linc* 3A 76
Pinchbeck West. *Linc* 3B 76
Pinfold. *Lanc* 3B 90
Pinford End. *Suff* 5H 65
Pinged. *Carm* 5E 45
Pinhoe. *Devn* 3C 12
Pinkerton. *E Lot* 2D 130
Pinkneys Green. *Wind* 3G 37
Pinley. *W Mid* 3A 62
Pinley Green. *Warw* 4G 61
Pinmill. *Suff* 2F 55
Pinmore. *S Ayr* 5B 116
Pinner. *G Lon* 2C 38
Pins Green. *Worc* 1C 48
Pinsley Green. *Ches E* 1H 71
Pinvin. *Worc* 1E 49
Pinwherry. *S Ayr* 1G 109
Pinxton. *Derbs* 5B 86
Pipe and Lyde. *Here* 1A 48
Pipe Aston. *Here* 3G 59
Pipe Gate. *Shrp* 1B 72
Pipehill. *Staf* 5E 73
Piperhill. *High* 3C 158
Pipe Ridware. *Staf* 4E 73
Pipers Pool. *Corn* 4C 10
Pipewell. *Nptn* 2F 63
Pippacott. *Devn* 3F 19
Pipton. *Powy* 2E 47
Pirbright. *Surr* 5A 38
Pirnmill. *N Ayr* 5G 125
Pirton. *Herts* 2B 52
Pirton. *Worc* 1D 49
Pisgah. *Stir* 3G 135
Pishill. *Oxon* 3F 37
Pistyll. *Gwyn* 1C 68
Pitagowan. *Per* 2F 143
Pitcairn. *Per* 3F 143
Pitcairngreen. *Per* 1C 136
Pitcalnie. *High* 1C 158
Pitcaple. *Abers* 1E 152
Pitchcombe. *Glos* 5D 48
Pitchcott. *Buck* 3F 51
Pitchford. *Shrp* 5H 71
Pitch Green. *Buck* 5F 51
Pitch Place. *Surr* 5A 38
Pitcombe. *Som* 3B 22
Pitcox. *E Lot* 2C 130
Pitcur. *Per* 5B 144
Pitfichie. *Abers* 2D 152
Pitgrudy. *High* 4E 165
Pitkennedy. *Ang* 3E 145
Pitlessie. *Fife* 3F 137
Pitlochry. *Per* 3G 143
Pitmachie. *Abers* 1D 152
Pitmaduthy. *High* 1B 158
Pitmedden. *Abers* 1F 153
Pitminster. *Som* 1F 13
Pitnacree. *Per* 3G 143
Pitney. *Som* 4H 21
Pitroddie. *Per* 1E 136
Pitscottie. *Fife* 2G 137
Pitsea. *Essx* 2B 40
Pitsford. *Nptn* 4E 63
Pitsford Hill. *Som* 3E 20
Pitsmoor. *S Yor* 2A 86
Pitstone. *Buck* 4H 51
Pitt. *Hants* 4C 24
Pitt Court. *Glos* 2C 34
Pittentrail. *High* 3E 164
Pittenweem. *Fife* 3H 137
Pittington. *Dur* 5G 115
Pitton. *Swan* 4D 30
Pitton. *Wilts* 3H 23
Pittswood. *Kent* 1H 27
Pittulie. *Abers* 2G 161
Pittville. *Glos* 3E 49
Pitversie. *Per* 2D 136
Pityme. *Corn* 1D 6
Pity Me. *Dur* 5F 115
Pixey Green. *Suff* 3E 67
Pixley. *Here* 2B 48
Place Newton. *N Yor* 2C 100
Plaidy. *Abers* 3E 161
Plaidy. *Corn* 3G 7
Plain Dealings. *Pemb* 3E 43
Plains. *N Lan* 3A 128
Plainsfield. *Som* 3E 21
Plaish. *Shrp* 1H 59
Plaistow. *Here* 2B 48
Plaistow. *W Sus* 2B 26
Plaitford. *Wilts* 1A 16
Plas Llwyd. *Cnwy* 3B 82
Plastow Green. *Hants* 5D 36
Plas yn Cefn. *Den* 3C 82
Platt. *Kent* 5H 39
Platt Bridge. *G Man* 4E 90
Platt Lane. *Shrp* 2H 71
Platts Common. *S Yor* 4D 92
Platt's Heath. *Kent* 5C 40
Platt, The. *E Sus* 2G 27
Plawsworth. *Dur* 5F 115
Plaxtol. *Kent* 5H 39
Playden. *E Sus* 3D 28
Playford. *Suff* 1F 55
Play Hatch. *Oxon* 4F 37
Playing Place. *Corn* 4C 6
Playley Green. *Glos* 2C 48
Plealey. *Shrp* 5G 71
Plean. *Stir* 1B 128
Pleasington. *Bkbn* 2E 91
Pleasley. *Derbs* 4C 86
Pledgdon Green. *Essx* 3F 53
Plenmeller. *Nmbd* 3A 114
Pleshey. *Essx* 4G 53
Plockton. *High* 5H 155
Plocrapol. *W Isl* 8D 171
Ploughfield. *Here* 1G 47
Plowden. *Shrp* 2F 59
Ploxgreen. *Shrp* 5F 71
Pluckley. *Kent* 1D 28
Plucks Gutter. *Kent* 4G 41
Plumbland. *Cumb* 1C 102
Plumgarths. *Cumb* 5F 103
Plumley. *Ches E* 3B 84
Plummers Plain. *W Sus* 3D 26
Plumpton. *Cumb* 1F 103
Plumpton. *E Sus* 4E 27
Plumpton. *Nptn* 1D 50
Plumpton Foot. *Cumb* 1F 103
Plumpton Green. *E Sus* 4E 27
Plumpton Head. *Cumb* 1G 103
Plumstead. *G Lon* 3F 39
Plumstead. *Norf* 2D 78
Plumtree. *Notts* 2D 74
Plumtree Park. *Notts* 2D 74
Plungar. *Leics* 2E 75
Plush. *Dors* 2C 14
Plushabridge. *Corn* 5D 10
Plwmp. *Cdgn* 5C 56
Plymouth. *Plym* 3A 8 & 208
Plympton. *Plym* 3B 8
Plymstock. *Plym* 3B 8
Plymtree. *Devn* 2D 12
Pockley. *N Yor* 1A 100
Pocklington. *E Yor* 5C 100
Pode Hole. *Linc* 3B 76
Podimore. *Som* 4A 22
Podington. *Bed* 4G 63
Podmore. *Staf* 2B 72
Poffley End. *Oxon* 4B 50
Point Clear. *Essx* 4D 54
Pointon. *Linc* 2A 76
Pokesdown. *Bour* 3G 15
Polbae. *Dum* 2H 109
Polbain. *High* 3E 163
Polbathic. *Corn* 3H 7
Polbeth. *W Lot* 3D 128
Polbrock. *Corn* 2E 6
Polchar. *High* 3C 150
Polebrook. *Nptn* 2H 63
Pole Elm. *Worc* 1D 48
Polegate. *E Sus* 5G 27
Pole Moor. *W Yor* 3A 92
Poles. *High* 4E 165
Polesworth. *Warw* 5G 73
Polglass. *High* 3E 163
Polgooth. *Corn* 3D 6
Poling. *W Sus* 5B 26
Poling Corner. *W Sus* 5B 26
Polio. *High* 1B 158
Polkerris. *Corn* 3E 7
Polla. *High* 3D 166
Pollard Street. *Norf* 2F 79
Pollicott. *Buck* 4F 51
Pollington. *E Yor* 3G 93
Polloch. *High* 2B 140
Pollok. *Glas* 3G 127
Pollokshaws. *Glas* 3G 127
Pollokshields. *Glas* 3G 127
Polmaily. *High* 5G 157
Polmassick. *Corn* 4D 6
Polmont. *Falk* 2C 128
Polnessan. *E Ayr* 3D 116
Polnish. *High* 5F 147
Polperro. *Corn* 3G 7
Polruan. *Corn* 3F 7
Polscoe. *Corn* 2F 7
Polsham. *Som* 2A 22
Polskeoch. *Dum* 4F 117
Polstead. *Suff* 2C 54
Polstead Heath. *Suff* 1C 54
Poltesco. *Corn* 5E 5
Poltimore. *Devn* 3C 12
Polton. *Midl* 3G 129
Polwarth. *Bord* 4D 130
Polyphant. *Corn* 4C 10
Polzeath. *Corn* 1D 6
Ponde. *Powy* 2E 46
Pondersbridge. *Cambs* 1B 64
Ponders End. *G Lon* 1E 39
Pond Street. *Essx* 2E 53
Pondtail. *Hants* 1G 25
Ponsanooth. *Corn* 5B 6
Ponsongath. *Corn* 5E 5
Ponsworthy. *Devn* 5H 11
Pontamman. *Carm* 4G 45
Pontantwn. *Carm* 4E 45
Pontardawe. *Neat* 5H 45
Pontarddulais. *Swan* 5F 45
Pontarfynach. *Cdgn* 3G 57
Pont-ar-gothi. *Carm* 3F 45
Pont ar Hydfer. *Powy* 3B 46
Pontarllechau. *Carm* 3H 45
Pontarsais. *Carm* 3E 45
Pontblyddyn. *Flin* 4E 83
Pontbren Llwyd. *Rhon* 5C 46
Pont Cyfyng. *Cnwy* 5G 81
Pontdolgoch. *Powy* 1C 58
Pontefract. *W Yor* 2E 93
Ponteland. *Nmbd* 2E 115
Ponterwyd. *Cdgn* 2G 57
Pontesbury. *Shrp* 5G 71
Pontesford. *Shrp* 5G 71
Pontfadog. *Wrex* 2E 71
Pontfaen. *Pemb* 1E 43
Pont-faen. *Powy* 2C 46
Pont-Faen. *Shrp* 2E 71
Pontgarreg. *Cdgn* 5C 56
Pont-Henri. *Carm* 5E 45
Ponthir. *Torf* 2G 33
Ponthirwaun. *Cdgn* 1C 44
Pont-iets. *Carm* 5E 45
Pontllanfraith. *Cphy* 2E 33
Pontlliw. *Swan* 5G 45
Pont Llogel. *Powy* 4C 70
Pontllyfni. *Gwyn* 5D 80
Pontlottyn. *Cphy* 5E 46
Pontneddfechan. *Neat* 5C 46
Pont-newydd. *Carm* 5E 45
Pont-newydd. *Flin* 4D 82
Pontnewydd. *Torf* 2F 33
Ponton. *Shet* 6E 173
Pont Pen-y-benglog. *Gwyn* 4F 81
Pontrhydfendigaid. *Cdgn* 4G 57
Pont Rhyd-y-cyff. *B'end* 3B 32
Pontrhydyfen. *Neat* 2A 32
Pont-rhyd-y-groes. *Cdgn* 3G 57
Pontrhydyrun. *Torf* 2F 33
Pont Rhythallt. *Gwyn* 4E 81
Pontrilas. *Here* 3G 47
Pontrilas Road. *Here* 3G 47
Pontrobert. *Powy* 4D 70
Pont-rug. *Gwyn* 4E 81
Ponts Green. *E Sus* 4A 28
Pontshill. *Here* 3B 48
Pont-Sian. *Cdgn* 1E 45
Pontsticill. *Mer T* 4D 46
Pont-Walby. *Neat* 5B 46
Pontwelly. *Carm* 2E 45
Pontwgan. *Cnwy* 3G 81
Pontyates. *Carm* 5E 45
Pontyberem. *Carm* 4F 45
Pontybodkin. *Flin* 5E 83
Pontyclun. *Rhon* 3D 32
Pontycymer. *B'end* 2C 32
Pontyglazier. *Pemb* 1F 43
Pontygwaith. *Rhon* 2D 32
Pont-y-pant. *Cnwy* 5G 81
Pontypool. *Torf* 2G 33
Pontypridd. *Rhon* 2D 32
Pontypwl. *Torf* 2G 33
Pontywaun. *Cphy* 2F 33
Pooksgreen. *Hants* 1B 16
Pool. *Corn* 4A 6
Pool. *W Yor* 5E 99
Poole. *N Yor* 2E 93
Poole. *Pool* 3F 15 & 215
Poole. *Som* 4E 21
Poole Keynes. *Glos* 2E 35
Poolend. *Staf* 5D 84
Poolewe. *High* 5C 162
Pooley Bridge. *Cumb* 2F 103
Poolfold. *Staf* 5C 84
Pool Head. *Here* 5H 59
Pool Hey. *Lanc* 3B 90
Poolhill. *Glos* 3C 48
Poolmill. *Here* 3A 48
Pool o' Muckhart. *Clac* 3C 136
Pool Quay. *Powy* 4E 71
Poolsbrook. *Derbs* 3B 86
Pool Street. *Essx* 2A 54
Pootings. *Kent* 1F 27
Pope Hill. *Pemb* 3D 42
Pope's Hill. *Glos* 4B 48
Popeswood. *Brac* 5G 37
Popham. *Hants* 2D 24
Poplar. *G Lon* 2E 39
Popley. *Hants* 1E 25
Porchfield. *IOW* 3C 16
Porin. *High* 3F 157
Poringland. *Norf* 5E 79
Porkellis. *Corn* 5A 6
Porlock. *Som* 2B 20
Porlock Weir. *Som* 2B 20
Portachoillan. *Arg* 4F 125
Port Adhair Bheinn na Faoghla.
W Isl 3C 170
Port Adhair Thirlodh. *Arg* 4B 138
Port Ann. *Arg* 1H 125
Port Appin. *Arg* 4D 140
Port Asgaig. *Arg* 3C 124
Port Askaig. *Arg* 3C 124
Portavadie. *Arg* 3H 125
Port Bannatyne. *Arg* 3B 126
Portbury. *N Som* 4A 34
Port Carlisle. *Cumb* 3D 112
Port Charlotte. *Arg* 4A 124
Portchester. *Hants* 2E 16
Port Clarence. *Stoc T* 2B 106
Port Dinorwig. *Gwyn* 4E 81
Port Driseach. *Arg* 2A 126
Port Dundas. *Glas* 3H 127
Port Ellen. *Arg* 5B 124
Port Elphinstone. *Abers* 1E 153
Portencalzie. *Dum* 2F 109
Portencross. *N Ayr* 5C 126
Port Erin. *IOM* 5A 108
Port Erroll. *Abers* 5H 161
Porter's Fen Corner. *Norf* 5E 77
Portesham. *Dors* 4B 14
Portessie. *Mor* 2B 160
Port e Vullen. *IOM* 2D 108
Port-Eynon. *Swan* 4D 30
Portfield. *Som* 4H 21
Portfield Gate. *Pemb* 3D 42
Portgate. *Devn* 4E 11
Port Gaverne. *Corn* 4A 10
Port Glasgow. *Inv* 2E 127
Portgordon. *Mor* 2A 160
Portgower. *High* 2H 165

Porth. Corn 2C 6
Porth. Rhon 2D 32
Porthaethwy. IOA 3E 81
Porthallow. Corn 3G 7
(nr. Looe)
Porthallow. Corn 4E 5
(nr. St Keverne)
Porthalong. High 5C 154
Porthcawl. B'end 4B 32
Porthceri. V Glam 5D 32
Porthcothan. Corn 1C 6
Porthcurno. Corn 4A 4
Port Henderson. High 1G 155
Porthgain. Pemb 1C 42
Porthgwarra. Corn 4A 4
Porthill. Shrp 4G 71
Porthkerry. V Glam 5D 32
Porthleven. Corn 4D 4
Porthllechog. IOA 1D 80
Porthmadog. Gwyn 2E 69
Porthmeirion. Gwyn 2E 69
Porthmeor. Corn 3B 4
Porth Navas. Corn 4E 5
Portholland. Corn 4D 6
Porthoustock. Corn 4F 5
Porthtowan. Corn 4A 6
Porth Tywyn. Carm 5E 45
Porth-y-felin. IOA 2B 80
Porthyrhyd. Carm 4F 45
(nr. Carmarthen)
Porthyrhyd. Carm 2H 45
(nr. Llandovery)
Porth-y-waen. Shrp 3E 71
Portincaple. Arg 4B 134
Portington. E Yor 1A 94
Portinnisherrich. Arg 2G 133
Portinscale. Cumb 2D 102
Port Isaac. Corn 1D 6
Portishead. N Som 4H 33
Portknockie. Mor 2B 160
Port Lamont. Arg 2B 126
Portlethen. Abers 4G 153
Portlethen Village. Abers 4G 153
Portling. Dum 4F 111
Port Lion. Pemb 4D 43
Portloe. Corn 5D 6
Port Logan. Dum 5F 109
Portmahomack. High 5G 165
Port Mead. Swan 3F 31
Portmellon. Corn 4E 6
Port Mholair. W Isl 4H 171
Port Mor. High 1F 139
Portmore. Hants 3B 16
Port Mulgrave. N Yor 3E 107
Portnacroish. Arg 4D 140
Portnahaven. Arg 4A 124
Portnalong. High 5C 154
Portnaluchaig. High 5E 147
Portnancon. High 2E 167
Port Nan Giuran. W Isl 4H 171
Port nan Long. W Isl 1D 170
Port Nis. W Isl 1H 171
Portobello. Edin 2G 129
Portobello. W Yor 3D 92
Port of Menteith. Stir 3E 135
Porton. Wilts 3G 23
Portormin. High 5D 168
Portpatrick. Dum 4F 109
Port Quin. Corn 1D 6
Port Ramsay. Arg 4C 140
Portreath. Corn 4A 6
Portree. High 4D 155
Port Righ. High 4D 155
Port St Mary. IOM 5B 108
Portscatho. Corn 5C 6
Portsea. Port 2E 17
Portskerra. High 2A 168
Portskewett. Mon 3A 34
Portslade-by-Sea. Brig 5D 26
Portsmouth. Port 3E 17 & 209
Portsmouth. W Yor 2H 91
Port Soderick. IOM 4C 108
Port Solent. Port 2E 17
Portsonachan. Arg 1H 133
Portsoy. Abers 2C 160
Port Sunlight. Mers 2F 83
Portswood. Sotn 1C 16
Port Talbot. Neat 4G 31
Porttannachy. Mor 2A 160
Port Tennant. Swan 3F 31
Portuairk. High 2F 139
Portway. Here 1H 47
Portway. Worc 3E 61
Port Wemyss. Arg 4A 124
Port William. Dum 5A 110
Portwrinkle. Corn 3H 7
Poslingford. Suff 1A 54
Postbridge. Devn 5G 11
Postcombe. Oxon 2F 37
Post Green. Dors 3E 15
Posthill. Staf 5G 73
Postling. Kent 2F 29
Postlip. Glos 3F 49
Post-Mawr. Cdgn 5D 56
Postwick. Norf 5E 79
Potarch. Abers 4D 152
Potsgrove. C Beds 3H 51
Potten End. Herts 5A 52
Potter Brompton. N Yor 2D 101
Pottergate Street. Norf 1D 66
Potterhanworth. Linc 4H 87
Potterhanworth Booths. Linc 4H 87
Potter Heigham. Norf 4G 79
Potter Hill. Leics 3E 75
Potteries, The. Stoke 1C 72
Potterne. Wilts 1E 23
Potterne Wick. Wilts 1E 23
Potternewton. W Yor 1D 92
Potters Bar. Herts 5C 52
Potters Brook. Lanc 4D 97
Potter's Cross. Staf 2C 60
Potters Crouch. Herts 5B 52
Potter Somersal. Derbs 2F 73
Potterspury. Nptn 1F 51
Potter Street. Essx 5E 53
Potterton. Abers 2G 153
Potthorpe. Norf 3B 78
Pottle Street. Wilts 2D 22
Potto. N Yor 4B 106
Potton. C Beds 1C 52
Pott Row. Norf 3G 77
Pott Shrigley. Ches E 3D 84
Poughill. Corn 2C 10
Poughill. Devn 2B 12
Poulner. Hants 2G 15
Poulshot. Wilts 1E 23
Poulton. Glos 5G 49
Poulton-le-Fylde. Lanc 1B 90
Pound Bank. Worc 3B 60
Poundbury. Dors 3B 14
Poundfield. E Sus 2G 27
Poundgate. E Sus 3F 27
Pound Green. E Sus 3G 27
Pound Green. Suff 5G 65
Pound Hill. W Sus 2D 27
Poundland. S Ayr 1G 109
Poundon. Buck 3E 51
Poundsgate. Devn 5H 11
Poundstock. Corn 3C 10
Pound Street. Hants 5C 36
Pounsley. E Sus 3G 27
Powburn. Nmbd 3E 121
Powderham. Devn 4C 12
Powerstock. Dors 3A 14
Powfoot. Dum 3C 112
Powick. Worc 5C 60
Powmill. Per 4C 136
Poxwell. Dors 4C 14
Poyle. Slo 3B 38
Poynings. W Sus 4D 26
Poyntington. Dors 4B 22
Poynton. Ches E 2D 84
Poynton. Telf 4H 71
Poynton Green. Telf 4H 71
Poystreet Green. Suff 5B 66
Praa Sands. Corn 4C 4
Pratt's Bottom. G Lon 4F 39
Praze-an-Beeble. Corn 3D 4
Prees. Shrp 2H 71
Preesall. Lanc 5C 96
Preesall Park. Lanc 5C 96
Prees Green. Shrp 2H 71
Prees Higher Heath. Shrp 2H 71
Prendergast. Pemb 3D 42
Prendwick. Nmbd 3E 121
Pren-gwyn. Cdgn 1E 45
Prenteg. Gwyn 1E 69
Prenton. Mers 2F 83
Prescot. Mers 1G 83
Prescott. Devn 1D 12
Prescott. Shrp 3G 71
Preshute. Wilts 5G 35
Pressen. Nmbd 1C 120
Prestatyn. Den 2C 82
Prestbury. Ches E 3D 84
Prestbury. Glos 3E 49
Presteigne. Powy 4F 59
Presthope. Shrp 1H 59
Prestleigh. Som 2B 22
Preston. Brig 5E 27
Preston. Devn 5B 12
Preston. Dors 4C 14
Preston. E Lot 2B 130
(nr. East Linton)
Preston. E Lot 2G 129
(nr. Prestonpans)
Preston. E Yor 1E 95
Preston. Glos 5F 49
Preston. Herts 3B 52
Preston. Kent 4G 41
(nr. Canterbury)
Preston. Kent 4E 40
(nr. Faversham)
Preston. Lanc 2D 90 & 208
Preston. Nmbd 2F 121
Preston. Rut 5F 75
Preston. Bord 4D 130
Preston. Shrp 4H 71
Preston. Suff 5B 66
Preston. Wilts 4A 36
(nr. Aldbourne)
Preston. Wilts 4F 35
(nr. Lyneham)
Preston Bagot. Warw 4F 61
Preston Bissett. Buck 3E 51
Preston Bowyer. Som 4E 21
Preston Brockhurst. Shrp 3H 71
Preston Brook. Hal 3H 83
Preston Candover. Hants 2E 24
Preston Capes. Nptn 5C 62
Preston Cross. Glos 2B 48
Preston Gubbals. Shrp 4G 71
Preston-le-Skerne. Dur 2A 106
Preston Marsh. Here 1A 48
Prestonmill. Dum 4A 112
Preston on Stour. Warw 5G 61
Preston on the Hill. Hal 2H 83
Preston on Wye. Here 1G 47
Prestonpans. E Lot 2G 129
Preston Plucknett. Som 1A 14
Preston-under-Scar. N Yor 5D 104
Preston upon the Weald Moors. Telf 4A 72
Preston Wynne. Here 1A 48
Prestwich. G Man 4G 91
Prestwick. Nmbd 2E 115
Prestwick. S Ayr 2C 116
Prestwold. Leics 3C 74
Prestwood. Buck 5G 51
Prestwood. Staf 1E 73
Price Town. B'end 2C 32
Prickwillow. Cambs 2E 65
Priddy. Som 1A 22
Priestcliffe. Derbs 3F 85
Priesthill. Glas 3G 127
Priest Hutton. Lanc 2E 97
Priestland. E Ayr 1E 117
Priest Weston. Shrp 1E 59
Priestwood. Brac 4G 37
Priestwood. Kent 4A 40
Primethorpe. Leics 1C 62
Primrose Green. Norf 4C 78
Primrose Hill. Derbs 5B 86
Primrose Hill. Glos 5B 48
Primrose Hill. Lanc 4B 90
Primrose Valley. N Yor 2F 101
Primsidemill. Bord 2C 120
Princes Gate. Pemb 3F 43
Princes Risborough. Buck 5G 51
Princethorpe. Warw 3B 62
Princetown. Devn 5F 11
Prinsted. W Sus 2F 17
Prion. Den 4C 82
Prior Muir. Fife 2H 137
Prior's Frome. Here 2A 48
Priors Halton. Shrp 3G 59
Priors Hardwick. Warw 5B 62
Priorslee. Telf 4B 72
Priors Marston. Warw 5B 62
Prior's Norton. Glos 3D 48
Priory, The. W Ber 5B 36
Priory Wood. Here 1F 47
Priston. Bath 5B 34
Pristow Green. Norf 2D 66
Prittlewell. S'end 2C 40
Privett. Hants 4E 25
Prixford. Devn 3F 19
Probus. Corn 4D 6
Prospect. Cumb 5C 112
Prospect Village. Staf 4E 73
Provanmill. Glas 3H 127
Prudhoe. Nmbd 3D 115
Publow. Bath 5B 34
Puckeridge. Herts 3D 53
Puckington. Som 1G 13
Pucklechurch. S Glo 4B 34
Puckrup. Glos 2D 49
Puddinglake. Ches W 4B 84
Puddington. Ches W 3F 83
Puddington. Devn 1B 12
Puddlebrook. Glos 4B 48
Puddledock. Norf 1C 66
Puddletown. Dors 3C 14
Pudleston. Here 5H 59
Pudsey. W Yor 1C 92
Pulborough. W Sus 4B 26
Puleston. Telf 3B 72
Pulford. Ches W 5F 83
Pulham. Dors 2C 14
Pulham Market. Norf 2D 66
Pulham St Mary. Norf 2E 66
Pulley. Shrp 5G 71
Pulloxhill. C Beds 2A 52
Pulpit Hill. Arg 1F 133
Pulverbatch. Shrp 5G 71
Pumpherston. W Lot 3D 128
Pumsaint. Carm 1G 45
Puncheston. Pemb 2E 43
Puncknowle. Dors 4A 14
Punnett's Town. E Sus 3H 27
Purbrook. Hants 2E 17
Purfleet. Thur 3G 39
Puriton. Som 2G 21
Purleigh. Essx 5B 54
Purley. G Lon 4E 39
Purley on Thames. W Ber 4E 37
Purlogue. Shrp 3E 59
Purl's Bridge. Cambs 2D 65
Purse Caundle. Dors 1B 14
Purslow. Shrp 2F 59
Purston Jaglin. W Yor 3E 93
Purtington. Som 2G 13
Purton. Glos 5B 48
(nr. Lydney)
Purton. Glos 5B 48
(nr. Sharpness)
Purton. Wilts 3F 35
Purton Stoke. Wilts 2F 35
Pury End. Nptn 1F 51
Pusey. Oxon 2B 36
Putley. Here 2B 48
Putney. G Lon 3D 38
Putsborough. Devn 2E 19
Puttenham. Herts 4G 51
Puttenham. Surr 1A 26
Puttock End. Essx 1B 54
Puttock's End. Essx 4F 53
Puxey. Dors 1C 14
Puxton. N Som 5H 33
Pwll. Carm 5E 45
Pwll. Powy 5D 70
Pwllcrochan. Pemb 4D 42
Pwll-glas. Den 5D 82
Pwllgloyw. Powy 2D 46
Pwllheli. Gwyn 2C 68
Pwllmeyric. Mon 2A 34
Pwlltrap. Carm 3G 43
Pwll-y-glaw. Neat 2A 32
Pyecombe. W Sus 4D 27
Pye Corner. Herts 4E 53
Pye Corner. Newp 3G 33
Pye Green. Staf 4D 73
Pyewipe. NE Lin 3F 95
Pyle. B'end 3B 32
Pyle. IOW 5C 16
Pylle. Som 3B 22
Pymoor. Cambs 2D 65
Pymoor. Dors 3H 13
Pyrford. Surr 5B 38
Pyrford Village. Surr 5B 38
Pyrton. Oxon 2E 37
Pytchley. Nptn 3F 63
Pyworthy. Devn 2D 10

Q

Quabbs. Shrp 2E 58
Quadring. Linc 2B 76
Quadring Eaudike. Linc 2B 76
Quainton. Buck 3F 51
Quaking Houses. Dur 4E 115
Quarley. Hants 2A 24
Quarndon. Derbs 1H 73
Quarrendon. Buck 4G 51
Quarrier's Village. Inv 3E 127
Quarrington. Linc 1H 75
Quarrington Hill. Dur 1A 106
Quarry Bank. W Mid 2D 60
Quarry, The. Glos 2C 34
Quarrywood. Mor 2F 159
Quartalehouse. Abers 4G 161
Quarter. N Ayr 3C 126
Quarter. S Lan 4A 128
Quatford. Shrp 1B 60
Quatt. Shrp 2B 60
Quebec. Dur 5E 115
Quedgeley. Glos 4D 48
Queen Adelaide. Cambs 2E 65
Queenborough. Kent 3D 40
Queen Camel. Som 4A 22
Queen Charlton. Bath 5B 34
Queen Dart. Devn 1B 12
Queenhill. Worc 2D 48
Queen Oak. Dors 3C 22
Queensbury. W Yor 2B 92
Queensferry. Flin 4F 83
Queenstown. Bkpl 1B 90
Queen Street. Kent 1A 28
Queenzieburn. N Lan 2H 127
Quemerford. Wilts 5F 35
Quendale. Shet 10E 173
Quendon. Essx 2F 53
Queniborough. Leics 4D 74
Quenington. Glos 5G 49
Quernmore. Lanc 3E 97
Quethiock. Corn 2H 7
Quholm. Orkn 6B 172
Quick's Green. W Ber 4D 36
Quidenham. Norf 2C 66
Quidhampton. Hants 1D 24
Quidhampton. Wilts 3G 23
Quilquox. Abers 5G 161
Quina Brook. Shrp 2H 71
Quindry. Orkn 8D 172
Quine's Hill. IOM 4C 108
Quinton. Nptn 5E 63
Quinton. W Mid 2D 61
Quintrell Downs. Corn 2C 6
Quixhill. Staf 1F 73
Quoditch. Devn 3E 11
Quorn. Leics 4C 74
Quorndon. Leics 4C 74
Quothquan. S Lan 1B 118
Quoyloo. Orkn 5B 172
Quoyness. Orkn 7B 172
Quoys. Shet 5F 173
(on Mainland)
Quoys. Shet 1H 173
(on Unst)

R

Rableyheath. Herts 4C 52
Raby. Cumb 4C 112
Raby. Mers 3F 83
Rachan Mill. Bord 1D 118
Rachub. Gwyn 4F 81
Rack End. Oxon 5C 50
Rackenford. Devn 1B 12
Rackham. W Sus 4B 26
Rackheath. Norf 4E 79
Racks. Dum 2B 112
Rackwick. Orkn 8A 172
(on Hoy)
Rackwick. Orkn 3D 172
(on Westray)
Radbourne. Derbs 2G 73
Radcliffe. G Man 4F 91
Radcliffe. Nmbd 4G 121
Radcliffe on Trent. Notts 2D 74
Radclive. Buck 2E 51
Radernie. Fife 2G 137
Radfall. Kent 4F 41
Radford. Bath 1B 22
Radford. Nott 1C 74
Radford. Oxon 3C 50
Radford. W Mid 2H 61
Radford. Worc 5E 61
Radford Semele. Warw 4H 61
Radipole. Dors 4B 14
Radlett. Herts 1C 38
Radley. Oxon 2D 36
Radnage. Buck 2F 37
Radstock. Bath 1B 22
Radstone. Nptn 1D 50
Radway. Warw 1B 50
Radway Green. Ches E 5B 84
Radwell. Bed 5H 63
Radwell. Herts 2C 52
Radwinter. Essx 2G 53
Radyr. Card 3E 33
RAF Coltishall. Norf 3E 79
Rafford. Mor 3E 159
Ragdale. Leics 4D 74
Ragdon. Shrp 1G 59
Ragged Appleshaw. Hants 2B 24
Raggra. High 4F 169
Raglan. Mon 5H 47
Ragnall. Notts 3F 87
Raigbeg. High 1C 150
Rainford. Mers 4C 90
Rainford Junction. Mers 4C 90
Rainham. G Lon 2G 39
Rainham. Medw 4C 40
Rainhill. Mers 1G 83
Rainow. Ches E 3D 84
Rainton. N Yor 2F 99
Rainworth. Notts 5C 86
Raisbeck. Cumb 4H 103
Raise. Cumb 5A 114
Rait. Per 1E 137
Raithby. Linc 2C 88
Raithby by Spilsby. Linc 4C 88
Raithwaite. N Yor 3F 107
Rake. W Sus 4G 25
Rake End. Staf 4E 73
Rakeway. Staf 1E 73
Rakewood. G Man 3H 91
Ralia. High 4B 150
Ram Alley. Wilts 5H 35
Ramasaig. High 4A 154
Rame. Corn 4A 8
(nr. Millbrook)
Rame. Corn 5B 6
(nr. Penryn)
Ram Lane. Kent 1D 28
Ramnageo. Shet 1H 173
Rampisham. Dors 2A 14
Rampside. Cumb 3B 96
Rampton. Cambs 4D 64
Rampton. Notts 3E 87
Ramsbottom. G Man 3F 91
Ramsburn. Mor 3C 160
Ramsbury. Wilts 4A 36
Ramscraigs. High 1H 165
Ramsdean. Hants 4F 25
Ramsdell. Hants 1D 24
Ramsden. Oxon 4B 50
Ramsden. Worc 1E 49
Ramsden Bellhouse. Essx 1B 40
Ramsden Heath. Essx 1B 40
Ramsey. Cambs 2B 64
Ramsey. Essx 2F 55
Ramsey. IOM 2D 108
Ramsey Forty Foot. Cambs 2C 64
Ramsey Heights. Cambs 2B 64
Ramsey Island. Essx 5C 54
Ramsey Mereside. Cambs 2B 64
Ramsey St Mary's. Cambs 2B 64
Ramsgate. Kent 4H 41
Ramsgill. N Yor 2D 98
Ramshaw. Dur 5C 114
Ramshorn. Staf 1E 73
Ramsley. Devn 3G 11
Ramsnest Common. Surr 2A 26
Ramstone. Abers 2D 152
Ranais. W Isl 5G 171
Ranby. Linc 3B 88
Ranby. Notts 2D 86
Rand. Linc 3A 88
Randwick. Glos 5D 48
Ranfurly. Ren 3E 127
Rangag. High 4D 168
Rangemore. Staf 3F 73
Rangeworthy. S Glo 3B 34
Rankinston. E Ayr 3D 116
Rank's Green. Essx 4H 53
Ranmore Common. Surr 5C 38
Rannoch Station. Per 3B 142
Ranochan. High 5G 147
Ranskill. Notts 2D 86
Ranton. Staf 3C 72
Ranton Green. Staf 3C 72
Ranworth. Norf 4F 79
Raploch. Stir 4G 135
Rapness. Orkn 3E 172
Rapps. Som 1G 13
Rascal Moor. E Yor 1B 94
Rascarrel. Dum 5E 111
Rashfield. Arg 1C 126
Rashwood. Worc 4D 60
Raskelf. N Yor 2G 99
Rassau. Blae 4E 47
Rastrick. W Yor 2B 92
Ratagan. High 2B 148
Ratby. Leics 5C 74
Ratcliffe Culey. Leics 1H 61
Ratcliffe on Soar. Notts 3B 74
Ratcliffe on the Wreake. Leics 4D 74
Rathen. Abers 2H 161
Rathillet. Fife 1F 137
Rathmell. N Yor 4H 97
Ratho. Edin 2E 129
Ratho Station. Edin 2E 129
Rathven. Mor 2B 160
Ratley. Hants 4B 24
Ratley. Warw 1B 50
Ratlinghope. Shrp 1G 59
Rattar. High 1E 169
Ratten Row. Cumb 5E 113
Ratten Row. Lanc 5D 96
Rattery. Devn 2D 8
Rattlesden. Suff 5B 66
Ratton Village. E Sus 5G 27
Rattray. Abers 3H 161
Rattray. Per 4A 144
Raughton. Cumb 5E 113
Raughton Head. Cumb 5E 113
Raunds. Nptn 3G 63
Ravenfield. S Yor 1B 86
Ravenfield Common. S Yor 1B 86
Ravenglass. Cumb 5B 102
Ravenhills Green. Worc 5B 60
Raveningham. Norf 1F 67
Ravenscar. N Yor 4G 107
Ravensdale. IOM 2C 108
Ravensden. Bed 5H 63
Ravenseat. N Yor 4B 104
Ravenshead. Notts 5C 86
Ravensmoor. Ches E 5A 84
Ravensthorpe. Nptn 3D 62
Ravensthorpe. W Yor 2C 92
Ravenstone. Leics 4B 74
Ravenstonedale. Cumb 4A 104
Ravenstown. Cumb 2C 96
Ravenstruther. S Lan 5C 128
Ravensworth. N Yor 4E 105
Raw. N Yor 4G 107
Rawcliffe. E Yor 2G 93
Rawcliffe. York 4H 99
Rawcliffe Bridge. E Yor 2G 93
Rawdon. W Yor 1C 92
Rawgreen. Nmbd 4C 114

Rawmarsh. *S Yor* 1B 86
Rawnsley. *Staf* 4E 73
Rawreth. *Essx* 1B 40
Rawridge. *Devn* 2F 13
Rawson Green. *Derbs* 1A 74
Rawtenstall. *Lanc* 2F 91
Raydon. *Suff* 2D 54
Raylees. *Nmbd* 5D 120
Rayleigh. *Essx* 1C 40
Raymond's Hill. *Devn* 3G 13
Rayne. *Essx* 3H 53
Rayners Lane. *G Lon* 2C 38
Reach. *Cambs* 4E 65
Read. *Lanc* 1F 91
Reading. *Read* 4F 37 & 209
Reading Green. *Suff* 3D 66
Reading Street. *Kent* 2D 28
Readymoney. *Corn* 3F 7
Reagill. *Cumb* 3H 103
Rearquhar. *High* 4E 165
Rearsby. *Leics* 4D 74
Reasby. *Linc* 3H 87
Reaseheath. *Ches E* 5A 84
Reaster. *High* 2E 169
Reawick. *Shet* 7E 173
Reay. *High* 2B 168
Rechullin. *High* 3A 156
Reculver. *Kent* 4G 41
Redberth. *Pemb* 4E 43
Redbourn. *Herts* 4B 52
Redbourne. *N Lin* 4C 94
Redbrook. *Glos* 4A 48
Redbrook. *Wrex* 1H 71
Redburn. *High* 4D 158
Redburn. *Nmbd* 3A 114
Redcar. *Red C* 2D 106
Redcastle. *High* 4H 157
Redcliff Bay. *N Som* 4H 33
Red Dial. *Cumb* 5D 112
Redding. *Falk* 2C 128
Reddingmuirhead. *Falk* 2C 128
Reddings, The. *Glos* 3E 49
Reddish. *G Man* 1C 84
Redditch. *Worc* 4E 61
Rede. *Suff* 5H 65
Redenhall. *Norf* 2E 67
Redesdale Camp. *Nmbd* 5C 120
Redesmouth. *Nmbd* 1B 114
Redford. *Ang* 4E 145
Redford. *Dur* 1D 105
Redford. *W Sus* 4G 25
Redfordgreen. *Bord* 3F 119
Redgate. *Corn* 2G 7
Redgrave. *Suff* 3C 66
Redhill. *Abers* 3E 153
Redhill. *Herts* 2C 52
Redhill. *N Som* 5H 33
Redhill. *Shrp* 4B 72
Redhill. *Surr* 5D 39
Red Hill. *Warw* 5F 61
Red Hill. *W Yor* 2E 93
Redhouses. *Arg* 3B 124
Redisham. *Suff* 2G 67
Redland. *Bris* 4A 34
Redland. *Orkn* 5C 172
Redlingfield. *Suff* 3D 66
Red Lodge. *Suff* 3F 65
Redlynch. *Som* 3C 22
Redlynch. *Wilts* 4H 23
Redmain. *Cumb* 1C 102
Redmarley. *Worc* 4B 60
Redmarley D'Abitot. *Glos* 2C 48
Redmarshall. *Stoc T* 2A 106
Redmile. *Leics* 2E 75
Redmire. *N Yor* 5D 104
Rednal. *Shrp* 3F 71
Redpath. *Bord* 1H 119
Redpoint. *High* 2G 155
Red Post. *Corn* 2C 10
Red Rock. *G Man* 4D 90
Red Roses. *Carm* 3G 43
Red Row. *Nmbd* 5G 121
Redruth. *Corn* 4B 6
Red Street. *Staf* 5C 84
Redvales. *G Man* 4F 91
Red Wharf Bay. *IOA* 2E 81
Redwick. *Newp* 3H 33
Redwick. *S Glo* 3A 34
Redworth. *Darl* 2F 105
Reed. *Herts* 2D 52
Reed End. *Herts* 2D 52
Reedham. *Linc* 5B 88
Reedham. *Norf* 5G 79
Reedness. *E Yor* 2B 94
Reeds Beck. *Linc* 4B 88
Reemshill. *Abers* 4E 161
Reepham. *Linc* 3H 87
Reepham. *Norf* 3C 78
Reeth. *N Yor* 5D 104
Regaby. *IOM* 2D 108
Regil. *N Som* 5A 34
Regoul. *High* 3C 158
Reiff. *High* 2D 162
Reigate. *Surr* 5D 38
Reighton. *N Yor* 2F 101
Reilth. *Shrp* 2E 59
Reinigeadal. *W Isl* 7E 171
Reisque. *Abers* 1F 153
Reiss. *High* 3F 169
Rejerrah. *Corn* 3B 6
Releath. *Corn* 5A 6
Relubbus. *Corn* 3C 4
Relugas. *Mor* 4D 159
Remenham. *Wok* 3F 37
Remenham Hill. *Wok* 3F 37
Rempstone. *Notts* 3C 74
Rendcomb. *Glos* 5F 49
Rendham. *Suff* 4F 67
Rendlesham. *Suff* 5F 67
Renfrew. *Ren* 3G 127
Renhold. *Bed* 5H 63
Renishaw. *Derbs* 3B 86
Rennington. *Nmbd* 3G 121
Renton. *W Dun* 2E 127
Renwick. *Cumb* 5G 113
Repps. *Norf* 4G 79
Repton. *Derbs* 3H 73
Resaurie. *High* 4B 158
Rescassa. *Corn* 4D 6
Rescobie. *Ang* 3E 145
Rescorla. *Corn* 3E 7
(nr. Rosevean)
Rescorla. *Corn* 4D 6
(nr. St Ewe)
Resipole. *High* 2B 140
Resolfen. *Neat* 5B 46
Resolis. *High* 2A 158
Resolven. *Neat* 5B 46
Rest and be thankful. *Arg* 3B 134
Reston. *Bord* 3E 131
Restrop. *Wilts* 3F 35
Retford. *Notts* 2E 86
Retire. *Corn* 2E 6
Rettendon. *Essx* 1B 40
Revesby. *Linc* 4C 88
Rew. *Devn* 5D 8
Rewe. *Devn* 3C 12
Rew Street. *IOW* 3C 16
Rexon. *Devn* 4E 11
Reybridge. *Wilts* 5E 35
Reydon. *Suff* 3H 67
Reymerston. *Norf* 5C 78
Reynalton. *Pemb* 4E 43
Reynoldston. *Swan* 4D 31
Rezare. *Corn* 5D 10
Rhadyr. *Mon* 5G 47
Rhaeadr Gwy. *Powy* 4B 58
Rhandirmwyn. *Carm* 1A 46
Rhayader. *Powy* 4B 58
Rheindown. *High* 4H 157
Rhemore. *High* 3G 139
Rhenetra. *High* 3D 154
Rhewl. *Den* 1D 70
(nr. Llangollen)
Rhewl. *Den* 4D 82
(nr. Ruthin)
Rhewl. *Shrp* 2F 71
Rhewl-Mostyn. *Flin* 3D 82
Rhian. *High* 2C 164
Rhian Breck. *High* 3C 164
Rhicarn. *High* 1E 163
Rhiconich. *High* 3C 166
Rhicullen. *High* 1A 158
Rhidorroch. *High* 4F 163
Rhifail. *High* 4H 167
Rhigos. *Rhon* 5C 46
Rhilochan. *High* 3E 165
Rhiroy. *High* 5F 163
Rhitongue. *High* 3G 167
Rhiw. *Gwyn* 3B 68
Rhiwabon. *Wrex* 1F 71
Rhiwbina. *Card* 3E 33
Rhiwbryfdir. *Gwyn* 1F 69
Rhiwderin. *Newp* 3F 33
Rhiwlas. *Gwyn* 2B 70
(nr. Bala)
Rhiwlas. *Gwyn* 4E 81
(nr. Bangor)
Rhiwlas. *Powy* 2D 70
Rhodes. *G Man* 4G 91
Rhodesia. *Notts* 2C 86
Rhodes Minnis. *Kent* 1F 29
Rhodiad-y-Brenin. *Pemb* 2B 42
Rhondda. *Rhon* 2C 32
Rhonehouse. *Dum* 4E 111
Rhoose. *V Glam* 5D 32
Rhos. *Carm* 2D 45
Rhos. *Neat* 5H 45
Rhosaman. *Carm* 4H 45
Rhoscefnhir. *IOA* 3E 81
Rhoscolyn. *IOA* 3B 80
Rhos Common. *Powy* 4E 71
Rhoscrowther. *Pemb* 4D 42
Rhos-ddu. *Gwyn* 2B 68
Rhosdylluan. *Gwyn* 3A 70
Rhosesmor. *Flin* 4E 82
Rhos-fawr. *Gwyn* 2C 68
Rhosgadfan. *Gwyn* 5E 81
Rhosgoch. *IOA* 2D 80
Rhosgoch. *Powy* 1E 47
Rhos Haminiog. *Cdgn* 4E 57
Rhos-hill. *Pemb* 1B 44
Rhoshirwaun. *Gwyn* 3A 68
Rhoslan. *Gwyn* 1D 69
Rhoslefain. *Gwyn* 5E 69
Rhosllanerchrugog. *Wrex* 1E 71
Rhos Lligwy. *IOA* 2D 81
Rhosmaen. *Carm* 3G 45
Rhosmeirch. *IOA* 3D 80
Rhosneigr. *IOA* 3C 80
Rhos-on-Sea. *Cnwy* 2H 81
Rhossili. *Swan* 4D 30
Rhosson. *Pemb* 2B 42
Rhos, The. *Pemb* 3E 43
Rhostrenwfa. *IOA* 3D 80
Rhostryfan. *Gwyn* 5D 81
Rhostyllen. *Wrex* 1F 71
Rhoswiel. *Shrp* 2E 71
Rhosybol. *IOA* 2D 80
Rhos-y-brithdir. *Powy* 3D 70
Rhos-y-garth. *Cdgn* 3F 57
Rhos-y-gwaliau. *Gwyn* 2B 70
Rhos-y-llan. *Gwyn* 2B 68
Rhos-y-meirch. *Powy* 4E 59
Rhu. *Arg* 1D 126
Rhualt. *Den* 3C 82
Rhubadach. *Arg* 2B 126
Rhubha Stoer. *High* 1E 163
Rhuddall Heath. *Ches W* 4H 83
Rhuddlan. *Cdgn* 1E 45
Rhuddlan. *Den* 3C 82
Rhue. *High* 4E 163
Rhulen. *Powy* 1E 47
Rhunahaorine. *Arg* 5F 125
Rhuthun. *Den* 5D 82
Rhuvoult. *High* 3C 166
Rhyd. *Gwyn* 1F 69
Rhydaman. *Carm* 4G 45
Rhydargaeau. *Carm* 3E 45
Rhydcymerau. *Carm* 2F 45
Rhydd. *Worc* 1D 48
Rhyd-Ddu. *Gwyn* 5E 81
Rhydding. *Neat* 3G 31
Rhydfudr. *Cdgn* 4E 57
Rhydlanfair. *Cnwy* 5H 81
Rhydlewis. *Cdgn* 1D 44
Rhydlios. *Gwyn* 2A 68
Rhydlydan. *Cnwy* 5A 82
Rhyd-meirionydd. *Cdgn* 2F 57
Rhydowen. *Cdgn* 1E 45
Rhyd-Rosser. *Cdgn* 4E 57
Rhydspence. *Powy* 1F 47
Rhydtalog. *Flin* 5E 83
Rhyd-uchaf. *Gwyn* 2B 70
Rhydwyn. *IOA* 2C 80
Rhyd-y-clafdy. *Gwyn* 2C 68
Rhydycroesau. *Shrp* 2E 71
Rhydyfelin. *Cdgn* 3E 57
Rhydyfelin. *Rhon* 3E 32
Rhyd-y-foel. *Cnwy* 3B 82
Rhyd-y-fro. *Neat* 5H 45
Rhydymain. *Gwyn* 3H 69
Rhyd-y-meirch. *Mon* 5G 47
Rhyd-y-meudwy. *Den* 5D 82
Rhydymwyn. *Flin* 4E 82
Rhyd-yr-onen. *Gwyn* 5F 69
Rhyd-y-sarn. *Gwyn* 1F 69
Rhyl. *Den* 2C 82
Rhymney. *Cphy* 5E 46
Rhymni. *Cphy* 5E 46
Rhynd. *Per* 1D 136
Rhynie. *Abers* 1B 152
Ribbesford. *Worc* 3B 60
Ribbleton. *Lanc* 1D 90
Ribby. *Lanc* 1C 90
Ribchester. *Lanc* 1E 91
Riber. *Derbs* 5H 85
Ribigill. *High* 3F 167
Riby. *Linc* 4E 95
Riccall. *N Yor* 1G 93
Riccarton. *E Ayr* 1D 116
Richards Castle. *Here* 4G 59
Richborough Port.
Kent 4H 41
Richings Park. *Buck* 3B 38
Richmond. *G Lon* 3C 38
Richmond. *N Yor* 4E 105
Rickarton. *Abers* 5F 153
Rickerby. *Cumb* 4F 113
Rickerscote. *Staf* 3D 72
Rickford. *N Som* 1H 21
Rickham. *Devn* 5D 8
Rickinghall. *Suff* 3C 66
Rickleton. *Tyne* 4F 115
Rickling. *Essx* 2E 53
Rickling Green. *Essx* 3F 53
Rickmansworth. *Herts* 1B 38
Riddings. *Derbs* 5B 86
Riddlecombe. *Devn* 1G 11
Riddlesden. *W Yor* 5C 98
Ridge. *Dors* 4E 15
Ridge. *Herts* 5C 52
Ridge. *Wilts* 3E 23
Ridgebourne. *Powy* 4C 58
Ridge Lane. *Warw* 1G 61
Ridgeway. *Derbs* 5A 86
(nr. Alfreton)
Ridgeway. *Derbs* 2B 86
(nr. Sheffield)
Ridgeway. *Staf* 5C 84
Ridgeway Cross. *Here* 1C 48
Ridgeway Moor. *Derbs* 2B 86
Ridgewell. *Essx* 1H 53
Ridgewood. *E Sus* 3F 27
Ridgmont. *C Beds* 2H 51
Ridgwardine. *Shrp* 2A 72
Riding Mill. *Nmbd* 3D 114
Ridley. *Kent* 4H 39
Ridley. *Nmbd* 3A 114
Ridlington. *Norf* 2F 79
Ridlington. *Rut* 5F 75
Ridsdale. *Nmbd* 1C 114
Riemore Lodge. *Per* 4H 143
Rievaulx. *N Yor* 1H 99
Rift House. *Hart* 1B 106
Rigg. *Dum* 3D 112
Riggend. *N Lan* 2A 128
Rigsby. *Linc* 3D 88
Rigside. *S Lan* 1A 118
Riley Green. *Lanc* 2E 90
Rileyhill. *Staf* 4F 73
Rilla Mill. *Corn* 5C 10
Rillington. *N Yor* 2C 100
Rimington. *Lanc* 5H 97
Rimpton. *Som* 4B 22
Rimsdale. *High* 4H 167
Rimswell. *E Yor* 2G 95
Ringasta. *Shet* 10E 173
Ringford. *Dum* 4D 111
Ringing Hill. *Leics* 4B 74
Ringinglow. *S Yor* 2G 85
Ringland. *Norf* 4D 78
Ringlestone. *Kent* 5C 40
Ringmer. *E Sus* 4F 27
Ringmore. *Devn* 4C 8
(nr. Kingsbridge)
Ringmore. *Devn* 5C 12
(nr. Teignmouth)
Ring o' Bells. *Lanc* 3C 90
Ring's End. *Cambs* 5C 76
Ringsfield. *Suff* 2G 67
Ringsfield Corner. *Suff* 2G 67
Ringshall. *Buck* 4H 51
Ringshall. *Suff* 5C 66
Ringshall Stocks. *Suff* 5C 66
Ringstead. *Norf* 1G 77
Ringstead. *Nptn* 3G 63
Ringwood. *Hants* 2G 15
Ringwould. *Kent* 1H 29
Rinmore. *Abers* 2B 152
Rinnigill. *Orkn* 8C 172
Rinsey. *Corn* 4C 4
Riof. *W Isl* 4D 171
Ripe. *E Sus* 4G 27
Ripley. *Derbs* 1B 74
Ripley. *Hants* 3G 15
Ripley. *N Yor* 3E 99
Ripley. *Surr* 5B 38
Riplingham. *E Yor* 1C 94
Riplington. *Hants* 4E 25
Ripon. *N Yor* 2F 99
Rippingale. *Linc* 3H 75
Ripple. *Kent* 1H 29
Ripple. *Worc* 2D 48
Ripponden. *W Yor* 3A 92
Rireavach. *High* 4E 163
Risabus. *Arg* 5B 124
Risbury. *Here* 5H 59
Risby. *E Yor* 1D 94
Risby. *N Lin* 3C 94
Risby. *Suff* 4G 65
Risca. *Cphy* 2F 33
Rise. *E Yor* 5F 101
Riseden. *E Sus* 2H 27
Riseden. *Kent* 2B 28
Rise End. *Derbs* 5G 85
Risegate. *Linc* 2B 76
Riseholme. *Linc* 3G 87
Riseley. *Bed* 4H 63
Riseley. *Wok* 5F 37
Rishangles. *Suff* 4D 66
Rishton. *Lanc* 1F 91
Rishworth. *W Yor* 3A 92
Risley. *Derbs* 2B 74
Risley. *Warr* 1A 84
Risplith. *N Yor* 3E 99
Rispond. *High* 2E 167
Rivar. *Wilts* 5B 36
Rivenhall. *Essx* 4B 54
Rivenhall End. *Essx* 4B 54
River. *Kent* 1G 29
River. *W Sus* 3A 26
River Bank. *Cambs* 4E 65
Riverhead. *Kent* 5G 39
Rivington. *Lanc* 3E 91
Roach Bridge. *Lanc* 2D 90
Roachill. *Devn* 4B 20
Roade. *Nptn* 5E 63
Road Green. *Norf* 1E 67
Roadhead. *Cumb* 2G 113
Roadmeetings. *S Lan* 5B 128
Roadside. *High* 2D 168
Roadside of Catterline.
Abers 1H 145
Roadside of Kinneff. *Abers* 1H 145
Roadwater. *Som* 3D 20
Road Weedon. *Nptn* 5D 62
Roag. *High* 4B 154
Roa Island. *Cumb* 3B 96
Roath. *Card* 4E 33
Roberton. *Bord* 3G 119
Roberton. *S Lan* 2B 118
Robertsbridge. *E Sus* 3B 28
Robertstown. *Mor* 4G 159
Robertstown. *Rhon* 5C 46
Roberttown. *W Yor* 2B 92
Robeston Back. *Pemb* 3E 43
Robeston Wathen. *Pemb* 3E 43
Robeston West. *Pemb* 4C 42
Robin Hood. *Lanc* 3D 90
Robin Hood. *W Yor* 2D 92
Robin Hood Airport Doncaster Sheffield.
S Yor 1D 86
Robinhood End. *Essx* 2H 53
Robin Hood's Bay. *N Yor* 4G 107
Roborough. *Devn* 1F 11
(nr. Great Torrington)
Roborough. *Devn* 2B 8
(nr. Plymouth)
Rob Roy's House. *Arg* 2A 134
Roby Mill. *Lanc* 4D 90
Rocester. *Staf* 2F 73
Roch. *Pemb* 2C 42
Rochdale. *G Man* 3G 91
Roche. *Corn* 2D 6
Rochester.
Medw 4B 40 & **Medway** 204
Rochester. *Nmbd* 5C 120
Rochford. *Essx* 1C 40
Rock. *Corn* 1D 6
Rock. *Nmbd* 2G 121
Rock. *W Sus* 4C 26
Rock. *Worc* 3B 60
Rockbeare. *Devn* 3D 12
Rockbourne. *Hants* 1G 15
Rockcliffe. *Cumb* 3E 113
Rockcliffe. *Dum* 4F 111
Rockcliffe Cross. *Cumb* 3E 113
Rock Ferry. *Mers* 2F 83
Rockfield. *High* 5G 165
Rockfield. *Mon* 4H 47
Rockford. *Hants* 2G 15
Rockgreen. *Shrp* 3H 59
Rockhampton. *S Glo* 2B 34
Rockhead. *Corn* 4A 10
Rockingham. *Nptn* 1F 63
Rockland All Saints.
Norf 1B 66
Rockland St Mary. *Norf* 5F 79
Rockland St Peter.
Norf 1B 66
Rockley. *Wilts* 4G 35
Rockwell End. *Buck* 3F 37
Rockwell Green. *Som* 1E 13
Rodborough. *Glos* 5D 48
Rodbourne. *Wilts* 3E 35
Rodd. *Here* 4F 59
Roddam. *Nmbd* 2E 121
Rodden. *Dors* 4B 14
Roddenloft. *E Ayr* 2D 117
Roddymoor. *Dur* 1E 105
Rode. *Som* 1D 22
Rodeheath. *Ches E* 4C 84
(nr. Congleton)
Rode Heath. *Ches E* 5C 84
(nr. Kidsgrove)
Rodel. *W Isl* 9C 171
Roden. *Telf* 4H 71
Rodhuish. *Som* 3D 20
Rodington. *Telf* 4H 71
Rodington Heath. *Telf* 4H 71
Rodley. *Glos* 4C 48
Rodmarton. *Glos* 2E 35
Rodmell. *E Sus* 5F 27
Rodmersham. *Kent* 4D 40
Rodmersham Green. *Kent* 4D 40
Rodney Stoke. *Som* 2H 21
Rodsley. *Derbs* 1G 73
Rodway. *Som* 2F 21
Rodway. *Telf* 4A 72
Rodwell. *Dors* 5B 14
Roecliffe. *N Yor* 3F 99
Roe Green. *Herts* 2D 52
Roehampton. *G Lon* 3D 38
Roesound. *Shet* 5E 173
Roffey. *W Sus* 2C 26
Rogart. *High* 3E 165
Rogate. *W Sus* 4G 25
Roger Ground. *Cumb* 5E 103
Rogerstone. *Newp* 3F 33
Rogiet. *Mon* 3H 33
Rogue's Alley. *Cambs* 5C 76
Roke. *Oxon* 2E 37
Rokemarsh. *Oxon* 2E 36
Roker. *Tyne* 4H 115
Rollesby. *Norf* 4G 79
Rolleston. *Leics* 5E 75
Rolleston. *Notts* 5E 87
Rolleston on Dove. *Staf* 3G 73
Rolston. *E Yor* 5G 101
Rolvenden. *Kent* 2C 28
Rolvenden Layne. *Kent* 2C 28
Romaldkirk. *Dur* 2C 104
Roman Bank. *Shrp* 1H 59
Romanby. *N Yor* 5A 106
Roman Camp. *W Lot* 2D 129
Romannobridge. *Bord* 5E 129
Romansleigh. *Devn* 4H 19
Romers Common. *Worc* 4H 59
Romesdal. *High* 3D 154
Romford. *Dors* 2F 15
Romford. *G Lon* 2G 39
Romiley. *G Man* 1D 84
Romsey. *Hants* 4B 24
Romsley. *Shrp* 2B 60
Romsley. *Worc* 3D 60
Ronague. *IOM* 4B 108
Ronaldsvoe. *Orkn* 8D 172
Rookby. *Cumb* 3B 104
Rookhope. *Dur* 5C 114
Rooking. *Cumb* 3F 103
Rookley. *IOW* 4D 16
Rooks Bridge. *Som* 1G 21
Rooksey Green. *Suff* 5B 66
Rook's Nest. *Som* 3D 20
Rookwood. *W Sus* 3F 17
Roos. *E Yor* 1F 95
Roosebeck. *Cumb* 3B 96
Roosecote. *Cumb* 3B 96
Rootfield. *High* 3H 157
Rootham's Green. *Bed* 5A 64
Rootpark. *S Lan* 4C 128
Ropley. *Hants* 3E 25
Ropley Dean. *Hants* 3E 25
Ropsley. *Linc* 2G 75
Rora. *Abers* 3H 161
Rorandle. *Abers* 2D 152
Rorrington. *Shrp* 5F 71
Rose. *Corn* 3B 6
Roseacre. *Lanc* 1C 90
Rose Ash. *Devn* 4A 20
Rosebank. *S Lan* 5B 128
Rosebush. *Pemb* 2E 43
Rosedale Abbey. *N Yor* 5E 107
Roseden. *Nmbd* 2E 121
Rose Green. *Essx* 3C 54
Rose Green. *Suff* 1C 54
Rosehall. *High* 3B 164
Rosehearty. *Abers* 2G 161
Rose Hill. *E Sus* 4F 27
Rose Hill. *Lanc* 1G 91
Rosehill. *Shrp* 2A 72
(nr. Market Drayton)
Rosehill. *Shrp* 4G 71
(nr. Shrewsbury)
Roseisle. *Mor* 2F 159
Rosemarket. *Pemb* 4D 42
Rosemarkie. *High* 3B 158
Rosemary Lane. *Devn* 1E 13
Rosemount. *Per* 4A 144
Rosenannon. *Corn* 2D 6
Roser's Cross. *E Sus* 3G 27
Rosevean. *Corn* 3E 6
Rosewell. *Midl* 3F 129
Roseworth. *Stoc T* 2B 106
Roseworthy. *Corn* 3D 4
Rosgill. *Cumb* 3G 103
Roshven. *High* 1B 140
Roskhill. *High* 4B 154
Roskorwell. *Corn* 4E 5
Rosley. *Cumb* 5E 112
Roslin. *Midl* 3F 129
Rosliston. *Derbs* 4G 73
Rosneath. *Arg* 1D 126
Ross. *Dum* 5D 110
Ross. *Nmbd* 1F 121
Ross. *Per* 1G 135
Ross. *Bord* 3F 131
Rossendale. *Lanc* 2F 91
Rossett. *Wrex* 5F 83
Rossington. *S Yor* 1D 86
Rosskeen. *High* 2A 158
Rossland. *Ren* 2F 127
Ross-on-Wye. *Here* 3B 48
Roster. *High* 4E 169

Rostherne. Ches E 2B 84
Rostholme. S Yor 4F 93
Rosthwaite. Cumb 3D 102
Roston. Derbs 1F 73
Rosudgeon. Corn 4C 4
Rosyth. Fife 1E 129
Rothbury. Nmbd 4E 121
Rotherby. Leics 4D 74
Rotherfield. E Sus 3G 27
Rotherfield Greys. Oxon 3F 37
Rotherfield Peppard. Oxon 3F 37
Rotherham. S Yor 1B 86
Rothersthorpe. Nptn 5E 62
Rotherwick. Hants 1F 25
Rothes. Mor 4G 159
Rothesay. Arg 3B 126
Rothienorman. Abers 5E 160
Rothiesholm. Orkn 5F 172
Rothley. Leics 4C 74
Rothley. Nmbd 1D 114
Rothwell. Linc 1A 88
Rothwell. Nptn 2F 63
Rothwell. W Yor 2D 92
Rothwell Haigh. W Yor 2D 92
Rotsea. E Yor 4E 101
Rottal. Ang 2C 144
Rotten End. Suff 4F 67
Rotten Row. Norf 4C 78
Rotten Row. W Ber 4D 36
Rotten Row. W Mid 3F 61
Rottingdean. Brig 5E 27
Rottington. Cumb 3A 102
Roud. IOW 4D 16
Rougham. Norf 3H 77
Rougham. Suff 4B 66
Rough Close. Staf 2D 72
Rough Common. Kent 5F 41
Roughcote. Staf 1D 72
Rough Haugh. High 4H 167
Rough Hay. Staf 3G 73
Roughlee. Lanc 5H 97
Roughley. W Mid 1F 61
Roughsike. Cumb 2G 113
Roughton. Linc 4B 88
Roughton. Norf 2E 78
Roughton. Shrp 1B 60
Roundbush Green. Essx 4F 53
Roundham. Som 2H 13
Roundhay. W Yor 1D 92
Round Hill. Torb 2F 9
Roundhurst. W Sus 2A 26
Round Maple. Suff 1C 54
Round Oak. Shrp 2F 59
Roundstreet Common. W Sus 3B 26
Roundthwaite. Cumb 4H 103
Roundway. Wilts 5F 35
Roundyhill. Ang 3C 144
Rousdon. Devn 3F 13
Rousham. Oxon 3C 50
Rous Lench. Worc 5E 61
Routh. E Yor 5E 101
Rout's Green. Buck 2F 37
Row. Corn 5A 10
Row. Cumb 1D 96
(nr. Kendal)
Row. Cumb 1H 103
(nr. Penrith)
Rowanburn. Dum 2F 113
Rowanhill. Abers 3H 161
Rowardennan. Stir 4C 134
Rowarth. Derbs 2E 85
Row Ash. Hants 1D 16
Rowberrow. Som 1H 21
Rowde. Wilts 5E 35
Rowden. Devn 3G 11
Rowen. Cnwy 3G 81
Rowfoot. Nmbd 3H 113
Row Green. Essx 3H 53
Row Heath. Essx 4E 55
Rowhedge. Essx 3D 54
Rowhook. W Sus 2C 26
Rowington. Warw 4G 61
Rowland. Derbs 3G 85
Rowland's Castle. Hants 1F 17
Rowlands Gill. Tyne 4E 115
Rowledge. Surr 2G 25
Rowley. Dur 5D 115
Rowley. E Yor 1C 94
Rowley. Shrp 5F 71
Rowley Hill. W Yor 3B 92
Rowley Regis. W Mid 2D 60
Rowlstone. Here 3G 47
Rowly. Surr 1B 26
Rowner. Hants 2D 16
Rowney Green. Worc 3E 61
Rownhams. Hants 1B 16
Rowrah. Cumb 3B 102
Rowsham. Buck 4G 51
Rowsley. Derbs 4G 85
Rowstock. Oxon 3C 36
Rowston. Linc 5H 87
Row, The. Lanc 2D 96
Rowthorne. Derbs 4B 86
Rowton. Ches W 4G 83
Rowton. Shrp 2G 59
(nr. Ludlow)
Rowton. Shrp 4F 71
(nr. Shrewsbury)
Rowton. Telf 4A 72
Row Town. Surr 4B 38
Roxburgh. Bord 1B 120
Roxby. N Lin 3C 94
Roxby. N Yor 3E 107
Roxton. Bed 5A 64
Roxwell. Essx 5G 53
Royal Leamington Spa.
Warw 4H 61
Royal Oak. Darl 2F 105
Royal Oak. Lanc 4C 90
Royal Oak. N Yor 2F 101
Royal's Green. Ches E 1A 72
Royal Tunbridge Wells. Kent 2G 27
Royal Wootton Bassett. Wilts 3F 35
Roybridge. High 5E 149
Roydon. Essx 4E 53
Roydon. Norf 2C 66
(nr. Diss)
Roydon. Norf 3G 77
(nr. King's Lynn)
Roydon Hamlet. Essx 5E 53
Royston. Herts 1D 52
Royston. S Yor 3D 92
Royston Water. Som 1F 13
Royton. G Man 4H 91
Ruabon. Wrex 1F 71
Ruaig. Arg 4B 138
Ruan High Lanes. Corn 5D 6
Ruan Lanihorne. Corn 4C 6
Ruan Major. Corn 5E 5
Ruan Minor. Corn 5E 5
Ruarach. High 1B 148
Ruardean. Glos 4B 48
Ruardean Hill. Glos 4B 48
Ruardean Woodside. Glos 4B 48
Rubery. W Mid 3D 61
Ruchazie. Glas 3H 127
Ruckcroft. Cumb 5G 113
Ruckinge. Kent 2E 29
Ruckland. Linc 3C 88
Rucklers Lane. Herts 5A 52
Ruckley. Shrp 5H 71
Rudbaxton. Pemb 2D 42
Rudby. N Yor 4B 106
Ruddington. Notts 2C 74
Rudford. Glos 3C 48
Rudge. Shrp 1C 60
Rudge. Wilts 1D 22
Rudge Heath. Shrp 1B 60
Rudgeway. S Glo 3B 34
Rudgwick. W Sus 2B 26
Rudhall. Here 3B 48
Rudheath. Ches W 3A 84
Rudley Green. Essx 5B 54
Rudloe. Wilts 4D 34
Rudry. Cphy 3E 33
Rudston. E Yor 3E 101
Rudyard. Staf 5D 84
Rufford. Lanc 3C 90
Rufforth. York 4H 99
Rugby. Warw 3C 62
Rugeley. Staf 4E 73
Ruglen. S Ayr 4B 116
Ruilick. High 4H 157
Ruisaurie. High 4G 157
Ruishton. Som 4F 21
Ruisigearraidh. W Isl 1E 170
Ruislip. G Lon 2B 38
Ruislip Common. G Lon 2B 38
Rumbling Bridge. Per 4C 136
Rumburgh. Suff 2F 67
Rumford. Corn 1C 6
Rumford. Falk 2C 128
Rumney. Card 4F 33
Rumwell. Som 4E 21
Runcorn. Hal 2H 83
Runcton. W Sus 2G 17
Runcton Holme. Norf 5F 77
Rundlestone. Devn 5F 11
Runfold. Surr 2G 25
Runhall. Norf 5C 78
Runham. Norf 4G 79
Runnington. Som 4E 20
Runshaw Moor. Lanc 3D 90
Runswick. N Yor 3F 107
Runtaleave. Ang 2B 144
Runwell. Essx 1B 40
Ruscombe. Wok 4F 37
Rushall. Here 2B 48
Rushall. Norf 2D 66
Rushall. W Mid 5E 73
Rushall. Wilts 1G 23
Rushbrooke. Suff 4A 66
Rushbury. Shrp 1H 59
Rushden. Herts 2D 52
Rushden. Nptn 4G 63
Rushenden. Kent 3D 40
Rushford. Devn 5E 11
Rushford. Suff 2B 66
Rush Green. Herts 3C 52
Rushlake Green. E Sus 4H 27
Rushmere. Suff 2G 67
Rushmere St Andrew. Suff 1E 55
Rushmoor. Surr 2G 25
Rushock. Worc 3C 60
Rusholme. G Man 1C 84
Rushton. Ches W 4H 83
Rushton. Nptn 2F 63
Rushton. Shrp 5A 72
Rushton Spencer. Staf 4D 84
Rushwick. Worc 5C 60
Rushyford. Dur 2F 105
Ruskie. Stir 3F 135
Ruskington. Linc 5H 87
Rusland. Cumb 1C 96
Rusper. W Sus 2D 26
Ruspidge. Glos 4B 48
Russell's Water. Oxon 3F 37
Russel's Green. Suff 3E 67
Russ Hill. Surr 1D 26
Russland. Orkn 6C 172
Rusthall. Kent 2G 27
Rustington. W Sus 5B 26
Ruston. N Yor 1D 100
Ruston Parva. E Yor 3E 101
Ruswarp. N Yor 4F 107
Rutherglen. S Lan 3H 127
Ruthernbridge. Corn 2E 6
Ruthin. Den 5D 82
Ruthin. V Glam 4C 32
Ruthrieston. Aber 3G 153
Ruthven. Abers 4C 160
Ruthven. Ang 4B 144
Ruthven. High 5C 158
(nr. Inverness)
Ruthven. High 4B 150
(nr. Kingussie)
Ruthvoes. Corn 2D 6
Ruthwaite. Cumb 1D 102
Ruthwell. Dum 3C 112
Ruxton Green. Here 4A 48
Ruyton-XI-Towns. Shrp 3F 71
Ryal. Nmbd 2D 114
Ryall. Dors 3H 13
Ryall. Worc 1D 48
Ryarsh. Kent 5A 40
Rychraggan. High 5G 157
Rydal. Cumb 4E 103
Ryde. IOW 3D 16
Rye. E Sus 3D 28
Ryecroft Gate. Staf 4D 84
Ryeford. Here 3B 48
Rye Foreign. E Sus 3D 28
Rye Harbour. E Sus 4D 28
Ryehill. E Yor 2F 95
Rye Street. Worc 2C 48
Ryhall. Rut 4H 75
Ryhill. W Yor 3D 93
Ryhope. Tyne 4H 115
Ryhope Colliery. Tyne 4H 115
Rylands. Notts 2C 74
Rylstone. N Yor 4B 98
Ryme Intrinseca. Dors 1A 14
Ryther. N Yor 1F 93
Ryton. Glos 2C 48
Ryton. N Yor 2B 100
Ryton. Shrp 5B 72
Ryton. Tyne 3E 115
Ryton. Warw 2A 62
Ryton-on-Dunsmore. Warw 3A 62
Ryton Woodside. Tyne 3E 115

S

Saasaig. High 3E 147
Sabden. Lanc 1F 91
Sacombe. Herts 4D 52
Sacriston. Dur 5F 115
Sadberge. Darl 3A 106
Saddell. Arg 2B 122
Saddington. Leics 1D 62
Saddle Bow. Norf 4F 77
Saddlescombe. W Sus 4D 26
Saddleworth. G Man 4H 91
Sadgill. Cumb 4F 103
Saffron Walden. Essx 2F 53
Sageston. Pemb 4E 43
Saham Hills. Norf 5B 78
Saham Toney. Norf 5A 78
Saighdinis. W Isl 2D 170
Saighton. Ches W 4G 83
Sain Dunwyd. V Glam 5C 32
Sain Hilari. V Glam 4D 32
St Abbs. Bord 3F 131
St Agnes. Corn 3B 6
St Albans. Herts 5B 52
St Allen. Corn 3C 6
St Andrews. Fife 2H 137 & 209
St Andrews Major. V Glam 4E 33
St Anne's. Lanc 2B 90
St Ann's. Dum 5C 118
St Ann's Chapel. Corn 5E 11
St Ann's Chapel. Devn 4C 8
St Anthony. Corn 5C 6
St Anthony-in-Meneage. Corn 4E 5
St Arvans. Mon 2A 34
St Asaph. Den 3C 82
Sain Tathan. V Glam 5D 32
St Athan. V Glam 5D 32
St Austell. Corn 3E 6
St Bartholomew's Hill. Wilts 4E 23
St Bees. Cumb 3A 102
St Blazey. Corn 3E 7
St Blazey Gate. Corn 3E 7
St Boswells. Bord 1A 120
St Breock. Corn 1D 6
St Breward. Corn 5A 10
St Briavels. Glos 5A 48
St Brides. Pemb 3B 42
St Bride's Major. V Glam 4B 32
St Bride's Netherwent. Mon 3H 33
St Bride's-super-Ely. V Glam 4D 32
St Brides Wentlooge. Newp 3F 33
St Budeaux. Plym 3A 8
Saintbury. Glos 2G 49
St Buryan. Corn 4B 4
St Catherine. Bath 4C 34
St Catherines. Arg 3A 134
St Clears. Carm 3G 43
St Cleer. Corn 2G 7
St Clement. Corn 4C 6
St Clether. Corn 4C 10
St Colmac. Arg 3B 126
St Columb Major. Corn 2D 6
St Columb Minor. Corn 2C 6
St Columb Road. Corn 3D 6
St Combs. Abers 2H 161
St Cross. Hants 4C 24
St Cross South Elmham. Suff 2E 67
St Cyrus. Abers 2G 145
St David's. Pemb 2B 42
St David's. Per 1B 136
St Day. Corn 4B 6
St Dennis. Corn 3D 6
St Dogmaels. Pemb 1B 44
St Dominick. Corn 2H 7
St Donat's. V Glam 5C 32
St Edith's Marsh. Wilts 5E 35
St Endellion. Corn 1D 6
St Enoder. Corn 3C 6
St Erme. Corn 4C 6
St Erney. Corn 3H 7
St Erth. Corn 3C 4
St Erth Praze. Corn 3C 4
St Ervan. Corn 1C 6
St Eval. Corn 2C 6
St Ewe. Corn 4D 6
St Fagans. Card 4E 32
St Fergus. Abers 3H 161
St Fillans. Per 1F 135
St Florence. Pemb 4E 43
St Gennys. Corn 3B 10
St George. Cnwy 3B 82
St Georges. N Som 5G 33
St Georges. V Glam 4D 32
St George's Hill. Surr 4B 38
St Germans. Corn 3H 7
St Giles in the Wood. Devn 1F 11
St Giles on the Heath. Devn 3D 10
St Giles's Hill. Hants 4C 24
St Gluvias. Corn 5B 6
St Harmon. Powy 3B 58
St Helena. Warw 5G 73
St Helen Auckland. Dur 2E 105
St Helens. Cumb 1B 102
St Helens. E Sus 4C 28
St Helens. IOW 4E 17
St Helens. Mers 1G 83
St Hilary. Corn 3C 4
St Hilary. V Glam 4D 32
Saint Hill. Devn 2D 12
Saint Hill. W Sus 2E 27
St Illtyd. Blae 5F 47
St Ippolyts. Herts 3B 52
St Ishmael. Carm 5D 44
St Ishmael's. Pemb 4C 42
St Issey. Corn 1D 6
St Ive. Corn 2H 7
St Ives. Cambs 3C 64
St Ives. Corn 2C 4
St Ives. Dors 2G 15
St James' End. Nptn 4E 63
St James South Elmham. Suff 2F 67
St Jidgey. Corn 2D 6
St John. Corn 3A 8
St John's. IOM 3B 108
St Johns. Worc 5C 60
St John's Chapel. Devn 4F 19
St John's Chapel. Dur 1B 104
St John's Fen End. Norf 4E 77
St John's Hall. Dur 1D 104
St John's Town of Dalry. Dum 1D 110
St Judes. IOM 2C 108
St Just. Corn 5C 6
(nr. Falmouth)
St Just. Corn 3A 4
(nr. Penzance)
St Just in Roseland. Corn 5C 6
St Katherines. Abers 5E 161
St Keverne. Corn 4E 5
St Kew. Corn 5A 10
St Kew Highway. Corn 5A 10
St Keyne. Corn 2G 7
St Lawrence. Corn 2E 7
St Lawrence. Essx 5C 54
St Lawrence. IOW 5D 16
St Leonards. Buck 5H 51
St Leonards. Dors 2G 15
St Leonards. E Sus 5B 28
St Levan. Corn 4A 4
St Lythans. V Glam 4E 32
St Mabyn. Corn 5A 10
St Madoes. Per 1D 136
St Margarets. Here 2G 47
St Margaret's. Herts 4A 52
(nr. Hemel Hempstead)
St Margarets. Herts 4D 53
(nr. Hoddesdon)
St Margaret's. Wilts 5G 35
St Margaret's at Cliffe. Kent 1H 29
St Margaret's Hope. Orkn 8D 172
St Margaret South Elmham.
Suff 2F 67
St Mark's. IOM 4B 108
St Martin. Corn 4E 5
(nr. Helston)
St Martin. Corn 3G 7
(nr. Looe)
St Martins. Per 5A 144
St Martin's. Shrp 2F 71
St Mary Bourne. Hants 1C 24
St Marychurch. Torb 2F 9
St Mary Church. V Glam 4D 32
St Mary Cray. G Lon 4F 39
St Mary Hill. V Glam 4C 32
St Mary Hoo. Medw 3C 40
St Mary in the Marsh. Kent 3E 29
St Mary's. Orkn 7D 172
St Mary's Bay. Kent 3E 29
St Maughan's Green. Mon 4H 47
St Mawes. Corn 5C 6
St Mawgan. Corn 2C 6
St Mellion. Corn 2H 7
St Mellons. Card 3F 33
St Merryn. Corn 1C 6
St Mewan. Corn 3D 6
St Michael Caerhays. Corn 4D 6
St Michael Penkevil. Corn 4C 6
St Michaels. Kent 2C 28
St Michaels. Torb 3E 9
St Michaels. Worc 4H 59
St Michael's on Wyre. Lanc 5D 96
St Michael South Elmham. Suff 2F 67
St Minver. Corn 1D 6
St Monans. Fife 3H 137
St Neot. Corn 2F 7
St Neots. Cambs 4A 64
St Newlyn East. Corn 3C 6
St Nicholas. Pemb 1D 42
St Nicholas. V Glam 4D 32
St Nicholas at Wade. Kent 4G 41
St Nicholas South Elmham. Suff 2F 67
St Ninians. Stir 4H 135
St Olaves. Norf 1G 67
St Osyth. Essx 4E 54
St Osyth Heath. Essx 4E 55
St Owen's Cross. Here 3A 48
St Paul's Cray. G Lon 4F 39
St Paul's Walden. Herts 3B 52
St Peter's. Kent 4H 41
St Peter The Great. Worc 5C 60
St Petrox. Pemb 5D 42
St Pinnock. Corn 2G 7
St Quivox. S Ayr 2C 116
St Ruan. Corn 5E 5
St Stephen. Corn 3D 6
St Stephens. Corn 4D 10
(nr. Launceston)
St Stephens. Corn 3A 8
(nr. Saltash)
St Teath. Corn 4A 10
St Thomas. Devn 3C 12
St Thomas. Swan 3F 31
St Tudy. Corn 5A 10
St Twynnells. Pemb 5D 42
St Veep. Corn 3F 7
St Vigeans. Ang 4F 145
St Wenn. Corn 2D 6
St Weonards. Here 3H 47
St Winnolls. Corn 3H 7
St Winnow. Corn 3F 7
Salcombe. Devn 5D 8
Salcombe Regis. Devn 4E 13
Salcott. Essx 4C 54
Sale. G Man 1B 84
Saleby. Linc 3D 88
Sale Green. Worc 5D 60
Salehurst. E Sus 3B 28
Salem. Carm 3G 45
Salem. Cdgn 2F 57
Salen. Arg 4G 139
Salen. High 2A 140
Salesbury. Lanc 1E 91
Saleway. Worc 5D 60
Salford. C Beds 2H 51
Salford.
G Man 1C 84 & **Manchester 201**
Salford. Oxon 3A 50
Salford Priors. Warw 5E 61
Salfords. Surr 1D 27
Salhouse. Norf 4F 79
Saligo. Arg 3A 124
Saline. Fife 4C 136
Salisbury. Wilts 3G 23 & 210
Salkeld Dykes. Cumb 1G 103
Sallachan. High 2D 141
Sallachy. High 3C 164
(nr. Lairg)
Sallachy. High 5B 156
(nr. Stromeferry)
Salle. Norf 3D 78
Salmonby. Linc 3C 88
Salmond's Muir. Ang 5E 145
Salperton. Glos 3F 49
Salph End. Bed 5H 63
Salsburgh. N Lan 3B 128
Salt. Staf 3D 72
Salta. Cumb 5B 112
Saltaire. W Yor 1B 92
Saltash. Corn 3A 8
Saltburn. High 2B 158
Saltburn-by-the-Sea. Red C 2D 106
Saltby. Leics 3F 75
Saltcoats. Cumb 5B 102
Saltcoats. N Ayr 5D 126
Saltdean. Brig 5E 27
Salt End. E Yor 2E 95
Salter. Lanc 3F 97
Salterforth. Lanc 5A 98
Salters Lode. Norf 5E 77
Salterswall. Ches W 4A 84
Salterton. Wilts 3G 23
Saltfleet. Linc 1D 88
Saltfleetby All Saints. Linc 1D 88
Saltfleetby St Clements. Linc 1D 88
Saltfleetby St Peter. Linc 2D 88
Saltford. Bath 5B 34
Salthouse. Norf 1C 78
Saltmarshe. E Yor 2A 94
Saltmead. Card 4E 33
Saltness. Orkn 9B 172
Saltness. Shet 7D 173
Saltney. Flin 4F 83
Salton. N Yor 2B 100
Saltrens. Devn 4E 19
Saltwick. Nmbd 2E 115
Saltwood. Kent 2F 29
Salum. Arg 4B 138
Salwarpe. Worc 4C 60
Salwayash. Dors 3H 13
Samalaman. High 1A 140
Sambourne. Warw 4E 61
Sambourne. Wilts 2D 22
Sambrook. Telf 3B 72
Samhia. W Isl 2C 170
Samlesbury. Lanc 1D 90
Samlesbury Bottoms. Lanc 2E 90
Sampford Arundel. Som 1E 12
Sampford Brett. Som 2D 20
Sampford Courtenay. Devn 2G 11
Sampford Peverell. Devn 1D 12
Sampford Spiney. Devn 5F 11
Samsonlane. Orkn 5F 172
Samuelston. E Lot 2A 130
Sanaigmore. Arg 2A 124
Sancreed. Corn 4B 4
Sancton. E Yor 1C 94
Sand. High 4D 162
Sand. Shet 7E 173
Sand. Som 2H 21
Sandaig. Arg 4A 138
Sandaig. High 3F 147
Sandale. Cumb 5D 112
Sandal Magna. W Yor 3D 92
Sandavore. High 5C 146
Sanday Airport. Orkn 3F 172
Sandbach. Ches E 4B 84
Sandbank. Arg 1C 126
Sandbanks. Pool 4F 15
Sandend. Abers 2C 160
Sanderstead. G Lon 4E 39
Sandfields. Neat 3G 31
Sandford. Cumb 3A 104
Sandford. Devn 2B 12
Sandford. Dors 4E 15

Sandford. *Hants* 2G 15
Sandford. *IOW* 4D 16
Sandford. *N Som* 1H 21
Sandford. *Shrp* 3F 71
(nr. Oswestry)
Sandford. *Shrp* 2H 71
(nr. Whitchurch)
Sandford. *S Lan* 5A 128
Sandfordhill. *Abers* 4H 161
Sandford-on-Thames. *Oxon* 5D 50
Sandford Orcas. *Dors* 4B 22
Sandford St Martin. *Oxon* 3C 50
Sandgate. *Kent* 2F 29
Sandgreen. *Dum* 4C 110
Sandhaven. *Abers* 2G 161
Sandhead. *Dum* 4F 109
Sandhill. *Cambs* 2E 65
Sandhills. *Dors* 1B 14
Sandhills. *Oxon* 5D 50
Sandhills. *Surr* 2A 26
Sandhoe. *Nmbd* 3C 114
Sand Hole. *E Yor* 1B 94
Sandholme. *E Yor* 1B 94
Sandholme. *Linc* 2C 76
Sandhurst. *Brac* 5G 37
Sandhurst. *Glos* 3D 48
Sandhurst. *Kent* 3B 28
Sandhurst Cross. *Kent* 3B 28
Sandhutton. *N Yor* 1F 99
(nr. Thirsk)
Sand Hutton. *N Yor* 4A 100
(nr. York)
Sandiacre. *Derbs* 2B 74
Sandilands. *Linc* 2E 89
Sandiway. *Ches W* 3A 84
Sandleheath. *Hants* 1G 15
Sandling. *Kent* 5B 40
Sandlow Green. *Ches E* 4B 84
Sandness. *Shet* 6C 173
Sandon. *Essx* 5H 53
Sandon. *Herts* 2D 52
Sandon. *Staf* 3D 72
Sandonbank. *Staf* 3D 72
Sandown. *IOW* 4D 16
Sandplace. *Corn* 3G 7
Sandridge. *Herts* 4B 52
Sandringham. *Norf* 3F 77
Sandsend. *N Yor* 3F 107
Sandside. *Cumb* 2C 96
Sandsound. *Shet* 7E 173
Sands, The. *Surr* 2G 25
Sandtoft. *N Lin* 4H 93
Sandvoe. *Shet* 2E 173
Sandway. *Kent* 5C 40
Sandwich. *Kent* 5H 41
Sandwick. *Cumb* 3F 103
Sandwick. *Orkn* 6B 172
(on Mainland)
Sandwick. *Orkn* 9D 172
(on South Ronaldsay)
Sandwick. *Shet* 9F 173
(on Mainland)
Sandwick. *Shet* 5G 173
(on Whalsay)
Sandwith. *Cumb* 3A 102
Sandy. *Carm* 5E 45
Sandy. *C Beds* 1B 52
Sandy Bank. *Linc* 5B 88
Sandycroft. *Flin* 4F 83
Sandy Cross. *Here* 5A 60
Sandygate. *Devn* 5B 12
Sandygate. *IOM* 2C 108
Sandy Haven. *Pemb* 4C 42
Sandyhills. *Dum* 4F 111
Sandylands. *Lanc* 3D 96
Sandylane. *Swan* 4E 31
Sandy Lane. *Wilts* 5E 35
Sandystones. *Bord* 2H 119
Sandyway. *Here* 3H 47
Sangobeg. *High* 2E 167
Sangomore. *High* 2E 166
Sankyn's Green. *Worc* 4B 60
Sanna. *High* 2F 139
Sanndabhaig. *W Isl* 4G 171
(on Isle of Lewis)
Sanndabhaig. *W Isl* 4D 170
(on South Uist)
Sannox. *N Ayr* 5B 126
Sanquhar. *Dum* 3G 117
Santon. *Cumb* 4B 102
Santon Bridge. *Cumb* 4C 102
Santon Downham. *Suff* 2H 65
Sapcote. *Leics* 1B 62
Sapey Common. *Here* 4B 60
Sapiston. *Suff* 3B 66
Sapley. *Cambs* 3B 64
Sapperton. *Derbs* 2F 73
Sapperton. *Glos* 5E 49
Sapperton. *Linc* 2H 75
Saracen's Head. *Linc* 3C 76
Sarclet. *High* 4F 169
Sardis. *Carm* 5F 45
Sardis. *Pemb* 4D 42
(nr. Milford Haven)
Sardis. *Pemb* 4F 43
(nr. Tenby)
Sarisbury. *Hants* 2D 16
Sarn. *B'end* 3C 32
Sarn. *Powy* 1E 58
Sarnau. *Carm* 3E 45
Sarnau. *Cdgn* 5C 56
Sarnau. *Gwyn* 2B 70
Sarnau. *Powy* 2D 46
(nr. Brecon)
Sarnau. *Powy* 4E 71
(nr. Welshpool)
Sarn Bach. *Gwyn* 3C 68
Sarnesfield. *Here* 5F 59
Sarn Meyllteyrn. *Gwyn* 2B 68
Saron. *Carm* 4G 45
(nr. Ammanford)
Saron. *Carm* 2D 45
(nr. Newcastle Emlyn)
Saron. *Gwyn* 4E 81
(nr. Bethel)
Saron. *Gwyn* 5D 80
(nr. Bontnewydd)
Sarratt. *Herts* 1B 38
Sarre. *Kent* 4G 41
Sarsden. *Oxon* 3A 50
Satley. *Dur* 5E 115
Satron. *N Yor* 5C 104
Satterleigh. *Devn* 4G 19
Satterthwaite. *Cumb* 5E 103
Satwell. *Oxon* 3F 37
Sauchen. *Abers* 2D 152
Saucher. *Per* 5A 144
Saughall. *Ches W* 3F 83
Saughtree. *Bord* 5H 119
Saul. *Glos* 5C 48
Saundby. *Notts* 2E 87
Saundersfoot. *Pemb* 4F 43
Saunderton. *Buck* 5F 51
Saunderton Lee. *Buck* 2G 37
Saunton. *Devn* 3E 19
Sausthorpe. *Linc* 4C 88
Saval. *High* 3C 164
Saverley Green. *Staf* 2D 72
Sawbridge. *Warw* 4C 62
Sawbridgeworth. *Herts* 4E 53
Sawdon. *N Yor* 1D 100
Sawley. *Derbs* 2B 74
Sawley. *Lanc* 5G 97
Sawley. *N Yor* 3E 99
Sawston. *Cambs* 1E 53
Sawtry. *Cambs* 2A 64
Saxby. *Leics* 3F 75
Saxby. *Linc* 2H 87
Saxby All Saints. *N Lin* 3C 94
Saxelby. *Leics* 3D 74
Saxelbye. *Leics* 3D 74
Saxham Street. *Suff* 4C 66
Saxilby. *Linc* 3F 87
Saxlingham. *Norf* 2C 78
Saxlingham Green. *Norf* 1E 67
Saxlingham Nethergate. *Norf* 1E 67
Saxlingham Thorpe. *Norf* 1E 66
Saxmundham. *Suff* 4F 67
Saxondale. *Notts* 1D 74
Saxon Street. *Cambs* 5F 65
Saxtead. *Suff* 4E 67
Saxtead Green. *Suff* 4E 67
Saxthorpe. *Norf* 2D 78
Saxton. *N Yor* 1E 93
Sayers Common. *W Sus* 4D 26
Scackleton. *N Yor* 2A 100
Scadabhagh. *W Isl* 8D 171
Scaftworth. *Notts* 1D 86
Scagglethorpe. *N Yor* 2C 100
Scaitcliffe. *Lanc* 2F 91
Scaladal. *W Isl* 6D 171
Scalasaig. *Arg* 4A 132
Scalby. *E Yor* 2B 94
Scalby. *N Yor* 5H 107
Scalby Mills. *N Yor* 5H 107
Scaldwell. *Nptn* 3E 63
Scaleby. *Cumb* 3F 113
Scaleby Hill. *Cumb* 3F 113
Scale Houses. *Cumb* 5G 113
Scales. *Cumb* 2B 96
(nr. Barrow-in-Furness)
Scales. *Cumb* 2E 103
(nr. Keswick)
Scalford. *Leics* 3E 75
Scaling. *Red C* 3E 107
Scaling Dam. *Red C* 3E 107
Scalloway. *Shet* 8E 173
Scalpaigh. *W Isl* 8E 171
Scalpay House. *High* 1E 147
Scamblesby. *Linc* 3B 88
Scamodale. *High* 1C 140
Scampston. *N Yor* 2C 100
Scampton. *Linc* 3G 87
Scaniport. *High* 5A 158
Scapa. *Orkn* 7D 172
Scapegoat Hill. *W Yor* 3A 92
Scar. *Orkn* 3F 172
Scarasta. *W Isl* 8C 171
Scarborough. *N Yor* 1E 101
Scarcliffe. *Derbs* 4B 86
Scarcroft. *W Yor* 5F 99
Scardroy. *High* 3E 156
Scarfskerry. *High* 1E 169
Scargill. *Dur* 3D 104
Scarinish. *Arg* 4B 138
Scarisbrick. *Lanc* 3B 90
Scarning. *Norf* 4B 78
Scarrington. *Notts* 1E 75
Scarth Hill. *Lanc* 4C 90
Scartho. *NE Lin* 4F 95
Scarvister. *Shet* 7E 173
Scatness. *Shet* 10E 173
Scatwell. *High* 3F 157
Scaur. *Dum* 4F 111
Scawby. *N Lin* 4C 94
Scawby Brook. *N Lin* 4C 94
Scawsby. *S Yor* 4F 93
Scawton. *N Yor* 1H 99
Scayne's Hill. *W Sus* 3E 27
Scethrog. *Powy* 3E 46
Scholar Green. *Ches E* 5C 84
Scholes. *G Man* 4D 90
Scholes. *W Yor* 2B 92
(nr. Bradford)
Scholes. *W Yor* 4B 92
(nr. Holmfirth)
Scholes. *W Yor* 1D 93
(nr. Leeds)
Scholey Hill. *W Yor* 2D 93
School Aycliffe. *Dur* 2F 105
School Green. *Ches W* 4A 84
School Green. *Essx* 2H 53
Scissett. *W Yor* 3C 92
Scleddau. *Pemb* 1D 42
Scofton. *Notts* 2D 86
Scole. *Norf* 3D 66
Scolpaig. *W Isl* 1C 170
Scolton. *Pemb* 2D 43
Scone. *Per* 1D 136
Sconser. *High* 5E 155
Scoonie. *Fife* 3F 137
Scopwick. *Linc* 5H 87
Scoraig. *High* 4E 163
Scorborough. *E Yor* 5E 101
Scorrier. *Corn* 4B 6
Scorriton. *Devn* 2D 8
Scorton. *Lanc* 5E 97
Scorton. *N Yor* 4F 105
Sco Ruston. *Norf* 3E 79
Scotbheinn. *W Isl* 3D 170
Scotby. *Cumb* 4F 113
Scotch Corner. *N Yor* 4F 105
Scotforth. *Lanc* 3D 97
Scot Hay. *Staf* 1C 72
Scothern. *Linc* 3H 87
Scotland End. *Oxon* 2B 50
Scotlandwell. *Per* 3D 136
Scot Lane End. *G Man* 4E 91
Scotsburn. *High* 1B 158
Scotsburn. *Mor* 2G 159
Scotsdike. *Cumb* 2E 113
Scots Gap. *Nmbd* 1D 114
Scotstoun. *Glas* 3G 127
Scotstown. *High* 2C 140
Scotswood. *Tyne* 3F 115
Scottas. *High* 3F 147
Scotter. *Linc* 4B 94
Scotterthorpe. *Linc* 4B 94
Scottlethorpe. *Linc* 3H 75
Scotton. *Linc* 1F 87
Scotton. *N Yor* 5E 105
(nr. Catterick Garrison)
Scotton. *N Yor* 4F 99
(nr. Harrogate)
Scottow. *Norf* 3E 79
Scoulton. *Norf* 5B 78
Scounslow Green. *Staf* 3E 73
Scourie. *High* 4B 166
Scourie More. *High* 4B 166
Scousburgh. *Shet* 10E 173
Scout Green. *Cumb* 4G 103
Scouthead. *G Man* 4H 91
Scrabster. *High* 1C 168
Scrafield. *Linc* 4C 88
Scrainwood. *Nmbd* 4D 121
Scrane End. *Linc* 1C 76
Scraptoft. *Leic* 5D 74
Scratby. *Norf* 4H 79
Scrayingham. *N Yor* 3B 100
Scredington. *Linc* 1H 75
Scremby. *Linc* 4D 88
Scremerston. *Nmbd* 5G 131
Screveton. *Notts* 1E 75
Scrivelsby. *Linc* 4B 88
Scriven. *N Yor* 4F 99
Scronkey. *Lanc* 5D 96
Scrooby. *Notts* 1D 86
Scropton. *Derbs* 2F 73
Scrub Hill. *Linc* 5B 88
Scruton. *N Yor* 5F 105
Scuggate. *Cumb* 2F 113
Sculamus. *High* 1E 147
Sculcoates. *Hull* 1D 94
Sculthorpe. *Norf* 2A 78
Scunthorpe. *N Lin* 3B 94
Scurlage. *Swan* 4D 30
Sea. *Som* 1G 13
Seaborough. *Dors* 2H 13
Seabridge. *Staf* 1C 72
Seabrook. *Kent* 2F 29
Seaburn. *Tyne* 3H 115
Seacombe. *Mers* 1F 83
Seacroft. *Linc* 4E 89
Seacroft. *W Yor* 1D 92
Seadyke. *Linc* 2C 76
Seafield. *High* 5G 165
Seafield. *Midl* 3F 129
Seafield. *S Ayr* 2C 116
Seafield. *W Lot* 3D 128
Seaford. *E Sus* 5F 27
Seaforth. *Mers* 1F 83
Seagrave. *Leics* 4D 74
Seaham. *Dur* 5H 115
Seahouses. *Nmbd* 1G 121
Seal. *Kent* 5G 39
Sealand. *Flin* 4F 83
Seale. *Surr* 2G 25
Seamer. *N Yor* 1E 101
(nr. Scarborough)
Seamer. *N Yor* 3B 106
(nr. Stokesley)
Seamill. *N Ayr* 5C 126
Sea Mills. *Bris* 4A 34
Sea Palling. *Norf* 3G 79
Searby. *Linc* 4D 94
Seasalter. *Kent* 4E 41
Seascale. *Cumb* 4B 102
Seaside. *Per* 1E 137
Seater. *High* 1F 169
Seathorne. *Linc* 4E 89
Seathwaite. *Cumb* 3D 102
(nr. Buttermere)
Seathwaite. *Cumb* 5D 102
(nr. Ulpha)
Seatle. *Cumb* 1C 96
Seatoller. *Cumb* 3D 102
Seaton. *Corn* 3H 7
Seaton. *Cumb* 1B 102
Seaton. *Devn* 3F 13
Seaton. *Dur* 4G 115
Seaton. *E Yor* 5F 101
Seaton. *Nmbd* 2G 115
Seaton. *Rut* 1G 63
Seaton Burn. *Tyne* 2F 115
Seaton Carew. *Hart* 2C 106
Seaton Delaval. *Nmbd* 2G 115
Seaton Junction. *Devn* 3F 13
Seaton Ross. *E Yor* 5B 100
Seaton Sluice. *Nmbd* 2G 115
Seatown. *Abers* 2C 160
Seatown. *Dors* 3H 13
Seatown. *Mor* 2C 160
(nr. Cullen)
Seatown. *Mor* 1G 159
(nr. Lossiemouth)
Seave Green. *N Yor* 4C 106
Seaview. *IOW* 3E 17
Seaville. *Cumb* 4C 112
Seavington St Mary. *Som* 1H 13
Seavington St Michael. *Som* 1H 13
Seawick. *Essx* 4E 55
Sebastopol. *Torf* 2F 33
Sebergham. *Cumb* 5E 113
Seckington. *Warw* 5G 73
Second Coast. *High* 4D 162
Sedbergh. *Cumb* 5H 103
Sedbury. *Glos* 2A 34
Sedbusk. *N Yor* 5B 104
Sedgeberrow. *Worc* 2F 49
Sedgebrook. *Linc* 2F 75
Sedgefield. *Dur* 2A 106
Sedgeford. *Norf* 2G 77
Sedgehill. *Wilts* 4D 22
Sedgley. *W Mid* 1D 60
Sedgwick. *Cumb* 1E 97
Sedlescombe. *E Sus* 4B 28
Seend. *Wilts* 5E 35
Seend Cleeve. *Wilts* 5E 35
Seer Green. *Buck* 1A 38
Seething. *Norf* 1F 67
Sefster. *Shet* 6E 173
Sefton. *Mers* 4B 90
Sefton Park. *Mers* 2F 83
Segensworth. *Hants* 2D 16
Seggat. *Abers* 4E 161
Seghill. *Nmbd* 2F 115
Seifton. *Shrp* 2G 59
Seighford. *Staf* 3C 72
Seilebost. *W Isl* 8C 171
Seisdon. *Staf* 1C 60
Seisiadar. *W Isl* 4H 171
Selattyn. *Shrp* 2E 71
Selborne. *Hants* 3F 25
Selby. *N Yor* 1G 93
Selham. *W Sus* 3A 26
Selkirk. *Bord* 2G 119
Sellack. *Here* 3A 48
Sellafirth. *Shet* 2G 173
Sellick's Green. *Som* 1F 13
Sellindge. *Kent* 2F 29
Selling. *Kent* 5E 41
Sells Green. *Wilts* 5E 35
Selly Oak. *W Mid* 2E 61
Selmeston. *E Sus* 5G 27
Selsdon. *G Lon* 4E 39
Selsey. *W Sus* 3G 17
Selsfield Common. *W Sus* 2E 27
Selside. *Cumb* 5G 103
Selside. *N Yor* 2G 97
Selsley. *Glos* 5D 48
Selsted. *Kent* 1G 29
Selston. *Notts* 5B 86
Selworthy. *Som* 2C 20
Semblister. *Shet* 6E 173
Semer. *Suff* 1D 54
Semington. *Wilts* 5D 35
Semley. *Wilts* 4D 23
Sempringham. *Linc* 2A 76
Send. *Surr* 5B 38
Send Marsh. *Surr* 5B 38
Senghenydd. *Cphy* 2E 32
Sennen. *Corn* 4A 4
Sennen Cove. *Corn* 4A 4
Sennicotts. *W Sus* 2G 17
Sennybridge. *Powy* 3C 46
Serlby. *Notts* 2D 86
Sessay. *N Yor* 2G 99
Setchey. *Norf* 4F 77
Setley. *Hants* 2B 16
Setter. *Shet* 3F 173
Settiscarth. *Orkn* 6C 172
Settle. *N Yor* 3H 97
Settrington. *N Yor* 2C 100
Seven Ash. *Som* 3E 21
Sevenhampton. *Glos* 3F 49
Sevenhampton. *Swin* 2H 35
Sevenoaks. *Kent* 5G 39
Sevenoaks Weald. *Kent* 5G 39
Seven Sisters. *Neat* 5B 46
Seven Springs. *Glos* 4E 49
Severn Beach. *S Glo* 3A 34
Severn Stoke. *Worc* 1D 48
Sevington. *Kent* 1E 29
Sewards End. *Essx* 2F 53
Sewardstone. *Essx* 1E 39
Sewell. *C Beds* 3H 51
Sewerby. *E Yor* 3G 101
Seworgan. *Corn* 5B 6
Sewstern. *Leics* 3F 75
Sgallairidh. *W Isl* 9B 170
Sgarasta Mhor. *W Isl* 8C 171
Sgiogarstaigh. *W Isl* 1H 171
Sgreadan. *Arg* 4A 132
Shabbington. *Buck* 5E 51
Shackerley. *Shrp* 5C 72
Shackerstone. *Leics* 5A 74
Shackleford. *Surr* 1A 26
Shadforth. *Dur* 5G 115
Shadingfield. *Suff* 2G 67
Shadoxhurst. *Kent* 2D 28
Shadsworth. *Bkbn* 2E 91
Shadwell. *Norf* 2B 66
Shadwell. *W Yor* 1D 92
Shaftesbury. *Dors* 4D 22
Shafton. *S Yor* 3D 93
Shafton Two Gates. *S Yor* 3D 93
Shaggs. *Dors* 4D 14
Shakesfield. *Glos* 2B 48
Shalbourne. *Wilts* 5B 36
Shalcombe. *IOW* 4B 16
Shalden. *Hants* 2E 25
Shaldon. *Devn* 5C 12
Shalfleet. *IOW* 4C 16
Shalford. *Essx* 3H 53
Shalford. *Surr* 1B 26
Shalford Green. *Essx* 3H 53
Shallowford. *Devn* 2H 19
Shallowford. *Staf* 3C 72
Shalmsford Street. *Kent* 5E 41
Shalstone. *Buck* 2E 51
Shamley Green. *Surr* 1B 26
Shandon. *Arg* 1D 126
Shandwick. *High* 1C 158
Shangton. *Leics* 1E 62
Shankhouse. *Nmbd* 2F 115
Shanklin. *IOW* 4D 16
Shannochie. *N Ayr* 3D 122
Shap. *Cumb* 3G 103
Shapwick. *Dors* 2E 15
Shapwick. *Som* 3H 21
Sharcott. *Wilts* 1G 23
Shardlow. *Derbs* 2B 74
Shareshill. *Staf* 5D 72
Sharlston. *W Yor* 3D 93
Sharlston Common. *W Yor* 3D 93
Sharnal Street. *Medw* 3B 40
Sharnbrook. *Bed* 5G 63
Sharneyford. *Lanc* 2G 91
Sharnford. *Leics* 1B 62
Sharnhill Green. *Dors* 2C 14
Sharow. *N Yor* 2F 99
Sharpe Green. *Lanc* 1D 90
Sharpenhoe. *C Beds* 2A 52
Sharperton. *Nmbd* 4D 120
Sharpness. *Glos* 5B 48
Sharp Street. *Norf* 3F 79
Sharpthorne. *W Sus* 2E 27
Sharrington. *Norf* 2C 78
Shatterford. *Worc* 2B 60
Shatton. *Derbs* 2G 85
Shaugh Prior. *Devn* 2B 8
Shavington. *Ches E* 5B 84
Shaw. *G Man* 4H 91
Shaw. *W Ber* 5C 36
Shaw. *Wilts* 5D 35
Shawbirch. *Telf* 4A 72
Shawbury. *Shrp* 3H 71
Shawdon Hall. *Nmbd* 3E 121
Shawell. *Leics* 2C 62
Shawford. *Hants* 4C 24
Shawforth. *Lanc* 2G 91
Shaw Green. *Lanc* 3D 90
Shawhead. *Dum* 2F 111
Shaw Mills. *N Yor* 3E 99
Shawwood. *E Ayr* 2E 117
Shearington. *Dum* 3B 112
Shearsby. *Leics* 1D 62
Shearston. *Som* 3F 21
Shebbear. *Devn* 2E 11
Shebdon. *Staf* 3B 72
Shebster. *High* 2C 168
Sheddocksley. *Aber* 3F 153
Shedfield. *Hants* 1D 16
Shedog. *N Ayr* 2D 122
Sheen. *Staf* 4F 85
Sheepbridge. *Derbs* 3A 86
Sheep Hill. *Tyne* 4E 115
Sheepscar. *W Yor* 1D 92
Sheepscombe. *Glos* 4D 49
Sheepstor. *Devn* 2B 8
Sheepwash. *Devn* 2E 11
Sheepwash. *Nmbd* 1F 115
Sheepway. *N Som* 4H 33
Sheepy Magna. *Leics* 5H 73
Sheepy Parva. *Leics* 5H 73
Sheering. *Essx* 4F 53
Sheerness. *Kent* 3D 40
Sheerwater. *Surr* 4B 38
Sheet. *Hants* 4F 25
Sheffield. *S Yor* 2H 85 & 210
Sheffield Bottom. *W Ber* 5E 37
Sheffield Green. *E Sus* 3F 27
Shefford. *C Beds* 2B 52
Shefford Woodlands. *W Ber* 4B 36
Sheigra. *High* 2B 166
Sheinton. *Shrp* 5A 72
Shelderton. *Shrp* 3G 59
Sheldon. *Derbs* 4F 85
Sheldon. *Devn* 2E 12
Sheldon. *W Mid* 2F 61
Sheldwich. *Kent* 5E 40
Sheldwich Lees. *Kent* 5E 40
Shelf. *W Yor* 2B 92
Shelfanger. *Norf* 2D 66
Shelfield. *Warw* 4F 61
Shelfield. *W Mid* 5E 73
Shelford. *Notts* 1D 74
Shelford. *Warw* 2B 62
Shell. *Worc* 5D 60
Shelley. *Suff* 2D 54
Shelley. *W Yor* 3C 92
Shell Green. *Hal* 2H 83
Shellingford. *Oxon* 2B 36
Shellow Bowells. *Essx* 5G 53
Shelsley Beauchamp. *Worc* 4B 60
Shelsley Walsh. *Worc* 4B 60
Shelthorpe. *Leics* 4C 74
Shelton. *Bed* 4H 63
Shelton. *Norf* 1E 67
Shelton. *Notts* 1E 75
Shelton. *Shrp* 4G 71
Shelton Green. *Norf* 1E 67
Shelton Lock. *Derb* 2A 74
Shelve. *Shrp* 1F 59
Shelwick. *Here* 1A 48
Shelwick Green. *Here* 1A 48
Shenfield. *Essx* 1H 39
Shenington. *Oxon* 1B 50
Shenley. *Herts* 5B 52
Shenley Brook End. *Mil* 2G 51
Shenleybury. *Herts* 5B 52

Shenley Church End. *Mil* 2G 51
Shenmore. *Here* 2G 47
Shennanton. *Dum* 3A 110
Shenstone. *Staf* 5F 73
Shenstone. *Worc* 3C 60
Shenstone Woodend. *Staf* 5F 73
Shenton. *Leics* 5A 74
Shenval. *Mor* 1G 151
Shepeau Stow. *Linc* 4C 76
Shephall. *Herts* 3C 52
Shepherd's Bush. *G Lon* 2D 38
Shepherd's Gate. *Norf* 4E 77
Shepherd's Green. *Oxon* 3F 37
Shepherd's Port. *Norf* 2F 77
Shepherdswell. *Kent* 1G 29
Shepley. *W Yor* 4B 92
Sheppardstown. *High* 4D 169
Shepperdine. *S Glo* 2B 34
Shepperton. *Surr* 4B 38
Shepreth. *Cambs* 1D 53
Shepshed. *Leics* 4B 74
Shepton Beauchamp. *Som* 1H 13
Shepton Mallet. *Som* 2B 22
Shepton Montague. *Som* 3B 22
Shepway. *Kent* 5B 40
Sheraton. *Dur* 1B 106
Sherborne. *Bath* 1A 22
Sherborne. *Dors* 1B 14
Sherborne. *Glos* 4G 49
Sherborne Causeway. *Dors* 4D 22
Sherborne St John. *Hants* 1E 24
Sherbourne. *Warw* 4G 61
Sherburn. *Dur* 5G 115
Sherburn. *N Yor* 2D 100
Sherburn Hill. *Dur* 5G 115
Sherburn in Elmet. *N Yor* 1E 93
Shere. *Surr* 1B 26
Shereford. *Norf* 3A 78
Sherfield English. *Hants* 4A 24
Sherfield on Loddon. *Hants* 1E 25
Sherford. *Devn* 4D 9
Sherford. *Dors* 3E 15
Sheriffhales. *Shrp* 4B 72
Sheriff Hutton. *N Yor* 3A 100
Sheriffston. *Mor* 2G 159
Sheringham. *Norf* 1D 78
Sherington. *Mil* 1G 51
Shermanbury. *W Sus* 4D 26
Shernal Green. *Worc* 4D 60
Shernborne. *Norf* 2G 77
Sherrington. *Wilts* 3E 23
Sherston. *Wilts* 3D 34
Sherwood. *Nott* 1C 74
Sherwood Green. *Devn* 4F 19
Shettleston. *Glas* 3H 127
Shevington. *G Man* 4D 90
Shevington Moor. *G Man* 3D 90
Shevington Vale. *G Man* 4D 90
Sheviock. *Corn* 3H 7
Shide. *IOW* 4D 16
Shiel Bridge. *High* 2B 148
Shieldaig. *High* 1H 155
(nr. Charlestown)
Shieldaig. *High* 3H 155
(nr. Torridon)
Shieldhill. *Dum* 1B 112
Shieldhill. *Falk* 2B 128
Shieldhill. *S Lan* 5D 128
Shieldmuir. *N Lan* 4A 128
Shielfoot. *High* 2A 140
Shielhill. *Abers* 3H 161
Shielhill. *Ang* 3D 144
Shifnal. *Shrp* 5B 72
Shilbottle. *Nmbd* 4F 121
Shilbottle Grange. *Nmbd* 4G 121
Shildon. *Dur* 2F 105
Shillford. *E Ren* 4F 127
Shillingford. *Devn* 4C 20
Shillingford. *Oxon* 2D 36
Shillingford St George. *Devn* 4C 12
Shillingstone. *Dors* 1D 14
Shillington. *C Beds* 2B 52
Shillmoor. *Nmbd* 4C 120
Shilton. *Oxon* 5A 50
Shilton. *Warw* 2B 62
Shilvinghampton. *Dors* 4B 14
Shilvington. *Nmbd* 1E 115
Shimpling. *Norf* 2D 66
Shimpling. *Suff* 5A 66
Shimpling Street. *Suff* 5A 66
Shincliffe. *Dur* 5F 115
Shiney Row. *Tyne* 4G 115
Shinfield. *Wok* 5F 37
Shingay. *Cambs* 1D 52
Shingham. *Norf* 5G 77
Shingle Street. *Suff* 1G 55
Shinner's Bridge. *Devn* 2D 9
Shinness. *High* 2C 164
Shipbourne. *Kent* 5G 39
Shipdham. *Norf* 5B 78
Shipham. *Som* 1H 21
Shiphay. *Torb* 2E 9
Shiplake. *Oxon* 4F 37
Shipley. *Derbs* 1B 74
Shipley. *Nmbd* 3F 121
Shipley. *Shrp* 1C 60
Shipley. *W Sus* 3C 26
Shipley. *W Yor* 1B 92
Shipley Bridge. *Surr* 1E 27
Shipmeadow. *Suff* 1F 67
Shippon. *Oxon* 2C 36
Shipston-on-Stour. *Warw* 1A 50
Shipton. *Buck* 3F 51
Shipton. *Glos* 4F 49
Shipton. *N Yor* 4H 99
Shipton. *Shrp* 1H 59
Shipton Bellinger. *Hants* 2H 23
Shipton Gorge. *Dors* 3H 13
Shipton Green. *W Sus* 3G 17
Shipton Moyne. *Glos* 3D 35
Shipton-on-Cherwell. *Oxon* 4C 50
Shiptonthorpe. *E Yor* 5C 100
Shipton-under-Wychwood. *Oxon* 4A 50
Shirburn. *Oxon* 2E 37
Shirdley Hill. *Lanc* 3B 90
Shire. *Cumb* 1H 103
Shirebrook. *Derbs* 4C 86
Shiregreen. *S Yor* 1A 86
Shirehampton. *Bris* 4A 34
Shiremoor. *Tyne* 2G 115
Shirenewton. *Mon* 2H 33
Shireoaks. *Notts* 2C 86
Shires Mill. *Fife* 1C 128
Shirkoak. *Kent* 2D 28
Shirland. *Derbs* 5A 86
Shirley. *Derbs* 1G 73
Shirley. *Sotn* 1C 16
Shirley. *W Mid* 3F 61
Shirleywich. *Staf* 3D 73
Shirl Heath. *Here* 5G 59
Shirrell Heath. *Hants* 1D 16
Shirwell. *Devn* 3F 19
Shiskine. *N Ayr* 3D 122
Shobdon. *Here* 4F 59
Shobnall. *Staf* 3G 73
Shobrooke. *Devn* 2B 12
Shoby. *Leics* 3D 74
Shocklach. *Ches W* 1G 71
Shoeburyness. *S'end* 2D 40
Sholden. *Kent* 5H 41
Sholing. *Sotn* 1C 16
Sholver. *G Man* 4H 91
Shoot Hill. *Shrp* 4G 71
Shop. *Corn* 1C 10
(nr. Bude)
Shop. *Corn* 1C 6
(nr. Padstow)
Shop. *Devn* 1D 11
Shopford. *Cumb* 2G 113
Shoreditch. *G Lon* 2E 39
Shoreditch. *Som* 4F 21
Shoregill. *Cumb* 4A 104
Shoreham. *Kent* 4G 39
Shoreham-by-Sea. *W Sus* 5D 26
Shoresdean. *Nmbd* 5F 131
Shoreswood. *Nmbd* 5F 131
Shore, The. *Fife* 2E 137
Shorncote. *Glos* 2F 35
Shorne. *Kent* 3A 40
Shorne Ridgeway. *Kent* 3A 40
Shortacombe. *Devn* 4F 11
Shortbridge. *E Sus* 3F 27
Shortgate. *E Sus* 4F 27
Short Green. *Norf* 2C 66
Shorthampton. *Oxon* 3B 50
Short Heath. *Leics* 4H 73
Short Heath. *W Mid* 1E 61
(nr. Erdington)
Short Heath. *W Mid* 5D 73
(nr. Wednesfield)
Shortlanesend. *Corn* 4C 6
Shorton. *Torb* 2E 9
Shortstown. *Bed* 1A 52
Shortwood. *S Glo* 4B 34
Shorwell. *IOW* 4C 16
Shoscombe. *Bath* 1C 22
Shotesham. *Norf* 1E 67
Shotgate. *Essx* 1B 40
Shotley. *Suff* 2F 55
Shotley Bridge. *Dur* 4D 115
Shotleyfield. *Nmbd* 4D 114
Shotley Gate. *Suff* 2F 55
Shottenden. *Kent* 5E 41
Shottermill. *Surr* 3G 25
Shottery. *Warw* 5F 61
Shotteswell. *Warw* 1C 50
Shottisham. *Suff* 1G 55
Shottle. *Derbs* 1H 73
Shotton. *Dur* 1B 106
(nr. Peterlee)
Shotton. *Dur* 2A 106
(nr. Sedgefield)
Shotton. *Flin* 4E 83
Shotton. *Nmbd* 2F 115
(nr. Morpeth)
Shotton. *Nmbd* 1C 120
(nr. Town Yetholm)
Shotton Colliery. *Dur* 5G 115
Shotts. *N Lan* 3B 128
Shotwick. *Ches W* 3F 83
Shouldham. *Norf* 5F 77
Shouldham Thorpe. *Norf* 5F 77
Shoulton. *Worc* 5C 60
Shrawardine. *Shrp* 4F 71
Shrawley. *Worc* 4C 60
Shreding Green. *Buck* 2B 38
Shrewley. *Warw* 4G 61
Shrewsbury. *Shrp* 4G 71 & 210
Shrewton. *Wilts* 2F 23
Shripney. *W Sus* 5A 26
Shrivenham. *Oxon* 3H 35
Shropham. *Norf* 1B 66
Shroton. *Dors* 1D 14
Shrub End. *Essx* 3C 54
Shucknall. *Here* 1A 48
Shudy Camps. *Cambs* 1G 53
Shulishadermor. *High* 4D 155
Shulista. *High* 1D 154
Shurdington. *Glos* 4E 49
Shurlock Row. *Wind* 4G 37
Shurrery. *High* 3C 168
Shurton. *Som* 2F 21
Shustoke. *Warw* 1G 61
Shute. *Devn* 3F 13
(nr. Axminster)
Shute. *Devn* 2B 12
(nr. Crediton)
Shutford. *Oxon* 1B 50
Shut Heath. *Staf* 3C 72
Shuthonger. *Glos* 2D 49
Shutlanehead. *Staf* 1C 72
Shutlanger. *Nptn* 1F 51
Shutt Green. *Staf* 5C 72
Shuttington. *Warw* 5G 73
Shuttlewood. *Derbs* 3B 86
Shuttleworth. *G Man* 3G 91
Siabost. *W Isl* 3E 171
Siabost bho Dheas. *W Isl* 3E 171
Siabost bho Thuath. *W Isl* 3E 171
Siadar. *W Isl* 2F 171
Siadar Uarach. *W Isl* 2F 171
Sibbaldbie. *Dum* 1C 112
Sibbertoft. *Nptn* 2D 62
Sibdon Carwood. *Shrp* 2G 59
Sibertswold. *Kent* 1G 29
Sibford Ferris. *Oxon* 2B 50
Sibford Gower. *Oxon* 2B 50
Sible Hedingham. *Essx* 2A 54
Sibsey. *Linc* 5C 88
Sibsey Fen Side. *Linc* 5C 88
Sibson. *Cambs* 1H 63
Sibson. *Leics* 5A 74
Sibster. *High* 3F 169
Sibthorpe. *Notts* 1E 75
Sibton. *Suff* 4F 67
Sicklesmere. *Suff* 4A 66
Sicklinghall. *N Yor* 5F 99
Sid. *Devn* 4E 13
Sidbury. *Devn* 3E 13
Sidbury. *Shrp* 2A 60
Sidcot. *N Som* 1H 21
Sidcup. *G Lon* 3F 39
Siddick. *Cumb* 1B 102
Siddington. *Ches E* 3C 84
Siddington. *Glos* 2F 35
Side of the Moor. *G Man* 3F 91
Sidestrand. *Norf* 2E 79
Sidford. *Devn* 3E 13
Sidlesham. *W Sus* 3G 17
Sidley. *E Sus* 5B 28
Sidlow. *Surr* 1D 26
Sidmouth. *Devn* 4E 13
Sigford. *Devn* 5A 12
Sigglesthorne. *E Yor* 5F 101
Sighthill. *Edin* 2E 129
Sigingstone. *V Glam* 4C 32
Signet. *Oxon* 4H 49
Silchester. *Hants* 5E 37
Sildinis. *W Isl* 6E 171
Sileby. *Leics* 4D 74
Silecroft. *Cumb* 1A 96
Silfield. *Norf* 1D 66
Silian. *Cdgn* 5E 57
Silkstone. *S Yor* 4C 92
Silkstone Common. *S Yor* 4C 92
Silksworth. *Tyne* 4G 115
Silk Willoughby. *Linc* 1H 75
Silloth. *Cumb* 4C 112
Sills. *Nmbd* 4C 120
Sillyearn. *Mor* 3C 160
Silpho. *N Yor* 5G 107
Silsden. *W Yor* 5C 98
Silsoe. *C Beds* 2A 52
Silverbank. *Abers* 4E 152
Silverburn. *Midl* 3F 129
Silverdale. *Lanc* 2D 96
Silverdale. *Staf* 1C 72
Silverdale Green. *Lanc* 2D 96
Silver End. *Essx* 4B 54
Silver End. *W Mid* 2D 60
Silvergate. *Norf* 3D 78
Silver Green. *Norf* 1E 67
Silverhillocks. *Abers* 2E 161
Silverley's Green. *Suff* 3E 67
Silverstone. *Nptn* 1E 51
Silverton. *Devn* 2C 12
Silverton. *W Dun* 2F 127
Silvington. *Shrp* 3A 60
Simm's Cross. *Hal* 2H 83
Simm's Lane End. *Mers* 1H 83
Simonburn. *Nmbd* 2B 114
Simonsbath. *Som* 3A 20
Simonstone. *Lanc* 1F 91
Simprim. *Bord* 5E 131
Simpson. *Pemb* 3C 42
Simpson Cross. *Pemb* 3C 42
Sinclairston. *E Ayr* 3D 116
Sinclairtown. *Fife* 4E 137
Sinderby. *N Yor* 1F 99
Sinderhope. *Nmbd* 4B 114
Sindlesham. *Wok* 5F 37
Sinfin. *Derb* 2A 74
Singleborough. *Buck* 2F 51
Singleton. *Kent* 1D 28
Singleton. *Lanc* 1B 90
Singleton. *W Sus* 1G 17
Singlewell. *Kent* 3A 40
Sinkhurst Green. *Kent* 1C 28
Sinnahard. *Abers* 2B 152
Sinnington. *N Yor* 1B 100
Sinton Green. *Worc* 4C 60
Sipson. *G Lon* 3B 38
Sirhowy. *Blae* 4E 47
Sisland. *Norf* 1F 67
Sissinghurst. *Kent* 2B 28
Siston. *S Glo* 4B 34
Sithney. *Corn* 4D 4
Sittingbourne. *Kent* 4D 40
Six Ashes. *Staf* 2B 60
Six Bells. *Blae* 5F 47
Six Hills. *Leics* 3D 74
Sixhills. *Linc* 2A 88
Six Mile Bottom. *Cambs* 5E 65
Sixpenny Handley. *Dors* 1E 15
Sizewell. *Suff* 4G 67
Skail. *High* 4H 167
Skaill. *Orkn* 6B 172
Skaills. *Orkn* 7E 172
Skares. *E Ayr* 3E 117
Skateraw. *E Lot* 2D 130
Skaw. *Shet* 5G 173
Skeabost. *High* 4D 154
Skeabrae. *Orkn* 5B 172
Skeeby. *N Yor* 4E 105
Skeffington. *Leics* 5E 75
Skeffling. *E Yor* 3G 95
Skegby. *Notts* 4B 86
(nr. Mansfield)
Skegby. *Notts* 3E 87
(nr. Tuxford)
Skegness. *Linc* 4E 89
Skelberry. *Shet* 10E 173
(nr. Boddam)
Skelberry. *Shet* 3E 173
(nr. Housetter)
Skelbo. *High* 4E 165
Skelbo Street. *High* 4E 165
Skelbrooke. *S Yor* 3F 93
Skeldyke. *Linc* 2C 76
Skelfhill. *Bord* 4G 119
Skellingthorpe. *Linc* 3G 87
Skellister. *Shet* 6F 173
Skellorn Green. *Ches E* 2D 84
Skellow. *S Yor* 3F 93
Skelmanthorpe. *W Yor* 3C 92
Skelmersdale. *Lanc* 4C 90
Skelmorlie. *N Ayr* 3C 126
Skelpick. *High* 3H 167
Skelton. *Cumb* 1F 103
Skelton. *E Yor* 2A 94
Skelton. *N Yor* 4D 105
(nr. Richmond)
Skelton. *N Yor* 3F 99
(nr. Ripon)
Skelton. *Red C* 3D 106
Skelton. *York* 4H 99
Skelton Green. *Red C* 3D 106
Skelwick. *Orkn* 3D 172
Skelwith Bridge. *Cumb* 4E 103
Skendleby. *Linc* 4D 88
Skendleby Psalter. *Linc* 3D 88
Skenfrith. *Mon* 3H 47
Skerne. *E Yor* 4E 101
Skeroblingarry. *Arg* 3B 122
Skerray. *High* 2G 167
Skerricha. *High* 3C 166
Skerries Airport. *Shet* 4H 173
Skerton. *Lanc* 3D 97
Sketchley. *Leics* 1B 62
Sketty. *Swan* 3F 31
Skewen. *Neat* 3G 31
Skewsby. *N Yor* 2A 100
Skeyton. *Norf* 3E 79
Skeyton Corner. *Norf* 3E 79
Skiall. *High* 2C 168
Skidbrooke. *Linc* 1D 88
Skidbrooke North End. *Linc* 1D 88
Skidby. *E Yor* 1D 94
Skilgate. *Som* 4C 20
Skillington. *Linc* 3F 75
Skinburness. *Cumb* 4C 112
Skinflats. *Falk* 1C 128
Skinidin. *High* 4B 154
Skinnet. *High* 2F 167
Skinningrove. *Red C* 2E 107
Skipness. *Arg* 4G 125
Skippool. *Lanc* 5C 96
Skiprigg. *Cumb* 5E 113
Skipsea. *E Yor* 4F 101
Skipsea Brough. *E Yor* 4F 101
Skipton. *N Yor* 4B 98
Skipton-on-Swale. *N Yor* 2F 99
Skipwith. *N Yor* 1G 93
Skirbeck. *Linc* 1C 76
Skirbeck Quarter. *Linc* 1C 76
Skirlaugh. *E Yor* 1E 95
Skirling. *Bord* 1C 118
Skirmett. *Buck* 2F 37
Skirpenbeck. *E Yor* 4B 100
Skirwith. *Cumb* 1H 103
Skirwith. *N Yor* 2G 97
Skirza. *High* 2F 169
Skitby. *Cumb* 3F 113
Skitham. *Lanc* 5D 96
Skittle Green. *Buck* 5F 51
Skroo. *Shet* 1B 172
Skulamus. *High* 1E 147
Skullomie. *High* 2G 167
Skyborry Green. *Shrp* 3E 59
Skye Green. *Essx* 3B 54
Skye of Curr. *High* 1D 151
Slack. *W Yor* 2H 91
Slackhall. *Derbs* 2E 85
Slack Head. *Cumb* 2D 97
Slackhead. *Mor* 2B 160
Slackholme End. *Linc* 3E 89
Slacks of Cairnbanno. *Abers* 4F 161
Slack, The. *Dur* 2E 105
Slad. *Glos* 5D 48
Slade. *Swan* 4D 31
Slade End. *Oxon* 2D 36
Slade Field. *Cambs* 2C 64
Slade Green. *G Lon* 3G 39
Slade Heath. *Staf* 5D 72
Slade Hooton. *S Yor* 2C 86
Sladesbridge. *Corn* 5A 10
Slade, The. *W Ber* 5D 36
Slaggyford. *Nmbd* 4H 113
Slaidburn. *Lanc* 4G 97
Slaid Hill. *W Yor* 5F 99
Slaithwaite. *W Yor* 3A 92
Slaley. *Derbs* 5G 85
Slaley. *Nmbd* 4C 114
Slamannan. *Falk* 2B 128
Slapton. *Buck* 3H 51
Slapton. *Devn* 4E 9
Slapton. *Nptn* 1E 51
Slattock. *G Man* 4G 91
Slaugham. *W Sus* 3D 26
Slaughterbridge. *Corn* 4B 10
Slaughterford. *Wilts* 4D 34
Slawston. *Leics* 1E 63
Sleaford. *Hants* 3G 25
Sleaford. *Linc* 1H 75
Sleagill. *Cumb* 3G 103
Sleap. *Shrp* 3G 71
Sledmere. *E Yor* 3D 100
Sleightholme. *Dur* 3C 104
Sleights. *N Yor* 4F 107
Slepe. *Dors* 3E 15
Slickly. *High* 2E 169
Sliddery. *N Ayr* 3D 122
Sligachan. *High* 1C 146
Slimbridge. *Glos* 5C 48
Slindon. *Staf* 2C 72
Slindon. *W Sus* 5A 26
Slinfold. *W Sus* 2C 26
Slingsby. *N Yor* 2A 100
Slip End. *C Beds* 4A 52
Slipton. *Nptn* 3G 63
Slitting Mill. *Staf* 4E 73
Slochd. *High* 1C 150
Slockavullin. *Arg* 4F 133
Sloley. *Norf* 3E 79
Sloncombe. *Devn* 4H 11
Sloothby. *Linc* 3D 89
Slough. *Slo* 2A 38
Slough Green. *Som* 4F 21
Slough Green. *W Sus* 3D 27
Sluggan. *High* 1C 150
Slyne. *Lanc* 3D 97
Smailholm. *Bord* 1A 120
Smallbridge. *G Man* 3H 91
Smallbrook. *Devn* 3B 12
Smallburgh. *Norf* 3F 79
Smallburn. *E Ayr* 2F 117
Smalldale. *Derbs* 3E 85
Small Dole. *W Sus* 4D 26
Smalley. *Derbs* 1B 74
Smallfield. *Surr* 1E 27
Small Heath. *W Mid* 2E 61
Smallholm. *Dum* 2C 112
Small Hythe. *Kent* 2C 28
Smallrice. *Staf* 2D 72
Smallridge. *Devn* 2G 13
Smallwood Hey. *Lanc* 5C 96
Smallworth. *Norf* 2C 66
Smannell. *Hants* 2B 24
Smardale. *Cumb* 4A 104
Smarden. *Kent* 1C 28
Smarden Bell. *Kent* 1C 28
Smart's Hill. *Kent* 1G 27
Smeatharpe. *Devn* 1F 13
Smeeth. *Kent* 2E 29
Smeeth, The. *Norf* 4E 77
Smeeton Westerby. *Leics* 1D 62
Smeircleit. *W Isl* 7C 170
Smerral. *High* 5D 168
Smestow. *Staf* 1C 60
Smethwick. *W Mid* 2E 61
Smirisary. *High* 1A 140
Smisby. *Derbs* 4H 73
Smitham Hill. *Bath* 1A 22
Smith End Green. *Worc* 5B 60
Smithfield. *Cumb* 3F 113
Smith Green. *Lanc* 4D 97
Smithies, The. *Shrp* 1A 60
Smithincott. *Devn* 1D 12
Smith's Green. *Essx* 3F 53
Smithstown. *High* 1G 155
Smithton. *High* 4B 158
Smithwood Green. *Suff* 5B 66
Smithy Bridge. *G Man* 3H 91
Smithy Green. *Ches E* 3B 84
Smithy Lane Ends. *Lanc* 3C 90
Smockington. *Warw* 2B 62
Smoogro. *Orkn* 7C 172
Smyth's Green. *Essx* 4C 54
Snaigow House. *Per* 4H 143
Snailbeach. *Shrp* 5F 71
Snailwell. *Cambs* 4F 65
Snainton. *N Yor* 1D 100
Snaith. *E Yor* 2G 93
Snape. *N Yor* 1E 99
Snape. *Suff* 5F 67
Snape Green. *Lanc* 3B 90
Snapper. *Devn* 3F 19
Snarestone. *Leics* 5H 73
Snarford. *Linc* 2H 87
Snargate. *Kent* 3D 28
Snave. *Kent* 3E 28
Sneachill. *Worc* 5D 60
Snead. *Powy* 1F 59
Snead Common. *Worc* 4B 60
Sneaton. *N Yor* 4F 107
Sneatonthorpe. *N Yor* 4G 107
Snelland. *Linc* 2H 87
Snelston. *Derbs* 1F 73
Snetterton. *Norf* 1B 66
Snettisham. *Norf* 2F 77
Snibston. *Leics* 4B 74
Sniseabhal. *W Isl* 5C 170
Snitter. *Nmbd* 4E 121
Snitterby. *Linc* 1G 87
Snitterfield. *Warw* 5G 61
Snitton. *Shrp* 3H 59
Snodhill. *Here* 1G 47
Snodland. *Kent* 4A 40
Snods Edge. *Nmbd* 4D 114
Snowdonia. *Gwyn* 2G 69
Snowshill. *Glos* 2F 49
Snow Street. *Norf* 2C 66
Snydale. *W Yor* 3E 93
Soake. *Hants* 1E 17
Soar. *Carm* 3G 45
Soar. *Gwyn* 2F 69
Soar. *IOA* 3C 80
Soar. *Powy* 2C 46
Soberton. *Hants* 1E 16
Soberton Heath. *Hants* 1E 16
Sockbridge. *Cumb* 2F 103
Sockburn. *Darl* 4A 106
Sodom. *Den* 3C 82
Sodom. *Shet* 5G 173
Soham. *Cambs* 3E 65
Soham Cotes. *Cambs* 3E 65
Solas. *W Isl* 1D 170
Soldon Cross. *Devn* 1D 10
Soldridge. *Hants* 3E 25
Solent Breezes. *Hants* 2D 16

Sole Street. *Kent* 4A 40 (nr. Meopham)
Sole Street. *Kent* 1E 29 (nr. Waltham)
Solihull. *W Mid* 3F 61
Sollers Dilwyn. *Here* 5G 59
Sollers Hope. *Here* 2B 48
Sollom. *Lanc* 3C 90
Solva. *Pemb* 2B 42
Somerby. *Leics* 4E 75
Somerby. *Linc* 4D 94
Somercotes. *Derbs* 5B 86
Somerford. *Dors* 3G 15
Somerford. *Staf* 5C 72
Somerford Keynes. *Glos* 2F 35
Somerley. *W Sus* 3G 17
Somerleyton. *Suff* 1G 67
Somersal Herbert. *Derbs* 2F 73
Somersby. *Linc* 3C 88
Somersham. *Cambs* 3C 64
Somersham. *Suff* 1D 54
Somerton. *Oxon* 3C 50
Somerton. *Som* 4H 21
Somerton. *Suff* 5H 65
Sompting. *W Sus* 5C 26
Sonning. *Wok* 4F 37
Sonning Common. *Oxon* 3F 37
Sonning Eye. *Oxon* 4F 37
Sookholme. *Notts* 4C 86
Sopley. *Hants* 3G 15
Sopworth. *Wilts* 3D 34
Sorbie. *Dum* 5B 110
Sordale. *High* 2D 168
Sorisdale. *Arg* 2D 138
Sorn. *E Ayr* 2E 117
Sornhill. *E Ayr* 1E 117
Sortat. *High* 2E 169
Sotby. *Linc* 3B 88
Sots Hole. *Linc* 4A 88
Sotterley. *Suff* 2G 67
Soudley. *Shrp* 1G 59 (nr. Church Stretton)
Soudley. *Shrp* 3B 72 (nr. Market Drayton)
Soughton. *Flin* 4E 83
Soulbury. *Buck* 3G 51
Soulby. *Cumb* 3A 104 (nr. Appleby)
Soulby. *Cumb* 2F 103 (nr. Penrith)
Souldern. *Oxon* 2D 50
Souldrop. *Bed* 4G 63
Sound. *Ches E* 1A 72
Sound. *Shet* 7F 173 (nr. Lerwick)
Sound. *Shet* 6E 173 (nr. Tresta)
Soundwell. *Bris* 4B 34
Sourhope. *Bord* 2C 120
Sourin. *Orkn* 4D 172
Sour Nook. *Cumb* 5E 113
Sourton. *Devn* 3F 11
Soutergate. *Cumb* 1B 96
South Acre. *Norf* 4H 77
Southall. *G Lon* 3C 38
South Allington. *Devn* 5D 9
South Alloa. *Falk* 4A 136
Southam. *Glos* 3E 49
Southam. *Warw* 4B 62
South Ambersham. *W Sus* 3A 26
Southampton. *Sotn* 1C 16 & 211
Southampton International Airport. *Hants* 1C 16
Southannan. *N Ayr* 4D 126
South Anston. *S Yor* 2C 86
South Ascot. *Wind* 4A 38
South Baddesley. *Hants* 3B 16
South Balfern. *Dum* 4B 110
South Ballachulish. *High* 3E 141
South Bank. *Red C* 2C 106
South Barrow. *Som* 4B 22
South Benfleet. *Essx* 2B 40
South Bents. *Tyne* 3H 115
South Bersted. *W Sus* 5A 26
Southborough. *Kent* 1G 27
Southbourne. *Bour* 3G 15
Southbourne. *W Sus* 2F 17
South Bowood. *Dors* 3H 13
South Brent. *Devn* 2D 8
South Brewham. *Som* 3C 22
South Broomage. *Falk* 1B 128
South Broomhill. *Nmbd* 4G 121
Southburgh. *Norf* 5B 78
South Burlingham. *Norf* 5F 79
Southburn. *E Yor* 4D 101
South Cadbury. *Som* 4B 22
South Carlton. *Linc* 3G 87
South Cave. *E Yor* 1C 94
South Cerney. *Glos* 2F 35
South Chard. *Som* 2G 13
South Charlton. *Nmbd* 2F 121
South Cheriton. *Som* 4B 22
South Church. *Dur* 2F 105
Southchurch. *S'end* 2D 40
South Cleatlam. *Dur* 3E 105
South Cliffe. *E Yor* 1B 94
South Clifton. *Notts* 3F 87
South Clunes. *High* 4H 157
South Cockerington. *Linc* 2C 88
South Common. *Devn* 2G 13
South Common. *E Sus* 4E 27
South Cornelly. *B'end* 3B 32
Southcott. *Devn* 1E 11 (nr. Great Torrington)
Southcott. *Devn* 3F 11 (nr. Okehampton)
Southcott. *Wilts* 1G 23
Southcourt. *Buck* 4G 51
South Cove. *Suff* 2G 67
South Creagan. *Arg* 4D 141
South Creake. *Norf* 2A 78
South Crosland. *W Yor* 3B 92
South Croxton. *Leics* 4D 74
South Dalton. *E Yor* 5D 100
South Darenth. *Kent* 4G 39
Southdean. *Bord* 4A 120
Southdown. *Bath* 5C 34
South Downs. *W Sus* 5D 26
South Duffield. *N Yor* 1G 93
Southease. *E Sus* 5F 27
South Elkington. *Linc* 2B 88
South Elmsall. *W Yor* 3E 93
Southend. *Arg* 5A 122
South End. *Cumb* 3B 96
Southend. *Glos* 2C 34
South End. *N Lin* 2E 94
South End. *W Ber* 4D 36
Southend (London) Airport. *Essx* 2C 40
Southend-on-Sea. *S'end* 2C 40
Southerfield. *Cumb* 5C 112
Southerhouse. *Shet* 8E 173
Southerly. *Devn* 4F 11
Southernden. *Kent* 1C 28
Southerndown. *V Glam* 4B 32
Southerness. *Dum* 4A 112
South Erradale. *High* 1G 155
Southerton. *Devn* 3D 12
Southery. *Norf* 1F 65
Southey Green. *Essx* 2A 54
South Fambridge. *Essx* 1C 40
South Fawley. *W Ber* 3B 36
South Feorline. *N Ayr* 3D 122
South Ferriby. *N Lin* 2C 94
South Field. *E Yor* 2D 94
Southfleet. *Kent* 3H 39
South Garvan. *High* 1D 141
Southgate. *Cdgn* 2E 57
Southgate. *G Lon* 1E 39
Southgate. *Norf* 3D 78 (nr. Aylsham)
Southgate. *Norf* 2A 78 (nr. Fakenham)
Southgate. *Swan* 4E 31
South Gluss. *Shet* 4E 173
South Godstone. *Surr* 1E 27
South Gorley. *Hants* 1G 15
South Green. *Essx* 1A 40 (nr. Billericay)
South Green. *Essx* 4D 54 (nr. Colchester)
South Green. *Kent* 4C 40
South Hanningfield. *Essx* 1B 40
South Harting. *W Sus* 1F 17
South Hayling. *Hants* 3F 17
South Hazelrigg. *Nmbd* 1E 121
South Heath. *Buck* 5H 51
South Heath. *Essx* 4E 54
South Heighton. *E Sus* 5F 27
South Hetton. *Dur* 5G 115
South Hiendley. *W Yor* 3D 93
South Hill. *Corn* 5D 10
South Hill. *Som* 4H 21
South Hinksey. *Oxon* 5D 50
South Hole. *Devn* 4C 18
South Holme. *N Yor* 2B 100
South Holmwood. *Surr* 1C 26
South Hornchurch. *G Lon* 2G 39
South Huish. *Devn* 4C 8
South Hykeham. *Linc* 4G 87
South Hylton. *Tyne* 4G 115
Southill. *C Beds* 1B 52
Southington. *Hants* 2D 24
South Kelsey. *Linc* 1H 87
South Kessock. *High* 4A 158
South Killingholme. *N Lin* 3E 95
South Kilvington. *N Yor* 1G 99
South Kilworth. *Leics* 2D 62
South Kirkby. *W Yor* 3E 93
South Kirton. *Abers* 3E 153
South Knighton. *Devn* 5B 12
South Kyme. *Linc* 1A 76
South Lancing. *W Sus* 5C 26
South Ledaig. *Arg* 5D 140
Southleigh. *Devn* 3F 13
South Leigh. *Oxon* 5B 50
South Leverton. *Notts* 2E 87
South Littleton. *Worc* 1F 49
South Lopham. *Norf* 2C 66
South Luffenham. *Rut* 5G 75
South Malling. *E Sus* 4F 27
South Marston. *Swin* 3G 35
South Middleton. *Nmbd* 2E 121
South Milford. *N Yor* 1E 93
South Milton. *Devn* 4D 8
South Mimms. *Herts* 5C 52
Southminster. *Essx* 1D 40
South Molton. *Devn* 4H 19
South Moor. *Dur* 4E 115
Southmoor. *Oxon* 2B 36
South Moreton. *Oxon* 3D 36
South Mundham. *W Sus* 2G 17
South Muskham. *Notts* 5E 87
South Newbald. *E Yor* 1C 94
South Newington. *Oxon* 2C 50
South Newsham. *Nmbd* 2G 115
South Newton. *N Ayr* 4H 125
South Newton. *Wilts* 3F 23
South Normanton. *Derbs* 5B 86
South Norwood. *G Lon* 4E 39
South Nutfield. *Surr* 1E 27
South Ockendon. *Thur* 2G 39
Southoe. *Cambs* 4A 64
Southolt. *Suff* 4D 66
South Ormsby. *Linc* 3C 88
Southorpe. *Pet* 5H 75
South Otterington. *N Yor* 1F 99
South Owersby. *Linc* 1H 87
Southowram. *W Yor* 2B 92
South Oxhey. *Herts* 1C 38
South Perrott. *Dors* 2H 13
South Petherton. *Som* 1H 13
South Petherwin. *Corn* 4D 10
South Pickenham. *Norf* 5A 78
South Pool. *Devn* 4D 9
South Poorton. *Dors* 3A 14
South Port. *Arg* 1H 133
Southport. *Mers* 3B 90
Southpunds. *Shet* 10F 173
South Queensferry. *Edin* 2E 129
South Radworthy. *Devn* 3A 20
South Rauceby. *Linc* 1H 75
South Raynham. *Norf* 3A 78
Southrepps. *Norf* 2E 79
South Reston. *Linc* 2D 88
Southrey. *Linc* 4A 88
Southrop. *Glos* 5G 49
Southrope. *Hants* 2E 25
South Runcton. *Norf* 5F 77
South Scarle. *Notts* 4F 87
Southsea. *Port* 3E 17
South Shields. *Tyne* 3G 115
South Shore. *Bkpl* 1B 90
Southside. *Orkn* 5E 172
South Somercotes. *Linc* 1D 88
South Stainley. *N Yor* 3F 99
South Stainmore. *Cumb* 3B 104
South Stifford. *Thur* 3G 39
South Stoke. *Bath* 5C 34
South Stoke. *Oxon* 3D 36
South Stoke. *W Sus* 4B 26
South Street. *E Sus* 4E 27
South Street. *Kent* 5E 41 (nr. Faversham)
South Street. *Kent* 4F 41 (nr. Whitstable)
South Tawton. *Devn* 3G 11
South Thoresby. *Linc* 3D 88
South Tidworth. *Wilts* 2H 23
South Town. *Devn* 4C 12
South Town. *Hants* 3E 25
Southtown. *Norf* 5H 79
Southtown. *Orkn* 8D 172
South View. *Shet* 7E 173
Southwaite. *Cumb* 5F 113
South Walsham. *Norf* 4F 79
South Warnborough. *Hants* 2F 25
Southwater. *W Sus* 3C 26
Southwater Street. *W Sus* 3C 26
Southway. *Som* 2A 22
South Weald. *Essx* 1G 39
South Weirs. *Hants* 2A 16
Southwell. *Dors* 5B 14
Southwell. *Notts* 5D 86
South Weston. *Oxon* 2F 37
South Wheatley. *Corn* 3C 10
South Wheatley. *Notts* 2E 87
Southwick. *Hants* 2E 17
Southwick. *Nptn* 1H 63
Southwick. *Tyne* 4G 115
Southwick. *W Sus* 5D 26
Southwick. *Wilts* 1D 22
South Widcombe. *Bath* 1A 22
South Wigston. *Leics* 1C 62
South Willingham. *Linc* 2A 88
South Wingfield. *Derbs* 5A 86
South Witham. *Linc* 4G 75
Southwold. *Suff* 3H 67
South Wonston. *Hants* 3C 24
Southwood. *Norf* 5F 79
Southwood. *Som* 3A 22
South Woodham Ferrers. *Essx* 1C 40
South Wootton. *Norf* 3F 77
South Wraxall. *Wilts* 5D 34
South Zeal. *Devn* 3G 11
Soval Lodge. *W Isl* 5F 171
Sowerby. *N Yor* 1G 99
Sowerby. *W Yor* 2A 92
Sowerby Bridge. *W Yor* 2A 92
Sowerby Row. *Cumb* 5E 113
Sower Carr. *Lanc* 5C 96
Sowley Green. *Suff* 5G 65
Sowood. *W Yor* 3A 92
Sowton. *Devn* 3C 12
Soyal. *High* 4C 164
Soyland Town. *W Yor* 2A 92
Spacey Houses. *N Yor* 4F 99
Spa Common. *Norf* 2E 79
Spalding. *Linc* 3B 76
Spaldington. *E Yor* 1A 94
Spaldwick. *Cambs* 3A 64
Spalford. *Notts* 4F 87
Spanby. *Linc* 2H 75
Sparham. *Norf* 4C 78
Sparhamhill. *Norf* 4C 78
Spark Bridge. *Cumb* 1C 96
Sparket. *Cumb* 2F 103
Sparkford. *Som* 4B 22
Sparkwell. *Devn* 3B 8
Sparrow Green. *Norf* 4B 78
Sparrowpit. *Derbs* 2E 85
Sparrow's Green. *E Sus* 2H 27
Sparsholt. *Hants* 3C 24
Sparsholt. *Oxon* 3B 36
Spartylea. *Nmbd* 5B 114
Spath. *Staf* 2E 73
Spaunton. *N Yor* 1B 100
Spaxton. *Som* 3F 21
Spean Bridge. *High* 5E 149
Spear Hill. *W Sus* 4C 26
Speen. *Buck* 2G 37
Speen. *W Ber* 5C 36
Speeton. *N Yor* 2F 101
Speke. *Mers* 2G 83
Speldhurst. *Kent* 1G 27
Spellbrook. *Herts* 4E 53
Spelsbury. *Oxon* 3B 50
Spencers Wood. *Wok* 5F 37
Spennithorne. *N Yor* 1D 98
Spennymoor. *Dur* 1F 105
Spernall. *Warw* 4E 61
Spetchley. *Worc* 5C 60
Spetisbury. *Dors* 2E 15
Spexhall. *Suff* 2F 67
Speybank. *High* 3C 150
Spey Bay. *Mor* 2A 160
Speybridge. *High* 1E 151
Speyview. *Mor* 4G 159
Spilsby. *Linc* 4C 88
Spindlestone. *Nmbd* 1F 121
Spinkhill. *Derbs* 3B 86
Spinney Hills. *Leic* 5D 74
Spinningdale. *High* 5D 164
Spital. *Mers* 2F 83
Spitalhill. *Derbs* 1F 73
Spital in the Street. *Linc* 1G 87
Spithurst. *E Sus* 4F 27
Spittal. *Dum* 4A 110
Spittal. *E Lot* 2A 130
Spittal. *High* 3D 168
Spittal. *Nmbd* 4G 131
Spittal. *Pemb* 2D 43
Spittalfield. *Per* 4A 144
Spittal of Glenmuick. *Abers* 5H 151
Spittal of Glenshee. *Per* 1A 144
Spittal-on-Rule. *Bord* 3H 119
Spixworth. *Norf* 4E 79
Splatt. *Corn* 4C 10
Spofforth. *N Yor* 4F 99
Spondon. *Derb* 2B 74
Spon End. *W Mid* 3H 61
Spooner Row. *Norf* 1C 66
Sporle. *Norf* 4H 77
Spott. *E Lot* 2C 130
Spratton. *Nptn* 3E 62
Spreakley. *Surr* 2G 25
Spreyton. *Devn* 3H 11
Spridlington. *Linc* 2H 87
Springburn. *Glas* 3H 127
Springfield. *Dum* 3E 113
Springfield. *Fife* 2F 137
Springfield. *High* 2A 158
Springfield. *W Mid* 2E 61
Springhill. *Staf* 5D 73
Springholm. *Dum* 2F 111
Springside. *N Ayr* 1C 116
Springthorpe. *Linc* 2F 87
Spring Vale. *IOW* 3E 16
Spring Valley. *IOM* 4C 108
Springwell. *Tyne* 4F 115
Sproatley. *E Yor* 1E 95
Sproston Green. *Ches W* 4B 84
Sprotbrough. *S Yor* 4F 93
Sproughton. *Suff* 1E 55
Sprouston. *Bord* 1B 120
Sprowston. *Norf* 4E 79
Sproxton. *Leics* 3F 75
Sproxton. *N Yor* 1A 100
Sprunston. *Cumb* 5E 113
Spurstow. *Ches E* 5H 83
Squires Gate. *Bkpl* 1B 90
Sraid Ruadh. *Arg* 4A 138
Srannda. *W Isl* 9C 171
Sron an t-Sithein. *High* 2C 140
Sronphadruig Lodge. *Per* 1E 142
Sruth Mor. *W Isl* 2E 170
Stableford. *Shrp* 1B 60
Stackhouse. *N Yor* 3H 97
Stackpole. *Pemb* 5D 43
Stackpole Elidor. *Pemb* 5D 43
Stacksford. *Norf* 1C 66
Stacksteads. *Lanc* 2G 91
Staddiscombe. *Plym* 3B 8
Staddlethorpe. *E Yor* 2B 94
Staddon. *Devn* 2D 10
Staden. *Derbs* 3E 85
Stadhampton. *Oxon* 2E 36
Stadhlaigearraidh. *W Isl* 5C 170
Stafainn. *High* 2D 155
Staffield. *Cumb* 5G 113
Staffin. *High* 2D 155
Stafford. *Staf* 3D 72
Stafford Park. *Telf* 5B 72
Stagden Cross. *Essx* 4G 53
Stagsden. *Bed* 1H 51
Stag's Head. *Devn* 4G 19
Stainburn. *Cumb* 2B 102
Stainburn. *N Yor* 5E 99
Stainby. *Linc* 3G 75
Staincliffe. *W Yor* 2C 92
Staincross. *S Yor* 3D 92
Staindrop. *Dur* 2E 105
Staines-Upon-Thames. *Surr* 3B 38
Stainfield. *Linc* 3H 75 (nr. Bourne)
Stainfield. *Linc* 3A 88 (nr. Lincoln)
Stainforth. *N Yor* 3H 97
Stainforth. *S Yor* 3G 93
Staining. *Lanc* 1B 90
Stainland. *W Yor* 3A 92
Stainsacre. *N Yor* 4G 107
Stainton. *Cumb* 4E 113 (nr. Carlisle)
Stainton. *Cumb* 1E 97 (nr. Kendal)
Stainton. *Cumb* 2F 103 (nr. Penrith)
Stainton. *Dur* 3D 104
Stainton. *Midd* 3B 106
Stainton. *N Yor* 5E 105
Stainton. *S Yor* 1C 86
Stainton by Langworth. *Linc* 3H 87
Staintondale. *N Yor* 5G 107
Stainton le Vale. *Linc* 1A 88
Stainton with Adgarley. *Cumb* 2B 96
Stair. *Cumb* 2D 102
Stair. *E Ayr* 2D 116
Stairhaven. *Dum* 4H 109
Staithes. *N Yor* 3E 107
Stakeford. *Nmbd* 1F 115
Stake Pool. *Lanc* 5D 96
Stakes. *Hants* 2E 17
Stalbridge. *Dors* 1C 14
Stalbridge Weston. *Dors* 1C 14
Stalham. *Norf* 3F 79
Stalham Green. *Norf* 3F 79
Stalisfield Green. *Kent* 5D 40
Stallen. *Dors* 1B 14
Stallingborough. *NE Lin* 3F 95
Stalling Busk. *N Yor* 1B 98
Stallington. *Staf* 2D 72
Stalmine. *Lanc* 5C 96
Stalybridge. *G Man* 1D 84
Stambourne. *Essx* 2H 53
Stamford. *Linc* 5H 75
Stamford. *Nmbd* 3G 121
Stamford Bridge. *Ches W* 4G 83
Stamford Bridge. *E Yor* 4B 100
Stamfordham. *Nmbd* 2D 115
Stamperland. *E Ren* 4G 127
Stanah. *Lanc* 5C 96
Stanborough. *Herts* 4C 52
Stanbridge. *C Beds* 3H 51
Stanbridge. *Dors* 2F 15
Stanbury. *W Yor* 1A 92
Stand. *N Lan* 3A 128
Standburn. *Falk* 2C 128
Standeford. *Staf* 5D 72
Standen. *Kent* 1C 28
Standen Street. *Kent* 2C 28
Standerwick. *Som* 1D 22
Standford. *Hants* 3G 25
Standford Bridge. *Telf* 3B 72
Standingstone. *Cumb* 5D 112
Standish. *Glos* 5D 48
Standish. *G Man* 3D 90
Standish Lower Ground. *G Man* 4D 90
Standlake. *Oxon* 5B 50
Standon. *Hants* 4C 24
Standon. *Herts* 3D 53
Standon. *Staf* 2C 72
Standon Green End. *Herts* 4D 52
Stane. *N Lan* 4B 128
Stanecastle. *N Ayr* 1C 116
Stanfield. *Norf* 3B 78
Stanford. *C Beds* 1B 52
Stanford. *Kent* 2F 29
Stanford Bishop. *Here* 5A 60
Stanford Bridge. *Worc* 4B 60
Stanford Dingley. *W Ber* 4D 36
Stanford in the Vale. *Oxon* 2B 36
Stanford-le-Hope. *Thur* 2A 40
Stanford on Avon. *Nptn* 3C 62
Stanford on Soar. *Notts* 3C 74
Stanford on Teme. *Worc* 4B 60
Stanford Rivers. *Essx* 5F 53
Stanfree. *Derbs* 3B 86
Stanghow. *Red C* 3D 107
Stanground. *Pet* 1B 64
Stanhoe. *Norf* 2H 77
Stanhope. *Dur* 1C 104
Stanhope. *Bord* 1D 118
Stanion. *Nptn* 2G 63
Stanley. *Derbs* 1B 74
Stanley. *Dur* 4E 115
Stanley. *Per* 5A 144
Stanley. *Shrp* 2B 60
Stanley. *Staf* 5D 84
Stanley. *W Yor* 2D 92
Stanley Common. *Derbs* 1B 74
Stanley Crook. *Dur* 1E 105
Stanley Hill. *Here* 1B 48
Stanlow. *Ches W* 3G 83
Stanmer. *Brig* 5E 27
Stanmore. *G Lon* 1C 38
Stanmore. *Hants* 4C 24
Stanmore. *W Ber* 4C 36
Stannersburn. *Nmbd* 1A 114
Stanningfield. *Suff* 5A 66
Stannington. *Nmbd* 2F 115
Stannington. *S Yor* 2H 85
Stansbatch. *Here* 4F 59
Stansfield. *Suff* 5G 65
Stanshope. *Staf* 5F 85
Stanstead. *Suff* 1B 54
Stanstead Abbotts. *Herts* 4D 53
Stansted. *Kent* 4H 39
Stansted (London) Airport. *Essx* 3F 53 & 216
Stansted Mountfitchet. *Essx* 3F 53
Stanthorne. *Ches W* 4A 84
Stanton. *Derbs* 4G 73
Stanton. *Glos* 2F 49
Stanton. *Nmbd* 5F 121
Stanton. *Staf* 1F 73
Stanton. *Suff* 3B 66
Stanton by Bridge. *Derbs* 3A 74
Stanton by Dale. *Derbs* 2B 74
Stanton Chare. *Suff* 3B 66
Stanton Drew. *Bath* 5A 34
Stanton Fitzwarren. *Swin* 2G 35
Stanton Harcourt. *Oxon* 5C 50
Stanton Hill. *Notts* 4B 86
Stanton in Peak. *Derbs* 4G 85
Stanton Lacy. *Shrp* 3G 59
Stanton Long. *Shrp* 1H 59
Stanton-on-the-Wolds. *Notts* 2D 74
Stanton Prior. *Bath* 5B 34
Stanton St Bernard. *Wilts* 5F 35
Stanton St John. *Oxon* 5D 50
Stanton St Quintin. *Wilts* 4E 35
Stanton Street. *Suff* 4B 66
Stanton under Bardon. *Leics* 4B 74
Stanton upon Hine Heath. *Shrp* 3H 71
Stanton Wick. *Bath* 5B 34
Stanwardine in the Fields. *Shrp* 3G 71
Stanwardine in the Wood. *Shrp* 3G 71
Stanway. *Essx* 3C 54
Stanway. *Glos* 2F 49
Stanwell. *Surr* 3B 38
Stanwell Green. *Suff* 3D 66
Stanwell Moor. *Surr* 3B 38
Stanwick. *Nptn* 3G 63
Stanydale. *Shet* 6D 173
Staoinebrig. *W Isl* 5C 170
Stape. *N Yor* 5E 107
Stapehill. *Dors* 2F 15
Stapeley. *Ches E* 1A 72
Stapenhill. *Staf* 3G 73
Staple. *Kent* 5G 41
Staple Cross. *Devn* 4D 20
Staplecross. *E Sus* 3B 28
Staplefield. *W Sus* 3D 27
Staple Fitzpaine. *Som* 1F 13

Stapleford. *Cambs* 5D 64
Stapleford. *Herts* 4D 52
Stapleford. *Leics* 4F 75
Stapleford. *Linc* 5F 87
Stapleford. *Notts* 2B 74
Stapleford. *Wilts* 3F 23
Stapleford Abbotts. *Essx* 1G 39
Stapleford Tawney. *Essx* 1G 39
Staplegrove. *Som* 4F 21
Staplehay. *Som* 4F 21
Staple Hill. *S Glo* 4B 34
Staplehurst. *Kent* 1B 28
Staplers. *IOW* 4D 16
Stapleton. *Bris* 4B 34
Stapleton. *Cumb* 2G 113
Stapleton. *Here* 4F 59
Stapleton. *Leics* 1B 62
Stapleton. *N Yor* 3F 105
Stapleton. *Shrp* 5G 71
Stapleton. *Som* 4H 21
Stapley. *Som* 1E 13
Staploe. *Bed* 4A 64
Staplow. *Here* 1B 48
Star. *Fife* 3F 137
Star. *Pemb* 1G 43
Starbeck. *N Yor* 4F 99
Starbotton. *N Yor* 2B 98
Starcross. *Devn* 4C 12
Stareton. *Warw* 3H 61
Starkholmes. *Derbs* 5H 85
Starling. *G Man* 3F 91
Starling's Green. *Essx* 2E 53
Starston. *Norf* 2E 67
Start. *Devn* 4E 9
Startforth. *Dur* 3D 104
Start Hill. *Essx* 3F 53
Startley. *Wilts* 3E 35
Stathe. *Som* 4G 21
Stathern. *Leics* 2E 75
Station Town. *Dur* 1B 106
Staughton Green. *Cambs* 4A 64
Staughton Highway. *Cambs* 4A 64
Staunton. *Glos* 3C 48
(nr. Cheltenham)
Staunton. *Glos* 4A 48
(nr. Monmouth)
Staunton in the Vale. *Notts* 1F 75
Staunton on Arrow. *Here* 4F 59
Staunton on Wye. *Here* 1G 47
Staveley. *Cumb* 5F 103
Staveley. *Derbs* 3B 86
Staveley. *N Yor* 3F 99
Staveley-in-Cartmel. *Cumb* 1C 96
Staverton. *Devn* 2D 9
Staverton. *Glos* 3D 49
Staverton. *Nptn* 4C 62
Staverton. *Wilts* 5D 34
Stawell. *Som* 3G 21
Stawley. *Som* 4D 20
Staxigoe. *High* 3F 169
Staxton. *N Yor* 2E 101
Staylittle. *Powy* 1A 58
Staynall. *Lanc* 5C 96
Staythorpe. *Notts* 5E 87
Stean. *N Yor* 2C 98
Stearsby. *N Yor* 2A 100
Steart. *Som* 2F 21
Stebbing. *Essx* 3G 53
Stebbing Green. *Essx* 3G 53
Stedham. *W Sus* 4G 25
Steel. *Nmbd* 4C 114
Steel Cross. *E Sus* 2G 27
Steelend. *Fife* 4C 136
Steele Road. *Bord* 5H 119
Steel Heath. *Shrp* 2H 71
Steen's Bridge. *Here* 5H 59
Steep. *Hants* 4F 25
Steep Lane. *W Yor* 2A 92
Steeple. *Dors* 4E 15
Steeple. *Essx* 5C 54
Steeple Ashton. *Wilts* 1E 23
Steeple Aston. *Oxon* 3C 50
Steeple Barton. *Oxon* 3C 50
Steeple Bumpstead. *Essx* 1G 53
Steeple Claydon. *Buck* 3E 51
Steeple Gidding. *Cambs* 2A 64
Steeple Langford. *Wilts* 3F 23
Steeple Morden. *Cambs* 1C 52
Steeton. *W Yor* 5C 98
Stein. *High* 3B 154
Steinmanhill. *Abers* 4E 161
Stelling Minnis. *Kent* 1F 29
Stembridge. *Som* 4H 21
Stemster. *High* 2D 169
(nr. Halkirk)
Stemster. *High* 2C 168
(nr. Westfield)
Stenalees. *Corn* 3E 6
Stenhill. *Devn* 1D 12
Stenhouse. *Edin* 2F 129
Stenhousemuir. *Falk* 1B 128
Stenigot. *Linc* 2B 88
Stenscholl. *High* 2D 155
Stenso. *Orkn* 5C 172
Stenson. *Derbs* 3H 73
Stenson Fields. *Derbs* 2H 73
Stenton. *E Lot* 2C 130
Stenwith. *Linc* 2F 75
Steòrnabhagh. *W Isl* 4G 171
Stepaside. *Pemb* 4F 43
Stepford. *Dum* 1F 111
Stepney. *G Lon* 2E 39
Steppingley. *C Beds* 2A 52
Stepps. *N Lan* 3H 127
Sterndale Moor. *Derbs* 4F 85
Sternfield. *Suff* 4F 67
Stert. *Wilts* 1F 23
Stetchworth. *Cambs* 5F 65
Stevenage. *Herts* 3C 52
Stevenston. *N Ayr* 5D 126
Stevenstone. *Devn* 1F 11
Steventon. *Hants* 2D 24
Steventon. *Oxon* 2C 36
Steventon End. *Cambs* 1G 53
Stevington. *Bed* 5G 63
Stewartby. *Bed* 1A 52
Stewarton. *Arg* 4A 122
Stewarton. *E Ayr* 5F 127
Stewkley. *Buck* 3G 51
Stewkley Dean. *Buck* 3G 51
Stewley. *Som* 1G 13
Stewton. *Linc* 2C 88
Steyning. *W Sus* 4C 26
Steynton. *Pemb* 4D 42
Stibb. *Corn* 1C 10
Stibbard. *Norf* 3B 78
Stibb Cross. *Devn* 1E 11
Stibb Green. *Wilts* 5H 35
Stibbington. *Cambs* 1H 63
Stichill. *Bord* 1B 120
Sticker. *Corn* 3D 6
Stickford. *Linc* 4C 88
Sticklepath. *Devn* 3G 11
Sticklinch. *Som* 3A 22
Stickling Green. *Essx* 2E 53
Stickney. *Linc* 5C 88
Stiffkey. *Norf* 1B 78
Stifford's Bridge. *Here* 1C 48
Stileway. *Som* 2H 21
Stillingfleet. *N Yor* 5H 99
Stillington. *N Yor* 3H 99
Stillington. *Stoc T* 2A 106
Stilton. *Cambs* 2A 64
Stinchcombe. *Glos* 2C 34
Stinsford. *Dors* 3C 14
Stiperstones. *Shrp* 5F 71
Stirchley. *Telf* 5B 72
Stirchley. *W Mid* 2E 61
Stirling. *Abers* 4H 161
Stirling. *Stir* 4G 135 & 211
Stirton. *N Yor* 4B 98
Stisted. *Essx* 3A 54
Stitchcombe. *Wilts* 5H 35
Stithians. *Corn* 5B 6
Stittenham. *High* 1A 158
Stivichall. *W Mid* 3H 61
Stixwould. *Linc* 4A 88
Stoak. *Ches W* 3G 83
Stobo. *Bord* 1D 118
Stobo Castle. *Bord* 1D 118
Stoborough. *Dors* 4E 15
Stoborough Green. *Dors* 4E 15
Stobs Castle. *Bord* 4H 119
Stobswood. *Nmbd* 5G 121
Stock. *Essx* 1A 40
Stockbridge. *Hants* 3B 24
Stockbridge. *W Yor* 5C 98
Stockbury. *Kent* 4C 40
Stockcross. *W Ber* 5C 36
Stockdalewath. *Cumb* 5E 113
Stocker's Head. *Kent* 5D 40
Stockerston. *Leics* 1F 63
Stock Green. *Worc* 5D 61
Stocking. *Here* 2B 48
Stockingford. *Warw* 1H 61
Stocking Green. *Essx* 2F 53
Stocking Pelham. *Herts* 3E 53
Stockland. *Devn* 2F 13
Stockland Bristol. *Som* 2F 21
Stockleigh English. *Devn* 2B 12
Stockleigh Pomeroy. *Devn* 2B 12
Stockley. *Wilts* 5F 35
Stocklinch. *Som* 1G 13
Stockport. *G Man* 2D 84
Stocksbridge. *S Yor* 1G 85
Stocksfield. *Nmbd* 3D 114
Stocks, The. *Kent* 3D 28
Stockstreet. *Essx* 3B 54
Stockton. *Here* 4H 59
Stockton. *Norf* 1F 67
Stockton. *Shrp* 1B 60
(nr. Bridgnorth)
Stockton. *Shrp* 5E 71
(nr. Chirbury)
Stockton. *Telf* 4B 72
Stockton. *Warw* 4B 62
Stockton. *Wilts* 3E 23
Stockton Brook. *Staf* 5D 84
Stockton Cross. *Here* 4H 59
Stockton Heath. *Warr* 2A 84
Stockton-on-Tees. *Stoc T* 3B 106
Stockton on Teme. *Worc* 4B 60
Stockton-on-the-Forest. *York* 4A 100
Stockwell Heath. *Staf* 3E 73
Stockwood. *Bris* 5B 34
Stock Wood. *Worc* 5E 61
Stodmarsh. *Kent* 4G 41
Stody. *Norf* 2C 78
Stoer. *High* 1E 163
Stoford. *Som* 1A 14
Stoford. *Wilts* 3F 23
Stogumber. *Som* 3D 20
Stogursey. *Som* 2F 21
Stoke. *Devn* 4C 18
Stoke. *Hants* 1C 24
(nr. Andover)
Stoke. *Hants* 2F 17
(nr. South Hayling)
Stoke. *Medw* 3C 40
Stoke. *W Mid* 3A 62
Stoke Abbott. *Dors* 2H 13
Stoke Albany. *Nptn* 2F 63
Stoke Ash. *Suff* 3D 66
Stoke Bardolph. *Notts* 1D 74
Stoke Bliss. *Worc* 4A 60
Stoke Bruerne. *Nptn* 1F 51
Stoke by Clare. *Suff* 1H 53
Stoke-by-Nayland. *Suff* 2C 54
Stoke Canon. *Devn* 3C 12
Stoke Charity. *Hants* 3C 24
Stoke Climsland. *Corn* 5D 10
Stoke Cross. *Here* 5A 60
Stoke D'Abernon. *Surr* 5C 38
Stoke Doyle. *Nptn* 2H 63
Stoke Dry. *Rut* 1F 63
Stoke Edith. *Here* 1B 48
Stoke Farthing. *Wilts* 4F 23
Stoke Ferry. *Norf* 1G 65
Stoke Fleming. *Devn* 4E 9
Stokeford. *Dors* 4D 14
Stoke Gabriel. *Devn* 3E 9
Stoke Gifford. *S Glo* 4B 34
Stoke Golding. *Leics* 1A 62
Stoke Goldington. *Mil* 1G 51
Stokeham. *Notts* 3E 87
Stoke Hammond. *Buck* 3G 51
Stoke Heath. *Shrp* 3A 72
Stoke Holy Cross. *Norf* 5E 79
Stokeinteignhead. *Devn* 5C 12
Stoke Lacy. *Here* 1B 48
Stoke Lyne. *Oxon* 3D 50
Stoke Mandeville. *Buck* 4G 51
Stokenchurch. *Buck* 2F 37
Stoke Newington. *G Lon* 2E 39
Stokenham. *Devn* 4E 9
Stoke on Tern. *Shrp* 3A 72
Stoke-on-Trent. *Stoke* 1C 72 & 211
Stoke Orchard. *Glos* 3E 49
Stoke Pero. *Som* 2B 20
Stoke Poges. *Buck* 2A 38
Stoke Prior. *Here* 5H 59
Stoke Prior. *Worc* 4D 60
Stoke Rivers. *Devn* 3G 19
Stoke Rochford. *Linc* 3G 75
Stoke Row. *Oxon* 3E 37
Stoke St Gregory. *Som* 4G 21
Stoke St Mary. *Som* 4F 21
Stoke St Michael. *Som* 2B 22
Stoke St Milborough. *Shrp* 2H 59
Stokesay. *Shrp* 2G 59
Stokesby. *Norf* 4G 79
Stokesley. *N Yor* 4C 106
Stoke sub Hamdon. *Som* 1H 13
Stoke Talmage. *Oxon* 2E 37
Stoke Town. *Stoke* 1C 72 & 211
Stoke Trister. *Som* 4C 22
Stoke Wake. *Dors* 2C 14
Stolford. *Som* 2F 21
Stondon Massey. *Essx* 5F 53
Stone. *Buck* 4F 51
Stone. *Glos* 2B 34
Stone. *Kent* 3G 39
Stone. *Som* 3A 22
Stone. *Staf* 2D 72
Stone. *Worc* 3C 60
Stonea. *Cambs* 1D 64
Stoneacton. *Shrp* 1H 59
Stone Allerton. *Som* 1H 21
Ston Easton. *Som* 1B 22
Stonebridge. *N Som* 1G 21
Stonebridge. *Som* 2C 22
Stonebridge. *Surr* 1C 26
Stone Bridge Corner. *Pet* 5B 76
Stonebroom. *Derbs* 5B 86
Stonebyres. *S Lan* 5B 128
Stone Chair. *W Yor* 2B 92
Stone Cross. *E Sus* 5H 27
Stone Cross. *Kent* 2G 27
Stone-edge-Batch. *N Som* 4H 33
Stoneferry. *Hull* 1D 94
Stonefield. *Arg* 5D 140
Stonefield. *S Lan* 4H 127
Stonegate. *E Sus* 3A 28
Stonegate. *N Yor* 4E 107
Stonegrave. *N Yor* 2A 100
Stonehall. *Worc* 1D 49
Stonehaugh. *Nmbd* 2A 114
Stonehaven. *Abers* 5F 153
Stone Heath. *Staf* 2D 72
Stone Hill. *Kent* 2E 29
Stone House. *Cumb* 1G 97
Stonehouse. *Glos* 5D 48
Stonehouse. *Nmbd* 4H 113
Stonehouse. *S Lan* 5A 128
Stone in Oxney. *Kent* 3D 28
Stoneleigh. *Warw* 3H 61
Stoneley Green. *Ches E* 5A 84
Stonely. *Cambs* 4A 64
Stonepits. *Worc* 5E 61
Stoner Hill. *Hants* 4F 25
Stonesby. *Leics* 3F 75
Stonesfield. *Oxon* 4B 50
Stones Green. *Essx* 3E 55
Stone Street. *Kent* 5G 39
Stone Street. *Suff* 2C 54
(nr. Boxford)
Stone Street. *Suff* 2F 67
(nr. Halesworth)
Stonethwaite. *Cumb* 3D 102
Stoneyburn. *W Lot* 3C 128
Stoney Cross. *Hants* 1A 16
Stoneyford. *Devn* 2D 12
Stoneygate. *Leic* 5D 74
Stoneyhills. *Essx* 1D 40
Stoneykirk. *Dum* 4F 109
Stoney Middleton. *Derbs* 3G 85
Stoney Stanton. *Leics* 1B 62
Stoney Stoke. *Som* 3C 22
Stoney Stratton. *Som* 3B 22
Stoney Stretton. *Shrp* 5F 71
Stoneywood. *Aber* 2F 153
Stonham Aspal. *Suff* 5D 66
Stonnall. *Staf* 5E 73
Stonor. *Oxon* 3F 37
Stonton Wyville. *Leics* 1E 63
Stonybreck. *Shet* 1B 172
Stony Cross. *Devn* 4F 19
Stony Cross. *Here* 1C 48
(nr. Great Malvern)
Stony Cross. *Here* 4H 59
(nr. Leominster)
Stony Houghton. *Derbs* 4B 86
Stony Stratford. *Mil* 1F 51
Stoodleigh. *Devn* 3G 19
(nr. Barnstaple)
Stoodleigh. *Devn* 1C 12
(nr. Tiverton)
Stopham. *W Sus* 4B 26
Stopsley. *Lutn* 3B 52
Stoptide. *Corn* 1D 6
Storeton. *Mers* 2F 83
Stormontfield. *Per* 1D 136
Stornoway. *W Isl* 4G 171
Stornoway Airport. *W Isl* 4G 171
Storridge. *Here* 1C 48
Storrington. *W Sus* 4B 26
Storrs. *Cumb* 5E 103
Storth. *Cumb* 1D 97
Storwood. *E Yor* 5B 100
Stotfield. *Mor* 1G 159
Stotfold. *C Beds* 2C 52
Stottesdon. *Shrp* 2A 60
Stoughton. *Leics* 5D 74
Stoughton. *Surr* 5A 38
Stoughton. *W Sus* 1G 17
Stoul. *High* 4F 147
Stoulton. *Worc* 1E 49
Stourbridge. *W Mid* 2C 60
Stourpaine. *Dors* 2D 14
Stourport-on-Severn. *Worc* 3C 60
Stour Provost. *Dors* 4C 22
Stour Row. *Dors* 4D 22
Stourton. *Staf* 2C 60
Stourton. *Warw* 2A 50
Stourton. *W Yor* 1D 92
Stourton. *Wilts* 3C 22
Stourton Caundle. *Dors* 1C 14
Stove. *Orkn* 4F 172
Stove. *Shet* 9F 173
Stoven. *Suff* 2G 67
Stow. *Linc* 2H 75
(nr. Billingborough)
Stow. *Linc* 2F 87
(nr. Gainsborough)
Stow. *Bord* 5A 130
Stow Bardolph. *Norf* 5F 77
Stow Bedon. *Norf* 1B 66
Stowbridge. *Norf* 5F 77
Stow cum Quy. *Cambs* 4E 65
Stowe. *Glos* 5A 48
Stowe. *Shrp* 3F 59
Stowe. *Staf* 4F 73
Stowe-by-Chartley. *Staf* 3E 73
Stowell. *Som* 4B 22
Stowey. *Bath* 1A 22
Stowford. *Devn* 2G 19
(nr. Combe Martin)
Stowford. *Devn* 4D 12
(nr. Exmouth)
Stowford. *Devn* 4E 11
(nr. Tavistock)
Stowlangtoft. *Suff* 4B 66
Stow Longa. *Cambs* 3A 64
Stow Maries. *Essx* 1C 40
Stowmarket. *Suff* 5C 66
Stow-on-the-Wold. *Glos* 3G 49
Stowting. *Kent* 1F 29
Stowupland. *Suff* 5C 66
Straad. *Arg* 3B 126
Strachan. *Abers* 4D 152
Stradbroke. *Suff* 3E 67
Stradishall. *Suff* 5G 65
Stradsett. *Norf* 5F 77
Stragglethorpe. *Linc* 5G 87
Stragglethorpe. *Notts* 2D 74
Straid. *S Ayr* 5A 116
Straight Soley. *Wilts* 4B 36
Straiton. *Edin* 3F 129
Straiton. *S Ayr* 4C 116
Straloch. *Per* 2H 143
Stramshall. *Staf* 2E 73
Strang. *IOM* 4C 108
Strangford. *Here* 3A 48
Stranraer. *Dum* 3F 109
Strata Florida. *Cdgn* 4G 57
Stratfield Mortimer. *W Ber* 5E 37
Stratfield Saye. *Hants* 5E 37
Stratfield Turgis. *Hants* 1E 25
Stratford. *Glos* 2D 49
Stratford. *G Lon* 2E 39
Stratford St Andrew. *Suff* 4F 67
Stratford St Mary. *Suff* 2D 54
Stratford sub Castle. *Wilts* 3G 23
Stratford Tony. *Wilts* 4F 23
Stratford-upon-Avon. *Warw* 5G 61 & 212
Strath. *High* 1G 155
(nr. Gairloch)
Strath. *High* 3E 169
(nr. Wick)
Strathan. *High* 4B 148
(nr. Fort William)
Strathan. *High* 1E 163
(nr. Lochinver)
Strathan. *High* 2F 167
(nr. Tongue)
Strathan Skerray. *High* 2G 167
Strathaven. *S Lan* 5A 128
Strathblane. *Stir* 2G 127
Strathcanaird. *High* 3F 163
Strathcarron. *High* 4B 156
Strathcoil. *Arg* 5A 140
Strathdon. *Abers* 2A 152
Strathkinness. *Fife* 2G 137
Strathmashie House. *High* 4H 149
Strathmiglo. *Fife* 2E 136
Strathmore Lodge. *High* 4D 168
Strathpeffer. *High* 3G 157
Strathrannoch. *High* 1F 157
Strathtay. *Per* 3G 143
Strathvaich Lodge. *High* 1F 157
Strathwhillan. *N Ayr* 2E 123
Strathy. *High* 1A 158
(nr. Invergordon)
Strathy. *High* 2A 168
(nr. Melvich)
Strathyre. *Stir* 2E 135
Stratton. *Corn* 2C 10
Stratton. *Dors* 3B 14
Stratton. *Glos* 5F 49
Stratton Audley. *Oxon* 3E 50
Stratton-on-the-Fosse. *Som* 1B 22
Stratton St Margaret. *Swin* 3G 35
Stratton St Michael. *Norf* 1E 66
Stratton Strawless. *Norf* 3E 78
Stravithie. *Fife* 2H 137
Stream. *Som* 3D 20
Streat. *E Sus* 4E 27
Streatham. *G Lon* 3D 39
Streatley. *C Beds* 3A 52
Streatley. *W Ber* 3D 36
Street. *Corn* 3C 10
Street. *Lanc* 4E 97
Street. *N Yor* 4E 107
Street. *Som* 2G 13
(nr. Chard)
Street. *Som* 3H 21
(nr. Glastonbury)
Street Ash. *Som* 1F 13
Street Dinas. *Shrp* 2F 71
Street End. *Kent* 5F 41
Street End. *W Sus* 3G 17
Street Gate. *Tyne* 4F 115
Streethay. *Staf* 4F 73
Streethouse. *W Yor* 3D 93
Streetlam. *N Yor* 5A 106
Street Lane. *Derbs* 1A 74
Streetly. *W Mid* 1E 61
Streetly End. *Cambs* 1G 53
Street on the Fosse. *Som* 3B 22
Strefford. *Shrp* 2G 59
Strelley. *Notts* 1C 74
Strensall. *York* 3A 100
Strensall Camp. *York* 4A 100
Stretcholt. *Som* 2F 21
Strete. *Devn* 4E 9
Stretford. *G Man* 1C 84
Stretford. *Here* 5H 59
Strethall. *Essx* 2E 53
Stretham. *Cambs* 3E 65
Stretton. *Ches W* 5G 83
Stretton. *Derbs* 4A 86
Stretton. *Rut* 4G 75
Stretton. *Staf* 4C 72
(nr. Brewood)
Stretton. *Staf* 3G 73
(nr. Burton upon Trent)
Stretton. *Warr* 2A 84
Stretton en le Field. *Leics* 4H 73
Stretton Grandison. *Here* 1B 48
Stretton Heath. *Shrp* 4F 71
Stretton-on-Dunsmore. *Warw* 3B 62
Stretton-on-Fosse. *Warw* 2H 49
Stretton Sugwas. *Here* 1H 47
Stretton under Fosse. *Warw* 2B 62
Stretton Westwood. *Shrp* 1H 59
Strichen. *Abers* 3G 161
Strines. *G Man* 2D 84
Stringston. *Som* 2E 21
Strixton. *Nptn* 4G 63
Stroanfreggan. *Dum* 5F 117
Stroat. *Glos* 2A 34
Stromeferry. *High* 5A 156
Stromemore. *High* 5A 156
Stromness. *Orkn* 7B 172
Stronachie. *Per* 3C 136
Stronachlachar. *Stir* 2D 134
Stronchreggan. *High* 1E 141
Strone. *Arg* 1C 126
Strone. *High* 1H 149
(nr. Drumnadrochit)
Strone. *High* 3B 150
(nr. Kingussie)
Stronenaba. *High* 5E 148
Stronganess. *Shet* 1G 173
Stronmilchan. *Arg* 1A 134
Stronsay Airport. *Orkn* 5F 172
Strontian. *High* 2C 140
Strood. *Kent* 2C 28
Strood. *Medw* 4B 40
Strood Green. *Surr* 1D 26
Strood Green. *W Sus* 3B 26
(nr. Billingshurst)
Strood Green. *W Sus* 2C 26
(nr. Horsham)
Strothers Dale. *Nmbd* 4C 114
Stroud. *Glos* 5D 48
Stroud. *Hants* 4F 25
Stroud Green. *Essx* 1C 40
Stroxton. *Linc* 2G 75
Struan. *High* 5C 154
Struan. *Per* 2F 143
Struanmore. *High* 5C 154
Strubby. *Linc* 2D 88
Strugg's Hill. *Linc* 2B 76
Strumpshaw. *Norf* 5F 79
Strutherhill. *S Lan* 4A 128
Struy. *High* 5F 157
Stryd. *IOA* 2B 80
Stryt-issa. *Wrex* 1E 71
Stuartfield. *Abers* 4G 161
Stubbington. *Hants* 2D 16
Stubbins. *Lanc* 3F 91
Stubble Green. *Cumb* 5B 102
Stubb's Cross. *Kent* 2D 28
Stubbs Green. *Norf* 1F 67
Stubhampton. *Dors* 1E 15
Stubton. *Linc* 1F 75
Stubwood. *Staf* 2E 73
Stuckton. *Hants* 1G 15
Studham. *C Beds* 4A 52
Studland. *Dors* 4F 15
Studley. *Warw* 4E 61
Studley. *Wilts* 4E 35
Studley Roger. *N Yor* 3E 99
Stuntney. *Cambs* 3E 65
Stunts Green. *E Sus* 4H 27
Sturbridge. *Staf* 2C 72
Sturgate. *Linc* 2F 87
Sturmer. *Essx* 1G 53
Sturminster Marshall. *Dors* 2E 15
Sturminster Newton. *Dors* 1C 14
Sturry. *Kent* 4F 41
Sturton. *N Lin* 4C 94
Sturton by Stow. *Linc* 2F 87

Sturton le Steeple. Notts 2E 87
Stuston. Suff 3D 66
Stutton. N Yor 5G 99
Stutton. Suff 2E 55
Styal. Ches E 2C 84
Stydd. Lanc 1E 91
Styrrup. Notts 1D 86
Suainebost. W Isl 1H 171
Suardail. W Isl 4G 171
Succoth. Abers 5B 160
Succoth. Arg 3B 134
Suckley. Worc 5B 60
Suckley Knowl. Worc 5B 60
Sudborough. Nptn 2G 63
Sudbourne. Suff 5G 67
Sudbrook. Linc 1G 75
Sudbrook. Mon 3A 34
Sudbrooke. Linc 3H 87
Sudbury. Derbs 2F 73
Sudbury. Suff 1B 54
Sudgrove. Glos 5E 49
Suffield. Norf 2E 79
Suffield. N Yor 5G 107
Sugnall. Staf 2B 72
Sugwas Pool. Here 1H 47
Suisnish. High 5E 155
Sulaisiadar. W Isl 4H 171
Sùlaisiadar Mòr. High 4D 155
Sulby. IOM 2C 108
Sulgrave. Nptn 1D 50
Sulham. W Ber 4E 37
Sulhamstead. W Ber 5E 37
Sullington. W Sus 4B 26
Sullom. Shet 4E 173
Sully. V Glam 5E 33
Sumburgh. Shet 10F 173
Sumburgh Airport. Shet 10E 173
Summer Bridge. N Yor 3E 98
Summercourt. Corn 3C 6
Summergangs. Hull 1E 95
Summerhill. Aber 3G 153
Summerhill. Pemb 4F 43
Summer Hill. W Mid 1D 60
Summerhouse. Darl 3F 105
Summersdale. W Sus 2G 17
Summerseat. G Man 3F 91
Summit. G Man 3H 91
Sunbury. Surr 4C 38
Sunderland. Cumb 1C 102
Sunderland. Lanc 4D 96
Sunderland. Tyne 4G 115 & 212
Sunderland Bridge. Dur 1F 105
Sundon Park. Lutn 3A 52
Sundridge. Kent 5F 39
Sunk Island. E Yor 3F 95
Sunningdale. Wind 4A 38
Sunninghill. Wind 4A 38
Sunningwell. Oxon 5C 50
Sunniside. Dur 1E 105
Sunniside. Tyne 4F 115
Sunny Bank. Cumb 5D 102
Sunny Hill. Derb 2H 73
Sunnyhurst. Bkbn 2E 91
Sunnylaw. Stir 4G 135
Sunnymead. Oxon 5D 50
Sunnyside. S Yor 1B 86
Sunnyside. W Sus 2E 27
Sunton. Wilts 1H 23
Surbiton. G Lon 4C 38
Surby. IOM 4B 108
Surfleet. Linc 3B 76
Surfleet Seas End. Linc 3B 76
Surlingham. Norf 5F 79
Surrex. Essx 3B 54
Sustead. Norf 2D 78
Susworth. Linc 4B 94
Sutcombe. Devn 1D 10
Suton. Norf 1C 66
Sutors of Cromarty. High 2C 158
Sutterby. Linc 3C 88
Sutterton. Linc 2B 76
Sutterton Dowdyke. Linc 2B 76
Sutton. Buck 3B 38
Sutton. Cambs 3D 64
Sutton. C Beds 1C 52
Sutton. E Sus 5F 27
Sutton. G Lon 4D 38
Sutton. Kent 1H 29
Sutton. Norf 3F 79
Sutton. Notts 2E 75
Sutton. Oxon 5C 50
Sutton. Pemb 3D 42
Sutton. Pet 1H 63
Sutton. Shrp 2B 60
(nr. Bridgnorth)
Sutton. Shrp 2A 72
(nr. Market Drayton)
Sutton. Shrp 3F 71
(nr. Oswestry)
Sutton. Shrp 4H 71
(nr. Shrewsbury)
Sutton. Som 3B 22
Sutton. S Yor 3F 93
Sutton. Staf 3B 72
Sutton. Suff 1G 55
Sutton. W Sus 4A 26
Sutton. Worc 4A 60
Sutton Abinger. Surr 1C 26
Sutton at Hone. Kent 4G 39
Sutton Bassett. Nptn 1E 63
Sutton Benger. Wilts 4E 35
Sutton Bingham. Som 1A 14
Sutton Bonington. Notts 3C 74
Sutton Bridge. Linc 3D 76
Sutton Cheney. Leics 5B 74
Sutton Coldfield. W Mid 1F 61
Sutton Corner. Linc 3D 76
Sutton Courtenay. Oxon 2D 36
Sutton Crosses. Linc 3D 76
Sutton cum Lound. Notts 2D 86
Sutton Gault. Cambs 3D 64
Sutton Grange. N Yor 2E 99
Sutton Green. Surr 5B 38
Sutton Howgrave. N Yor 2F 99
Sutton in Ashfield. Notts 5B 86
Sutton-in-Craven. N Yor 5C 98
Sutton Ings. Hull 1E 94
Sutton in the Elms. Leics 1C 62
Sutton Lane Ends. Ches E 3D 84
Sutton Leach. Mers 1H 83
Sutton Maddock. Shrp 5B 72
Sutton Mallet. Som 3G 21
Sutton Mandeville. Wilts 4E 23
Sutton Montis. Som 4B 22
Sutton-on-Hull. Hull 1E 94
Sutton on Sea. Linc 2E 89
Sutton-on-the-Forest. N Yor 3H 99
Sutton on the Hill. Derbs 2G 73
Sutton on Trent. Notts 4E 87
Sutton Poyntz. Dors 4C 14
Sutton St Edmund. Linc 4C 76
Sutton St Edmund's Common. Linc 5C 76
Sutton St James. Linc 4C 76
Sutton St Michael. Here 1A 48
Sutton St Nicholas. Here 1A 48
Sutton Scarsdale. Derbs 4B 86
Sutton Scotney. Hants 3C 24
Sutton-under-Brailes. Warw 2B 50
Sutton-under-Whitestonecliffe. N Yor 1G 99
Sutton upon Derwent. E Yor 5B 100
Sutton Valence. Kent 1C 28
Sutton Veny. Wilts 2E 23
Sutton Waldron. Dors 1D 14
Sutton Weaver. Ches W 3H 83
Swaby. Linc 3C 88
Swadlincote. Derbs 4G 73
Swaffham. Norf 5H 77
Swaffham Bulbeck. Cambs 4E 65
Swaffham Prior. Cambs 4E 65
Swafield. Norf 2E 79
Swainby. N Yor 4B 106
Swainshill. Here 1H 47
Swainsthorpe. Norf 5E 78
Swainswick. Bath 5C 34
Swalcliffe. Oxon 2B 50
Swalecliffe. Kent 4F 41
Swallow. Linc 4E 95
Swallow Beck. Linc 4G 87
Swallowcliffe. Wilts 4E 23
Swallowfield. Wok 5F 37
Swallownest. S Yor 2B 86
Swampton. Hants 1C 24
Swanage. Dors 5F 15
Swanbister. Orkn 7C 172
Swanbourne. Buck 3G 51
Swanbridge. V Glam 5E 33
Swan Green. Ches W 3B 84
Swanland. E Yor 2C 94
Swanley. Kent 4G 39
Swanmore. Hants 1D 16
Swannington. Leics 4B 74
Swannington. Norf 4D 78
Swanpool. Linc 3G 87
Swanscombe. Kent 3G 39
Swansea. Swan 3F 31 & 212
Swansmoor. Staf 3E 73
Swan Street. Essx 3B 54
Swanton Abbott. Norf 3E 79
Swanton Morley. Norf 4C 78
Swanton Novers. Norf 2C 78
Swanton Street. Kent 5C 40
Swanwick. Derbs 5B 86
Swanwick. Hants 2D 16
Swanwick Green. Ches E 1H 71
Swarby. Linc 1H 75
Swardeston. Norf 5E 78
Swarister. Shet 3G 173
Swarkestone. Derbs 3A 74
Swarland. Nmbd 4F 121
Swarraton. Hants 3D 24
Swartha. W Yor 5C 98
Swarthmoor. Cumb 2B 96
Swaton. Linc 2A 76
Swavesey. Cambs 4C 64
Sway. Hants 3A 16
Swayfield. Linc 3G 75
Swaythling. Sotn 1C 16
Sweet Green. Worc 4A 60
Sweetham. Devn 3B 12
Sweetholme. Cumb 3G 103
Sweets. Corn 3B 10
Sweetshouse. Corn 2E 7
Swefling. Suff 4F 67
Swell. Som 4G 21
Swepstone. Leics 4A 74
Swerford. Oxon 2B 50
Swettenham. Ches E 4C 84
Swetton. N Yor 2D 98
Swffryd. Cphy 2F 33
Swiftsden. E Sus 3B 28
Swilland. Suff 5D 66
Swillington. W Yor 1D 93
Swimbridge. Devn 4G 19
Swimbridge Newland. Devn 3G 19
Swinbrook. Oxon 4A 50
Swincliffe. N Yor 4E 99
Swincliffe. W Yor 2C 92
Swinderby. Linc 4F 87
Swindon. Glos 3E 49
Swindon. Nmbd 5D 121
Swindon. Staf 1C 60
Swindon. Swin 3G 35 & 212
Swine. E Yor 1E 95
Swinefleet. E Yor 2A 94
Swineford. S Glo 5B 34
Swineshead. Bed 4H 63
Swineshead. Linc 1B 76
Swineshead Bridge. Linc 1B 76
Swiney. High 5E 169
Swinford. Leics 3C 62
Swinford. Oxon 5C 50
Swingate. Notts 1C 74
Swingbrow. Cambs 2C 64
Swingfield Minnis. Kent 1G 29
Swingfield Street. Kent 1G 29
Swingleton Green. Suff 1C 54
Swinhill. S Lan 5A 128
Swinhoe. Nmbd 2G 121
Swinhope. Linc 1B 88
Swinister. Shet 3E 173
Swinithwaite. N Yor 1C 98
Swinmore Common. Here 1B 48
Swinscoe. Staf 1F 73
Swinside Hall. Bord 3B 120
Swinstead. Linc 3H 75
Swinton. G Man 4F 91
Swinton. N Yor 2B 100
(nr. Malton)
Swinton. N Yor 2E 98
(nr. Masham)
Swinton. Bord 5E 131
Swinton. S Yor 1B 86
Swithland. Leics 4C 74
Swordale. High 2H 157
Swordly. High 2H 167
Sworton Heath. Ches E 2A 84
Swyddffynnon. Cdgn 4F 57
Swyffrd. Cphy 2F 33
Swynnerton. Staf 2C 72
Swyre. Dors 4A 14
Sycharth. Powy 3E 70
Sychdyn. Flin 4E 83
Sychnant. Powy 3B 58
Sychtyn. Powy 5B 70
Syde. Glos 4E 49
Sydenham. G Lon 3E 39
Sydenham. Oxon 5F 51
Sydenham. Som 3G 21
Sydenham Damerel. Devn 5E 11
Syderstone. Norf 2H 77
Sydling St Nicholas. Dors 3B 14
Sydmonton. Hants 1C 24
Sydney. Ches E 5B 84
Syerston. Notts 1E 75
Syke. G Man 3G 91
Sykehouse. S Yor 3G 93
Sykes. Lanc 4F 97
Syleham. Suff 3E 66
Sylen. Carm 5F 45
Sylfaen. Powy 5D 70
Symbister. Shet 5G 173
Symington. S Ayr 1C 116
Symington. S Lan 1B 118
Symondsbury. Dors 3H 13
Symonds Yat. Here 4A 48
Synod Inn. Cdgn 5D 56
Syre. High 4G 167
Syreford. Glos 3F 49
Syresham. Nptn 1E 51
Syston. Leics 4D 74
Syston. Linc 1G 75
Sytchampton. Worc 4C 60
Sywell. Nptn 4F 63

T

Tabost. W Isl 6F 171
(nr. Cearsiadar)
Tabost. W Isl 1H 171
(nr. Suainebost)
Tachbrook Mallory. Warw 4H 61
Tackley. Oxon 3C 50
Tacleit. W Isl 4D 171
Tacolneston. Norf 1D 66
Tadcaster. N Yor 5G 99
Taddington. Derbs 3F 85
Taddington. Glos 2F 49
Taddiport. Devn 1E 11
Tadley. Hants 5E 36
Tadlow. Cambs 1C 52
Tadmarton. Oxon 2B 50
Tadwick. Bath 4C 34
Tadworth. Surr 5D 38
Tafarnaubach. Blae 4E 46
Tafarn-y-bwlch. Pemb 1E 43
Tafarn-y-Gelyn. Den 4D 82
Taff's Well. Rhon 3E 33
Tafolwern. Powy 5A 70
Taibach. Neat 3A 32
Tai-bach. Powy 3D 70
Taigh a Ghearraidh. W Isl 1C 170
Taigh Bhuirgh. W Isl 8C 171
Tain. High 5E 165
(nr. Invergordon)
Tain. High 2E 169
(nr. Thurso)
Tai-Nant. Wrex 1E 71
Tai'n Lon. Gwyn 5D 80
Tairbeart. W Isl 8D 171
Tairgwaith. Neat 4H 45
Takeley. Essx 3F 53
Takeley Street. Essx 3F 53
Talachddu. Powy 2D 46
Talacre. Flin 2D 82
Talardd. Gwyn 3A 70
Talaton. Devn 3D 12
Talbenny. Pemb 3C 42
Talbot Green. Rhon 3D 32
Taleford. Devn 3D 12
Talerddig. Powy 5B 70
Talgarreg. Cdgn 5D 56
Talgarth. Powy 2E 47
Talisker. High 5C 154
Talke. Staf 5C 84
Talkin. Cumb 4G 113
Talladale. High 1B 156
Talla Linnfoots. Bord 2D 118
Tallaminnock. S Ayr 5D 116
Tallarn Green. Wrex 1G 71
Tallentire. Cumb 1C 102
Talley. Carm 2G 45
Tallington. Linc 5H 75
Talmine. High 2F 167
Talog. Carm 2H 43
Talsarn. Carm 3A 46
Talsarn. Cdgn 5E 57
Talsarnau. Gwyn 2F 69
Talskiddy. Corn 2D 6
Talwrn. IOA 3D 81
Talwrn. Wrex 1E 71
Tal-y-bont. Cdgn 2F 57
Tal-y-Bont. Cnwy 4G 81
Tal-y-bont. Gwyn 3F 81
(nr. Bangor)
Tal-y-bont. Gwyn 3E 69
(nr. Barmouth)
Talybont-on-Usk. Powy 3E 46
Tal-y-cafn. Cnwy 3G 81
Tal-y-coed. Mon 4H 47
Tal-y-llyn. Gwyn 5G 69
Talyllyn. Powy 3E 46
Talysarn. Gwyn 5D 81
Tal-y-waenydd. Gwyn 1F 69
Talywain. Torf 5F 47
Tal-y-wern. Powy 5H 69
Tamerton Foliot. Plym 2A 8
Tamworth. Staf 5G 73
Tamworth Green. Linc 1C 76
Tandlehill. Ren 3F 127
Tandridge. Surr 5E 39
Tanerdy. Carm 3E 45
Tanfield. Dur 4E 115
Tanfield Lea. Dur 4E 115
Tangasdale. W Isl 8B 170
Tang Hall. York 4A 100
Tangiers. Pemb 3D 42
Tangley. Hants 1B 24
Tangmere. W Sus 5A 26
Tangwick. Shet 4D 173
Tankerness. Orkn 7E 172
Tankersley. S Yor 1H 85
Tankerton. Kent 4F 41
Tan-lan. Cnwy 4G 81
Tan-lan. Gwyn 1F 69
Tannach. High 4F 169
Tannadice. Ang 3D 145
Tanner's Green. Worc 3E 61
Tannington. Suff 4E 67
Tannochside. N Lan 3A 128
Tan Office Green. Suff 5G 65
Tansley. Derbs 5H 85
Tansley Knoll. Derbs 4H 85
Tansor. Nptn 1H 63
Tantobie. Dur 4E 115
Tanton. N Yor 3C 106
Tanvats. Linc 4A 88
Tanworth-in-Arden. Warw 3F 61
Tan-y-bwlch. Gwyn 1F 69
Tan-y-fron. Cnwy 4B 82
Tanyfron. Wrex 5E 83
Tan-y-goes. Cdgn 1C 44
Tanygrisiau. Gwyn 1F 69
Tan-y-pistyll. Powy 3C 70
Tan-yr-allt. Den 2C 82
Taobh a Chaolais. W Isl 7C 170
Taobh a Deas Loch Aineort. W Isl 6C 170
Taobh a Ghlinne. W Isl 6F 171
Taobh a Tuath Loch Aineort. W Isl 6C 170
Taplow. Buck 2A 38
Tapton. Derbs 3A 86
Tarbert. Arg 1E 125
(on Jura)
Tarbert. Arg 3G 125
(on Kintyre)
Tarbert. W Isl 8D 171
Tarbet. Arg 3C 134
Tarbet. High 4F 147
(nr. Mallaig)
Tarbet. High 4B 166
(nr. Scourie)
Tarbock Green. Mers 2G 83
Tarbolton. S Ayr 2D 116
Tarbrax. S Lan 4D 128
Tardebigge. Worc 4E 61
Tarfside. Ang 1D 145
Tarland. Abers 3B 152
Tarleton. Lanc 2C 90
Tarlogie. High 5E 165
Tarlscough. Lanc 3C 90
Tarlton. Glos 2E 35
Tarnbrook. Lanc 4E 97
Tarnock. Som 1G 21
Tarns. Cumb 5C 112
Tarporley. Ches W 4H 83
Tarpots. Essx 2B 40
Tarr. Som 3E 20
Tarrant Crawford. Dors 2E 15
Tarrant Gunville. Dors 1E 15
Tarrant Hinton. Dors 1E 15
Tarrant Keyneston. Dors 2E 15
Tarrant Launceston. Dors 2E 15
Tarrant Monkton. Dors 2E 15
Tarrant Rawston. Dors 2E 15
Tarrant Rushton. Dors 2E 15
Tarrel. High 5F 165
Tarring Neville. E Sus 5F 27
Tarrington. Here 1B 48
Tarsappie. Per 1D 136
Tarscabhaig. High 3D 147
Tarskavaig. High 3D 147
Tarves. Abers 5F 161
Tarvie. High 3G 157
Tarvin. Ches W 4G 83
Tasburgh. Norf 1E 66
Tasley. Shrp 1A 60
Taston. Oxon 3B 50
Tatenhill. Staf 3G 73
Tathall End. Mil 1G 51
Tatham. Lanc 3F 97
Tathwell. Linc 2C 88
Tatling End. Buck 2B 38
Tatsfield. Surr 5F 39
Tattenhall. Ches W 5G 83
Tatterford. Norf 3A 78
Tattersett. Norf 2H 77
Tattershall. Linc 5B 88
Tattershall Bridge. Linc 5A 88
Tattershall Thorpe. Linc 5B 88
Tattingstone. Suff 2E 55
Tattingstone White Horse. Suff 2E 55
Tattle Bank. Warw 4F 61
Tatworth. Som 2G 13
Taunton. Som 4F 21 & 213
Taverham. Norf 4D 78
Taverners Green. Essx 4F 53
Tavernspite. Pemb 3F 43
Tavistock. Devn 5E 11
Tavool House. Arg 1B 132
Taw Green. Devn 3G 11
Tawstock. Devn 4F 19
Taxal. Derbs 2E 85
Tayinloan. Arg 5E 125
Taynish. Arg 1F 125
Taynton. Glos 3C 48
Taynton. Oxon 4H 49
Taynuilt. Arg 5E 141
Tayport. Fife 1G 137
Tay Road Bridge. Fife 1G 137
Tayvallich. Arg 1F 125
Tealby. Linc 1A 88
Tealing. Ang 5D 144
Teams. Tyne 3F 115
Teangue. High 3E 147
Teanna Machair. W Isl 2C 170
Tebay. Cumb 4H 103
Tebworth. C Beds 3H 51
Tedburn St Mary. Devn 3B 12
Teddington. Glos 2E 49
Teddington. G Lon 3C 38
Tedsmore. Shrp 3F 71
Tedstone Delamere. Here 5A 60
Tedstone Wafer. Here 5A 60
Teesport. Red C 2C 106
Teesside. Stoc T 2C 106
Teeton. Nptn 3D 62
Teffont Evias. Wilts 3E 23
Teffont Magna. Wilts 3E 23
Tegryn. Pemb 1G 43
Teigh. Rut 4F 75
Teigncombe. Devn 4G 11
Teigngrace. Devn 5B 12
Teignmouth. Devn 5C 12
Telford. Telf 4A 72
Telham. E Sus 4B 28
Tellisford. Som 1D 22
Telscombe. E Sus 5F 27
Telscombe Cliffs. E Sus 5E 27
Tempar. Per 3D 142
Templand. Dum 1B 112
Temple. Corn 5B 10
Temple. Glas 3G 127
Temple. Midl 4G 129
Temple Balsall. W Mid 3G 61
Temple Bar. Carm 4F 45
Temple Bar. Cdgn 5E 57
Temple Cloud. Bath 1B 22
Templecombe. Som 4C 22
Temple Ewell. Kent 1G 29
Temple Grafton. Warw 5F 61
Temple Guiting. Glos 3F 49
Templehall. Fife 4E 137
Temple Hirst. N Yor 2G 93
Temple Normanton. Derbs 4B 86
Temple Sowerby. Cumb 2H 103
Templeton. Devn 1B 12
Templeton. Pemb 3F 43
Templeton. W Ber 5B 36
Templetown. Dur 5E 115
Tempsford. C Beds 5A 64
Tenandry. Per 2G 143
Tenbury Wells. Worc 4H 59
Tenby. Pemb 4F 43
Tendring. Essx 3E 55
Tendring Green. Essx 3E 55
Tenga. Arg 4G 139
Ten Mile Bank. Norf 1F 65
Tenterden. Kent 2C 28
Terfyn. Cnwy 3B 82
Terhill. Som 3E 21
Terling. Essx 4A 54
Ternhill. Shrp 2A 72
Terregles. Dum 2G 111
Terrick. Buck 5G 51
Terrington. N Yor 2A 100
Terrington St Clement. Norf 3E 77
Terrington St John. Norf 4E 77
Terry's Green. Warw 3F 61
Teston. Kent 5B 40
Testwood. Hants 1B 16
Tetbury. Glos 2D 35
Tetbury Upton. Glos 2D 35
Tetchill. Shrp 2F 71
Tetcott. Devn 3D 10
Tetford. Linc 3C 88
Tetney. Linc 4G 95
Tetney Lock. Linc 4G 95
Tetsworth. Oxon 5E 51
Tettenhall. W Mid 1C 60
Teversal. Notts 4B 86
Teversham. Cambs 5D 65
Teviothead. Bord 4G 119
Tewel. Abers 5F 153
Tewin. Herts 4C 52
Tewkesbury. Glos 2D 49
Teynham. Kent 4D 40
Teynham Street. Kent 4D 40
Thackthwaite. Cumb 2F 103
Thakeham. W Sus 4C 26
Thame. Oxon 5F 51
Thames Ditton. Surr 4C 38
Thames Haven. Thur 2B 40
Thamesmead. G Lon 2F 39
Thamesport. Kent 3C 40
Thamesport. Medw 3C 40
Thanington Without. Kent 5F 41
Thankerton. S Lan 1B 118
Tharston. Norf 1D 66
Thatcham. W Ber 5D 36
Thatto Heath. Mers 1H 83
Thaxted. Essx 2G 53

Theakston. *N Yor* 1F 99
Thealby. *N Lin* 3B 94
Theale. *Som* 2H 21
Theale. *W Ber* 4E 37
Thearne. *E Yor* 1D 94
Theberton. *Suff* 4G 67
Theddingworth. *Leics* 2D 62
Theddlethorpe All Saints. *Linc* 2D 88
Theddlethorpe St Helen. *Linc* 2D 89
Thelbridge Barton. *Devn* 1A 12
Thelnetham. *Suff* 3C 66
Thelveton. *Norf* 2D 66
Thelwall. *Warr* 2A 84
Themelthorpe. *Norf* 3C 78
Thenford. *Nptn* 1D 50
Therfield. *Herts* 2D 52
Thetford. *Linc* 4A 76
Thetford. *Norf* 2A 66
Thethwaite. *Cumb* 5E 113
Theydon Bois. *Essx* 1F 39
Thick Hollins. *W Yor* 3B 92
Thickwood. *Wilts* 4D 34
Thimbleby. *Linc* 3B 88
Thimbleby. *N Yor* 5B 106
Thingwall. *Mers* 2E 83
Thirlby. *N Yor* 1G 99
Thirlestane. *Bord* 5B 130
Thirn. *N Yor* 1E 98
Thirsk. *N Yor* 1G 99
Thirtleby. *E Yor* 1E 95
Thistleton. *Lanc* 1C 90
Thistleton. *Rut* 4G 75
Thistley Green. *Suff* 3F 65
Thixendale. *N Yor* 3C 100
Thockrington. *Nmbd* 2C 114
Tholomas Drove. *Cambs* 5D 76
Tholthorpe. *N Yor* 3G 99
Thomas Chapel. *Pemb* 4F 43
Thomas Close. *Cumb* 5F 113
Thomastown. *Abers* 4E 160
Thomastown. *Rhon* 3D 32
Thompson. *Norf* 1B 66
Thomshill. *Mor* 3G 159
Thong. *Kent* 3A 40
Thongsbridge. *W Yor* 4B 92
Thoralby. *N Yor* 1C 98
Thoresby. *Notts* 3D 86
Thoresway. *Linc* 1A 88
Thorganby. *Linc* 1B 88
Thorganby. *N Yor* 5A 100
Thorgill. *N Yor* 5E 107
Thorington. *Suff* 3G 67
Thorington Street. *Suff* 2D 54
Thorlby. *N Yor* 4B 98
Thorley. *Herts* 4E 53
Thorley Street. *Herts* 4E 53
Thorley Street. *IOW* 4B 16
Thormanby. *N Yor* 2G 99
Thorn. *Powy* 4E 59
Thornaby-on-Tees. *Stoc T* 3B 106
Thornage. *Norf* 2C 78
Thornborough. *Buck* 2F 51
Thornborough. *N Yor* 2E 99
Thornbury. *Devn* 2E 11
Thornbury. *Here* 5A 60
Thornbury. *S Glo* 3B 34
Thornby. *Cumb* 4D 112
Thornby. *Nptn* 3D 62
Thorncliffe. *Staf* 5E 85
Thorncombe. *Dors* 2G 13
Thorncombe Street. *Surr* 1A 26
Thorncote Green. *C Beds* 1B 52
Thorndon. *Suff* 4D 66
Thorndon Cross. *Devn* 3F 11
Thorne. *S Yor* 3G 93
Thornehillhead. *Devn* 1E 11
Thorner. *W Yor* 5F 99
Thorne St Margaret. *Som* 4D 20
Thorney. *Notts* 3F 87
Thorney. *Pet* 5B 76
Thorney. *Som* 4H 21
Thorney Hill. *Hants* 3G 15
Thorney Toll. *Cambs* 5C 76
Thornfalcon. *Som* 4F 21
Thornford. *Dors* 1B 14
Thorngrafton. *Nmbd* 3A 114
Thorngrove. *Som* 3G 21
Thorngumbald. *E Yor* 2F 95
Thornham. *Norf* 1G 77
Thornham Magna. *Suff* 3D 66
Thornham Parva. *Suff* 3D 66
Thornhaugh. *Pet* 5H 75
Thornhill. *Cphy* 3E 33
Thornhill. *Cumb* 4B 102
Thornhill. *Derbs* 2G 85
Thornhill. *Dum* 5A 118
Thornhill. *Sotn* 1C 16
Thornhill. *Stir* 4F 135
Thornhill. *W Yor* 3C 92
Thornhill Lees. *W Yor* 3C 92
Thornhills. *W Yor* 2B 92
Thornholme. *E Yor* 3F 101
Thornicombe. *Dors* 2D 14
Thornington. *Nmbd* 1C 120
Thornley. *Dur* 1A 106
(nr. Durham)
Thornley. *Dur* 1E 105
(nr. Tow Law)
Thornley Gate. *Nmbd* 4B 114
Thornliebank. *E Ren* 4G 127
Thornroan. *Abers* 5F 161
Thorns. *Suff* 5G 65
Thornsett. *Derbs* 2E 85
Thornthwaite. *Cumb* 2D 102
Thornthwaite. *N Yor* 4D 98
Thornton. *Ang* 4C 144
Thornton. *Buck* 2F 51
Thornton. *E Yor* 5B 100
Thornton. *Fife* 4E 137
Thornton. *Lanc* 5C 96
Thornton. *Leics* 5B 74
Thornton. *Linc* 4B 88
Thornton. *Mers* 4B 90
Thornton. *Midd* 3B 106
Thornton. *Nmbd* 5F 131
Thornton. *Pemb* 4D 42
Thornton. *W Yor* 1A 92
Thornton Curtis. *N Lin* 3D 94
Thorntonhall. *S Lan* 4G 127
Thornton Heath. *G Lon* 4E 39
Thornton Hough. *Mers* 2F 83
Thornton in Craven. *N Yor* 5B 98
Thornton in Lonsdale. *N Yor* 2F 97
Thornton-le-Beans. *N Yor* 5A 106
Thornton-le-Clay. *N Yor* 3A 100
Thornton-le-Dale. *N Yor* 1C 100
Thornton le Moor. *Linc* 1H 87
Thornton-le-Moor. *N Yor* 1F 99
Thornton-le-Moors. *Ches W* 3G 83
Thornton-le-Street. *N Yor* 1G 99
Thorntonloch. *E Lot* 2D 130
Thornton Rust. *N Yor* 1B 98
Thornton Steward. *N Yor* 1D 98
Thornton Watlass. *N Yor* 1E 99
Thornwood Common. *Essx* 5E 53
Thornythwaite. *Cumb* 2E 103
Thoroton. *Notts* 1E 75
Thorp Arch. *W Yor* 5G 99
Thorpe. *Derbs* 5F 85
Thorpe. *E Yor* 5D 101
Thorpe. *Linc* 2D 89
Thorpe. *Norf* 1G 67
Thorpe. *N Yor* 3C 98
Thorpe. *Notts* 1E 75
Thorpe. *Surr* 4B 38
Thorpe Abbotts. *Norf* 3D 66
Thorpe Acre. *Leics* 3C 74
Thorpe Arnold. *Leics* 3E 75
Thorpe Audlin. *W Yor* 3E 93
Thorpe Bassett. *N Yor* 2C 100
Thorpe Bay. *S'end* 2D 40
Thorpe by Water. *Rut* 1F 63
Thorpe Common. *S Yor* 1A 86
Thorpe Common. *Suff* 2F 55
Thorpe Constantine. *Staf* 5G 73
Thorpe End. *Norf* 4E 79
Thorpe Fendike. *Linc* 4D 88
Thorpe Green. *Essx* 3E 55
Thorpe Green. *Suff* 5B 66
Thorpe Hall. *N Yor* 2H 99
Thorpe Hamlet. *Norf* 5E 79
Thorpe Hesley. *S Yor* 1A 86
Thorpe in Balne. *S Yor* 3F 93
Thorpe in the Fallows. *Linc* 2G 87
Thorpe Langton. *Leics* 1E 63
Thorpe Larches. *Dur* 2A 106
Thorpe Latimer. *Linc* 1A 76
Thorpe-le-Soken. *Essx* 3E 55
Thorpe le Street. *E Yor* 5C 100
Thorpe Malsor. *Nptn* 3F 63
Thorpe Mandeville. *Nptn* 1D 50
Thorpe Market. *Norf* 2E 79
Thorpe Marriott. *Norf* 4D 78
Thorpe Morieux. *Suff* 5B 66
Thorpeness. *Suff* 4G 67
Thorpe on the Hill. *Linc* 4G 87
Thorpe on the Hill. *W Yor* 2D 92
Thorpe St Andrew. *Norf* 5E 79
Thorpe St Peter. *Linc* 4D 89
Thorpe Salvin. *S Yor* 2C 86
Thorpe Satchville. *Leics* 4E 75
Thorpe Thewles. *Stoc T* 2B 106
Thorpe Tilney. *Linc* 5A 88
Thorpe Underwood. *N Yor* 4G 99
Thorpe Waterville. *Nptn* 2H 63
Thorpe Willoughby. *N Yor* 1F 93
Thorpland. *Norf* 5F 77
Thorrington. *Essx* 3D 54
Thorverton. *Devn* 2C 12
Thrandeston. *Suff* 3D 66
Thrapston. *Nptn* 3G 63
Thrashbush. *N Lan* 3A 128
Threapland. *Cumb* 1C 102
Threapland. *N Yor* 3B 98
Threapwood. *Ches W* 1G 71
Threapwood. *Staf* 1E 73
Three Ashes. *Here* 3A 48
Three Bridges. *Linc* 2D 88
Three Bridges. *W Sus* 2D 27
Three Burrows. *Corn* 4B 6
Three Chimneys. *Kent* 2C 28
Three Cocks. *Powy* 2E 47
Three Crosses. *Swan* 3E 31
Three Cups Corner. *E Sus* 3H 27
Threehammer Common. *Norf* 3F 79
Three Holes. *Norf* 5E 77
Threekingham. *Linc* 2H 75
Three Leg Cross. *E Sus* 2A 28
Three Legged Cross. *Dors* 2F 15
Three Mile Cross. *Wok* 5F 37
Threemilestone. *Corn* 4B 6
Three Oaks. *E Sus* 4C 28
Threlkeld. *Cumb* 2E 102
Threshfield. *N Yor* 3B 98
Thrigby. *Norf* 4G 79
Thringarth. *Dur* 2C 104
Thringstone. *Leics* 4B 74
Thrintoft. *N Yor* 5A 106
Thriplow. *Cambs* 1E 53
Throckenholt. *Linc* 5C 76
Throcking. *Herts* 2D 52
Throckley. *Tyne* 3E 115
Throckmorton. *Worc* 1E 49
Throop. *Bour* 3G 15
Throphill. *Nmbd* 1E 115
Thropton. *Nmbd* 4E 121
Throsk. *Stir* 4A 136
Througham. *Glos* 5E 49
Throughgate. *Dum* 1F 111
Throwleigh. *Devn* 3G 11
Throwley. *Kent* 5D 40
Throwley Forstal. *Kent* 5D 40
Throxenby. *N Yor* 1E 101
Thrumpton. *Notts* 2C 74
Thrumster. *High* 4F 169
Thrunton. *Nmbd* 3E 121
Thrupp. *Glos* 5D 48
Thrupp. *Oxon* 4C 50
Thrushelton. *Devn* 4E 11
Thrushgill. *Lanc* 3F 97
Thrussington. *Leics* 4D 74
Thruxton. *Hants* 2A 24
Thruxton. *Here* 2H 47
Thrybergh. *S Yor* 1B 86
Thulston. *Derbs* 2B 74
Thundergay. *N Ayr* 5G 125
Thundersley. *Essx* 2B 40
Thundridge. *Herts* 4D 52
Thurcaston. *Leics* 4C 74
Thurcroft. *S Yor* 2B 86
Thurdon. *Corn* 1C 10
Thurgarton. *Norf* 2D 78
Thurgarton. *Notts* 1D 74
Thurgoland. *S Yor* 4C 92
Thurlaston. *Leics* 1C 62
Thurlaston. *Warw* 3B 62
Thurlbear. *Som* 4F 21
Thurlby. *Linc* 3D 89
(nr. Alford)
Thurlby. *Linc* 4A 76
(nr. Baston)
Thurlby. *Linc* 4G 87
(nr. Lincoln)
Thurleigh. *Bed* 5H 63
Thurlestone. *Devn* 4C 8
Thurloxton. *Som* 3F 21
Thurlstone. *S Yor* 4C 92
Thurlton. *Norf* 1G 67
Thurmaston. *Leics* 5D 74
Thurnby. *Leics* 5D 74
Thurne. *Norf* 4G 79
Thurnham. *Kent* 5C 40
Thurning. *Norf* 3C 78
Thurning. *Nptn* 2H 63
Thurnscoe. *S Yor* 4E 93
Thursby. *Cumb* 4E 113
Thursford. *Norf* 2B 78
Thursford Green. *Norf* 2B 78
Thursley. *Surr* 2A 26
Thurso. *High* 2D 168
Thurso East. *High* 2D 168
Thurstaston. *Mers* 2E 83
Thurston. *Suff* 4B 66
Thurston End. *Suff* 5G 65
Thurstonfield. *Cumb* 4E 112
Thurstonland. *W Yor* 3B 92
Thurton. *Norf* 5F 79
Thurvaston. *Derbs* 2F 73
(nr. Ashbourne)
Thurvaston. *Derbs* 2G 73
(nr. Derby)
Thuxton. *Norf* 5C 78
Thwaite. *Dur* 3D 104
Thwaite. *N Yor* 5B 104
Thwaite. *Suff* 4D 66
Thwaite Head. *Cumb* 5E 103
Thwaites. *W Yor* 5C 98
Thwaite St Mary. *Norf* 1F 67
Thwing. *E Yor* 2E 101
Tibbermore. *Per* 1C 136
Tibberton. *Glos* 3C 48
Tibberton. *Telf* 3A 72
Tibberton. *Worc* 5D 60
Tibenham. *Norf* 2D 66
Tibshelf. *Derbs* 4B 86
Tibthorpe. *E Yor* 4D 100
Ticehurst. *E Sus* 2A 28
Tichborne. *Hants* 3D 24
Tickencote. *Rut* 5G 75
Tickenham. *N Som* 4H 33
Tickhill. *S Yor* 1C 86
Ticklerton. *Shrp* 1G 59
Ticknall. *Derbs* 3H 73
Tickton. *E Yor* 5E 101
Tidbury Green. *W Mid* 3F 61
Tidcombe. *Wilts* 1A 24
Tiddington. *Oxon* 5E 51
Tiddington. *Warw* 5G 61
Tiddleywink. *Wilts* 4D 34
Tidebrook. *E Sus* 3H 27
Tideford. *Corn* 3H 7
Tideford Cross. *Corn* 2H 7
Tidenham. *Glos* 2A 34
Tideswell. *Derbs* 3F 85
Tidmarsh. *W Ber* 4E 37
Tidmington. *Warw* 2A 50
Tidpit. *Hants* 1F 15
Tidworth. *Wilts* 2H 23
Tidworth Camp. *Wilts* 2H 23
Tiers Cross. *Pemb* 3D 42
Tiffield. *Nptn* 5D 62
Tifty. *Abers* 4E 161
Tigerton. *Ang* 2E 145
Tighnabruaich. *Arg* 2A 126
Tigley. *Devn* 2D 8
Tilbrook. *Cambs* 4H 63
Tilbury. *Thur* 3H 39
Tilbury Green. *Essx* 1H 53
Tilbury Juxta Clare. *Essx* 1A 54
Tile Hill. *W Mid* 3G 61
Tilehurst. *Read* 4E 37
Tilford. *Surr* 2G 25
Tilgate Forest Row. *W Sus* 2D 26
Tillathrowie. *Abers* 5B 160
Tillers Green. *Glos* 2B 48
Tillery. *Abers* 1G 153
Tilley. *Shrp* 3H 71
Tillicoultry. *Clac* 4B 136
Tillingham. *Essx* 5C 54
Tillington. *Here* 1H 47
Tillington. *W Sus* 3A 26
Tillington Common. *Here* 1H 47
Tillybirloch. *Abers* 3D 152
Tillyfourie. *Abers* 2D 152
Tilmanstone. *Kent* 5H 41
Tilney All Saints. *Norf* 4E 77
Tilney Fen End. *Norf* 4E 77
Tilney High End. *Norf* 4E 77
Tilney St Lawrence. *Norf* 4E 77
Tilshead. *Wilts* 2F 23
Tilstock. *Shrp* 2H 71
Tilston. *Ches W* 5G 83
Tilstone Fearnall. *Ches W* 4H 83
Tilsworth. *C Beds* 3H 51
Tilton on the Hill. *Leics* 5E 75
Tiltups End. *Glos* 2D 34
Timberland. *Linc* 5A 88
Timbersbrook. *Ches E* 4C 84
Timberscombe. *Som* 2C 20
Timble. *N Yor* 4D 98
Timperley. *G Man* 2B 84
Timsbury. *Bath* 1B 22
Timsbury. *Hants* 4B 24
Timsgearraidh. *W Isl* 4C 171
Timworth Green. *Suff* 4A 66
Tincleton. *Dors* 3C 14
Tindale. *Cumb* 4H 113
Tindale Crescent. *Dur* 2F 105
Tingewick. *Buck* 2E 51
Tingrith. *C Beds* 2A 52
Tingwall. *Orkn* 5D 172
Tinhay. *Devn* 4D 11
Tinshill. *W Yor* 1C 92
Tinsley. *S Yor* 1B 86
Tinsley Green. *W Sus* 2D 27
Tintagel. *Corn* 4A 10
Tintern. *Mon* 5A 48
Tintinhull. *Som* 1A 14
Tintwistle. *Derbs* 1E 85
Tinwald. *Dum* 1B 112
Tinwell. *Rut* 5H 75
Tippacott. *Devn* 2A 20
Tipperty. *Abers* 1G 153
Tipps End. *Cambs* 1E 65
Tiptoe. *Hants* 3A 16
Tipton. *W Mid* 1D 60
Tipton St John. *Devn* 3D 12
Tiptree. *Essx* 4B 54
Tiptree Heath. *Essx* 4B 54
Tirabad. *Powy* 1B 46
Tircoed. *Swan* 5G 45
Tiree Airport. *Arg* 4B 138
Tirinie. *Per* 2F 143
Tirley. *Glos* 3D 48
Tirnewydd. *Flin* 3D 82
Tiroran. *Arg* 1B 132
Tirphil. *Cphy* 5E 47
Tirril. *Cumb* 2G 103
Tirryside. *High* 2C 164
Tir-y-dail. *Carm* 4G 45
Tisbury. *Wilts* 4E 23
Tisman's Common. *W Sus* 2B 26
Tissington. *Derbs* 5F 85
Titchberry. *Devn* 4C 18
Titchfield. *Hants* 2D 16
Titchmarsh. *Nptn* 3H 63
Titchwell. *Norf* 1G 77
Tithby. *Notts* 2D 74
Titley. *Here* 5F 59
Titlington. *Nmbd* 3F 121
Titsey. *Surr* 5F 39
Titson. *Corn* 2C 10
Tittensor. *Staf* 2C 72
Tittleshall. *Norf* 3A 78
Titton. *Worc* 4C 60
Tiverton. *Ches W* 4H 83
Tiverton. *Devn* 1C 12
Tivetshall St Margaret. *Norf* 2D 66
Tivetshall St Mary. *Norf* 2D 66
Tivington. *Som* 2C 20
Tixall. *Staf* 3D 73
Tixover. *Rut* 5G 75
Toab. *Orkn* 7E 172
Toab. *Shet* 10E 173
Toadmoor. *Derbs* 5H 85
Tobermory. *Arg* 3G 139
Toberonochy. *Arg* 3E 133
Tobha-Beag. *W Isl* 1E 170
(on North Uist)
Tobha Beag. *W Isl* 5C 170
(on South Uist)
Tobha Mor. *W Isl* 5C 170
Tobhtarol. *W Isl* 4D 171
Tobson. *W Isl* 4D 171
Tocabhaig. *High* 2E 147
Tocher. *Abers* 5D 160
Tockenham. *Wilts* 4F 35
Tockenham Wick. *Wilts* 3F 35
Tockholes. *Bkbn* 2E 91
Tockington. *S Glo* 3B 34
Tockwith. *N Yor* 4G 99
Todber. *Dors* 4D 22
Todding. *Here* 3G 59
Toddington. *C Beds* 3A 52
Toddington. *Glos* 2F 49
Todenham. *Glos* 2H 49
Todhills. *Cumb* 3E 113
Todmorden. *W Yor* 2H 91
Todwick. *S Yor* 2B 86
Toft. *Cambs* 5C 64
Toft. *Linc* 4H 75
Toft Hill. *Dur* 2E 105
Toft Monks. *Norf* 1G 67
Toft next Newton. *Linc* 2H 87
Toftrees. *Norf* 3A 78
Tofts. *High* 2F 169
Toftwood. *Norf* 4B 78
Togston. *Nmbd* 4G 121
Tokavaig. *High* 2E 147
Tokers Green. *Oxon* 4F 37
Tolastadh a Chaolais. *W Isl* 4D 171
Tolladine. *Worc* 5C 60
Tolland. *Som* 3E 20
Tollard Farnham. *Dors* 1E 15
Tollard Royal. *Wilts* 1E 15
Toll Bar. *S Yor* 4F 93
Toller Fratrum. *Dors* 3A 14
Toller Porcorum. *Dors* 3A 14
Tollerton. *N Yor* 3H 99
Tollerton. *Notts* 2D 74
Toller Whelme. *Dors* 2A 14
Tollesbury. *Essx* 4C 54
Tolleshunt D'Arcy. *Essx* 4C 54
Tolleshunt Knights. *Essx* 4C 54
Tolleshunt Major. *Essx* 4C 54
Tollie. *High* 3H 157
Tollie Farm. *High* 1A 156
Tolm. *W Isl* 4G 171
Tolpuddle. *Dors* 3C 14
Tolstadh bho Thuath. *W Isl* 3H 171
Tolworth. *G Lon* 4C 38
Tomachlaggan. *Mor* 1F 151
Tomaknock. *Per* 1A 136
Tomatin. *High* 1C 150
Tombuidhe. *Arg* 3H 133
Tomdoun. *High* 3D 148
Tomich. *High* 1F 149
(nr. Cannich)
Tomich. *High* 1B 158
(nr. Invergordon)
Tomich. *High* 3D 164
(nr. Lairg)
Tomintoul. *Mor* 2F 151
Tomnavoulin. *Mor* 1G 151
Tomsleibhe. *Arg* 5A 140
Ton. *Mon* 2G 33
Tonbridge. *Kent* 1G 27
Tondu. *B'end* 3B 32
Tonedale. *Som* 4E 21
Tonfanau. *Gwyn* 5E 69
Tong. *Shrp* 5B 72
Tonge. *Leics* 3B 74
Tong Forge. *Shrp* 5B 72
Tongham. *Surr* 2G 25
Tongland. *Dum* 4D 111
Tong Norton. *Shrp* 5B 72
Tongue. *High* 3F 167
Tongue End. *Linc* 4A 76
Tongwynlais. *Card* 3E 33
Tonmawr. *Neat* 2B 32
Tonna. *Neat* 2A 32
Tonnau. *Neat* 2A 32
Ton-Pentre. *Rhon* 2C 32
Ton-Teg. *Rhon* 3D 32
Tonwell. *Herts* 4D 52
Tonypandy. *Rhon* 2C 32
Tonyrefail. *Rhon* 3D 32
Toot Baldon. *Oxon* 5D 50
Toot Hill. *Essx* 5F 53
Toot Hill. *Hants* 1B 16
Topcliffe. *N Yor* 2G 99
Topcliffe. *W Yor* 2C 92
Topcroft. *Norf* 1E 67
Topcroft Street. *Norf* 1E 67
Toppesfield. *Essx* 2H 53
Toppings. *G Man* 3F 91
Toprow. *Norf* 1D 66
Topsham. *Devn* 4C 12
Torbay. *Torb* 2F 9
Torbeg. *N Ayr* 3C 122
Torbothie. *N Lan* 3B 128
Torbryan. *Devn* 2E 9
Torcross. *Devn* 4E 9
Tore. *High* 3A 158
Torgyle. *High* 2F 149
Torinturk. *Arg* 3G 125
Torksey. *Linc* 3F 87
Torlum. *W Isl* 3C 170
Torlundy. *High* 1F 141
Tormarton. *S Glo* 4C 34
Tormitchell. *S Ayr* 5B 116
Tormore. *High* 3E 147
Tormore. *N Ayr* 2C 122
Tornagrain. *High* 4B 158
Tornaveen. *Abers* 3D 152
Torness. *High* 1H 149
Toronto. *Dur* 1E 105
Torpenhow. *Cumb* 1D 102
Torphichen. *W Lot* 2C 128
Torphins. *Abers* 3D 152
Torpoint. *Corn* 3A 8
Torquay. *Torb* 2F 9
Torr. *Devn* 3B 8
Torra. *Arg* 4B 124
Torran. *High* 4E 155
Torrance. *E Dun* 2H 127
Torrans. *Arg* 1B 132
Torranyard. *E Ayr* 5E 127
Torre. *Som* 3D 20
Torre. *Torb* 2E 9
Torridon. *High* 3B 156
Torrin. *High* 1D 147
Torrisdale. *Arg* 2B 122
Torrisdale. *High* 2G 167
Torrish. *High* 2G 165
Torrisholme. *Lanc* 3D 96
Torroble. *High* 3C 164
Torroy. *High* 4C 164
Torry. *Aber* 3G 153
Torryburn. *Fife* 1D 128
Torthorwald. *Dum* 2B 112
Tortington. *W Sus* 5B 26
Tortworth. *S Glo* 2C 34
Torvaig. *High* 4D 155
Torver. *Cumb* 5D 102
Torwood. *Falk* 1B 128
Torworth. *Notts* 2D 86
Toscaig. *High* 5G 155
Toseland. *Cambs* 4B 64
Tosside. *Lanc* 4G 97
Tostock. *Suff* 4B 66
Totaig. *High* 3B 154
Totardor. *High* 5C 154
Tote. *High* 4D 154
Totegan. *High* 2A 168
Tothill. *Linc* 2D 88
Totland. *IOW* 4B 16
Totley. *S Yor* 3H 85
Totnell. *Dors* 2B 14
Totnes. *Devn* 2E 9
Toton. *Derbs* 2B 74
Totronald. *Arg* 3C 138
Totscore. *High* 2C 154
Tottenham. *G Lon* 1E 39
Tottenhill. *Norf* 4F 77

Tottenhill Row. *Norf* 4F 77
Totteridge. *G Lon* 1D 38
Totternhoe. *C Beds* 3H 51
Tottington. *G Man* 3F 91
Totton. *Hants* 1B 16
Touchen-end. *Wind* 4G 37
Toulvaddie. *High* 5F 165
Towans, The. *Corn* 3C 4
Toward. *Arg* 3C 126
Towcester. *Nptn* 1E 51
Towednack. *Corn* 3B 4
Tower End. *Norf* 4F 77
Tower Hill. *Mers* 4C 90
Tower Hill. *W Sus* 3C 26
Towersey. *Oxon* 5F 51
Towie. *Abers* 2B 152
Towiemore. *Mor* 4A 160
Tow Law. *Dur* 1E 105
Town End. *Cambs* 1D 64
Town End. *Cumb* 4F 103
(nr. Ambleside)
Town End. *Cumb* 2H 103
(nr. Kirkby Thore)
Town End. *Cumb* 1D 96
(nr. Lindale)
Town End. *Cumb* 1C 96
(nr. Newby Bridge)
Town End. *Mers* 2G 83
Townend. *W Dun* 2F 127
Townfield. *Dur* 5C 114
Towngate. *Cumb* 5G 113
Towngate. *Linc* 4A 76
Town Green. *Lanc* 4B 90
Town Head. *Cumb* 4E 103
(nr. Grasmere)
Town Head. *Cumb* 3H 103
(nr. Great Asby)
Townhead. *Cumb* 1G 103
(nr. Lazonby)
Townhead. *Cumb* 1B 102
(nr. Maryport)
Townhead. *Cumb* 1H 103
(nr. Ousby)
Townhead. *Dum* 5D 111
Townhead of Greenlaw. *Dum* 3E 111
Townhill. *Fife* 1E 129
Townhill. *Swan* 3F 31
Town Kelloe. *Dur* 1A 106
Town Littleworth.
E Sus 4F 27
Town Row. *E Sus* 2G 27
Towns End. *Hants* 1D 24
Townsend. *Herts* 5B 52
Townshend. *Corn* 3C 4
Town Street. *Suff* 2G 65
Town, The. *IOS* 1A 4
Town Yetholm. *Bord* 2C 120
Towthorpe. *E Yor* 3C 100
Towthorpe. *York* 4A 100
Towton. *N Yor* 1E 93
Towyn. *Cnwy* 3B 82
Toxteth. *Mers* 2F 83
Toynton All Saints. *Linc* 4C 88
Toynton Fen Side. *Linc* 4C 88
Toynton St Peter. *Linc* 4D 88
Toy's Hill. *Kent* 5F 39
Trabboch. *E Ayr* 2D 116
Traboe. *Corn* 4E 5
Tradespark. *High* 3C 158
Tradespark. *Orkn* 7D 172
Trafford Park. *G Man* 1B 84
Trallong. *Powy* 3C 46
Tranent. *E Lot* 2H 129
Tranmere. *Mers* 2F 83
Trantlebeg. *High* 3A 168
Trantlemore. *High* 3A 168
Tranwell. *Nmbd* 1E 115
Trapp. *Carm* 4G 45
Traquair. *Bord* 1F 119
Trash Green. *W Ber* 5E 37
Trawden. *Lanc* 1H 91
Trawscoed. *Powy* 2D 46
Trawsfynydd. *Gwyn* 2G 69
Trawsgoed. *Cdgn* 3F 57
Treaddow. *Here* 3A 48
Trealaw. *Rhon* 2D 32
Treales. *Lanc* 1C 90
Trearddur. *IOA* 3B 80
Treaslane. *High* 3C 154
Treator. *Corn* 1D 6
Trebanog. *Rhon* 2D 32
Trebanos. *Neat* 5H 45
Trebarber. *Corn* 2C 6
Trebartha. *Corn* 5C 10
Trebarwith. *Corn* 4A 10
Trebetherick. *Corn* 1D 6
Treborough. *Som* 3D 20
Trebudannon. *Corn* 2C 6
Trebullett. *Corn* 5D 10
Treburley. *Corn* 5D 10
Treburrick. *Corn* 1C 6
Trebyan. *Corn* 2E 7
Trecastle. *Powy* 3B 46
Trecenydd. *Cphy* 3E 33
Trecott. *Devn* 2G 11
Trecwn. *Pemb* 1D 42
Trecynon. *Rhon* 5C 46
Tredaule. *Corn* 4C 10
Tredavoe. *Corn* 4B 4
Tredegar. *Blae* 5E 47
Trederwen. *Powy* 4E 71
Tredington. *Glos* 3E 49
Tredington. *Warw* 1A 50
Tredinnick. *Corn* 2F 7
(nr. Bodmin)
Tredinnick. *Corn* 3G 7
(nr. Looe)
Tredinnick. *Corn* 1D 6
(nr. Padstow)
Tredogan. *V Glam* 5D 32
Tredomen. *Powy* 2E 46
Tredunnock. *Mon* 2G 33
Tredustan. *Powy* 2E 47
Treen. *Corn* 4A 4
(nr. Land's End)
Treen. *Corn* 3B 4
(nr. St Ives)
Treeton. *S Yor* 2B 86
Trefaldwyn. *Powy* 1E 58
Trefasser. *Pemb* 1C 42
Trefdraeth. *IOA* 3D 80
Trefdraeth. *Pemb* 1E 43
Trefecca. *Powy* 2E 47
Trefechan. *Mer T* 5D 46
Trefeglwys. *Powy* 1B 58
Trefeitha. *Powy* 2E 46
Trefenter. *Cdgn* 4F 57
Treffgarne. *Pemb* 2D 42
Treffynnon. *Flin* 3D 82
Treffynnon. *Pemb* 2C 42
Trefil. *Blae* 4E 46
Trefilan. *Cdgn* 5E 57
Trefin. *Pemb* 1C 42
Treflach. *Shrp* 3E 71
Trefnant. *Den* 3C 82
Trefonen. *Shrp* 3E 71
Trefor. *Gwyn* 1C 68
Trefor. *IOA* 2C 80
Treforest. *Rhon* 3D 32
Trefrew. *Corn* 4B 10
Trefriw. *Cnwy* 4G 81
Tref-y-Clawdd. *Powy* 3E 59
Trefynwy. *Mon* 4A 48
Tregada. *Corn* 4D 10
Tregadillett. *Corn* 4D 10
Tregare. *Mon* 4H 47
Tregarne. *Corn* 4E 5
Tregaron. *Cdgn* 5F 57
Tregarth. *Gwyn* 4F 81
Tregear. *Corn* 3C 6
Tregeare. *Corn* 4C 10
Tregeiriog. *Wrex* 2D 70
Tregele. *IOA* 1C 80
Tregeseal. *Corn* 3A 4
Tregiskey. *Corn* 4E 6
Tregole. *Corn* 3B 10
Tregolwyn. *V Glam* 4C 32
Tregonetha. *Corn* 2D 6
Tregonhawke. *Corn* 3A 8
Tregony. *Corn* 4D 6
Tregoodwell. *Corn* 4B 10
Tregorrick. *Corn* 3E 6
Tregoss. *Corn* 2D 6
Tregowris. *Corn* 4E 5
Tregoyd. *Powy* 2E 47
Tregrehan Mills. *Corn* 3E 7
Tre-groes. *Cdgn* 1E 45
Tregullon. *Corn* 2E 7
Tregurrian. *Corn* 2C 6
Tregynon. *Powy* 1C 58
Trehafod. *Rhon* 2D 32
Trehan. *Corn* 3A 8
Treharris. *Mer T* 2E 32
Treherbert. *Rhon* 2C 32
Trehunist. *Corn* 2H 7
Trekenner. *Corn* 5D 10
Trekenning. *Corn* 2D 6
Treknow. *Corn* 4A 10
Trelales. *B'end* 3B 32
Trelan. *Corn* 5E 5
Trelash. *Corn* 3B 10
Trelassick. *Corn* 3C 6
Trelawnyd. *Flin* 3C 82
Trelech. *Carm* 1G 43
Treleddyd-fawr. *Pemb* 2B 42
Trelewis. *Mer T* 2E 32
Treligga. *Corn* 4A 10
Trelights. *Corn* 1D 6
Trelill. *Corn* 5A 10
Trelissick. *Corn* 5C 6
Trellech. *Mon* 5A 48
Trelleck Grange. *Mon* 5H 47
Trelogan. *Flin* 2D 82
Trelystan. *Powy* 5E 71
Tremadog. *Gwyn* 1E 69
Tremail. *Corn* 4B 10
Tremain. *Cdgn* 1C 44
Tremaine. *Corn* 4C 10
Tremar. *Corn* 2G 7
Trematon. *Corn* 3H 7
Tremeirchion. *Den* 3C 82
Tremore. *Corn* 2E 6
Tremorfa. *Card* 4F 33
Trenance. *Corn* 2C 6
(nr. Newquay)
Trenance. *Corn* 1D 6
(nr. Padstow)
Trenarren. *Corn* 4E 7
Trench. *Telf* 4A 72
Trencreek. *Corn* 2C 6
Trendeal. *Corn* 3C 6
Trenear. *Corn* 5A 6
Treneglos. *Corn* 4C 10
Trenewan. *Corn* 3F 7
Trengune. *Corn* 3B 10
Trent. *Dors* 1A 14
Trentham. *Stoke* 1C 72
Trentishoe. *Devn* 2G 19
Trentlock. *Derbs* 2B 74
Treoes. *V Glam* 4C 32
Treorchy. *Rhon* 2C 32
Treorci. *Rhon* 2C 32
Tre'r-ddol. *Cdgn* 1F 57
Tre'r llai. *Powy* 5E 71
Trerulefoot. *Corn* 3H 7
Tresaith. *Cdgn* 5B 56
Trescott. *Staf* 1C 60
Trescowe. *Corn* 3C 4
Tresham. *Glos* 2C 34
Tresigin. *V Glam* 4C 32
Tresillian. *Corn* 4C 6
Tresimwn. *V Glam* 4D 32
Tresinney. *Corn* 4B 10
Treskillard. *Corn* 5A 6
Treskinnick Cross. *Corn* 3C 10
Tresmeer. *Corn* 4C 10
Tresparrett. *Corn* 3B 10
Tresparrett Posts. *Corn* 3B 10
Tressady. *High* 3D 164
Tressait. *Per* 2F 143
Tresta. *Shet* 2H 173
(on Fetlar)
Tresta. *Shet* 6E 173
(on Mainland)
Treswell. *Notts* 3E 87
Treswithian. *Corn* 3D 4
Tre Taliesin. *Cdgn* 1F 57
Trethomas. *Cphy* 3E 33
Trethosa. *Corn* 3D 6
Trethurgy. *Corn* 3E 7
Tretio. *Pemb* 2B 42
Tretire. *Here* 3A 48
Tretower. *Powy* 3E 47
Treuddyn. *Flin* 5E 83
Trevadlock. *Corn* 5C 10
Trevalga. *Corn* 3A 10
Trevalyn. *Wrex* 5F 83
Trevance. *Corn* 1D 6
Trevanger. *Corn* 1D 6
Trevanson. *Corn* 1D 6
Trevarrack. *Corn* 3B 4
Trevarren. *Corn* 2D 6
Trevarrian. *Corn* 2C 6
Trevarrick. *Corn* 4D 6
Tre-vaughan. *Carm* 3E 45
(nr. Carmarthen)
Trevaughan. *Carm* 3F 43
(nr. Whitland)
Treveighan. *Corn* 5A 10
Trevellas. *Corn* 3B 6
Trevelmond. *Corn* 2G 7
Treverva. *Corn* 5B 6
Trevescan. *Corn* 4A 4
Trevethin. *Torf* 5F 47
Trevia. *Corn* 4A 10
Trevigro. *Corn* 2H 7
Trevilley. *Corn* 4A 4
Treviscoe. *Corn* 3D 6
Trevivian. *Corn* 4B 10
Trevone. *Corn* 1C 6
Trevor. *Wrex* 1E 71
Trevor Uchaf. *Den* 1E 71
Trew. *Corn* 4D 4
Trewalder. *Corn* 4A 10
Trewarlett. *Corn* 4D 10
Trewarmett. *Corn* 4A 10
Trewassa. *Corn* 4B 10
Treween. *Corn* 4C 10
Trewellard. *Corn* 3A 4
Trewen. *Corn* 4C 10
Trewennack. *Corn* 4D 5
Trewern. *Powy* 4E 71
Trewetha. *Corn* 5A 10
Trewidland. *Corn* 2G 7
Trewint. *Corn* 3B 10
Trewithian. *Corn* 5C 6
Trewoofe. *Corn* 4B 4
Trewoon. *Corn* 3D 6
Treworthal. *Corn* 5C 6
Trewyddel. *Pemb* 1B 44
Treyarnon. *Corn* 1C 6
Treyford. *W Sus* 1G 17
Triangle. *Staf* 5E 73
Triangle. *W Yor* 2A 92
Trickett's Cross. *Dors* 2F 15
Trimdon. *Dur* 1A 106
Trimdon Colliery. *Dur* 1A 106
Trimdon Grange. *Dur* 1A 106
Trimingham. *Norf* 2E 79
Trimley Lower Street. *Suff* 2F 55
Trimley St Martin. *Suff* 2F 55
Trimley St Mary. *Suff* 2F 55
Trimpley. *Worc* 3B 60
Trimsaran. *Carm* 5E 45
Trimstone. *Devn* 2F 19
Trinafour. *Per* 2E 142
Trinant. *Cphy* 2F 33
Tring. *Herts* 4H 51
Trinity. *Ang* 2F 145
Trinity. *Edin* 2F 129
Trisant. *Cdgn* 3G 57
Triscombe. *Som* 3E 21
Trislaig. *High* 1E 141
Trispen. *Corn* 3C 6
Tritlington. *Nmbd* 5G 121
Trochry. *Per* 4G 143
Troedrhiwdalar. *Powy* 5B 58
Troedrhiwfuwch. *Cphy* 5E 47
Troedrhiwgwair. *Blae* 5E 47
Troedyraur. *Cdgn* 1D 44
Troedyrhiw. *Mer T* 5D 46
Trondavoe. *Shet* 4E 173
Troon. *Corn* 5A 6
Troon. *S Ayr* 1C 116
Troqueer. *Dum* 2A 112
Troston. *Suff* 3A 66
Trottiscliffe. *Kent* 4H 39
Trotton. *W Sus* 4G 25
Troutbeck. *Cumb* 4F 103
(nr. Ambleside)
Troutbeck. *Cumb* 2E 103
(nr. Penrith)
Troutbeck Bridge. *Cumb* 4F 103
Troway. *Derbs* 3A 86
Trowbridge. *Wilts* 1D 22
Trowell. *Notts* 2B 74
Trowle Common. *Wilts* 1D 22
Trowley Bottom. *Herts* 4A 52
Trowse Newton. *Norf* 5E 79
Trudoxhill. *Som* 2C 22
Trull. *Som* 4F 21
Trumaisgearraidh. *W Isl* 1D 170
Trumpan. *High* 2B 154
Trumpet. *Here* 2B 48
Trumpington. *Cambs* 5D 64
Trumps Green. *Surr* 4A 38
Trunch. *Norf* 2E 79
Trunnah. *Lanc* 5C 96
Truro. *Corn* 4C 6
Trusham. *Devn* 4B 12
Trusley. *Derbs* 2G 73
Trusthorpe. *Linc* 2E 89
Tryfil. *IOA* 2D 80
Trysull. *Staf* 1C 60
Tubney. *Oxon* 2C 36
Tuckenhay. *Devn* 3E 9
Tuckhill. *Staf* 2B 60
Tuckingmill. *Corn* 4A 6
Tuckton. *Bour* 3G 15
Tuddenham. *Suff* 3G 65
Tuddenham St Martin.
Suff 1E 55
Tudeley. *Kent* 1H 27
Tudhoe. *Dur* 1F 105
Tudhoe Grange. *Dur* 1F 105
Tudorville. *Here* 3A 48
Tudweiliog. *Gwyn* 2B 68
Tuesley. *Surr* 1A 26
Tufton. *Hants* 2C 24
Tufton. *Pemb* 2E 43
Tugby. *Leics* 5E 75
Tugford. *Shrp* 2H 59
Tughall. *Nmbd* 2G 121
Tulchan. *Per* 1B 136
Tullibardine. *Per* 2B 136
Tullibody. *Clac* 4A 136
Tullich. *Arg* 2H 133
Tullich. *High* 4B 156
(nr. Lochcarron)
Tullich. *High* 1C 158
(nr. Tain)
Tullich. *Mor* 4H 159
Tullich Muir. *High* 1B 158
Tulliemet. *Per* 3G 143
Tulloch. *Abers* 5F 161
Tulloch. *High* 4D 164
(nr. Bonar Bridge)
Tulloch. *High* 5F 149
(nr. Fort William)
Tulloch. *High* 2D 151
(nr. Grantown-on-Spey)
Tulloch. *Per* 1C 136
Tullochgorm. *Arg* 4G 133
Tullybeagles Lodge. *Per* 5H 143
Tullymurdoch. *Per* 3A 144
Tullynessle. *Abers* 2C 152
Tumble. *Carm* 4F 45
Tumbler's Green. *Essx* 3B 54
Tumby. *Linc* 4B 88
Tumby Woodside. *Linc* 5B 88
Tummel Bridge. *Per* 3E 143
Tunbridge Wells, Royal. *Kent* 2G 27
Tunga. *W Isl* 4G 171
Tungate. *Norf* 3E 79
Tunley. *Bath* 1B 22
Tunstall. *E Yor* 1G 95
Tunstall. *Kent* 4C 40
Tunstall. *Lanc* 2F 97
Tunstall. *Norf* 5G 79
Tunstall. *N Yor* 5F 105
Tunstall. *Staf* 3B 72
Tunstall. *Stoke* 5C 84
Tunstall. *Suff* 5F 67
Tunstall. *Tyne* 4G 115
Tunstead. *Derbs* 3F 85
Tunstead. *Norf* 3E 79
Tunstead Milton. *Derbs* 2E 85
Tunworth. *Hants* 2E 25
Tupsley. *Here* 1A 48
Tupton. *Derbs* 4A 86
Turfholm. *S Lan* 1H 117
Turfmoor. *Devn* 2F 13
Turgis Green. *Hants* 1E 25
Turkdean. *Glos* 4G 49
Turkey Island. *Hants* 1D 16
Tur Langton. *Leics* 1E 62
Turleigh. *Wilts* 5D 34
Turlin Moor. *Pool* 3E 15
Turnant. *Here* 3G 47
Turnastone. *Here* 2G 47
Turnberry. *S Ayr* 4B 116
Turnchapel. *Plym* 3A 8
Turnditch. *Derbs* 1G 73
Turners Hill. *W Sus* 2E 27
Turners Puddle. *Dors* 3D 14
Turnford. *Herts* 5D 52
Turnhouse. *Edin* 2E 129
Turnworth. *Dors* 2D 14
Turriff. *Abers* 4E 161
Tursdale. *Dur* 1A 106
Turton Bottoms. *Bkbn* 3F 91
Turtory. *Mor* 4C 160
Turves Green. *W Mid* 3E 61
Turvey. *Bed* 5G 63
Turville. *Buck* 2F 37
Turville Heath. *Buck* 2F 37
Turweston. *Buck* 2E 50
Tushielaw. *Bord* 3F 119
Tutbury. *Staf* 3G 73
Tutnall. *Worc* 3D 61
Tutshill. *Glos* 2A 34
Tuttington. *Norf* 3E 79
Tutts Clump. *W Ber* 4D 36
Tutwell. *Corn* 5D 11
Tuxford. *Notts* 3E 87
Twatt. *Orkn* 5B 172
Twatt. *Shet* 6E 173
Twechar. *E Dun* 2A 128
Tweedale. *Telf* 5B 72
Tweedmouth. *Nmbd* 4F 131
Tweedsmuir. *Bord* 2C 118
Twelveheads. *Corn* 4B 6
Twemlow Green. *Ches E* 4B 84
Twenty. *Linc* 3A 76
Twerton. *Bath* 5C 34
Twickenham. *G Lon* 3C 38
Twigworth. *Glos* 3D 48
Twineham. *W Sus* 3D 26
Twinhoe. *Bath* 1C 22
Twinstead. *Essx* 2B 54
Twinstead Green. *Essx* 2B 54
Twiss Green. *Warr* 1A 84
Twiston. *Lanc* 5H 97
Twitchen. *Devn* 3A 20
Twitchen. *Shrp* 3F 59
Two Bridges. *Devn* 5G 11
Two Bridges. *Glos* 5B 48
Two Dales. *Derbs* 4G 85
Two Gates. *Staf* 5G 73
Two Mile Oak. *Devn* 2E 9
Twycross. *Leics* 5H 73
Twyford. *Buck* 3E 51
Twyford. *Derbs* 3H 73
Twyford. *Dors* 1D 14
Twyford. *Hants* 4C 24
Twyford. *Leics* 4E 75
Twyford. *Norf* 3C 78
Twyford. *Wok* 4F 37
Twyford Common.
Here 2A 48
Twyncarno. *Cphy* 5E 46
Twynholm. *Dum* 4D 110
Twyning. *Glos* 2D 49
Twyning Green. *Glos* 2E 49
Twynllanan. *Carm* 3A 46
Twyn-y-Sheriff. *Mon* 5H 47
Twywell. *Nptn* 3G 63
Tyberton. *Here* 2G 47
Tyburn. *W Mid* 1F 61
Tyby. *Norf* 3C 78
Tycroes. *Carm* 4G 45
Tycrwyn. *Powy* 4D 70
Tyddewi. *Pemb* 2B 42
Tydd Gote. *Linc* 4D 76
Tydd St Giles. *Cambs* 4D 76
Tydd St Mary. *Linc* 4D 76
Tye. *Hants* 2F 17
Tye Green. *Essx* 3F 53
(nr. Bishop's Stortford)
Tye Green. *Essx* 3A 54
(nr. Braintree)
Tye Green. *Essx* 2F 53
(nr. Saffron Walden)
Tyersal. *W Yor* 1B 92
Ty Issa. *Powy* 3D 70
Tyldesley. *G Man* 4E 91
Tyle. *Carm* 3G 45
Tyler Hill. *Kent* 4F 41
Tylers Green. *Buck* 2G 37
Tyler's Green. *Essx* 5F 53
Tylorstown. *Rhon* 2D 32
Tylwch. *Powy* 2B 58
Ty-nant. *Cnwy* 1B 70
Tyndrum. *Stir* 5H 141
Tyneham. *Dors* 4D 15
Tynehead. *Midl* 4G 129
Tynemouth. *Tyne* 3G 115
Tyneside. *Tyne* 3F 115
Tyne Tunnel. *Tyne* 3G 115
Tynewydd. *Rhon* 2C 32
Tyninghame. *E Lot* 2C 130
Tynron. *Dum* 5H 117
Ty'n-y-bryn. *Rhon* 3D 32
Tyn-y-celyn. *Wrex* 2D 70
Tyn-y-cwm. *Swan* 5G 45
Tyn-y-ffridd. *Powy* 2D 70
Tynygongl. *IOA* 2E 81
Tynygraig. *Cdgn* 4F 57
Tyn-y-groes. *Cnwy* 3G 81
Ty'n-yr-eithin. *Cdgn* 4F 57
Tyn-y-rhyd. *Powy* 4C 70
Tyn-y-wern. *Powy* 3C 70
Tyrie. *Abers* 2G 161
Tyringham. *Mil* 1G 51
Tythecott. *Devn* 1E 11
Tythegston. *B'end* 4B 32
Tytherington. *Ches E* 3D 84
Tytherington. *Som* 2C 22
Tytherington. *S Glo* 3B 34
Tytherington. *Wilts* 2E 23
Tytherleigh. *Devn* 2G 13
Tywardreath. *Corn* 3E 7
Tywardreath Highway.
Corn 3E 7
Tywyn. *Cnwy* 3G 81
Tywyn. *Gwyn* 5E 69

U

Uachdar. *W Isl* 3D 170
Uags. *High* 5G 155
Ubbeston Green. *Suff* 3F 67
Ubley. *Bath* 1A 22
Uckerby. *N Yor* 4F 105
Uckfield. *E Sus* 3F 27
Uckinghall. *Worc* 2D 48
Uckington. *Glos* 3E 49
Uckington. *Shrp* 5H 71
Uddingston. *S Lan* 3H 127
Uddington. *S Lan* 1A 118
Udimore. *E Sus* 4C 28
Udny Green. *Abers* 1F 153
Udny Station. *Abers* 1G 153
Udston. *S Lan* 4A 128
Udstonhead. *S Lan* 5A 128
Uffcott. *Wilts* 4G 35
Uffculme. *Devn* 1D 12
Uffington. *Linc* 5H 75
Uffington. *Oxon* 3B 36
Uffington. *Shrp* 4H 71
Ufford. *Pet* 5H 75
Ufford. *Suff* 5E 67
Ufton. *Warw* 4A 62
Ufton Nervet. *W Ber* 5E 37
Ugadale. *Arg* 3B 122
Ugborough. *Devn* 3C 8
Ugford. *Wilts* 3F 23
Uggeshall. *Suff* 2G 67
Ugglebarnby. *N Yor* 4F 107
Ugley. *Essx* 3F 53
Ugley Green. *Essx* 3F 53
Ugthorpe. *N Yor* 3E 107
Uidh. *W Isl* 9B 170
Uig. *Arg* 3C 138

Uig. High . . . 2C 154
(nr. Balgown)
Uig. High . . . 3A 154
(nr. Dunvegan)
Uigshader. High . . . 4D 154
Uisken. Arg . . . 2A 132
Ulbster. High . . . 4F 169
Ulcat Row. Cumb . . . 2F 103
Ulceby. Linc . . . 3D 88
Ulceby. N Lin . . . 3E 94
Ulceby Skitter. N Lin . . . 3E 94
Ulcombe. Kent . . . 1C 28
Uldale. Cumb . . . 1D 102
Uley. Glos . . . 2C 34
Ulgham. Nmbd . . . 5G 121
Ullapool. High . . . 4F 163
Ullenhall. Warw . . . 4F 61
Ulleskelf. N Yor . . . 1F 93
Ullesthorpe. Leics . . . 2C 62
Ulley. S Yor . . . 2B 86
Ullingswick. Here . . . 1A 48
Ullinish. High . . . 5C 154
Ullock. Cumb . . . 2B 102
Ulpha. Cumb . . . 5C 102
Ulrome. E Yor . . . 4F 101
Ulsta. Shet . . . 3F 173
Ulting. Essx . . . 5B 54
Ulva House. Arg . . . 5F 139
Ulverston. Cumb . . . 2B 96
Ulwell. Dors . . . 4F 15
Umberleigh. Devn . . . 4G 19
Unapool. High . . . 5C 166
Underbarrow. Cumb . . . 5F 103
Undercliffe. W Yor . . . 1B 92
Underdale. Shrp . . . 4H 71
Underhoull. Shet . . . 1G 173
Underriver. Kent . . . 5G 39
Under Tofts. S Yor . . . 2H 85
Underton. Shrp . . . 1A 60
Underwood. Newp . . . 3G 33
Underwood. Notts . . . 5B 86
Underwood. Plym . . . 3B 8
Undley. Suff . . . 2F 65
Undy. Mon . . . 3H 33
Union Mills. IOM . . . 4C 108
Union Street. E Sus . . . 2B 28
Unstone. Derbs . . . 3A 86
Unstone Green. Derbs . . . 3A 86
Unthank. Cumb . . . 5E 113
(nr. Carlisle)
Unthank. Cumb . . . 5H 113
(nr. Gamblesby)
Unthank. Cumb . . . 1F 103
(nr. Penrith)
Unthank End. Cumb . . . 1F 103
Upavon. Wilts . . . 1G 23
Up Cerne. Dors . . . 2B 14
Upchurch. Kent . . . 4C 40
Upcott. Devn . . . 2F 11
Upcott. Here . . . 5F 59
Upend. Cambs . . . 5G 65
Up Exe. Devn . . . 2C 12
Upgate. Norf . . . 4D 78
Upgate Street. Norf . . . 1C 66
Uphall. Dors . . . 2A 14
Uphall. W Lot . . . 2D 128
Uphall Station. W Lot . . . 2D 128
Upham. Devn . . . 2B 12
Upham. Hants . . . 4D 24
Uphampton. Here . . . 4F 59
Uphampton. Worc . . . 4C 60
Up Hatherley. Glos . . . 3E 49
Uphill. N Som . . . 1G 21
Up Holland. Lanc . . . 4D 90
Uplawmoor. E Ren . . . 4F 127
Upleadon. Glos . . . 3C 48
Upleatham. Red C . . . 3D 106
Uplees. Kent . . . 4D 40
Uploders. Dors . . . 3A 14
Uplowman. Devn . . . 1D 12
Uplyme. Devn . . . 3G 13
Up Marden. W Sus . . . 1F 17
Upminster. G Lon . . . 2G 39
Up Nately. Hants . . . 1E 25
Upottery. Devn . . . 2F 13
Uppat. High . . . 3F 165
Upper Affcot. Shrp . . . 2G 59
Upper Arley. Worc . . . 2B 60
Upper Armley. W Yor . . . 1C 92
Upper Arncott. Oxon . . . 4E 50
Upper Astrop. Nptn . . . 2D 50
Upper Badcall. High . . . 4B 166
Upper Bangor. Gwyn . . . 3E 81
Upper Basildon. W Ber . . . 4D 36
Upper Batley. W Yor . . . 2C 92
Upper Beeding. W Sus . . . 4C 26
Upper Benefield. Nptn . . . 2G 63
Upper Bentley. Worc . . . 4D 61
Upper Bighouse. High . . . 3A 168
Upper Boddam. Abers . . . 5D 160
Upper Boddington. Nptn . . . 5B 62
Upper Bogside. Mor . . . 3G 159
Upper Booth. Derbs . . . 2F 85
Upper Borth. Cdgn . . . 2F 57
Upper Boyndlie. Abers . . . 2G 161
Upper Brailes. Warw . . . 2B 50
Upper Breinton. Here . . . 1H 47
Upper Broadheath. Worc . . . 5C 60
Upper Broughton. Notts . . . 3D 74
Upper Brynamman. Carm . . . 4H 45
Upper Bucklebury. W Ber . . . 5D 36
Upper Bullington. Hants . . . 2C 24
Upper Burgate. Hants . . . 1G 15
Upper Caldecote. C Beds . . . 1B 52
Upper Canterton. Hants . . . 1A 16
Upper Catesby. Nptn . . . 5C 62
Upper Chapel. Powy . . . 1D 46
Upper Cheddon. Som . . . 4F 21
Upper Chicksgrove. Wilts . . . 4E 23
Upper Church Village. Rhon . . . 3D 32
Upper Chute. Wilts . . . 1A 24
Upper Clatford. Hants . . . 2B 24
Upper Coberley. Glos . . . 4E 49
Upper Coedcae. Torf . . . 5F 47
Upper Cokeham. W Sus . . . 5C 26
Upper Common. Hants . . . 2E 25
Upper Cound. Shrp . . . 5H 71
Upper Cudworth. S Yor . . . 4D 93
Upper Cumberworth. W Yor . . . 4C 92
Upper Cuttlehill. Abers . . . 4B 160
Upper Cwmbran. Torf . . . 2F 33
Upper Dallachy. Mor . . . 2A 160
Upper Dean. Bed . . . 4H 63
Upper Denby. W Yor . . . 4C 92
Upper Derraid. High . . . 5E 159
Upper Diabaig. High . . . 2H 155
Upper Dicker. E Sus . . . 5G 27
Upper Dinchope. Shrp . . . 2G 59
Upper Dochcarty. High . . . 2H 157
Upper Dounreay. High . . . 2B 168
Upper Dovercourt. Essx . . . 2F 55
Upper Dunsforth. N Yor . . . 3G 99
Upper Dunsley. Herts . . . 4H 51
Upper Eastern Green. W Mid . . . 2G 61
Upper Elkstone. Staf . . . 5E 85
Upper Ellastone. Staf . . . 1F 73
Upper End. Derbs . . . 3E 85
Upper Enham. Hants . . . 2B 24
Upper Farmcote. Shrp . . . 1B 60
Upper Farringdon. Hants . . . 3F 25
Upper Framilode. Glos . . . 4C 48
Upper Froyle. Hants . . . 2F 25
Upper Gills. High . . . 1F 169
Upper Glenfintaig. High . . . 5E 149
Upper Godney. Som . . . 2H 21
Upper Gravenhurst. C Beds . . . 2B 52
Upper Green. Essx . . . 2E 53
Upper Green. W Ber . . . 5B 36
Upper Green. W Yor . . . 2C 92
Upper Grove Common. Here . . . 3A 48
Upper Hackney. Derbs . . . 4G 85
Upper Hale. Surr . . . 2G 25
Upper Halliford. Surr . . . 4B 38
Upper Halling. Medw . . . 4A 40
Upper Hambleton. Rut . . . 5G 75
Upper Hardres Court. Kent . . . 5F 41
Upper Hardwick. Here . . . 5G 59
Upper Hartfield. E Sus . . . 2F 27
Upper Haugh. S Yor . . . 1B 86
Upper Hayton. Shrp . . . 2H 59
Upper Heath. Shrp . . . 2H 59
Upper Hellesdon. Norf . . . 4E 79
Upper Helmsley. N Yor . . . 4A 100
Upper Hengoed. Shrp . . . 2E 71
Upper Hergest. Here . . . 5E 59
Upper Heyford. Nptn . . . 5D 62
Upper Heyford. Oxon . . . 3C 50
Upper Hill. Here . . . 5G 59
Upper Hindhope. Bord . . . 4B 120
Upper Hopton. W Yor . . . 3B 92
Upper Howsell. Worc . . . 1C 48
Upper Hulme. Staf . . . 4E 85
Upper Inglesham. Swin . . . 2H 35
Upper Kilcott. Glos . . . 3C 34
Upper Killay. Swan . . . 3E 31
Upper Kirkton. Abers . . . 5E 161
Upper Kirkton. N Ayr . . . 4C 126
Upper Knockando. Mor . . . 4F 159
Upper Knockchoilum. High . . . 2G 149
Upper Lambourn. W Ber . . . 3B 36
Upper Langford. N Som . . . 1H 21
Upper Langwith. Derbs . . . 4C 86
Upper Largo. Fife . . . 3G 137
Upper Latheron. High . . . 5D 169
Upper Layham. Suff . . . 1D 54
Upper Leigh. Staf . . . 2E 73
Upper Lenie. High . . . 1H 149
Upper Lochton. Abers . . . 4E 152
Upper Longdon. Staf . . . 4E 73
Upper Longwood. Shrp . . . 5A 72
Upper Lybster. High . . . 5E 169
Upper Lydbrook. Glos . . . 4B 48
Upper Lye. Here . . . 4F 59
Upper Maes-coed. Here . . . 2G 47
Upper Midway. Derbs . . . 3G 73
Uppermill. G Man . . . 4H 91
Upper Millichope. Shrp . . . 2H 59
Upper Milovaig. High . . . 4A 154
Upper Minety. Wilts . . . 2F 35
Upper Mitton. Worc . . . 3C 60
Upper Nash. Pemb . . . 4E 43
Upper Neepaback. Shet . . . 3G 173
Upper Netchwood. Shrp . . . 1A 60
Upper Nobut. Staf . . . 2E 73
Upper North Dean. Buck . . . 2G 37
Upper Norwood. W Sus . . . 4A 26
Upper Nyland. Dors . . . 4C 22
Upper Oddington. Glos . . . 3H 49
Upper Ollach. High . . . 5E 155
Upper Outwoods. Staf . . . 3G 73
Upper Padley. Derbs . . . 3G 85
Upper Pennington. Hants . . . 3B 16
Upper Poppleton. York . . . 4H 99
Upper Quinton. Warw . . . 1G 49
Upper Rissington. Glos . . . 4H 49
Upper Rochford. Worc . . . 4A 60
Upper Rusko. Dum . . . 3C 110
Upper Sandaig. High . . . 2F 147
Upper Sanday. Orkn . . . 7E 172
Upper Sapey. Here . . . 4A 60
Upper Seagry. Wilts . . . 3E 35
Upper Shelton. C Beds . . . 1H 51
Upper Sheringham. Norf . . . 1D 78
Upper Skelmorlie. N Ayr . . . 3C 126
Upper Slaughter. Glos . . . 3G 49
Upper Sonachan. Arg . . . 1H 133
Upper Soudley. Glos . . . 4B 48
Upper Staploe. Bed . . . 5A 64
Upper Stoke. Norf . . . 5E 79
Upper Stondon. C Beds . . . 2B 52
Upper Stowe. Nptn . . . 5D 62
Upper Street. Hants . . . 1G 15
Upper Street. Norf . . . 4F 79
(nr. Horning)
Upper Street. Norf . . . 4F 79
(nr. Hoveton)
Upper Street. Suff . . . 2E 55
Upper Strensham. Worc . . . 2E 49
Upper Studley. Wilts . . . 1D 22
Upper Sundon. C Beds . . . 3A 52
Upper Swell. Glos . . . 3G 49
Upper Tankersley. S Yor . . . 1H 85
Upper Tean. Staf . . . 2E 73
Upperthong. W Yor . . . 4B 92
Upperthorpe. N Lin . . . 4A 94
Upper Thurnham. Lanc . . . 4D 96
Upper Tillyrie. Per . . . 3D 136
Upperton. W Sus . . . 3A 26
Upper Tooting. G Lon . . . 3D 38
Uppertown. Derbs . . . 4H 85
(nr. Ashover)
Upper Town. Derbs . . . 5G 85
(nr. Bonsall)
Upper Town. Derbs . . . 5G 85
(nr. Hognaston)
Upper Town. Here . . . 1A 48
Uppertown. High . . . 1F 169
Upper Town. N Som . . . 5A 34
Uppertown. Nmbd . . . 2B 114
Uppertown. Orkn . . . 8D 172
Upper Tysoe. Warw . . . 1B 50
Upper Upham. Wilts . . . 4H 35
Upper Upnor. Medw . . . 3B 40
Upper Urquhart. Fife . . . 3D 136
Upper Wardington. Oxon . . . 1C 50
Upper Weald. Mil . . . 2G 51
Upper Weedon. Nptn . . . 5D 62
Upper Wellingham. E Sus . . . 4F 27
Upper Whiston. S Yor . . . 2B 86
Upper Wield. Hants . . . 3E 25
Upper Winchendon. Buck . . . 4F 51
Upperwood. Derbs . . . 5G 85
Upper Woodford. Wilts . . . 3G 23
Upper Wootton. Hants . . . 1D 24
Upper Wraxall. Wilts . . . 4D 34
Upper Wyche. Here . . . 1C 48
Uppincott. Devn . . . 2B 12
Uppingham. Rut . . . 1F 63
Uppington. Shrp . . . 5H 71
Upsall. N Yor . . . 1G 99
Upsettlington. Bord . . . 5E 131
Upshire. Essx . . . 5E 53
Up Somborne. Hants . . . 3B 24
Upstreet. Kent . . . 4G 41
Up Sydling. Dors . . . 2B 14
Upthorpe. Suff . . . 3B 66
Upton. Buck . . . 4F 51
Upton. Cambs . . . 3A 64
Upton. Ches W . . . 4G 83
Upton. Corn . . . 2C 10
(nr. Bude)
Upton. Corn . . . 5C 10
(nr. Liskeard)
Upton. Cumb . . . 1E 102
Upton. Devn . . . 2D 12
(nr. Honiton)
Upton. Devn . . . 4D 8
(nr. Kingsbridge)
Upton. Dors . . . 3E 15
(nr. Poole)
Upton. Dors . . . 4C 14
(nr. Weymouth)
Upton. E Yor . . . 4F 101
Upton. Hants . . . 1B 24
(nr. Andover)
Upton. Hants . . . 1B 16
(nr. Southampton)
Upton. IOW . . . 3D 16
Upton. Leics . . . 1A 62
Upton. Linc . . . 2F 87
Upton. Mers . . . 2E 83
Upton. Norf . . . 4F 79
Upton. Nptn . . . 4E 62
Upton. Notts . . . 3E 87
(nr. Retford)
Upton. Notts . . . 5E 87
(nr. Southwell)
Upton. Oxon . . . 3D 36
Upton. Pemb . . . 4E 43
Upton. Pet . . . 5A 76
Upton. Slo . . . 3A 38
Upton. Som . . . 4H 21
(nr. Somerton)
Upton. Som . . . 4C 20
(nr. Wiveliscombe)
Upton. Warw . . . 5F 61
Upton. W Yor . . . 3E 93
Upton. Wilts . . . 3D 22
Upton Bishop. Here . . . 3B 48
Upton Cheyney. S Glo . . . 5B 34
Upton Cressett. Shrp . . . 1A 60
Upton Crews. Here . . . 3B 48
Upton Cross. Corn . . . 5C 10
Upton End. C Beds . . . 2B 52
Upton Grey. Hants . . . 2E 25
Upton Heath. Ches W . . . 4G 83
Upton Hellions. Devn . . . 2B 12
Upton Lovell. Wilts . . . 2E 23
Upton Magna. Shrp . . . 4H 71
Upton Noble. Som . . . 3C 22
Upton Pyne. Devn . . . 3C 12
Upton St Leonards. Glos . . . 4D 48
Upton Scudamore. Wilts . . . 2D 22
Upton Snodsbury. Worc . . . 5D 60
Upton upon Severn. Worc . . . 1D 48
Upton Warren. Worc . . . 4D 60
Upwaltham. W Sus . . . 4A 26
Upware. Cambs . . . 3E 65
Upwell. Cambs . . . 5D 77
Upwey. Dors . . . 4B 14
Upwick Green. Herts . . . 3E 53
Upwood. Cambs . . . 2B 64
Urafirth. Shet . . . 4E 173
Uragaig. Arg . . . 4A 132
Urchany. High . . . 4C 158
Urchfont. Wilts . . . 1F 23
Urdimarsh. Here . . . 1A 48
Ure. Shet . . . 4D 173
Ure Bank. N Yor . . . 2F 99
Urgha. W Isl . . . 8D 171
Urlay Nook. Stoc T . . . 3B 106
Urmston. G Man . . . 1B 84
Urquhart. Mor . . . 2G 159
Urra. N Yor . . . 4C 106
Urray. High . . . 3H 157
Usan. Ang . . . 3G 145
Ushaw Moor. Dur . . . 5F 115
Usk. Mon . . . 5G 47
Usselby. Linc . . . 1H 87
Usworth. Tyne . . . 4G 115
Utkinton. Ches W . . . 4H 83
Uton. Devn . . . 3B 12
Utterby. Linc . . . 1C 88
Uttoxeter. Staf . . . 2E 73
Uwchmynydd. Gwyn . . . 3A 68
Uxbridge. G Lon . . . 2B 38
Uyeasound. Shet . . . 1G 173
Uzmaston. Pemb . . . 3D 42

V

Valley. IOA . . . 3B 80
Valley End. Surr . . . 4A 38
Valley Truckle. Corn . . . 4B 10
Valsgarth. Shet . . . 1H 173
Valtos. High . . . 2E 155
Van. Powy . . . 2B 58
Vange. Essx . . . 2B 40
Varteg. Torf . . . 5F 47
Vatsetter. Shet . . . 3G 173
Vatten. High . . . 4B 154
Vaul. Arg . . . 4B 138
Vauld,The. Here . . . 1A 48
Vaynol. Gwyn . . . 3E 81
Vaynor. Mer T . . . 4D 46
Veensgarth. Shet . . . 7F 173
Velindre. Powy . . . 2E 47
Vellow. Som . . . 3D 20
Velly. Devn . . . 4C 18
Veness. Orkn . . . 5E 172
Venhay. Devn . . . 1A 12
Venn. Devn . . . 4D 8
Venngreen. Devn . . . 1D 11
Vennington. Shrp . . . 5F 71
Venn Ottery. Devn . . . 3D 12
Venn's Green. Here . . . 1A 48
Venny Tedburn. Devn . . . 3B 12
Venterdon. Corn . . . 5D 10
Ventnor. IOW . . . 5D 16
Vernham Dean. Hants . . . 1B 24
Vernham Street. Hants . . . 1B 24
Vernolds Common. Shrp . . . 2G 59
Verwood. Dors . . . 2F 15
Veryan. Corn . . . 5D 6
Veryan Green. Corn . . . 4D 6
Vicarage. Devn . . . 4F 13
Vickerstown. Cumb . . . 3A 96
Victoria. Corn . . . 2D 6
Vidlin. Shet . . . 5F 173
Viewpark. N Lan . . . 3A 128
Vigo. W Mid . . . 5E 73
Vigo Village. Kent . . . 4H 39
Village Bay. High . . . 3B 154
Vinehall Street. E Sus . . . 3B 28
Vine's Cross. E Sus . . . 4G 27
Viney Hill. Glos . . . 5B 48
Virginia Water. Surr . . . 4A 38
Virginstow. Devn . . . 3D 11
Vobster. Som . . . 2C 22
Voe. Shet . . . 5F 173
(nr. Hillside)
Voe. Shet . . . 3E 173
(nr. Swinister)
Vole. Som . . . 2G 21
Vowchurch. Here . . . 2G 47
Voxter. Shet . . . 4E 173
Voy. Orkn . . . 6B 172
Vulcan Village. Warr . . . 1H 83

W

Waberthwaite. Cumb . . . 5C 102
Wackerfield. Dur . . . 2E 105
Wacton. Norf . . . 1D 66
Wadbister. Shet . . . 7F 173
Wadborough. Worc . . . 1E 49
Wadbrook. Devn . . . 2G 13
Waddesdon. Buck . . . 4F 51
Waddeton. Devn . . . 3E 9
Waddicar. Mers . . . 1F 83
Waddingham. Linc . . . 1G 87
Waddington. Lanc . . . 5G 97
Waddington. Linc . . . 4G 87
Waddon. Devn . . . 5B 12
Wadebridge. Corn . . . 1D 6
Wadeford. Som . . . 1G 13
Wadenhoe. Nptn . . . 2H 63
Wadesmill. Herts . . . 4D 52
Wadhurst. E Sus . . . 2H 27
Wadshelf. Derbs . . . 3H 85
Wadsley. S Yor . . . 1H 85
Wadsley Bridge. S Yor . . . 1H 85
Wadswick. Wilts . . . 5D 34
Wadwick. Hants . . . 1C 24
Wadworth. S Yor . . . 1C 86
Waen. Den . . . 4C 82
(nr. Bodfari)
Waen. Den . . . 4D 82
(nr. Llandyrnog)
Waen. Den . . . 4B 82
(nr. Nantglyn)
Waen. Powy . . . 1B 58
Waen Fach. Powy . . . 4E 70
Waen Goleugoed. Den . . . 3C 82
Wag. High . . . 1H 165
Wainfleet All Saints. Linc . . . 5D 89
Wainfleet Bank. Linc . . . 5D 88
Wainfleet St Mary. Linc . . . 5D 89
Wainhouse Corner. Corn . . . 3B 10
Wainscott. Medw . . . 3B 40
Wainstalls. W Yor . . . 2A 92
Waitby. Cumb . . . 4A 104
Waithe. Linc . . . 4F 95
Wakefield. W Yor . . . 2D 92
Wakerley. Nptn . . . 1G 63
Wakes Colne. Essx . . . 3B 54
Walberswick. Suff . . . 3G 67
Walberton. W Sus . . . 5A 26
Walbottle. Tyne . . . 3E 115
Walby. Cumb . . . 3F 113
Walcombe. Som . . . 2A 22
Walcot. Linc . . . 2H 75
Walcot. N Lin . . . 2B 94
Walcot. Swin . . . 3G 35
Walcot. Telf . . . 4H 71
Walcot. Warw . . . 5F 61
Walcote. Leics . . . 2C 62
Walcot Green. Norf . . . 2D 66
Walcott. Linc . . . 5A 88
Walcott. Norf . . . 2F 79
Walden. N Yor . . . 1C 98
Walden Head. N Yor . . . 1B 98
Walden Stubbs. N Yor . . . 3F 93
Walderslade. Medw . . . 4B 40
Walderton. W Sus . . . 1F 17
Walditch. Dors . . . 3H 13
Waldley. Derbs . . . 2F 73
Waldridge. Dur . . . 4F 115
Waldringfield. Suff . . . 1F 55
Waldron. E Sus . . . 4G 27
Wales. S Yor . . . 2B 86
Walesby. Linc . . . 1A 88
Walesby. Notts . . . 3D 86
Walford. Here . . . 3F 59
(nr. Leintwardine)
Walford. Here . . . 3A 48
(nr. Ross-on-Wye)
Walford. Shrp . . . 3G 71
Walford. Staf . . . 2C 72
Walford Heath. Shrp . . . 4G 71
Walgherton. Ches E . . . 1A 72
Walgrave. Nptn . . . 3F 63
Walhampton. Hants . . . 3B 16
Walkden. G Man . . . 4F 91
Walker. Tyne . . . 3F 115
Walkerburn. Bord . . . 1F 119
Walker Fold. Lanc . . . 5F 97
Walkeringham. Notts . . . 1E 87
Walkerith. Linc . . . 1E 87
Walkern. Herts . . . 3C 52
Walker's Green. Here . . . 1A 48
Walkerton. Fife . . . 3E 137
Walkerville. N Yor . . . 5F 105
Walkford. Dors . . . 3H 15
Walkhampton. Devn . . . 2B 8
Walkington. E Yor . . . 1C 94
Walkley. S Yor . . . 2H 85
Walk Mill. Lanc . . . 1G 91
Wall. Corn . . . 3D 4
Wall. Nmbd . . . 3C 114
Wall. Staf . . . 5F 73
Wallaceton. Dum . . . 1F 111
Wallacetown. Shet . . . 6E 173
Wallacetown. S Ayr . . . 2C 116
(nr. Ayr)
Wallacetown. S Ayr . . . 4B 116
(nr. Dailly)
Wallands Park. E Sus . . . 4F 27
Wallasey. Mers . . . 1F 83
Wallaston Green. Pemb . . . 4D 42
Wallbrook. W Mid . . . 1D 60
Wallcrouch. E Sus . . . 2A 28
Wall End. Cumb . . . 1B 96
Wallend. Medw . . . 3C 40
Wall Heath. W Mid . . . 2C 60
Wallingford. Oxon . . . 3E 36
Wallington. G Lon . . . 4D 39
Wallington. Hants . . . 2D 16
Wallington. Herts . . . 2C 52
Wallis. Pemb . . . 2E 43
Wallisdown. Pool . . . 3F 15
Walliswood. Surr . . . 2C 26
Wall Nook. Dur . . . 5F 115
Walls. Shet . . . 7D 173
Wallsend. Tyne . . . 3G 115
Wallsworth. Glos . . . 3D 48
Wall under Heywood. Shrp . . . 1H 59
Wallyford. E Lot . . . 2G 129
Walmer. Kent . . . 5H 41
Walmer Bridge. Lanc . . . 2C 90
Walmersley. G Man . . . 3G 91
Walmley. W Mid . . . 1F 61
Walnut Grove. Per . . . 1D 136
Walpole. Suff . . . 3F 67
Walpole Cross Keys. Norf . . . 4E 77
Walpole Gate. Norf . . . 4E 77
Walpole Highway. Norf . . . 4E 77
Walpole Marsh. Norf . . . 4D 77
Walpole St Andrew. Norf . . . 4E 77
Walpole St Peter. Norf . . . 4E 77
Walsall. W Mid . . . 1E 61
Walsall Wood. W Mid . . . 5E 73
Walsden. W Yor . . . 2H 91
Walsgrave on Sowe. W Mid . . . 2A 62
Walsham le Willows. Suff . . . 3C 66
Walshaw. G Man . . . 3F 91
Walshford. N Yor . . . 4G 99
Walsoken. Cambs . . . 4D 76
Walston. S Lan . . . 5D 128
Walsworth. Herts . . . 2B 52
Walter's Ash. Buck . . . 2G 37
Walterston. V Glam . . . 4D 32
Walterstone. Here . . . 3G 47
Waltham. Kent . . . 1F 29
Waltham. NE Lin . . . 4F 95
Waltham Abbey. Essx . . . 5D 53
Waltham Chase. Hants . . . 1D 16
Waltham Cross. Herts . . . 5D 52
Waltham on the Wolds. Leics . . . 3F 75
Waltham St Lawrence. Wind . . . 4G 37
Waltham's Cross. Essx . . . 2G 53
Walthamstow. G Lon . . . 2E 39
Walton. Cumb . . . 3G 113

Walton. Derbs 4A 86
Walton. Leics 2C 62
Walton. Mers 1F 83
Walton. Mil 2G 51
Walton. Pet 5A 76
Walton. Powy 5E 59
Walton. Som 3H 21
Walton. Staf 3C 72
(nr. Eccleshall)
Walton. Staf 2C 72
(nr. Stone)
Walton. Suff 2F 55
Walton. Telf 4H 71
Walton. Warw 5G 61
Walton. W Yor 3D 92
(nr. Wakefield)
Walton. W Yor 5G 99
(nr. Wetherby)
Walton Cardiff. Glos 2E 49
Walton East. Pemb 2E 43
Walton Elm. Dors 1C 14
Walton Highway. Norf 4D 77
Walton-in-Gordano. N Som 4H 33
Walton-le-Dale. Lanc 2D 90
Walton-on-Thames. Surr 4C 38
Walton-on-the-Hill. Staf 3D 72
Walton on the Hill. Surr 5D 38
Walton-on-the-Naze. Essx 3F 55
Walton on the Wolds. Leics 4C 74
Walton-on-Trent. Derbs 4G 73
Walton West. Pemb 3C 42
Walwick. Nmbd 2C 114
Walworth. Darl 3F 105
Walworth Gate. Darl 2F 105
Walwyn's Castle. Pemb 3C 42
Wambrook. Som 2F 13
Wampool. Cumb 4D 112
Wanborough. Surr 1A 26
Wanborough. Swin 3H 35
Wandel. S Lan 2B 118
Wandsworth. G Lon 3D 38
Wangford. Suff 2G 65
(nr. Lakenheath)
Wangford. Suff 3G 67
(nr. Southwold)
Wanlip. Leics 4D 74
Wanlockhead. Dum 3A 118
Wannock. E Sus 5G 27
Wansford. E Yor 4E 101
Wansford. Pet 1H 63
Wanshurst Green. Kent 1B 28
Wanstead. G Lon 2F 39
Wanstrow. Som 2C 22
Wanswell. Glos 5B 48
Wantage. Oxon 3C 36
Wapley. S Glo 4C 34
Wappenbury. Warw 4A 62
Wappenham. Nptn 1E 51
Warbleton. E Sus 4H 27
Warblington. Hants 2F 17
Warborough. Oxon 2D 36
Warboys. Cambs 2C 64
Warbreck. Bkpl 1B 90
Warbstow. Corn 3C 10
Warburton. G Man 2A 84
Warcop. Cumb 3A 104
Warden. Kent 3E 40
Warden. Nmbd 3C 114
Ward End. W Mid 2F 61
Ward Green. Suff 4C 66
Ward Green Cross. Lanc 1E 91
Wardhedges. C Beds 2A 52
Wardhouse. Abers 5C 160
Wardington. Oxon 1C 50
Wardle. Ches E 5A 84
Wardle. G Man 3H 91
Wardley. Rut 5F 75
Wardley. W Sus 4G 25
Wardlow. Derbs 3F 85
Wardsend. Ches E 2D 84
Wardy Hill. Cambs 2D 64
Ware. Herts 4D 52
Ware. Kent 4G 41
Wareham. Dors 4E 15
Warehorne. Kent 2D 28
Warenford. Nmbd 2F 121
Waren Mill. Nmbd 1F 121
Warenton. Nmbd 1F 121
Wareside. Herts 4D 53
Waresley. Cambs 5B 64
Waresley. Worc 4C 60
Warfield. Brac 4G 37
Warfleet. Devn 3E 9
Wargate. Linc 2B 76
Wargrave. Wok 4F 37
Warham. Norf 1B 78
Wark. Nmbd 1C 120
(nr. Coldstream)
Wark. Nmbd 2B 114
(nr. Hexham)
Warkleigh. Devn 4G 19
Warkton. Nptn 3F 63
Warkworth. Nptn 1C 50
Warkworth. Nmbd 4G 121
Warlaby. N Yor 5A 106
Warland. W Yor 2H 91
Warleggan. Corn 2F 7
Warlingham. Surr 5E 39
Warmanbie. Dum 3C 112
Warmfield. W Yor 2D 93
Warmingham. Ches E 4B 84
Warminghurst. W Sus 4C 26
Warmington. Nptn 1H 63
Warmington. Warw 1C 50
Warminster. Wilts 2D 23
Warmley. S Glo 4B 34
Warmsworth. S Yor 4F 93
Warmwell. Dors 4C 14
Warndon. Worc 5C 60
Warners End. Herts 5A 52
Warnford. Hants 4E 24
Warnham. W Sus 2C 26
Warningcamp. W Sus 5B 26
Warninglid. W Sus 3D 26
Warren. Ches E 3C 84
Warren. Pemb 5D 42
Warrenby. Red C 2C 106
Warren Corner. Hants 2G 25
(nr. Aldershot)
Warren Corner. Hants 4F 25
(nr. Petersfield)
Warren Row. Wind 3G 37
Warren Street. Kent 5D 40
Warrington. Mil 5F 63
Warrington. Warr 2A 84
Warsash. Hants 2C 16
Warse. High 1F 169
Warslow. Staf 5E 85
Warsop. Notts 4C 86
Warsop Vale. Notts 4C 86
Warter. E Yor 4C 100
Warthermarske. N Yor 2E 98
Warthill. N Yor 4A 100
Wartling. E Sus 5A 28
Wartnaby. Leics 3E 74
Warton. Lanc 2D 97
(nr. Carnforth)
Warton. Lanc 2C 90
(nr. Freckleton)
Warton. Nmbd 4E 121
Warton. Warw 5G 73
Warwick. Warw 4G 61
Warwick Bridge. Cumb 4F 113
Warwick-on-Eden. Cumb 4F 113
Warwick Wold. Surr 5E 39
Wasbister. Orkn 4C 172
Wasdale Head. Cumb 4C 102
Wash. Derbs 2E 85
Washaway. Corn 2E 7
Washbourne. Devn 3E 9
Washbrook. Suff 1E 54
Wash Common. W Ber 5C 36
Washerwall. Staf 1D 72
Washfield. Devn 1C 12
Washfold. N Yor 4D 104
Washford. Som 2D 20
Washford Pyne. Devn 1B 12
Washingborough. Linc 3H 87
Washington. Tyne 4G 115
Washington. W Sus 4C 26
Washington Village. Tyne 4G 115
Waskerley. Dur 5D 114
Wasperton. Warw 5G 61
Wasp Green. Surr 1E 27
Wasps Nest. Linc 4H 87
Wass. N Yor 2H 99
Watchet. Som 2D 20
Watchfield. Oxon 2H 35
Watchgate. Cumb 5G 103
Watchhill. Cumb 5C 112
Watcombe. Torb 2F 9
Watendlath. Cumb 3D 102
Water. Devn 4A 12
Water. Lanc 2G 91
Waterbeach. Cambs 4D 65
Waterbeach. W Sus 2G 17
Waterbeck. Dum 2D 112
Waterditch. Hants 3G 15
Water End. C Beds 2A 52
Water End. E Yor 1A 94
Water End. Essx 1F 53
Water End. Herts 5C 52
(nr. Hatfield)
Water End. Herts 4A 52
(nr. Hemel Hempstead)
Waterfall. Staf 5E 85
Waterfoot. E Ren 4G 127
Waterfoot. Lanc 2G 91
Waterford. Herts 4D 52
Water Fryston. W Yor 2E 93
Waterhead. Cumb 4E 103
Waterhead. E Ayr 3E 117
Waterhead. S Ayr 5C 116
Waterheads. Bord 4F 129
Waterhouses. Dur 5E 115
Waterhouses. Staf 5E 85
Wateringbury. Kent 5A 40
Waterlane. Glos 5E 49
Waterlip. Som 2B 22
Waterloo. Cphy 3E 33
Waterloo. Corn 5B 10
Waterloo. Here 1G 47
Waterloo. High 1E 147
Waterloo. Mers 1F 83
Waterloo. Norf 4E 78
Waterloo. N Lan 4B 128
Waterloo. Pemb 4D 42
Waterloo. Per 5H 143
Waterloo. Pool 3F 15
Waterloo. Shrp 2G 71
Waterlooville. Hants 2E 17
Watermead. Buck 4G 51
Watermillock. Cumb 2F 103
Water Newton. Cambs 1A 64
Water Orton. Warw 1F 61
Waterperry. Oxon 5E 51
Waterrow. Som 4D 20
Watersfield. W Sus 4B 26
Waterside. Buck 5H 51
Waterside. Cambs 3F 65
Waterside. Cumb 5D 112
Waterside. E Ayr 4D 116
(nr. Ayr)
Waterside. E Ayr 5F 127
(nr. Kilmarnock)
Waterside. E Dun 2H 127
Waterstein. High 4A 154
Waterstock. Oxon 5E 51
Waterston. Pemb 4D 42
Water Stratford. Buck 2E 51
Waters Upton. Telf 4A 72
Water Yeat. Cumb 1B 96
Watford. Herts 1B 38
Watford. Nptn 4D 62
Wath. Cumb 4H 103
Wath. N Yor 3D 98
(nr. Pateley Bridge)
Wath. N Yor 2F 99
(nr. Ripon)
Wath Brow. Cumb 3B 102
Wath upon Dearne. S Yor 1B 86
Watlington. Norf 4F 77
Watlington. Oxon 2E 37
Watten. High 3E 169
Wattisfield. Suff 3C 66
Wattisham. Suff 5C 66
Wattlesborough Heath. Shrp 4F 71
Watton. Dors 3H 13
Watton. E Yor 4E 101
Watton. Norf 5B 78
Watton at Stone. Herts 4C 52
Wattston. N Lan 2A 128
Wattstown. Rhon 2D 32
Wattsville. Cphy 2F 33
Wauldby. E Yor 2C 94
Waulkmill. Abers 4D 152
Waun. Powy 4E 71
Waunarlwydd. Swan 3F 31
Waun Fawr. Cdgn 2F 57
Waunfawr. Gwyn 5E 81
Waungilwen. Carm 1H 43
Waunlwyd. Blae 5E 47
Waun-y-Clyn. Carm 5E 45
Wavendon. Mil 2H 51
Waverbridge. Cumb 5D 112
Waverley. Surr 2G 25
Waverton. Ches W 4G 83
Waverton. Cumb 5D 112
Wavertree. Mers 2F 83
Wawne. E Yor 1D 94
Waxham. Norf 3G 79
Waxholme. E Yor 2G 95
Wayford. Som 2H 13
Way Head. Cambs 2D 65
Waytown. Dors 3H 13
Way Village. Devn 1B 12
Wdig. Pemb 1D 42
Wealdstone. G Lon 2C 38
Weardley. W Yor 5E 99
Weare. Som 1H 21
Weare Giffard. Devn 4E 19
Wearhead. Dur 1B 104
Wearne. Som 4H 21
Weasdale. Cumb 4H 103
Weasenham All Saints. Norf 3H 77
Weasenham St Peter. Norf 3A 78
Weaverham. Ches W 3A 84
Weaverthorpe. N Yor 2D 100
Webheath. Worc 4E 61
Webton. Here 2H 47
Wedderlairs. Abers 5F 161
Weddington. Warw 1A 62
Wedhampton. Wilts 1F 23
Wedmore. Som 2H 21
Wednesbury. W Mid 1D 61
Wednesfield. W Mid 5D 72
Weecar. Notts 4F 87
Weedon. Buck 4G 51
Weedon Bec. Nptn 5D 62
Weedon Lois. Nptn 1E 50
Weeford. Staf 5F 73
Week. Devn 4F 19
(nr. Barnstaple)
Week. Devn 2G 11
(nr. Okehampton)
Week. Devn 1H 11
(nr. South Molton)
Week. Devn 2D 9
(nr. Totnes)
Week. Som 3C 20
Weeke. Devn 2A 12
Weeke. Hants 3C 24
Week Green. Corn 3C 10
Weekley. Nptn 2F 63
Week St Mary. Corn 3C 10
Weel. E Yor 1D 94
Weeley. Essx 3E 55
Weeley Heath. Essx 3E 55
Weem. Per 4F 143
Weeping Cross. Staf 3D 72
Weethly. Warw 5E 61
Weeting. Norf 2G 65
Weeton. E Yor 2G 95
Weeton. Lanc 1B 90
Weeton. N Yor 5E 99
Weetwood Hall. Nmbd 2E 121
Weir. Lanc 2G 91
Welborne. Norf 4C 78
Welbourn. Linc 5G 87
Welburn. N Yor 1A 100
(nr. Kirkbymoorside)
Welburn. N Yor 3B 100
(nr. Malton)
Welbury. N Yor 4A 106
Welby. Linc 2G 75
Welches Dam. Cambs 2D 64
Welcombe. Devn 1C 10
Weld Bank. Lanc 3D 90
Weldon. Nptn 2G 63
Weldon. Nmbd 5F 121
Welford. Nptn 2D 62
Welford. W Ber 4C 36
Welford-on-Avon. Warw 5F 61
Welham. Leics 1E 63
Welham. Notts 2E 87
Welham Green. Herts 5C 52
Well. Hants 2F 25
Well. Linc 3D 88
Well. N Yor 1E 99
Welland. Worc 1C 48
Wellbank. Ang 5D 144
Well Bottom. Dors 1E 15
Welldale. Dum 3C 112
Wellesbourne. Warw 5G 61
Well Hill. Kent 4F 39
Wellhouse. W Ber 4D 36
Welling. G Lon 3F 39
Wellingborough. Nptn 4F 63
Wellingham. Norf 3A 78
Wellingore. Linc 5G 87
Wellington. Cumb 4B 102
Wellington. Here 1H 47
Wellington. Som 4E 21
Wellington. Telf 4A 72
Wellington Heath. Here 1C 48
Wellow. Bath 1C 22
Wellow. IOW 4B 16
Wellow. Notts 4D 86
Wellpond Green. Herts 3E 53
Wells. Som 2A 22
Wellsborough. Leics 5A 74
Wells Green. Ches E 5A 84
Wells-next-the-Sea. Norf 1B 78
Wells of Ythan. Abers 5D 160
Wellswood. Torb 2F 9
Wellwood. Fife 1D 129
Welney. Norf 1E 65
Welsford. Devn 4C 18
Welshampton. Shrp 2G 71
Welsh End. Shrp 2H 71
Welsh Frankton. Shrp 2F 71
Welsh Hook. Pemb 2D 42
Welsh Newton. Here 4H 47
Welsh Newton Common. Here 4A 48
Welshpool. Powy 5E 70
Welsh St Donats. V Glam 4D 32
Welton. Bath 1B 22
Welton. Cumb 5E 113
Welton. E Yor 2C 94
Welton. Linc 2H 87
Welton. Nptn 4C 62
Welton Hill. Linc 2H 87
Welton le Marsh. Linc 4D 88
Welton le Wold. Linc 2B 88
Welwick. E Yor 2G 95
Welwyn. Herts 4C 52
Welwyn Garden City. Herts 4C 52
Wem. Shrp 3H 71
Wembdon. Som 3F 21
Wembley. G Lon 2C 38
Wembury. Devn 4B 8
Wembworthy. Devn 2G 11
Wemyss Bay. Inv 2C 126
Wenallt. Cdgn 3F 57
Wenallt. Gwyn 1B 70
Wendens Ambo. Essx 2F 53
Wendlebury. Oxon 4D 50
Wendling. Norf 4B 78
Wendover. Buck 5G 51
Wendron. Corn 5A 6
Wendy. Cambs 1D 52
Wenfordbridge. Corn 5A 10
Wenhaston. Suff 3G 67
Wennington. Cambs 3B 64
Wennington. G Lon 2G 39
Wennington. Lanc 2F 97
Wensley. Derbs 4G 85
Wensley. N Yor 1C 98
Wentbridge. W Yor 3E 93
Wentnor. Shrp 1F 59
Wentworth. Cambs 3D 65
Wentworth. S Yor 1A 86
Wenvoe. V Glam 4E 32
Weobley. Here 5G 59
Weobley Marsh. Here 5G 59
Wepham. W Sus 5B 26
Wereham. Norf 5F 77
Wergs. W Mid 5C 72
Wern. Gwyn 1E 69
Wern. Powy 4E 46
(nr. Brecon)
Wern. Powy 4E 71
(nr. Guilsfield)
Wern. Powy 4B 70
(nr. Llangadfan)
Wern. Powy 3E 71
(nr. Llanymynech)
Wernffrwd. Swan 3E 31
Wernyrheolydd. Mon 4G 47
Werrington. Corn 4D 10
Werrington. Pet 5A 76
Werrington. Staf 1D 72
Wervin. Ches W 3G 83
Wesham. Lanc 1C 90
Wessington. Derbs 5A 86
West Aberthaw. V Glam 5D 32
West Acre. Norf 4G 77
West Allerdean. Nmbd 5F 131
West Alvington. Devn 4D 8
West Amesbury. Wilts 2G 23
West Anstey. Devn 4B 20
West Appleton. N Yor 5F 105
West Ardsley. W Yor 2C 92
West Arthurlie. E Ren 4F 127
West Ashby. Linc 3B 88
West Ashling. W Sus 2G 17
West Ashton. Wilts 1D 23
West Auckland. Dur 2E 105
West Ayton. N Yor 1D 101
West Bagborough. Som 3E 21
West Bank. Hal 2H 83
West Barkwith. Linc 2A 88
West Barnby. N Yor 3F 107
West Barns. E Lot 2C 130
West Barsham. Norf 2B 78
West Bay. Dors 3H 13
West Beckham. Norf 2D 78
West Bennan. N Ayr 3D 123
Westbere. Kent 4F 41
West Bergholt. Essx 3C 54
West Bexington. Dors 4A 14
West Bilney. Norf 4G 77
West Blackdene. Dur 1B 104
West Blatchington. Brig 5D 27
Westborough. Linc 1F 75
Westbourne. Bour 3F 15
Westbourne. W Sus 2F 17
West Bowling. W Yor 1B 92
West Brabourne. Kent 1E 29
West Bradford. Lanc 5G 97
West Bradley. Som 3A 22
West Bretton. W Yor 3C 92
West Bridgford. Notts 2C 74
West Briggs. Norf 4F 77
West Bromwich. W Mid 1D 61
Westbrook. Here 1F 47
Westbrook. Kent 3H 41
Westbrook. Wilts 5E 35
West Buckland. Devn 3G 19
(nr. Barnstaple)
West Buckland. Devn 4C 8
(nr. Thurlestone)
West Buckland. Som 4E 21
West Burnside. Abers 1G 145
West Burrafirth. Shet 6D 173
West Burton. N Yor 1C 98
West Burton. W Sus 4B 26
Westbury. Buck 2E 50
Westbury. Shrp 5F 71
Westbury. Wilts 1D 22
Westbury Leigh. Wilts 2D 22
Westbury-on-Severn. Glos 4C 48
Westbury on Trym. Bris 4A 34
Westbury-sub-Mendip. Som 2A 22
West Butsfield. Dur 5E 115
West Butterwick. N Lin 4B 94
Westby. Linc 3G 75
West Byfleet. Surr 4B 38
West Caister. Norf 4H 79
West Calder. W Lot 3D 128
West Camel. Som 4A 22
West Carr. N Lin 4H 93
West Chaldon. Dors 4C 14
West Challow. Oxon 3B 36
West Charleton. Devn 4D 8
West Chelborough. Dors 2A 14
West Chevington. Nmbd 5G 121
West Chiltington. W Sus 4B 26
West Chiltington Common. W Sus 4B 26
West Chinnock. Som 1H 13
West Chisenbury. Wilts 1G 23
West Clandon. Surr 5B 38
West Cliffe. Kent 1H 29
Westcliff-on-Sea. S'end 2C 40
West Clyne. High 3F 165
West Coker. Som 1A 14
Westcombe. Som 3B 22
(nr. Evercreech)
Westcombe. Som 4H 21
(nr. Somerton)
West Compton. Dors 3A 14
West Compton. Som 2A 22
West Cornforth. Dur 1A 106
Westcot. Oxon 3B 36
Westcott. Buck 4F 51
Westcott. Devn 2D 12
Westcott. Surr 1C 26
Westcott Barton. Oxon 3C 50
West Cowick. E Yor 2G 93
West Cranmore. Som 2B 22
West Croftmore. High 2D 150
West Cross. Swan 4F 31
West Cullerlie. Abers 3E 153
West Culvennan. Dum 3H 109
West Curry. Corn 3C 10
West Curthwaite. Cumb 5E 113
Westdean. E Sus 5G 27
West Dean. W Sus 1G 17
West Dean. Wilts 4A 24
West Deeping. Linc 5A 76
West Derby. Mers 1F 83
West Dereham. Norf 5F 77
West Down. Devn 2F 19
Westdowns. Corn 4A 10
West Drayton. G Lon 3B 38
West Drayton. Notts 3E 86
West Dunnet. High 1E 169
West Ella. E Yor 2D 94
West End. Bed 5G 63
West End. Cambs 1D 64
West End. Dors 2E 15
West End. E Yor 3E 101
(nr. Kilham)
West End. E Yor 1E 95
(nr. Preston)
West End. E Yor 1C 94
(nr. South Cove)
West End. E Yor 4F 101
(nr. Ulrome)
West End. G Lon 2D 39
West End. Hants 1C 16
West End. Herts 5C 52
West End. Kent 4F 41
West End. Lanc 3D 96
West End. Linc 1C 76
West End. Norf 4G 79
West End. N Som 5H 33
West End. N Yor 4D 98
West End. S Glo 3C 34
West End. S Lan 5C 128
West End. Surr 4A 38
West End. Wilts 4E 23
West End. Wind 4G 37
West End. Worc 2F 49
West End Green. Hants 5E 37
Westenhanger. Kent 2F 29
Wester Aberchalder. High 2H 149
Wester Balgedie. Per 3D 136
Wester Brae. High 2A 158
Wester Culbeuchly. Abers 2D 160
Westerdale. High 3D 168
Westerdale. N Yor 4D 106
Wester Dechmont. W Lot 2D 128
Wester Fearn. High 5D 164
Westerfield. Suff 1E 55
Wester Galcantray. High 4C 158
Westergate. W Sus 5A 26
Wester Gruinards. High 4C 164
Westerham. Kent 5F 39
Westerleigh. S Glo 4B 34
Westerloch. High 3F 169
Wester Mandally. High 3E 149
Wester Quarff. Shet 8F 173

Wester Rarichie. *High* 1C **158**
Wester Shian. *Per* 5F **143**
Wester Skeld. *Shet* 7D **173**
Westerton. *Ang* 3F **145**
Westerton. *Dur* 1F **105**
Westerton. *W Sus* 2G **17**
Westerwick. *Shet* 7D **173**
West Farleigh. *Kent* 5B **40**
West Farndon. *Nptn* 5C **62**
West Felton. *Shrp* 3F **71**
Westfield. *Cumb* 2A **102**
Westfield. *E Sus* 4C **28**
Westfield. *High* 2C **168**
Westfield. *Norf* 5B **78**
Westfield. *N Lan* 2A **128**
Westfield. *W Lot* 2C **128**
Westfields. *Dors* 2C **14**
Westfields of Rattray. *Per* 4A **144**
West Fleetham. *Nmbd* 2F **121**
Westford. *Som* 1E **13**
West Garforth. *W Yor* 1D **93**
Westgate. *Dur* 1C **104**
Westgate. *Norf* 1B **78**
Westgate. *N Lin* 4A **94**
Westgate on Sea. *Kent* 3H **41**
West Ginge. *Oxon* 3C **36**
West Grafton. *Wilts* 5H **35**
West Green. *Hants* 1F **25**
West Grimstead. *Wilts* 4H **23**
West Grinstead. *W Sus* 3C **26**
West Haddlesey. *N Yor* 2F **93**
West Haddon. *Nptn* 3D **62**
West Hagbourne. *Oxon* 3D **36**
West Hagley. *Worc* 2C **60**
West Hall. *Cumb* 3G **113**
Westhall. *Suff* 2G **67**
West Hallam. *Derbs* 1B **74**
Westhall Terrace. *Ang* 5D **144**
West Halton. *N Lin* 2C **94**
Westham. *Dors* 5B **14**
Westham. *E Sus* 5H **27**
West Ham. *G Lon* 2E **39**
Westham. *Som* 2H **21**
Westhampnett. *W Sus* 2G **17**
West Handley. *Derbs* 3A **86**
West Hanney. *Oxon* 2C **36**
West Hanningfield. *Essx* 1B **40**
West Hardwick. *W Yor* 3E **93**
West Harnham. *Wilts* 4G **23**
West Harptree. *Bath* 1A **22**
West Harting. *W Sus* 4F **25**
West Harton. *Tyne* 3G **115**
West Hatch. *Som* 4F **21**
Westhay. *Som* 2H **21**
Westhead. *Lanc* 4C **90**
West Head. *Norf* 5E **77**
West Heath. *Hants* 1D **24**
(nr. Basingstoke)
West Heath. *Hants* 1G **25**
(nr. Farnborough)
West Helmsdale. *High* 2H **165**
West Hendred. *Oxon* 3C **36**
West Heogaland. *Shet* 4D **173**
West Heslerton. *N Yor* 2D **100**
West Hewish. *N Som* 5G **33**
Westhide. *Here* 1A **48**
Westhill. *Abers* 3F **153**
West Hill. *Devn* 3D **12**
West Hill. *E Yor* 3F **101**
Westhill. *High* 4B **158**
West Hill. *N Som* 4H **33**
West Hill. *W Sus* 2E **27**
West Hoathly. *W Sus* 2E **27**
West Holme. *Dors* 4D **15**
Westhope. *Here* 5G **59**
Westhope. *Shrp* 2G **59**
West Horndon. *Essx* 2H **39**
Westhorp. *Nptn* 5C **62**
Westhorpe. *Linc* 2B **76**
Westhorpe. *Suff* 4C **66**
West Horrington. *Som* 2A **22**
West Horsley. *Surr* 5B **38**
West Horton. *Nmbd* 1E **121**
West Hougham. *Kent* 1G **29**
Westhoughton. *G Man* 4E **91**
West Houlland. *Shet* 6D **173**
Westhouse. *N Yor* 2F **97**
Westhouses. *Derbs* 5B **86**
West Howe. *Bour* 3F **15**
Westhumble. *Surr* 5C **38**
West Huntspill. *Som* 2G **21**
West Hyde. *Herts* 1B **38**
West Hynish. *Arg* 5A **138**
West Hythe. *Kent* 2F **29**
West Ilsley. *W Ber* 3C **36**
Westing. *Shet* 1G **173**
West Itchenor. *W Sus* 2G **17**
West Keal. *Linc* 4C **88**
West Kennett. *Wilts* 5G **35**
West Kilbride. *N Ayr* 5D **126**
West Kingsdown. *Kent* 4G **39**
West Kington. *Wilts* 4D **34**
West Kirby. *Mers* 2E **82**
West Knapton. *N Yor* 2C **100**
West Knighton. *Dors* 4C **14**
West Knoyle. *Wilts* 3D **22**
West Kyloe. *Nmbd* 5G **131**
Westlake. *Devn* 3C **8**
West Lambrook. *Som* 1H **13**
West Langdon. *Kent* 1H **29**
West Langwell. *High* 3D **164**
West Lavington. *W Sus* 4G **25**
West Lavington. *Wilts* 1F **23**
West Layton. *N Yor* 4E **105**
West Leake. *Notts* 3C **74**
West Learmouth. *Nmbd* 1C **120**
Westleigh. *Devn* 4E **19**
(nr. Bideford)
Westleigh. *Devn* 1D **12**
(nr. Tiverton)
West Leigh. *Devn* 2G **11**
(nr. Winkleigh)
Westleigh. *G Man* 4E **91**
West Leith. *Buck* 4H **51**
Westleton. *Suff* 4G **67**
West Lexham. *Norf* 4H **77**
Westley. *Shrp* 5F **71**
Westley. *Suff* 4H **65**
Westley Waterless. *Cambs* 5F **65**
West Lilling. *N Yor* 3A **100**
West Lingo. *Fife* 3G **137**
Westlington. *Buck* 4F **51**
Westlinton. *Cumb* 3E **113**
West Linton. *Bord* 4E **129**
West Littleton. *S Glo* 4C **34**
West Looe. *Corn* 3G **7**
West Lulworth. *Dors* 4D **14**
West Lutton. *N Yor* 3D **100**
West Lydford. *Som* 3A **22**
West Lyng. *Som* 4G **21**
West Lynn. *Norf* 4F **77**
West Mains. *Per* 2B **136**
West Malling. *Kent* 5A **40**
West Malvern. *Worc* 1C **48**
Westmancote. *Worc* 2E **49**
West Marden. *W Sus* 1F **17**
West Markham. *Notts* 3E **86**
Westmarsh. *Kent* 4G **41**
West Marsh. *NE Lin* 4F **95**
West Marton. *N Yor* 4A **98**
West Meon. *Hants* 4E **25**
West Mersea. *Essx* 4D **54**
Westmeston. *E Sus* 4E **27**
Westmill. *Herts* 3D **52**
(nr. Buntingford)
Westmill. *Herts* 2B **52**
(nr. Hitchin)
West Milton. *Dors* 3A **14**
Westminster. *G Lon* 3D **39**
West Molesey. *Surr* 4C **38**
West Monkton. *Som* 4F **21**
Westmoor End. *Cumb* 1B **102**
West Moors. *Dors* 2F **15**
West Morden. *Dors* 3E **15**
West Muir. *Ang* 2E **145**
(nr. Brechin)
Westmuir. *Ang* 3C **144**
(nr. Forfar)
West Murkle. *High* 2D **168**
West Ness. *N Yor* 2A **100**
Westness. *Orkn* 5C **172**
Westnewton. *Cumb* 5C **112**
West Newton. *E Yor* 1E **95**
West Newton. *Norf* 3F **77**
Westnewton. *Nmbd* 1D **120**
West Newton. *Som* 4F **21**
West Norwood. *G Lon* 3E **39**
Westoe. *Tyne* 3G **115**
West Ogwell. *Devn* 2E **9**
Weston. *Bath* 5C **34**
Weston. *Ches E* 5B **84**
(nr. Crewe)
Weston. *Ches E* 3D **84**
(nr. Macclesfield)
Weston. *Devn* 2E **13**
(nr. Honiton)
Weston. *Devn* 4E **13**
(nr. Sidmouth)
Weston. *Dors* 5B **14**
(nr. Weymouth)
Weston. *Dors* 2A **14**
(nr. Yeovil)
Weston. *Hal* 2H **83**
Weston. *Hants* 4F **25**
Weston. *Here* 5F **59**
Weston. *Herts* 2C **52**
Weston. *Linc* 3B **76**
Weston. *Nptn* 1D **50**
Weston. *Notts* 4E **87**
Weston. *Shrp* 1H **59**
(nr. Bridgnorth)
Weston. *Shrp* 3F **59**
(nr. Knighton)
Weston. *Shrp* 3H **71**
(nr. Wem)
Weston. *S Lan* 5D **128**
Weston. *Staf* 3D **73**
Weston. *Suff* 2G **67**
Weston. *W Ber* 4B **36**
Weston Bampfylde. *Som* 4B **22**
Weston Beggard. *Here* 1A **48**
Westonbirt. *Glos* 3D **34**
Weston by Welland. *Nptn* 1E **63**
Weston Colville. *Cambs* 5F **65**
Westoncommon. *Shrp* 3G **71**
Weston Coyney. *Stoke* 1D **72**
Weston Ditch. *Suff* 3F **65**
Weston Favell. *Nptn* 4E **63**
Weston Green. *Cambs* 5F **65**
Weston Green. *Norf* 4D **78**
Weston Heath. *Shrp* 4B **72**
Weston Hills. *Linc* 4B **76**
Weston in Arden. *Warw* 2A **62**
Westoning. *C Beds* 2A **52**
Weston-in-Gordano. *N Som* 4H **33**
Weston Jones. *Staf* 3B **72**
Weston Longville. *Norf* 4D **78**
Weston Lullingfields. *Shrp* 3G **71**
Weston-on-Avon. *Warw* 5F **61**
Weston-on-the-Green. *Oxon* 4D **50**
Weston-on-Trent. *Derbs* 3B **74**
Weston Patrick. *Hants* 2E **25**
Weston Rhyn. *Shrp* 2E **71**
Weston-sub-Edge. *Glos* 1G **49**
Weston-super-Mare. *N Som* 5G **33**
Weston Town. *Som* 2C **22**
Weston Turville. *Buck* 4G **51**
Weston under Lizard. *Staf* 4C **72**
Weston under Penyard. *Here* 3B **48**
Weston under Wetherley. *Warw* 4A **62**
Weston Underwood. *Derbs* 1G **73**
Weston Underwood. *Mil* 5F **63**
Westonzoyland. *Som* 3G **21**
West Orchard. *Dors* 1D **14**
West Overton. *Wilts* 5G **35**
Westow. *N Yor* 3B **100**
Westown. *Per* 1E **137**
West Panson. *Devn* 3D **10**
West Park. *Hart* 1B **106**
West Parley. *Dors* 3F **15**
West Peckham. *Kent* 5H **39**
West Pelton. *Dur* 4F **115**
West Pennard. *Som* 3A **22**
West Pentire. *Corn* 2B **6**
West Perry. *Cambs* 4A **64**
West Pitcorthie. *Fife* 3H **137**
West Plean. *Stir* 1B **128**
West Poringland. *Norf* 5E **79**
West Porlock. *Som* 2B **20**
Westport. *Som* 1G **13**
West Putford. *Devn* 1D **10**
West Quantoxhead. *Som* 2E **20**
Westra. *V Glam* 4E **33**
West Rainton. *Dur* 5G **115**
West Rasen. *Linc* 2H **87**
West Ravendale. *NE Lin* 1B **88**
Westray Airport. *Orkn* 2D **172**
West Raynham. *Norf* 3A **78**
Westrigg. *W Lot* 3C **128**
West Rounton. *N Yor* 4B **106**
West Row. *Suff* 3F **65**
West Rudham. *Norf* 3H **77**
West Runton. *Norf* 1D **78**
Westruther. *Bord* 4C **130**
Westry. *Cambs* 1C **64**
West Saltoun. *E Lot* 3A **130**
West Sandford. *Devn* 2B **12**
West Sandwick. *Shet* 3F **173**
West Scrafton. *N Yor* 1C **98**
Westside. *Orkn* 5C **172**
West Sleekburn. *Nmbd* 1F **115**
West Somerton. *Norf* 4G **79**
West Stafford. *Dors* 4C **14**
West Stockwith. *Notts* 1E **87**
West Stoke. *W Sus* 2G **17**
West Stonesdale. *N Yor* 4B **104**
West Stoughton. *Som* 2H **21**
West Stour. *Dors* 4C **22**
West Stourmouth. *Kent* 4G **41**
West Stow. *Suff* 3H **65**
West Stowell. *Wilts* 5G **35**
West Strathan. *High* 2F **167**
West Stratton. *Hants* 2D **24**
West Street. *Kent* 5D **40**
West Tanfield. *N Yor* 2E **99**
West Taphouse. *Corn* 2F **7**
West Tarbert. *Arg* 3G **125**
West Thirston. *Nmbd* 4F **121**
West Thorney. *W Sus* 2F **17**
West Thurrock. *Thur* 3G **39**
West Tilbury. *Thur* 3A **40**
West Tisted. *Hants* 4E **25**
West Tofts. *Norf* 1H **65**
West Torrington. *Linc* 2A **88**
West Town. *Bath* 5A **34**
West Town. *Hants* 3F **17**
West Town. *N Som* 5H **33**
West Tytherley. *Hants* 4A **24**
West Tytherton. *Wilts* 4E **35**
West View. *Hart* 1C **106**
Westville. *Notts* 1C **74**
West Walton. *Norf* 4D **76**
Westward. *Cumb* 5D **112**
Westward Ho!. *Devn* 4E **19**
Westwell. *Kent* 1D **28**
Westwell. *Oxon* 5H **49**
Westwell Leacon. *Kent* 1D **28**
West Wellow. *Hants* 1A **16**
West Wemyss. *Fife* 4F **137**
Westwick. *Cambs* 4D **64**
Westwick. *Dur* 3D **104**
Westwick. *Norf* 3E **79**
West Wick. *N Som* 5G **33**
West Wickham. *Cambs* 1G **53**
West Wickham. *G Lon* 4E **39**
West Williamston. *Pemb* 4E **43**
West Willoughby. *Linc* 1G **75**
West Winch. *Norf* 4F **77**
West Winterslow. *Wilts* 3H **23**
West Wittering. *W Sus* 3F **17**
West Witton. *N Yor* 1C **98**
Westwood. *Devn* 3D **12**
Westwood. *Kent* 4H **41**
Westwood. *Pet* 1A **64**
Westwood. *S Lan* 4H **127**
Westwood. *Wilts* 1D **22**
West Woodburn. *Nmbd* 1B **114**
West Woodhay. *W Ber* 5B **36**
West Woodlands. *Som* 2C **22**
West Woodside. *Cumb* 5E **112**
Westwoodside. *N Lin* 4H **93**
West Worldham. *Hants* 3F **25**
West Worlington. *Devn* 1A **12**
West Worthing. *W Sus* 5C **26**
West Wratting. *Cambs* 5F **65**
West Wycombe. *Buck* 2G **37**
West Wylam. *Nmbd* 3E **115**
West Yatton. *Wilts* 4D **34**
West Yell. *Shet* 3F **173**
West Youlstone. *Corn* 1C **10**
Wetheral. *Cumb* 4F **113**
Wetherby. *W Yor* 5G **99**
Wetherden. *Suff* 4C **66**
Wetheringsett. *Suff* 4D **66**
Wethersfield. *Essx* 2H **53**
Wethersta. *Shet* 5E **173**
Wetherup Street. *Suff* 4D **66**
Wetley Rocks. *Staf* 1D **72**
Wettenhall. *Ches E* 4A **84**
Wetton. *Staf* 5F **85**
Wetwang. *E Yor* 4D **100**
Wetwood. *Staf* 2B **72**
Wexcombe. *Wilts* 1A **24**
Wexham Street. *Buck* 2A **38**
Weybourne. *Norf* 1D **78**
Weybourne. *Surr* 2G **25**
Weybread. *Suff* 2E **67**
Weybridge. *Surr* 4B **38**
Weycroft. *Devn* 3G **13**
Weydale. *High* 2D **168**
Weyhill. *Hants* 2B **24**
Weymouth. *Dors* 5B **14** & **215**
Weythel. *Powy* 5E **59**
Whaddon. *Buck* 2G **51**
Whaddon. *Cambs* 1D **52**
Whaddon. *Glos* 4D **48**
Whaddon. *Wilts* 4G **23**
Whale. *Cumb* 2G **103**
Whaley. *Derbs* 3C **86**
Whaley Bridge. *Derbs* 2E **85**
Whaley Thorns. *Derbs* 3C **86**
Whalley. *Lanc* 1F **91**
Whalton. *Nmbd* 1E **115**
Wham. *N Yor* 3G **97**
Whaplode. *Linc* 3C **76**
Whaplode Drove. *Linc* 4C **76**
Whaplode St Catherine. *Linc* 3C **76**
Wharfe. *N Yor* 3G **97**
Wharles. *Lanc* 1C **90**
Wharley End. *C Beds* 1H **51**
Wharncliffe Side. *S Yor* 1G **85**
Wharram-le-Street. *N Yor* 3C **100**
Wharton. *Ches W* 4A **84**
Wharton. *Here* 5H **59**
Whashton. *N Yor* 4E **105**
Whasset. *Cumb* 1E **97**
Whatcote. *Warw* 1A **50**
Whateley. *Warw* 1G **61**
Whatfield. *Suff* 1D **54**
Whatley. *Som* 2G **13**
(nr. Chard)
Whatley. *Som* 2C **22**
(nr. Frome)
Whatlington. *E Sus* 4B **28**
Whatmore. *Shrp* 3A **60**
Whatstandwell. *Derbs* 5H **85**
Whatton. *Notts* 2E **75**
Whauphill. *Dum* 5B **110**
Whaw. *N Yor* 4C **104**
Wheatacre. *Norf* 1G **67**
Wheatcroft. *Derbs* 5A **86**
Wheathampstead. *Herts* 4B **52**
Wheathill. *Shrp* 2A **60**
Wheatley. *Devn* 3B **12**
Wheatley. *Hants* 2F **25**
Wheatley. *Oxon* 5D **50**
Wheatley. *S Yor* 4F **93**
Wheatley. *W Yor* 2A **92**
Wheatley Hill. *Dur* 1A **106**
Wheatley Lane. *Lanc* 1G **91**
Wheatley Park. *S Yor* 4F **93**
Wheaton Aston. *Staf* 4C **72**
Wheatstone Park. *Staf* 5C **72**
Wheddon Cross. *Som* 3C **20**
Wheelerstreet. *Surr* 1A **26**
Wheelock. *Ches E* 5B **84**
Wheelock Heath. *Ches E* 5B **84**
Wheelton. *Lanc* 2E **90**
Wheldrake. *York* 5A **100**
Whelford. *Glos* 2G **35**
Whelpley Hill. *Buck* 5H **51**
Whelpo. *Cumb* 1E **102**
Whelston. *Flin* 3E **82**
Whenby. *N Yor* 3A **100**
Whepstead. *Suff* 5H **65**
Wherstead. *Suff* 1E **55**
Wherwell. *Hants* 2B **24**
Wheston. *Derbs* 3F **85**
Whetsted. *Kent* 1A **28**
Whetstone. *G Lon* 1D **38**
Whetstone. *Leics* 1C **62**
Whicham. *Cumb* 1A **96**
Whichford. *Warw* 2B **50**
Whickham. *Tyne* 3F **115**
Whiddon. *Devn* 2E **11**
Whiddon Down. *Devn* 3G **11**
Whigstreet. *Ang* 4D **145**
Whilton. *Nptn* 4D **62**
Whimble. *Devn* 2D **10**
Whimple. *Devn* 3D **12**
Whimpwell Green. *Norf* 3F **79**
Whinburgh. *Norf* 5C **78**
Whin Lane End. *Lanc* 5C **96**
Whinnyfold. *Abers* 5H **161**
Whinny Hill. *Stoc T* 3A **106**
Whippingham. *IOW* 3D **16**
Whipsnade. *C Beds* 4A **52**
Whipton. *Devn* 3C **12**
Whirlow. *S Yor* 2H **85**
Whisby. *Linc* 4G **87**
Whissendine. *Rut* 4F **75**
Whissonsett. *Norf* 3B **78**
Whisterfield. *Ches E* 3C **84**
Whistley Green. *Wok* 4F **37**
Whiston. *Mers* 1G **83**
Whiston. *Nptn* 4F **63**
Whiston. *S Yor* 1B **86**
Whiston. *Staf* 1E **73**
(nr. Cheadle)
Whiston. *Staf* 4C **72**
(nr. Penkridge)
Whiston Cross. *Shrp* 5B **72**
Whiston Eaves. *Staf* 1E **73**
Whitacre Heath. *Warw* 1G **61**
Whitbeck. *Cumb* 1A **96**
Whitbourne. *Here* 5B **60**
Whitburn. *Tyne* 3H **115**
Whitburn. *W Lot* 3C **128**
Whitburn Colliery. *Tyne* 3H **115**
Whitby. *Ches W* 3F **83**
Whitby. *N Yor* 3F **107**
Whitbyheath. *Ches W* 3F **83**
Whitchester. *Bord* 4D **130**
Whitchurch. *Bath* 5B **34**
Whitchurch. *Buck* 3G **51**
Whitchurch. *Card* 4E **33**
Whitchurch. *Devn* 5E **11**
Whitchurch. *Hants* 2C **24**
Whitchurch. *Here* 4A **48**
Whitchurch. *Pemb* 2C **42**
Whitchurch. *Shrp* 1H **71**
Whitchurch Canonicorum. *Dors* 3G **13**
Whitchurch Hill. *Oxon* 4E **37**
Whitchurch-on-Thames. *Oxon* 4E **37**
Whitcombe. *Dors* 4C **14**
Whitcot. *Shrp* 1F **59**
Whitcott Keysett. *Shrp* 2E **59**
Whiteash Green. *Essx* 2A **54**
Whitebog. *High* 2B **158**
Whitebridge. *High* 2G **149**
Whitebrook. *Mon* 5A **48**
Whitecairns. *Abers* 2G **153**
White Chapel. *Lanc* 5E **97**
Whitechurch. *Pemb* 1F **43**
White Colne. *Essx* 3B **54**
White Coppice. *Lanc* 3E **90**
White Corries. *High* 3G **141**
Whitecraig. *E Lot* 2G **129**
Whitecroft. *Glos* 5B **48**
White Cross. *Corn* 4D **5**
(nr. Mullion)
Whitecross. *Corn* 1D **6**
(nr. Wadebridge)
Whitecross. *Falk* 2C **128**
White End. *Worc* 2C **48**
Whiteface. *High* 5E **164**
Whitefarland. *N Ayr* 5G **125**
Whitefaulds. *S Ayr* 4B **116**
Whitefield. *Dors* 3E **15**
Whitefield. *G Man* 4G **91**
Whitefield. *Som* 4D **20**
Whiteford. *Abers* 1E **152**
Whitegate. *Ches W* 4A **84**
Whitehall. *Devn* 1E **13**
Whitehall. *Hants* 1F **25**
Whitehall. *Orkn* 5F **172**
Whitehall. *W Sus* 3C **26**
Whitehaven. *Cumb* 3A **102**
Whitehaven. *Shrp* 3E **71**
Whitehill. *Hants* 3F **25**
Whitehill. *N Ayr* 4D **126**
Whitehills. *Abers* 2D **160**
Whitehills. *Ang* 3D **144**
White Horse Common. *Norf* 3F **79**
Whitehough. *Derbs* 2E **85**
Whitehouse. *Abers* 2D **152**
Whitehouse. *Arg* 3G **125**
Whiteinch. *Glas* 3G **127**
Whitekirk. *E Lot* 1B **130**
White Kirkley. *Dur* 1D **104**
White Lackington. *Dors* 3C **14**
Whitelackington. *Som* 1G **13**
White Ladies Aston. *Worc* 5D **60**
White Lee. *W Yor* 2C **92**
Whiteley. *Hants* 1D **16**
Whiteley Bank. *IOW* 4D **16**
Whiteley Village. *Surr* 4B **38**
Whitemans Green. *W Sus* 3E **27**
White Mill. *Carm* 3E **45**
Whitemire. *Mor* 3D **159**
Whitemoor. *Corn* 3D **6**
Whitenap. *Hants* 4B **24**
Whiteness. *Shet* 7F **173**
White Notley. *Essx* 4A **54**
Whiteoak Green. *Oxon* 4B **50**
Whiteparish. *Wilts* 4H **23**
White Pit. *Linc* 3C **88**
Whiterashes. *Abers* 1F **153**
White Rocks. *Here* 3H **47**
White Roding. *Essx* 4F **53**
Whiterow. *High* 4F **169**
Whiterow. *Mor* 3E **159**
Whiteshill. *Glos* 5D **48**
Whiteside. *Nmbd* 3A **114**
Whiteside. *W Lot* 3C **128**
Whitesmith. *E Sus* 4G **27**
Whitestaunton. *Som* 1F **13**
Whitestone. *Abers* 4D **152**
Whitestone. *Devn* 3B **12**
White Stone. *Here* 1A **48**
Whitestones. *Abers* 3F **161**
Whitestreet Green. *Suff* 2C **54**
Whitewall Corner. *N Yor* 2B **100**
White Waltham. *Wind* 4G **37**
Whiteway. *Glos* 4E **49**
Whitewell. *Lanc* 5F **97**
Whitewell Bottom. *Lanc* 2G **91**
Whiteworks. *Devn* 5G **11**
Whitewreath. *Mor* 3G **159**
Whitfield. *D'dee* 5D **144**
Whitfield. *Kent* 1H **29**
Whitfield. *Nptn* 2E **50**
Whitfield. *Nmbd* 4A **114**
Whitfield. *S Glo* 2B **34**
Whitford. *Devn* 3F **13**
Whitford. *Flin* 3D **82**
Whitgift. *E Yor* 2B **94**
Whitgreave. *Staf* 3C **72**
Whithorn. *Dum* 5B **110**
Whiting Bay. *N Ayr* 3E **123**
Whitington. *Norf* 1G **65**
Whitkirk. *W Yor* 1D **92**
Whitland. *Carm* 3G **43**
Whitleigh. *Plym* 3A **8**
Whitletts. *S Ayr* 2C **116**
Whitley. *N Yor* 2F **93**
Whitley. *Wilts* 5D **35**
Whitley Bay. *Tyne* 2G **115**
Whitley Chapel. *Nmbd* 4C **114**
Whitley Heath. *Staf* 3C **72**
Whitley Lower. *W Yor* 3C **92**
Whitley Thorpe. *N Yor* 2F **93**
Whitlock's End. *W Mid* 3F **61**
Whitminster. *Glos* 5C **48**
Whitmore. *Dors* 2F **15**
Whitmore. *Staf* 1C **72**
Whitnage. *Devn* 1D **12**
Whitnash. *Warw* 4H **61**
Whitney. *Here* 1F **47**
Whitrigg. *Cumb* 4D **112**
(nr. Kirkbride)
Whitrigg. *Cumb* 1D **102**
(nr. Torpenhow)
Whitsbury. *Hants* 1G **15**
Whitsome. *Bord* 4E **131**

Whitson. *Newp* 3G **33**
Whitstable. *Kent* 4F **41**
Whitstone. *Corn* 3C **10**
Whittingham. *Nmbd* 3E **121**
Whittingslow. *Shrp* 2G **59**
Whittington. *Derbs* 3B **86**
Whittington. *Glos* 3F **49**
Whittington. *Lanc* 2F **97**
Whittington. *Shrp* 2F **71**
Whittington. *Staf* 2C **60** (nr. Kinver)
Whittington. *Staf* 5F **73** (nr. Lichfield)
Whittington. *Warw* 1G **61**
Whittington. *Worc* 5C **60**
Whittington Barracks. *Staf* 5F **73**
Whittlebury. *Nptn* 1E **51**
Whittleford. *Warw* 1H **61**
Whittle-le-Woods. *Lanc* 2D **90**
Whittlesey. *Cambs* 1B **64**
Whittlesford. *Cambs* 1E **53**
Whittlestone Head. *Bkbn* 3F **91**
Whitton. *N Lin* 2C **94**
Whitton. *Nmbd* 4E **121**
Whitton. *Powy* 4E **59**
Whitton. *Bord* 2B **120**
Whitton. *Shrp* 3H **59**
Whitton. *Stoc T* 2A **106**
Whittonditch. *Wilts* 4A **36**
Whittonstall. *Nmbd* 4D **114**
Whitway. *Hants* 1C **24**
Whitwell. *Derbs* 3C **86**
Whitwell. *Herts* 3B **52**
Whitwell. *IOW* 5D **16**
Whitwell. *N Yor* 5F **105**
Whitwell. *Rut* 5G **75**
Whitwell-on-the-Hill. *N Yor* 3B **100**
Whitwick. *Leics* 4B **74**
Whitwood. *W Yor* 2E **93**
Whitworth. *Lanc* 3G **91**
Whixall. *Shrp* 2H **71**
Whixley. *N Yor* 4G **99**
Whoberley. *W Mid* 3G **61**
Whorlton. *Dur* 3E **105**
Whorlton. *N Yor* 4B **106**
Whygate. *Nmbd* 2A **114**
Whyle. *Here* 4H **59**
Whyteleafe. *Surr* 5E **39**
Wibdon. *Glos* 2A **34**
Wibtoft. *Warw* 2B **62**
Wichenford. *Worc* 4B **60**
Wichling. *Kent* 5D **40**
Wick. *Bour* 3G **15**
Wick. *Devn* 2E **13**
Wick. *High* 3F **169**
Wick. *Shet* 8F **173** (on Mainland)
Wick. *Shet* 1G **173** (on Unst)
Wick. *Som* 2F **21** (nr. Bridgwater)
Wick. *Som* 1G **21** (nr. Burnham-on-Sea)
Wick. *Som* 4H **21** (nr. Somerton)
Wick. *S Glo* 4C **34**
Wick. *V Glam* 4C **32**
Wick. *W Sus* 5B **26**
Wick. *Wilts* 4G **23**
Wick. *Worc* 1E **49**
Wick Airport. *High* 3F **169**
Wicken. *Cambs* 3E **65**
Wicken. *Nptn* 2F **51**
Wicken Bonhunt. *Essx* 2E **53**
Wickenby. *Linc* 2H **87**
Wicken Green Village. *Norf* 2H **77**
Wickersley. *S Yor* 1B **86**
Wicker Street Green. *Suff* 1C **54**
Wickford. *Essx* 1B **40**
Wickham. *Hants* 1D **16**
Wickham. *W Ber* 4B **36**
Wickham Bishops. *Essx* 4B **54**
Wickhambreaux. *Kent* 5G **41**
Wickhambrook. *Suff* 5G **65**
Wickhamford. *Worc* 1F **49**
Wickham Green. *Suff* 4C **66**
Wickham Heath. *W Ber* 5C **36**
Wickham Market. *Suff* 5F **67**
Wickhampton. *Norf* 5G **79**
Wickham St Paul. *Essx* 2B **54**
Wickham Skeith. *Suff* 4C **66**
Wickham Street. *Suff* 4C **66**
Wick Hill. *Wok* 5F **37**
Wicklewood. *Norf* 5C **78**
Wickmere. *Norf* 2D **78**
Wick St Lawrence. *N Som* 5G **33**
Wickwar. *S Glo* 3C **34**
Widdington. *Essx* 2F **53**
Widdrington. *Nmbd* 5G **121**
Widdrington Station. *Nmbd* 5G **121**
Widecombe in the Moor. *Devn* 5H **11**
Widegates. *Corn* 3G **7**
Widemouth Bay. *Corn* 2C **10**
Wide Open. *Tyne* 2F **115**
Widewall. *Orkn* 8D **172**
Widford. *Essx* 5G **53**
Widford. *Herts* 4E **53**
Widham. *Wilts* 3F **35**
Widmer End. *Buck* 2G **37**
Widmerpool. *Notts* 3D **74**
Widnes. *Hal* 2H **83**
Widworthy. *Devn* 3F **13**
Wigan. *G Man* 4D **90**
Wigbeth. *Dors* 2F **15**
Wigborough. *Som* 1H **13**
Wiggaton. *Devn* 3E **12**
Wiggenhall St Germans. *Norf* 4E **77**
Wiggenhall St Mary Magdalen. *Norf* 4E **77**
Wiggenhall St Mary the Virgin. *Norf* 4E **77**
Wiggenhall St Peter. *Norf* 4F **77**
Wiggens Green. *Essx* 1G **53**
Wigginton. *Herts* 4H **51**
Wigginton. *Oxon* 2B **50**
Wigginton. *Staf* 5G **73**
Wigginton. *York* 4H **99**
Wigglesworth. *N Yor* 4H **97**
Wiggonby. *Cumb* 4D **112**
Wiggonholt. *W Sus* 4B **26**
Wighill. *N Yor* 5G **99**
Wighton. *Norf* 1B **78**
Wightwick. *Staf* 1C **60**
Wigley. *Hants* 1B **16**
Wigmore. *Here* 4G **59**
Wigmore. *Medw* 4C **40**
Wigsley. *Notts* 3F **87**
Wigsthorpe. *Nptn* 2H **63**
Wigston. *Leics* 1D **62**
Wigtoft. *Linc* 2B **76**
Wigton. *Cumb* 5D **112**
Wigtown. *Dum* 4B **110**
Wigtwizzle. *S Yor* 1G **85**
Wike. *W Yor* 5F **99**
Wilbarston. *Nptn* 2F **63**
Wilberfoss. *E Yor* 4B **100**
Wilburton. *Cambs* 3D **65**
Wilby. *Norf* 2C **66**
Wilby. *Nptn* 4F **63**
Wilby. *Suff* 3E **67**
Wilcot. *Wilts* 5G **35**
Wilcott. *Shrp* 4F **71**
Wilcove. *Corn* 3A **8**
Wildboarclough. *Ches E* 4D **85**
Wilden. *Bed* 5H **63**
Wilden. *Worc* 3C **60**
Wildern. *Hants* 1C **16**
Wilderspool. *Warr* 2A **84**
Wilde Street. *Suff* 3G **65**
Wildhern. *Hants* 1B **24**
Wildmanbridge. *S Lan* 4B **128**
Wildmoor. *Worc* 3D **60**
Wildsworth. *Linc* 1F **87**
Wildwood. *Staf* 3D **72**
Wilford. *Nott* 2C **74**
Wilkesley. *Ches E* 1A **72**
Wilkhaven. *High* 5G **165**
Wilkieston. *W Lot* 3E **129**
Wilksby. *Linc* 4B **88**
Willand. *Devn* 1D **12**
Willaston. *Ches E* 5A **84**
Willaston. *Ches W* 3F **83**
Willaston. *IOM* 4C **108**
Willen. *Mil* 1G **51**
Willenhall. *W Mid* 3A **62** (nr. Coventry)
Willenhall. *W Mid* 1D **60** (nr. Wolverhampton)
Willerby. *E Yor* 1D **94**
Willerby. *N Yor* 2E **101**
Willersey. *Glos* 2G **49**
Willersley. *Here* 1G **47**
Willesborough. *Kent* 1E **28**
Willesborough Lees. *Kent* 1E **29**
Willesden. *G Lon* 2D **38**
Willesley. *Wilts* 3D **34**
Willett. *Som* 3E **20**
Willey. *Shrp* 1A **60**
Willey. *Warw* 2B **62**
Willey Green. *Surr* 5A **38**
Williamscot. *Oxon* 1C **50**
Williamsetter. *Shet* 9E **173**
Willian. *Herts* 2C **52**
Willingale. *Essx* 5F **53**
Willingdon. *E Sus* 5G **27**
Willingham. *Cambs* 3D **64**
Willingham by Stow. *Linc* 2F **87**
Willingham Green. *Cambs* 5F **65**
Willington. *Bed* 1B **52**
Willington. *Derbs* 3G **73**
Willington. *Dur* 1E **105**
Willington. *Tyne* 3G **115**
Willington. *Warw* 2A **50**
Willington Corner. *Ches W* 4H **83**
Willisham Tye. *Suff* 5C **66**
Willitoft. *E Yor* 1H **93**
Williton. *Som* 2D **20**
Willoughbridge. *Staf* 1B **72**
Willoughby. *Linc* 3D **88**
Willoughby. *Warw* 4C **62**
Willoughby-on-the-Wolds. *Notts* 3D **74**
Willoughby Waterleys. *Leics* 1C **62**
Willoughton. *Linc* 1G **87**
Willow Green. *Worc* 5B **60**
Willows Green. *Essx* 4H **53**
Willsbridge. *S Glo* 4B **34**
Willslock. *Staf* 2E **73**
Wilmcote. *Warw* 5F **61**
Wilmington. *Bath* 5B **34**
Wilmington. *Devn* 3F **13**
Wilmington. *E Sus* 5G **27**
Wilmington. *Kent* 3G **39**
Wilmslow. *Ches E* 2C **84**
Wilnecote. *Staf* 5G **73**
Wilney Green. *Norf* 2C **66**
Wilpshire. *Lanc* 1E **91**
Wilsden. *W Yor* 1A **92**
Wilsford. *Linc* 1H **75**
Wilsford. *Wilts* 3G **23** (nr. Amesbury)
Wilsford. *Wilts* 1G **23** (nr. Devizes)
Wilsill. *N Yor* 3D **98**
Wilsley Green. *Kent* 2B **28**
Wilson. *Here* 3A **48**
Wilson. *Leics* 3B **74**
Wilsontown. *S Lan* 4C **128**
Wilstead. *Bed* 1A **52**
Wilsthorpe. *E Yor* 3F **101**
Wilsthorpe. *Linc* 4H **75**
Wilstone. *Herts* 4H **51**
Wilton. *Cumb* 3B **102**
Wilton. *N Yor* 1C **100**
Wilton. *Red C* 3C **106**
Wilton. *Bord* 3H **119**
Wilton. *Wilts* 5A **36** (nr. Marlborough)
Wilton. *Wilts* 3F **23** (nr. Salisbury)
Wimbish. *Essx* 2F **53**
Wimbish Green. *Essx* 2G **53**
Wimblebury. *Staf* 4E **73**
Wimbledon. *G Lon* 3D **38**
Wimblington. *Cambs* 1D **64**
Wimboldsley. *Ches W* 4A **84**
Wimborne Minster. *Dors* 2F **15**
Wimborne St Giles. *Dors* 1F **15**
Wimbotsham. *Norf* 5F **77**
Wimpole. *Cambs* 1D **52**
Wimpstone. *Warw* 1H **49**
Wincanton. *Som* 4C **22**
Winceby. *Linc* 4C **88**
Wincham. *Ches W* 3A **84**
Winchburgh. *W Lot* 2D **129**
Winchcombe. *Glos* 3F **49**
Winchelsea. *E Sus* 4D **28**
Winchelsea Beach. *E Sus* 4D **28**
Winchester. *Hants* 4C **24** & **213**
Winchet Hill. *Kent* 1B **28**
Winchfield. *Hants* 1F **25**
Winchmore Hill. *Buck* 1A **38**
Winchmore Hill. *G Lon* 1E **39**
Wincle. *Ches E* 4D **84**
Windermere. *Cumb* 5F **103**
Winderton. *Warw* 1B **50**
Windhill. *High* 4H **157**
Windle Hill. *Ches W* 3F **83**
Windlesham. *Surr* 4A **38**
Windley. *Derbs* 1H **73**
Windmill. *Derbs* 3F **85**
Windmill Hill. *E Sus* 4H **27**
Windmill Hill. *Som* 1G **13**
Windrush. *Glos* 4G **49**
Windsor. *Wind* 3A **38** & **213**
Windsor Green. *Suff* 5A **66**
Windyedge. *Abers* 4G **153**
Windygates. *Fife* 3F **137**
Windyharbour. *Ches E* 3C **84**
Windyknowe. *W Lot* 3C **128**
Wineham. *W Sus* 3D **26**
Winestead. *E Yor* 2G **95**
Winfarthing. *Norf* 2D **66**
Winford. *IOW* 4D **16**
Winford. *N Som* 5A **34**
Winforton. *Here* 1F **47**
Winfrith Newburgh. *Dors* 4D **14**
Wing. *Buck* 3G **51**
Wing. *Rut* 5F **75**
Wingate. *Dur* 1A **106**
Wingates. *G Man* 4E **91**
Wingates. *Nmbd* 5F **121**
Wingerworth. *Derbs* 4A **86**
Wingfield. *C Beds* 3A **52**
Wingfield. *Suff* 3E **67**
Wingfield. *Wilts* 1D **22**
Wingfield Park. *Derbs* 5A **86**
Wingham. *Kent* 5G **41**
Wingmore. *Kent* 1F **29**
Wingrave. *Buck* 4G **51**
Winkburn. *Notts* 5E **86**
Winkfield. *Brac* 3A **38**
Winkfield Row. *Brac* 4G **37**
Winkhill. *Staf* 5E **85**
Winklebury. *Hants* 1E **24**
Winkleigh. *Devn* 2G **11**
Winksley. *N Yor* 2E **99**
Winkton. *Dors* 3G **15**
Winlaton. *Tyne* 3E **115**
Winlaton Mill. *Tyne* 3E **115**
Winless. *High* 3F **169**
Winmarleigh. *Lanc* 5D **96**
Winnal Common. *Here* 2H **47**
Winnard's Perch. *Corn* 2D **6**
Winnersh. *Wok* 4F **37**
Winnington. *Ches W* 3A **84**
Winnington. *Staf* 2B **72**
Winnothdale. *Staf* 1E **73**
Winscales. *Cumb* 2B **102**
Winscombe. *N Som* 1H **21**
Winsford. *Ches W* 4A **84**
Winsford. *Som* 3C **20**
Winsham. *Devn* 3F **19**
Winsham. *Som* 2G **13**
Winshill. *Staf* 3G **73**
Winsh-wen. *Swan* 3F **31**
Winskill. *Cumb* 1G **103**
Winslade. *Hants* 2E **25**
Winsley. *Wilts* 5C **34**
Winslow. *Buck* 3F **51**
Winson. *Glos* 5F **49**
Winson Green. *W Mid* 2E **61**
Winsor. *Hants* 1B **16**
Winster. *Cumb* 5F **103**
Winster. *Derbs* 4G **85**
Winston. *Dur* 3E **105**
Winston. *Suff* 4D **66**
Winstone. *Glos* 5E **49**
Winswell. *Devn* 1E **11**
Winterborne Clenston. *Dors* 2D **14**
Winterborne Herringston. *Dors* 4B **14**
Winterborne Houghton. *Dors* 2D **14**
Winterborne Kingston. *Dors* 3D **14**
Winterborne Monkton. *Dors* 4B **14**
Winterborne St Martin. *Dors* 4B **14**
Winterborne Stickland. *Dors* 2D **14**
Winterborne Whitechurch. *Dors* 2D **14**
Winterborne Zelston. *Dors* 3E **15**
Winterbourne. *S Glo* 3B **34**
Winterbourne. *W Ber* 4C **36**
Winterbourne Abbas. *Dors* 3B **14**
Winterbourne Bassett. *Wilts* 4G **35**
Winterbourne Dauntsey. *Wilts* 3G **23**
Winterbourne Earls. *Wilts* 3G **23**
Winterbourne Gunner. *Wilts* 3G **23**
Winterbourne Monkton. *Wilts* 4F **35**
Winterbourne Steepleton. *Dors* 4B **14**
Winterbourne Stoke. *Wilts* 2F **23**
Winterbrook. *Oxon* 3E **36**
Winterburn. *N Yor* 4B **98**
Winter Gardens. *Essx* 2B **40**
Winterhay Green. *Som* 1G **13**
Winteringham. *N Lin* 2C **94**
Winterley. *Ches E* 5B **84**
Wintersett. *W Yor* 3D **93**
Winterton. *N Lin* 3C **94**
Winterton-on-Sea. *Norf* 4G **79**
Winthorpe. *Linc* 4E **89**
Winthorpe. *Notts* 5F **87**
Winton. *Bour* 3F **15**
Winton. *Cumb* 3A **104**
Winton. *E Sus* 5G **27**
Wintringham. *N Yor* 2C **100**
Winwick. *Cambs* 2A **64**
Winwick. *Nptn* 3D **62**
Winwick. *Warr* 1A **84**
Wirksworth. *Derbs* 5G **85**
Wirswall. *Ches E* 1H **71**
Wisbech. *Cambs* 4D **76**
Wisbech St Mary. *Cambs* 5D **76**
Wisborough Green. *W Sus* 3B **26**
Wiseton. *Notts* 2E **86**
Wishaw. *N Lan* 4B **128**
Wishaw. *Warw* 1F **61**
Wisley. *Surr* 5B **38**
Wispington. *Linc* 3B **88**
Wissenden. *Kent* 1D **28**
Wissett. *Suff* 3F **67**
Wistanstow. *Shrp* 2G **59**
Wistanswick. *Shrp* 3A **72**
Wistaston. *Ches E* 5A **84**
Wiston. *Pemb* 3E **43**
Wiston. *S Lan* 1B **118**
Wiston. *W Sus* 4C **26**
Wistow. *Cambs* 2B **64**
Wistow. *N Yor* 1F **93**
Wiswell. *Lanc* 1F **91**
Witcham. *Cambs* 2D **64**
Witchampton. *Dors* 2E **15**
Witchford. *Cambs* 3E **65**
Witham. *Essx* 4B **54**
Witham Friary. *Som* 2C **22**
Witham on the Hill. *Linc* 4H **75**
Witham St Hughs. *Linc* 4F **87**
Withcall. *Linc* 2B **88**
Witherenden Hill. *E Sus* 3H **27**
Withergate. *Norf* 3E **79**
Witheridge. *Devn* 1B **12**
Witheridge Hill. *Oxon* 3E **37**
Witherley. *Leics* 1H **61**
Withermarsh Green. *Suff* 2D **54**
Withern. *Linc* 2D **88**
Withernsea. *E Yor* 2G **95**
Withernwick. *E Yor* 5F **101**
Withersdale Street. *Suff* 2E **67**
Withersfield. *Suff* 1G **53**
Witherslack. *Cumb* 1D **96**
Withiel. *Corn* 2D **6**
Withiel Florey. *Som* 3C **20**
Withington. *Glos* 4F **49**
Withington. *G Man* 1C **84**
Withington. *Here* 1A **48**
Withington. *Shrp* 4H **71**
Withington. *Staf* 2E **73**
Withington Green. *Ches E* 3C **84**
Withington Marsh. *Here* 1A **48**
Withleigh. *Devn* 1C **12**
Withnell. *Lanc* 2E **91**
Withnell Fold. *Lanc* 2E **90**
Withybrook. *Warw* 2B **62**
Withycombe. *Som* 2D **20**
Withycombe Raleigh. *Devn* 4D **12**
Withyham. *E Sus* 2F **27**
Withypool. *Som* 3B **20**
Witley. *Surr* 1A **26**
Witnesham. *Suff* 5D **66**
Witney. *Oxon* 4B **50**
Wittering. *Pet* 5H **75**
Wittersham. *Kent* 3D **28**
Witton. *Norf* 5F **79**
Witton. *Worc* 4D **60**
Witton Bridge. *Norf* 2F **79**
Witton Gilbert. *Dur* 5F **115**
Witton-le-Wear. *Dur* 1E **105**
Witton Park. *Dur* 1E **105**
Wiveliscombe. *Som* 4D **20**
Wivelrod. *Hants* 3E **25**
Wivelsfield. *E Sus* 3E **27**
Wivelsfield Green. *E Sus* 4E **27**
Wivenhoe. *Essx* 3D **54**
Wiveton. *Norf* 1C **78**
Wix. *Essx* 3E **55**
Wixford. *Warw* 5E **61**
Wixhill. *Shrp* 3H **71**
Wixoe. *Suff* 1H **53**
Woburn. *C Beds* 2H **51**
Woburn Sands. *Mil* 2H **51**
Woking. *Surr* 5B **38**
Wokingham. *Wok* 5G **37**
Wolborough. *Devn* 5B **12**
Woldingham. *Surr* 5E **39**
Wold Newton. *E Yor* 2E **101**
Wold Newton. *NE Lin* 1B **88**
Wolferlow. *Here* 4A **60**
Wolferton. *Norf* 3F **77**
Wolfhill. *Per* 5A **144**
Wolf's Castle. *Pemb* 2D **42**
Wolfsdale. *Pemb* 2D **42**
Wolgarston. *Staf* 4D **72**
Wollaston. *Nptn* 4G **63**
Wollaston. *Shrp* 4F **71**
Wollaston. *W Mid* 2C **60**
Wollaton. *Nott* 1C **74**
Wollerton. *Shrp* 2A **72**
Wollescote. *W Mid* 2D **60**
Wolseley Bridge. *Staf* 3E **73**
Wolsingham. *Dur* 1D **105**
Wolstanton. *Staf* 1C **72**
Wolston. *Warw* 3B **62**
Wolsty. *Cumb* 4C **112**
Wolterton. *Norf* 2D **78**
Wolvercote. *Oxon* 5C **50**
Wolverhampton. *W Mid* 1D **60** & **213**
Wolverley. *Shrp* 2G **71**
Wolverley. *Worc* 3C **60**
Wolverton. *Hants* 1D **24**
Wolverton. *Mil* 1G **51**
Wolverton. *Warw* 4G **61**
Wolverton. *Wilts* 3C **22**
Wolverton Common. *Hants* 1D **24**
Wolvesnewton. *Mon* 2H **33**
Wolvey. *Warw* 2B **62**
Wolvey Heath. *Warw* 2B **62**
Wolviston. *Stoc T* 2B **106**
Womaston. *Powy* 4E **59**
Wombleton. *N Yor* 1A **100**
Wombourne. *Staf* 1C **60**
Wombwell. *S Yor* 4D **93**
Womenswold. *Kent* 5G **41**
Womersley. *N Yor* 3F **93**
Wonersh. *Surr* 1B **26**
Wonson. *Devn* 4G **11**
Wonston. *Dors* 2C **14**
Wonston. *Hants* 3C **24**
Wooburn. *Buck* 2A **38**
Wooburn Green. *Buck* 2A **38**
Wood. *Pemb* 2C **42**
Woodacott. *Devn* 2D **11**
Woodale. *N Yor* 2C **98**
Woodall. *S Yor* 2B **86**
Woodbank. *Ches W* 3F **83**
Woodbastwick. *Norf* 4F **79**
Woodbeck. *Notts* 3E **87**
Woodborough. *Notts* 1D **74**
Woodborough. *Wilts* 1G **23**
Woodbridge. *Devn* 3E **13**
Woodbridge. *Dors* 1C **14**
Woodbridge. *Suff* 1F **55**
Wood Burcote. *Nptn* 1E **51**
Woodbury. *Devn* 4D **12**
Woodbury Salterton. *Devn* 4D **12**
Woodchester. *Glos* 5D **48**
Woodchurch. *Kent* 2D **28**
Woodchurch. *Mers* 2E **83**
Woodcock Heath. *Staf* 3E **73**
Woodcombe. *Som* 2C **20**
Woodcote. *Oxon* 3E **37**
Woodcote Green. *Worc* 3D **60**
Woodcott. *Hants* 1C **24**
Woodcroft. *Glos* 2A **34**
Woodcutts. *Dors* 1E **15**
Wood Dalling. *Norf* 3C **78**
Woodditton. *Cambs* 5F **65**
Woodeaton. *Oxon* 4D **50**
Wood Eaton. *Staf* 4C **72**
Wood End. *Bed* 4H **63**
Woodend. *Cumb* 5C **102**
Wood End. *Herts* 3D **52**
Woodend. *Nptn* 1E **50**
Woodend. *Staf* 3F **73**
Wood End. *Warw* 2G **61** (nr. Bedworth)
Wood End. *Warw* 1G **61** (nr. Dordon)
Wood End. *Warw* 3F **61** (nr. Tanworth-in-Arden)
Woodend. *W Sus* 2G **17**
Wood Enderby. *Linc* 4B **88**
Woodend Green. *Essx* 3F **53**
Woodfalls. *Wilts* 4G **23**
Woodfield. *Oxon* 3D **50**
Woodfields. *Lanc* 1E **91**
Woodford. *Corn* 1C **10**
Woodford. *Devn* 3D **9**
Woodford. *Glos* 2B **34**
Woodford. *G Lon* 1E **39**
Woodford. *G Man* 2C **84**
Woodford. *Nptn* 3G **63**
Woodford. *Plym* 3B **8**
Woodford Green. *G Lon* 1F **39**
Woodford Halse. *Nptn* 5C **62**
Woodgate. *Norf* 4C **78**
Woodgate. *W Mid* 2D **61**
Woodgate. *W Sus* 5A **26**
Woodgate. *Worc* 4D **60**
Wood Green. *G Lon* 1D **39**
Woodgreen. *Hants* 1G **15**
Woodgreen. *Oxon* 4B **50**
Wood Hall. *E Yor* 1E **95**
Woodhall. *Inv* 2E **127**
Woodhall. *Linc* 4B **88**
Woodhall. *N Yor* 5C **104**
Woodhall Spa. *Linc* 4A **88**
Woodham. *Surr* 4B **38**
Woodham Ferrers. *Essx* 1B **40**
Woodham Mortimer. *Essx* 5B **54**
Woodham Walter. *Essx* 5B **54**
Woodhaven. *Fife* 1G **137**
Wood Hayes. *W Mid* 5D **72**
Woodhead. *Abers* 2G **161** (nr. Fraserburgh)
Woodhead. *Abers* 5E **161** (nr. Fyvie)
Woodhill. *N Som* 4H **33**
Woodhill. *Shrp* 2B **60**
Woodhill. *Som* 4G **21**
Woodhorn. *Nmbd* 1G **115**
Woodhouse. *Leics* 4C **74**
Woodhouse. *S Yor* 2B **86**
Woodhouse. *W Yor* 1C **92** (nr. Leeds)
Woodhouse. *W Yor* 2D **93** (nr. Normanton)
Woodhouse Eaves. *Leics* 4C **74**
Woodhouses. *Ches W* 3H **83**
Woodhouses. *G Man* 4H **91** (nr. Failsworth)
Woodhouses. *G Man* 1B **84** (nr. Sale)
Woodhouses. *Staf* 4F **73**
Woodhuish. *Devn* 3F **9**
Woodhurst. *Cambs* 3C **64**
Woodingdean. *Brig* 5E **27**
Woodland. *Devn* 2D **9**
Woodland. *Dur* 2D **104**

Woodland Head. Devn 3A 12
Woodlands. Abers 4E 153
Woodlands. Dors 2F 15
Woodlands. Hants 1B 16
Woodlands. Kent 4G 39
Woodlands. N Yor 4F 99
Woodlands. S Yor 4F 93
Woodlands Park. Wind 4G 37
Woodlands St Mary. W Ber 4B 36
Woodlane. Shrp 3A 72
Woodlane. Staf 3F 73
Woodleigh. Devn 4D 8
Woodlesford. W Yor 2D 92
Woodley. G Man 1D 84
Woodley. Wok 4F 37
Woodmancote. Glos 3E 49 (nr. Cheltenham)
Woodmancote. Glos 5F 49 (nr. Cirencester)
Woodmancote. W Sus 2F 17 (nr. Chichester)
Woodmancote. W Sus 4D 26 (nr. Henfield)
Woodmancote. Worc 1E 49
Woodmancott. Hants 2D 24
Woodmansey. E Yor 1D 94
Woodmansgreen. W Sus 4G 25
Woodmansterne. Surr 5D 39
Woodmanton. Devn 4D 12
Woodmill. Staf 3F 73
Woodminton. Wilts 4F 23
Woodnesborough. Kent 5H 41
Woodnewton. Nptn 1H 63
Woodnook. Linc 2G 75
Wood Norton. Norf 3C 78
Woodplumpton. Lanc 1D 90
Woodrising. Norf 5B 78
Woodrow. Cumb 5D 112
Woodrow. Dors 1C 14 (nr. Fifehead Neville)
Woodrow. Dors 2C 14 (nr. Hazelbury Bryan)
Wood Row. W Yor 2D 93
Woods Eaves. Here 1F 47
Woodseaves. Shrp 2A 72
Woodseaves. Staf 3B 72
Woodsend. Wilts 4H 35
Woodsetts. S Yor 2C 86
Woodsford. Dors 3C 14
Wood's Green. E Sus 2H 27
Woodshaw. Wilts 3F 35
Woodside. Aber 3G 153
Woodside. Brac 3A 38
Woodside. Derbs 1A 74
Woodside. Dum 2B 112
Woodside. Dur 2E 105
Woodside. Fife 3G 137
Woodside. Herts 5C 52
Woodside. Per 5B 144
Wood Stanway. Glos 2F 49
Woodstock. Oxon 4C 50
Woodstock Slop. Pemb 2E 43
Woodston. Pet 1A 64
Wood Street. Norf 3F 79
Wood Street Village. Surr 5A 38
Woodthorpe. Derbs 3B 86
Woodthorpe. Leics 4C 74
Woodthorpe. Linc 2D 88
Woodthorpe. York 5H 99
Woodton. Norf 1E 67
Woodtown. Devn 4E 19 (nr. Bideford)
Woodtown. Devn 4E 19 (nr. Littleham)
Woodvale. Mers 3B 90
Woodville. Derbs 4H 73
Woodwalton. Cambs 2B 64
Woodwick. Orkn 5C 172
Woodyates. Dors 1F 15
Woody Bay. Devn 2G 19
Woofferton. Shrp 4H 59
Wookey. Som 2A 22
Wookey Hole. Som 2A 22
Wool. Dors 4D 14
Woolacombe. Devn 2E 19
Woolage Green. Kent 1G 29
Woolage Village. Kent 5G 41
Woolaston. Glos 2A 34
Woolavington. Som 2G 21
Woolbeding. W Sus 4G 25
Woolcotts. Som 3C 20
Wooldale. W Yor 4B 92
Wooler. Nmbd 2D 121
Woolfardisworthy. Devn 4D 18 (nr. Bideford)
Woolfardisworthy. Devn 2B 12 (nr. Crediton)
Woolfords. S Lan 4D 128
Woolgarston. Dors 4E 15
Woolhampton. W Ber 5D 36
Woolhope. Here 2B 48
Woolland. Dors 2C 14
Woollard. Bath 5B 34
Woolley. Bath 5C 34
Woolley. Cambs 3A 64
Woolley. Corn 1C 10
Woolley. Derbs 4A 86
Woolley. W Yor 3D 92
Woolley Green. Wilts 5D 34
Woolmere Green. Worc 4D 60
Woolmer Green. Herts 4C 52
Woolminstone. Som 2H 13
Woolpit. Suff 4B 66
Woolridge. Glos 3D 48
Woolscott. Warw 4B 62
Woolsery. Devn 4D 18
Woolsington. Tyne 3E 115
Woolstaston. Shrp 1G 59
Woolsthorpe By Belvoir. Linc 2F 75
Woolsthorpe-by-Colsterworth. Linc 3G 75
Woolston. Devn 4D 8
Woolston. Shrp 2G 59 (nr. Church Stretton)
Woolston. Shrp 3F 71 (nr. Oswestry)
Woolston. Som 4B 22
Woolston. Sotn 1C 16
Woolston. Warr 1A 84
Woolstone. Glos 2E 49
Woolstone. Oxon 3A 36
Woolston Green. Devn 2D 9
Woolton. Mers 2G 83
Woolton Hill. Hants 5C 36
Woolverstone. Suff 2E 55
Woolverton. Som 1C 22
Woolwell. Devn 2B 8
Woolwich. G Lon 3F 39
Woonton. Here 5F 59 (nr. Kington)
Woonton. Here 4H 59 (nr. Leominster)
Wooperton. Nmbd 2E 121
Woore. Shrp 1B 72
Wooth. Dors 3H 13
Wooton. Shrp 2B 60
Wootton. Bed 1A 52
Wootton. Hants 3H 15
Wootton. IOW 3D 16
Wootton. Kent 1G 29
Wootton. Nptn 5E 63
Wootton. N Lin 3D 94
Wootton. Oxon 5C 50 (nr. Abingdon)
Wootton. Oxon 4C 50 (nr. Woodstock)
Wootton. Shrp 3G 59 (nr. Ludlow)
Wootton. Shrp 3F 71 (nr. Oswestry)
Wootton. Staf 3C 72 (nr. Eccleshall)
Wootton. Staf 1F 73 (nr. Ellastone)
Wootton Bridge. IOW 3D 16
Wootton Common. IOW 3D 16
Wootton Courtenay. Som 2C 20
Wootton Fitzpaine. Dors 3G 13
Wootton Rivers. Wilts 5G 35
Wootton St Lawrence. Hants 1D 24
Wootton Wawen. Warw 4F 61
Worcester. Worc 5C 60 & 214
Worcester Park. G Lon 4D 38
Wordsley. W Mid 2C 60
Worfield. Shrp 1B 60
Work. Orkn 6D 172
Workhouse Green. Suff 2C 54
Workington. Cumb 2A 102
Worksop. Notts 3C 86
Worlaby. N Lin 3D 94
Worlds End. Hants 1E 17
Worldsend. Shrp 1G 59
World's End. W Ber 4C 36
Worlds End. W Mid 2F 61
World's End. W Sus 4E 27
Worle. N Som 5G 33
Worleston. Ches E 5A 84
Worlingham. Suff 1G 67
Worlington. Suff 3F 65
Worlingworth. Suff 4E 67
Wormbridge. Here 2H 47
Wormegay. Norf 4F 77
Wormelow Tump. Here 2H 47
Wormhill. Derbs 3F 85
Wormingford. Essx 2C 54
Worminghall. Buck 5E 51
Wormington. Glos 2F 49
Worminster. Som 2A 22
Wormit. Fife 1F 137
Wormleighton. Warw 5B 62
Wormley. Herts 5D 52
Wormley. Surr 2A 26
Wormshill. Kent 5C 40
Wormsley. Here 1H 47
Worplesdon. Surr 5A 38
Worrall. S Yor 1H 85
Worsbrough. S Yor 4D 92
Worsley. G Man 4F 91
Worstead. Norf 3F 79
Worsthorne. Lanc 1G 91
Worston. Lanc 5G 97
Worth. Kent 5H 41
Worth. W Sus 2E 27
Wortham. Suff 3C 66
Worthen. Shrp 5F 71
Worthenbury. Wrex 1G 71
Worthing. Norf 4B 78
Worthing. W Sus 5C 26
Worthington. Leics 3B 74
Worth Matravers. Dors 5E 15
Worting. Hants 1E 24
Wortley. Glos 2C 34
Wortley. S Yor 1H 85
Wortley. W Yor 1C 92
Worton. N Yor 5C 104
Worton. Wilts 1E 23
Wortwell. Norf 2E 67
Wotherton. Shrp 5E 71
Wothorpe. Nptn 5H 75
Wotter. Devn 2B 8
Wotton. Glos 4D 48
Wotton. Surr 1C 26
Wotton-under-Edge. Glos 2C 34
Wotton Underwood. Buck 4E 51
Wouldham. Kent 4B 40
Wrabness. Essx 2E 55
Wrafton. Devn 3E 19
Wragby. Linc 3A 88
Wragby. W Yor 3E 93
Wramplingham. Norf 5D 78
Wrangbrook. W Yor 3E 93
Wrangle. Linc 5D 88
Wrangle Lowgate. Linc 5D 88
Wrangway. Som 1E 13
Wrantage. Som 4G 21
Wrawby. N Lin 4D 94
Wraxall. N Som 4H 33
Wraxall. Som 3B 22
Wray. Lanc 3F 97
Wraysbury. Wind 3B 38
Wrayton. Lanc 2F 97
Wrea Green. Lanc 1B 90
Wreay. Cumb 5F 113 (nr. Carlisle)
Wreay. Cumb 2F 103 (nr. Penrith)
Wrecclesham. Surr 2G 25
Wrecsam. Wrex 5F 83 & **Wrexham** 214
Wrekenton. Tyne 4F 115
Wrelton. N Yor 1B 100
Wrenbury. Ches E 1H 71
Wreningham. Norf 1D 66
Wrentham. Suff 2G 67
Wrenthorpe. W Yor 2D 92
Wrentnall. Shrp 5G 71
Wressle. E Yor 1H 93
Wressle. N Lin 4C 94
Wrestlingworth. C Beds 1C 52
Wretton. Norf 1F 65
Wrexham. Wrex 5F 83 & 214
Wrexham Industrial Estate. Wrex 1F 71
Wreyland. Devn 4A 12
Wrickton. Shrp 2A 60
Wrightlington Bar. Lanc 3D 90
Wright's Green. Essx 4F 53
Wrinehill. Staf 1B 72
Wrington. N Som 5H 33
Writtle. Essx 5G 53
Wrockwardine. Telf 4A 72
Wroot. N Lin 4H 93
Wrotham. Kent 5H 39
Wrotham Heath. Kent 5H 39
Wroughton. Swin 3G 35
Wroxall. IOW 4D 16
Wroxall. Warw 3G 61
Wroxeter. Shrp 5H 71
Wroxham. Norf 4F 79
Wroxton. Oxon 1C 50
Wyaston. Derbs 1F 73
Wyatt's Green. Essx 1G 39
Wybers Wood. NE Lin 4F 95
Wyberton. Linc 1C 76
Wyboston. Bed 5A 64
Wybunbury. Ches E 1A 72
Wychbold. Worc 4D 60
Wych Cross. E Sus 2F 27
Wychnor. Staf 4F 73
Wychnor Bridges. Staf 4F 73
Wyck. Hants 3F 25
Wyck Hill. Glos 3G 49
Wyck Rissington. Glos 3G 49
Wycliffe. Dur 3E 105
Wycombe Marsh. Buck 2G 37
Wyddial. Herts 2D 52
Wye. Kent 1E 29
Wyesham. Mon 4A 48
Wyfold Grange. Oxon 3E 37
Wyfordby. Leics 4E 75
Wyke. Devn 3B 12
Wyke. Dors 4C 22
Wyke. Shrp 5A 72
Wyke. Surr 5A 38
Wyke. W Yor 2B 92
Wyke Champflower. Som 3B 22
Wykeham. Linc 3B 76
Wykeham. N Yor 2C 100 (nr. Malton)
Wykeham. N Yor 1D 100 (nr. Scarborough)
Wyken. Shrp 1B 60
Wyken. W Mid 2A 62
Wyke Regis. Dors 5B 14
Wyke, The. Shrp 5B 72
Wykey. Shrp 3F 71
Wykin. Leics 1B 62
Wylam. Nmbd 3E 115
Wylde Green. W Mid 1F 61
Wylye. Wilts 3F 23
Wymering. Port 2E 17
Wymeswold. Leics 3D 74
Wymington. Bed 4G 63
Wymondham. Leics 4F 75
Wymondham. Norf 5D 78
Wyndham. B'end 2C 32
Wynford Eagle. Dors 3A 14
Wyng. Orkn 8C 172
Wynyard Village. Stoc T 2B 106
Wyre Piddle. Worc 1E 49
Wysall. Notts 3D 74
Wyson. Here 4H 59
Wythall. Worc 3E 61
Wytham. Oxon 5C 50
Wythenshawe. G Man 2C 84
Wythop Mill. Cumb 2C 102
Wyton. Cambs 3B 64
Wyton. E Yor 1E 95
Wyverstone. Suff 4C 66
Wyverstone Street. Suff 4C 66
Wyville. Linc 3F 75
Wyvis Lodge. High 1G 157

Y

Yaddlethorpe. N Lin 4B 94
Yafford. IOW 4C 16
Yafforth. N Yor 5A 106
Yalding. Kent 5A 40
Yanley. N Som 5A 34
Yanwath. Cumb 2G 103
Yanworth. Glos 4F 49
Yapham. E Yor 4B 100
Yapton. W Sus 5A 26
Yarburgh. Linc 1C 88
Yarcombe. Devn 2F 13
Yarde. Som 3D 20
Yardley. W Mid 2F 61
Yardley Gobion. Nptn 1F 51
Yardley Hastings. Nptn 5F 63
Yardley Wood. W Mid 2F 61
Yardro. Powy 5E 58
Yarhampton. Worc 4B 60
Yarkhill. Here 1B 48
Yarlet. Staf 3D 72
Yarley. Som 2A 22
Yarlington. Som 4B 22
Yarm. Stoc T 3B 106
Yarmouth. IOW 4B 16
Yarnbrook. Wilts 1D 22
Yarnfield. Staf 2C 72
Yarnscombe. Devn 4F 19
Yarnton. Oxon 4C 50
Yarpole. Here 4G 59
Yarrow. Nmbd 1A 114
Yarrow. Bord 2F 119
Yarrow. Som 2G 21
Yarrow Feus. Bord 2F 119
Yarrow Ford. Bord 1G 119
Yarsop. Here 1H 47
Yarwell. Nptn 1H 63
Yate. S Glo 3C 34
Yateley. Hants 5G 37
Yatesbury. Wilts 4F 35
Yattendon. W Ber 4D 36
Yatton. Here 4G 59 (nr. Leominster)
Yatton. Here 2B 48 (nr. Ross-on-Wye)
Yatton. N Som 5H 33
Yatton Keynell. Wilts 4D 34
Yaverland. IOW 4E 16
Yawl. Devn 3G 13
Yaxham. Norf 4C 78
Yaxley. Cambs 1A 64
Yaxley. Suff 3D 66
Yazor. Here 1H 47
Y Bala. Gwyn 2B 70
Y Bont-Faen. V Glam 4C 32
Y Clun. Neat 5B 46
Y Dref. Gwyn 2D 69
Y Drenewydd. Powy 1D 58
Yeading. G Lon 2C 38
Yeadon. W Yor 5E 98
Yealand Conyers. Lanc 2E 97
Yealand Redmayne. Lanc 2E 97
Yealand Storrs. Lanc 2D 97
Yealmpton. Devn 3B 8
Yearby. Red C 2D 106
Yearngill. Cumb 5C 112
Yearsett. Here 5B 60
Yearsley. N Yor 2H 99
Yeaton. Shrp 4G 71
Yeaveley. Derbs 1F 73
Yeavering. Nmbd 1D 120
Yedingham. N Yor 2C 100
Yeldersley Hollies. Derbs 1G 73
Yelford. Oxon 5B 50
Yelland. Devn 3E 19
Yelling. Cambs 4B 64
Yelsted. Kent 4C 40
Yelvertoft. Nptn 3C 62
Yelverton. Devn 2B 8
Yelverton. Norf 5E 79
Yenston. Som 4C 22
Yeoford. Devn 3A 12
Yeolmbridge. Corn 4D 10
Yeo Mill. Devn 4B 20
Yeovil. Som 1A 14
Yeovil Marsh. Som 1A 14
Yeovilton. Som 4A 22
Yerbeston. Pemb 4E 43
Yesnaby. Orkn 6B 172
Yetlington. Nmbd 4E 121
Yetminster. Dors 1A 14
Yett. N Lan 4A 128
Yett. S Ayr 2D 116
Yettington. Devn 4D 12
Yetts o' Muckhart. Clac 3C 136
Y Fali. IOA 3B 80
Y Felinheli. Gwyn 4E 81
Y Fenni. Mon 4G 47
Y Ferwig. Cdgn 1B 44
Y Fflint. Flin 3E 83
Y Ffor. Gwyn 2C 68
Y Fron. Gwyn 5E 81
Y Gelli Gandryll. Powy 1F 47
Yielden. Bed 4H 63
Yieldshields. S Lan 4B 128
Yiewsley. G Lon 2B 38
Yinstay. Orkn 6E 172
Ynysboeth. Rhon 2D 32
Ynysddu. Cphy 2E 33
Ynysforgan. Swan 3F 31
Ynyshir. Rhon 2D 32
Ynyslas. Cdgn 1F 57
Ynysmaerdy. Rhon 3D 32
Ynysmeudwy. Neat 5H 45
Ynystawe. Swan 5G 45
Ynyswen. Powy 4B 46
Ynys-wen. Rhon 2C 32
Ynys y Barri. V Glam 5E 32
Ynysybwl. Rhon 2D 32
Ynysymaerdy. Neat 3G 31
Yockenthwaite. N Yor 2B 98
Yockleton. Shrp 4G 71
Yokefleet. E Yor 2B 94
Yoker. Glas 3G 127
Yonder Bognie. Abers 4C 160
Yonderton. Abers 5G 161
York. York 4A 100 & 214
Yorkletts. Kent 4E 41
Yorkley. Glos 5B 48
Yorkshire Dales. N Yor 2H 97
Yorton. Shrp 3H 71
Yorton Heath. Shrp 3H 71
Youlgreave. Derbs 4G 85
Youlthorpe. E Yor 4B 100
Youlton. N Yor 3G 99
Young's End. Essx 4H 53
Young Wood. Linc 3A 88
Yoxall. Staf 4F 73
Yoxford. Suff 4F 67
Yr Hob. Flin 5F 83
Y Rhws. V Glam 5D 32
Yr Wyddgrug. Flin 4E 83
Ysbyty Cynfyn. Cdgn 3G 57
Ysbyty Ifan. Cnwy 1H 69
Ysbyty Ystwyth. Cdgn 3G 57
Ysceifiog. Flin 3D 82
Yspitty. Carm 3E 31
Ystalyfera. Neat 5A 46
Ystrad. Rhon 2C 32
Ystrad Aeron. Cdgn 5E 57
Ystradfellte. Powy 4C 46
Ystradffin. Carm 1A 46
Ystradgynlais. Powy 4A 46
Ystradmeurig. Cdgn 4G 57
Ystrad Mynach. Cphy 2E 33
Ystradowen. Carm 4A 46
Ystradowen. V Glam 4D 32
Ystumtuen. Cdgn 3G 57
Ythanbank. Abers 5G 161
Ythanwells. Abers 5D 160
Y Trallwng. Powy 5E 70
Y Tymbl. Carm 4F 45
Y Waun. Wrex 2E 71

Z

Zeal Monachorum. Devn 2H 11
Zeals. Wilts 3C 22
Zelah. Corn 3C 6
Zennor. Corn 3B 4
Zouch. Notts 3C 74

INDEX TO SELECTED PLACES OF INTEREST

(1) A strict alphabetical order is used e.g. Benmore Botanic Gdn. follows Ben Macdui but precedes Ben Nevis.

(2) Entries shown without a main map index reference have the name of the appropriate Town Plan and its page number; e.g. Ashmolean Mus. of Art & Archaeology (OX1 2PH) . . . . **Oxford 207**
The Town Plan title is not given when this is included in the name of the Place of Interest.

(3) Entries in italics are not named on the map but are shown with a symbol only.
Entries in Italics and enclosed in brackets are not shown on the map.
Where this occurs the nearest town or village may also be given, unless that name is already included in the name of the Place of Interest.

SAT NAV POSTCODES

Postcodes (in brackets) are included as a navigation aid to assist Sat Nav users and are supplied on this basis. It should be noted that postcodes have been selected by their proximity to the Place of Interest and that they may not form part of the actual postal address.
Drivers should follow the Tourist Brown Signs when available.

ABBREVIATIONS USED IN THIS INDEX

Garden : Gdn.
Gardens : Gdns.
Museum : Mus.
National : Nat
Park : Pk.

INDEX

A

Abbeydale Industrial Hamlet (S7 2QW) 2H **85**
Abbey House Mus. (LS5 3EH) 1C **92**
*Abbot Hall Art Gallery, Kendal (LA9 5AL) 5G **103***
Abbotsbury Sub Tropical Gdns. (DT3 4LA) 4A **14**
Abbotsbury Swannery (DT3 4JG) 4A **14**
Abbotsford (TD6 9BQ) 1H **119**
Aberdeen Maritime Mus. (AB11 5BY) **187**
*Aberdour Castle (KY3 0XA) 1E **129***
Aberdulais Falls (SA10 8EU) 5A **46**
Aberglasney Gdns. (SA32 8QH) 3F **45**
Abernethy Round Tower (PH2 9RT) 2D **136**
Aberystwyth Castle (SY23 1DZ) **187**
Acorn Bank Gdn. & Watermill (CA10 1SP) 2H **103**
*Acton Burnell Castle (SY5 7PF) 5H **71***
Acton Scott Historic Working Farm (SY6 6QN) 2G **59**
Adlington Hall (SK10 4LF) 2D **84**
Africa Alive! (NR33 7TF) 2H **67**
Aintree Racecourse (L9 5AS) 1F **83**
Aira Force (CA11 0JX) 2F **103**
A la Ronde (EX8 5BD) 4D **12**
Alderley Edge (SK10 4UB) 3C **84**
Alfriston Clergy House (BN26 5TL) 5G **27**
Alloa Tower (FK10 1PP) 4A **136**
*Alnwick Castle (NE66 1NQ) 3F **121***
*Alnwick Gdn. (NE66 1YU) 3F **121***
Althorp (NN7 4HQ) 4D **62**
Alton Towers (ST10 4DB) 1E **73**
Amberley Mus. & Heritage Centre (BN18 9LT) 4B **26**
American Mus. in Britain (BA2 7BD) 5C **34**
Angel of the North (NE9 6PG) 4F **115**
Anglesey Abbey & Lode Mill (CB25 9EJ) 4E **65**
Angus Folk Mus. (DD8 1RT) 4C **144**
Animalarium at Borth (SY24 5NA) 2F **57**
Anne Hathaway's Cottage (CV37 9HH) 5F **61**
Antonine Wall (FK4 2AA) 2B **128**
Antony (PL11 2QA) 3A **8**
Appuldurcombe House (PO38 3EW) 4D **16**
Arbeia Roman Fort & Mus. (NE33 2BB) 3G **115**
Arbroath Abbey (DD11 1JQ) 4F **145**
Arbury Hall (CV10 7PT) 2H **61**
Arbuthnott House Gdn. (AB30 1PA) 1G **145**
Ardkinglas Woodland Gdns. (PA26 8BG) 2A **134**
Ardnamurchan Point (PH36 4LN) 2F **139**
Arduaine Gdn. (PA34 4XQ) 2E **133**
Ardwell Gdns. (DG9 9LY) 5G **109**
Argyll's Lodging (FK8 1EG) **Stirling 211**
Arley Hall & Gdns. (CW9 6NA) 2A **84**
Arlington Court (EX31 4LP) 3G **19**
Arlington Row (GL7 5NJ) 5G **49**
Armadale Castle Gdns. (IV45 8RS) 3E **147**
Arniston House (EH23 4RY) 4G **129**
*Arundel Castle (BN18 9AB) 5B **26***
Arundel Wetland Centre (BN18 9PB) 5B **26**
Ascot Racecourse (SL5 7JX) 4A **38**
Ascott (LU7 0PT) 3G **51**
*Ashby-de-la-Zouch Castle (LE65 1BR) 4A **74***
Ashdown Forest (TN7 4EU) 2F **27**
Ashdown House (RG17 8RE) 3A **36**
Ashmolean Mus. of Art & Archaeology (OX1 2PH) **Oxford 207**
Ashridge Estate (HP4 1LT) 4H **51**
Astley Hall Mus. & Art Gallery (PR7 1NP) 3D **90**
Athelhampton House (DT2 7LG) 3C **14**
Attingham Pk. (SY4 4TP) 5H **71**
Auchingarrich Wildlife Centre (PH6 2JE) 2G **135**
*Auckland Castle, Bishop Auckland (DL14 7NP) 1F **105***
Audley End House & Gdns. (CB11 4JF) 2F **53**
Avebury Stone Circle (SN8 1RE) 4G **35**
Avoncroft Mus. of Historic Buildings (B60 4JR) 4D **60**
Avon Valley Adventure & Wildlife Pk. (BS31 1TP) 5B **34**
Avon Valley Railway (BS30 6HD) 4B **34**
*Aydon Castle (NE45 5PJ) 3C **114***
Ayr Racecourse (KA8 0JE) **187**
Ayscoughfee Hall Mus. & Gdns. (PE11 2RA) 3B **76**
Aysgarth Falls (DL8 3SR) 1C **98**
*Ayton Castle (TD14 5RD) 3F **131***

B

Bachelors' Club (KA5 5RB) 2D **116**
*Baconsthorpe Castle (NR25 6PS) 2D **78***
Baddesley Clinton (B93 0DQ) 3F **61**
Bala Lake Railway (LL23 7DD) 2A **70**
Ballindalloch Castle (AB37 9AX) 5F **159**
Balmacara Estate (IV40 8DN) 1F **147**
Balmoral Castle (AB35 5TB) 4G **151**
Balvaird Castle (PH2 9PY) 2D **136**
Balvenie Castle (AB55 4DH) 4H **159**
*Bamburgh Castle (NE69 7DF) 1F **121***
Bangor Cathedral (LL57 1DN) 3E **81**
Banham Zoo (NR16 2HE) 2C **66**
Bannockburn Battle Site (FK7 0PL) 4G **135**
Barbara Hepworth Mus. & Sculpture Gdn. (TR26 1AD) 2C **4**
*Barnard Castle (DL12 8PR) 3D **104***
Barnsdale Gdns. (LE15 8AH) 4G **75**
Barrington Court (TA19 0NQ) 1G **13**
Basildon Pk. (RG8 9NR) 4E **36**
Basing House (RG24 7HB) 1E **25**
Basingwerk Abbey (CH8 7GH) 3D **82**
Bateman's (TN19 7DS) 3A **28**
Bath Abbey (BA1 1LT) **187**
Bath Assembly Rooms & Fashion Mus. (BA1 2QH) **187**
Bath Roman Baths & Pump Room (BA1 1LZ) **187**
Battle Abbey (TN33 0AD) 4B **28**
Battlefield Line Railway (CV13 0BS) 5A **74**
*Battle of Britain Memorial Flight Visitors Centre, RAF Coningsby (LN4 4SY) 5B **88***
Battle of Hastings Site (TN33 0AD) 4B **28**
Bayham Abbey (TN3 8BE) 2H **27**
Beachy Head (BN20 7YA) 5G **27**
Beamish (DH9 0RG) 4F **115**
Beatles Story (L3 4AD) **Liverpool 200**
Beatrix Potter's House, Hill Top (LA22 0LF) 5E **103**
Beaulieu Abbey (SO42 7ZN) 2B **16**
Beauly Priory (IV4 7BL) 4H **157**
*Beaumaris Castle (LL58 8AP) 3F **81***
Beck Isle Mus. of Rural Life (YO18 8DU) 1B **100**
Bedgebury Nat. Pinetum (TN17 2SL) 2B **28**
Bedruthan Steps (PL27 7UW) 2C **6**
*Beeston Castle & Woodland Pk. (CW6 9TX) 5H **83***
Bekonscot Model Village & Railway (HP9 2PL) 1A **38**
Belgrave Hall Mus. & Gdns. (LE4 5PE) 5C **74**
Belmont House & Gdns. (ME13 0HH) 5D **40**
Belsay Hall, Castle & Gdns. (NE20 0DX) 2D **115**
Belton House (NG32 2LS) 2G **75**
*Belvoir Castle (NG32 1PD) 2F **75***
Beningbrough Hall & Gdns. (YO30 1DD) 4H **99**
Benington Lordship Gdns. (SG2 7BS) 3C **52**
Ben Lawers (PH15 2PA) 4D **142**
Ben Lomond (FK8 3TR) 3C **134**
Ben Macdui (PH22 1RB) 4D **151**
Benmore Botanic Gdn. (PA23 8QU) 1C **126**
Ben Nevis (PH33 6SY) 1F **141**
Benthall Hall (TF12 5RX) 5A **72**
Bentley Wildfowl & Motor Mus. (BN8 5AF) 4F **27**
Berkeley Castle (GL13 9BQ) 2B **34**
*Berkhamsted Castle (HP4 1LJ) 5H **51***
Berney Arms Windmill (NR31 9HU) 5G **79**
Berrington Hall (HR6 0DW) 4H **59**
Berry Pomeroy Castle (TQ9 6LJ) 2E **9**
Bessie Surtees House (NE1 3JF) **Newcastle 205**
Beverley Minster (HU17 0DP) 1D **94**
Bicton Pk. Botanical Gdns. (EX9 7BJ) 4D **12**
Biddulph Grange Gdn. (ST8 7SD) 5C **84**
Big Ben (SW1A 2PW) **London 203**
Bignor Roman Villa (RH20 1PH) 4A **26**
Big Pit: Nat. Coal Mus. (NP4 9XP) 5F **47**
Binham Priory (NR21 0DJ) 1B **78**
Birmingham Mus. & Art Gallery (B3 3DH) **188**
Bishop's Waltham Palace (SO32 1DP) 1D **16**
*Black Country Living Mus., Dudley (DY1 4SQ) 1D **60***
Blackgang Chine (PO38 2HN) 5C **16**
Blackhouse (HS2 9DB) 3F **171**
Blackness Castle (EH49 7NH) 1D **128**
Blackpool Pleasure Beach (FY4 1EZ) 1B **90**
*Blackpool Zoo (FY3 8PP) 1B **90***
Blackwell, The Arts & Crafts House (LA23 3JR) 5F **103**
Blaenavon Ironworks (NP4 9RJ) 5F **47**
*Blaenavon World Heritage Centre (NP4 9AS) 5F **47***
Blair Castle (PH18 5TL) 2F **143**
Blair Drummond Safari & Adventure Pk. (FK9 4UR) 4G **135**
Blairquhan Castle (KA19 7LZ) 4C **116**
Blakeney Point (NR25 7SA) 1C **78**
Blakesley Hall (B25 8RN) 2F **61**
Blenheim Palace (OX20 1PX) 4C **50**
Bletchley Pk. (MK3 6EB) 2G **51**
Blickling Estate (NR11 6NF) 3D **78**
*Blists Hill Victorian Town, Telford (TF7 5DS) 5A **72***
Bluebell Railway (TN22 3QL) 3E **27**
Blue John Cavern (S33 8WP) 2F **85**
Blue Reef Aquarium, Bristol (BS1 5TT) **189**
Blue Reef Aquarium, Hastings (TN34 3DW) 5C **28**
Blue Reef Aquarium, Newquay (TR7 1DU) 2C **6**
*[Blue Reef Aquarium, Portsmouth, Southsea (PO5 3PB)] 3E **17***
Blue Reef Aquarium, Tynemouth (NE30 4JF) 2G **115**
Boath Doocot (IV12 5TD) 3D **158**
Bocketts Farm Pk. (KT22 9BS) 5C **38**
Bodelwyddan Castle (LL18 5YA) 3B **82**
*Bodiam Castle (TN32 5UA) 3B **28***
Bodleian Library (OX1 3BG) **Oxford 207**
Bodmin & Wenford Railway (PL31 1AQ) 2E **7**
Bodmin Moor (PL15 7TN) 5B **10**
Bodnant Gdn. (LL28 5RE) 3H **81**
Bodrhyddan Hall (LL18 5SB) 3C **82**
Bolingbroke Castle (PE23 4HH) 4C **88**
*Bolsover Castle (S44 6PR) 3B **86***
Bolton Castle (DL8 4ET) 5D **104**
Bolton Priory (BD23 6AL) 4C **98**
Bonawe Historic Iron Furnace (PA35 1JQ) 5E **141**
Bo'ness & Kinneil Railway (EH51 9AQ) 1C **128**
Booth Mus. of Natural History (BN1 5AA) **Brighton & Hove 189**
Borde Hill Gdn. (RH16 1XP) 3E **27**
Boscobel House (ST19 9AR) 5C **72**
Boston Stump (PE21 6NQ) 1C **76**
Bosworth Field Battle Site (CV13 0AB) 5A **74**
Bothwell Castle (G71 8BL) 4H **127**
Boughton (NN14 1BJ) 2G **63**
Boughton House & Gdns. (NN14 1BJ) 4E **63**
*Bowes Castle (DL12 9LE) 3C **104***
Bowes Mus. (DL12 8NP) 3D **104**
Bowhill House & Country Estate (TD7 5ET) 2G **119**
Bowood House & Gdns. (SN11 0LZ) 5E **35**
Box Hill (KT20 7LF) 5C **38**
Braemar Castle (AB35 5XR) 4F **151**
*Bramall Hall, Bramhall (SK7 3NX) 2C **84***
Bramber Castle (BN44 3FJ) 4C **26**
Bramham Pk. (LS23 6ND) 5G **99**
Brands Hatch Motor Circuit (DA3 8NG) 4G **39**
Brantwood (LA21 8AD) 5E **102**
Breamore House (SP6 2DF) 1G **15**
Brean Down (TA8 2RS) 1F **21**
Brecon Beacons Nat. Pk. (CF44 9JG) 4B **46**
Brecon Mountain Railway (CF48 2UP) 4D **46**
Bressingham Steam & Gdns. (IP22 2AB) 2C **66**
Brimham Rocks (HG3 4DW) 3E **98**
Brindley Mill & Mus. (ST13 8FA) 5D **85**
Brinkburn Priory (NE65 8AR) 5F **121**
Bristol Cathedral (BS1 5TJ) **189**
Bristol Zoo Gdns. (BS8 3HA) **189**
Britannia Bridge (LL61 5BZ) 3E **81**
British Golf Mus. (KY16 9AB) **St Andrews 209**
British in India Mus. (BB9 8AD) 1G **91**
British Library (NW1 2DB) **London 203**
British Mus. (WC1B 3DG) **London 203**
Broadlands (SO51 9ZD) 4B **24**
Broads, The (NR3 1BQ) 5G **79**
Broadway Tower (WR12 7LB) 2G **49**
Brobury House Gdns. (HR3 6BS) 1G **47**
Brockhampton Estate (WR6 5TB) 5A **60**
Brockhole, Lake District Visitor Centre (LA23 1LJ) 4E **103**
Brodick Castle & Gdn. (KA27 8HY) 2E **123**
Brodie Castle (IV36 2TE) 3D **159**
Brodsworth Hall & Gdns. (DN5 7XJ) 4F **93**
Brogdale (ME13 8XU) 5E **40**
Bronllys Castle (LD3 0HL) 2E **47**
Brontë Parsonage Mus. (BD22 8DR) 1A **92**
*Broseley Pipe Works (TF12 5LX) 5A **72***
*Brougham Castle (CA10 2AA) 2G **103***
Brough Castle (CA17 4EJ) 3A **104**
Broughton Castle (OX15 5EB) 2C **50**
Broughton House & Gdn. (DG6 4JX) 4D **111**
*Brownsea Island (BH13 7EE) 4F **15***
Bruce's Stone (DG7 3SQ) 2C **110**
Brunel's SS Great Britain (BS1 6TY) **Bristol 189**
Bubble Car Mus. (PE22 7AW) 5B **88**
Buckfast Abbey (TQ11 0EE) 2D **8**
Buckingham Palace (SW1A 1AA) **London 202**
Buckland Abbey (PL20 6EY) 2A **8**
Buckler's Hard Martime Mus. (SO42 7XB) 3C **16**
Buildwas Abbey (TF8 7BW) 5A **72**
*Bungay Castle (NR35 1DD) 2F **67***
Bure Valley Railway (NR11 6BW) 3E **79**
Burford House Gdns. (WR15 8HQ) 4H **59**
Burghley (PE9 3JY) 5H **75**
Burleigh Castle (KY13 9TD) 3D **136**
Burnby Hall Gdns. & Mus. (YO42 2QF) 5C **100**
*Burns Cottage, Alloway (KA7 4PY) 3C **116***
Burns House Mus. (KA5 5BZ) 2D **117**
*[Burrell Collection, Pollokshaws (G43 1AT)] 3G **127***
Burton Agnes Hall (YO25 4ND) 3F **101**
Burton Constable Hall (HU11 4LN) 1E **95**
Bury St Edmunds Abbey (IP33 1RS) 4A **66**
Buscot Pk. (SN7 8BU) 2H **35**
Butser Ancient Farm (PO8 0QF) 1F **17**
Butterfly & Wildlife Pk. (PE12 9LF) 3D **76**
Buttertubs, The (DL11 6DR) 5B **104**
Buxton Pavilion Gdns. (SK17 6XN) 3E **85**
*Byland Abbey (YO61 4BD) 2H **99***

C

Cadair Idris (LL40 1TN) 4F **69**
Cadbury World (B30 1JR) 2E **61**
Caerlaverock Castle (DG1 4RU) 3B **112**
Caerleon Roman Fortress (NP18 1AY) 2G **33**
Caernarfon Castle (LL55 2AY) **190**
*Caerphilly Castle (CF83 1JD) 3E **33***
Cairngorms Nat. Pk. (PH26 3HG) 3E **151**
Cairnpapple Hill (EH48 4NW) 2C **128**
Caister Castle & Motor Mus. (NR30 5SN) 4H **79**
Calanais (Callanish) Standing Stones (HS2 9DY) 4E **171**
Caldey Island (SA70 7UH) 5F **43**
*Caldicot Castle (NP26 5JB) 3H **33***
Caledonian Railway (DD9 7AF) 3F **145**
Calke Abbey (DE73 7LE) 3A **74**
*Calshot Castle (SO45 1BR) 2C **16***
Camber Castle (TN31 7TB) 4D **28**
Cambo Gdns. (KY16 8QD) 2H **137**
Cambridge University Botanic Gdn. (CB2 1JF) **191**
Camelot Theme Pk. (PR7 5LP) 3D **90**
Camperdown Wildlife Centre (DD2 4TF) 5C **144**
Canal Mus. (NN12 7SE) 5E **63**
Cannock Chase (WS12 4PW) 4D **73**
Cannon Hall Mus. (S75 4AT) 4C **92**
Canons Ashby House (NN11 3SD) 5C **62**
Canterbury Cathedral (CT1 2EH) **190**
Capesthorne Hall (SK11 9JY) 3C **84**
Cape Wrath (IV27 4QQ) 1C **166**
Captain Cook Schoolroom Mus. (TS9 6NB) 3C **106**
Cardiff Castle (CF10 3RB) **191**
Cardoness Castle (DG7 2EH) 4C **110**
*Carew Castle & Tidal Mill (SA70 8SL) 4E **43***
Carisbrooke Castle (PO30 1XY) 4C **16**
Carlisle Castle (CA3 8UR) **192**
Carlisle Cathedral (CA3 8TZ) **192**
Carlyle's Birthplace (DG11 3DG) 2C **112**
Carnassarie Castle (PA31 8RQ) 3F **133**
Carn Euny Ancient Village (TR20 8RB) 4B **4**
Carreg Cennen Castle & Farm (SA19 6UA) 4G **45**
Carsluith Castle (DG8 7DY) 4B **110**
*Cartmel Priory Church (LA11 6QQ) 2C **96***
*Castell Coch, Tongwynlais (CF15 7JS) 3E **33***
Castell Dinas Bran (LL20 8DY) 1E **70**
Castell y Bere (LL36 9TP) 5F **69**
*Castle Acre Castle (PE32 2XB) 4H **77***
Castle Acre Priory (PE32 2AA) 4H **77**
Castle & Gdns. of Mey (KW14 8XH) 1E **169**
Castle Campbell & Gdn. (FK14 7PP) 4B **136**
Castle Drogo (EX6 6PB) 3H **11**
Castle Fraser (AB51 7LD) 2E **152**
Castle Howard (YO60 7DA) 2B **100**
Castle Kennedy Gdns. (DG9 8SJ) 3G **109**
Castle Leod (IV14 9AA) 3G **157**
Castle Menzies (PH15 2JD) 4F **143**
Castlerigg Stone Circle (CA12 4RN) 2D **102**
*Castle Rising Castle (PE31 6AH) 3F **77***
Catalyst Science Discovery Centre (WA8 0DF) 2H **83**
*Cawdor Castle (IV12 5RD) 4C **158***
Ceramica (ST6 3DS) 1C **72**
Cerne Giant (DT2 7TS) 2B **14**
Chanonry Point (IV10 8SD) 3B **158**
Charlecote Pk. (CV35 9ER) 5G **61**
Charleston (BN8 6LL) 5F **27**
Chartwell (TN16 1PS) 5F **39**
Chastleton House (GL56 0SU) 3H **49**
Chatsworth (DE45 1PP) 3G **85**
Chavenage House (GL8 8XP) 2D **34**
Cheddar Gorge (BS40 7XT) 1H **21**
Chedworth Roman Villa (GL54 3LJ) 4F **49**
*Cheltenham Racecourse (GL50 4SH) 3E **49***
Chenies Manor House & Gdns. (WD3 6ER) 1B **38**
*Chepstow Castle (NP16 5EZ) 2A **34***
Chepstow Racecourse (NP16 6EG) 2A **34**
Chesil Beach (DT3 4ED) 4B **14**
Chessington World of Adventures (KT9 2NE) 4C **38**
Chester Cathedral (CH1 2HU) **192**
Chester Roman Amphitheatre (CH1 1RF) **192**
Chesters Roman Fort & Mus. (NE46 4ET) 2C **114**
Chester Zoo (CH2 1LH) 3G **83**
Chettle House (DT11 8DB) 1E **15**
Chichester Cathedral (PO19 1PX) 2G **17**
Chiddingstone Castle (TN8 7AD) 1F **27**
*Chillingham Castle (NE66 5NJ) 2E **121***
Chillingham Wild Cattle (NE66 5NJ) 2E **121**
Chillington Hall (WV8 1RE) 5C **72**
Chiltern Hills (RG9 6DR) 3E **37**
Chiltern Open Air Mus. (HP8 4AB) 1B **38**
Chirk Castle (LL14 5AF) 2E **71**
Cholmondeley Castle Gdns. (SY14 8AH) 5H **83**
Christchurch Castle & Norman House (BH23 1BW) 3G **15**
Christchurch Mansion (IP4 2BE) **Ipswich 198**
Churchill War Rooms (SW1A 2AQ) **London 203**
Churnet Valley Railway (ST13 7EE) 5D **85**
Chysauster Ancient Village (TR20 8XA) 3B **4**
*Cilgerran Castle (SA43 2SF) 1B **44***
Cissbury Ring (BN14 0SQ) 5C **26**
Clandon Pk. (GU4 7RQ) 5B **38**
Claremont Landscape Gdn. (KT10 9JG) 4C **38**
Claydon (MK18 2EY) 3F **51**
Clearwell Caves (GL16 8JR) 5A **48**
Cleeve Abbey (TA23 0PS) 2D **20**
Clevedon Court (BS21 6QU) 4H **33**
Clifford's Tower (YO1 9SA) **York 214**
Clifton Suspension Bridge (BS8 3PA) **Bristol 189**
Cliveden (SL6 0JA) 2A **38**
Clouds Hill (BH20 7NQ) 3D **14**
Clumber Pk. (S80 3BX) 3D **86**
*Clun Castle (SY7 8JR) 2E **59***
Clyde Muirshiel Regional Pk. (PA10 2PZ) 3D **126**
Coalbrookdale Mus. of Iron (TF8 7DQ) 5A **72**
Coalport China Mus. (TF8 7HT) 5A **72**
Coed y Brenin Visitor Centre (LL40 2HZ) 3G **69**
Coggeshall Grange Barn (CO6 1RE) 3B **54**
*Coity Castle (CF35 6AU) 3C **32***
Colby Woodland Gdn. (SA67 8PP) 4F **43**
Colchester Castle Mus. (CO1 1TJ) 3D **54**
Colchester Zoo (CO3 0SL) 3C **54**
Coleridge Cottage (TA5 1NQ) 3E **21**
Coleton Fishacre (TQ6 0EQ) 3F **9**
Colour Experience (BD1 2JB) **Bradford 190**
Colzium Walled Gdn. (G65 0PY) 2A **128**
Combe Martin Wildlife & Dinosaur Pk. (EX34 0NG) 2F **19**
Compton Acres (BH13 7ES) 4F **15**
*Compton Castle (TQ3 1TA) 2E **9***
Compton Verney (CV35 9HZ) 5H **61**
*Conisbrough Castle (DN12 3BU) 1C **86***
Conishead Priory (LA12 9QQ) 2C **96**
Conkers (DE12 6GA) 4H **73**
Constable Burton Hall Gdns. (DL8 5LJ) 5E **105**
*Conwy Castle (LL32 8LD) 3G **81***
Corbridge Roman Town (NE45 5NT) 3C **114**
*Corfe Castle (BH20 5EZ) 4E **15***
Corgarff Castle (AB36 8YP) 3G **151**
Corinium Mus. (GL7 2BX) 5F **49**
Cornish Mines & Engines (TR15 3NP) 4A **6**
Corrieshalloch Gorge (IV23 2PJ) 1E **156**
Corsham Court (SN13 0BZ) 4D **35**
Cotehele (PL12 6TA) 2A **8**
Coton Manor Gdn. (NN6 8RQ) 3D **62**
Cotswold Farm Pk. (GL54 5UG) 3G **49**
Cotswold Hills (GL8 8NU) 5E **49**
Cotswold Water Pk. (GL7 5TL) 2F **35**
Cottesbrooke Hall & Gdns. (NN6 8PF) 3E **62**
Cotton Mechanical Music Mus. (IP14 4QN) 4C **66**
Coughton Court (B49 5JA) 4E **61**
Courts Gdn., The (BA14 6RR) 5D **34**
Coventry Cathedral (CV1 5AB) **192**
Coventry Transport Mus. (CV1 1JD) **192**
Cowdray House (GU29 9AL) 4G **25**
Cragside (NE65 7PX) 4E **121**
Craig Castle (AB54 4LP) 1B **152**
Craigievar Castle (AB33 8JF) 3C **152**
*Craigmillar Castle (EH16 4SY) 2F **129***
Craignethan Castle (ML11 9PL) 5B **128**
Craigston Castle (AB53 5PX) 3E **161**
Cranborne Manor Gdn. (BH21 5PS) 1F **15**
Cranwell Aviation Heritage Centre (NG34 8QR) 1H **75**
Crarae Gdn. (PA32 8YA) 4H **133**
Crathes Castle & Gdn. (AB31 5QJ) 4E **153**
Creswell Crags (S80 3LH) 3C **86**
Crewe Heritage Centre (CW1 2DD) 5B **84**

Criccieth Castle (LL52 0DP) 2D **69**
Crichton Castle (EH37 5XA) 3G **129**
Crich Tramway Village (DE4 5DP) 5H **85**
Croft Castle (HR6 9PW) 4G **59**
Croft Motor Circuit (DL2 2PL) 4F **105**
Cromford Mill (DE4 3RQ) 5G **85**
Cromwell Mus. (PE29 3LF) 3B **64**
Crookston Castle (G53 5RR) 3G **127**
Croome (WR8 9JS) 1D **49**
Crossraguel Abbey (KA19 8HQ) 4B **116**
Croxden Abbey (ST14 5JG) 2E **73**
Croxteth Hall (L12 0HB) 1G **83**
Cruachan Power Station (PA33 1AN) 1H **133**
Culloden Battlefield Visitor Centre (IV2 5EU) 4B **158**
Culloden Battle Site (IV2 5EU) 4B **158**
Culross Palace (KY12 8JH) 1C **128**
Culzean Castle (KA19 8LE) 3B **116**
Curraghs Wildlife Pk. (IM7 5EA) 2C **108**
Cusworth Hall (DN5 7TU) 4F **93**
Cymer Abbey (LL40 2HE) 4G **69**

D

Dalemain (CA11 0HB) 2F **103**
Dales Countryside Mus. (DL8 3NT) 5B **104**
Dallas Dhu Historic Distillery (IV36 2RR) 3E **159**
Dalmeny House (EH30 9TQ) 2E **129**
Darby Houses (TF8 7DQ) 5A **72**
Dartington Crystal (EX38 7AN) 1E **11**
Dartington Hall Gdns. (TQ9 6EL) 2E **9**
Dartmoor Nat. Pk. (TQ13 9JQ) 4F **11**
Dartmoor Zoo (PL7 5DG) 3B **8**
Dartmouth Castle (TQ6 0JN) 3E **9**
Dartmouth Steam Railway (TQ4 6AF) 3E **9**
Dawyck Botanic Gdn. (EH45 9JU) 1D **118**
Deal Castle (CT14 7BA) 5H **41**
Dean Castle (KA3 1XB) 1D **116**
Dean Forest Railway (GL15 4ET) 5B **48**
Deene Pk. (NN17 3EW) 1G **63**
Deep Sea World (KY11 1JR) 1E **129**
Deep, The (HU1 4DP) . . . . **Hull 199**
Delamere Forest (CW8 2JD) 3H **83**
Delgatie Castle (AB53 5TD) 3E **161**
Denbigh Castle (LL16 3NB) 4C **82**
Devil's Dyke (BN45 7DE) 4D **26**
Devil's Punch Bowl (GU26 6AB) 3G **25**
Dewa Roman Experience (CH1 1NL) . . . . **Chester 192**
DH Lawrence Birthplace Mus. (NG16 3AW) 1B **74**
Dickens House Mus. (CT10 1QS) 4H **41**
[Dickens World, Chatham (ME4 4LL)] 3B **40**
Didcot Railway Centre (OX11 7NJ) 2D **36**
Dinefwr Castle (SA19 6PF) 3G **45**
Dinefwr Pk. (SA19 6RT) 3G **45**
Dinorwig Power Station (Electric Mountain) (LL55 4UR) 5E **81**
Dinosaur Adventure (NR9 5JW) 4D **78**
Dinosaur Mus. (DT1 1EW) 3B **14**
Dirleton Castle & Gdn. (EH39 5ER) 1B **130**
Discovery Mus. (NE1 4JA) . . . . **Newcastle 205**
Discovery Point & RRS Discovery (DD1 4XA) . . . . **Dundee 194**
Dock Mus. (LA14 2PW) 3A **96**
Doddington Hall & Gdns. (LN6 4RU) 4F **87**
Doddington Place Gdns. (ME9 0BB) 5D **40**
Dolaucothi Gold Mines (SA19 8RR) 2G **45**
Dolbadarn Castle (LL55 4SU) 5E **81**
Dolforwyn Castle (SY15 6JH) 1D **58**
Dolwyddelan Castle (LL25 0JD) 5G **81**
Domestic Fowl Trust and Honeybourne Rare Breeds (WR11 7QZ) 1G **49**
Doncaster Racecourse (DN2 6BB) 4G **93**
Donington Grand Prix Collection, Castle Donington (DE74 2RP) 3B **74**
Donington Pk. Motor Circuit (DE74 2RP) 3B **74**
Donnington Castle (RG14 2LE) 5C **36**
Dorfold Hall (CW5 8LD) 5A **84**
Dorothy Clive Gdn. (TF9 4EU) 2B **72**
Doune Castle (FK16 6EA) 3G **135**
Dove Cottage (Wordsworth Mus.) (LA22 9SH) 4E **103**
Dove Dale (DE6 1NL) 5F **85**
Dover Castle (CT16 1HU) **193**
Down House (BR6 7JT) 4F **39**
Dozmary Pool (PL15 7TP) 5B **10**
Drayton Manor Theme Pk. (B78 3TW) 5F **73**
Drum Castle & Gdn. (AB31 5EY) 3E **153**
Drumlanrig Castle (DG3 4AQ) 5A **118**
Drummond Gdns. (PH5 2AA) 2H **135**
Drusillas (BN26 5QS) 5G **27**
Dryburgh Abbey (TD6 0RQ) 1H **119**
Dryslwyn Castle (SA32 8JQ) 3F **45**
Duart Castle (PA64 6AP) 5B **140**
[Dudley Zoological Gdns. & Castle (DY1 4AS)] 1D **60**
Dudmaston Estate (WV15 6QN) 2B **60**
Duff House Country Gallery (AB45 3SX) 2D **160**
Duffus Castle (IV30 5RH) 2F **159**
Dukeries, The (S80 3BT) 3D **86**
Dumbarton Castle (G82 1JJ) 2F **127**
Dunblane Cathedral (FK15 0AQ) 3G **135**
Dun Carloway (HS2 9AZ) 3D **171**
Duncombe Pk. (YO62 5EB) 1A **100**
Dundonald Castle (KA2 9HD) 1C **116**
Dundrennan Abbey (DG6 4QH) 5E **111**
Dunfermline Abbey & Palace (KY12 7PE) 1D **129**
Dungeon Ghyll Force (LA22 9JY) 4D **102**
Dunge Valley Rhododendron Gdns. (SK23 7RF) 3D **85**
Dunham Massey (WA14 4SJ) 2B **84**
Dunkeld Cathedral (PH8 0AW) 4H **143**
Dunkery Beacon (TA24 7AT) 2B **20**
Dunnet Head (KW14 8XS) 1D **169**
Dunninald (DD10 9TD) 3G **145**
Dunnottar Castle (AB39 2TL) 5F **153**
Dunrobin Castle (KW10 6SF) 3F **165**
Dunstaffnage Castle (PA37 1PZ) 5C **140**
Dunstanburgh Castle (NE66 3TG) 2G **121**
Dunster Castle (TA24 6SL) 2C **20**
Dunvegan Castle (IV55 8WF) 4B **154**
Durdle Door (BH20 5PU) 4D **14**
Durham Cathedral (DH1 3EH) **194**
Dyffryn Gdns. (CF5 6SU) 4D **32**
Dylan Thomas Boathouse (SA33 4SD) 3H **43**
Dyrham Pk. (SN14 8ER) 4C **34**

E

Eagle Heights Wildlife Pk. (DA4 0JB) 4G **39**
Easby Abbey (DL10 7JU) 4E **105**
East Anglian Railway Mus. (CO6 2DS) 3B **54**
East Bergholt Place Gdn. (CO7 6UP) 2D **54**
East Kent Railway (CT15 7PD) 1G **29**
East Lambrook Manor Gdns. (TA13 5HH) 1H **13**
East Lancashire Railway (BL9 0EY) 2G **91**
Eastnor Castle (HR8 1RD) 2C **48**
East Riddlesden Hall (BD20 5EL) 5C **98**
East Somerset Railway (BA4 4QP) 2B **22**
Eden Project (PL24 2SG) 3E **7**
Edinburgh Castle (EH1 2NG) **194**
Edinburgh Zoo (EH12 6TS) 2F **129**
Edzell Castle & Gdn. (DD9 7UE) 2E **145**
Egglestone Abbey (DL12 9TN) 3D **104**
Eilean Donan Castle (IV40 8DX) 1A **148**
Elcho Castle (PH2 8QQ) 1D **136**
Electric Mountain (Dinorwig Power Station) (LL55 4UR) 4E **81**
Electric Railway Mus. (CV3 4LE) 3A **62**
Elgar Birthplace Mus. (WR2 6RH) 5C **60**
Elgin Cathedral (IV30 1EL) 2G **159**
Eltham Palace & Gdns. (SE9 5QE) 3F **39**
Elton Hall & Gdns. (PE8 6SH) 1H **63**
Ely Cathedral (CB7 4DL) 2E **65**
Embsay & Bolton Abbey Steam Railway (BD23 6AF) 4C **98**
Emmetts Gdn. (TN14 6BA) 5F **39**
Enginuity (TF8 7DQ) 5A **72**
Epsom Downs Racecourse (KT18 5LQ) 5D **38**
Erddig (LL13 0YT) 1F **71**
Escot (EX11 1LU) 3D **12**
Etal Castle (TD12 4TN) 1D **120**
Eureka! The Nat. Children's Mus., Halifax (HX1 2NE) 2A **92**
Euston Hall (IP24 2QW) 3A **66**
Ewloe Castle (CH5 3BZ) 4E **83**
Exbury Gdns. (SO45 1AZ) 2C **16**
Exeter Cathedral (EX1 1HS) **195**
Exmoor Nat. Pk. (TA22 9HL) 2A **20**
Eyam Hall (S32 5QW) 3G **85**
Eye Castle (IP23 7AP) 3D **66**
Eynsford Castle (DA4 0AA) 4G **39**

F

Fairbourne Steam Railway (LL38 2PZ) 4F **69**
Fairhaven Woodland & Water Gdn. (NR13 6DZ) 4F **79**
Falkirk Wheel (FK1 4RS) 1B **128**
Falkland Palace (KY15 7BU) 3E **137**
Falls of Glomach (IV40 8DS) 1C **148**
Falstaff Experience - Tudor World (CV37 6EE) . . . . **Stratford 212**
Farleigh Hungerford Castle (BA2 7RS) 1D **22**
Farmland Mus. & Denny Abbey (CB25 9PQ) 4D **65**
Farnborough Hall (OX17 1DU) 1C **50**
Farne Islands (NE68 7SY) 1G **121**
Farnham Castle Keep (GU9 0AE) 2G **25**
Felbrigg Hall (NR11 8PR) 2D **78**
Fell Foot Pk. (LA12 8NN) 1C **96**
Ferniehirst Castle (TD8 6NX) 3A **120**
Ffestiniog Railway (LL49 9NF) 1F **69**
Fiddleford Manor (DT10 2BU) 1D **14**
Finchale Priory (DH1 5SH) 5F **115**
Finchcocks (TN17 1HH) 2A **28**
Finch Foundry (EX20 2NW) 3G **11**
Fingal's Cave (PA73 6NA) 5E **138**
Finlaystone Country Estate (PA14 6TJ) 2E **127**
Firle Place (BN8 6LP) 5F **27**
Fishbourne Roman Palace & Gdns. (PO19 3QR) 2G **17**
Fitzwilliam Mus. (CB2 1RB) . . . . **Cambridge 191**
Five Sisters of Kintail (IV40 8HQ) 2B **148**
Flambards (TR13 0QA) 4D **4**
Flamingo Land (YO17 6UX) 2B **100**
Fleet Air Arm Mus. (BA22 8HT) 4A **22**
Flint Castle (CH6 5PE) 3E **83**
Floors Castle & Gdns. (TD5 7SF) 1B **120**
Fonmon Castle (CF62 3ZN) 5D **32**
Forde Abbey & Gdns. (TA20 4LU) 2G **13**
Ford Green Hall (ST6 1NG) 5C **84**
Forest of Dean (GL15 4SL) 5B **48**
Fort George (IV2 7TD) 3B **158**
Forth Bridge (EH30 9TB) 2E **129**
Fort Nelson (Royal Armouries) (PO17 6AN) 2E **16**
Fountains Abbey & Studley Royal (HG4 3DY) 3E **99**
Foxfield Steam Railway (ST11 9BG) 1D **72**
Foxton Locks (LE16 7RA) 2D **62**
Framlingham Castle (IP13 9BP) 4E **67**
Froghall Wharf (ST10 2HH) 1E **73**
Furness Abbey (LA13 0PG) 2B **96**
Furzey Gdns. (SO43 7GL) 1A **16**
Fyne Court (TA5 2EQ) 3F **21**
Fyvie Castle (AB53 8JS) 5E **161**

G

Gainsborough Old Hall (DN21 2NB) 1F **87**
Gainsborough's House (CO10 2EU) 1B **54**
Gallery of Modern Art (G1 3AH) . . . . **Glasgow 196**
Galloway Forest Pk. (DG8 6TA) 1B **110**
Galloway House Gdns. (DG8 8HF) 5B **110**
Galloway Wildlife Conservation Pk. (DG6 4XX) 4E **111**
Garden House, The (PL20 7LQ) 2A **8**
Gdns. of the Rose (AL2 3NR) 5B **52**
Gawsworth Hall (SK11 9RN) 4C **84**
Gawthorpe Hall (BB12 8UA) 1G **91**
Geevor Tin Mine Mus. (TR19 7EW) 3A **4**
George Stephenson's Birthplace (NE41 8BP) 3E **115**
Georgian House (EH2 4DR) . . . . **Edinburgh 194**
Gibside (NE16 6BG) 4E **115**
Gilbert White's House & Gdn. (GU34 3JH) 3F **25**
Gisborough Priory (TS14 6BU) 3D **106**
Gladstone Pottery Mus. (ST3 1PQ) 1D **72**
Gladstone's Land (EH1 2NT) . . . . **Edinburgh 194**
Glamis Castle (DD8 1QJ) 4C **144**
Glastonbury Abbey (BA6 9EL) 3A **22**
Glastonbury Tor (BA6 8BG) 3A **22**
Glenarn (G84 8LL) 1D **126**
Glenbuchat Castle (AB36 8TN) 2A **152**
Glencoe Gorge (PH50 4SG) 3F **141**
Glendurgan Gdn. (TR11 5JZ) 4E **5**
Glenfinnan Monument (PH37 4LT) 5B **148**
Glenluce Abbey (DG8 0LW) 4G **109**
Glenmore Forest Pk. Visitor Centre (PH22 1QY) 3D **150**
Glenwhan Gdns. (DG9 8PH) 4G **109**
Gloucester Cathedral (GL1 2LR) **196**
Gloucestershire Warwickshire Railway (GL54 5DT) 2F **49**
Gloucester Waterways Mus. (GL1 2EH) **196**
Glynde Place (BN8 6SX) 5F **27**
Godinton House & Gdns. (TN23 3BP) 1D **28**
Godolphin (TR13 9RE) 3D **4**
Goodnestone Pk. Gdns. (CT3 1PL) 5G **41**
Goodrich Castle (HR9 6HY) 3A **48**
Goodwood House (PO18 0PX) 2G **17**
Goodwood Racecourse (PO18 0PS) 1G **17**
Gordale Scar (BD23 4DL) 3B **98**
Grampian Transport Mus. (AB33 8AE) 2C **152**
Grange at Northington, The (SO24 9TG) 3D **24**
Graves Gallery (S1 1XZ) . . . . **Sheffield 210**
Graythwaite Hall Gdns. (LA12 8BA) 5E **103**
Great Central Railway (LE11 1RW) 4C **74**
Great Central Railway (Nottingham) (NG11 6NX) 2C **74**
Great Chalfield Manor & Gdn. (SN12 8NH) 5D **34**
Great Comp Gdn. (TN15 8QS) 5H **39**
Great Dixter (TN31 6PH) 3C **28**
Great North Museum: Hancock (NE2 4PT) . . . . **Newcastle 205**
Greenbank House & Gdn. (G76 8RB) 4G **127**
Greenknowe Tower (TD3 6JL) 5C **130**
Greenway (TQ5 0ES) 3E **9**
Gretna Green Old Blacksmith's Shop (DG16 5EA) 3E **112**
Grey Mare's Tail Waterfall (DG10 9LH) 3D **118**
Greys Court (RG9 4PG) 3F **37**
Grimes Graves (IP26 5DE) 1H **65**
Grimsby Fishing Heritage Centre (DN31 1UZ) 4F **95**
Grimspound (PL20 6TB) 4H **11**
Grimsthorpe Castle (PE10 0LZ) 3H **75**
Grizedale Forest (LA22 0QJ) 5E **103**
Groombridge Place Gdns. (TN3 9QG) 2G **27**
Grove Mus. (IM8 3UA) 2D **108**
Gulliver's Dinosaur & Farm Pk. (MK15 0DT) 2G **51**
Gulliver's Matlock Bath (DE4 3PG) 5G **85**
Gulliver's Milton Keynes (MK15 0DT) **204**
Gulliver's Warrington (WA5 9YZ) 1H **83**
Gunby Hall (PE23 5SS) 4D **88**
Gwydir Castle (LL26 0PN) 4G **81**

H

Haddo House (AB41 7EQ) 5F **161**
Haddon Hall (DE45 1LA) 4G **85**
Hadleigh Castle (SS7 2AR) 2C **40**
Hadrian's Wall (NE47 6NN) 3A **114**
Hailes Abbey (GL54 5PB) 2F **49**
Hailes Castle (EH41 3SB) 2B **130**
Hall i' th' Wood Mus. (BL1 8UA) 3F **91**
Hall Place & Gdns. (DA5 1PQ) 3G **39**
Hamerton Zoo Pk. (PE28 5RE) 2A **64**
Ham House & Gdn. (TW10 7RS) 3C **38**
Hammerwood Pk. (RH19 3QE) 2F **27**
Hampden Pk. (G42 9AY) 3G **127**
Hampton Court Castle & Gdns. (HR6 0PN) 5H **59**
Hampton Court Palace (KT8 9AU) 4C **38**
Hanbury Hall (WR9 7EA) 4D **60**
Handel House Mus. (W1K 4HB) . . . . **London 202**
Hardknott Roman Fort (LA20 6EQ) 4D **102**
Hardwick Hall (S44 5QJ) 4B **86**
Hardy Monument (DT2 9HY) 4B **14**
Hardy's Cottage (DT2 8QJ) 3C **14**
Hare Hill (SK10 4QA) 3C **84**
Harewood House (LS17 9LG) 5F **99**
Harlech Castle (LL46 2YH) 2E **69**
Harley Gallery (S80 3LW) 3C **86**
Hartland Abbey & Gdns. (EX39 6DT) 4C **18**
Harvington Hall (DY10 4LR) 3C **60**
Harwich Redoubt (CO12 3NL) 2F **55**
Hatchlands Pk. (GU4 7RT) 5B **38**
Hatfield House (AL9 5NQ) 5C **52**
Haughmond Abbey (SY4 4RW) 4H **71**
Haverfordwest Castle (SA61 2BW) 3D **42**
Haverfordwest Priory (SA61 1RN) 3D **42**
Hawk Conservancy Trust (SP11 8DY) 2B **24**
Haydock Pk. Racecourse (WA12 0HQ) 1H **83**
Head of Steam - Darlington Railway Mus. (DL3 6ST) 3F **105**
Heale Gdns. (SP4 6NT) 3G **23**
Heaton Hall (M25 2SW) 4G **91**
Hedingham Castle (CO9 3DJ) 2A **54**
Heights of Abraham (DE4 3PB) 5G **85**
Hellens (HR8 2LY) 2B **48**
Helmingham Hall Gdns. (IP14 6EF) 5D **66**
Helmshore Mills Textile Mus. (BB4 4NP) 2F **91**
Helmsley Castle (YO62 5AB) 1A **100**
Helvellyn (CA12 4TP) 3E **103**
[Henry Moore Institute, Leeds (LS1 3AH)] . . . . **Leeds 199**
Heptonstall Mus. (HX7 7PL) 2H **91**
Hereford Cathedral (HR1 2NG) **197**
Hereford Cider Mus. (HR4 0LW) **197**
Hergest Croft Gdns. (HR5 3EG) 5E **59**
Heritage Motor Centre (CV35 0BJ) 5A **62**
Hermitage Castle (TD9 0LU) 5H **119**
Herstmonceux Castle & Gdn. (BN27 1RN) 4H **27**
Hestercombe Gdns. (TA2 8LG) 4F **21**
Hever Castle & Gdns. (TN8 7NG) 1F **27**
Hexham Abbey (NE46 3NB) 3C **114**
Hidcote (GL55 6LR) 1G **49**
Higgins Art Gallery & Mus. (MK40 3RP) . . . . **Bedford 188**
High Beeches Gdns. (RH17 6HQ) 2D **27**
Highclere Castle (RG20 9RN) 5C **36**
Highland Folk Mus. (PH20 1AY) 4B **150**
Highland Wildlife Pk. (PH21 1NL) 3C **150**
Hill House (G84 9AJ) 1D **126**
Hill of Tarvit Mansionhouse & Gdns. (KY15 5PB) 2F **137**
Hill Top (LA22 0LF) 5E **103**
Hinton Ampner (SO24 0LA) 4D **24**
Hirsel (TD12 4LP) 5E **131**
Historic Dockyard Chatham (ME4 4TZ) . . . . **Medway 204**
HMS Victory (PO1 3LJ) . . . . **Portsmouth 209**
HMS Warrior 1860 (PO1 3QX) . . . . **Portsmouth 209**
Hodnet Hall Gdns. (TF9 3NN) 3A **72**
Hoghton Tower (PR5 0SH) 2E **90**
Hog's Back (GU3 1AQ) 1A **26**
Holburne Mus. of Art (BA2 4DB) . . . . **Bath 187**
Holdenby House Gdns. & Falconry Centre (NN6 8DJ) 4D **62**
Holehird Gdns. (LA23 1NP) 4F **103**
Holker Hall & Gdns. (LA11 7PL) 2C **96**
Holkham (NR23 1AB) 1A **78**
Hollycombe (GU30 7LP) 4G **25**
Holst Birthplace Mus. (GL52 2AY) . . . . **Cheltenham 192**
Holy Jesus Hospital (NE1 2AS) . . . . **Newcastle 205**
Holyrood Abbey (EH8 8DX) . . . . **Edinburgh 194**
Hopetoun (EH30 9SL) 2D **129**
Hop Farm Family Pk. (TN12 6PY) 1A **28**
Houghton Hall (PE31 6TZ) 3G **77**
Houghton House (MK45 2EZ) 2A **52**
Houghton Lodge Gdns. (SO20 6LQ) 3B **24**
House of Dun (DD10 9LQ) 3F **145**
House of Manannan Mus., Peel (IM5 1TA) 3B **108**
House of the Binns (EH49 7NA) 1D **128**
Houses of Parliament (SW1A 0RS) . . . . **London 203**
Housesteads Roman Fort & Mus. (NE47 6NN) 3A **114**
Hoveton Hall Gdns. (NR12 8RJ) 3F **79**
Hovingham Hall (YO62 4LU) 2A **100**
Howick Hall Gdns. (NE66 3LB) 3G **121**
Howletts (Wild Animal Pk.) (CT4 5EL) 5F **41**
Hughenden Manor (HP14 4LA) 2G **37**
Hugh Miller Mus. & Birthplace Cottage (IV11 8XA) 2B **158**
Hunstanton Sea Life Sanctuary (PE36 5BH) 1F **77**
Hunterian Mus. & Art Gallery (G12 8QQ) 3G **127**
Huntingtower Castle (PH1 3JL) 1C **136**
Huntly Castle (AB54 4SH) 4C **160**
Hurst Castle (SO41 0TP) 4B **16**
Hutton-in-the-Forest (CA11 9TH) 1F **103**
Hylands House & Gdns. (CM2 8WQ) 5G **53**

I

Iceni Village & Mus. (PE37 8AG) 5G **77**
Ickworth (IP29 5QE) 4H **65**
Iford Manor (Peto Gdn.) (BA15 2BA) 1D **22**
Ightham Mote (TN15 0NT) 5G **39**
Ilam Pk. (DE6 2AZ) 5F **85**
Ilfracombe Aquarium (EX34 9EQ) 2F **19**
Imperial War Mus. Duxford (CB22 4QR) 1E **53**
Imperial War Mus. London (SE1 6HZ) **203**
Imperial War Mus. North, Trafford Park (M17 1TZ) 1C **84**
Inchcolm Abbey (KY3 0XR) 1E **129**
Inchmahome Priory (FK8 3RD) 3E **135**
Ingatestone Hall (CM4 9NS) 1A **40**
International Centre for Birds of Prey (GL18 1JJ) 3C **48**
Inveraray Castle (PA32 8XE) 3H **133**
Inveresk Lodge Gdn. (EH21 7TE) 2G **129**
Inverewe Gdn. (IV22 2LG) 5C **162**
Inverlochy Castle (PH33 6TQ) 1F **141**
Inverness Mus. & Art Gallery (IV2 3EB) **198**
Iona (PA76 6SP) 2A **132**
Iron Bridge (TF8 7JP) 5A **72**
Isel Hall (CA13 0QG) 1C **102**
Isle of Man Steam Railway (IM1 4LL) 4C **108**
Isle of Wight Steam Railway (PO33 4DS) 4D **16**
Ivinghoe Beacon (LU6 2EG) 4H **51**
Izaak Walton's Cottage (ST15 0PA) 3C **72**

J

Jackfield Tile Mus. (TF8 7ND) 5A **72**
Jane Austen Centre (BA1 2NT) . . . . **Bath 187**
Jane Austen's House Mus. (GU34 1SD) 3F **25**
Jarlshof Prehistoric & Norse Settlement (ZE3 9JN) 10E **173**
Jedburgh Abbey (TD8 6JQ) 3A **120**
Jervaulx Abbey (HG4 4PH) 1D **98**
JM Barrie's Birthplace (DD8 4BX) 3C **144**
Jodrell Bank Discovery Centre (SK11 9DL) 3B **84**
Jorvik Viking Centre (YO1 9WT) . . . . **York 214**

K

Kedleston Hall (DE22 5JH) 1H **73**
Keighley & Worth Valley Railway (BD22 8NJ) 1A **92**
Kelburn Castle & Country Centre (KA29 0BE) 4D **126**
Keld Chapel (CA10 3QF) 3G **103**
Kelham Island Mus. (S3 8RY) . . . . **Sheffield 210**
Kellie Castle & Gdn. (KY10 2RF) 3H **137**
Kelmarsh Hall & Gdns. (NN6 9LY) 3E **63**
Kelmscott Manor (GL7 3HJ) 2A **36**
Kelso Abbey (TD5 7BB) 1B **120**
Kelvingrove Art Gallery & Mus., Glasgow (G3 8AG) 3G **127**
Kempton Pk. Racecourse (TW16 5AE) 3C **38**
Kenilworth Castle (CV8 1NE) 3G **61**
Kent & East Sussex Railway (TN30 6HE) 3C **28**
Kentwell (CO10 9BA) 1B **54**
Kenwood House (NW3 7JR) 2D **38**
Keswick Mus. & Gallery (CA12 4NF) 2D **102**
Kettle's Yard (CB3 0AQ) . . . . **Cambridge 191**
Kew Gdns. (TW9 3AB) 3C **38**
Kidwelly Castle (SA17 5BQ) 5E **45**
Kielder Water & Forest Pk. (NE48 1QZ) 1H **113**
Kiftsgate Court Gdns. (GL55 6LN) 1G **49**
Kilchurn Castle (PA33 1AF) 1A **134**
Kildrummy Castle & Gdn. (AB33 8RA) 2B **152**
Killerton (EX5 3LE) 2C **12**
Kilmartin Glen Prehistoric Sites (PA31 8RQ) 4F **133**
Kilmartin House Mus. (PA31 8RQ) 4F **133**
Kinder Scout (S33 7ZJ) 2E **85**
King's College Chapel (CB2 1TN) . . . . **Cambridge 191**
Kingston Bagpuize House & Gdn. (OX13 5AX) 2C **36**
Kingston Lacy (BH21 4EA) 2E **15**
Kingston Maurward Animal Pk. & Gdns. (DT2 8PY) 3C **14**
Kinnersley Castle (HR3 6QF) 1G **47**
Kinver Edge (DY7 5NP) 2C **60**
Kiplin Hall (DL10 6AT) 5F **105**
Kirby Hall (NN17 3EN) 1G **63**

Kirby Muxloe Castle (LE9 2DH) 5C 74
Kirkham Priory (YO60 7JS) 3B 100
Kirklees Light Railway (HD8 9XJ) 3C 92
Kirkstall Abbey (LS5 3EH) 1C 92
Kirkwall Cathedral (KW15 1JF) 6D 172
Knaresborough Castle (HG5 8BB) 4F 99
Knebworth House (SG3 6PY) 3C 52
Knightshayes Court (EX16 7RQ) 1C 12
Knockhill Motor Circuit (KY12 9TF) 4C 136
Knole (TN15 0RP) 5G 39
Knoll Gdns. (BH21 7ND) 2F 15
Knowsley Safari Pk. (L34 4AN) 1G 83

L

Lacock Abbey (SN15 2LG) 5E 35
Lady Lever Art Gallery (CH62 5EQ) 2F 83
Lady of the North (NE23 8AU) 2F 115
Laing Art Gallery (NE1 8AG) **Newcastle 205**
Lake District Nat. Pk. (LA9 7RL) 3E 103
Lakeside & Haverthwaite Railway (LA12 8AL) 1C 96
Lamb House (TN31 7ES) 3D 28
Lamphey Bishop's Palace (SA71 5NT) 4E 43
Lamport Hall & Gdns. (NN6 9HD) 3E 63
Lancaster Castle (LA1 1YJ) 3D 96
Landmark Forest Adventure Pk. (PH23 3AJ) 1D 150
Land's End (TR19 7AA) 4A 4
Lanercost Priory (CA8 2HQ) 3G 113
Langdale Pikes (LA22 9JY) 4D 102
Langley Chapel (SY5 7HU) 1H 59
Lanhydrock (PL30 5AD) 2E 7
Lappa Valley Steam Railway (TR8 5LX) 3C 6
Larmer Tree Gdns. (SP5 5PZ) 1E 15
Laugharne Castle (SA33 4SA) 3H 43
Launceston Castle (PL15 7DR) 4D 10
Launceston Steam Railway (PL15 8DA) 4D 10
Lauriston Castle (EH4 5QD) 2F 129
Lavenham Guildhall (CO10 9QZ) 1C 54
Laxey Wheel (IM4 7NL) 3D 108
Layer Marney Tower (CO5 9US) 4C 54
Leeds Castle (Kent) (ME17 1PL) 5C 40
Leeds City Mus. (LS1 3AA) 199
Legoland (SL4 4AY) 3A 38
Leighton Buzzard Railway (LU7 4TN) 3H 51
Leighton Hall (LA5 9ST) 2E 97
Leiston Abbey (IP16 4TD) 4G 67
Leith Hall (AB54 4NQ) 1C 152
Leith Hill (RH5 6LX) 1C 26
Lennoxlove House (EH41 4NZ) 2B 130
Leonardslee Gdns. (RH13 6PP) 3D 26
Levant Mine & Beam Engine (TR19 7SX) 3A 4
Levens Hall & Gdns. (LA8 0PD) 1D 97
Lewes Castle (BN7 1YE) 4F 27
Lichfield Cathedral (WS13 7LD) 4F 73
Life (NE1 4EP) **Newcastle 205**
Lightwater Valley (HG4 3HT) 2E 99
Lilleshall Abbey (TF10 9HW) 4B 72
Lincoln Castle (LN1 3AA) 198
Lincoln Cathedral (LN2 1PZ) 198
Lincoln Medieval Bishops' Palace (LN2 1PU) 198
Lincolnshire Road Transport Mus. (LN6 3QT) 4G 87
Lindisfarne (TD15 2SF) 5H 131
Lindisfarne Castle (TD15 2SH) 5H 131
Lindisfarne Priory (TD15 2RX) 5H 131
Linlithgow Palace (EH49 7AL) 2D 128
Linton Zoo (CB21 4XN) 1F 53
Little Clarendon (SP3 5DZ) 3F 23
Little Malvern Court (WR14 4JN) 1C 48
Little Moreton Hall (CW12 4SD) 5C 84
Liverpool Cathedral (L1 7AZ) 2F 83
Liverpool Metropolitan RC Cathedral (L3 5TQ) 200
Lizard Point (TR12 7NU) 5E 5
Llanberis Lake Railway (LL55 3HB) 4E 81
Llanerchaeron (SA48 8DG) 5D 57
Llangollen Railway (LL20 7AJ) 1D 70
Llansteffan Castle (SA33 5JX) 4D 44
Llawhaden Castle (SA67 8HL) 3E 43
Llechwedd Slate Caverns (LL41 3NB) 1G 69
Llywernog Silver-Lead Mine (SY23 3AB) 2G 57
Lochalsh Woodland Gdn. (IV40 8DN) 1F 147
Loch Doon Castle (KA6 7QE) 5D 117
Lochleven Castle (KY13 8ET) 3D 136
Loch Lomond (G83 8PA) 4C 134
Loch Lomond & The Trossachs Nat. Pk. (FK8 3UA) 2D 134
Lochmaben Castle (DG11 1JE) 1B 112
Loch Ness Exhibition Centre (IV63 6TU) 5H 157
"Locomotion" Nat. Railway Mus. Shildon (DL4 1PQ) 2F 105
Lodge Pk. (GL54 3PP) 4G 49
Lodge RSPB Nature Reserve, The (SG19 2DL) 1B 52
Logan Botanic Gdn. (DG9 9ND) 5F 109
Logan Fish Pond & Marine Life Centre (DG9 9NF) 5F 109
London Dungeon (SE1 2SZ) 203
London Eye (SE1 7PB) 203
London Film Mus. (SE1 3PB) 203
London Zoo (NW1 4RY) 202
Long Cross Victorian Gdns. (PL29 3TF) 1D 6
Longleat Safari & Adventure Pk. (BA12 7NW) 2D 22
Long Mynd (SY7 8BH) 1G 59
Longthorpe Tower (PE3 6SU) 1A 64
Longtown Castle (HR2 0LE) 3G 47
Lord Leycester Hospital & The Master's Gdn., Warwick (CV34 4BH) 4G 61
Loseley Pk. (GU3 1HS) 1A 26
Lost Gdns. of Heligan (PL26 6EN) 4D 6
Lotherton Hall (LS25 3EB) 1E 93
Loughwood Meeting House (EX13 7DU) 3F 13
[Lowry, The (Salford (M50 3AZ)] 1C 84
Ludgershall Castle (SP11 9QS) 1A 24
Ludlow Castle (SY8 1AY) 3H 59
Lullingstone Castle & World Gdn. (DA4 0JA) 4G 39
Lullingstone Roman Villa (DA4 0JA) 4G 39
Lulworth Castle (BH20 5QS) 4D 14
Lundy Island (EX39 2LY) 2B 18
Lyddington Bede House (LE15 9LZ) 1F 63
Lydford Castle & Saxon Town (EX20 4BH) 4F 11
Lydford Gorge (EX20 4BH) 4F 11
Lydiard House & Pk. (SN5 3PA) 3G 35
Lydney Pk. Gdns. (GL15 6BU) 5B 48
Lyme Pk. (SK12 2NX) 2D 84
Lytes Cary Manor (TA11 7HU) 4A 22
Lyveden New Bield (PE8 5AT) 2G 63

M

Macclesfield Silk Museums (SK11 6PD) 3D 84
Macduff Marine Aquarium (AB44 1SL) 2E 160
MacLellan's Castle (DG6 4JD) 4D 111
Madame Tussaud's (NW1 5LR) **London 202**
Maeshowe Chambered Cairn (KW16 3HQ) 6C 172
MAGNA Science Adventure Centre (S60 1DX) 1B 86
Maiden Castle (DT2 9PP) 4B 14
Major Oak (NG21 9HN) 4D 86
Malham Cove (BD23 4DJ) 3A 98
Malham Tarn (BD24 9PU) 3A 98
Malleny Gdn. (EH14 7AF) 3E 129
Malton Mus. (YO17 7LP) 2B 100
Malvern Hills (HR8 1EN) 2C 48
Manchester Art Gallery (M2 3JL) 201
M & D's (Scotland's Theme Pk.), Motherwell (ML1 3RT) 4A 128
Manderston (TD11 3PP) 4E 130
Mannington Gdns. (NR11 7BB) 2D 78
Manorbier Castle (SA70 7SY) 5E 43
Manx Electric Railway (IM2 4NR) 3D 108
Manx Mus. (IM1 3LY) 4C 108
Mapledurham House (RG4 7TR) 4E 37
Marble Hill House (TW1 2NL) 3C 38
Markenfield Hall (HG4 3AD) 3E 99
Mar Lodge Estate (AB35 5YJ) 5E 151
Martin Mere Wetland Centre (L40 0TA) 3C 90
Marwell Wildlife (SO21 1JH) 4D 24
Marwood Hill Gdns. (EX31 4EB) 3F 19
Mary Arden's Farm (CV37 9UN) 5F 61
Mary, Queen of Scots' House (TD8 6EN) 2A 120
Mary Rose Ship & Mus. (PO1 3LJ) **Portsmouth 209**
Max Gate (DT1 2AB) 3C 14
Megginch Castle Gdns. (PH2 7SW) 1E 137
Melbourne Hall & Gdns. (DE73 8EN) 3A 74
Melford Hall (CO10 9AA) 1B 54
Mellerstain House (TD3 6LG) 1A 120
Melrose Abbey (TD6 9LG) 1H 119
Menai Suspension Bridge (LL59 5HH) 3E 81
Mendip Hills (BS40 7XS) 1H 21
Merriments Gdns. (TN19 7RA) 3B 28
Merseyside Maritime Mus. (L3 4AQ) **Liverpool 200**
Mertoun Gdns. (TD6 0EA) 1A 120
Michelham Priory (BN27 3QS) 5G 27
Middleham Castle (DL8 4QR) 1D 98
Midland Railway Centre (DE5 3QZ) 5B 86
Mid-Norfolk Railway (NR19 1DF) 5C 78
Millennium Coastal Pk. (SA15 2LG) 3D 31
Millennium Stadium (CF10 1NS) **Cardiff 191**
Milton Manor House (OX14 4EN) 2C 36
Milton's Cottage (HP8 4JH) 1A 38
Minack Theatre (TR19 6JU) 4A 4
Minsmere (IP17 3BY) 4G 67
Minterne Gdns. (DT2 7AU) 2B 14
Mirehouse (CA12 4QE) 2D 102
Misarden Pk. Gdns. (GL6 7JA) 5E 49
Mistley Towers (CO11 1ET) 2E 54
Mompesson House (SP1 2EL) **Salisbury 210**
Monk Bretton Priory (S71 5QE) 4D 93
Monkey Forest at Trentham (ST4 8AY) 2C 72
Monkey Sanctuary (PL13 1NZ) 3G 7
Monkey World (BH20 6HH) 4D 14
Monk's House (BN7 3HF) 5F 27
Montacute House (TA15 6XP) 1H 13
Monteviot House (TD8 6UH) 2A 120
Montgomery Castle (SY15 6HN) 1E 58
Moreton Corbet Castle, Shawbury (SY4 4DW) 3H 71
Morwellham Quay (PL19 8JL) 2A 8
Moseley Old Hall, Wolverhampton (WV10 7HY) 5D 72
Mother Shipton's Cave & the Petrifying Well (HG5 8DD) 4F 99
Mottisfont (SO51 0LP) 4B 24
Mount Edgcumbe House (PL10 1HZ) 3A 8
Mount Ephraim Gdns. (ME13 9TX) 4E 41
Mountfitchet Castle (CM24 8SP) 3F 53
Mount Grace Priory (DL6 3JG) 5B 106
Mount Stuart (PA20 9LR) 4C 126
Mr Straw's House (S81 0JG) 2C 86
Muchelney Abbey (TA10 0DQ) 4H 21
Muchelney Priest's House (TA10 0DQ) 4H 21
Mull of Kintyre (PA28 6RU) 5A 122
Muncaster Castle & Gdns. (CA18 1RQ) 5C 102
Mus. of Army Flying (SO20 8DY) 3B 24
Mus. of East Anglian Life (IP14 1DL) 5C 66
Mus. of Lakeland Life & Industry, Kendal (LA9 5AL) 5G 103
Mus. of Lincolnshire Life (LN1 3LY) **Lincoln 198**
Mus. of London (EC2Y 5HN) 203
Mus. of Science & Industry (M3 4FP) **Manchester 201**
Mus. of Scottish Lighthouses (AB43 9DU) 2G 161
Mus. of the Gorge (TF8 7NH) 5A 72
Mus. of the Isles (IV45 8RS) 3E 147
Mus. of the Jewellery Quarter (B18 6HA) **Birmingham 188**

N

Nat. Botanic Gdn. of Wales (SA32 8HG) 4F 45
Nat. Coal Mining Mus. for England (WF4 4RH) 3C 92
Nat. Coracle Centre (SA38 9JL) 1C 44
Nat. Exhibition Centre (NEC) (B40 1NT) 2F 61
Nat. Football Mus. (M4 3BG) **Manchester 201**
Nat. Forest, The (DE12 6HZ) 4H 73
Nat. Gallery (WC2N 5DN) **London 203**
Nat. Gallery of Scotland (EH2 2EL) **Edinburgh 194**
Nat. Glass Centre (SR6 0GL) 4H 115
Nat. Horseracing Mus. (CB8 8JL) 4F 65
Nat. Marine Aquarium (PL4 0LF) **Plymouth 208**
Nat. Maritime Mus., Greenwich (SE10 9NF) 3E 39
Nat. Maritime Mus. Cornwall, Falmouth (TR11 3QY) 5C 6
Nat. Media Mus. (BD1 1NQ) **Bradford 190**
Nat. Memorial Arboretum (DE13 7AR) 4F 73
National Mining Mus. Scotland (EH22 4QN) 3G 129
Nat. Motorcycle Mus. (B92 0EJ) 2G 61
Nat. Motor Mus., (Beaulieu) (SO42 7ZN) 2B 16
Nat. Mus. Cardiff (CF10 3NP) 191
Nat. Mus. of Costume (DG2 8HQ) 3A 112
Nat. Mus. of Flight (EH39 5LF) 2B 130
Nat. Mus. of Rural Life Scotland (G76 9HR) 4H 127
Nat. Mus. of Scotland (EH1 1JF) **Edinburgh 194**
Nat. Portrait Gallery (WC2H 0HE) **London 203**
Nat. Railway Mus. (YO26 4XJ) **York 214**
Nat. Roman Legion Mus., Caerleon, Caerleon (NP18 1AE) 2G 33
Nat. Sea Life Centre (B1 2HL) **Birmingham 188**
Nat. Seal Sanctuary (TR12 6UG) 4E 5
Nat. Showcaves Centre for Wales (SA9 1GJ) 4B 46
Nat. Slate Mus. (LL55 4TY) 4E 81
Nat. Space Centre (LE4 5NS) 5C 74
Nat. Waterfront Mus. (SA1 3RD) **Swansea 212**
Nat. Waterways Mus. (CH65 4FW) 3G 83
Nat. Wool Mus. (SA44 5UP) 2D 44
Natural History Mus. (SW7 5BD) **London 202**
Natural History Mus. at Tring (HP23 6AP) 4H 51
Neath Abbey (SA10 7DW) 3G 31
Needles, The (PO39 0JH) 4A 16
Nene Valley Railway (PE8 6LR) 1A 64
Ness Botanic Gdns. (CH64 4AY) 3F 83
Nessieland Castle Monster Centre (IV63 6TU) 5H 157
Nether Winchendon House (HP18 0DY) 4F 51
Netley Abbey (SO31 5HB) 2C 16
New Abbey Corn Mill (DG2 8DX) 3A 112
Newark Air Mus. (NG24 2NY) 5F 87
Newark Castle (Newark-on-Trent) (NG24 1BN) 5E 87
Newark Castle (Port Glasgow) (PA14 5NG) 2E 127
Newark Pk. (GL12 7PZ) 2C 34
New Art Gallery Walsall (WS2 8LG) 1E 61
Newburgh Priory (YO61 4AS) 2H 99
Newbury Racecourse (RG14 7NZ) 5C 36
Newby Hall & Gdns. (HG4 5AE) 3F 99
Newcastle Castle (Bridgend) (CF31 4JW) 3B 32
Newcastle Upon Tyne Castle Keep (NE1 1RQ) 205
New Forest Nat. Pk. (SO43 7BD) 2H 15
New Lanark World Heritage Site Visitor Centre (ML11 9DB) 5B 128
Newmarket Racecourse (CB8 0TG) 4F 65
Newquay Zoo (TR7 2LZ) 2C 6
Newstead Abbey (NG15 8NA) 5C 86
Nine Ladies Stone Circle (DE4 2LF) 4G 85
Norfolk Lavender (PE31 7JE) 2F 77
Norham Castle (TD15 2LL) 5F 131
Normanby Hall Mus. (DN15 9HU) 3B 94
North Downs (GU10 5QE) 5C 38
North Norfolk Railway (NR26 8RA) 1D 78
Northumberland Nat. Pk. (NE46 1BS) 1A 114
North York Moors Nat. Pk. (YO18 8RN) 5E 107
North Yorkshire Moors Railway (YO18 7AJ) 1C 100
Norton Conyers (HG4 5EQ) 2F 99
Norton Priory Mus. & Gdns. (WA7 1SX) 2H 83
Norwich Castle Mus. & Art Gallery (NR1 3JU) 205
Norwich Cathedral (NR1 4DH) 205
Nostell Priory (WF4 1QE) 3E 93
Nuffield Place (RG9 5RX) 3E 37
Nunney Castle (BA11 4LN) 2C 22
Nunnington Hall (YO62 5UY) 2A 100
Nymans (RH17 6EB) 3D 26

O

Oakham Castle (LE15 6DR) 5F 75
Oakwell Hall, Birstall (WF17 9LG) 2C 92
Oakwood Theme Pk. (SA67 8DE) 3E 43
Observatory Science Centre (BN27 1RN) 4A 28
Oceanarium (BH2 5AA) **Bournemouth 190**
Offa's Dyke (NP16 7NQ) 5A 48
Okehampton Castle (EX20 1JA) 3F 11
Old Beaupre Castle (CF71 7LT) 4D 32
Old Gorhambury House (AL3 6AH) 5B 52
Old Oswestry Hill Fort (SY10 7AA) 2E 71
Old Sarum (SP1 3SD) 3G 23
Old Wardour Castle (SP3 6RR) 4E 23
Old Winchester Hill Hill Fort (GU32 1HN) 4E 25
Orford Castle (IP12 2NF) 1H 55
Orford Ness (IP12 2NU) 1H 55
Ormesby Hall (TS7 9AS) 3C 106
Osborne House (PO32 6JX) 3D 16
Osterley Pk. & House (TW7 4RB) 3C 38
Oulton Pk. Motor Circuit (CW6 9BW) 4H 83
Our Dynamic Earth (EH8 8AS) **Edinburgh 194**
Overbeck's (TQ8 8LW) 5D 8
Owletts (DA12 3AP) 4A 40
Oxburgh Hall (PE33 9PS) 5G 77
Oxford Christ Church Cathedral (OX1 4JF) 207
Oxwich Castle (SA3 1LU) 4D 31
Oystermouth Castle (SA3 5TA) 4F 31

P

Packwood House (B94 6AT) 3F 61
Paignton Zoo (TQ4 7EU) 3E 9
Painshill Pk. (KT11 1JE) 5B 38
Painswick Rococo Gdn. (GL6 6TH) 4D 48
Palace of Holyroodhouse (EH8 8DX) **Edinburgh 194**
Papplewick Pumping Station (NG15 9AJ) 5C 86
Paradise Pk. (Hayle) (TR27 4HB) 3C 4
Paradise Wildlife Pk. (EN10 7QZ) 5D 52
Parcevall Hall Gdns. (BD23 6DE) 3C 98
Parham (RH20 4HS) 4B 26
Pashley Manor Gdns. (TN5 7HE) 3B 28
Paul Corin's Magnificent Music Machines (PL14 4SH) 2G 7
Paultons Family Theme Pk. (SO51 6AL) 1B 16
Paxton House (TD15 1SZ) 4F 131
Paycocke's (CO6 1NS) 3B 54
Peak Cavern (S33 8WS) 2F 85
Peak District Nat. Pk. (DE45 1AE) 3F 85
Peak Rail (DE4 3NA) 4G 85
Peckover House & Gdn. (PE13 1JR) 5D 76
Peel Castle (IM5 1AB) 3B 108
Pembroke Castle (SA71 4LA) 4D 43
Pembrokeshire Coast Nat. Pk. (SA41 3XD) 3C 42
Pencarrow (PL30 3AG) 5A 10
Pendennis Castle (TR11 4LP) 5C 6
Penhow Castle (NP26 3AD) 2H 33
Penrhyn Castle (LL57 4HN) 3F 81
Penrith Castle (CA11 7JB) 2G 103
Penshurst Place & Gdns. (TN11 8DG) 1G 27
Peover Hall (WA16 9HW) 3B 84
Perth Mus. & Art Gallery (PH1 5LB) 207
Peterborough Cathedral (PE1 1XZ) 208
Petworth House & Pk. (GU28 0AE) 3A 26
Pevensey Castle (BN24 5LE) 5H 27
Peveril Castle (S33 8WQ) 2F 85
Philipps House (SP3 5HH) 3F 23
Pickering Castle (YO18 7AX) 1C 100
Picton Castle (SA62 4AS) 3E 43
Piel Castle (LA13 0QN) 3B 96
Pistyll Rhaeadr (SY10 0BZ) 3C 70
Pitmedden Gdn. (AB41 7PD) 1F 153
Pitt Rivers Mus. (OX1 3PP) **Oxford 207**
Plantasia (SA1 2AL) **Swansea 212**
Plas Brondanw Gdn. (LL48 6SW) 1F 69
Plas Newydd (Llanfairpwllgwyngyll) (LL61 6DQ) 4E 81
Plas Newydd (Llangollen) (LL20 8AW) 1E 70
Plas yn Rhiw (LL53 8AB) 3B 68
Pleasurewood Hills (NR32 5DZ) 1H 67
Poldark Mine (TR13 0ES) 5A 6
Polesden Lacey (RH5 6BD) 5C 38
Pollok House, Glasgow (G43 1AT) 3G 127
Pontcysyllite Aqueduct (LL20 7YS) 1E 71
Portchester Castle (PO16 9QW) 2E 17
Portland Castle (DT5 1AZ) 5B 14
Port Lympne Wild Animal Pk. (CT21 4PD) 2F 29
Portsmouth Historic Dockyard (PO1 3LJ) 209
Potteries Mus. & Art Gallery (ST1 3DW) **Stoke 211**
Powderham Castle (EX6 8JQ) 4C 12
Powis Castle & Gdn. (SY21 8RF) 5E 70
Prebendal Manor House (PE8 6QG) 1H 63
Prestongrange Mus. (EH32 9RX) 2G 129
Preston Manor (BN1 6SD) 5E 27
Preston Mill & Phantassie Doocot (EH40 3DS) 2B 130
Preston Tower (Northumberland) (NE67 5DH) 2F 121
Preston Tower, Prestonpans (EH32 9NN) 2G 129
Prideaux Place (PL28 8RP) 1D 6
Prior Pk. Landscape Gdn. (BA2 5AH) 5C 34
Provan Hall (G34 9NJ) 3H 127
Prudoe Castle (NE42 6NA) 3D 115

Q

Quantock Hills (TA4 4AP) 3E 21
Quarry Bank Mill (SK9 4LA) 2C 84
Quebec House (TN16 1TD) 5F 39
Queen Elizabeth Coutnry Pk. (PO8 0QE) 1F 17
Queen Elizabeth Forest Pk. (FK8 3UZ) 4D 134
Queen Elizabeth Olympic Pk. (E20 2ST) 2E 39
Quex House & Gdns. (CT7 0BH) 4H 41
Quilt Mus. & Gallery (YO1 7PW) **York 214**

R

Raby Castle (DL2 3AH) 2E 105
RAF Holmpton (HU19 2RG) 2G 95
RAF Mus. Cosford (TF11 8UP) 5B 72
RAF Mus. London (NW9 5LL) 1D 38
Raglan Castle (NP15 2BT) 5H 47
Ragley (B49 5NJ) 5E 61
Ramsey Island (SA62 6SA) 2B 42
Ravenglass & Eskdale Railway (CA18 1SW) 4C 102
Raveningham Gdns. (NR14 6NS) 1F 67
Ravenscraig Castle (KY1 2AZ) 4E 137
Reculver Towers (CT6 6SX) 4G 41
Renishaw Hall & Gdns. (S21 3WB) 3B 86
Restoration House (ME1 1RF) **Medway 204**
Restormel Castle (PL22 0HN) 2F 7
Revolution House (S41 9LA) 3A 86
Rheged Centre (CA11 0DQ) 2G 103
Rheidol Power Station & Vis. Centre (SY23 3NF) 3G 57
Rhossili Bay (SA3 1PR) 4D 30
RHS Gdn. Harlow Carr (HG3 1QB) 4E 99
RHS Gdn. Hyde Hall (CM3 8ET) 1B 40
RHS Gdn. Rosemoor (EX38 8PH) 1F 11
RHS Gdn. Wisley (GU23 6QB) 5B 38
Rhuddlan Castle (LL18 5AD) 3C 82
Ribchester Roman Mus. (PR3 3XS) 1E 91
Richmond Castle (DL10 4QW) 4E 105
Rievaulx Abbey (YO62 5LB) 1H 99
Rievaulx Terrace (YO62 5LJ) 1H 99
Ripley Castle (HG3 3AY) 3E 99
Ripon Cathedral (HG4 1QT) 2F 99
River & Rowing Mus. (RG9 1BF) 3F 37
Riverside Mus., Glasgow (G3 8RS) 3G 127
Robert Burns Birthplace Mus. (KA7 4PQ) 3C 116
Robert Burns House (DG1 2PS) **Dumfries 193**
Roche Abbey (S66 8NW) 2C 86
Rochester Castle (ME1 1SW) **Medway 204**
Rochester Cathedral (ME1 1SX) **Medway 204**
Rockbourne Roman Villa (SP6 3PG) 1G 15
Rockingham Castle (LE16 8TH) 1F 63
Rockingham Motor Speedway (NN17 5AF) 1G 63
Rode Hall (ST7 3QP) 5C 84
Rodmarton Manor (GL7 6PF) 2E 35
Rokeby Pk. (DL12 9RZ) 3D 105
Rollright Stones (OX7 5QB) 2A 50
Roman Army Mus. (CA8 7JB) 3H 113
Roman Painted House (CT17 9AJ) **Dover 193**
Roman Vindolanda (NE47 7JN) 3A 114
Romney, Hythe & Dymchurch Railway (TN28 8PL) 3E 29
Roseberry Topping (TS9 6QX) 3C 106
Rothesay Castle (PA20 0DA) 3B 126
Rothiemurchus Centre (PH22 1QH) 2D 150
Rousham House Gdns. (OX25 4QX) 3C 50
Royal Academy of Arts (W1J 0BD) **London 202**
Royal Albert Bridge (PL12 4GT) 3A 8
Royal Armouries Mus. (LS10 1LT) **Leeds 199**
Royal Botanic Gdn. Edinburgh (EH3 5LR) 2F 129
Royal Botanic Gdns., Kew (TW9 3AB) 3C 38
Royal Cornwall Mus. (TR1 2SJ) 4C 6
Royal Crown Derby Mus. (DE23 8JZ) 193
Royal Navy Submarine Mus. (PO12 2AS) 3E 16
Royal Pavilion (BN1 1EE) **Brighton & Hove 189**
Royal Pump Room Mus. (HG1 2RY) **Harrogate 197**
Royal Yacht Britannia (EH6 6JJ) 2F 129
Ruddington Framework Knitters' Mus. (NG11 6HE) 2C 74
Rufford Abbey (NG22 9DF) 4D 86
Rufford Old Hall (L40 1SG) 3C 90
Rufus Stone (SO43 7HN) 1A 16
Runnymede (RG18 9NA) 3A 38
Rushton Triangular Lodge (NN14 1RP) 2F 63
Russell-Cotes Art Gallery & Mus. (BH1 3AA) **Bournemouth 190**
Rutland County Mus. (LE15 6HW) 5F 75

Rutland Railway Mus. (LE15 7BX) 4F 75
Rutland Water (LE15 8BL) 5G 75
Rydal Mount & Gdns. (LA22 9LU) 4E 103
Ryedale Folk Mus. (YO62 6UA) 5E 107
Ryton Gdns. (CV8 3LG) 3B 62

S

Saatchi Gallery (SW3 4RY) London 202
Sainsbury Centre for Visual Arts (NR4 7TJ) 5D 78
St Abb's Head (TD14 5QF) 3F 131
St Albans Cathedral (AL1 1BY) 5B 52
St Andrews Aquarium (KY16 9AS) 209
St Andrews Cathedral (KY16 9QL) 209
St Augustine's Abbey (CT1 1PF) Canterbury 190
St David's Cathedral & Bishop's Palace (SA62 6RD) 2B 42
St Dogmaels Abbey (SA43 3JH) 1B 44
St Fagans: Nat. History Mus. (CF5 6XB) 4E 32
St Giles' Cathedral (EH1 1RE) Edinburgh 194
St John's Jerusalem (DA4 9HQ) 3G 39
St Mary's Cathedral, Glasgow (G4 9JB) 3G 127
St Mary's House & Gdns. (BN44 3WE) 4C 26
St Mawes Castle (TR2 5DE) 5C 6
St Michael's Mount (TR17 0HS) 4C 4
St Paul's Cathedral (EC4M 8AE) London 203
Salford Mus. & Art Gallery (M5 4WU) Manchester 201
Salisbury Cathedral (SP1 2EG) 210
Saltaire World Heritage Village (BD18 4PL) 1B 92
Saltram (PL7 1UH) 3B 8
Samlesbury Hall (PR5 0UP) 1E 90
Sandford Orcas Manor House (DT9 4SB) 4B 22
Sandham Memorial Chapel (RG20 9JT) 5C 36
Sandown Pk. Racecourse (KT10 9AJ) 4C 38
Sandringham (PE35 6EP) 3F 77
Sarehole Mill (B13 0BD) 2E 61
Savill Gdn. (SL4 2HT) 3A 38
Sawley Abbey (BB7 4LE) 5G 97
Saxtead Green Post Mill (IP13 9QQ) 4E 67
Scafell Pike (CA20 1EX) 4D 102
Scampston Hall (YO17 8NG) 2C 100
Scarborough Castle (YO11 1HY) 1E 101
Science Mus. (SW7 2DD) London 202
Scone Palace (PH2 6BD) 1D 136
Scotch Whisky Experience (EH1 2NE) Edinburgh 194
Scotney Castle (TN3 8JN) 2A 28
Scotstarvit Tower (KY15 5PA) 2F 137
Scottish Deer Centre (KY15 4NQ) 2F 137
[Scottish Exhibition & Conference Centre (SECC), Glasgow (G3 8YW)] 3G 127
Scottish Fisheries Mus. (KY10 3AB) 3H 137
Scottish Industrial Railway Centre (KA6 7JF) 4D 116
Scottish Maritime Mus. (KA12 8QE) 1C 116
Scottish Nat. Gallery of Modern Art, Edinburgh (EH4 3DR) 2F 129
Scottish Nat. Portrait Gallery (EH2 1JD) Edinburgh 194
Scottish Parliament (EH99 1SP) Edinburgh 194
Scottish Sea Life Sanctuary (PA37 1SE) 4D 140
Sea Life Adventure, Southend-on-Sea (SS1 2ER) 2C 40
Sea Life Blackpool (FY1 5AA) 188
Sea Life Brighton (BN2 1TB) Brighton & Hove 189
Sea Life Great Yarmouth (NR30 3AH) 196
Sea Life Loch Lomond (G83 8QL) 1E 127
Sea Life London Aquarium (SE1 7PB) 203
Sea Life Scarborough (YO12 6RP) 5H 107
Sea Life Weymouth (DT4 7SX) 4B 14
SeaQuarium, Rhyl (LL18 3AF) 2C 82
SeaQuarium, Weston-super-Mare (BS23 1BE) 5G 33
Seaton Delaval Hall (NE26 4QR) 2G 115
Seaton Tramway (EX12 2NQ) 3F 13
Seaview Wildlife Encounter (PO34 5AP) 3E 16
Selby Abbey (YO8 4PF) 1G 93
Selly Manor (B30 2AD) 2E 61
Severn Valley Railway (DY12 1BG) 2B 60
Sewerby Hall & Gdns. (YO15 1EA) 3G 101
Sezincote (GL56 9AW) 2G 49
Shaftesbury Abbey Mus. & Gdns. (SP7 8JR) 4D 22
Shakespeare's Birthplace (CV37 6QW) Stratford 212
Shandy Hall (YO61 4AD) 2H 99
Shap Abbey (CA10 3NB) 3G 103
Shaw's Corner (AL6 9BX) 4B 52
Sheffield Pk. & Gdn. (TN22 3QX) 3F 27
Sheffield Winter Gdn. (S1 2PP) 210
Shepreth Wildlife Pk. (SG8 6PZ) 1D 53
Sherborne Castle (DT9 3PY) 1B 14
Sherborne Old Castle (DT9 3SA) 1B 14
Sherwood Forest (NG21 9HN) 4D 86
Shibden Hall (HX3 6XG) 2B 92
Shipton Hall (TF13 6JZ) 1H 59
Shoe Mus. (BA16 0EQ) 3H 21
Shrewsbury Castle (SY1 2AT) 210
Shugborough (ST17 0XB) 3D 73
Shute Barton (EX13 7PT) 3F 13
Shuttleworth Collection (SG18 9EP) 1B 52
Silbury Hill (SN8 1QH) 5G 35
Silverstone Motor Circuit (NN12 8TN) 1E 51
Sir Harold Hillier Gdns. (SO51 0QA) 4B 24
Sir Walter Scott's Courtroom (TD7 4BT) 2G 119
Sissinghurst Castle Gdn. (TN17 2AB) 2C 28
Sizergh Castle & Gdn. (LA8 8AE) 1D 97
Skara Brae Prehistoric Village (KW16 3LR) 6B 172
Skenfrith Castle (NP7 8UH) 3H 47
Skiddaw (CA12 4QE) 2D 102
Skipness Castle (PA29 6XU) 4H 125
Skipton Castle (BD23 1AW) 4B 98
Skokholm Island (SA62 3BL) 4B 42
Skomer Island (SA62 3BL) 4B 42
Sledmere House (YO25 3XG) 3D 100
Slimbridge Wetland Centre (GL2 7BT) 5C 48
Smailholm Tower (TD5 7PG) 1A 120
Smallhythe Place (TN30 7NG) 3D 28
Snaefell Mountain Railway (IM4 7NL) 3D 108
Snibston (LE67 3LN) 4B 74
Snowdon (LL55 4UL) 5F 81
Snowdonia Nat. Pk. (LL48 6LF) 2G 69
Snowdon Mountain Railway (LL55 4TY) 5F 81
Snowshill Manor & Gdn. (WR12 7JU) 2F 49
Somerleyton Estate (NR32 5QQ) 1G 67
Somerset Heritage Centre (TA2 6SF) 4F 21
Sorn Castle (KA5 6HR) 2E 117
Souter Lighthouse (SR6 7NH) 3H 115
South Devon Railway (TQ11 0DZ) 2D 8
South Downs Nat. Pk. (GU29 9SB) 4F 27
South Lakes Wild Animal Pk. (LA15 8JR) 2B 96
South Tynedale Railway (CA9 3JB) 5A 114
Southwell Minster (NG25 0HD) 5E 86
Spa Valley Railway (TN2 5QY) 2G 27
Speedwell Cavern (S33 8WA) 2F 85
Speke Hall (L24 1XD) 2G 83
Spetchley Pk. Gdns. (WR5 1RR) 5C 60
Spinners Gdn. (SO41 5QE) 3B 16
Spofforth Castle (HG3 1DA) 4F 99
Sprivers Gdn. (TN12 8DR) 1A 28
Spurn Head (HU12 0UG) 3H 95
Spynie Palace (IV30 5QG) 2G 159
Squerryes (TN16 1SJ) 5F 39
Stafford Castle (ST16 1DJ) 3D 72
Stagshaw Gdn. (LA22 0HE) 4E 103
Stanage Edge (S33 0AD) 2G 85
Standen (RH19 4NE) 2E 27
Stanford Hall (LE17 6DH) 3C 62
Stansted Pk. (PO9 6DX) 2F 17
Stanway House & Fountain (GL54 5PQ) 2F 49
Staunton Harold Church (LE65 1RT) 3A 74
Steam - Mus. of the Great Western Railway (SN2 2EY) 3G 35
Stirling Castle (FK8 1EJ) 211
Stoke Pk. Pavilions (NN12 7RZ) 1F 51
Stokesay Castle (SY7 9AH) 2G 59
Stoke-sub-Hamdon Priory (TA14 6QP) 1H 13
Stoneacre (ME15 8RS) 5C 40
Stonehenge (SP4 7DE) 2G 23
Stoneleigh Abbey (CV8 2LF) 3H 61
Stonor (RG9 6HF) 3F 37
Storybook Glen (AB12 5FT) 4F 153
Stott Pk. Bobbin Mill (LA12 8AX) 1C 96
Stourhead (BA12 6QD) 3C 22
Stourton House Flower Gdn. (BA12 6QF) 3C 22
Stowe House (MK18 5EH) 2E 51
Stowe Landscape Gdns. (MK18 5EH) 2E 51
Strata Florida Abbey (SY25 6BJ) 4G 57
Stratfield Saye House (RG7 2BZ) 5F 37
Strathaven Castle (ML10 6QS) 5A 128
Strathspey Railway (PH22 1PY) 2D 150
Strawberry Hill, Twickenham (TW1 4ST) 3C 38
Strome Castle (IV54 8YJ) 5A 156
Sudbury Hall (DE6 5HT) 2F 73
Sudeley Castle (GL54 5JD) 3F 49
Sufton Court (HR1 4LU) 2A 48
Sulgrave Manor (OX17 2SD) 1D 50
Summerlee - Mus. of Scottish Industrial Life (ML5 1QD) 3A 128
Sundown Adventureland (DN22 0HX) 3E 87
Sutton Hoo (IP12 3DJ) 1F 55
Sutton Pk. (YO61 1DP) 3H 99
Sutton Scarsdale Hall (S44 5UT) 4B 86
Sutton Valence Castle (ME17 3DA) 1C 28
Swaledale Mus. (DL11 6QT) 5D 104
Swallow Falls (LL24 0DH) 5G 81
Swansea RC Cathedral (SA1 2BX) 212
Sweetheart Abbey (DG2 8BU) 3A 112
Swindon & Cricklade Railway (SN25 2DA) 2G 35
Swiss Gdn. (SG18 9ER) 1B 52
Syon Pk. (TW8 8JF) 3C 38

T

Tabley House (WA16 0HB) 3B 84
Talley Abbey (SA19 7AX) 2G 45
Talyllyn Railway (LL36 9EY) 5F 69
Tamworth Castle (B79 7NA) 5G 73
Tank Mus. (BH20 6JG) 4D 14
Tantallon Castle (EH39 5PN) 1B 130
Tarn Hows (LA22 0PR) 5E 103
Tar Tunnel (TF8 7HS) 5A 72
Tate Britain (SW1P 4RG) London 203
Tate Liverpool (L3 4BB) 200
Tate Modern (SE1 9TG) London 203
Tate St Ives (TR26 1TG) 2C 4
Tattershall Castle (LN4 4NR) 5B 88
Tatton Pk. (WA16 6QN) 2B 84
Tay Forest Pk. (PH17 2QG) 3C 142
Teifi Valley Railway (SA44 5TD) 1D 44
Temple Newsam (LS15 0AE) 1D 92
Tenby Castle (SA70 7BP) 4F 43
Thames Barrier (SE18 5NJ) 3F 39
Thetford Forest Pk. (IP26 5DB) 1A 66
Thetford Priory (IP24 1AZ) 2A 66
Thirlestane Castle (TD2 6RU) 5B 130
Thoresby Gallery (NG22 9EP) 3D 86
Thornham Walled Gdn. (IP23 8HH) 3D 66
Thornton Abbey & Gatehouse (DN39 6TU) 3E 94
Thorpe Pk. (KT16 8PN) 4B 38
Thorp Perrow Arboretum (DL8 2PR) 1E 99
Threave Castle (DG7 2AB) 3E 111
Threave Gdn. (DG7 1RX) 3E 111
Thrigby Hall Wildlife Gdns. (NR29 3DR) 4G 79
Thruxton Motor Circuit (SP11 8PW) 2A 24
Thursford Collection (NR21 0AS) 2B 78
Tilbury Fort (RM18 7NR) 3H 39
Tintagel Castle (PL34 0HE) 4A 10
Tintagel Visitor Information Centre (PL34 0AJ) 4A 10
Tintern Abbey (NP16 6SH) 5A 48
Tintinhull Gdn. (BA22 8QL) 4A 22
Titchfield Abbey (PO15 5RA) 2D 16
Tiverton Castle (EX16 6RP) 1C 12
Tolpuddle Martyrs Mus. (DT2 7EH) 3C 14
Tolquhon Castle (AB41 7LP) 1F 153
Torridon Countryside Centre (IV22 2EW) 3B 156
Totnes Castle (TQ9 5NU) 2E 9
Tower Bridge (SE1 2UP) London 203
Tower of London, The (EC3N 4AB) 203
Towneley Hall Art Gallery & Mus. (BB11 3RQ) 1G 91
Townend (LA23 1LB) 4F 103
Traquair House (EH44 6PW) 1F 119
Treasurer's House, Martock (TA12 6JL) 1H 13
Treasurer's House, York (YO1 7JL) 214
Trebah Gdn. (TR11 5JZ) 4E 5
Tredegar House (NP10 8YW) 3F 33
Tregrehan Gdn. (PL24 2SJ) 3E 7
Trelissick Gdn. (TR3 6QL) 5C 6
Trengwainton Gdn. (TR20 8RZ) 3B 4
Trentham Gdns. (ST4 8NF) 1C 72
Trerice (TR8 4PG) 3C 6
Tresco Abbey Gdns. (TR24 0QQ) 1A 4
Tretower Castle & Court (NP8 1RF) 3E 47
Trewithen (TR2 4DD) 4D 6
Tropical Birdland (LE9 9GN) 5B 74
Trossachs, The (FK17 8HZ) 3E 135
Tudor Merchant's House (SA70 7BX) 4F 43
Turner Contemporary (CT9 1HG) 3H 41
Turton Tower (BL7 0HG) 3F 91
Tutbury Castle (DE13 9JF) 3G 73
Twycross Zoo (CV9 3PX) 5H 73
Ty Mawr Wybrnant (LL25 0HJ) 5G 81
Tynemouth Castle (NE30 4BZ) 3G 115
Tyntesfield (BS48 1NT) 4A 34

U

[U-Boat Story, Birkenhead (CH41 6DU)] 2F 83
Uffington White Horse (SN7 7QJ) 3B 36
Ugbrooke (TQ13 0AD) 5B 12
Upnor Castle (ME2 4XG) 3B 40
Uppark (GU31 5QR) 1F 17
Upton Castle Gdns. (SA72 4SE) 4E 43
Upton House & Gdns. (OX15 6HT) 1B 50
Urquhart Castle (IV63 6XJ) 1H 149
Usher Gallery (LN2 1NN) Lincoln 198
Usk Castle (NP15 1SD) 5G 47

V

Vale of Rheidol Railway (SY23 1PG) 3F 57
Valle Crucis Abbey (LL20 8DT) 1E 70
Valley Gdns. (SL4 2HT) 4A 38
Veddw House Gdn. (NP16 6PH) 2H 33
Verulamium Mus., St Albans (AL3 4SW) 5B 52
Victoria & Albert Mus. (SW7 2RL) London 202
Vyne, The (RG24 9HL) 1E 25

W

Waddesdon Manor (HP18 0JH) 4F 51
Wakehurst Place (RH17 6TN) 2E 27
Walker Art Gallery (L3 8EL) Liverpool 200
Wallington (NE61 4AR) 1D 114
Walmer Castle & Gdns. (CT14 7LJ) 1H 29
Walsingham Abbey (NR22 6BL) 2B 78
Warkworth Castle & Hermitage (NE65 0UJ) 4G 121
Warwick Castle (CV34 4QX) 4G 61
Washington Old Hall (NE38 7LE) 4G 115
Watercress Line (SO24 9JG) 3E 25
Watermouth Castle (EX34 9SL) 2F 19
Waterperry Gdns. (OX33 1JZ) 5E 51
Watersmeet (EX35 6NT) 2H 19
Weald & Downland Open Air Mus. (PO18 0EU) 1G 17
Weaver Hall Mus. & Workhouse (CW9 8AB) 3A 84
Weaver's Cottage (PA10 2JG) 3E 127
Wedgwood Visitor Centre (ST12 9ER) 2C 72
Weir, The (HR4 7QF) 1H 47
Wells & Walsingham Light Railway (NR23 1QB) 1B 78
Wells Cathedral (BA5 2UE) 2A 22
Welney Wetland Centre & Visitor Centre (PE14 9TN) 1E 65
Welsh Highland Heritage Railway (LL49 9DY) 2E 69
Welsh Highland Railway (LL54 5UP) Caernarfon 190
Welsh Mountain Zoo, Colwyn Bay (LL28 5UY) 3H 81
Welshpool & Llanfair Light Railway (SY21 0SF) 5D 70
Wembley Stadium (HA9 0WS) 2C 38
Wenlock Edge (SY7 9JH) 2G 59
Wenlock Priory (TF13 6HS) 5A 72
Wentworth Castle Gdns. (S75 3ET) 4D 92
Weobley Castle (SA3 1HB) 3D 31
Weoley Castle (B29 5RX) 2E 61
Wesley Cottage (PL15 7TG) 4C 10
Westbury Court Gdn. (GL14 1PD) 4C 48
West Green House Gdn. (RG27 8JB) 1F 25
West Highland Mus. (PH33 6AJ) 1F 141
West Midland Safari & Leisure Pk. (DY12 1LF) 3C 60
Westminster Abbey (SW1P 3PA) London 203
Westminster RC Cathedral (SW1P 1QH) London 202
Westonbirt Nat. Arboretum (GL8 8QS) 3D 34
Weston Pk. (TF11 8LE) 4C 72
West Somerset Railway (TA24 5BG) 4E 21
Westwood Manor (BA15 2AF) 1D 22
West Wycombe Pk. (HP14 3AJ) 2G 37
Wetlands Animal Pk. (DN22 8SB) 2D 86
Whalley Abbey (BB7 9TN) 1F 91
Wheal Martyn (PL26 8XG) 3E 6
Whipsnade Tree Cathedral (LU6 2LL) 4A 52
Whipsnade Zoo (LU6 2LF) 4A 52
Whitby Abbey (YO22 4JT) 3G 107
White Castle (NP7 8UD) 4G 47
Whitehorse Hill (SN7 7QJ) 3B 36
White Scar Cave (LA6 3AW) 2G 97
Whithorn Priory & Mus. (DG8 8PY) 5B 110
Whitmore Hall (ST5 5HW) 1C 72
Whitworth Art Gallery, Hulme (M15 6ER) 1C 84
Wicken Fen Nat. Nature Reserve (CB7 5YG) 3E 65
Wicksteed Pk. (NN15 6NJ) 3F 63
Wightwick Manor & Gdns. (WV6 8EE) 1C 60
Wigmore Castle (HR6 9UJ) 4G 59
Wilberforce House Mus. (HU1 1NE) Hull 199
Wilderhope Manor (TF13 6EG) 1H 59
Wilton House (SP2 0BJ) 3F 23
Wimbledon Lawn Tennis Mus. (SW19 5HP) 3D 38
Wimpole Hall & Gdns. (SG8 0BW) 5C 64
Winchester Cathedral (SO23 9LS) 213
Windmill Hill (SN4 9NW) 4F 35
Windsor Castle (SL4 1NJ) 213
Wingfield Manor (DE55 7NH) 5A 86
Winkworth Arboretum (GU8 4AD) 1A 26
Witley Court & Gdns. (WR6 6JT) 4B 60
Woburn Abbey (MK17 9WA) 2H 51
Woburn Safari Pk. (MK17 9QN) 2H 51
Wolds, The (Lincolnshire) (LN8 6BL) 1B 88
Wolds, The (Yorkshire) (YO25 9EN) 4D 100
Wolfeton House (DT2 9QN) 3B 14
Wollaton Hall (NG8 2AE) 2C 74
Wolseley Centre (ST17 0WT) 3E 73
Wolterton Pk. (NR11 7BB) 2D 78
Wolvesey Castle (SO23 9NB) Winchester 213
Woodchester Mansion (GL10 3TS) 5D 48
Woodhenge (SP4 7AR) 2G 23
Wookey Hole (BA5 1BB) 2A 22
Woolsthorpe Manor (NG33 5PD) 3G 75
Worcester Cathedral (WR1 2LH) 214
Worcester Porcelain Mus. (WR1 2NE) 214
Worcestershire County Mus. (DY11 7XZ) 3C 60
Wordsworth House (CA13 9RX) 1C 102
Wordsworth Mus. (Dove Cottage) (LA22 9SH) 4E 103
Wotton House Landscape Gdns. (HP18 0SB) 4E 51
Wrest Pk. (MK45 4HR) 2A 52
Wrexham RC Cathedral (LL11 1RB) 214
Wroxeter Roman City (SY5 6PH) 5H 71
Wroxton Abbey Gdns. (OX15 6PX) 1C 50
Wylfa Visitor Centre (LL67 0DH) 1C 80
Wyre Forest (DY14 9UH) 3B 60
Wythenshawe Hall (M23 0AB) 2C 84

Y

Yarmouth Castle (PO41 0PB) 4B 16
York Art Gallery (YO1 7EW) 214
York Castle Mus. (YO1 9RY) 214
York Minster (YO1 7JN) 214
York Racecourse (YO23 1EX) 5H 99
Yorkshire Dales Nat. Pk. (BD23 5LB) 1A 98
Yorkshire Mus. (YO30 7DR) York 214
Yorkshire Mus. of Farming (YO19 5GH) 4A 100
Yorkshire Sculpture Pk. (WF4 4LG) 3C 92

FSC
www.fsc.org
MIX
Paper from responsible sources
FSC® C006021

The representation on the maps of a road, track or footpath is no evidence of the existence of a right of way.

The Grid on this map is the National Grid taken from Ordnance Survey® mapping with the permission of the Controller of Her Majesty's Stationery Office.

Printed and bound in the United Kingdom by Polestar Wheatons Ltd., Exeter.

Limited Interchange Motorway Junctions are shown on the maps by RED junction indicators

M1

Junction 2
Northbound: No exit, access from A1 only
Southbound: No access, exit to A1 only

Junction 4
Northbound: No exit, access from A41 only
Southbound: No access, exit to A41 only

Junction 6a
Northbound: No exit, access from M25 only
Southbound: No access, exit to M25 only

Junction 17
Northbound: No access, exit to M45 only
Southbound: No exit, access from M45 only

Junction 19
Northbound: Exit to M6 only,
access from A14 only
Southbound: Access from M6 only,
exit to A14 only

Junction 21a
Northbound: No access, exit to A46 only
Southbound: No exit, access from A46 only

Junction 24a
Northbound: Access from A50 only
Southbound: Exit to A50 only

Junction 35a
Northbound: No access, exit to A616 only
Southbound: No exit, access from A616 only

Junction 43
Northbound: Exit to M621 only
Southbound: Access from M621 only

Junction 48
Eastbound: Exit to A1(M)
Northbound only
Westbound: Access from A1(M) Southbound
only

M2

Junction 1
Eastbound: Access from A2 Eastbound only
Westbound: Exit to A2 Westbound only

M3

Junction 8
Westbound: No access, exit to A303 only
Eastbound: No exit, access from A303 only

Junction 10
Northbound: No access from A31
Southbound: No exit to A31

Junction 13
Southbound: No access from A335 to M3
leading to M27 Eastbound

M4

Junction 1
Westbound: Access from A4 Westbound only
Eastbound: Exit to A4 Eastbound only

Junction 21
Westbound: No access from M48
Eastbound: No exit to M48

Junction 23
Westbound: No exit to M48
Eastbound: No access from M48

Junction 25
Westbound: No access
Eastbound: No exit

Junction 25a
Westbound: No access
Eastbound: No exit

Junction 29
Westbound: No access, exit to A48(M) only
Eastbound: No exit, access from A48(M) only

Junction 38
Westbound: No access, exit to A48 only

Junction 39
Westbound: No exit, access from A48 only
Eastbound: No access or exit

Junction 42
Westbound: No exit to A48
Eastbound: No access from A48

M5

Junction 10
Southbound: No access, exit to A4019 only
Northbound: No exit, access from A4019 only

Junction 11a
Southbound: No exit to A417 Westbound

Junction 18a
Southbound: No exit to M49
Northbound: No access from M49

M6

Junction 3a
Eastbound: No exit to M6 TOLL
Westbound: No access from M6 TOLL

Junction 4
Northbound: No exit to M42 Northbound
No access from M42 Southbound
Southbound: No exit to M42
No access from M42 Southbound

Junction 4a
Northbound: No exit, access from M42
Southbound only
Southbound: No access, exit to M42 only

Junction 5
Northbound: No access, exit to A452 only
Southbound: No exit, access from A452 only

Junction 10a
Northbound: No access, exit to M54 only
Southbound: No access, exit to M54 only

Junction 11a
Northbound: No exit to M6 TOLL
Southbound: No access from M6 TOLL

Junction 20
Northbound: No exit to M56 Eastbound
Southbound: No access from M56 Westbound

Junction 24
Northbound: No exit, access from A58 only
Southbound: No access, exit to A58 only

Junction 25
Northbound: No access, exit to A49 only
Southbound: No exit, access from A49 only

Junction 30
Northbound: No exit, access from M61
Northbound only
Southbound: No access, exit to M61
Southbound only

Junction 31a
Northbound: No access, exit to B6242 only
Southbound: No exit, access from B6242 only

Junction 45
Northbound: No access onto A74(M)
Southbound: No exit from A74(M)

M6 TOLL

Junction T1
Northbound: No exit
Southbound: No access

Junction T2
Northbound: No access or exit
Southbound: No access

Junction T5
Northbound: No exit
Southbound: No access

Junction T7
Northbound: No access from A5
Southbound: No exit

Junction T8
Northbound: No exit to A460 Northbound
Southbound: No exit

M8

Junction 8
Westbound: No access from M73 Southbound
Eastbound: No exit to M73 Northbound

Junction 9
Westbound: No exit, access only
Eastbound: No access, exit only

Junction 13
Westbound: No exit to M80 Northbound
Eastbound: No access from M80 Southbound

Junction 14
Westbound: No exit, access only
Eastbound: No access, exit only

Junction 16
Westbound: No access, exit only
Eastbound: No exit, access only

Junction 17
Westbound: No access, exit to A82 only
Eastbound: No exit, access from A82 only

Junction 18
Westbound: No access, exit only

Junction 19
Westbound: No access from A814 Westbound
Eastbound: No exit to A814 Eastbound

Junction 20
Westbound: No access, exit only
Eastbound: No exit, access only

Junction 21
Westbound: No exit, access only
Eastbound: No access, exit only

Junction 22
Westbound: No access, exit to M77 only
Eastbound: No exit, access from M77 only

Junction 23
Westbound: No access, exit to B768 only
Eastbound: No exit, access from B768 only

Junction 25
Westbound and Eastbound:
Exit to A739 Northbound only
Access from A739 Southbound only

Junction 25a
Eastbound: Access only
Westbound: Exit only

Junction 28
Westbound: no access, exit to airport only
Eastbound: no exit, access from airport only

M9

Junction 2
Northbound: No exit, access from B8046 only
Southbound: No access, exit to B8046 only

Junction 3
Northbound: No access, exit to A803 only
Southbound: No exit, access from A803 only

Junction 6
Northbound: No exit, access only
Southbound: No access, exit to A905 only

Junction 8
Northbound: No access, exit to M876 only
Southbound: No exit, access from M876 only

Junction with A90
Northbound: Exit onto A90 westbound only
Southbound: Access from A90 eastbound only

M11

Junction 4
Northbound: No exit, access from A406
Eastbound only
Southbound: No access, exit to A406
Westbound only

Junction 5
Northbound: No access, exit to A1168 only
Southbound: No exit, access from A1168 only

Junction 8a
Northbound: No access, exit only
Southbound: No exit, access only

Junction 9
Northbound: No access, exit only
Southbound: No exit, access only

Junction 13
Northbound: No access, exit only
Southbound: No exit, access only

Junction 14
Northbound: No access from A428 Eastbound
No exit to A428 Westbound
Southbound: No exit, access from A428
Eastbound only

M20

Junction 2
Eastbound: No access, exit to A20 only
(access via M26 Junction 2a)
Westbound: No exit, access only
(exit via M26 Junction 2a)

Junction 3
Eastbound: No exit, access from M26
Westbound only
Westbound: No access, exit to M26
Westbound only

Junction 11a
Westbound: No exit to Channel Tunnel
Eastbound: No access from Channel Tunnel

M23

Junction 7
Southbound: No access from A23 Northbound
Northbound: No exit to A23 Southbound

Junction 10a
Northbound: No access, exit only
Southbound: No access, exit only

M25

Junction 5
Clockwise: No exit to M26 Eastbound
Anti-clockwise: No access from M26
Westbound

Spur to A21
Southbound: No access from M26 Westbound
Northbound: No exit to M26 Eastbound

Junction 19
Clockwise: No access exit only
Anti-clockwise: No exit access only

Junction 21
Clockwise and Anti-clockwise:
No exit to M1 Southbound
No access from M1 Northbound

Junction 31
Southbound: No exit access only
(exit via Junction 30)
Northbound: No access exit only
(access via Junction 30)

M26

Junction with M25 (M25 Junc. 5)
Westbound: No exit to M25 anti-clockwise
or spur to A21 Southbound
Eastbound: No access from M25 clockwise
or spur from A21 Northbound

Junction with M20 (M20 Junc. 3)
Eastbound: No exit to M20 Westbound
Westbound: No access from M20 Eastbound

M27

Junction 4
Eastbound and Westbound: No exit to A33
Southbound (Southampton)
No access from A33 Northbound

Junction 10
Eastbound: No exit, access from A32 only
Westbound: No access, exit to A32 only

M40

Junction 3
North-Westbound: No access,
exit to A40 only
South-Eastbound: No exit,
access from A40 only

Junction 7
South-Eastbound: No exit, access only
North-Westbound: No access, exit only

Junction 13
South-Eastbound: No exit, access only
North-Westbound: No access, exit only

Junction 14
South-Eastbound: No access, exit only
North-Westbound: No exit, access only

Junction 16
South-Eastbound: No exit, access only
North-Westbound: No access, exit only

M42

Junction 1
Eastbound: No exit
Westbound: No access

Junction 7
Northbound: No access, exit to M6 only
Southbound: No exit, access from M6
Northbound only

Junction 8
Northbound: No exit, access from M6
Southbound only
Southbound: Exit to M6 Northbound only
Access from M6 Southbound only

M45

Junction with M1 (M1 Junc. 17)
Eastbound: No exit to M1 Northbound
Westbound: No access from M1 Southbound

**Junction with A45 east
of Dunchurch**
Eastbound: No access, exit to A45 only
Westbound: No exit, access from A45
Northbound only

M48

Junction with M4 (M4 Junc. 21)
Westbound: No access from M4 Eastbound
Eastbound: No exit to M4 Westbound

Junction with M4 (M4 Junc. 23)
Westbound: No exit to M4 Eastbound
Eastbound: No access from M4 Westbound

M53

Junction 11
Southbound and Northbound: No access from
M56 Eastbound, no exit to M56 Westbound

M56

Junction 1
Westbound: No access from M60
South-Eastbound
No access from A34 Northbound
Eastbound: No exit to M60 North-Westbound
No exit to A34 Southbound

Junction 2
Westbound: No access, exit to A560 only
Eastbound: No exit, access from A560 only

Junction 3
Westbound: No exit, access only
Eastbound: No access, exit only

Junction 4
Westbound: No access, exit only
Eastbound: No exit, access only

Junction 7
Westbound: No exit, access only

Junction 8
Westbound: No exit, access from A556 only
Eastbound: No access or exit

Junction 9
Westbound: No exit to M6 Southbound
Eastbound: No access from M6 Northbound

Junction 15
Westbound: No access from M53
Eastbound: No exit to M53

M57

Junction 3
Northbound: No exit, access only
Southbound: No access, exit only

Junction 5
Northbound: No exit, access from A580
Westbound only
Southbound: No access, exit to A580
Eastbound only

M58

Junction 1
Eastbound: No exit, access from A506 only
Westbound: No access, exit to A506 only

M60

Junction 2
Nth.-Eastbound: No access, exit to A560 only
Sth.-Westbound: No exit,
access from A560 only

Junction 3
Westbound: No exit to A34 Northbound
Eastbound: No access from A34 Southbound

Junction 4
Westbound: No access from A34 Southbound
No access from M56 Eastbound
Eastbound: No exit to M56 South-Westbound
No exit to A34 Northbound

Junction 5
South-Eastbound: No access from or exit to
A5103 Northbound
North-Westbound: No access from or exit to
A5103 Southbound

Junction 14
Eastbound: No exit to A580
No access from A580 Westbound
Westbound: No exit to A580 Eastbound
No access from A580

Junction 16
Eastbound: No exit, access from A666 only
Westbound: No access, exit to A666 only

Junction 20
Eastbound: No access from A664
Westbound: No exit to A664

Junction 22
Westbound: No access from A62

Junction 25
South-Westbound:
No access from A560/A6017

Junction 26
North-Eastbound: No access or exit

Junction 27
North-Eastbound: No access, exit only
South-Westbound: No exit, access only

M61

Junctions 2 and 3
North-Westbound:
No access from A580 Eastbound
Sth.-Eastbound: No exit to A580 Westbound
Junction with M6 (M6 Junc. 30)
North-Westbound:
No exit to M6 Southbound
South-Eastbound:
No access from M6 Northbound

M62

Junction 23
Eastbound: No access, exit to A640 only
Westbound: No exit, access from A640 only

M65

Junction 9
Nth.-Eastbound: No access, exit to A679 only
Sth.-Westbound:
No exit, access from A679 only

Junction 11
North-Eastbound: No exit, access only
South-Westbound: No access, exit only

M66

Junction 1
Southbound: No exit, access from A56 only
Northbound: No access, exit to A56 only

M67

Junction 1
Eastbound: Access from A57 Eastbound only
Westbound: Exit to A57 Westbound only

Junction 1a
Eastbound: No access, exit to A6017 only
Westbound: No exit, access from A6017 only

Junction 2
Eastbound: No exit, access from A57 only
Westbound: No access, exit to A57 only

M69

Junction 2
North-Eastbound:
No exit, access from B4669 only
South-Westbound:
No access, exit to B4669 only

M73

Junction 1
Southbound: No exit to A74 Eastbound

Junction 2
Northbound: No access from M8 Eastbound
No exit to A89 Eastbound
Southbound: No exit to M8 Westbound
No access from A89 Westbound

Junction 3
Northbound: No exit to A80 South-Westbound
Southbound:
No access from A80 North-Eastbound

M74

Junction 1
Eastbound: No access from M8 Westbound
Westbound: No exit to M8 Westbound

Junction 3
Eastbound: No exit
Westbound: No access

Junction 3a
Eastbound: No access
Westbound: No exit

Junction 7
Southbound: No access, exit to A72 only
Northbound: No exit, access from A72 only

Junction 9
Southbound: No access, exit to B7078 only
Northbound: No access or exit

Junction 10
Southbound: No access, access from B7078 only

Junction 11
Southbound: No access, exit to B7078 only
Northbound: No access, access from B7078 only

Junction 12
Southbound: No exit, access from A70 only
Northbound: No access, exit to A70 only

M77

Junction with M8 (M8 Junc. 22)
Southbound: No access from M8 Eastbound
Northbound: No exit to M8 Westbound

Junction 4
Southbound: No access
Northbound: No exit

Junction 6
Southbound: No access from A77
Northbound: No exit to A77

Junction 7
Northbound: No access from A77
No exit to A77

M80

Junction 1
Northbound: No access from M8 Westbound
Southbound: No exit to M8 Eastbound

M62 (continued column 3)

Junction 4a
Northbound: No access
Southbound: No exit

Junction 6a
Northbound: No exit
Southbound: No access

Junction 8
Northbound: No access from M876
Southbound: No exit to M876

M90

Junction 2a
Northbound: No access, exit to A92 only
Southbound: No access, access from A92 only

Junction 7
Northbound: No exit, access from A91 only
Southbound: No access, exit to A91 only

Junction 8
Northbound: No access, exit to A91 only
Southbound: No exit, access from A91 only

Junction 10
Northbound: No access from A912
Exit to A912 Northbound only
Southbound: No exit to A912
Access from A912 Southbound only

M180

Junction 1
Eastbound: No access, exit only
Westbound: No exit, access from A18 only

M606

Junction 2
Northbound: No access, exit only

M621

Junction 2a
Eastbound: No exit, access only
Westbound: No access, exit only

Junction 4
Southbound: No exit

Junction 5
Northbound: No access, exit to A61 only
Southbound: No exit, access from A61 only

Junction 6
Northbound: No exit, access only
Southbound: No access, exit only

Junction 7
Westbound: No exit, access only
Eastbound: No access, exit only

Junction 8
Northbound: No exit, access only
Southbound: No exit, access only

M876

Junction with M80 (M80 Junc. 5)
North-Eastbound:
No access from M80 Southbound
South-Westbound: No exit to M80 Northbound
Junction with M9 (M9 Junc. 8)
North-Eastbound: No exit to M9 Northbound
South-Westbound:
No access from M9 Southbound

A1(M) (Hertfordshire Section)

Junction 2
Southbound: No exit, access from A1001 only
Northbound: No access, exit only

Junction 3
Southbound: No access, exit only

Junction 5
Northbound: No exit, access only
Southbound: No access or exit

A1(M) (Cambridgeshire Section)

Junction 13a
Northbound: No exit to B1043
Southbound: No access from B1043

Junction 14
Northbound: No exit, access only
Southbound: No access, exit only

A1(M) (Leeds Section)

Junction 40
Southbound: Exit to A1 Southbound only

Junction 43
Northbound: Access from M1 Eastbound only
Southbound: Exit to M1 Westbound only

A1(M) (Durham Section)

Junction 57
Northbound: No access,
exit to A66(M) only
Southbound: No exit, access from A66(M)

Junction 65
Northbound: Exit to A1 North-Westbound,
and to A194(M) only
Southbound: Access from A1 South-Eastbound,
and from A194(M) only

A3(M)

Junction 4
Northbound: No access, exit only
Southbound: No exit, access only

A38(M) Aston Expressway

Junction with Victoria Road, Aston
Northbound: No access, exit only
Southbound: No access, exit only

A48(M)

Junction with M4 (M4 Junc. 29)
South-Westbound: access from M4 Westbound
North-Eastbound: exit to M4 Eastbound only

Junction 29a
South-Westbound: Exit to A48 Westbound only
North-Eastbound:
Access from A48 Eastbound only

A57(M) Mancunian Way

Junction with A34 Brook Street, Manchester
Eastbound: No access, exit to A34 Brook Street
Southbound only
Westbound: No exit, access only

A58(M) Leeds Inner Ring Road

Junction with Park Lane/ Westgate
Southbound: No access, exit only

A64(M) Leeds Inner Ring Road (Continuation of A58(M))

Junction with A58 Clay Pit Lane
Eastbound: No Access
Westbound: No exit

A66(M)

Junction with A1(M) (A1(M) Junc. 57)
South-Westbound:
Exit to A1(M) Southbound only
North-Eastbound:
Access from A1(M) Northbound only

A74(M)

Junction 18
Northbound: No access
Southbound: No exit

A167(M) Newcastle Central Motorway

Junction with Camden Street
Northbound: No exit, access only
Southbound: No access or exit

A194(M)

Junction with A1(M) (A1(M) Junc. 65) and A1 Gateshead Western By-Pass
Southbound: Exit to A1(M) only
Northbound: Access from A1(M) only

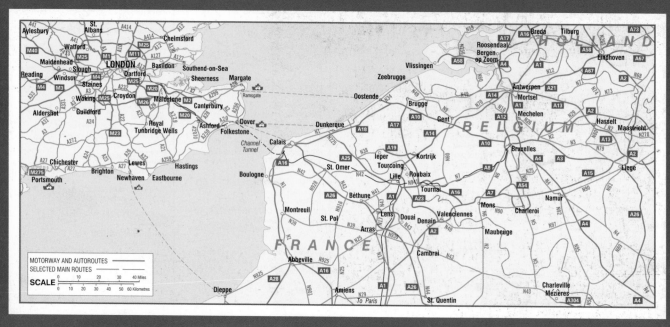

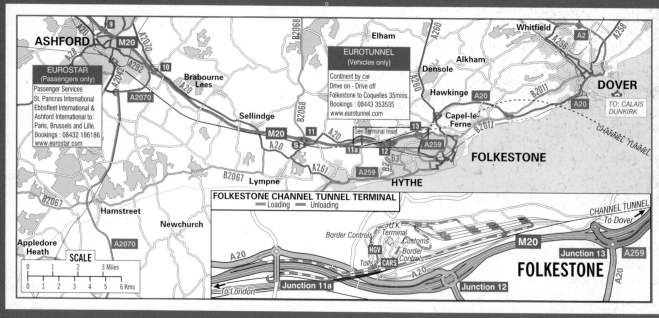

FOLKESTONE CHANNEL TUNNEL TERMINAL

EUROSTAR
(Passengers only)
Passenger Services
St. Pancras International
Ebbsfleet International &
Ashford International to:
Paris, Brussels and Lille.
Bookings : 08432 186186
www.eurostar.com

EUROTUNNEL
(Vehicles only)
Continent by car
Drive on - Drive off
Folkestone to Coquelles 35mins.
Bookings : 08443 353535
www.eurotunnel.com

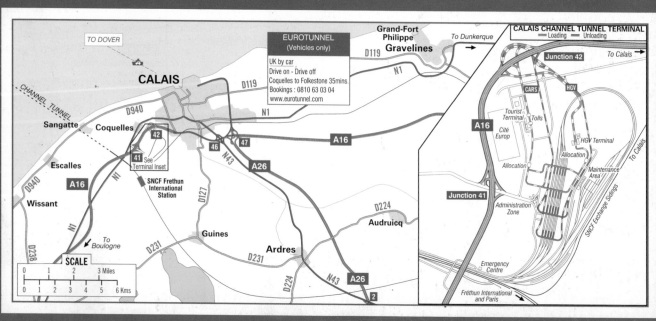

CALAIS CHANNEL TUNNEL TERMINAL

EUROTUNNEL
(Vehicles only)
UK by car
Drive on - Drive off
Coquelles to Folkestone 35mins.
Bookings : 0810 63 03 04
www.eurotunnel.com